U0139953

中 华 国 学 文 库

庄 子 集 释

〔清〕郭庆藩 撰

王孝鱼 点校

中 华 书 局

图书在版编目(CIP)数据

庄子集释/(清)郭庆藩撰;王孝鱼点校.—北京:中华书局,
2013.3(2023.8 重印)
(中华国学文库)
ISBN 978-7-101-09151-9

Ⅰ.庄… Ⅱ.①郭…②王… Ⅲ.①道家②《庄子》-注释
Ⅳ.B223.52

中国版本图书馆 CIP 数据核字(2013)第 003283 号

书　　名	庄子集释	
撰　　者	〔清〕郭庆藩	
点 校 者	王孝鱼	
丛 书 名	中华国学文库	
责任编辑	张　巍	
责任印制	管　斌	
出版发行	中华书局	
	(北京市丰台区太平桥西里 38 号　100073)	
	http://www.zhbc.com.cn	
	E-mail:zhbc@zhbc.com.cn	
印　　刷	河北新华第一印刷有限责任公司	
版　　次	2013 年 3 月第 1 版	
	2023 年 8 月第 9 次印刷	
规　　格	开本/880×1230 毫米　1/32	
	印张 31⅛　插页 2　字数 699 千字	
印　　数	27501-29500 册	
国际书号	ISBN 978-7-101-09151-9	
定　　价	98.00 元	

中华国学文库出版缘起

《中华国学文库》的出版缘起，要从九十年前说起。

1920 年，中华书局在创办人陆费伯鸿先生的主持下，开始编纂《四部备要》。这套汇集三百三十六种典籍的大型丛书，精选经史子集的"最要之书"，校订成"通行善本"，以精雅的仿宋体铅字排印。一经推出，即以其选目实用、文字准确、品相精美、价格低廉的鲜明特点，最大限度地满足了国人研治学问、阅读典籍的需要，广受欢迎。丛书中的许多品种，至今仍为常用之书。

新中国成立之后，党和国家倡导系统整理中国传统文献典籍。六十馀年来，在新的学术理念和新的整理方法的指导下，数千种古籍得到了系统整理，并涌现出许多精校精注整理本，已成为超越前代的新善本，为学界所必备。

同时，随着中华民族以前所未有的自信快速发展，全社会对中国固有的学术文化——国学，也表现出前所未有的关注和重视。让中华文化的优秀成果得到继承和创新，并在世界范围内进行传播和弘扬，普惠全人类，已经成为中华民族的历史使命。当此之时，符合当代国民阅读需要的权威的国学经典读本的出现，实为当务之急。于是,《中华国学文库》应运而生。

《中华国学文库》是我们追慕前贤、服务当代的产物,因此,它自当具备以下三个基本特点:

一、《文库》所选均为中国学术文化的"最要之书"。举凡哲学、历史、文学、宗教、科学、艺术等各类基本典籍,只要是公认的国学经典,皆在此列。

二、《文库》所选均为代表当代最新学术水平的"最善之本",即经过精校精注的最有品质的整理本。其中既有传统旧注本的点校整理本,如朱熹《四书章句集注》,也有获得学界定评的新校新注本,如余嘉锡《世说新语笺疏》。总之,不以新旧为别,惟以善本是求。

三、《文库》所选均以新式标点、简体横排刊印。中国古籍向以繁体竖排为标准样式。时至当代,繁体竖排的标准古籍整理方式仍通行于学术界,但绝大多数国人早已习惯于现代通行的简体横排的图书样式。《文库》作为服务当代公众的国学读本,标准简体字横排本自当是恰当的选择。

《中华国学文库》将逐年分辑出版,每辑十种,一次推出;期以十年,以毕其功。在此,我们诚挚希望得到学术界、出版界同仁的襄助和广大读者的支持。

中华书局自 1912 年成立,至今已近百岁。我们将《中华国学文库》当作向中华书局百年诞辰敬献的一份贺礼,更是向致力于中华民族和平崛起、实现复兴大业的全国人民敬献的一份厚礼。我们自当努力,让《中华国学文库》当得起这份重任,这份荣誉。

中华书局编辑部
2010 年 12 月

庄子集释目录

内　篇

外 篇

杂 篇

庄子集释序

　　郭君子瀊为庄子集释成，以授先谦读之，而其年适有东夷之乱，作而叹曰：庄子其有不得已于中乎！夫其遭世否塞，拯之末由，神彷徨乎冯闳，验小大之无垠，究天地之终始，惧然而为是言也。

　　驺衍曰："儒者所谓中国，于天下乃八十一分居其一分耳。赤县神州外自有九州，裨海环之，大瀛海环其外。"惠施曰："我知天下之中央，燕之北、越之南是也。"而庄子称之，亦言儵与忽凿混沌死，其说若豫睹将来而推厥终极，亦异人矣哉！

　　子贡为挈水之槔，而汉阴丈人笑之。今之机械机事，倍于槔者相万也。使庄子见之，奈何？蛮触氏争地于蜗角，伏尸数万，逐北旬日。今之蛮触氏不知其几也，而庄子奈何？

　　是故以黄帝为君而有蚩尤，以尧为君而有丛枝、宗、

1

脍、胥敖。黄帝、尧非好事也,然而欲虚其国,刑其人,其不能以虚静治,决矣。彼庄子者,求其术而不得,将遂独立于寥阔之野,以幸全其身而乐其生,乌足及天下!

且其书尝暴著于后矣。晋演为玄学,无解于胡羯之氛;唐尊为真经,无救于安史之祸。徒以药世主淫侈,澹末俗利欲,庶有一二之助焉。

而其文又绝奇,郭君爱翫之不已,因有集释之作,附之以文,益之以博。使庄子见之,得毋曰"此犹吾之糟粕"乎?虽然,无迹奚以测履,无糟粕奚以观于古美矣!郭君于是书为副墨之子,将群天下为洛诵之孙已夫!

光绪二十年岁次甲午冬十二月,长沙愚弟王先谦谨撰。

庄 子 序

河南郭象子玄撰

夫庄子者，可谓知本矣，故未始藏其狂言，言虽无会而独应者也。夫应而非会，则虽当无用；言非物事，则虽高不行；与夫寂然不动，不得已而后起者，固有间矣，斯可谓知无心者也。夫心无为，则随感而应，应随其时，言唯谨尔。故与化为体，流万代而冥物，岂曾设对独遘而游谈乎方外哉！此其所以不经而为百家之冠也。

然庄生虽未体之，言则至矣。通天地之统，序万物之性，达死生之变，而明内圣外王之道，上知造物无物，下知有物之自造也。其言宏绰，其旨玄妙。至至之道，融微旨雅；泰然遣放，放而不敖。故曰不知义之所适，猖狂妄行而蹈其大方；含哺而熙乎澹泊，鼓腹而游乎混芒[①]。至（人）〔仁〕[②]极乎无亲，孝慈终于兼忘，礼乐复乎已能，忠信发乎天光。用其光则其朴自成，是以神器独化于玄冥之境而源流深长[③]也。

故其长波之所荡,高风之所扇,畅乎物宜,适乎民愿。弘其鄙,解其悬,洒落之功未加,而矜夸所以散。故观其书,超然自以为已当,经昆仑,涉太虚,而游惚恍之庭矣。虽复贪婪之人,进躁之士,暂而揽其馀芳,味其溢流,仿佛其音影,犹足旷然有忘形自得之怀,况探其远情而玩永年者乎! 遂绵邈清遐,去离尘埃而返冥极者也。

〔校〕①芒字宋赵谏议本作茫。②仁字依古逸丛书覆宋本改。③源流深长赵谏议本作源深流长。

经典释文序录

唐陆德明撰

庄 子

庄子者，姓庄，名周，（太史公云：字子休。）梁国蒙县人也。六国时，为漆园吏，与魏惠王、齐宣王、楚威王同时，（李颐云：与齐愍王同时。）齐楚尝聘以为相，不应。时人皆尚游说，庄生独高尚其事，优游自得，依老氏之旨，著书十馀万言，以逍遥自然无为齐物而已；大抵皆寓言，归之于理，不可案文责也。

然庄生弘才命世，辞趣华深，正言若反，故莫能畅其弘致；后人增足，渐失其真。故郭子玄云："一曲之才，妄窜奇说，若阏弈、意修之首，危言、游凫、子胥之篇，凡诸巧杂，十分有三。"汉书艺文志"庄子五十二篇"，即司马彪、孟氏所注是也。言多诡诞，或似山海经，或类占梦书，故注者以意去取。其内篇众家并同，自馀或有外而无杂。惟子玄所

注,特会庄生之旨,故为世所贵。徐仙民、李弘范作音,皆
依郭本。今以郭为主。

崔譔注十卷,二十七篇。(清河人,晋议郎。内篇七,外篇
　　二十。)

向秀注二十卷,二十六篇。(一作二十七篇,一作二十八
　　篇,亦无杂篇。为音三卷。)

司马彪注二十一卷,五十二篇。(字绍统,河内人,晋秘书
　　监。内篇七,外篇二十八,杂篇十四,解说三。为音三
　　卷。)

郭象注三十三卷,三十三篇。(字子玄,河内人,晋太傅主
　　簿。内篇七,外篇十五,杂篇十一。为音三卷。)

李颐集解三十卷,三十篇。(字景真,颍川襄城人,晋丞相
　　参军,自号玄道子。一作三十五篇。为音一卷。)

孟氏注十八卷,五十二篇。(不详何人。)

王叔之义疏三卷。(字穆□,琅邪人,宋处士。亦作注。)

李轨音一卷。

徐邈音三卷。

庄 子 序

唐西华法师成玄英撰

夫庄子者,所以申道德之深根,述重玄之妙旨,畅无为之恬淡,明独化之窅冥,钳揵九流,括囊百氏,谅区中之至教,实象外之微言者也。

其人姓庄,名周,字子休,生宋国睢阳蒙县,师长桑公子,受号南华仙人。当战国之初,降(襄)〔衰〕周之末,叹苍生之业薄,伤道德之陵夷,乃慷慨发愤,爰著斯论。其言大而博,其旨深而远,非下士之所闻,岂浅识之能究!

所言子者,是有德之嘉号,古人称师曰子。亦言子是书名,非但三篇之总名,亦是百家之通题。所言内篇者,内以待外立名,篇以编简为义。古者杀青为简,以韦为编。编简成篇,犹今连纸成卷也。故元恺云:"大事书之于策,小事简牍而已。"内则谈于理本,外则语其事迹。事虽彰著,非理不通;理既幽微,非事莫显;欲先明妙理,故前标内篇。内篇理深,故每于文外别立篇目,郭象仍于题下即注解之,逍遥、齐物之类是也。自外篇以去,则取篇首二字为其题目,骈拇、马蹄之类是也。

所言逍遥游者,古今解释不同。今泛举纮纲,略为三释。所言三者:

第一,顾桐柏云:"逍者,销也;遥者,远也。销尽有为累,远见无为理。以斯而游,故曰逍遥。"

第二,支道林云:"物物而不物于物,故逍然不我待;玄感不疾而速,故遥然靡所不为。以斯而游天下,故曰逍遥游。"

第三,穆夜云:"逍遥者,盖是放狂自得之名也。至德内充,无时不适;忘怀应物,何往不通! 以斯而游天下,故曰逍遥游。"

内篇明于理本,外篇语其事迹,杂篇杂明于理事。内篇虽明理本,不无事迹;外篇虽明事迹,甚有妙理。但立教分篇,据多论耳。

所以逍遥建初者,言达道之士,智德明敏,所造皆适,遇物逍遥,故以逍遥命物。夫无待圣人,照机若镜,既明权实之二智,故能大齐于万境,故以齐物次之。既指马(蹄)①天地,混同庶物,心灵凝澹,可以摄卫养生,故以养生主次之。既善恶两忘,境智俱妙,随变任化,可以处涉人间,故以人间世次之。内德圆满,故能支离其德,外以接物,既而随物升降,内外冥契,故以德充符次之。止水流鉴,接物无心,忘德忘形,契外会内之极,可以匠成庶品,故以大宗师

庄子集释

次之。古之真圣,知天知人,与造化同功,即寂即应,既而驱驭群品,故以应帝王次之。骈拇以下,皆以篇首二字为题,既无别义,今不复次篇也。

而自古高士,晋汉逸人,皆莫不耽翫,为之义训;虽注述无可间,然并有美辞,咸能索隐。玄英不揆庸昧,少而习焉,研精覃思三十矣。依子玄所注三十篇,辄为疏解,总三十卷。虽复词情疏拙,亦颇有心迹指归;不敢贻厥后人,聊自记其遗忘耳。

〔校〕①蹄字覆宋本亦误衍,依齐物论篇"天地一指也,万物一马也"义删。

庄子集释卷一上

内篇〔一〕 逍遥游第一〔二〕

〔一〕【释文】〔"内篇①"〕内者,对外立名。说文:篇,书也。字从竹;
从艸者草名耳,非也。

〔二〕【注】夫小大虽殊,而放于自得之场,则物任其性,事称其能,
各②当其分,逍遥一也,岂容胜负于其间哉!○庆藩案,<u>刘义庆</u>
<u>世说新语文学类</u>云:<u>庄子逍遥篇</u>,旧是难处;诸名贤所可钻味,
而不能拔理于<u>郭向</u>之外。<u>支道林</u>在<u>白马寺</u>中,将<u>冯太常</u>共语,因
及<u>逍遥</u>。<u>支</u>卓然标新理于二家之表,立异义于众贤之外,皆是诸
名贤寻味之所不得,后遂用<u>支</u>理。<u>刘孝标</u>注云:<u>向子期</u>、<u>郭子玄</u>
<u>逍遥义</u>曰:"夫大鹏之上九万,尺鷃之起榆枋,小大虽差,各任其
性,苟当其分,逍遥一也。然物之芸芸,同资有待,得其所待,然
后逍遥耳。唯圣人与物冥而循大变,为能无待而常通。岂独自
通而已!又从有待者不失其所待,不失则同于大通矣。"<u>支氏逍</u>
<u>遥论</u>曰:"夫逍遥者,明至人之心也。<u>庄生</u>建言大道,而寄指鹏
鷃。鹏以营生之路旷,故失适于体外;鷃以在近而笑远,有矜伐
于心内。至人乘天正而高兴,游无穷于放浪。物物而不物于

物,则遥然不我得;玄感不为,不疾而速,则迢然靡不适。此所以为逍遥也。若夫有欲当其所足,足于所足,快然有似天真,犹饥者一饱,渴者一盈,岂忘烝尝于糗粮,绝觞爵于醪醴哉!苟非至足,岂所以逍遥乎!"此向郭之注所未尽。 【释文】"逍"音销,亦作消。"遥"如字,亦作摇。○庆藩案,逍遥二字,说文不收,作消摇者是也。礼檀弓消摇于门,汉书司马相如传消摇乎襄羊,京山引太玄翕首虽欲消摇,天不之兹,汉开母石阙则文耀以消摇,文选宋玉九辩聊消摇以相羊,后汉东平宪王苍传消摇相羊,字并从水作消,从手作摇。唐释湛然止观辅行传弘诀引王瞀夜云:消摇者,调畅逸豫之意。夫至理内足,无时不适;止怀应物,何往不通。以斯而游天下,故曰消摇。又曰:理无幽隐,消然而当,形无钜细,摇然而通,故曰消摇。解消摇义,视诸儒为长。"遊"如字。亦作游。逍遥遊者,篇名,义取闲放不拘,怡适自得。○庆藩案,家世父侍郎公曰:天下篇庄子自言其道术充实不可以已,上与造物者游。首篇曰逍遥游者,庄子用其无端崖之词以自喻也。注谓小大虽殊,逍遥一也,似失庄子之旨。○又案,文选潘安仁秋兴赋注引司马彪云:言逍遥无为者能游大道也。释文阙。"夫小大"音符。"之场"直良反。"事称"尺證反。"各当"丁浪反。"其分"符问反。

〔校〕①依通志堂本经典释文补。②各字宋赵谏议本作名。

2

　　北冥有鱼,其名为鲲。鲲之大,不知其几千里也〔一〕。化而为鸟,其名为鹏〔二〕。鹏之背,不知其几千里也;怒而飞,其翼若垂天之云〔三〕。是鸟也,海运则将徙于南冥。南冥者,天池也〔四〕。

〔一〕【疏】溟，犹海也，取其溟漠无涯，故(为)〔谓〕①之溟。东方朔十洲记云：溟海无风而洪波百丈。巨海之内，有此大鱼。欲明物性自然，故标为章首。玄中记云：东方有大鱼焉，行者一日过鱼头，七日过鱼尾；产三日，碧海为之变红。故知大物生于大处，岂独北溟而已。【释文】"北冥"本亦作溟，觅经反，北海也。嵇康云：取其溟漠无涯也。梁简文帝云：窅冥无极，故谓之冥。东方朔十洲记云：水黑色谓之冥海，无风洪波百丈。○庆藩案，慧琳一切经音义三十一大乘入楞伽经卷二引司马云：溟，谓南北极也。去日月远，故以溟为名也。释文阙。"鲲"徐音昆，李侯温反。大鱼名也。崔譔云：鲲当为鲸，简文同。○庆藩案，方以智曰：鲲本小鱼之名，庄子用为大鱼之名。其说是也。尔雅释鱼：鲲，鱼子。凡鱼之子名鲲。鲁语鱼禁鲲鲕，韦昭注：鲲，鱼子也。张衡(东)〔西〕②京赋摷鲲鲕，薛综注：鲲，鱼子也。说文无鲲篆。段玉裁曰：鱼子未生者曰鲲。鲲即卵字，许慎作卝，古音读如关，亦读如昆。礼内则濡鱼卵酱，郑读卵若鲲。凡未出者曰卵，已出者曰子。鲲即鱼卵，故叔重以卝字包之。庄子谓绝大之鱼为鲲，此则齐物之寓言，所谓汪洋自恣以适己者也。释文引李颐云鲲，大鱼名也，崔譔、简文并云鲲当为鲸，皆失之。"其几"居岂反。下同。

〔二〕【注】鹏鲲之实，吾所未详也。夫庄子之大意，在乎逍遥游放，无为而自得，故极小大之致以明性分之适。达观之士，宜要其会归而遗其所寄，不足事事曲与生说。自不害其弘旨，皆可略之耳。【疏】夫四序风驰，三光电卷，是以负山岳而舍故，扬舟壑以趋新。故化鱼为鸟，欲明变化之大理也。【释文】"鹏"步登反。徐音朋。郭甫登反。崔音凤，云：鹏即古凤字，非来仪之凤也。说文云:朋及鹏,皆古文凤字也。朋鸟象形。凤飞,群鸟从以万数,故以朋为朋党字。字林云:鹏,朋党也,古以为凤字。○卢文弨曰:以朋旧作以鹏,今案文义(政)〔改〕正。○庆藩案,广川书跋宝龢钟铭、通雅四十五并引司马云:鹏者凤也。释文阙。"夫庄"音符,发句之端皆同。"性分"符问反。下皆同。"达观"古乱反。"宜要"一遥反。

〔三〕【疏】鱼论其大,以表头尾难知;鸟言其背,亦示修短叵测。故下文云未有知其修者也。鼓怒翅翼,奋迅毛衣,既欲抟风,方将击水。遂乃断绝云气,背负青天,骞翥翱翔,凌摩霄汉,垂阴布影,若天涯之降行云也。 【释文】"垂天之云"司马彪云:若云垂天旁。崔云:垂,犹边也,其大如天一面云也。

〔四〕【注】非冥海不足以运其身,非九万里不足以负其翼。此岂好奇哉? 直以大物必自生于大处,大处亦必自生此大物,理固自然,不患其失,又何厝心于其间哉。 【疏】运,转也。是,指斥也,即此。鹏鸟其形重大,若不海中运转,无以自致高升,皆不得不然,非乐然也。且形既迁革,情亦随变。昔日为鱼,涵泳北海;今时作鸟,腾骞南溟;虽复升沉性殊,逍遥一也。亦犹死生聚散,所遇斯适,千变万化,未始非吾。所以化鱼为鸟,自北徂南者,鸟是凌虚之物,南即启明之方;鱼乃滞溺之虫,北盖幽冥之地;欲表向明背暗,舍滞求进,故举南北鸟鱼以示为道之径耳。而大海洪川,原夫造化,非人所作,故曰天池也。 【释文】"海运"司马云:运,转也。向秀云:非海不行,故曰海运。简文云:运,徙也。○庆藩案,玉篇:运,行也。浑天仪云:天运如车毂,谓天之行不息也。此运字亦当训行。庄子言鹏之运行不息于海,则将徙天池而休息矣。(说文:徙,移也。段注:乍行乍止而竟

庄子集释

4

止,则移其所矣。)下文引齐谐六月息之言可证。郭氏谓非冥海不足以运其身,释文引司马向秀之说,皆失之。"岂好"呼报反。下皆同。"大处"昌虑反。下同。"何厝"七故反。本又作措。○卢文弨曰:案说文:厝,厉石也;措,置也。俗多通用。今庄子注作措,与说文合。

〔校〕①为谓古多混用,今以义别。后不复出。②依文选改。

齐谐者,志怪者也。谐之言曰:"鹏之徙于南冥也,水击三千里,抟扶摇而上者九万里[一],去以六月息者也。[二]"野马也,尘埃也,生物之以息相吹也[三]。天之苍苍,其正色邪?其远而无所至极邪?其视下也,亦①若是则②已矣[四]。

〔一〕【注】夫翼大则难举,故抟扶摇而后能上,九万里乃足自③胜耳。既有斯翼,岂得决然而起,数仞而下哉!此皆不得不然,非乐然也。 【疏】姓齐,名谐,人姓名也。亦言书名也,齐国有此(徘)〔俳〕谐之书也。志,记也。击,打也。抟,斗也。扶摇,旋风也。齐谐所著之书,多记怪异之事,庄子引以为证,明己所说不虚。大鹏既将适南溟,不可决然而起,所以举击两翅,动荡三千,踉跄而行,方能离水。然后缭戾宛转,鼓怒徘徊,风气相扶,摇动而上。涂经九万,时隔半年,从容志满,方言憩止。适足而已,岂措情乎哉! 【释文】"齐谐"户皆反。司马及崔并云人姓名。简文云书。○俞樾曰:按下文谐之言曰,则当作人名为允。若是书名,不得但称谐。"志怪"志,记也。怪,异也。"水击"崔云:将飞举翼,击水踉跄也。踉,音亮。跄,音七亮反。"抟"徒端反。司马云:抟,飞而上也。一音博。崔云:拊翼徘徊而上也。○卢文弨曰:当云本一作搏,音博,陆氏于考工记之抟(揰)

〔埴〕④,亦云刘音博,不分别字体,非。○庆藩案,慧琳一切经音义七十二引司马云:击,犹动也。释文阙。又文选江文通杂体诗注引司马云:抟,圜也。扶摇,上行风也,圜飞而上行者若扶摇也。范彦龙古意赠王中书诗注引司马曰:抟,圜也。圜飞而上若扶摇也。张景阳七命注、御览九及九百二十七、初学记一并引司马曰:扶摇,上行风也。诸书所引,互有异同,与释文亦小异。○又案,说文:抟,以手圜之也。古借作专。汉书天文志骑气卑而布卒气抟,如淳注:抟,专也。集韵:抟,擅也,(擅亦有专义。)又曰:聚也。抟扶摇而上,言专聚风力而高举也。释文所引,未得抟字之义。"扶摇"徐音遥,风名也。司马云:上行风谓之扶摇。尔雅云:扶摇谓之飙。郭璞云:暴风从下上也。○卢文弨曰:从下上倒,今据尔雅注改正。"而上"时掌反。注同。"自胜"音升。下同。"决然"喜缺反。下同。"数仞"色主反。下同。"非乐"音岳,又五孝反。

〔二〕【注】夫大鸟一去半岁,至天池而息;小鸟一飞半朝,抢榆枋而止。此比所能则有间矣,其于适性一也。 【释文】"抢"七羊反。"枋"音方。○家世父曰:去以六月息,犹言乘长风也,与下时则不至而控于地对文。庄文多不能专于字句求之。⑤

〔三〕【注】此皆鹏之所冯以飞者耳。野马者,游气也。 【疏】尔雅云:邑外曰郊,郊外曰牧,牧外曰野。此言青春之时,阳气发动,遥望数泽之中,犹如奔马,故谓之野马也。扬土曰尘,尘之细者曰埃。天地之间,生物气息更相吹动以举于鹏者也。夫四生杂沓,万物参差,形性不同,资待宜异。故鹏鼓垂天之翼,托风气以逍遥;蜩张决起之翅,抢榆枋而自得。斯皆率性而动,禀之造化,非有情于遐迩,岂措意于骄矜!体斯趣者,于何而语夸企乎！　【释文】"野马"司马云：春月泽中游气也。崔云：天地间气如野马驰也。"尘埃"音哀。崔云：天地间气蓊郁似尘埃扬也。"相吹"如字。崔本作炊。○庆藩案，吹炊二字古通用。集韵：炊，爨动而升也。荀子仲尼篇可炊而境也，本书在宥篇从容无为而万物炊累焉，注并云：炊与吹同。○又案，庄生既言鹏之飞与息各适其性，又申言野马尘埃皆生物之以息相吹，盖喻鹏之纯任自然，亦犹野马尘埃之爨动而升，无成心也。郭氏谓鹏之所冯以飞者，疑误。"所冯"皮冰反。本亦作凭。○卢文弨曰：今注作凭，改正。

〔四〕【注】今观天之苍苍，竟未知便是天之正色邪，天之为远而无极邪。鹏之自上以视地，亦若人之自（此）〔地〕⑥视天，则止而图南矣⑦，言鹏不知道里之远近，趣足以自胜而逝。　【疏】仰视圆穹，甚为迢递，碧空高远，算数无穷，苍苍茫昧，岂天正色！然鹏处中天，人居下地，而鹏之俯视，不异人之仰观。人既不辨天之正色，鹏亦讵知地之远近！自胜取足，适至南溟，鹏之图度，止在于是矣。　【释文】"色邪"徐嗟反，助句不定之辞。后放此。○卢文弨曰：旧也嗟反，今据易释文正。

〔校〕①阙误云：文如海本亦作则。②阙误则作而。③赵谏议本足自作自足。④填字依考工记改。⑤以上三十八字，原误置上注文之下。⑥地字依续古逸丛书本改。⑦赵本无矣字。

且夫水之积也不厚，则其负大舟也无力。覆杯水于坳堂之上，则芥为之舟；置杯焉则胶，水浅而舟大也〔一〕。风之积也不厚，则其负大翼也无力。故九万里，则风斯在下矣〔二〕，而后乃今培风；背负青天而莫之夭阏者，而后乃今将图南〔三〕。

〔一〕【注】此皆明鹏之所以高飞者，翼大故耳。夫质小者所资不待大，则质大者所用不得小矣。故理有至分，物有定极，各足称事，其济一也。若乃失乎忘生之(主)〔生〕①而营生于至当之外，事不任力，动不称情，则虽垂天之翼不能无穷，决起之飞不能无困矣。　【疏】且者假借，是聊略之辞。夫者开发，在语之端绪。积，聚也。厚，深也。杯，小器也。坳，污陷也，谓堂庭坳陷之地也。芥，草也。胶，黏也。此起譬也。夫翻覆一杯之水于坳污堂地之间，将草叶为舟，则浮泛靡滞；若还用杯为舟，理必不可。何者？水浅舟大，则黏地不行故也。是以大舟必须深水，小芥不待洪流，苟其大小得宜，则物皆逍遥。　【释文】"且夫"音符。"覆"芳服反。"杯"崔本作盃。"坳堂"於交反，又乌了反，李又伊九反。崔云：堂道谓之坳。司马云：涂地令平。支遁云：谓有坳垤形也。"芥"吉迈反，徐古迈反，一音古黠反。李云：小草也。"则胶"徐、李古孝反，一音如字。崔云：胶，著地也。李云：黏也。"称事"尺證反。后同。"其济"子细反，本又作齐，如字。"之生"本亦作主字。"至当"丁浪反。后皆同。

〔二〕【疏】此合喻也。夫水不深厚，则大舟不可载浮；风不崇高，大翼无由凌霄汉。〔是〕②以小鸟半朝，决起(抢)〔枋〕③榆之上；大鹏九万，飘风鼓扇其下也。

〔三〕【注】夫所以乃今将图南者，非其好高而慕远也，风不积则夭阏不通故耳。此大鹏之逍遥也。　【疏】培，重也。夭，折也。阏，塞也。初赖扶摇，故能升翥；重积风吹，然后飞行。既而上负青天，下乘风脊，一凌霄汉，六月方止。网罗不逮，毕弋无侵，折塞之祸，于何而至！良由资待合宜，自致得所，逍遥南海，不亦宜乎！　【释文】"而后乃今培"音裴，重也。徐扶杯反，又父宰反，三音扶北反。本或作陪。○卢文弨曰：今本三作一，非。"风"绝句。○庆藩案，王念孙曰：培之言冯也。冯，乘也。（见周官冯相氏注。）风在鹏下，故言负；鹏在风上，故言冯。必九万里而后在风之上，在风之上而后能冯风，故曰而后乃今培风。若训培为重，则与上文了不相涉矣。冯与培，声相近，故义亦相通。汉书周缫传，更封缫为(删)〔郳〕④城侯，颜师古曰：(删)〔郳〕，吕忱音陪，而楚汉春秋作冯城侯。陪冯声相近，是其证也。（冯字古音在蒸部，陪字古音在之部。之部之音与蒸部相近，故陪冯声亦相近。说文曰：陪，满也。王注离骚曰：冯，满也。陪冯声相近，故皆训为满。文颖注汉书文帝纪曰：陪，辅也。张晏注百官公卿表曰：冯，辅也。说文曰：伂，辅也。陪冯伂，声并相近，故皆训为辅。说文曰：伂，从人，朋声，读若陪位。郳，从邑，崩声，读若陪。汉书王尊传南山群盗傰宗等，苏林曰：傰，音朋。晋灼曰：音倍。墨子尚贤篇守城则倍畔，非命篇倍作崩。皆其例也。）今案说文：培，益也。培风者，以风益大翼之力，助其高飞也。陆氏训重，未明，当从王氏为允。"背负青天"一读以背字属上句。"夭"於表反。司马云：折也。"阏"徐於葛反，一音遏。司马云：止也。李云：塞也。○庆藩案，文选刘孝标辨命论注引司马云：夭，折；阏，止；言无有夭止使不通者也。视释文所引为详。

〔校〕①生字依释文及世德堂本改。②是字依刘文典补正本补。③依下疏"小鸟决起榆枋"句改。④郳字依汉书改。

蜩与学鸠笑之曰："我决起而飞，(枪)〔抢〕①榆枋②，时则不至而控于地而已矣，奚以之九万里而南为？"〔一〕适莽苍者，三飡而反，腹犹果③然；适百里者，宿春粮；适千里者，三月聚粮〔二〕。之二虫又何知④〔三〕！

〔一〕【注】苟足于其性,则虽大鹏无以自贵于小鸟,小鸟无羡于天池,而荣愿有馀矣。故小大虽殊,逍遥一也。　【疏】蜩,蝉也,生七八月,紫青色,一名蜩蟟。鷽鸠,䳕鸠也,即今之班鸠是也。决,卒疾之貌。(枪)〔抢〕,集也,亦突也。枋,檀木也。控,投也,引也,穷也。奚,何也。之,适也。蜩鸠闻鹏鸟之弘大,资风水以高飞,故嗤彼形大而劬劳,欣我质小而逸豫。且腾跃不过数仞,突榆檀而栖集;时困不到前林,投地息而更起,逍遥适性,乐在其中。何须时经六月,途遥九万,跋涉辛苦,南适胡为! 以小笑大,夸企自息而不逍遥者,未之有也。　【释文】“蜩”音条。司马云:蝉。“学鸠”如字。一音於角反。本又作鸴,音同。本或作鷽,音预。崔云:学读为滑,滑鸠,一名滑雕。司马云:学鸠,小鸠也。李云:鹊雕也。毛诗草木疏云:鹊鸠,班鸠也。简文云:月令云鸣鸠拂其羽是也。○庆藩案,俞樾曰:释文曰:学,本或作鷽,音预。据文选江文通杂体诗鷽斯蒿下飞,李善注即以庄子此文说之。又引司马云:鷽鸠,小鸟。毛苌诗传曰:鷽斯,鹎居;鹎居,鸦乌也。音豫。然则李氏所据本固作鷽,不作学也。今释文引司马云,学鸠,小鸠也,此经后人窜改,非其原文矣。今案释文,学(亦或)〔本又〕作鸴。说文:鸴,鷽鸴,山鹊,知来事鸟,或作雤。尔雅释鸟:鸴,山鹊。作学者,盖鸴假借字。鸠为五鸠之总名,鸴、鸠当是两物,释文引诸说似未分晓。“我决”向、徐喜缺反,李呼穴反。李颐云:疾貌。“(枪)〔抢〕”七良反。司马、李云:犹集也。崔云:著也。支遁云:(枪)〔抢〕,突也。○俞樾曰:王氏引之经传释词曰:则,犹或也。引史记陈丞相世家则恐后悔为证。此文则字亦当训为或。“榆”徐音逾,木名也。“枋”徐音方。李云:檀木也。崔云:本也。或曰:木名。○卢文弨曰:

今本作崔云木也,与下复,系字误。"控"苦贡反。司马云:投
也。又云引也。崔云:叩也。○俞樾曰:而字下当有图字。上文
而后乃今将图南,此即承上文而言也。文选注引此,正作奚以之
九万里而图南为。

〔二〕【注】所适弥远,则聚粮弥多,故其翼弥大,则积气弥厚也。

【疏】适,往也。莽苍,郊野之色,遥望之不甚分明也。果然,饱
貌也。往于郊野,来去三食,路既非遥,腹犹充饱。百里之行,
路程稍远,春捣粮食,为一宿之借。适于千里之途,路既迢遥,
聚积三月之粮,方充往来之食。故郭注云,所适弥远,则聚粮弥
多,故其翼弥大,则积气弥厚者也。　【释文】"莽"莫浪反,或莫
郎反。"苍"七荡反,或如字。司马云:莽苍,近郊之色也。李
云:近野也。支遁云:冢间也。崔云:草野之色。"三湌"七丹
反。"果然"徐如字,又苦火反。众家皆云:饱貌。"春"束容反。
"粮"音良。

〔三〕【注】二虫,谓鹏蜩也。对大于小,所以均异趣也。夫趣之所以
异,岂知异而异哉?皆不知所以然而自然耳。自然耳,不为也。
此逍遥之大意。　【疏】郭注云,二虫,鹏蜩也;对大于小,所以
均异趣也。且大鹏抟风九万,小鸟决起榆枋,虽复远近不同,适
性均也。咸不知道里之远近,各取足而自胜,天机自张,不知所
以。既无意于高卑,岂有情于优劣!逍遥之致,其在兹乎!而
呼鹏为虫者,大戴礼云:东方鳞虫三百六十,应龙为其长;南方
羽虫三百六十,凤皇为其长;西方毛虫三百六十,麒麟为其长;
北方甲虫三百六十,灵龟为其长;中央裸虫三百六十,圣人为其
长。通而为语,故名鹏为虫也。○俞樾曰:二虫即承上文蜩、鸠
之笑而言,谓蜩、鸠至小,不足以知鹏之大也。郭注云二虫谓鹏、

蜩也。失之。

有而止二字。③阙误引文本果作颗。④阙误引文本此句上下
有彼也二字。

　　小知不及大知,小年不及大年〔一〕。奚以知其然
也〔二〕?朝菌不知晦朔,蟪蛄不知春秋,此小年也〔三〕。楚
之南有冥灵者,以五百岁为春,五百岁为秋;上古有大椿
者,以八千岁为春,八千岁为秋①。〔四〕而彭祖乃今以久特
闻,众人匹之,不亦悲乎〔五〕!

〔一〕【注】物各有性,性各有极,皆如年知,岂跂尚之所及哉!自此已
下至于列子,历举年知之大小,各信其一方,未有足以相倾者
也。然后统以无待之人,遗彼忘我,冥此群异,异方同得而我无
功名。是故统小大者,无小无大者也;苟有乎大小,则虽大鹏之
与斥鹦,宰官之与御风,同为累物耳。齐死生者,无死无生者
也;苟有乎死生,则虽大椿之与蟪蛄,彭祖之与朝菌,均于短折
耳。故游于无小无大者,无穷者也;冥乎不死不生者,无极者
也。若夫逍遥而系于有方,则虽放之使游而有所穷矣,未能无
待也。　　【疏】夫物受气不同,禀分各异,智则有明有暗,年则或
短或长,故举朝菌冥灵、宰官荣子,皆如年知,岂企尚之所及哉!
故知物性不同,不可强相希效也。　　【释文】"小知"音智,本亦
作智。下大知并注同。下年知放此。"跂尚"丘豉反。后同。
"累物"劣伪反。下皆同。

〔二〕【疏】奚,何也。然,如此也。此何以知年知不相及若此之县
(解)②耶?假设其问,以生后答。

〔三〕【疏】此答前问也。朝菌者,谓天时滞雨,于粪堆之上热蒸而生,

阴湿则生,见日便死,亦谓之大芝,生于朝而死于暮,故曰朝菌。月终谓之晦,月旦谓之朔;假令逢阴,数日便萎,终不涉三旬,故不知晦朔也。蟪蛄,夏蝉也。生于麦梗,亦谓之麦节,夏生秋死,故不知春秋也。菌则朝生暮死,蝉则夏长秋殂,斯言龄命短促,故谓之小年也。 【释文】"朝菌"徐其陨反。司马云:大芝也。天阴生粪上,见日则死,一名日及,故不知月之终始也。崔云:粪上芝,朝生暮死,晦者不及朔,朔者不及晦。支遁云:一名舜英,朝生暮落。潘尼云:木槿也。简文云:歁生之芝也。歁,音况物反。○卢文弨曰:案菌,芝类,故字从艸。支遁潘尼以木槿当之,说殊误。○庆藩案,慧琳一切经音义八十四集古今佛道论衡卷三引司马云:朝菌,大芝也,江东呼为土菌,一曰道厨。又御览九百九十八引司马云:朝菌,大芝也,天阴时生粪上,见阳则萎,故不知月之始终。与释文所引小异。○又案,王引之曰:案淮南道应篇引此,朝菌作朝秀。(今本淮南作朝菌,乃后人据庄子改之。文选辩命论注及太平御览虫豸部六引淮南并作朝秀,今据改。)高注曰:朝秀,朝生暮死之虫也,生水上,状似蚕蛾,一名孳母。据此,则朝秀与蟪蛄,皆虫名也。朝菌朝秀,语之转耳,非谓芝菌,亦非谓木槿也。上文云之二虫又何知,谓蜩与学鸠;此云不知晦朔,亦必谓朝菌之虫。虫者微有知之物,故以知不知言之;若草木无知之物,何须言不知乎?今案王说是也。广雅正作朝蟜,以其为虫,故字从虫耳。"晦朔"晦,冥也。朔,旦也。○卢文弨曰:此以一日之蚤莫言,不若以一月之终始言。盖朝生者不及暮,然固知朝矣;暮生者不及朝,然固知暮矣。故晦朔不当从日为解。"惠"本亦作蟪,同。○卢文弨曰:今本作蟪,系说文新附字。"蛄"音姑。司马云:惠蛄,寒蝉

13

也,一名蜈螉,春生夏死,夏生秋死。崔云:蛁螉也。或曰山蝉。秋鸣者不及春,春鸣者不及秋。广雅云:蟪蛄,蛁〔螉〕（螉）也。案即楚辞所云寒螀者也。蜈,音提。螉,音劳,又音辽。蛁,音彫。螀,音将。○庆藩案,御览九百四十九引司马云:惠蛄,亦名蜈螉,春生夏死,夏生秋死,故不知岁有春秋也。与释文所引小异。

〔四〕【疏】冥灵、大椿,并木名也,以叶生为春,以叶落为秋。冥灵生于楚之南,以二千岁为一年也。而言上古者,伏牺时也。大椿之木长于上古,以三万二千岁为一年也。冥灵五百岁而花生,大椿八千岁而叶落,并以春秋赊永,故谓之大年也。【释文】"冥"本或作榠,同。"灵"李颐云:冥灵,木名也,江南生,以叶生为春,叶落为秋。此木以二千岁为一年。○卢文弨曰:案说文云:以五百岁为春,以五百岁为秋。言春秋则包乎冬夏矣,则当云以千岁为一年。下大椿亦当云此木万六千岁为一年,不当云三万二千岁。○庆藩案,齐民要术灵作泠,引司马云:木生江南,千岁为一年。释文漏引。"大椿"丑伦反。司马云:木,一名櫄。櫄,木槿也。崔音櫄华,同。李云:生江南。一云生北户南。此木三万二千岁为一年。○庆藩案,齐民要术引司马云:木槿也,以万六千岁为一年。一名蕣椿。与释文所引小异。

〔五〕【注】夫年知不相及若此之悬也,比于众人之所悲,亦可悲矣。而众人未尝悲此者,以其性各有极也。苟知其极,则毫分不可相跂,天下又何所悲乎哉!夫物未尝以大欲小,而必以小羡大,故举小大之殊各有定分,非羡欲所及,则羡欲之累可以绝矣。夫悲生于累,累绝则悲去。悲去而性命不安者,未之有也。

【疏】彭祖者,姓篯,名铿,帝颛顼之玄孙也。善养性,能调鼎,进雉羹于尧,尧封于<u>彭城</u>,其道可祖,故谓之<u>彭祖</u>。历夏经<u>殷</u>至<u>周</u>,年八百岁矣。特,独也。以其年长寿,所以声〔名〕独闻于世。而世人比匹<u>彭祖</u>,深可悲伤;而不悲者,为<u>彭祖</u>禀性遐寿,非我气类,置之言外,不敢嗟伤。故知生也有涯,岂唯<u>彭祖</u>去己一毫不可企及,于是均椿菌,混<u>彭</u>殇,各止其分而性命安矣。

【释文】"<u>彭祖</u>"<u>李</u>云:名<u>铿</u>。<u>尧</u>臣,封于<u>彭城</u>。历<u>虞夏</u>至<u>商</u>,年七百岁,故以久寿见闻。<u>世本</u>云:姓<u>篯</u>,名<u>铿</u>,在<u>商</u>为守藏史,在<u>周</u>为柱下史,年八百岁。<u>篯</u>,音翦。一云:即<u>老子</u>也。<u>崔</u>云:<u>尧</u>臣,仕<u>殷</u>世,其人甫寿七百年。<u>王逸</u>注<u>楚辞天问</u>云:<u>彭铿</u>即<u>彭祖</u>,事<u>帝尧</u>。<u>彭祖</u>至七百岁,犹曰悔不寿,恨(杖晚)〔枕高〕③而唾远云。<u>帝喾</u>之玄孙。○<u>卢文弨</u>曰:<u>玉篇</u>:<u>篯</u>,子践切,姓也,与此正合。是古读皆然,或据<u>广韵</u>改作音笺,非是。○<u>庆藩</u>案:<u>神仙传</u>曰:<u>彭祖</u>讳<u>铿</u>,<u>帝颛顼</u>之玄孙,至<u>殷</u>末年,七百六十七岁而不衰老,遂往<u>流沙</u>之西,非寿终也。今案<u>史记楚世家</u>,<u>颛顼</u>生<u>称</u>,<u>称</u>生<u>卷章</u>,<u>卷章</u>生<u>重黎</u>。<u>重黎</u>为<u>帝喾</u>所杀,以其弟<u>吴回</u>后<u>重黎</u>为火正。<u>吴回</u>生<u>陆终</u>,<u>陆终</u>生<u>彭祖</u>。以世系推之,<u>彭祖</u>乃<u>颛顼</u>玄孙<u>陆终</u>之子,礼所谓来孙也。<u>成</u>疏缘<u>神仙传</u>作<u>颛顼</u>之玄孙,误。<u>释文</u>引<u>王逸楚辞章句</u>,以为<u>帝喾</u>之玄孙,亦非。(<u>帝喾</u>为<u>颛顼</u>之侄,名<u>夋</u>。<u>彭祖</u>乃<u>颛顼</u>子<u>称</u>之玄孙,<u>帝喾</u>之侄玄孙也。)"特闻"如字。<u>崔</u>本作待问。"之悬"音玄。"豪分"符问反,又方云反。

〔校〕①阙误引<u>成玄英</u>本"秋"下有"此大年也"句。②解字依下注文删。③枕高,<u>释文</u>原本亦误,依<u>楚辞王逸</u>注改。

<u>汤</u>之问<u>棘</u>也是已〔一〕。穷发之北有冥海者,天池也。有鱼焉,其广数千里,未有知其修者,其名为鲲〔二〕。有鸟焉,其名为鹏,背若<u>太山</u>①,翼若垂天之云,抟扶摇羊角而

上者九万里，绝云气，负青天，然后图南〔三〕，且适南冥也。斥鴳笑之曰："彼且奚适也？我腾跃而上，不过数仞而下，翱翔蓬蒿之间，此亦飞之至也。而彼且奚适也？"此小大之辩也〔四〕。

〔一〕【注】汤之问棘，亦云物各有极，任之则条畅，故庄子以所问为是也。　【疏】汤是帝喾之后，契之苗裔，姓子，名履，字天乙。母氏扶都，见白气贯月，感而生汤。丰下兑上，身长九尺。仕夏为诸侯，有圣德，诸侯归之。遭桀无道，因于夏台。后得免，乃与诸侯同盟于景亳之地，会桀于昆吾之墟，大战于鸣条之野，桀奔于南巢。汤既克桀，让天下于务光，务光不受。汤即位，乃都于亳，后改为商，殷开基之主也。棘者，汤时贤人，亦云汤之博士。列子谓之夏革，革棘声类，盖字之误也。而棘既是贤人，汤师事之，故汤问于棘，询其至道，云物性不同，各有素分，循而直往，因而任之。殷汤请益，深有玄趣，庄子许其所问，故云已。

【释文】"棘"李云：汤时贤人。又云是棘子。崔云：齐谐之徒识冥灵大椿者名也。简文云：一曰：汤，广大也；棘，狭小也。○俞樾曰：李云汤时贤人，是。简文云：汤，大也；棘，狭小也。以汤棘为寓名，殆未读列子者。（此篇全本列子，上文所说鲲鹏及冥灵大椿，皆汤问篇文。）○庆藩案，列子汤问篇殷汤问夏革，张注：夏革即夏棘，字子棘，汤时贤大夫。革棘古同声通用。论语棘子成，汉书古今人表作革子成。诗匪棘其欲，礼坊记引作匪革其犹。汉书煮枣侯革朱，史记索隐革音棘。皆其证。

〔二〕【疏】修，长也。地以草为毛发，北方寒沍之地，草木不生，故名穷发，所谓不毛之地。鲲鱼广阔数千，未有知其长者，明其大也。然冥海鲲鹏，前文已出，如今重显者，正言前引齐谐，足为

典实,今牵列子,再证非虚,郑重殷勤以成其义者也。　【释文】
"穷发"李云:发,犹毛也。司马云:北极之下无毛之地也。崔
云:北方无毛地也。案毛,草也。地理书云:山以草木为发。〇
庆藩案,穷发之北,列子作穷发北之北。北史蠕蠕传:蠕蠕者,匈
奴之裔,根本莫寻,蓺之穷发之野,逐之无人之乡。穷发,言极
荒远之地也。"其广"古旷反。"数千"色主反。下同。

〔三〕【疏】鹏背弘巨,状若嵩华;旋风曲戾,犹如羊角。既而凌摩苍
昊,遏绝云霄,鼓怒放畅,图度南海。故御寇汤问篇云:世岂知
有此物哉?大禹行而见之,伯益知而名之,夷坚闻而志之,是
也。　【释文】"羊角"司马云:风曲上行若羊角。"而上"时掌
反。下同。

〔四〕【注】各以得性为至,自尽为极也。向言二虫殊翼,故所至不同,
或翱翔天池,或毕志榆枋,直各称体而足,不知所以然也。今言
小大之辩,各有自然之素,既非跂慕之所及,亦各安其天性,不
悲所以异,故再出之。　【疏】且,将也,亦语助也。斥,小泽也。
鴳,雀也。八尺曰仞。翱翔,犹嬉戏也。而鴳雀小鸟,纵任斥泽
之中,腾举踊跃,自得蓬蒿之内,故能嗤九万之远适,欣数仞之
近飞。斯盖辩小大之性殊,论各足之不二也。　【释文】"且适"
如字,旧子馀反。下同。"斥"如字。司马云:小泽也。本亦作
尺,崔本同。简文云:作尺非。"鴳"於谏反。字亦作鷃。司马
云:鴳,鴳雀也。〇庆藩案,斥鴳,释文引崔本作尺鴳,是也。说
文:鴳,鴳雇也。(犍为舍人、李巡、孙炎尔雅注皆云:鳸,一名
鴳,鴳雀也,郭注同。)斥尺古字通。文选曹植七启注:鴳雀飞不
过一尺,言其劣弱也,正释尺字之义。淮南高注:斥泽之鴳,为飞
不出顷亩,喻弱也。文选宋玉对楚王问尺泽之鲵注:尺泽,言小

也。夏侯湛抵疑尺鷃不能陵桑榆，字正作尺。一切经音义尺鷃下云：鷃长惟尺，即以尺名。释文引简文云作尺非，失之。"腾跃"（曲）〔由〕②若反。"翱翔"五刀反。"蓬蒿"好刀反。

〔校〕①太山，赵谏议本作大山，世德堂本作泰山。②由字依世德堂本改。

故夫知效一官，行比一乡，德合一君，而征一国者，其自视也亦若此矣〔一〕。而宋荣子犹然笑之〔二〕。且举世而誉之而不加劝，举世而非之而不加沮〔三〕，定乎内外之分〔四〕，辩乎荣辱之境①〔五〕，斯已矣〔六〕。彼其于世未数数然也〔七〕。虽然，犹有未树也〔八〕。夫列子御风而行，泠然善也〔九〕，旬有五日而后反〔一〇〕。彼于致福者，未数数然也〔一一〕。此虽免乎行，犹有所待者也〔一二〕。若夫乘天地之正，而②御六气之辩，以游无穷者，彼且恶乎待哉〔一三〕！故曰，至人无己〔一四〕，神人无功〔一五〕，圣人无名〔一六〕。

〔一〕【注】亦犹鸟之自得于一方也。　【疏】故是仍前之语，夫是生后之词。国是五等之邦，乡是万二千五百家也。自有智数功效，堪莅一官；自有名誉著闻，比周乡党；自有道德弘博，可使南面，征成邦国，安育黎元。此三者，禀分不同，优劣斯异，其于各足，未始不齐，视己所能，亦犹鸟之自得于一方。　【释文】"知效"音智。下户教反。"行"下孟反。"比"毗至反，徐扶至反。李云：合也。"而征"如字。司马云：信也。崔、支云：成也。〇庆藩案，而征一国，释文及郭注无训，成疏读而为转语，非也。而字当读为能，能而古声近通用也。官、乡、君、国相对，知、仁、德、能亦相对，则而字非转语词明矣。淮南原道篇而以少正多，高注:而,能也。吕览去私、不屈诸篇注皆曰:而,能也。墨子尚同篇:故古者圣王唯而审以尚同以为正长。又曰:天下所以治者何也?唯而以尚同一义为政故也。非命篇:不而矫其耳目之欲。楚辞九章:世孰云而知之?齐策:子孰而与我赴诸侯乎?而并与能同。尧典柔远能迩,汉督邮班碑作而迩。皋陶谟能哲而惠,卫尉衡方碑作能悊能惠,史记夏本纪作能智能惠。礼运正义曰:刘向说苑能字皆作而。是其例。

〔二〕【注】未能齐,故有笑。 【疏】子者,有德之称,姓荣氏,宋人也。犹然,如是。荣子虽能忘有,未能遣无,故笑。宰官之徒,滞于爵禄,虚淡之人,犹怀嗤笑,见如是所以不齐。前既以小笑大,示大者不夸;今则以大笑小,小者不企;而性命不安者,理未之闻也。 【释文】"宋荣子"司马、李云:宋国人也。崔云:贤者也。"犹然笑之"崔、李云:犹,笑貌。案谓犹以为笑。

〔三〕【注】审自得也。 【疏】举,皆也。劝,励勉也。沮,怨丧也。荣子率性怀道,謷然超俗,假令世皆誉赞,亦不增其劝奖,率土非毁,亦不加其沮丧,审自得也。 【释文】"誉之"音馀。"加沮"慈吕反,败也。

〔四〕【注】内我而外物。 【疏】荣子知内既非我,外亦非物,内外双遣,物我两忘,故于内外之分定而不试也。

〔五〕【注】荣己而辱人。 【疏】忘劝沮于非誉,混穷通于荣辱,故能返照明乎心智,玄鉴辩于物境,不复内我而外物,荣己而辱人也。 【释文】"之竟"居领反。○庆藩案,释文作竟,古竟境字通。

〔六〕【注】亦不能复过此。 【疏】斯,此也。已,止也。宋荣子智德止尽于斯也。 【释文】"能复"扶又反。

〔七〕【注】足于身,故闲于世也。 【疏】数数,犹汲汲也。宋荣子率性虚淡,任理直前,未尝运智推求,役心为道,栖身物外,故不汲汲然者也。　【释文】"数数"音朔。下同。徐所禄反。一音桑娄反。司马云:犹汲汲也。崔云:迫促意也。简文所喻反,谓计数。"故闻"音闲。本亦作闲。

〔八〕【注】唯能自是耳,未能无所不可也。　【疏】树,立也。荣子舍有证无,溺在偏滞,故于无待之心,未立逍遥之趣,智尚亏也。【释文】"未树"司马云:树,立也,未立至德也。

〔九〕【注】泠然,轻妙之貌。　【疏】姓列,名御寇,郑人也。与郑缪公同时,师于壶丘子林,著书八卷。得风仙之道,乘风游行,泠然轻举,所以称善也。　【释文】"列子"李云:郑人,名御寇,得风仙,乘风而行,与郑穆公同时。"泠"音零。○庆藩案,初学记、太平御览九引司马云:列子,郑人列御寇也。泠然,凉貌也。文选江文通杂体诗注引同。释文阙。

〔一○〕【注】苟有待焉,则虽御风而行,不能以一时而周也。　【疏】旬,十日也。既得风仙,游行天下,每经一十五日回反归家,未能无所不乘,故不可一时周也。

〔一一〕【注】自然御风行耳,非数数然求之也。　【疏】致,得也。彼列御寇得于风仙之福者,盖由炎凉无心,虚怀任运,非关役情取舍,汲汲求之。欲明为道之要,要在忘心,若运役智虑,去之远矣。○家世父曰:未数数然也,犹戴记之云天下一人而已。致福,谓备致自然之休。御风而行,犹待天机之动焉。郭象云,自然御风行,非数数然求之,误。

〔一二〕【注】非风则不得行,斯必有待也,唯无所不乘者无待耳。【疏】乘风轻举,虽免步行,非风不进,犹有须待。自宰官已下及宋荣御寇,历举智德优劣不同,既未洞忘,咸归有待。唯当顺万物之性,游变化之涂,而能无所不成者,方尽逍遥之妙致者也。

〔一三〕【注】天地者,万物之总名也。天地以万物为体,而万物必以自然为正,自然者,不为而自然者也。故大鹏之能高,斥鴳之能下,椿木之能长,朝菌之能短,凡此皆自然之所能,非为之所能也。不为而自能,所以为正也。故乘天地之正者,即是顺万物之性也;御六气之辩者,即是游变化之涂也;如斯以往,则何往而有穷哉!所遇斯乘,又将恶乎待哉!此乃至德之人玄同彼我者之逍遥也。苟有待焉,则虽列子之轻妙,犹不能以无风而行,故必得其所待,然后逍遥耳,而况大鹏乎!夫唯与物冥而循大变者,为能无待而常通,岂〔独〕③自通而已哉!又顺有待者,使不失其所待,所待不失,则同于大通矣。故有待无待,吾所不能齐也;至于各安其性,天机自张,受而不知,则吾所不能殊也。夫无待犹不足以殊有待,况有待者之巨细乎! 【疏】天地者,万物之总名。万物者,自然之别称。六气者,李颐云:平旦朝霞,日午正阳,日入飞泉,夜半沆瀣,并天地二气为六气也。又杜预云:六气者,阴阳风雨晦明也。又支道林云:六气,天地四时也。辩者,变也。恶乎,犹于何也。言无待圣人,虚怀体道,故能乘两仪之正理,顺万物之自然,御六气以逍遥,混群灵以变化。苟无物而不顺,亦何往而不通哉!明彻于无穷,将于何而有待者也! 【释文】"六气"司马云:阴阳风雨晦明也。李云:平旦为朝霞,日中为正阳,日入为飞泉,夜半为沆瀣,天玄地黄为六气。王逸注楚辞云:陵阳子明经言,春食朝霞,朝霞者,日欲出时黄气也。秋食沦阴,沦阴者,日没已后赤黄气也。冬食沆瀣,沆瀣者,北方夜半气也。夏食正阳,正阳者,南方日中气也。并天玄地黄之气,是为六气。沆,音户黨反。瀣,音下界反。支云:天地四时之气。○庆藩案,释文引诸家训六气,各有不同。司马以阴阳风雨晦(冥)〔明〕为六气,其说最古。李氏以平旦日中日入夜半并天玄地黄为六气,颇近牵强。王逸支遁以天地四时为六气。夫天地之气,大莫与京,四时皆承天地之气以为气,似不得以四时与天地并列为六。王应麟云:六气,少阴君火,太阴湿土,少阳相火,阳明燥金,太阳寒水,厥阴风木,而火独有二。天以六为节,故气以六期为一备。左传述医和之言,天有六气,(注云:阴阳风雨晦(冥)〔明〕也。)降生五味。即素问五六之数。(全祖望云:天五地(五)〔六〕④,见于大易,天六地五,见于国语。〔故〕⑤汉志云,五六天地之中合。然左氏之说,又与素问不同。)沈括笔谈:六气,方家以配六神,所谓青龙者,东方厥阴之气也;其他取象皆如是。唯北方有二:曰玄武,太阳寒水之气也;曰螣蛇,少阳相火之气也,其在人为肾,肾有二:左太阳寒水,右少阳相火,此坎离之交也。中央太(阳)〔阴〕⑥土为句陈,配脾也。六气之说,聚讼棼如,莫衷一是。愚谓有二说焉:一,洪范雨旸燠寒风时为六气也。雨,木也;旸,金也;燠,火也;寒,水也;风,土也;是为五气。五气得时,是为五行之和气,合之则为六气。气有和有乖,乖则变也,变则宜有以御之,故曰御六气之变。一,六气即六情也。汉书翼奉传奉又引师说六情云:北方之情,好也,好行贪狼,申子主之;东方之情,怒也,怒行阴(饿)〔贼〕⑦,亥卯主之;南方之情,恶也,恶行廉贞,寅午主之;西方之情,喜也,喜行宽大,巳酉主之;上方之情,乐也,乐行奸邪,辰未主之;下方之情,哀也,哀行公正,戌丑主之。此二说似亦可备参证。"之辩"如字。变也。崔本作和。○庆藩案,辩与正对文,辩读为变。广雅:辩,变也。易坤文言(犹)〔由〕辩之不早辩也,苟本作变。辩变古通用。崔训和,失之。"恶乎"音乌。注同。

〔一四〕【注】无己,故顺物,顺物而至⑧矣。 【释文】"无己"音纪。注同。○卢文弨曰:今本无作無,下并同。"而王"于况反。本亦作至。

〔一五〕【注】夫物未尝有谢生于自然者,而必欣赖于针石,故理至则迹灭矣。今顺而不助,与至理为一,故无功。 【释文】"于针"之(鸠)〔鴆〕⑨反,或之林反。

〔一六〕【注】圣人者,物得性之名耳,未足以名其所以得也。 【疏】至言其体,神言其用,圣言其名。故就体语至,就用语神,就名语圣,其实一也。诣于灵极,故谓之至;阴阳不测,故谓之神;正名百物,故谓之圣也。一人之上,其有此三,欲显功用名殊,故有三人之别。此三人者,则是前文乘天地之正、御六气之辩人也。欲结此人无待之德,彰其体用,乃言故曰耳。○庆藩案,文选任彦昇到大司马记室笺注引司马云:神人无功,言修自然,不立功也。圣人无名,不立名也。释文阙。

〔 校 〕①世德堂本境作竟,与释文同。赵谏议本作境。②唐写本无而字。③独字依王叔岷说补。④六字依困学纪闻全笺改。⑤故字依困学纪闻全笺补。⑥阴字依梦溪笔谈改。⑦贼字依汉书改。⑧世德堂本至作王,与释文同。⑨鴆字依释文改。

23

尧让天下于许由〔一〕,曰:"日月出矣而爝火不息,其于光也,不亦难乎!时雨降矣而犹浸灌,其于泽也,不亦劳乎〔二〕!夫子立而天下治,而我犹尸之,吾自视缺然。请致天下〔三〕。"

〔一〕【疏】尧者,帝喾之子,姓伊祁,字放勋,母庆都,(誉)感赤龙而生,身长一丈,兑上而丰下,眉有八彩,足履翼星,有圣德。年十五,封唐侯,二十一,代兄登帝位,都平阳,号曰陶唐。在位七十二年,乃授舜。年百二十八岁崩,葬于阳城,谥曰尧。依谥法,翼善传圣曰尧,言其有传舜之功也。许由,隐者也,姓许,名由,字仲武,颍川阳城人也。隐于箕山,师于啮缺,依山而食,就河而饮。尧知其贤,让以帝位。许由闻之,乃临河洗耳。巢父饮犊,牵而避之,曰:"恶吾水也。"死后,尧封其墓,谥曰箕公,即尧之师也。　【释文】"尧"唐帝也。"许由"隐人也,隐于箕山。司马云:颍川阳城人。简文云:阳城槐里人。李云:字仲武。

〔二〕【疏】爝火,犹炬火也,亦小火也。神农时十五日一雨,谓之时雨也。且以日月照烛,讵假炬火之光;时雨滂沱,无劳浸灌之泽。尧既执谦克让,退己进人,所以致此之辞,盛推仲武也。　【释文】"爝"本亦作燋,音爵。郭祖缴反。司马云:然也。向云:人所然火也。一云:燋火,谓小火也。字林云:爝,炬火也,子召反。燋,所以然持火者,子约反。○庆藩案,说文:爝,苣火(袚)〔祓〕也。吕不韦曰:汤(时)〔得〕①伊尹,爝以爟火,衅以牺猳。(案苣,束苇烧之也。祓,除恶之祭也。)燋,所以然持火也。段玉裁注:持火者,人所持之火也。礼少仪执烛抱燋,凡执之曰烛,未爇曰燋,燋即烛也。细绎许说,则燋本为未爇之烛,未爇则不得云不息。释文引司马氏李氏本亦作燋,非。(广韵:燋,伤火也,与焦通。别一义。)"浸"子鸩反。"灌"古乱反。○庆藩案,正韵:浸,渍也,又渐也。阴符经云:天地之道浸,故阴阳胜。易之临曰:刚浸而长。浸者,渐也。博雅:灌,聚也,又溉也。浸灌盖浸润渐渍之谓。

24

〔三〕【疏】治，正也。尸，主也。致，与也。尧既师于许由，故谓之为夫子。若仲武立为天子，寓内必致太平，而我犹为物主，自视缺然不足，请将帝位让与贤人。 【释文】"天下治"直吏反。下已治、注天下治、而治者也、既治、而治实、而治者、得以治者皆同。

〔校〕①祓字得字并依说文原本改。

许由曰："子治天下，天下既已治也〔一〕。而我犹代子，吾将为名乎？名者，实之宾也。吾将为宾①乎〔二〕？鹪鹩巢于深林，不过一枝；偃鼠饮河，不过满腹〔三〕。归休乎君，予无所用天下为〔四〕！庖人虽不治庖，尸祝不越樽俎而代之矣〔五〕。"

〔一〕【注】夫能令天下治，不治天下者也。故尧以不治治之，非治之而治者也。今许由方明既治，则无所代之。而治实由尧，故有子治之言，宜忘言以寻其所况。而或者遂云：治之而治者，尧也；不治而尧得以治者，许由也。斯失之远矣。夫治之由乎不治，为之出乎无为也，取于尧而足，岂借之许由哉！若谓拱默乎山林之中而后得称无为者，此庄老之谈所以见弃于当涂。〔当涂〕②者自于有为之域而不反者，斯之由也。 【疏】治，谓理也。既，尽也。言尧治天下，久以升平，四海八荒，尽皆清谧，何劳让我，过为辞费。然睹庄文则贬尧而推许，寻郭注乃劣许而优尧者，何邪？欲明放勋大圣，仲武大贤，贤圣二涂，相去远矣。故尧负扆汾阳而丧天下，许由不夷其俗而独立高山，圆照偏溺，断可知矣。是以庄子援禅让之迹，故有爝火之谈；郭生察无待之心，更致不治之说。可谓探微索隐，了文合义，（宣）〔宜〕寻其旨况，无所稍嫌也。 【释文】"能令"力呈反，下同。

〔二〕【注】夫自任者对物,而顺物者与物无对,故尧无对于天下,而许由与稷契为匹矣。何以言其然邪?夫与物冥者,故群物之所不能离也。是以无心玄应,唯感之从,泛乎若不系之舟,东西之非己也,故无行而不与百姓共者,亦无往而不为天下之君矣。以此为君,若天之自高,实君之德也。若独兀然立乎高山之顶,非夫人有情于自守,守一家之偏尚,何得专此!此故俗中之一物,而为尧之外臣耳。若以外臣代乎内主,斯有为君之名而无任君之实也。 【疏】许由偃蹇箕山,逍遥颍水,膻腺荣利,厌秽声名。而尧殷勤致请,犹希代己,许由若高九五,将为万乘之名。然实以生名,名从实起,实则是内是主,名便是外是宾。舍主取宾,丧内求外,既非隐者所尚,故云吾将为宾也。 【释文】"稷契"息列反,皆唐虞臣也。稷,周之始祖,名弃。契,殷之始祖名。"能离"力智反。"玄应"应对之应。"(汎)〔泛〕乎"芳剑反。"非夫"音扶。下明夫同。

〔三〕【注】性各有极,苟足其极,则馀天下之财也! 【疏】鹪鹩,巧妇鸟也,一名工雀,一名女匠,亦名桃虫,好深处而巧为巢也。偃鼠,形大小如牛,赤黑色,獐脚,脚有三甲,耳似象耳,尾端白,好入河饮水。而鸟巢一枝之外,不假茂林;兽饮满腹之馀,无劳浩汗。况许由安兹蓬荜,不顾金闱,乐彼疏食,讵劳玉食也!

【释文】"鹪"子遥反。"鹩"音辽。李云:鹪鹩,小鸟也。郭璞云:鹪鹩,桃雀。"偃鼠"如字。李云:鼹鼠也。说文:鼢鼠,一曰偃鼠。鼢,音扶问反。〇卢文弨曰:旧无音字。今案,凡不见正文及注之字而加音者,例有音字。今依前后例增。〇庆藩案,李桢曰:偃鼠;李云鼹鼠也。案说文鼢下云:地行鼠,伯劳所化也,一曰偃鼠。偃,或作鼹,俗作鼹。玉篇:鼹,大鼠也。广雅:鼹鼠,

庄子集释

鼢鼠。本草:鼹鼠在土中行。陶注:俗一名隐鼠,一名鼢鼠,常穿耕地中行,讨掘即得。说文鼹下云:鼹,小鼠也。尔雅:鼹,鼠有螫毒者。公羊成七年传注云:鼹鼠,鼠中之微者。博物志:鼹鼠,鼠之类最小者,食物,当时不觉痛,或名甘鼠。据此,知偃鼠、鼹鼠,判然为二,李说误。

〔四〕【注】均之无用,而尧独有之。明夫怀豁者无方,故天下乐推而不厌。　【疏】予,我也。许由寡欲清廉,不受尧让,故谓尧云:君宜速还黄屋,归反紫微,禅让之辞,宜其休息。四海之尊,于我无用,九五之贵,予何用为!　【释文】"归休乎君"绝句。一读至乎字绝句,君别读。"怀豁"呼活反。"乐推"音洛。"不厌"於艳反。

〔五〕【注】庖人尸祝,各安其所司;鸟兽万物,各足于所受;帝尧许由,各静其所遇;此乃天下之至实也。各得其实,又何所为乎哉?自得而已矣。故尧许之行③虽异,其于逍遥一也。　【疏】庖人,谓掌庖厨之人,则今之太官供膳是也。尸者,太庙中神主也;祝者,则今太常太祝是也;执祭版对尸而祝之,故谓之尸祝也。樽,酒器也。俎,肉器也。而庖人尸祝者,各有司存。假令膳夫懈怠,不肯治庖,尸祝之人,终不越局滥职,弃于樽俎而代之宰烹;亦犹帝尧禅让,不治天下,许由亦不去彼山林,就兹帝位,故注云帝尧许由各静于所遇也已。　【释文】"庖人"鲍交反,徐扶交反,掌厨人也。周礼有庖人职。○庆藩案,说文:庖,厨也。礼王制三为充君之庖,注:庖,今之厨也。周礼庖人注:庖之为言苞也,苞裹肉曰苞苴。(裹之曰苞,藉之曰苴。)释文一本庖下无人字,非是。"尸祝"之六反。传鬼神辞曰祝。"樽"子存反,本亦作尊。○卢文弨曰:案尊乃正体。

"俎"徐侧吕反。

〔校〕①俞樾云:此本作"吾将为实乎",与上"吾将为名乎"相对成文。实与宾形似,又涉上句"实之宾也"而误。②当涂二字依世德堂本补。③之行二字赵谏议本作之地,世德堂本作天地。

肩吾问于连叔曰:"吾闻言于接舆[一],大而无当,往而不返。吾惊怖其言,犹河汉而无极也[二];大有径庭,不近人情焉[三]。"

〔一〕【疏】肩吾连叔,并古之怀道人也。接舆者,姓陆,名通,字接舆,楚之贤人,隐者也,与孔子同时,而佯狂不仕,常以躬耕为务。楚王知其贤,聘以黄金百镒,车驷二乘,并不受。于是夫负妻戴,以游山海,莫知所终。肩吾闻接舆之言过无准的,故问连叔,询其义旨。而言吾闻言于接舆者,闻接舆之言。庄生寄三贤以明尧之一圣,所闻之状具列于下文也。 【释文】"肩吾"李云:贤人也。司马云:神名。"连叔"李云:怀道人也。"接舆"本又作与,同,音馀。接舆,楚人也,姓陆,名通。皇甫谧曰:接舆躬耕,楚王遣使以黄金百镒车二驷聘之,不应。

〔二〕【疏】所闻接舆之言,(怖)〔恢〕弘而无的当,一往而陈梗概,曾无反覆可寻。吾窃闻之,惊疑怖恐,犹如上天河汉,迢递清高,寻其源流,略无穷极也。 【释文】"无当"丁浪反。司马云:言语弘大,无隐当也。"惊怖"普布反。广雅云:惧也。

〔三〕【疏】径庭,犹过差,亦是直往不顾之貌也。谓接舆之言,不偶于俗,多有过差,不附世情,故大言不合于里耳也。 【释文】"大有"音泰,徐勑佐反。"径"徐古定反,司马本作茎。"庭"勑定反。李云:径庭,谓激过也。○庆藩案,文选刘孝标辩命论注引司马云:极,崖也,言广若河汉无有崖也。径庭,激过之辞也。<u>释文</u>阙。"不近"附近之近。

连叔曰:"其言谓何哉^{〔一〕}?"

〔一〕【疏】<u>陆通</u>之说其若何?此则反质<u>肩吾</u>所闻意谓。

"曰:'<u>藐姑射</u>之山,有神人居焉,肌肤若冰雪,_(绰)〔淖〕①约若处子^{〔一〕}。不食五谷,吸风饮露^{〔二〕}。乘云气,御飞龙,而游乎四海之外^{〔三〕}。其神凝,使物不疵疠而年谷熟。'吾以是狂而不信也^{〔四〕}。"

〔一〕【注】此皆寄言耳。夫神人即今所谓圣人也。夫圣人虽在庙堂之上,然其心无异于山林之中,世岂识之哉!徒见其戴黄屋,佩玉玺,便谓足以缨绂②其心矣;见其历山川,同民事,便谓足以憔悴其神矣;岂知至至者之不亏哉!今言王德之人而寄之此山,将明世所无由识,故乃托之于绝垠之外而推之于视听之表耳。处子者,不以外伤内。 【疏】<u>藐</u>,远也。<u>山海经</u>云:<u>姑射</u>山在<u>寰海</u>之外,有神圣之人,戢机应物。时须揖让,即为<u>尧舜</u>;时须干戈,即为<u>汤武</u>。绰约,柔弱也。处子,未嫁女也。言圣人动寂相应,则空有并照,虽居廊庙,无异山林,和光同尘,在染不染。冰雪取其洁净,绰约譬以柔和,处子不为物伤,<u>姑射</u>语其绝远。此明<u>尧</u>之盛德,窈冥玄妙,故托之绝垠之外,推之视听之表。斯盖寓言耳,亦何必有<u>姑射</u>之实乎,宜忘言以寻其所况。此即<u>肩吾</u>述己昔闻以答<u>连叔</u>之辞者也。 【释文】"<u>藐</u>"音邈,又妙绍反。<u>简文</u>云:远也。"<u>姑射</u>"<u>徐</u>音夜,又食亦反,<u>李</u>实夜反。山名,在<u>北海</u>中。○<u>李桢</u>曰:<u>姑射</u>山,<u>释文</u>云在<u>北海</u>中。下文<u>姑射</u>在<u>汾水</u>之阳。考<u>山海经</u>本有两<u>姑射</u>。<u>东山经</u>:<u>卢其</u>之山,又南三百八十里,曰<u>姑射</u>之山,无草木,多水。又南,水行三百里,流沙百里,曰北姑射之山,无草木,多水。又南三百里,曰南姑射之山,无草木,多水。海内北经:列姑射在海河洲中,姑射国在海中,属列姑射,西南山环之。列子黄帝篇,列姑射在海河洲中。与海内北经同。(下文山上有神人云云,大致与庄子同,足证音义云姑射在北海中不误。)唐殷敬顺列子释文引山海经曰:姑射国在海中,西南山环之。从国南水行百里,曰姑射之山。又西南行三百八十里,曰姑射山。郭云河水所经海上也。言遥望诸姑射山行列在海河之间也。与今本山海经不同。隋书地理志,临汾有姑射山,此即东山经之姑射。庄子所谓姑射之山,汾水之阳是也。据秦氏恩复列子补注云:临汾姑射,即今平阳府西之九孔山。前后左右并无所谓南北姑射者。证之殷氏释文,则东山经北姑射南姑射两条,当在海内北经西南山环之之下。盖必有诸姑射环列,而后可以列姑射名之也。且殷所据山海经为唐时本,度古本元如此,不知何时脱写,羼入东山经姑射山一条之后,遂成今本。赖有列子释文,可以正山海经之误。而庄子两言姑射。一在北海,一在临汾,亦免混合为一。(毕氏沅注山海经引庄子,误混为一。)虽其文并属寓言,而山名所在,既皆确有可据,要无妨辨证及之耳。“肌”居其反。○庆藩案,冰,古凝字,肌肤若冰雪,即诗所谓肤如凝脂也。(风俗通义引诗云,既白且滑。)说文,冰正字,凝俗字。尔雅冰脂也,孙炎本作凝。冰脂以滑白言,冰雪以絜白言也。“淖”郭昌略反,又徒学反。字林丈卓反。苏林汉书音:火也。“约”如字。李云:淖约,柔弱貌。司马云:好貌。“处子”在室女也。“黄屋”车盖以黄为里。一云,冕里黄也。“玉玺”音徙。“缨”字或作婴。“绂”方物反,字或作绋。○卢文弨曰:今注本作缨绋。案说文:绋,乱系也。

此缨绋当作婴拂解，不当以为冠绂。绂亦俗字，<u>说文</u>本作市，重文作韨。"憔悴"在遥反，下在醉反。"至至者"本亦作至足者。"王德"于况反，本亦作至。"绝垠"音银，又五根反。本又作限。

〔二〕【注】俱食五谷而独为神人，明神人者非五谷所为，而特禀自然之妙气。　【疏】五谷者，黍稷麻菽麦也。言神圣之人，降生应物，挺淳粹之精灵，禀阴阳之秀气。虽顺物以资待，非五谷之所为，托风露以清虚，岂四时之能变也！　【释文】"吸"许及反。

〔三〕【疏】智照灵通，无心顺物，故曰乘云气。不疾而速，变现无常，故曰御飞龙。寄生万物之上而神超六合之表，故曰游乎四海之外也。

〔四〕【注】夫体神居灵而穷理极妙者，虽静默闲堂之里，而玄同四海之表，故乘两仪而御六气，同人群而驱万物。苟无物而不顺，则浮云斯乘矣；无形而不载，则飞龙斯御矣。遗身而自得，虽淡然而不待，坐忘行忘，忘而为之，故行若曳枯木，止若聚死灰，是以云其神凝也。其神凝，则不凝者自得矣。世皆齐其所见而断之，岂尝信此哉！　【疏】凝，静也。疵疠，疾病也。五谷熟，谓有年也。圣人形同枯木，心若死灰，本迹一时，动寂俱妙，凝照潜通，虚怀利物，遂使四时顺序，五谷丰登，人无灾害，物无夭枉。圣人之处世，有此功能，<u>肩吾</u>未悟至言，谓为狂而不信。

【释文】"神凝"鱼升反。"疵"在斯反，病也。<u>司马</u>云：毁也。一音子尔反。"疠"音厉，<u>李</u>音赖，恶病也。本或作厉。"狂"求匡反。<u>李</u>云：痴也。<u>李</u>又九况反。"闲"音闲。"澹然"徒暂反，恬静也。"皆齐"才细反，又如字。"而断"丁乱反。

〔校〕①淳字依<u>释文</u>及<u>世德堂</u>本改。②<u>世德堂</u>本绂作绋。

连叔曰:"然。瞽者无以与乎文章之观,聋者无以与乎钟鼓之声。岂唯形骸有聋盲①哉?夫知亦有之〔一〕。是其言也,犹时女也〔二〕。之人也,之德也,将旁礴万物以为一,世蕲乎乱,孰弊弊焉以天下为事〔三〕!之人也,物莫之伤〔四〕,大浸稽天而不溺,大旱金石流、土山焦而不热〔五〕。是其尘垢秕糠,将犹陶铸尧舜者也,孰肯以物为事〔六〕!宋人资章甫而适诸越,越人断发文身,无所用之〔七〕。尧治天下之民,平海内之政,往见四子藐姑射之山,汾水之阳,窅然丧其天下焉〔八〕。"

〔一〕【注】不知至言之极妙,而以为狂而不信,此知之聋盲也。

【疏】瞽者,谓眼无眹缝,冥冥如鼓皮也。聋者,耳病也。盲者,眼根败也。夫目视耳听,盖有物之常情也,既瞽既聋,不可示之以声色也。亦犹至言妙道,唯悬解者能知。愚惑之徒,终身未悟,良由智障盲闇,不能照察,岂唯形质独有之耶!是以闻接舆之言,谓为狂而不信。自此以下,是连叔答肩吾之辞也。【释文】"瞽"音古。盲者无目,如鼓皮也。"与乎"徐音豫,下同。"之观"古乱反。"聋"鹿工反,不闻也。"之声"崔、向、司马本此下更有眇者无以与乎眉目之好,夫刖者不自为假文屦。"夫知"音智。注知之同。

〔二〕【注】谓此接舆之所言者,自然为物所求,但知之聋盲者谓无此理。【疏】是者,指斥之言也。时女,少年处室之女也。指此接舆之言,犹如窈窕之女,绰约凝洁,为君子所求,但知之聋盲者谓无此理也。【释文】"时女"司马云:犹处女也。向云:时女虚静柔顺,和而不喧,未尝求人而为人所求也。○庆藩案,时,是也。犹时女也,谓犹是女也。犹时二字连读。易女子贞不字,女即处女也。司马训时女犹处女,疑误,诗大雅绵篇曰止曰时,笺曰:时,是也。是其证。

〔三〕【注】夫圣人之心,极两仪之至会,穷万物之妙数。故能体化合变,无往不可,旁礴万物,无物不然。世以乱故求我,我无心也。我苟无心,亦何为不应世哉!然则体玄而极妙者,其所以会通万物之性,而陶铸天下之化,以成尧舜之名者,常以不为为之耳,孰弊弊焉劳神苦思,以事为事,然后能乎! 【疏】之是语助,亦叹美也。旁礴,犹混同也。薪,求也。孰,谁也。之人者,叹尧是圣人;之德者,叹尧之盛德也。言圣人德合二仪,道齐群品,混同万物,制驭百灵。道荒淫,苍生离乱,故求大圣君临安抚。而虚舟悬镜,应感无心,谁肯劳形弊智,经营区宇,以事为事,然后能事,故老子云为无为,事无事,又云取天下常以无事,及其有事不足取天下也。 【释文】"旁"薄刚反,李铺刚反。字又作磅,同。"礴"蒲博反,李普各反。司马云:旁礴,犹混同也。○李桢曰:汉司马相如传旁魄四塞,注:旁魄,广被也。魄与礴通。扬雄传旁薄群生,注:旁薄,犹言荡薄也。荡薄即广被之意。旁礴万物,承上之德也三字,言其德将广被万物以为一。世薪乎乱,乱,治也,犹虞书乱而敬之乱,举世望治,德握其符,神人无功,岂肯有劳天下之迹!老子云,我无为而民自化,此之谓也。"世薪"徐音祈。李云:求也。○卢文弨曰:旧薪作鄿,讹,今从宋本正。"弊弊"李扶世反。徐扶计反。简文云:弊弊,经营貌,司马本作蔽蔽。"不应"应对之应。"苦思"息嗣反。

〔四〕【注】夫安于所伤,则伤不能伤;伤不能伤,而物亦不伤之也。

〔五〕【注】无往而不安,则所在皆适,死生无变于己,况溺热之间哉!故至人之不婴乎祸难,非避之也,推理直前而自然与吉会。

【疏】稽,至也。夫达于生死,则无死无生;宜于水火,则不溺不热。假令阳九流金之灾,百六滔天之祸,纷纭自彼,于我何为!故郭注云,死生无变于己,何况溺热之间也哉! 【释文】"大浸"子鸩反。"稽天"音鸡,徐、李音启。司马云:至也。"不溺"奴歷反,或奴学反。"祸难"乃旦反。"非避"音辟。

〔六〕【注】尧舜者,世事之名耳;为名者,非名也。故夫尧舜者,岂直尧舜而已哉?必有神人之实焉。今所称尧舜者,徒名其尘垢粃糠耳。 【疏】散为尘,腻为垢,谷不熟为粃,谷皮曰糠,皆猥物也。镕金曰铸,范土曰陶。谥法,翼善传圣曰尧,仁圣盛明曰舜。夫尧至(本)〔圣〕,妙绝形名,混迹同尘,物甘其德,故立名谥以彰圣体。然名者粗法,不异粃糠;谥者世事,何殊尘垢。既而矫诣佞妄,将彼尘垢锻铸为尧,用此粃糠埏埴作舜。岂知妙体胡可言邪!是以谁肯以物为事者也。 【释文】"尘垢"古口反。尘垢,犹染污。"粃"本又作秕。徐甫姊反,又悲矣反。○卢文弨曰:案说文作秕。"糠"字亦作穅,音康。粃糠,犹烦碎。○卢文弨曰:旧本糠作康,今依注本改。糠亦俗字。似当云音康,字亦作康为是,疑后人乱之,而又妄改也。康已从米,何必又赘米旁。"陶"徒刀反,李移昭反。本亦作鋾,音同。"铸"之树反。

〔七〕【疏】此起譬也。资,货也。越国逼近江湖,断发文身,以避蛟龙之难也。章甫,冠名也。故孔子生于鲁,衣缝掖;长于宋,冠章甫。而宋实微子之裔,越乃太伯之苗,二国贸迁往来,乃以章甫为货。且章甫本充首饰,必须云鬟承冠,越人断发文身,资货便成无用。亦如荣华本犹滞著,富贵起自骄矜。尧既体道洞忘,故能无用天下。故郭注云,夫尧之无所用天下为,亦犹越人无所用章甫耳。　【释文】"宋人"宋,今梁国睢阳县,殷后,微子所封。"资章甫"李云:资,货也。章甫,殷冠也。以冠为货。"越"今会稽山阴县。○庆藩案,文选张景阳杂诗注引司马云:资,取也。章甫,冠名也。(嵇叔夜与山巨源绝交书注引同。)诸,於也。释文阙。○李桢曰:诸越,犹云於越。春秋定五年经於越入吴,杜注:於,发声也。公羊传:於越者,未能以其名通也,何休注:越人自名於越。此作诸者,广雅释言:诸,於也。礼记射义注:诸,犹於也。是叠韵假借。"断"丁管反。李徒短反。司马本作敦,云:敦,断也。

〔八〕【注】夫尧之无用天下为,亦犹越人之无所用章甫耳。然遗天下者,固天下之所宗。天下虽宗尧,而尧未尝有天下也,故窅然丧之,而尝游心于绝冥之境,虽寄坐万物之上而未始不逍遥也。四子者盖寄言,以明尧之不一于尧耳。夫尧实冥矣,其迹则尧也。自迹观冥,内外异域,未足怪也。世徒见尧之为尧,岂识其冥哉!故将求四子于海外而据尧于所见,因谓与物同波者,失其所以逍遥也。然未知至远之(迹)〔所〕②顺者更近,而至高之所会者反下也。若乃厉然以独高为至而不夷乎俗累,斯山谷之士,非无待者也,奚足以语至极而游无穷哉!　【疏】治,言绪理;政,言风教。此合喻也。汾水出自太原,西入于河。水北曰阳,则今之晋州平阳县,在汾水北,昔尧都也。窅然者寂寥,是深远之名。丧之言忘,是遣荡之义。而四子者,四德也:一本,二迹,三非本非迹,四非非本迹也。言尧反照心源,洞见道境,超兹四句,故言往见四子也。夫圣人无心,有感斯应,故能绪理

35

万邦,和平九土。虽复凝神四子,端拱而坐汾阳;统御万机,窅然而丧天下。斯盖即本即迹,即体即用,空有双照,动寂一时。是以姑射不异汾阳,山林岂殊黄屋!世人齐其所见,曷尝信此邪!而马彪将四子为啮缺,便未达于远理;刘璋推汾水于射山,更迷惑于近事。今所解释,稍异于斯。故郭注云,四子者盖寄言,明尧之不一于尧耳,世徒见尧之迹,岂识其(真)〔冥〕③哉!

【释文】"四子"司马、李云:王倪,啮缺,被衣,许由。"汾水"徐扶云反,郭方闻反。案汾水出太原,今庄生寓言也。司马、崔本作盆水。○李桢曰:东山经之姑射,是否为冀州域内之山,经文究无可考。隋志以属之临汾,或后世据此篇汾水之阳一语以名其地之山,亦未可知。上文所称姑射,远在北海中,故曰藐,藐者远也。汾阳,尧所居,若有姑射,何为亦云藐哉!盖尧之心未尝有天下,其心即姑射神人之心,其身亦如姑射神人之身,虽垂衣庙堂,如逍遥海外,是以彼山藐远,无殊近在帝都。(四子本无其人,征名以实之则凿矣。)注疏推阐,并极精妙。余前辨证一条,谓山名不可混合为一,然恐有失庄生玄旨,故复论及之。汾水,司马、崔本并作盆水,古读汾如盆,非别一水,说见钱氏大昕养新录。"窅然"徐乌了反。郭武骈反。李云:窅然,犹怅然。○卢文弨曰:郭必以为(真)〔寔〕④字,故如此音。"丧其"息浪反,注同。"绝冥"亡丁反。"之竟"音境,本亦作境。○卢文弨曰:今注作境。

〔校〕①阙误引天台山方瀛观古藏本肎作瞀。②所字依宋本改。③冥字依注文改。④寔字依抱经堂原本改。按,原刻本似亦有误。说文:寔,塞也,从穴,真声。徐待年切。即今填字。武骈与待年同韵异摄,殆非其字,以寔然状丧天下,语亦不伦。疑郭本作冥，释文郭下脱作冥二字，冥字古与瞑眠通。列御寇篇而甘冥乎无何有之乡，释文云：本又作瞑，音眠。俞樾谓淮南子俶真篇"甘瞑乎澜澜之域"即本此，甘瞑即甘眠。说文：瞑，翕目也，从目冥，冥亦声。徐铉曰：今俗别作眠，非是。武延切。汉书扬雄传目冥眴而无见，冥眴即孟子滕文公之瞑眩，并叠韵连词。又作眩眠或眩瞀，如史记司马相如传"视眩眠而无见兮"及"红杳渺而眩瞀兮"皆是。诸字并义近音同。陆冥武骈切，与徐瞑武延切，而汉书颜注冥莫见反，孙奭孟子音义瞑莫甸切，史记索隐引苏林瞀音麵，韵摄皆同，(古无轻唇音，武莫声同。)惟平仄异耳。冥与瞀义亦相通，故常连用。逍遥游篇北冥有鱼，释文引"简文云，瞀冥无极，故谓之冥"是也。二字又形近，故今本作瞀，郭本作冥。郭于此注连用四冥字，皆就冥然立言，足为的证。上句"故瞀然丧之"之瞀，疑本亦作冥，后人依今本正文改之耳。

惠子谓庄子曰："魏王贻我大瓠之种[一]，我树之成而实五石，以盛水浆，其坚不能自举也[二]。剖之以为瓢，则瓠落无所容。非不呺然大也，吾为其无用而掊之[三]。"

〔一〕【疏】姓惠，名施，宋人也，为梁国相。谓，语也。贻，遗也。瓠，匏之类也。魏王即梁惠王也。昔居安邑，国号为魏，后为强秦所逼，徙于大梁，复改为梁，僭号称王也。惠子所以起此大匏之譬，以讥庄子之书，虽复词旨恢弘，而不切机务，故致此词而更相激发者也。【释文】"惠子"司马云：姓惠，名施，为梁相。"魏王"司马云：梁惠王也。案魏自河东迁大梁，故谓之魏，或谓之梁也。"贻"徐音怡，郭与志反，遗也。"大瓠"徐音护。"之种"章勇反。

〔二〕【疏】树者,艺植之谓也。实者,子也。惠施既得瓠种,艺之成就,生子甚大,容受五石,仍持此瓠以盛水浆,虚脆不坚,故不能自胜举也。　【释文】"而实五石"司马云:实中容五石。"以盛"音成。

〔三〕【疏】剖,分割之也。瓢,勺也。瓠落,平浅也。呺然,虚大也。掊,打破也。用而盛水,虚脆不能自胜;分剖为瓢,平浅不容多物。众谓无用,打破弃之。刺庄子之言,不救时要,有同此(言)〔瓠〕,应须屏削也。　【释文】"剖之"普口反。"为瓢"毗遥反。徐扶尧反。"则瓠"户郭反,司马音护。下同。"落"简文云:瓠落,犹廓落也。司马云:瓠,布护也;落,零落也。言其形平而浅,受水则零落而不容也。"呺然"本亦作号。徐许憍反。李云:号然,虚大貌。崔作谔,简文同。"吾为"于伪反。"掊之"徐方垢反。司马云:击破也。○庆藩案,文选谢灵运之郡初发都诗注引司马云:瓠,布护;落,零落也。枵然,大貌。掊,谓击破之也。喻庄子之言大也,若巨瓠之无施也。较释文引为详。○俞樾曰:说文:号,痛声也。呺谔,说文所无,盖皆号之俗体,施之于此,义不可通。文选谢灵运初发都诗李善注引此文作枵,当从之。尔雅释天:玄枵,虚也。虚则有大义,故曰枵然大也。释文引李云号然虚大貌,是固以枵字之义说之。

38　　庄子曰:"夫子固拙于用大矣。宋人有善为不龟手之药者,世世以洴澼絖为事〔一〕。客闻之,请买其方①百金〔二〕。聚族而谋曰:'我世世为洴澼絖,不过数金;今一朝而鬻技百金,请与之〔三〕。'客得之,以说吴王。越有难,吴王使之将,冬与越人水战,大败越人,裂地而封之〔四〕。能不龟手,一也；或以封，或不免于洴澼絖，则所用之异也〔五〕。今子有五石之瓠，何不虑以为大樽而浮乎江湖，而忧其瓠落无所容？则夫子犹有蓬之心也夫〔六〕！"

〔一〕【注】其药能令手不拘坼，故常漂絮于水中也。　【疏】洴，浮；澼，漂也。絖，絮也。世世，年也。宋人隆冬涉水，漂絮以作牵离，手指生疮，拘坼有同龟背。故世世相承，家传此药，令其手不拘坼，常得漂絮水中，保斯事业，永无亏替。又云：澼，擗也；絖，纩也，谓擗纩于水中之故也。　【释文】"龟手"愧悲反。徐举伦反。李居危反。向云：拘坼也。司马云：文坼如龟文也。又云：如龟挛缩也。○俞樾曰：释文引司马云文坼如龟文也，又云如龟挛缩也，义皆未安。向云如拘坼也，郭注亦云能令手不拘坼，然则龟字宜即读如拘。盖龟有丘音，后汉西域传龟兹读曰丘慈，是也。古丘音与区同，故亦得读如拘矣。拘，拘挛也，不龟②者，不拘挛也。龟文之说虽非，挛缩之说则是，但不必以如龟为说耳。○李桢曰：龟手，释文云徐举伦反，盖以龟为皲之假借。按龟皲双声。众经音义卷十一：皲，居雲、去雲二反。通俗文：手足坼裂曰皲，经文或作龟坼。下引庄此文及郭注为证。是玄应以龟皲音义互通。集韵十八谆：皲，区伦切，皴也。汉书赵充国传，将军士寒，手足皲瘃，文颖曰：皲，坼裂也；瘃，寒创也。唐书李甘传，冻肤皲瘃。不龟手，犹言不皲手耳。皲，说文作䠊。钮氏树玉、郑氏珍以皲下或体（䠊）〔皸〕为皲字，不足据。"洴"徐扶经反。"澼"普历反。徐敷历反。郭、李恪历反，澼，声。○卢文弨曰：案今本书作澼声，疑洴澼是击絮之声。洴澼二字本双声，盖亦象其声也。"絖"音旷。小尔雅云：絮细者谓之絖。李云：洴澼絖者，漂絮于水上。絖，絮也。"能令"力呈反。"不拘"纪于反。依字宜作眗,纪于、求于二反。周书云天寒足眗是也。"坼"勅白反。〇卢文弨曰:坼,俗本多从手,非。"漂"匹妙反,韦昭云:以水击絮为漂。说文作㿻,豊市反,又匹例反。〇卢文弨曰:㿻旧讹作㿸,今改正。"絮"胥虑反。

〔二〕【疏】金方一寸重一斤为一金也。他国游客,偶尔闻之,请买手疮一术,遂费百金之价者也。 【释文】"百金"李云:金方寸重一斤为一金。百金,百斤也。

〔三〕【疏】鬻,卖也。估价既高,聚族谋议。世世洴澼,为利盖寡,一朝卖术,资货极多。异口同音,佥曰请与。 【释文】"数金"色主反。"鬻"音育。司马云:卖也。"技"本或作伎,竭彼反。

〔四〕【疏】吴越比邻,地带江海,兵戈相接,必用舻船,战士隆冬,手多拘坼。而客素禀雄才,天生睿智,既得方术,遂说吴王。越国兵难侵吴,吴王使为将帅,赖此名药,而兵手不拘坼。旌旗才举,越人乱辙。获此大捷,献凯而旋,勋庸克著,胙之茅土。 【释文】"以说"始锐反,又如字。"有难"乃旦反。"之将"子匠反。"大败"必迈反。

〔五〕【疏】或,不定也。方药无工〔拙〕③而用者有殊,故行客得之以封侯,宋人用之以洴澼,此则所用工拙之异。

〔六〕【注】蓬,非直达者也。此章言物各有宜,苟得其宜,安往而不逍遥也。 【疏】虑者,绳络之也。樽者,漆之如酒樽,以绳结缚,用渡江湖,南人所谓腰舟者也。蓬,草名,拳曲不直也。夫,叹也。言大瓠浮泛江湖,可以舟船沦溺;至教兴行世境,可以济渡群迷。而惠生既有蓬心,未能直达玄理,故妄起掊击之譬,讥刺庄子之书。为用失宜,深可叹之。 【释文】"不虑以为大樽"本亦作尊。司马云:樽如酒器,缚之于身,浮于江湖,可以自渡。

虑,犹结缀也。案所谓腰舟。○**卢文弨**曰:縳旧作缚,今从**宋本**正④。"蓬之心"**郭**云:蓬,生非直达者。**向**云:蓬者短不畅,曲士之谓。○**卢文弨**曰:土,旧讹士,今改正。

〔校〕①阙误引**江南古藏本**方下有以字。②龟字依**诸子平议**补。③拙字依下文补。④按卢说非是。**说文**:缚,束也。縳,白鲜色也,**段注**改色为厄,云,**声类**以为今正绢字,据许则縳与绢各物。若羽人十挦为縳,**左传**縳一如瑱,又皆卷縳之义,非字之本义。**朱骏声借义证**谓"縳与缚音隔,疑以形近而误",其说是也。是束缚字正当作缚,**宋本**误。

惠子谓**庄子**曰:"吾有大树,人谓之樗〔一〕。其大本拥肿而不中绳墨,其小枝卷曲而不中规矩,立之涂,匠者不顾〔二〕。今子之言,大而无用,众所同去也〔三〕。"

〔一〕【疏】樗,樗漆之类,嗅之甚臭,恶木者也。世间名字,例皆虚假,相与嗅之,未知的当,故言人谓之樗也。 【释文】"樗"勑鱼反,木名。

〔二〕【疏】拥肿,槃瘿也。卷曲,不端直也。规圆而矩方。涂,道也。樗栲之树,不材之木,根本拥肿,枝干挛卷,绳墨不加,方圆无取,立之行路之旁,匠人曾不顾盼也。 【释文】"拥肿"章勇反。**李**云:拥肿,犹盘瘿。"不中"丁仲反。下同。"卷曲"本又作拳,同。音权,**徐**纪阮反。**李**丘圆反。

〔三〕【疏】树既拥肿不材,匠人不顾;言(迹)〔亦〕迂诞无用,众所不归。此合喻者也。 【释文】"同去"如字。**李**羌吕反。○**庆藩**案,大而无用,犹言迂远无当于事情也。**礼文王世子**况于其身以善其君乎,**郑**注曰:于读为迂,犹广也,大也。是大与迂同义。**老**

子道德经云,天下皆谓道大似不肖,亦此大字之义。

庄子曰:"子独不见狸狌乎?卑身而伏,以候敖者;东西跳梁,不辟高下;中于机辟,死于罔罟〔一〕。今夫斄牛,其大若垂天之云。此能为大矣,而不能执鼠〔二〕。今子有大树,患其无用,何不树之于无何有之乡,广莫之野〔三〕,彷徨乎无为其侧,逍遥乎寝卧其下〔四〕。不夭斤斧,物无害者,无所可用,安所困苦①哉〔五〕!"

〔一〕【疏】狌,野猫也。跳梁,犹走踯也。辟,法也,谓机关之类也。罔罟,罝罘也。子独不见狸狌捕鼠之状乎?卑伏其身,伺候傲慢之鼠;东西跳踯,不避高下之地;而中于机关之法,身死罔罟之中,皆以利惑其小,不谋大故也。亦犹擎跪曲拳,执持圣迹,伪情矫性,以要时利,前虽遂意,后必危亡,而商鞅、苏、张,即是其事。此何异乎捕鼠狸狌死于罔罟也。 【释文】"狸"力之反。"狌"徐音姓。郭音生。又音星。司马云:狛也。狛,音由救反。"敖者"徐、李五到反。支云:伺彼怠敖,谓承夫閒②殆也。本又作傲,同。司马音遨,谓伺遨翔之物而食之,鸡鼠之属也。"跳"音条。"不辟"音避。今本多作避。下放此。"机辟"毗赤反。司马云:罔也。○卢文弨曰:案当作毗亦反。○庆藩案,辟疑为繴之借字。尔雅:繴谓之罿,罿,罬也;罬谓之罦,罦,覆车也。郭璞曰:今之翻车也,有两辕,中施罥以捕鸟。司马曰辟罔也,误。辟若训罔,则下文死于罔罟为赘矣。楚辞九章设张辟以娱君兮,王逸注:辟,法也,言谗人设张峻法以娱乐君,(王念孙曰:楚辞九章以张辟连读,非以设张连读。张读弧张之张。周官冥氏掌弧张,郑注:弧张,罝罘之属,所以扃绢禽兽。)颇费解义。墨子非儒篇:盗贼将作,若机辟将发也,<u>盐铁论刑法篇</u>曰:辟陷设而当其蹊,皆当作檗。(<u>楚辞哀时命</u>,外迫胁于机臂兮,机臂与机辟同。<u>玉篇</u>、<u>王注</u>以为弩身,亦失之。)"罟"<u>徐</u>音古。

〔二〕【疏】犛牛,犹旄牛也,出<u>西南夷</u>。其形甚大,山中远望,如天际之云。薮泽之中,逍遥养性,跳梁投鼠,不及野狸。亦犹<u>庄子</u>之言,不狥流俗,可以理国治身,且长且久也。 【释文】"犛牛"<u>郭</u>吕之反。<u>徐</u>、<u>李</u>音来,又音离。<u>司马</u>云:旄牛。

〔三〕【疏】无何有,犹无有也。莫,无也。谓宽旷无人之处,不问何物,悉皆无有,故曰无何有之乡也。 【释文】"无何有之乡广莫之野"谓寂绝无为之地也。<u>简文</u>云:莫,大也。

〔四〕【疏】彷徨,纵任之名;逍遥,自得之称;亦是异言一致,互其文耳。不材之木,枝叶茂盛,婆娑荫映,蔽日来风,故行李经过,徘徊憩息,徙倚顾步,寝卧其下。亦犹<u>庄子</u>之言,无为虚淡,可以逍遥适性,荫庇苍生也。 【释文】"彷"薄刚反,又音房。"徨"音皇。彷徨,犹翱翔也。<u>崔</u>本作方羊,<u>简文</u>同。<u>广雅</u>云:彷徉,徙倚也。

〔五〕【注】夫小大之物,苟失其极,则利害之理均;用得其所,则物皆逍遥也。 【疏】拥肿不材,拳曲无取,匠人不顾,斤斧无加,夭折之灾,何从而至,故得终其天年,尽其生理。无用之用,何所困苦哉!亦犹<u>庄子</u>之言,乖俗会道,可以摄卫,可以全真,既不夭枉于世途,讵肯困苦于生分也!

〔校〕①<u>阙误</u>引<u>文</u>本困苦作穷困。②世德堂本閒作隁。

庄子集释卷一下

内篇 齐物论第二〔一〕

〔一〕【注】夫自是而非彼，美己而恶人，物莫不皆然。然，故是非虽异而
彼我均也。　【释文】"齐物论"力顿反。李如字。"而恶"乌路反。

　　南郭子綦隐机而坐，仰天而嘘，荅焉似丧其耦〔一〕。颜
成子游立侍乎前，曰："何居乎？形固可使如槁木，而心固
可使如死灰乎〔二〕？今之隐机者，非昔之隐机者也〔三〕。"

〔一〕【注】同天人，均彼我，故外无与为欢，而荅焉解①体，若失其配
匹。　【疏】楚昭王之庶弟，楚庄王之司马，字子綦。古人淳质，
多以居处为号，居于南郭，故号南郭，亦犹市南宜僚、东郭顺子
之类。其人怀道抱德，虚心忘淡，故庄子羡其清高而托为论首。
隐，凭也。嘘，叹也。荅焉，解释貌。耦，匹也。(为)〔谓〕身与神
为匹，物与我〔为〕②耦也。子綦凭几坐忘，凝神遐想，仰天而叹，
妙悟自然，离形去智，荅焉堕体，身心俱遣，物我(无)〔兼〕忘，故
若丧其匹耦也。　【释文】"南郭子綦"音其。司马云：居南郭，

因为号。"隐"於靳反,冯也。"机"音纪。李本作几。〇卢文弨曰:案今本作几。"而嘘"音虚。吐气为嘘。向云:息也。"荅焉"本又作嗒,同。吐荅反,又都纳反。注同。解体貌。〇卢文弨曰:今本作嗒。案解体,即赵岐孟子注所云解罢枝也。〇庆藩案,慧琳一切经音义八十八终南山龙田寺释法琳本传卷四引司马云:荅焉,云失其所,故有似丧耦也。释文阙。"其耦"本亦作偶,五口反。匹也,对也。司马云:耦,身也,身与神为耦。〇俞樾曰:丧其耦,即下文所谓吾丧我也。郭注曰若失其配匹,未合丧我之义。司马云,耦,身也,此说得之。然云身与神为耦则非也。耦当读为寓。寓,寄也,神寄于身,故谓身为寓。

〔二〕【注】死灰槁木,取其家③无情耳。夫任自然而忘是非者,其体中独任天真而已,又何所有哉!故止若立枯木,动若运槁枝,坐若死灰,行若游尘。动止之容,吾所不能一也;其于无心而自得④,吾所不能二也⑤。　　【疏】姓颜,名偃,字子游。居,安处也。方欲请益,故起而立侍。如何安处,神识凝寂,顿异从来,遂使形将槁木而不殊,心与死灰而无别。必有妙术,请示所由。【释文】"颜成子游"李云:子綦弟子也,姓颜,名偃,谥成,字子游。"何居"如字,又音姬。司马云:犹故也。"槁木"古老反。注同。"家"音寂,本亦作寂。〇卢文弨曰:家,旧讹家。今案大宗师云,其容家,释文云:本亦作寂,崔本作宋,据改正。方言云:家,安静也。汉人碑版多作此字。老子铭,显虚无之清家,张公神碑,寘界家静,成皋令任伯嗣碑,官朝家静,巴郡太守张纳碑,四竟家谧,博陵太守孔彪碑,家兮冥冥,皆如此作。今注作寂寞。"莫"本亦作漠。

〔三〕【注】子游尝见隐机者,而未有⑥若子綦也。　　【疏】子游昔见坐忘,未尽玄妙;今逢隐机,实异曩时。怪其寂泊无情,故发惊疑之旨。

〔校〕①<u>赵谏议</u>本无解字。②为字依上句例补。③冢莫,<u>赵</u>本作寂漠,<u>世德堂</u>本作寂寞。④其于无心而自得,<u>赵</u>本作无心自得。⑤二也,<u>世德堂</u>本作一也。<u>赵</u>本二亦作一,与上句一字下均无也字。⑥<u>世德堂</u>本尝作常,有作见。

子綦曰:"偃,不亦善乎,而问之也! 今者吾丧我,汝知之乎〔一〕? 女闻人籁而未闻地籁,女闻地籁而未闻天籁夫〔二〕!"

〔一〕【注】吾丧我,我自忘矣;我自忘矣,天下有何物足识哉! 故都忘外内,然后超然俱得。 【疏】而,犹汝也。丧,犹忘也。许其所问,故言不亦善乎。而<u>子綦</u>境智两忘,物我双绝,<u>子游</u>不悟,而以惊疑,故示隐几之能,汝颇知不。

〔二〕【注】籁,箫也。夫箫管参差,宫商异律,故有短长高下万殊之声。声虽万殊,而所禀之度一也,然则优劣无所错其间矣。况之风物,异音同是,而咸自取焉,则天地之籁见矣。 【疏】(人)①籁,箫也,长一尺二寸,十六管,象凤翅,<u>舜</u>作也。夫箫管参差,所受各足,况之风物,咸禀自然,故寄此二贤以明三籁之义。释在下文。 【释文】"女闻"音汝。下皆同。本亦作汝。○<u>卢文弨</u>曰:上汝知何以不一律作女?"人籁"力带反,箫也。"籁夫"音扶。"参"初林反。"差"初宜反。"所错"七故反。"见矣"贤遍反。

〔校〕①人字依注文删。

子游曰:"敢问其方〔一〕。"

〔一〕【疏】方,道术也。虽闻其名,未解其义,故请三籁,其术如何。

子綦曰："夫大块噫气，其名为风〔一〕。是唯无作，作则万窍怒呺〔二〕。而独不闻之寥寥①乎〔三〕？山林之畏佳〔四〕，大木百围之窍穴，似鼻，似口，似耳，似枅，似圈，似臼，似洼者，似污者〔五〕；激者，謞者，叱者，吸者，叫者，譹者，宎者，咬者〔六〕，前者唱于而随者唱喁。泠风则小和，飘风则大和〔七〕，厉风济则众窍为虚〔八〕。而独不见之调调，之（刀刀）〔刀刀〕②乎〔九〕？"

〔一〕【注】大块者，无物也。夫噫气者，岂有物哉？气块然而自噫耳。物之生也，莫不块然而自生，则块然之体大矣，故遂以大块为名。
【疏】大块者，造物之名，亦自然之称也。言自然之理通生万物，不知所以然而然。大块之中，噫而出气，仍名此气而为风也。 【释文】"大块"苦怪反。李苦对反。说文同，云：俗由字也。徐口回反，徐、李又胡罪反。郭又苦猥反。司马云：大朴之貌，众家或作大槐，班固同。淮南子作大昧。解者或以为无，或以为元气，或以为混成，或以为天，谬也。○庆藩案，慧琳一切经音义九十五正诬经卷五引司马云：大块，谓天也。与释文所引异。○俞樾曰：大块者，地也。块乃由之或体。说文土部：由，墣也。盖即中庸所谓一撮土之多者，积而至于广大，则成地矣，故以地为大块也。司马云大朴之貌，郭注曰大块者无物也，并失其义。此本说地籁，然则大块者，非地而何？"噫"乙戒反。注同。—③音荫。

〔二〕【注】言风唯无作，作则万窍皆怒动而为声也。 【疏】是者，指此风也。作，起也。言此大风唯当不起，若其动作，则万殊之穴皆鼓怒呺叫也。 【释文】"万窍"苦弔反。"怒呺"胡刀反，徐又（诈）〔许〕④口反，又胡到反。

〔三〕【注】长风之声。 【释文】"翏翏"良救反,又六收反。长风声也。李本作飂,音同。又力竹反。

〔四〕【注】大风之所扇动也。 【疏】翏翏,长风之声。畏佳,扇动之貌。而翏翏清吹,击荡山林,遂使树木枝条,畏佳扇动。世皆共睹,汝独不闻之邪?下文云。 【释文】"畏"於鬼反。郭乌罪反。崔本作嵬。"佳"醉癸反。徐子唯反。郭祖罪反。李诸鬼反。李颐云:畏佳,山阜貌。〇卢文弨曰:佳,旧本作佳,今庄子众家本皆作佳。韵会支韵内引此,似亦可读追。此所音(唯)〔虽〕⑤皆仄声,然实与佳本音皆相近,故从众家本改正。

〔五〕【注】此略举众窍之所似。 【疏】窍穴,树孔也。枅,柱头木也,今之斗楷是也。圈,畜兽阑也。木既百围,穴亦奇众,故或似人之口鼻,或似兽之阑圈,或似人之耳孔,或似舍之枅楷,或洼曲而拥肿,或污下而不平。形势无穷,略陈此八事。亦(由)〔犹〕⑥世间万物,种类不同,或丑或妍,盖禀之造化。 【释文】"之窍"崔本作窾。"似鼻似口"司马云:言风吹窍穴动作,或似人鼻,或似人口。"似枅"音鸡,又音肩。字林云:柱上方木也。简文云:欂栌也。"似圈"起权反。郭音权,杯圈也。徐其阮反,言如羊豕之阑圈也。"似臼"其九反。"似洼者"(鸟)〔乌〕⑦携反,李於花反,又乌乖反,郭乌蛙反。司马云:若洼曲。"污者"音乌。司马云:若污下。

〔六〕【注】此略举(异)〔众〕⑧窍之声殊。 【疏】激者,如水湍激声也。謞者,如箭镞头孔声〔也〕⑨。叱者,咄声也。吸者,如呼吸声也。叫者,如叫呼声也。譹者,哭声也。宎者,深也,若深谷然。咬者,哀切声也。略举树穴,即有八种;风吹木窍,还作八声。亦(由)〔犹〕人禀分不同,种种差异,率性而动,莫不均齐。假令小大夭寿,未足以相倾。 【释文】"激者"经歷反,如水激也。李古弔反。司马云:声若激唤也。李又驱弔反。○庆藩案,慧琳一切经音义六十八阿毗达摩大〔毗〕婆沙论卷四引司马云:流急曰激也。七十八(音)经律异相卷十四、九十高僧传十三引并同。又文选卢子谅时兴诗注、玄应众经音义十四引亦同。与释文所引异。"謞者"音孝。李虚交反。简文云:若箭去之声。司马云:若讙謞声。○卢文弨曰:旧音考,讹。今注本音孝,从之。"叱者"昌实反。徐音七。司马云:若叱咄声。"吸者"许及反。司马云:若嘘吸声也。"叫者"古弔反。郭古幼反。李居曜反。司马云:若叫呼声也。"譹者"音豪。郭又户报反。司马云:若譹哭声。○卢文弨曰:旧脱者字,今增,与众句一例。"宎者"徐於尧反。一音杳。又於弔反。司马云:深者也,若深宎宎然。"咬者"於交反。或音狡。司马云:声哀切咬咬然。又许拜反。

〔七〕【注】夫声之宫商虽千变万化,唱和大小,莫不称其所受而各当其分。　【疏】泠,小风也。飘,大风也。于喁,皆是风吹树动前后相随之声也。故泠〔泠〕清风,和声即小;暴疾飘风,和声即大;各称所受,曾无胜劣,以况万物禀气自然。　【释文】"唱于"如字。"唱喁"五恭反。徐又音愚。又五斗反。李云:于喁,声之相和也。"泠风"音零。李云:泠泠,小风也。"小和"胡卧反。下及注皆同。"飘风"鼻遥反,又符遥反。李敷遥反。司马云:疾风也。尔雅云:回风为飘。"不称"尺證反。"其分"符问反。下不出者同。

〔八〕【注】济,止也。烈风作则众窍实,及其止则众窍虚。虚实虽异,其于各得则同。　【疏】厉,大也,烈也。济,止也。言大风止则众窍虚,及其动则众窍实。虚实虽异,各得则同耳。况四序盈虚,二仪生杀,既无心于亭毒,岂有意于虔刘!　【释文】"厉风"

司马云:大风。向、郭云:烈风。"济"子细反。向云:止也。○庆藩案,厉风济,济者,止也。诗鄘风载驰篇旋济,毛传曰:济,止也。风止则万窍寂然,故曰众窍为虚。

〔九〕【注】调调(ㄐㄐ)〔刀刀〕,动摇貌也。言物声既异,而形之动摇亦又不同也。动虽不同,其得齐一耳,岂调调独是而(ㄐㄐ)〔刀刀〕独非乎!　【疏】而,汝也。调调(ㄐㄐ)〔刀刀〕,动摇之貌也。言物形既异,动亦不同,虽有调(ㄐㄐ)〔刀〕之殊,而终无是非之异。况盈虚聚散,生死穷通,物理自然,不得不尔,岂有是非臧否于其间哉!　【释文】"调调"音条。"刀刀"徐都尧反。向云:调调刀刀,皆动摇貌。○卢文弨曰:旧俱作刁,俗;今改依正体。"动摇"如字,又羊照反。

〔校〕①阙误引李本翏作飂,力救切。②刀字依世德堂本及卢校改,下注及疏文并同。③一下疑脱作喑二字。知北游篇生者喑醷物也,释文喑音阴,引李郭云:喑醷,聚气貌。喑气亦即聚气。④许字依释文原本改。⑤抱经堂原刻本唯作雖,误。此本作唯,亦非。字当作虽。⑥由犹古通用,今以义别之,后不复出。⑦乌字依释文原本改。⑧众字依世德堂本及上注文改。赵谏议本亦作异。⑨也字依上下文句例补。

子游曰:"地籁则众窍是已,人籁则比竹是已。敢问天籁。"〔一〕

〔一〕【疏】地籁则窍穴之徒,人籁则箫管之类,并皆眼见,此则可知。惟天籁深玄,卒难顿悟,敢陈庸昧,请决所疑。　【释文】"比竹"毗志反。又必履反。李扶必反。注同。

子綦曰:"夫吹万不同,而使其自己也〔一〕,咸其自取,怒者其谁邪〔二〕!"

〔一〕【注】此天籁也。夫天籁者，岂复别有一物哉？即众窍比竹之属，接乎有生之类，会而共成一天耳。无既无矣，则不能生有；有之未生，又不能为生。然则生生者谁哉？块然而自生耳。自生耳，非我生也。我既不能生物，物亦不能生我，则我自然矣。自己而然，则谓之天然。天然耳，非为也，故以天言之。〔以天言之〕①所以明其自然也，岂苍苍之谓哉！而或者谓天籁役物使从己也。夫天且不能自有，况能有物哉！故天者，万物之总名也，莫适为天，谁主役物乎？故物各自生而无所出焉，此天道也。　【疏】夫天者，万物之总名，自然之别称，岂苍苍之谓哉！故夫天籁者，岂别有一物邪？即比竹众窍接乎有生之类是尔。寻夫生生者谁乎，盖无物也。故外不待乎物，内不资乎我，块然而生，独化者也。是以郭注云，自己而然，则谓之天然。故以天然言之者，所以明其自然也。而言吹万不同。且风唯一体，窍则万殊，虽复大小不同，而各称所受，咸率自知，岂赖他哉！此天籁也。故知春生夏长，目视耳听，近取诸身，远托诸物，皆不知其所以，悉莫辨其所然。使其自己，当分各足，率性而动，不由心智，所谓亭之毒之，此天籁之大意者也。　【释文】"岂复"扶又反。"莫适"丁歷反。○庆藩案，<u>文选</u>谢(宣城)〔<u>灵运</u>〕②九日从宋公戏马台集送孔令诗注引司马云：吹万，言天气吹煦，生养万物，形气不同。已，止也，使各得其性而止。<u>谢灵运</u>道路忆山中诗注、　<u>江文通</u>杂体诗注引同。释文阙。

〔二〕【注】物皆自得之耳，谁主怒之使然哉！此重明天籁也。　【疏】自取，(由)〔犹〕自得也。言风窍不同，形声乃异，至于各自取足，未始不齐，而怒动为声，谁使之然也！欲明群生纠纷，万象参差，分内自取，未尝不足，或飞或走，谁使其然，故知鼓之怒之，莫知其宰。此则重明天籁之义者也。　【释文】"此重"直用反。

大知闲闲,小知间间[一];大言炎炎,小言詹詹[二]。其寐也魂交,其觉也形开[三],与接为构,日以心斗。缦者,窖者,密者[四]。小恐惴惴,大恐缦缦[五]。其发若机栝,其司是非之谓也[六];其留如诅盟,其守胜之谓也[七];其杀若秋冬,以言其日消也[八];其溺之所为之,不可使复之也[九];其厌也如缄,以言其老洫①也[一〇];近死之心,莫使复阳也[一一]。喜怒哀乐,虑叹变慹,姚佚启态[一二];乐出虚,蒸成菌[一三]。日夜相代乎前,而莫知其所萌[一四]。已乎,已乎!旦暮得此,其所由以生乎[一五]!

〔一〕【注】此盖知之不同。　【疏】闲闲,宽裕也。间间,分别也。夫智惠宽大之人,率性虚淡,无是无非;小知狭劣之人,性灵褊促,有取有舍。〔有取有舍〕②,故间隔而分别;无是无非,故闲暇而宽裕也。　【释文】"大知"音智。下及注同。"闲闲"李云:无所容貌。简文云:广博之貌。"间间"古闲反,有所间别也。○俞樾曰:广雅释诂:间,覗也。小知间间,当从此义,谓好覗察人也。释文曰有所间别,非是。

〔二〕【注】此盖言语之异。　【疏】炎炎,猛烈也。詹詹,词费也。夫诠理大言,(由)〔犹〕猛火炎燎原野,清荡无遗。儒墨小言,滞于竞辩,徒有词费,无益教方。　【释文】"炎炎"于廉、于凡二反,又音谈。李作淡,徒滥反。李颐云:同是非也。简文云:美盛貌。"詹詹"音占。李颐云:小辩之貌。崔本作阎。

〔三〕【注】此盖寤寐之异。　【疏】凡鄙之人,心灵驰躁,耽滞前境,无得暂停。故其梦寐也,魂神妄缘而交接;其觉悟也,则形质开朗而取染也。　【释文】"魂交"司马云:精神交错也。"其觉"古孝反。"形开"司马云:目开意悟也。

〔四〕【注】此盖交接之异。　【疏】构,合也。窖,深也,今穴地藏谷是也。密,隐也。交接世事,构合根尘,妄心既重,(渴)〔愒〕日不足,故惜彼寸阴,心与日斗也。其运心逐境,情性万殊,略而言之,有此三别也。　【释文】"与接为构"司马云:人道交接,构结欢爱也。"缦者"(未)〔末〕旦反。简文云:宽心也。"窖者"古孝反。司马云:深也。李云:穴也。案穴地藏谷曰窖。简文云:深心也。

〔五〕【注】此盖恐悸之异。　【疏】惴惴,怵惕也。缦缦,沮丧也,夫境有违从,而心恒忧度,虑其不遂,恐惧交怀。是以小恐惴栗而怵惕,大恐宽暇而沮丧也。　【释文】"小恐"曲勇反。下及注同。"惴惴"之瑞反。李云:小心貌。尔雅云:惧也。"缦缦"李云:齐死生貌。"悸"其季反。

〔六〕【疏】机,弩牙也。栝,箭栝也。司,主也。言发心逐境,速如箭栝;役情拒害,猛若弩牙。唯主意是非,更无他谓也。　【释文】"机栝"古活反。机,弩牙。栝,箭栝。○庆藩案,文选鲍明远苦热行注引司马云:言生死是非,臧否交校,则祸败之来,若机栝之发。释文阙。○又案,机谓弩牙。(见易系辞郑注。)释名曰:弩,(弩)〔怒也③。〕钩弦者曰牙,牙外曰郭,(郭)下曰县刀,合名之(则)曰机(栝),言如机之巧也。(机栝与枢机义各不同。枢为户枢,机为门橜。广雅:朱也。朱与梱同。说文:梱,门橜也。王引之曰:枢为户枢,所以利转。机为门梱,所以止扉。故以枢机并言,谓开合有节也。书传机与栝并言弩牙也。)

〔七〕【注】此盖动止之异。 【疏】诅，祝也。盟，誓也。言役意是非，(由)〔犹〕如祝诅，留心取境，不异誓盟。坚守确乎，情在胜物。【释文】“诅”侧據反。“盟”音明，徐武耕反，郭武病反。

〔八〕【注】其衰杀日消有如此者。 【疏】夫素秋摇落，玄冬肃杀，物景贸迁，骤如交臂，愚惑之类，岂能觉邪！唯争虚妄是非，讵知日新消毁，人之衰老，其状例然。 【释文】“其杀”色界反，徐色例反。注同。

〔九〕【注】其溺而遂往有如此者。 【疏】滞溺于境，其来已久，所为之事，背道乖真。欲使复命还源，无由可致。 【释文】“其溺”奴狄反，郭奴徼反。

〔一〇〕【注】其厌没于欲，老而愈洫，有如此者。 【疏】厌，没溺也。颠倒之流，厌没于欲，惑情坚固，有类缄绳。岂唯壮年纵恣，抑乃老而愈洫。 【释文】“其厌”於葉反，徐於冉反，又於感反。“如缄”徐古咸反。“老洫”本亦作溢，同。音逸，郭许鵙反，又已质反。

〔一一〕【注】其利患轻祸，阴结遂志，有如此者。 【疏】莫，无也。阳，生也。耽滞之心，邻乎死地，欲使反于生道，无由得之。 【释文】“近死”附近之近。“复阳”阳，谓生也。○家世父曰：日以心斗，百变不穷。司是非者有万应之机，守胜者有一成之见。或久倦思反而杀如秋令，或沉迷不悟而溺为之，亦有深缄其机，无复生人之气者。人心之相构，各视所藏之机，以探而取之。

〔一二〕【注】此盖性情之异者。 【疏】凡品愚迷，(则)〔耽〕执违顺，顺则喜乐，违则哀怒。然哀乐则重，喜怒则轻。故喜则心生欢悦，乐则形于舞忭，怒则当时嗔恨，哀则举体悲号，虑则抑度未来，叹则咨嗟已往，变则改易旧事，慹则屈服不伸，姚则轻浮躁动，佚则奢华纵放，启则开张情欲，态则娇淫妖冶。众生心识，变转无穷，略而言之，有此十二。审而察之，物情斯见矣。【释文】"哀乐"音洛。"慹"之涉反。司马云：不动貌。"姚"郭音遥，徐李勑弔反。"佚"音逸。"态"勑代反，李又奴载反。

〔一三〕【注】此盖事变之异也。自此以上，略举天籁之无方；自此以下，明无方之自然也。物各自然，不知所以然而然，则形虽弥异，其④然弥同也。【疏】夫箫管内虚，故能出于雅乐；湿暑气蒸，故能生成朝菌。亦犹二仪万物，虚假不真，从无生有，例如菌乐。浮幻若是，喜怒何施！【释文】"蒸"之膺反。"成菌"其陨反。向云：结也。"以上"时掌反。

〔一四〕【注】日夜相代，代故以新也。夫天地万物，变化日新，与时俱往，何物萌之哉？自然而然耳。【疏】日昼月夜，轮转循环，更相递代，互为前后。推求根绪，莫知其状者也。【释文】"萌"武耕反。

〔一五〕【注】言其自生。【疏】已，止也。推求日夜，前后难知，起心虞度，不如止息。又重推旦暮，覆察昏明，亦莫测其所由，固不知其端绪。欲明世间万法，虚妄不真，推求生死，即体皆寂。故老经云，迎之不见其首，随之而不见其后，理由若此。【释文】"旦暮"本又作莫，音同。

〔校〕①阙误引江南古藏本洫作溢。②依下句例补。③怒也依释名改，以下郭则栝三字均依释名删。④世德堂本其作自。

非彼无我，非我无所取。是亦近矣〔一〕，而不知其所为使〔二〕。若有真宰，而特不得其眹〔三〕。可行己信〔四〕，而不见其形〔五〕，有情而无形〔六〕。百骸，九窍，六藏，赅而存焉〔七〕，吾谁与为亲〔八〕？汝皆说之乎？其有私焉〔九〕？如是皆有为臣妾乎〔一〇〕？其臣妾不足以相治乎〔一一〕？其递相为君臣乎〔一二〕？其有真君存焉〔一三〕？如求得其情与不得，无益损乎其真〔一四〕。一受其成形，不忘以待尽〔一五〕。与物相刃相靡，其行尽如驰，而莫之能止，不亦悲乎〔一六〕！终身役役而不见其成功〔一七〕，苶然疲役而不知其所归，可不哀邪〔一八〕！人谓之不死，奚益〔一九〕！其形化，其心与之然，可不谓大哀乎〔二〇〕？人之生也，固若是芒乎？其我独芒，而人亦有不芒者乎〔二一〕？夫随其成心而师之，谁独且无师乎〔二二〕？奚必知代而心自取者有之？愚者与有焉〔二三〕。未成乎心而有是非，是今日适越而昔至也〔二四〕。是以无有为有。无有为有，虽有神禹，且不能知，吾独且奈何哉〔二五〕！

〔一〕【注】彼，自然也。自然生我，我自然生。故自然者，即我之自然，岂远之哉！　【疏】彼，自然也。取，禀受也。若非自然，谁能生我？若无有我，谁禀自然乎？然我则自然，自然则我，其理非远，故曰是亦近矣。

〔二〕【注】凡物云云，皆自尔耳，非相为使也，故任之而理自至矣。【疏】言我禀受自然，其理已具。足行手捉，耳听目视，功能御用，各有司存。亭之毒之，非相为使，无劳措意，直置任之。【释文】"相为"于伪反。下未为同。

〔三〕【注】万物万情，趣舍不同，若有①真宰使之然也。起索真宰之朕迹，而亦终不得，则明物皆自然，无使物然也。　【疏】夫肢体不同，而御用各异，似有真性，竟无宰主。朕迹攸肇，从何而有？【释文】"而特"崔云：特，辞也。"其朕"李除忍反。兆也。"趣舍"七喻反。字或作取。下音捨，或音赦。下皆仿此。"起索"
所百反。

〔四〕【注】今夫行者，信己可得行也。　【疏】信己而用，可意而行，天
　　　机自张，率性而动，自济自足，岂假物哉！

〔五〕【注】不见所以得行之形。　【疏】物皆信己而行，不见信可行之
　　　貌者也。

〔六〕【注】情当其物，故形不别见也。　【疏】有可行之情智，无信己
　　　之形质。　【释文】"情当"丁浪反，下皆同。"别见"贤遍反。

〔七〕【注】付之自然，而莫不皆存也。　【疏】百骸，百骨节也。九窍，
　　　谓眼耳鼻舌口及下二漏也。六藏，六腑也，谓大肠小肠膀胱三
　　　焦也。藏，谓五藏，肝心脾肺肾也。赅，备也。言体骨在外，藏
　　　腑在内，窍通内外。备此三事以成一身，故言存。　【释文】"百
　　　骸"户皆反。"六藏"才浪反。案心肺肝脾肾，谓之五藏。大小
　　　肠膀胱三焦，谓之六府。身别有九藏气，天地人。天以候头角
　　　之气，人候耳目之气，地候口齿之气。三部各有天地人，三三而
　　　九，神藏五，形藏四，故九。今此云六藏，未见所出。○李桢曰：
　　　释文云，此云六藏，未见所出。成疏遂穿凿以六为六腑，藏（谓）
　　　〔为〕五藏，致与上百官九窍，训不一例。按难经三十九难，五藏
　　　亦有六藏者，谓肾有两藏也。其左为肾，右为命门。命门者，谓
　　　精神之所舍也。其气与肾通，故言藏有六也。"赅"徐古来反。
　　　司马云：备也。小尔雅同。简文云：兼也。

〔八〕【注】直自②存耳。

〔九〕【注】皆说之，则是有所私也。有私则不能赅而存矣，故不说而
　　　自存，不为而自生也。　【疏】言夫六根九窍，俱是一身，岂有亲
　　　疏，私存爱悦！若有心爱悦，便是有私。身而私之，理在不可。

莫不任置,自有司存。于身既然,在物亦尔。 【释文】"皆说"音悦,注同。今本多即作悦字。后皆仿此。

〔一○〕【注】若皆私之,则志过其分,上下相冒,而莫为臣妾矣。臣妾之才,而不安臣妾之任,则失矣。故知君臣上下,手足外内,乃天理自然,岂真人之所为哉! 【疏】臣妾者,士女之贱职也。且人之一身,亦有君臣之别,至如见色则目为君而耳为臣,行步则足为君手为臣也。斯乃出自天理,岂人之所为乎! 非关系意亲疏,故为君臣也。郭注云,时之所贤者为君,才不应世者为臣。治国治身,内外无异。

〔一一〕【注】夫臣妾但各当其分耳,未为不足以相治也。相治者,若手足耳目,四肢百体,各有所司而更相御用也。 【疏】夫臣妾御用,各有职司,(知)〔如〕手执脚行,当分自足,岂为手之不足而脚为行乎? 盖天机自张,无心相为而治理之也。举此手足,诸事可知也。 【释文】"而更"音庚。

〔一二〕【注】夫时之所贤者为君,才不应世者为臣。若天之自高,地之自卑,首自在上,足自居下,岂有递哉! 虽无错于当而必自当也。 【疏】夫首自在上,足自居下;目能视色,耳能听声。而用舍有时,故有贵贱。岂措情于上下,而递代为君臣乎? 但任置无心而必自当也。 【释文】"其递"音弟。徐又音第。"不应"应对之应。"无错"七素反。下同。

〔一三〕【注】任之而自尔,则非伪也。 【疏】直置忘怀,无劳措意,此即真君妙道,存乎其中矣。又解:真君即前之真宰也。言取舍之心,青黄等色,本无自性,缘合而成,不自不他,非无非有,故假设疑问,以明无有真君也。

〔一四〕【注】凡得真性,用其自为者,虽复皂隶,犹不顾毁誉而自安其业。故知与不知，皆自若也。若乃开希幸之路，以下冒上，物丧其真，人忘其本，则毁誉之间，俯仰失错也。　【疏】夫心境相感，欲染斯兴。是以求得称情，即谓之为益；如其不得，即谓之为损。斯言凡情迷执，有得丧以撄心；道智观之，无损益于其真性者也。〇家世父曰：彼我相形而有是非，而是非之成于心者，先入而为之主。是之非之，随人以为役，皆臣妾也，而百骸九窍六藏悉摄而从之。夫此摄而从之以听役于人，与其心之主宰，果有辨乎，果无辨乎？心之主宰有是非，于人何与！求得人之情而是之非之，无能为益，不得无能为损。而既构一是非之形，役心以从之，终其身守而不化，夫是之谓成心。成心者，臣妾之所以听役也。　【释文】"虽复"扶又反。下同。"毁誉"音馀。"物丧"息浪反。

〔一五〕【注】言性各有分，故知者守知以待终，而愚者抱愚以至死，岂有能中易其性者也！　【疏】夫禀受形性，各有涯量，不可改愚以为智，安得易丑以为妍！是故形性一成，终不中途亡失，适可守其分内，待尽天年矣。

〔一六〕【注】群品云云，逆顺相交，各信其偏见而恣其所行，莫能自反。此（皆）〔比〕③众人之所悲者，亦可悲矣。而众人未尝以此为悲者，性然故也。物各性然，又何物足悲哉！　【疏】刃，逆也。靡，顺也。群品云云，锐情逐境。境既有逆有顺，心便执是执非。行有终年，速如驰骤；唯知贪境，曾无止息。格量物理，深可悲伤。

〔一七〕【注】夫物情无极，知足者鲜。故得（止）〔此〕④不止，复逐于彼。皆疲役终身，未厌其志，死而后已。故其成功者无时可见也。　【疏】夫物浮竞，知足者稀，故得此不休，复逐于彼。所以终身疲役,没命贪残,持影系风,功成何日。 【释文】"者鲜"息浅反。

〔一八〕【注】凡物各以所好役其形骸,至于疲困苶然。不知所以好此之归趣云何也! 【疏】苶然,疲顿貌也。而所好情笃,劳役心灵,形魂既弊,苶然困苦。直以信心,好此贪竞,责其意谓,亦不知所归。愚痴之甚,深可哀叹。 【释文】"苶然"乃结反,徐李乃协反。崔音捻,云:忘貌。简文云:疲病困之状。○卢文弨曰:苶当作茶,字小变耳。今注本乃作薾⑤。说文引诗彼薾维何,音义与此异。○庆藩案,苶,司马作薾。文选谢灵运过始宁墅诗注引司马云:薾,极貌也。释文阙。"所好"呼报反。下同。

〔一九〕【注】言其实与死同。 【疏】奚,何也。耽滞如斯,困而不已,有损行业,无益神气,可谓虽生之日犹死之年也。

〔二〇〕【注】言其心形并驰,困而不反,比于凡人所哀,则此真哀之大也。然凡人未尝以此为哀,则凡所哀者,不足哀也。 【疏】然,犹如此也。念念迁移,新新流谢,其化而为老,心识随而昏昧,形神俱变,故谓与之然。世之悲哀,莫此甚也。

〔二一〕【注】凡此上事,皆不知其所以然而然,故曰芒也。今未知者皆不知所以知而自知矣,生者〔皆〕⑥不知所以生而自生矣。万物虽异,至于生不由知,则未有不同者也,故天下莫不芒也。
【疏】芒,闇昧也。言凡人在生,芒昧如是,举世皆惑,岂有一人不昧者! 而庄子体道真人,智用明达,俯同尘俗,故云而我独芒。郭注稍乖,今不依用。 【释文】"芒乎"莫刚反,又音亡。芒,芒昧也。简文云:芒,同也。

〔二二〕【注】夫心之足以制一身之用者,谓之成心。人自师其成心,则人各有师矣。人各自有师,故付之而自当。 【疏】夫域情滞著,执一家之偏见者,谓之成心。夫随顺封执之心,师之以为准的,世皆如此,故谁独无师乎。

〔二三〕【注】夫以成代不成,非知也,心自得耳。故愚者亦师其成心,未肯用其所谓短而舍其所谓长者也。　【疏】愚惑之类,坚执是非,何必知他理长,代己之短,唯欲斥他为短,自取为长。如此之人,处处皆有,愚痴之辈,先豫其中。　【释文】"与有"音豫。○家世父曰:说文,代,更也。今日以为是,明月以为非,而一成乎心,是非迭出而不穷,故曰知代。心以为是,则取所谓是者而是之,心以为非,则取所谓非者而非之,故曰心自取。"而舍"音捨,字亦作捨。下同。

〔二四〕【注】今日适越,昨日何由至哉? 未成乎心,是非何由生哉? 明夫是非者,群品之所不能无,故至人两顺之。　【疏】吴越路遥,必须积旬方达,今朝发途,昨日何由至哉? 欲明是非彼我,生自妄心。言心必也未生,是非从何而有? 故先分别而后是非,先造途而后至越。　【释文】"昔至"崔云:昔,夕也。向云:昔者,昨日之谓也。○家世父曰:是非者,人我相接而成者也。而必其心先有一是非之准,而后以为是而是之,以为非而非之。人之心万应焉而无穷,则是非亦与为无穷。是非因人心而生,物论之所以不齐也。

〔二五〕【注】理无是非,而惑者以为有,此以无有为有也。惑心已成,虽圣人不能解,故付之自若而不强知也。　【疏】夏禹,字文命,鲧子、启父也。谥法:泉源流通曰禹,又云:受禅成功曰禹。理无是非而惑者为有,此用无有为有也。迷执日久,惑心已成,虽有大禹神人,亦不〔能〕令其解悟。庄生深怀慈救,独奈之何,故付之自若,不强知者也。　【释文】"不强"其丈反。

〔校〕①赵谏议本若有作有若。②赵本自作曰。③④比字及此字依
　　　宋本及世德堂本改。⑤世德堂本作蔺。⑥皆字依道藏焦竑
　　　本补。

　　夫言非吹也,言者有言〔一〕,其所言者特未定也〔二〕。
果有言邪〔三〕?其未尝有言邪〔四〕?其以为异于鷇音,亦有
辩乎,其无辩乎〔五〕?道恶乎隐而有真伪〔六〕?言恶乎隐而
有是非〔七〕?道恶乎往而不存〔八〕?言恶乎存而不可〔九〕?
道隐于小成〔一〇〕,言隐于荣华〔一一〕。故有儒墨之是
非〔一二〕,以是其所非而非其所是〔一三〕。欲是其所非而非其
所是,则莫若以明〔一四〕。

〔一〕【注】各有所说,故异于吹。　【疏】夫名言之与风吹,皆是声法,
　　　而言者必有诠辩,故曰有言。　【释文】“吹也”如字,又叱瑞反。
　　　崔云:吹,犹籁也。

〔二〕【注】我以为是而彼以为非,彼之所是,我又非之,故未定也。未
　　　定也者,由彼我之情偏。　【疏】虽有此言,异于风吹,而咸言我
　　　是,佥曰彼非。既彼我情偏,故独未定者也。

〔三〕【注】以为有言邪? 然未足以有所定。

〔四〕【注】以为无言邪? 则据己已有言。　【疏】果,决定也。此以为
　　　是,彼以为非,此以为非,而彼以为是。既而是非不定,言何所
　　　诠! 故不足称定有言也。然彼此偏见,各执是非,据己所言,故
　　　不可以为无言也。

〔五〕【注】夫言与鷇音,其致一也,有辩无辩,诚未可定也。天下之情
　　　不必同而所言不能异,故是非纷纭,莫知所定。　【疏】辩,别
　　　也。鸟子欲出卵中而鸣,谓之鷇音也,言亦带壳曰鷇。夫彼此

偏执,不定是非,亦何异鷇鸟之音,有声无辩!故将言说异于鷇音者,恐未足以为别者也。　【释文】"鷇"苦豆反,李音彀。司马云:鸟子欲出者也。

〔六〕【疏】恶乎,谓于何也。虚通至道,非真非伪,于何逃匿而真伪生焉?　【释文】"恶乎"音乌。下皆同。"真伪"一本作真诡。崔本作真然。

〔七〕【注】道焉不在!言何隐蔽而有真伪,是非之名纷然而起?　【疏】至教至言,非非非是,于何隐蔽,有是有非者哉?　【释文】"道焉"於虔反。

〔八〕【注】皆存。　【疏】存,在也。陶铸生灵,周行不殆,道无不遍,于何不在乎!所以在伪在真而非真非伪也。

〔九〕【注】皆可。　【疏】玄道真言,随物生杀,何往不可而言隐邪?故可是可非,而非非非是者也。

〔一〇〕【疏】小成者,谓仁义五德,小道而有所成得者,谓之小成也。世薄时浇,唯行仁义,不能行于大道,故言道隐于小成,而道不可隐也。故老君云,大道废,有仁义。

〔一一〕【注】夫小成荣华,自隐于道,而道不可隐。则真伪是非者,行于荣华而止于实当,见于小成而灭于大全也。　【疏】荣华者,谓浮辩之辞,华美之言也。只为滞于华辩,所以蔽隐至言。所以老君经云,信言不美,美言不信。　【释文】"实当"丁浪反。后可以意求,不复重出。"见于"贤遍反。

〔一二〕【疏】昔有郑人名缓,学于(求)〔裘〕①氏之地,三年艺成而化为儒。儒者,祖述尧舜,宪章文武,行仁义之道,辩尊卑之位,故谓之儒也。缓弟名翟,缓化其弟,遂成于墨。墨者,禹道也。尚贤崇礼,俭以兼爱,摩顶放踵以救苍生,此谓之墨也。而缓翟二人,亲则兄弟,各执一教,更相是非。缓恨其弟,感激而死。然彼我是非,其来久矣。争竞之甚,起自二贤,故指此二贤为乱群之帅。是知道丧言隐,方督是非。

〔一三〕【注】儒墨更相是非,而天下皆儒墨也。故百家并起,各私所见,而未始出其方也。 【疏】天下莫不自以为是,以彼为非,彼亦与汝为非,自以为是。故各用己是是彼非,各用己非非彼是。【释文】"更相"音庚。

〔一四〕【注】夫有是有非者,儒墨之所是也;无是无非者,儒墨之所非也。今欲是儒墨之所非而非儒墨之所是者,乃欲明无是无非也。欲明无是无非,则莫若还以儒墨反覆相明。反覆相明,则所是者非是而所非者非非矣。非非则无非,非是则无是。

【疏】世皆以他为非,用己为是。今欲翻非作是,翻是作非者,无过还用彼我,反覆相明。反覆相明,则所非者非非则无非,所是者非是则无是。无是则无非,故知是非皆虚妄耳。○家世父曰:郭象云,有是有非者儒墨之所是也,无是无非者儒墨之所非也。今欲是儒墨之所非而非儒墨之所是,莫若还以儒墨反覆相明,则所是者非是而所非者非非矣。今观墨子之书及孟子之辟杨墨,儒墨互相是非,各据所见以求胜,墨者是之,儒者非焉。是非所由成,彼是之所由分也。彼是有对待之形,而是非两立,则所持之是非非是非也,彼是之见存也。莫若以明者,还以彼是之所明,互取以相证也。郭注误。 【释文】"反覆"芳服反。下同。

〔校〕①裘字依渔父篇改。

物无非彼,物无非是〔一〕。自彼则不见,自知则知之〔二〕。故曰彼出于是,是亦因彼〔三〕。彼是方生之说也,虽然,方生方死,方死方生;方可方不可,方不可方可;因是因非,因非因是〔四〕。是以圣人不由,而照之于天,亦因是也〔五〕。是亦彼也〔六〕,彼亦是也〔七〕。彼亦一是非,此亦一是非〔八〕。果且有彼是乎哉?果且无彼是乎哉〔九〕?彼是莫得其偶,谓之道枢〔一○〕。枢始得其环中,以应无穷〔一一〕。是亦一无穷,非亦一无穷也〔一二〕。故曰莫若以明。以指喻指之非指,不若以非指喻指之非指也;以马喻马之非马,不若以非马喻马之非马也〔一三〕。天地一指也,万物一马也〔一四〕。

〔一〕【注】物皆自是,故无非是;物皆相彼,故无非彼。无非彼,则天下无是矣;无非是,则天下无彼矣。无彼无是,所以玄同也。

【疏】注曰,物皆自是,故无非是,物皆相彼,故无非彼也,则天下无是矣;无非是也,则天下无彼矣。无彼无是,所以玄同。此注理尽,无劳别释。

〔二〕【疏】自为彼所彼,此则不自见,自知己为是,便则知之;物之有偏也,例皆如是。若审能见他见自,故无是无非也。

〔三〕【注】夫物之偏也,皆不见彼之所见,而独自知其所知。自知其所知,则自以为是。自以为是,则以彼为非矣。故曰彼出于是,是亦因彼,彼是相因而生者也。 【疏】夫彼对于此,是待于非,文家之大体也。今言彼出于是者,言约理微,举彼角势也;欲示举彼明此,举是明非也。而彼此是非,相因而有,推求分析,即体皆空也。

〔四〕【注】夫死生之变,犹春秋冬夏四时行耳。故死生之状虽异,其于各安所遇,一也。今生者方自谓生为生,而死者方自谓生为死,则无生矣。生者方自谓死为死,而死者方自谓死为生,则无死矣。无生无死,无可无不可,故儒墨之辨,吾所不能同也;至于各冥其分,吾所不能异也。 【疏】方,方将也。言彼此是非,无异生死之说也。夫生死交谢,(由)〔犹〕寒暑之递迁。而生者以生为生,而死者将生为死,亦如是者以是为是,而非者以是为非。故知因是而非,因非而是。因非而是,则无是矣;因是而非,则无非矣。是以无是无非,无生无死,无可无不可,何彼此之论乎!

〔五〕【注】夫怀豁者,因天下之是非而自无是非也。故不由是非之涂而是非无患不当者,直明其天然而无所夺故也。 【疏】天,自然也。圣人达悟,不由是得非,直置虚凝,照以自然之智。只因此是非而得无非无是,终不夺有而别证无。

〔六〕【注】我亦为彼所彼。

〔七〕【注】彼亦自以为是。 【疏】我自以为是,亦为彼之所非;我以彼为非,而彼亦以自为是也。

〔八〕【注】此亦自是而非彼,彼亦自是而非此,此与彼各有一是一非于体中也。 【疏】此既自是,彼亦自是;此既非彼,彼亦非此;故各有一是,各有一非也。

〔九〕【注】今欲谓彼为彼,而彼复自是;欲谓是为是,而是复为彼所彼;故彼是有无,未果定也。 【疏】夫彼此是非,相待而立,反覆推讨,举体浮虚。自以为是,此则不无;为彼所彼,此则不有。有无彼此,未可决定。 【释文】"彼复"扶又反。下同。

〔一〇〕【注】偶,对也。彼是相对,而圣人两顺之。故无心者与物冥,而未尝有对于天下也。〔枢,要也。〕①此居其枢要而会其玄极,以应夫无方也。 【疏】偶,对也。枢,要也。体夫彼此俱空,是非两幻,凝神独见而无对于天下者,可谓会其玄极,得道枢要也。前则假问有无,待夺不定;此则重明彼此,当体自空。前浅后深,所以为次也。 【释文】"道枢"尺朱反。枢,要也。"以应"应对之应。前注同。后可以意求,不复重音。

〔一〕【注】夫是非反覆,相寻无穷,故谓之环。环中,空矣;今以是非为环而得其中者,无是无非也。无是无非,故能应夫是非。是非无穷,故应亦无穷。 【疏】夫绝待独化,道之本始,为学之要,故谓之枢。环者,假有二窍;中者,真空一道。环中空矣,以明无是无非。是非无穷,故应亦无穷也。○家世父曰:是非两化而道存焉,故曰道枢。握道之枢以游乎环中,中,空也。是非反复,相寻无穷,若循环然。游乎空中,不为是非所役,而后可以应无穷。○庆藩案,<u>唐释湛然</u>止观辅行传弘诀引庄子古注云:以圆环内空体无际,故曰环中。

〔二〕【注】天下莫不自是而莫不相非,故一是一非,两行无穷。唯涉空得中者,旷然无怀,乘之以游也。 【疏】夫物莫不自是,故是亦一无穷;莫不相非,故非亦一无穷。唯彼我两忘,是非双遣,而得环中之道者,故能大顺苍生,乘之游也。

〔三〕【疏】指,手指也。马,戏筹也。喻,比也。言人是非各执,彼我异情,故用己指比他指,即用他指为非指;复将他指比汝指,汝指于他指复为非指矣。指义既尔,马亦如之。所以诸法之中独奉指者,欲明近取诸身,切要无过于指,远托诸物,胜负莫先于马,故举二事以况是非。

〔四〕【注】夫自是而非彼,彼我之常情也。故以我指喻彼指,则彼指于我指独为非指矣。此以指喻指之非指也。若复以彼指还喻我指,则我指于彼指复为非指矣。此(亦)〔以〕②非指喻指之非指也。将明无是无非,莫若反覆相喻。反覆相喻,则彼之与我,既同于自是,又均于相非。均于相非,则天下无是;同于自是,则天下无非。何以明其然邪?是若果是,则天下不得(彼)〔复〕③有非之者也。非若果非,〔则天下〕④亦不得复有是之者也。今是非无主,纷然淆乱,明此区区者各信其偏见而同于一致耳。仰观俯察,莫不皆然。是以至人知天地一指也,万物一马也,故浩然大宁,而天地万物各当其分,同于自得,而无是无非也。　【疏】天下虽大,一指可以蔽之;万物虽多,一马可以理尽。何以知其然邪?今以彼我是非反覆相喻,则所是者非是,所非者非非。故知二仪万物,无是无非者也。　【释文】"天地一指也万物一马也"崔云:指,百体之一体;马,万物之一物。"浩然"户老反。

〔校〕①枢要也三字依焦竑本补。②③以字复字依宋本改。④则天下三字依焦竑本补。

可乎可[一],不可乎不可[二]。道行之而成[三],物谓之而然[四]。恶乎然?然于然。恶乎不然?不然于不然[五]。物固有所然,物固有所可[六]。无物不然,无物不可[七]。故为是举莛与楹,厉与西施,恢恑憰怪,道通为一[八]。其分也,成也[九];其成也,毁也[一〇]。凡物无成与毁,复通为一[一一]。唯达者知通为一,为是不用而寓诸庸[一二]。庸也者,用也;用也者,通也;通也者,得也[一三];适得而几矣[一四]。因是已[一五]。已而不知其然,谓之道[一六]。劳神明为一而不知其同也[一七],谓之朝三[一八]。何谓朝三?狙公赋芧,曰:"朝三而暮四。"众狙皆怒。曰:"然则朝四而暮三。"众狙皆悦。名实未亏而喜怒为用,亦因是也〔一九〕。是以圣人和之以是非而休乎天钧〔二〇〕,是之谓两行〔二一〕。

〔一〕【注】可于己者,即谓之可。

〔二〕【注】不可于己者,即谓之不可。 【疏】夫理无是非,而物有违顺,故顺其意者则谓之可,乖其情者则谓之不可。违顺既空,故知可不可皆妄也。

〔三〕【注】无不成也。 【疏】大道旷荡,亭毒含灵,周行万物,无不成就。故在可成于可,而不当于可;在不可成不可,亦不当于不可也。

〔四〕【注】无不然也。 【疏】物情颠倒,不达违从,虚计是非,妄为然不。

〔五〕【疏】心境两空,物我双幻,于何而有然法,遂执为然? 于何不然为不然也?

〔六〕【注】各然其所然,各可其所可。 【疏】物情执滞,触境皆迷,必固(为)〔谓〕有然,必固谓有可,岂知可则不可,然则不然邪!

〔七〕【疏】群品云云,各私所见,皆然其所然,可其所可。 【释文】"无物不然无物不可"崔本此下更有可于可,而不可于不可,不可于不可,而可于可也。

〔八〕【注】夫莛横而楹纵,厉丑而西施好。所谓齐者,岂必齐形状,同规矩哉! 故举纵横好丑,恢恑憰怪,各然其所然,各①可其所可,则理虽万殊而性同得,故曰道通为一也。 【疏】为是义故,略举八事以破之。莛,屋梁也。楹,舍柱也。厉,病丑人也。西施,吴王美姬也。恢者,宽大之名。恑者,奇变之称。憰者,矫诈之心。怪者,妖异之物。夫纵横美恶,物见所以万殊;恢憰奇异,世情用(之)为颠倒。故有是非可不可,迷执其分。今以玄道观之,本来无二,是以妍丑之状万殊,自得之情惟一,故曰道通为一也。　【释文】"故为"于伪反。下为是皆同。"莛"徐音庭,李音挺。司马云:屋梁也。"楹"音盈。司马云:屋柱也。○俞樾曰:司马以莛为屋梁,楹为屋柱,故郭云莛横而楹纵。案说文:莛,茎也。屋梁之说,初非本义。汉书东方朔传以莛撞钟,文选答客难篇莛作筳。李注引说苑曰:建天下之鸣钟,撞之以筳,岂能发其音声哉! 筳与莛通。是古书言莛者,谓其小也。莛楹以大小言,厉西施以好丑言。旧说非是。"厉"如字,恶也。李音赖。司马云:病癞。"西施"司马云:夏姬也。案句践所献吴王美女也。"恢"徐苦回反,大也。郭苦虺反。简文本作弔。○卢文弨曰:案弔音的。下恑字与诡同。弔诡见下文。"恑"九委反,徐九彼反。李云:戾也。"憰怪"音决。李云:憰,乖也。怪,异也。○家世父曰:可不可,然不然,达者委而不用,而即寓用于不用之中,故通为一。"楹纵"本亦作从,同。将容反。

〔九〕【注】夫物或此以为散而彼以为成。　【疏】夫物或于此为散,于彼为成,欲明聚散无恒,不可定执。此则于不二之理更举论端者也。　【释文】"其分"如字。

〔一○〕【注】我之所谓成而彼或谓之毁。　【疏】或于此为成,于彼为毁。物之涉用,有此不同,则散毛成毡,伐木为舍等也。

〔一一〕【注】夫成毁者,生于自见而不见彼也。故无成与毁,犹无是与非也。　【疏】夫成毁是非,生于偏滞者也。既成毁不定,是非无主,故无成毁,通而一之。　【释文】"复通"扶又反。

〔一二〕【疏】寓,寄也。庸,用也。唯当达道之夫,凝神玄鉴,故能去彼二偏,通而为一。为是义故,成功不处,用而忘用,寄用群材也。

〔一三〕【注】夫达者无滞于一方,故忽然自忘,而寄当于自用。自用者,

莫不条畅而自得也。　【疏】夫有夫至功而推功于物,驰驱亿兆
而寄用群材者,其惟圣人乎! 是以应感无心,灵通不滞,可谓冥
真体道,得玄珠于赤水者也。

〔一四〕【注】几,尽也。至理尽于自得也。　【疏】几,尽也。夫得者,内
不资于我,外不资于物,无思无为,绝学绝待,适尔而得,盖无所
由,与理相应,故能尽妙也。　【释文】"几矣"音機,尽也。下
同。徐具衣反。

〔一五〕【注】达者因而不作。　【疏】夫达道之士,无作无心,故能因是
非而无是非,循彼我而无彼我。我因循而已,岂措情哉!

〔一六〕【注】夫达者之因是,岂知因为善而因之哉? 不知所以因而自因
耳,故谓之道也。　【疏】已而者,仍前生后之辞也。夫至人无
心,有感斯应,譬彼明镜,方兹虚谷,因循万物,影响苍生,不知
所以然,不知所以应,岂有情于臧否而系于利害者乎! 以法因
人,可谓自然之道也。　【释文】"谓之道"向郭绝句。崔读谓之
道劳,云:因自然是道之功也。

〔一七〕【疏】夫玄道妙一,常湛凝然,非由心智谋度而后不二。而愚者
劳役神明邂逅言辩而求一者,与彼不一无以异矣,不足(类)
〔赖〕②也。不知至理,理自混同,岂俟措心方称不二耶!

〔一八〕【疏】此起譬也。○家世父曰:谓之朝三,明以朝三为义也。盖
赋芧在朝,故以得四而喜,得三而怒,皆所见惟目前之一隅也,
是以谓之因也。疏谓混同万物以为其一因以为一者无异众狙
之惑解因是也一语,大谬。

〔一九〕【注】夫达者之于一,岂劳神哉? 若劳神明于为一,不足赖也,与
彼不一者无以异矣。亦同众狙之惑,因所好而自是也。　【疏】
此解譬也。狙,猕猴也。赋,付与也。芧,橡子也,似栗而小也。

列子曰:宋有养狙老翁,善解其意,戏狙曰:"吾与汝芋,朝三而暮四,足乎?"众狙皆起而怒。又曰:"我与汝朝四而暮三,足乎?"众狙皆伏而喜焉。朝三暮四,朝四暮三,其于七数,并皆是一。名既不亏,实亦无损,而一喜一怒,为用愚迷。此亦同其所好,自以为是。亦犹劳役心虑,辩饰言词,混同万物以为其一因以为一者,亦何异众狙之惑耶! 【释文】"狙公"七徐反,又缁虑反。司马云:狙公,典狙官也。崔云:养猿狙者也。李云:老狙也。广雅云:狙,猕猴。"赋芋"音序,徐食汝反,李音予。司马云:橡子也。"朝三暮四"司马云:朝三升,暮四升也。"所好"呼报反。下文皆同。

〔二〇〕【注】莫之偏任,故付之自均而止也。 【疏】天均者,自然均平之理也。夫达道圣人,虚怀不执,故能和是于无是,同非于无非,所以息智乎均平之乡,休心乎自然之境也。 【释文】"天钧"本又作均。崔云:钧,陶钧也。

〔二一〕【注】任天下之是非。 【疏】不离是非而得无是非,故谓之两行。

〔校〕①赵谏议本无各字。②赖字依下注文改。

古之人,其知有所至矣〔一〕。恶乎至〔二〕?有以为未始有物者,至矣,尽矣,不可以加矣〔三〕。其次以为有物矣,而未始有封也〔四〕。其次以为有封焉,而未始有是非也〔五〕。是非之彰也,道之所以亏也〔六〕。道之所以亏,爱之所以成〔七〕。果且有成与亏乎哉?果且无成与亏乎哉〔八〕?有成与亏,故昭氏之鼓琴也;无成与亏,故昭氏之不鼓琴也〔九〕。昭文之鼓琴也,师旷之枝策也,惠子之据梧也,三子之知几乎〔一〇〕,皆其盛者也,故载之末年〔一一〕。唯其好之也,以异于彼〔一二〕,其好之也,欲以明之〔一三〕。彼非所明而明之,故以坚白之昧终〔一四〕。而其子又以<u>文</u>之纶终,终身无成〔一五〕。若是而可谓成乎?虽我亦成也①〔一六〕。若是而不可谓成乎?物与我无成也〔一七〕。是故滑疑之耀,圣人之所图也。为是不用而寓诸庸,此之谓以明〔一八〕。

〔一〕【疏】至,造极之名也。淳古圣人,运智虚妙,虽复和光混俗,而智则无知,动不乖寂,常真妙本。所至之义,列在下文也。

〔二〕【疏】假设疑问,于何而造极耶?

〔三〕【注】此忘天地,遗万物,外不察乎宇宙,内不觉其一身,故能旷然无累,与物俱往,而无所不应也。 【疏】未始,犹未曾。世所有法,悉皆非有,唯物与我,内外咸空,四句皆非,荡然虚静,理尽于此,不复可加。答于前问,意以明至极者也。

〔四〕【注】虽未都忘,犹能忘其彼此。 【疏】初学大贤,邻乎圣境,虽复见空有之异,而未曾封执。

〔五〕【注】虽未能忘彼此,犹能忘彼此之是非也。 【疏】通欲难除,滞物之情已有;别惑易遣,是非之见犹忘也。

〔六〕【注】无是非乃全也。 【疏】夫有非有是,流俗之鄙情;无是无非,达人之通鉴。故知彼我彰而至道隐,是非息而妙理全矣。

〔七〕【注】道亏则情有所偏而爱有所成,未能忘爱释私,玄同彼我②也。 【疏】虚玄之道,既以亏损,爱染之情,于是乎成著矣。

〔八〕【注】有之与无,斯不能知,乃至。 【疏】果,决定也。夫道无增减,物有亏成。是以物爱既成,谓道为损,而道实无亏也。故假设论端以明其义。有无既不决定,亏成理非实录。

〔九〕【注】夫声不可胜举也。故吹管操弦,虽有繁手,遗声多矣。而执籥鸣弦者,欲以彰声也,彰声而声遗,不彰声而声全。故欲成而亏之者,昭文之鼓琴也;不成而无亏者,昭文之不鼓琴也。

【疏】姓昭,名文,古之善鼓琴者也。夫昭氏鼓琴,虽云巧妙,而鼓商则丧角,挥宫则失徵,未若置而不鼓,则五音自全。亦(由)〔犹〕有成有亏,存情所以乖道;无成无亏,忘智所以合真者也。

【释文】"可胜"音升。"操弦"七刀反。"执籥"羊灼反。"昭文"司马云:古善琴者。

〔一〇〕【注】几,尽也。夫三子者,皆欲辩非己所明以明之,故知尽虑穷,形劳神倦,或枝策假寐,或据梧而瞑。　【疏】师旷,字子野,晋平公乐师,其知音律。支,柱也。策,打鼓(枝)〔杖〕也,亦言击节(枝)〔杖〕③也。梧,琴也;今谓不尔。昭文已能鼓琴,何容二人共同一伎? 况检典籍,无惠子善琴之文。而言据梧者,只是以梧几而据之谈说,犹隐几者也。几,尽也。昭文善能鼓琴,师旷妙知音律,惠施好谈名理。而三子之性,禀自天然,各以己能明示于世。世既不悟,己又疲怠,遂使柱策假寐,或复凭几而瞑。三子之能,咸尽于此。　【释文】"枝策"司马云:枝,柱也。策,杖也。崔云:举杖以击节。"据梧"音吾。司马云:梧,琴也。崔云:琴瑟也。"之知"音智。"而瞑"亡千反。

〔一一〕【注】赖其盛,故能久,不尔早困也。　【疏】惠施之徒,皆少年盛壮,故能运载形智。至于衰末之年,是非少盛,久当困苦也。

【释文】"故载之末年"崔云:书之于今也。

〔一二〕【注】言此三子,唯独好其所明,自以殊于众人。　【疏】三子各以己之所好,耽而翫之,方欲矜其所能,独异于物。

〔一三〕【注】明示众人,欲使同乎我之所好。　【疏】所以疲倦形神好之不已者,欲将己之道术明示众人也。

〔一四〕【注】是犹对牛鼓簧耳。彼竟不明,故己之道术终于昧然也。

【疏】彼,众人也。所明,道术也。白,即公孙龙守白马论也。姓公孙,名龙,赵人。当六国时,弟子孔穿之徒,坚执此论,横行天下,服众人之口,不服众人之心。言物禀性不同,所好各异,故知三子道异,非众人所明。非明而强示之,彼此终成暗昧。亦何异乎坚执守白之论眩惑世间,虽弘辩如流,终有言而无理也!

【释文】"坚白"司马云:谓坚石白马之辩也。又云:公孙龙有淬剑之法,谓之坚白。崔同。又云:或曰,设矛伐之说为坚,辩白马之名为白。○卢文弨曰:伐即盾也,亦作瞂,又作瞂,音皆同。"鼓簧"音黄。

〔一五〕【注】昭文之子又乃终文之绪,亦卒不成。 【疏】纶,绪也。言昭文之子亦乃荷其父业,终其纶绪,卒其年命,竟无所成。况在它人,如何放哉? 【释文】"之纶"音伦。崔云:琴瑟弦也。○俞樾曰:释文纶音伦,崔云琴瑟弦也。然以文之弦终,其义未安。郭注曰:昭文之子又乃终文之绪,则是训纶为绪。今以文义求之。上文曰彼非所明而明之,故以坚白之昧终,之昧与之纶,必相对为文。周易系辞传,故能弥纶天地之道,京房注曰:纶,知也。淮南子说山篇,以小明大,以近论远,高诱注曰:论,知也。古字纶与论通。淮南与明对言,则纶亦明也。以文之纶终,谓以文之所知者终,即是以文之明终。盖彼非所明而明之,故以坚白之昧终;而昭文之子又以文之明终,则仍是非所明而明矣,故下曰终身无成也。郭注尚未达其恉。

〔一六〕【注】此三子虽求明于彼,彼竟不明,所以终身无成。若三子而可谓成,则虽我之不成亦可谓成也。 【疏】我,众人也。若三子异于众人,遂自以为成,而众人异于三子,亦可谓之成也。

〔一七〕【注】物皆自明而不明彼,若彼不明即谓不成,则万物皆相与无
　　　成矣。故圣人不显此以耀彼,不舍己而逐物,从而任之,各(宜)
　　　〔冥〕④其所能,故曲成而不遗也。今三子欲以己之所好明示于
　　　彼,不亦妄乎!　　【疏】若三子之与众物相与而不谓之成乎?故
　　　知众人之与三子,彼此共无成矣。

〔一八〕【注】夫圣人无我者也。故滑疑之耀,则图而域之;恢恑憰怪,则
　　　通而一之;使群异各安其所安,众人不失其所是,则己不用于
　　　物,而万物之用用矣。物皆自用,则孰是孰非哉!故虽放荡之
　　　变,屈奇之异,曲而从之,寄之自用,则用虽万殊,历然自明。

　　　【疏】夫圣人者,与天地合其德,与日月齐其明。故能晦迹同凡,
　　　韬光接物,终不眩耀群品,乱惑苍生,亦不矜己以率人,而各域
　　　限于分内,忘怀大顺于万物,为是寄〔用〕于群才。而此运心,斯
　　　可谓圣明真知也。　　【释文】"滑疑"古没反。司马云:乱也。
　　　"屈奇"求物反。

〔校〕①阙误引江南古藏本作虽我无成亦可谓成矣。②赵谏议本我
　　　作此。③杖字依释文改。④冥字依宋本及世德堂本改。

今且有言于此,不知其与是类乎?其与是不类乎?类
与不类,相与为类,则与彼无以异矣〔一〕。虽然,请尝言
之〔二〕。有始也者〔三〕,有未始有始也者〔四〕,有未始有夫未
始有始也者〔五〕。有有也者〔六〕,有无也者〔七〕,有未始有无
也者〔八〕,有未始有夫未始有无也者〔九〕。俄而有无矣,而
未知有无之果孰有孰无也〔一〇〕。今我则已有谓矣〔一一〕,而
未知吾所谓之其果有谓乎,其果无谓乎〔一二〕?天下莫大于

秋豪之末，而大山为小；莫寿于殇子，而彭祖为夭。天地与我并生，而万物与我为一〔一三〕。既已为一矣，且得有言乎〔一四〕？既已谓之一矣，且得无言乎〔一五〕？一与言为二，二与一为三。自此以往，巧历不能得，而况其凡乎〔一六〕！故自无适有以至于三，而况自有适有乎〔一七〕！无适焉，因是已〔一八〕。

〔一〕【注】今以言无是非，则不知其与言有者类乎不类乎？欲谓之类，则我以无为是，而彼以无为非，斯不类矣。然此虽是非不同，亦固未免于有是非也，则与彼类矣。故曰类与不类又相与为类，则与彼无以异也。然则将大不类，莫若无心，既遣①是非，又遣其遣。遣之又遣之以至于无遣，然后无遣无不遣而是非自去矣。　【疏】类者，辈徒相似之类也。但群生愚迷，滞是滞非。今论乃欲反彼世情，破兹迷执，故假且说无是无非，则用为真道。是故复言相与为类，此则遣于无是无非也。既而遣之又遣，方至重玄也。

〔二〕【注】至理无言，言则与类，故试寄②言之。　【疏】尝，试也。夫至理虽复无言，而非言无以诠理，故试寄言，彷象其义。

〔三〕【注】有始则有终。　【疏】此假设疑问，以明至道无始无终，此遣于始终也。

〔四〕【注】谓无终始而一死生。　【疏】未始，犹未曾也。此又假问，有未曾有始终不。此遣于无始终也。

〔五〕【注】夫一之者，未若不一而自齐，斯又忘其一也。　【疏】此又假问，有未曾有始也者。斯则遣于无始无终也。

〔六〕【注】有有则美恶是非具也。　【疏】夫万象森罗，悉皆虚幻，故标此有,明即以有体空。此句遣有也。

〔七〕【注】有无而未知无无也,则是非好恶犹未离怀。 【疏】假问有此无不。今明非但有即不有,亦乃无即不无。此句遣于无也。【释文】"好恶"并如字。"未离"力智反。

〔八〕【注】知无无矣,而犹未能无知。 【疏】假问有未曾有无不。此句遣非。

〔九〕【疏】假问有未曾未曾有无不。此句遣非非无也。而自浅之深,从粗入妙,始乎有有,终乎非无。是知离百非,超四句,明矣。前言始终,此则明时;今言有无,此则辩法;唯时与法,皆虚静者也。

〔一〇〕【注】此都忘其知也,尔乃俄然始了无耳。了无,则天地万物,彼我是非,豁然确斯也。 【疏】前从有无之迹入非非有无之本,今从非非有无之体出有无之用。而言俄者,明即体即用,俄尔之间,盖非赊远也。夫玄道窈冥,真宗微妙。故俄而用,则非无而有无,用而体,则有无非有无也。是以有无不定,体用无恒,谁能决定无耶? 谁能决定有耶? 此又就有无之用明非有非无之体者也。 【释文】"俄而"徐音峨。"确斯"苦角反。斯,又作渐,音赐,李思利反。○卢文弨曰:斯训尽,与渐赐义同。

〔一一〕【注】谓无是非,即复有谓。 【释文】"即复"扶又反。

〔一二〕【注】又不知谓之有无,尔乃荡然无纤芥于胸中也。 【疏】谓,言也。庄生复无言也。理出有言之教,即前请尝言之类是也。既寄此言以诠于理,未知斯言定有言耶,定无言耶? 欲明理家非默非言,教亦非无非有。恐学者滞于文字,故致此辞。 【释文】"纤介"古迈反,又音界。○卢文弨曰:今本介作芥。

〔一三〕【注】夫以形相对,则大山大于秋豪也。若各据其性分,物冥其极,则形大未为有馀,形小不为不足。〔苟各足〕③于其性,则秋豪不独小其小而大山不独大其大矣。若以性足为大,则天下之足未有过于秋豪也;(其)〔若〕性足者(为)〔非〕④大,则虽大山亦可称小矣。故曰天下莫大于秋豪之末而大山为小。大山为小,则天下无大矣;秋豪为大,则天下无小也。无小无大,无寿无夭,是以蟪蛄不羡大椿而欣然自得,斥鴳不贵天池而荣愿以足。苟足于天然而安其性命⑤,故虽天地未足为寿而与我并生,万物未足为异而与我同得。则天地之生又何不并,万物之得又何不一哉! 【疏】秋时兽生豪毛,其末至微,故谓秋豪之末也。人生在于襁褓而亡,谓之殇子。太,大也。夫物之生也,形气不同,有小有大,有夭有寿。若以性分言之,无不自足。是故以性足为大,天下莫大于豪末;无馀为小,天下莫小于大山。大山为小,则天下无大;豪末为大,则天下无小。小大既尔,夭寿亦然。是以两仪虽大,各足之性乃均;万物虽多,自得之义唯一。前明不终不始,非有非无;此明非小非大,无夭无寿耳。 【释文】"秋豪"如字。依字应作毫。司马云:兔毫在秋而成。王逸注楚辞云:锐毛也。案毛至秋而奯细,故以喻小也。"大山"音泰。"殇子"短命者也。或云:年十九以下为殇。

〔一四〕【注】万物万形,同于自得,其得一也。已自一矣,理无所言。

〔一五〕【注】夫名谓生于不明者也。物或不能自明其一而以此逐彼,故谓一以正之。既谓之一,即是有言矣。 【疏】夫玄道冥寂,理绝形声,诱引迷途,称谓斯起。故一虽玄统,而犹是名教。既谓之一,岂曰无言乎!

〔一六〕【注】夫以言言一,而一非言也,则一〔与〕⑥言为二矣。一既一矣,言又二之;有一有二,得不谓之三乎! 夫以一言言一,犹乃成三,况寻其支流,凡物殊称,虽有善数,莫之能纪也。故一之者与彼未殊,而忘⑦一者无言而自一。　【疏】夫妙一之理,理非所言,是知以言言一而一非言也。且一既一矣,言又言焉;有一有言,二名斯起。覆将后时之二名,对前时之妙一,有一有二,得不谓之三乎!从三以往,假有善巧算历之人,亦不能纪得其数,而况凡夫之类乎!　【释文】"殊称"尺證反。"善数"色主反。

〔一七〕【注】夫一,无言也,而有言则至三。况寻其末数,其可穷乎!

　　【疏】自,从也。适,往也。夫至理无言,言则名起。故从无言以往有言,才言则至乎三。况从有言往有言,枝流分派,其可穷乎!此明一切万法,本无名字,从无生有,遂至于斯矣。

〔一八〕【注】各止于其所能,乃最是也。　【疏】夫诸法空幻,何独名言!是知无即非无,有即非有,有无名数,当体皆寂。既不从无以适有,岂复自有以适有耶!故无所措意于往来,因循物性而已矣。

〔校〕①赵谏议本遣作遗,下并同。②赵本寄作尝。③苟各足三字依赵本及世德堂本补。④若字非字依赵本及世德堂本改。⑤命字赵本作分,世德堂本作命。⑥与字依世德堂本补。⑦赵本忘作亡。

　　夫道未始有封〔一〕,言未始有常〔二〕,为是而有畛也〔三〕,请言其畛〔四〕:有左,有右〔五〕,有伦,有义〔六〕,有分,有辩〔七〕,有竞,有争〔八〕,此之谓八德〔九〕。六合之外,圣人存而不论〔一〇〕;六合之内,圣人论而不议〔一一〕。春秋经世先王之志,圣人议而不辩〔一二〕。故分也者,有不分也;辩也者,有不辩也〔一三〕。曰:何也〔一四〕?圣人怀之〔一五〕,众人辩之以相示也。故曰辩也者有不见也〔一六〕。夫大道不称〔一七〕，大辩不言〔一八〕，大仁不仁〔一九〕，大廉不嗛〔二〇〕，大勇不忮〔二一〕。道昭而不道〔二二〕，言辩而不及〔二三〕，仁常而不成①〔二四〕，廉清而不信〔二五〕，勇忮而不成〔二六〕。五者园而几向方矣〔二七〕，故知止其所不知，至矣〔二八〕。孰知不言之辩，不道之道？若有能知，此之谓天府〔二九〕。注焉而不满，酌焉而不竭〔三〇〕，而不知其所由来〔三一〕，此之谓葆光〔三二〕。

〔一〕【注】冥然无不在也。　【疏】夫道无不在，所在皆无，荡然无际，有何封域也。　【释文】"夫道未始有封"崔云，齐物七章，此连上章，而班固说在外篇。

〔二〕【注】彼此言之，故是非无定。　【疏】道理虚通，既无限域，故言教随物，亦无常定也。

〔三〕【注】道无封，故万物得恣其分域。　【疏】畛，界畔也。理无崖域，教随物变，(是)为〔是〕义故，畛分不同。　【释文】"为是"于伪反。"有畛"徐之忍反，郭李音真。谓封域畛陌也。

〔四〕【疏】(畛)假设问旨，发起后文也。

〔五〕【注】各异便也。　【疏】左，阳也。右，阴也。理虽凝寂，教必随机。畛域不同，升沉各异，故有东西左右，春秋生杀。　【释文】"有左有右"崔本作宥，在宥也。○卢文弨曰：旧作崔本作有，讹。案下云在宥也，则当作宥明甚。今改正。"异便"婢面反。

〔六〕【注】物物有理，事事有宜。　【疏】伦，理也。义，宜也。群物纠纷，有理存焉，万事参差，各随宜便者也。　【释文】"有伦有义"崔本作有论有议。○俞樾曰：释文云，崔本作有论有议，当从之。下文云，六合之外，圣人存而不论；六合之内，圣人论而不议。又曰,故分也者,有不分也;辩也者,有不辩也。彼所谓分辩,此有分有辩;然则彼所谓论议,即此有论有议矣。

〔七〕【注】群分而类别也。 【疏】辩,别也。飞走虽众,各有群分;物性万殊,自随类别矣。 【释文】"有分"如字。注同。"类别"彼列反。下皆同。

〔八〕【注】并逐曰竞,对辩曰争。 【疏】夫物性昏愚,彼我封执,既而并逐胜负,对辩是非也。 【释文】"有争"争斗之争。注同。

〔九〕【注】略而判之,有此八德。 【疏】德者,功用之名也。群生功用,转变无穷,略而陈之,有此八种。斯则释前有畛之义也。

〔一○〕【注】夫六合之外,谓万物性分之表耳。夫物之性表,虽有理存焉,而非性分之内,则未尝以感圣人也,故圣人未尝论之。〔若论之〕②,则是引万物使学其所不能也。故不论其外,而八畛同于自得也。 【疏】六合者,谓天地四方也。六合之外,谓众生性分之表,重玄至道之乡也。夫玄宗(冈)〔罔〕象,出四句之端;妙理希夷,超六合之外。既非神口所辩,所以存而不论也。

〔一一〕【注】陈其性而安之。 【疏】六合之内,谓苍生所禀之性分。夫云云取舍,皆起妄情,寻责根源,并同虚有。圣人随其机感,陈而应之。既曰冯虚,亦无可详议,故下文云,我亦妄说之。

〔一二〕【注】顺其成迹而凝乎至当之极,不执其所是以非众人也。 【疏】春秋者,时代也。经者,典诰也。先王者,三皇五帝也。志,记也。夫祖述轩顼,宪章尧舜,记录时代,以为典谟,轨辙苍生,流传人世。而圣人议论,利益当时,终不执是辩非,滞于陈迹。

〔一三〕【注】夫物物自分,事事自别。而欲由己以分别之者,不见彼之自别也。 【疏】夫理无分别,而物有是非。故于无封无域之中,而起有分有辩之见者,此乃一曲之士,偏滞之人,亦何能剖析于精微,分辩于事物者也! 【释文】"故分"如字。下及注同。

〔一四〕【疏】假问质疑,发生义旨。

〔一五〕【注】以不辩为怀耳,圣人无怀。 【疏】夫达理圣人,冥心会道,故能怀藏物我,包括是非,枯木死灰,曾无分别矣。

〔一六〕【注】不见彼之自辩,故辩己所知以示之。 【疏】众多之人,即众生之别称也。凡庸迷执,未解虚(忘)〔妄〕,故辩所知,示见于物,岂唯不见彼之自别,亦乃不鉴己之妙道,故云有不见也。

〔一七〕【注】付之自称,无所称谓。 【疏】大道虚廓,妙绝形名,既非色声,故不可称。谓体道之人,消声亦尔也。 【释文】"不称"尺證反,注同。

〔一八〕【注】已自别也。 【疏】妙悟真宗,无可称说,故辩彫万物,而言无所言。

〔一九〕【注】无爱而自存也。 【疏】亭毒群品,(汎)〔泛〕爱无心,譬彼青春,非为仁也。

〔二〇〕【注】夫至足者,物之去来非我也,故无所容其嗛盈。 【疏】夫玄悟之人,鉴达空有,知万境虚幻,无一可贪,物我俱空,何所逊让。 【释文】"不嗛"郭欺簟反。徐音谦。

〔二一〕【注】无往而不顺,故能无险而不往。 【疏】忮,逆也。内蕴慈悲,外弘接物,故能俯顺尘俗,惠救苍生,虚己逗机,终无迕逆。 【释文】"不忮"徐之豉反,又音跂,李之移反。害也。李云:健也。

〔二二〕【注】以此明彼,彼此俱失矣。 【疏】明己功名,炫耀于物,此乃淫伪,不是真道。 【释文】"道昭"音照。

〔二三〕【注】不能及其自分。　【疏】不能玄默,唯滞名言,华词浮辩,不达深理。

〔二四〕【注】物无常爱,而常爱必不周。　【疏】不能忘爱释知,玄同彼我,而恒怀恩惠,每挟亲情,欲效成功,无时可见。

〔二五〕【注】曒然廉清,贪名者耳,非真廉也。　【疏】皎然异俗,卓尔不群,意在声名,非实廉也。

〔二六〕【注】忮逆之勇,天下共疾之,无敢举足之地也。　【疏】捨慈而勇,忮逆物情,众共疾之,必无成遂也。

〔二七〕【注】此五者,皆以有为伤当者也,不能止乎本性,而求外无已。夫外不可求而求之,譬犹以圆学方,以鱼慕鸟耳。虽希翼鸾凤,拟规日月,此愈近,彼愈远,实学弥得而性弥失。故齐物而偏尚之累去矣。　【疏】园,圆也。几,近也。五者,即已前道昭等也。夫学道之人,直须韬晦;而乃矜炫己之能,显耀于物,其于道也,不亦远乎!犹如慕方而学园圆,爱飞而好游泳,虽希翼鸾凤,终无骞翥之能,拟规日月,讵有几方之效故也。　【释文】"园"崔音刓。徐五丸反。司马云:圆也。郭音团。"而几"徐其衣反。"向方"本亦作鄉,音同。下皆放此。"近彼"附近之近。"远实"于萬反。

〔二八〕【注】所不知者,皆性分之外也。故止于所知之内而至也。　【疏】夫境有大小,智有明闇,智不逮者,不须强知。故知止其分,学之造极也。

〔二九〕【注】浩然都任之也。　【疏】孰,谁也。天,自然也。谁知言不言之言,道不道之道?以此积辩,用兹通物者,可谓合于自然之府藏也。

〔三〇〕【注】至人之心若镜,应而不藏,故旷然无盈虚之变也。　【释文】“注焉”徐之喻反。

〔三一〕【注】至理之来,自然无迹。 【疏】夫巨海深弘,莫测涯际,百川
注之而不满,尾闾泄之而不竭。体道大圣,其义亦然。万机顿
起而不挠其神,千难殊对而不忤其虑,故能囊括群有,府藏含
灵。又譬悬镜高堂,物来斯照。能照之智,不知其所由来,可谓
即照而忘,忘而能照者也。

〔三二〕【注】任其自明,故其光不弊也。 【疏】葆,蔽也。至忘而照,即
照而忘,故能韬蔽其光,其光弥朗。此结以前天府之义。 【释
文】“葆光”音保。崔云:若有若无,谓之葆光。

〔校〕①阙误引江南古藏本成作周。②若论之三字依赵本及世德堂
本补。

**故昔者尧问于舜曰:“我欲伐宗、脍、胥敖,南面而不
释然。其故何也**〔一〕**?”舜曰:“夫三子者,犹存乎蓬艾之
间**〔二〕**。若不释然,何哉**〔三〕**?昔者十日并出,万物皆
照**〔四〕**,而况德之进乎日者乎**〔五〕**!”**

〔一〕【注】于安任之道未弘,故听朝而不怡也。将寄明齐一之理于大
圣,故发自怪之问以起对也。 【疏】释然,怡悦貌也。宗、脍、
胥敖,是尧时小蕃三国号也。南面,君位也。舜者,颛顼六世孙
也。父曰瞽瞍,母曰握登,感大虹而生舜。舜生于姚墟,因即姓
姚,住于妫水,亦曰妫氏,目有重瞳子,因字重华。以仁孝著于
乡党,尧闻其贤,妻以二女,封邑于虞。年三十,总百揆,三十
三,受尧禅。即位之后,都于蒲坂。在位四十年,让禹。后崩,
葬于苍梧之野。而三国贡赋既愆,所以应须问罪,谋事未定,故
听朝不怡。欲明齐物之一理,故寄问答于二圣。 【释文】“宗

脍"徐古外反。"胥"息徐反。华胥国。"敖"徐五高反。司马云:宗、脍、胥敖,三国名也。崔云:宗一也,脍二也,胥敖三也。"听朝"直遥反。

〔二〕【注】夫物之所安无陋也,则蓬艾乃三子之妙处也。 【释文】"妙处"昌虑反。

〔三〕【疏】三子,即三国之君也。言蓬艾贱草,斥鴳足以逍遥,况蕃国虽卑,三子足以存养,乃不释然,有何意谓也。

〔四〕【注】夫重明登天,六合俱照,无有蓬艾而不光被也。 【释文】"重明"直龙反。"光被"皮寄反。

〔五〕【注】夫日月虽无私于照,犹有所不及,德则无不得也。而今欲夺蓬艾之愿而伐使从己,于至道岂弘哉! 故不释然神解耳。若乃物畅其性,各安其所安,无远迩幽深,付之自若,皆得其极,则彼无不当而我无不怡也。 【疏】进,过也。淮南子云,昔尧时十日并出,焦禾稼,杀草木,封豨长蛇,皆为民害。于是尧使羿上射十日,遂落其九;下杀长蛇,以除民害。夫十日登天,六合俱照,覆盆隐处,犹有不明。而圣德所临,无幽不烛,运兹二智,过彼三光,乃欲兴动干戈,伐令从己,于安任之道,岂曰弘通者耶! ○家世父曰:伐国者,是非之见之积而成者也。而于此有不释然,左右伦义分辩竞争八德,交战于中而不知。夫三子者,蓬艾之间,无为辩而分之。万物受日之照而不能遁其形,而于此累十日焉,皆求得万物而照之,则万物之神必敝。日之照,无心者也。德之求辩乎是非,方且以有心出之,又进乎日之照矣。人何所措手足乎! ○庆藩案,文选谢灵运出游京口北固应诏诗注引司马云:言阳(克)〔光〕①丽天,则无不鉴。释文阙。 【释文】"神解"音蟹。

啮缺问乎王倪曰:"子知物之所同是乎〔一〕?"

〔一〕【疏】啮缺,许由之师,王倪弟子,并尧时贤人也。托此二人,明
其齐一。言物情颠倒,执见不同,悉皆自是非他,颇知此情是
否。 【释文】"啮"五结反。"缺"丘悦反。"王倪"徐五嵇反,
李音诣。高士传云:王倪,尧时贤人也。天地篇云,啮缺之师。

曰:"吾恶乎知之〔一〕!"

〔一〕【注】所同未必是,所异不独非,故彼我莫能相正,故无所用其
知。 【疏】王倪答啮缺云:"彼此各有是非,遂成无主。我若用
知知彼,我知还是是非,故我于何知之!"言无所用其知也。
【释文】"恶乎"音乌。下皆同。

"子知子之所不知邪〔一〕?"

〔一〕【疏】"子既不知物之同是,颇自知己之不知乎?"此从粗入妙,次
第穷质,假托师资,以显深趣。

曰:"吾恶乎知之〔一〕!"

〔一〕【注】若自知其所不知,即为有知。有知则不能任群才之自当。
【疏】若以知知不知,不知还是知。故重言于何知之,还以不知
答也。

"然则物无知邪〔一〕?"

〔一〕【疏】重责云:"汝既自无知,物岂无知者邪?"

曰:"吾恶乎知之〔一〕!"

〔一〕【注】都不知,乃旷然无不任矣。 【疏】岂独不知我,亦乃不知
物。唯物与我,内外都忘,故无所措其知也。

虽然，尝试言之[一]。庸讵知吾所谓知之非不知邪[二]？庸讵知吾所谓不知之非知邪[三]？

〔一〕【注】以其不知，故未敢正言，试言之耳。　【疏】然乎，犹虽然也。既其无知，理无所说，不可的当，故尝试之也。

〔二〕【注】鱼游于水，水物所同，咸谓之知。然自鸟观之，则向所谓知者，复为不知矣。夫蛣蜣之知在于转丸，而笑蛣蜣者乃以苏合为贵。故所同之知，未可正据。　【疏】夫物或此知而彼不知，彼知而此不知。鱼鸟水陆，即其义也。故知即不知，不知即知。凡庸之人，讵知此理耶！　【释文】“庸讵”徐本作巨，其庶反。郭音钜。李云：庸，用也；讵，何也；犹言何用也。服虔云：讵，犹未也。“复为”扶又反。“蛣”丘一反。“蜣”丘良反。尔雅云：蛣蜣，蜣螂也。

〔三〕【注】所谓不知者，直是不同耳，亦自一家之知。　【疏】所谓不知者，彼此不相通耳，非谓不知也。○庆藩案，文选潘安仁秋兴赋注引司马云：庸，犹何用也。释文阙。○又案，庸讵，犹言何遽也。讵遽距钜巨通用，或作渠。史记甘茂传何遽叱乎？淮南人间篇此何遽不能为福乎？韩子难篇卫奚距然哉？荀子正论篇是定钜知见侮之为不辱哉？王制篇岂渠得免夫累乎？皆其证。

且吾尝试问乎女[一]：民湿寝则腰疾偏死，鰌然乎哉？木处则惴慄恂惧，猨猴然乎哉？三者孰知正处[二]？民食刍豢，麋鹿食荐，蝍蛆甘带，鸱鸦耆鼠，四者孰知正味[三]？猨猵狙以为雌，麋与鹿交，鰌与鱼游。毛嫱丽姬，人之所美也；鱼见之深入，鸟见之高飞，麋鹿见之决骤。四者孰知天下之正色哉[四]？自我观之，仁义之端，是非之涂，樊然殽

乱，吾恶能知其辩〔五〕！

〔一〕【注】己不知其正，故①试问女。　【疏】理既无言，不敢正据，聊复反质，试问乎女。　【释文】"乎女"音汝。注及下同。"己不知"音纪。

〔二〕【注】此略举三者，以明万物之异便。　【疏】惴慄恂惧，是恐迫之别名。然乎哉，谓不如此也。言人湿地卧寝，则病腰跨偏枯而死，泥鳅岂如此乎？人于树上居处，则迫怖不安，猿猴跳踯，曾无所畏。物性不同，便宜各异。故举此三者，以明万物谁知正定处所乎。是知蓬户金闺，荣辱安在。　【释文】"偏死"司马云：偏枯死也。"鳅"徐音秋。司马云：鱼名。"惴"之瑞反。"慄"音栗。"恂"郭音荀，徐音峻。恐貌。崔云：战也。班固作眴也。"猨"音猿。"猴"音侯。"异便"婢面反。

〔三〕【注】此略举四者，以明美恶之无主。②　【疏】刍，草也，是牛羊之类；豢，养也，是犬豕之徒；皆以所食为名也。麋与鹿而食长荐茂草，鸱鸢鸦鸟便嗜腐鼠，蜈蚣食蛇。略举四者，定与谁为滋味乎？故知盛馔疏食，其致一者也。　【释文】"刍"初俱反，小尔雅云：秆谓之刍。秆，音古但反。"豢"徐音患，又胡满反。司马云：牛羊曰刍，犬豕曰豢，以所食得名也。"麋"音眉。"荐"牋练反。司马云：美草也。崔云：甘草也。郭璞云：三苍云，六畜所食曰荐。○庆藩案，说文：荐，兽之所食草，从廌从艸。古者神人以廌遗黄帝，帝曰：何食？曰：食荐。汉书赵充国传，今虏亡其美地荐草。三苍郭注云：六畜所食曰荐。管子八观篇，荐草多衍，则六畜易繁也。"蝍"音即。"且"字或作蛆，子徐反。李云：蝍且，虫名也。广雅云：蜈公也。尔雅云，蒺藜蝍蛆，郭璞注云：似蝗，大腹，长角，能食蛇脑。蒺，音疾，藜，音梨。"带"如字。

崔云:蛇也。司马云:小蛇也,蝍蛆好食其眼。"鸱"尺夷反。"鸦"本亦作鸱,於加反。崔云:乌也。"耆"市志反。字或作嗜。崔本作甘。"美恶"乌路反。

〔四〕【注】此略举四者,以明天下所好之不同也。不同者而非之,则无以知所同之必是。　【疏】猿猴狙以为雌雄,麋鹿更相接,泥鳅与鱼游戏。毛嫱,越王嬖妾;丽姬,晋国之宠嫔。此二人者,姝妍冠世,人谓之美也。然鱼见怖而深入,鸟见惊而高飞,麋鹿走而不顾。举此四者,谁知宇内定是美色耶。故知凡夫愚迷,妄生憎爱,以理观察,孰是非哉? 决,卒疾貌也。　【释文】"猵"篇面反,徐敷面反,又敷畏反,郭李音偏。"狙"七馀反。司马云:狙,一名獦牂,似猿而狗头,喜与雌猿交也。崔云:猵狙,一名獦牂,其雄喜与猿雌为牝牡。向云:猵狙以猿为雌也。獦,音葛。"为雌"音妻,一音如字。○庆藩案,御览九百十引司马云:猵狙似猿而狗头,食猕猴,好与雄狙接。与释文所引异。"毛嫱"徐在良反。司马云:毛嫱,古美人,一云越王美姬也。"丽姬"力知反。下同。丽姬,晋献公之嬖,以为夫人。崔本作西施。"决"喜缺反。李云:疾貌。崔云:疾足不顾为决。徐古惠反,郭音古穴反。"骤"士救反,又在遘反。○庆藩案,决骤即决趡也。(说文广雅并云:趡,疾也。)易(系辞下)〔说卦〕传,为决躁,(躁与趡同。)正义作决骤,云取其刚(劲)〔动〕③也。其正字当作趹趣。说文:趹,马行貌。又云:趹,踶也。淮南修务篇敕跷趹,高注云:趹,趣。亦与駃同。广雅云:駃,奔也。史记张仪传,探前趹〔后〕④,蹄间三寻,索隐曰:言马之走势疾也。与崔氏训疾走不顾义同。"所好"呼报反。

〔五〕【注】夫利于彼者或害于此,而天下之彼我无穷,则是非之竟无常。故唯莫之辩而任其自是,然后荡然俱得。　【疏】夫物乃众而未尝非我,故行仁履义,损益不同,或于我为利,于彼为害,或于彼为是,则于我为非。是以从彼我而互观之,是非之路,仁义之绪,樊乱纠纷,若殽馔之杂乱,既无定法,吾何能知其分别耶!　【释文】"樊然"音烦。"殽乱"徐户交反。郭作散,悉旦反。○庆藩案,殽,郭本作散,非也。说文:殽,杂错也。散,杂肉也。(杂乃离之误,辩见说文考正。)义不相通。隶书殽或作𣪍,(见汉殽坑君神祠碑。)与散相似;散或作㪔,(见李翕析〔里〕桥郙阁颂。)与殽亦相似;殽散以形相似而误。太玄元莹,昼夜殽者其祸福杂,今本殽误散。淮南原道篇,不与物殽,粹之至也,精神篇,不与物殽而天下自服,今本皆误作散。(高注曰:散,杂貌。案诸书散字,无杂乱之训,故散皆当作殽。)"之竟"音境。今本多作境。下放此。

〔校〕①赵谏议本无故字。②赵本无略举二字及以字之字。③动字依正义原文改。④后字依史记原文补。

啮缺曰:"子不知利害,则至人固不知利害乎〔一〕?"

〔一〕【注】未能妙其不知,故犹嫌至人当知之。斯悬之未解也。　【疏】啮缺曰,未悟彼此之不知,更起利害之疑。请云:"子是至人,应知利害。必其不辩,迷暗若夜游。"重为此难,冀图后答之矣。　【释文】"未解"音蟹。

王倪曰:"至人神矣〔一〕!大泽焚而不能热,河汉沍而不能寒,疾雷破山〔飘〕①风振海而不能惊〔二〕。若然者,乘云气〔三〕,骑日月〔四〕,而游乎四海之外〔五〕。死生无变于己〔六〕,而况利害之端乎〔七〕!"

〔一〕【注】无心而无不顺。　【疏】至者,妙极之体;神者,不测之用。

夫圣人虚己,应物无方,知而不知,辩而不辩,岂得以名言心虑亿度至人耶!

〔二〕【注】夫神全形具而体与物冥者,虽涉至变而未始非我,故荡然无(𩗴)〔蛋〕②介于胸中也。　【疏】沍,冻也。原泽焚燎,河汉冰凝,雷霆奋发而破山,飘风涛荡而振海。而至人神凝未兆,体与物冥,水火既不为灾,风雷讵能惊骇。　【释文】"沍"户故反。徐又户各反。李户格反。向云:冻也。崔云:沍,犹涸也。〇家世父曰:大浸稽天而不溺,大旱金石流土山焦而不热。能不以物为(是)〔事〕,而天地造化自存于吾心,则外境不足以相累。庄子之自期许如此,故屡及之。"蛋"勑迈反,又音矛。"介"古迈反,又音界。

〔三〕【注】寄物而行,非我动也。　【疏】〔若然〕,犹如此也。虚淡无心,方之云气,荫苎群品,顺物而行。

〔四〕【注】有昼夜而无死生也。　【疏】昏明代序,有昼夜之可分;处顺安时,无死生之能异。而控驭群物,运载含灵,故有乘骑之名也耳。

〔五〕【注】夫唯无其知而任天下之自为,故驰万物而不穷也。　【疏】动寂相即,(真)〔冥〕应一时,端坐寰宇之中,而心游四海之外矣。

〔六〕【注】与变为体,故死生若一。

〔七〕【注】况利害于死生,愈不足以介意。　【疏】夫利害者,生涯之损益耳。既死生为昼夜,乘变化以遨游,况利害于死生,曾何足以介意矣!

〔校〕①飘字依赵谏议本补。②蛋字依世德堂本改。

**瞿鹊子问乎长梧子曰:"吾闻诸夫子,圣人不从事于务〔一〕,不就利,不违害〔二〕,不喜求〔三〕,不缘道〔四〕;无谓有谓,有谓无谓〔五〕,而游乎尘垢之外〔六〕。夫子以为孟浪之言,而我以为妙道之行也。吾子以为奚若?〔七〕"

〔一〕【注】务自来而理自应耳,非从而事之也。 【疏】务,犹事也。诸,于也。瞿鹊是长梧弟子,故谓师为夫子。夫体道圣人,忘怀冥物,虽涉事有而不以为务。混迹尘俗,泊尔无心,岂措意存情,从于事物!瞿鹊既欲请益,是以述昔之所闻者也。 【释文】"瞿鹊"其俱反。"长梧子"李云:居长梧下,因以为名。崔云:名丘。简文云,长梧封人也。"夫子"向云:瞿鹊之师。○俞樾曰:瞿鹊子必七十子之后人,所称闻之夫子,谓闻之孔子也。下文长梧子曰,是黄帝之所听荧也,而丘也何足以知之?丘即是孔子名,因瞿鹊子述孔子之言,故曰丘也何足以知之也。而读者不达其意,误以丘也为长梧子自称其名,故释文云,长梧子,崔云名丘。此大不然。下文云,丘也与女皆梦也,予谓女梦亦梦也。夫予者,长梧子自谓也。既云丘与女皆梦,又云予亦梦,则安得即以丘为长梧子之名乎?

〔二〕【注】任而直前,无所避就。 【疏】违,避也。体穷通之关命,达利害之有时,故推理直前,而无所避就也。

〔三〕【注】求之不喜,直取不怒。 【疏】妙悟从(远)〔违〕也。故物求之而不忻喜矣。

〔四〕【注】独至者也。 【疏】夫圣智凝湛,照物无情,不将不迎,无生无灭,固不以攀缘之心行乎虚通至道者也。

〔五〕【注】凡有称谓者,皆非吾所谓也,彼各自谓耳,故无彼有谓而有此无谓也。 【疏】谓,言教也。夫体道至人,虚夷寂绝,从本降迹,感而遂通。故能理而教,无谓而有谓,教而理,有谓而无谓者也。　【释文】"称谓"尺證反。下放此。

〔六〕【注】凡非真性,皆尘垢也。　【疏】和光同尘,处染不染,故虽在嚣俗之中,而心自游于尘垢之外者矣。　【释文】"而游"崔本作而施。

〔七〕【疏】孟浪,犹率略也。奚,何也;若,如也;如何。所谓不缘道等,乃穷理尽性。瞿鹊将为妙道之行,长梧用作率略之谈。未知其理如何,以何为是。　【释文】"孟"如字。徐武黉反,又或武莽反。"浪"如字,徐力荡反。向云:孟浪,音漫澜,无所趋舍之谓。李云:犹较略也。崔云:不精要之貌。○庆藩案,文选左太冲吴都赋注引司马云:孟浪,鄙野之语。释文阙。又案:孟浪,犹莫络,不委细之意。(见刘逵注文选左思吴都赋。)莫络,一作摹略。墨子小取篇,摹略万物之然。摹略者,总括之词。莫络、摹略、孟浪,皆一声之转也。"之行"如字,又下孟反。

长梧子曰:"是(皇)〔黄〕①帝之所听荧也,而丘也何足以知之〔一〕!且女亦大早计,见卵而求时夜,见弹而求鸮炙〔二〕。

〔一〕【疏】听荧,疑惑不明之貌也。夫至道深玄,非名言而可究。虽复三皇五帝,乃是圣人,而诠辩至理,不尽其妙,听荧至竟,疑惑不明。我是何人,犹能晓了。本亦有作黄字者,则是轩辕。　【释文】"皇帝"本又作黄帝。○卢文弨曰:皇黄通用。今本作黄帝。"听"勒定反。"荧"音莹磨之莹。本亦作莹,於迥反。向司马云:听荧,疑惑也。李云:不光明貌。崔云:小明不大了也。向崔本作䴏荣。○卢文弨曰:字汇补云:䴏字见释典中。随函云:䴏与辉同。

〔二〕【注】夫物有自然,理有至极。循而直往,则冥然自合,非所言也。故言之者孟浪,而闻之者听荧。虽复黄帝,犹不能使万物无怀，而听荧至竟。故圣人付当于<u>尘垢</u>之外，而玄合乎视听之表，照之以天而不逆计，放之自尔而不推明也。今<u>瞿鹊子</u>方闻孟浪之言而便以为妙道之行，斯亦无异见卵而责司晨之功，见弹而求鸮炙之实也。夫②不能安时处顺而探变求化，当生而虑死，执是以辩非，皆逆计之徒也。　【疏】鸮即鵬鸟，<u>贾谊</u>之所赋者也。大小如雌鸡，而似斑鸠，青绿色，其肉甚美，堪作羹炙，出<u>江南</u>。然卵有生鸡之用，而卵时未能司晨，弹有得鸮之功，而弹时未堪为炙；亦犹教能诠于妙理，而教时非理，今<u>瞿鹊</u>才闻言说，将为妙道，此计用之太早。　【释文】"且女"音汝。下同。"亦大"音泰，徐<u>李</u>勅佐反。注同。"时夜"<u>崔</u>云：时夜，司夜，谓鸡也。"见弹"徒旦反。"鸮"于骄反。<u>司马</u>云：小鸠，可炙。<u>毛诗草木疏</u>云：大如斑鸠，绿色，其肉甚美。"虽复"扶又反。下皆同。下章注亦准此。

〔校〕①黄字依<u>世德堂</u>本改。②<u>赵谏议</u>本无夫字。

予尝为女妄言之^{〔一〕}，女以妄听之。奚①^{〔二〕}旁日月，挟宇宙^{〔三〕}？为其胲②合，置其滑涽，以隶相尊^{〔四〕}。众人役役^{〔五〕}，圣人愚芚③^{〔六〕}，参万岁而一成纯^{〔七〕}。万物尽然^{〔八〕}，而以是相蕴^{〔九〕}。

〔一〕【注】言之则孟浪也，故试妄言之。　【释文】"尝为"于伪反。

〔二〕【注】若正听妄言，复为太早计也。故亦妄听之，何？　【疏】予，我也。奚，何也。夫至理无言，言则孟浪。我试为汝妄说，汝亦妄听何如？亦言，奚者即何之声也。

〔三〕【注】以死生为昼夜，旁日月之喻也；以万物为一体，挟宇宙之譬也。　【疏】旁，依附也。挟，怀藏也。天地四方曰宇，往来古今曰宙。契理圣人，忘物忘我，既而囊括万有，冥一死生。故<u>郭</u>注

95

云,以死生为昼夜,旁日月之喻也;以万物为一体,挟宇宙之喻也。　【释文】"旁日月"薄葬反,徐扶葬反。司马云:依也。崔本作谤。○卢文弨曰:官校本改谤为傍,未必是。○家世父曰:郭象以女以妄听之奚断句,熟玩文义,奚旁日月挟宇宙自为句,言操何术以超出天地之表。○庆藩案,旁当为放之借字。放,依也。论语里仁篇放于利而行,郑孔注并曰:放,依也。墨子法仪篇放依以从事,放亦依也。亦通作方。诗维鸠方之,言鹊有巢而鸠依之也。(见王氏经义述闻。)又通作傍。旁日月,谓依日月也。应从司马训依之义为正。崔本作谤者非也。"挟"户牒反。崔本作扶。"宇宙"治救反。尸子云:天地四方曰宇,往古来今曰宙。说文云:舟舆所极覆曰宙。

〔四〕【注】以有所贱,故尊卑生焉,而滑涽纷乱,莫之能正,各自是于一方矣。故为脗然自合之道,莫若置之勿言,委之自尔也。脗然,无波际之谓也。　【疏】脗,无分别之貌也。置,任也。滑,乱也。涽,闇也。隶,皂仆之类也,盖贱称也。夫物情颠倒,妄执尊卑。今圣人欲祛此惑,(无)〔为〕④脗然合同之道者,莫若滑乱昏杂,随而任之,以隶相尊,一于贵贱也。　【释文】"脗"本或作脣。郭音泯,徐武轸反,李武粉反。无波际之貌。司马云:合也。向音唇,云:若两唇之相合也。○卢文弨曰:今注本波作被⑤,似误。"滑"徐古没反,乱也。向本作汨,音同。崔户八反,云:栝口(本)〔木〕⑥也。"涽"徐音昏。向云:汨昏,未定之谓。崔本作缗,武巾反,云:绳也。○卢文弨曰:旧作滑。宋本从氏,并注中昏涽并从氏,今从之。

〔五〕【注】驰骛于是非之境也。

〔六〕【注】苊然无知而直往之貌。　【疏】役役,驰动之容也。愚苊,无知之貌。凡俗之人,驰逐前境,劳役而不息;体道之士,忘知废照,芚然而若愚也。 【释文】"芚"徐徒奔反。郭治本反。司马云:浑沌不分察也。崔〔云〕⑦:文厚貌也。或云:束也。李丑伦反。

〔七〕【注】纯者,不杂者也。夫举万岁而参其变,而众人谓之杂矣,故役役然劳形怵心而去彼就此。唯大圣无执,故芚然直往而与变化为一,一变化而常游于独者也。故虽参糅亿载,千殊万异,道行之而成,则古今一成也;物谓之而然,则万物一然也。无物不然,无时不成;斯可谓纯也。 【疏】夫圣人者,与二仪合其德,万物同其体,故能随变任化,与世相宜。虽复代历古今,时经夷险,参杂尘俗,千殊万异,而淡然自若,不以介怀,抱一精纯,而常居妙极也。○家世父曰:众人役役,较量今日,又较量明日。今日见为是,明日又见为非,今日见为非非,明日又见为非是。圣人愚芚,为是不用而寓诸庸,参万岁以极其量。一者,浑然无彼此之别;成者,怡然无然可之差;纯者,泊然无是非之辩。圣人以此应万物之变而相蕴于无穷,斯为参万岁而一成纯。

【释文】"怵心"勑律反。"参糅"如救反。

〔八〕【注】无物不然。

〔九〕【注】蕴,积也。积是于万岁,则万岁一是也;积然于万物,则万物尽然也。故不知死生先后之所在,彼我胜负之所如也。

【疏】蕴,积也。夫物情封执,为日已久。是以横论万物,莫不我然彼不然;(坚)〔竖〕说古今,悉皆自是他不是。虽复万物之多,古今之远,是非蕴积,未有休时。圣人顺世污隆,动而常寂,参糅亿载而纯一凝然也。 【释文】"相蕴"本亦作缊。徐於愤反,郭於本反,李於问反。积也。

〔校〕①<u>朱桂曜</u>本奚下有若字。②<u>赵谏议</u>本作腏,下同。③<u>阙误</u>引<u>刘同一</u>本芚作芼,云:芼,治冶切,无知直往之貌。④为字依覆<u>宋</u>本改。⑤<u>世德堂</u>本作被,本书依<u>释文</u>原本改。⑥木字依<u>世德堂</u>本改。⑦云字依<u>世德堂</u>本补。

予恶乎知说生之非惑邪〔一〕!予恶乎知恶死之非弱丧而不知归者邪〔二〕!<u>丽</u>之姬,<u>艾</u>封人之子也。<u>晋国</u>之始得之也,涕泣沾襟;及其至于王所,与王同筐牀,食刍豢,而后悔其泣也〔三〕。予恶乎知夫死者不悔其始之蕲生乎〔四〕!

〔一〕【注】死生一也,而独说生,欲与变化相背,故未知其非惑也。

【疏】夫炉锤万物,未始不均;变化死生,其理唯一。而独悦生恶死,非惑如何!　【释文】"予恶"音乌。下恶乎皆同。"说"音悦。注同。"相背"音佩。

〔二〕【注】少而失其故居,名为弱丧。夫弱丧者,遂安于所在而不知①归于故乡也。焉知生之非夫弱丧,焉知死之非夫还归而恶之②哉!　【疏】弱者弱龄,丧之言失。谓少年遭乱,丧失桑梓,遂安他土而不知归,谓之弱失。从无出有,谓之为生;自有还无,谓之为死。遂其恋生恶死,岂非弱丧不知归邪!　【释文】"恶死"乌路反。注同。"弱丧"息浪反。注同。"少而"诗照反。"焉知"於虔反。下同。

〔三〕【注】一生之内,情变若此。当此之日,则不知彼,况夫死生之变,恶能相知哉!　【疏】昔<u>秦穆公</u>与<u>晋献公</u>共伐<u>丽戎</u>之国,得美女一,玉环二。秦取环而晋取女,即<u>丽戎</u>国<u>艾</u>地守封疆人之女也。筐,正也。初去<u>丽戎</u>,离别亲戚,怀土之恋,故涕泣沾襟。后至晋邦,宠爱隆重,与<u>献公</u>同方床而燕处,进牢馔以盈厨,情好既移,所以悔其先泣。一生之内,情变若此。况死生之异,何

能知哉！庄子寓言，故称献公为王耳。　【释文】"至于王所"崔
云：六国时诸侯僭称王，因此谓献公为王也。"筐"本亦作匡。
徐起狂反。"牀"徐音床。司马云：筐牀，安床也。崔云：筐，方
也。一云：正床也。

〔四〕【注】蕲，求也。　【疏】蕲，求也。丽姬至晋，悔其先泣。焉知死
者之不却悔初始在生之日求生之意也！　【释文】"蕲"音祈，
求也。

〔校〕①赵谏议本不知下有所谓二字。②赵本无之字。

　　梦饮酒者，旦而哭泣；梦哭泣者，旦而田猎〔一〕。方其
梦也，不知其梦也〔二〕。梦之中又占其梦焉〔三〕，觉而后知
其梦也〔四〕。且有大觉而后知此其大梦也〔五〕，而愚者自以
为觉，窃窃然知之。君乎，牧乎，固哉〔六〕！丘也与女，皆梦
也〔七〕；予谓女梦，亦梦也〔八〕。是其言也，其名为弔诡〔九〕。
万世之后而一遇大圣，知其解者，是旦暮遇之也〔一○〕。

〔一〕【注】此寤寐之事变也。事苟变，情亦异，则死生之愿不得同矣。
故生时乐生，则死时乐死矣，死生虽异，其于各得所愿一也，则
何系哉！　【疏】夫死生之变，犹觉梦之异耳。夫觉梦之事既
殊，故死生之情亦别，而世有觉凶而梦吉，亦何妨死乐而生忧
邪！是知寤寐之间，未足可系也。　【释文】"乐生"音洛。
下同。

〔二〕【注】由此观之，当死之时，亦不知其死而自适其志也。　【疏】
方将为梦之时，不知梦之是梦，亦犹方将处死之日，不知死之为
死。各适其志，何所恋哉！

〔三〕【注】夫梦者乃复梦中占其梦，则无以异于寤者也。

〔四〕【注】当所遇,无不足也,何为方生而忧死哉! 【疏】夫人在睡梦之中,谓是真实,亦复占候梦想,思度吉凶,既觉以后,方知是梦。是故生时乐生,死时乐死,何为当生而忧死哉! 【释文】"觉而"音教。下及注皆同。

〔五〕【注】夫大觉者,圣人也。大觉者乃知夫患虑在怀者皆未寤也。 【疏】夫扰扰生民,芸芸群品,驰骛有为之境,昏迷大梦之中,唯有体道圣人,朗然独觉,知夫患虑在怀者皆未寤也。

〔六〕【注】夫愚者大梦而自以为寤,故窃窃然以所好为君上而所恶为牧圉,欣然信一家之偏见,可谓固陋矣。 【疏】夫物情愚惑,暗若夜游,昏在梦中,自以为觉,窃窃然议专所知。情之好者为君上,情之恶者同牧圉,以此为情怀,可谓固陋。牛曰牧,马曰圉也。 【释文】"窃窃"司马云:犹察察也。"牧乎"崔本作趺乎,云:趺趺,强羊貌。"所好"呼报反。注同。"所恶"乌路反。

〔七〕【注】未能忘言而神解,故非大觉也。 【疏】丘是长梧名也。夫照达真原,犹称为梦,况愚徒窃窃,岂有觉哉! 【释文】"神解"音蟹。徐户解反。

〔八〕【注】即复梦中之占梦也。夫自以为梦,犹未寤也,况窃窃然自以为觉哉! 【疏】夫迷情无觉,论梦还在梦中;声说非真,妙辩犹居言内。是故梦中占梦,梦所以皆空;言内试言,言所以虚假。此托梦中之占梦,亦结孟浪之谭耳。

〔九〕【注】夫非常之谈,故非常人之所知,故谓之弔当卓诡,而不识其悬解。 【疏】夫举世皆梦,此乃玄谈。非常之言,不顾于俗,弔当卓诡,骇异物情,自非清通,岂识深远哉! 【释文】"弔"如字,又音的,至也。○卢文弨曰:旧脱又字,今补。"诡"九委反,异也。

〔一〇〕【注】言能蜕然无系而玄同死生者至希也。 【疏】且世〔历〕万
 年而一逢大圣,知三界悉空,四生非有,彼我言说,皆在梦中。
 如此解人,其为希遇,论其赊促,是旦暮逢之。三十年为一世
 也。 【释文】"其解"音蟹,徐户解反。"蜕然"音悦,又始
 锐反。

　既使我与若辩矣,若胜我,我不若胜,若果是也,我果
非也邪〔一〕? 我胜若,若不吾胜,我果是也,而果非也
邪〔二〕? 其或是也,其或非也邪〔三〕? 其俱是也,其俱非也
邪〔四〕? 我与若不能相知也,则人固受其黮闇。吾谁使正
之〔五〕? 使同乎若者正之? 既与若同矣,恶能正之〔六〕! 使
同乎我者正之? 既同乎我矣,恶能正之〔七〕! 使异乎我与
若者正之? 既异乎我与若矣,恶能正之〔八〕! 使同乎我与
若者正之? 既同乎我与若矣,恶能正之〔九〕! 然则我与若
与人俱不能相知也,而待彼也邪〔一〇〕?

〔一〕【疏】若,而,皆汝也。若不胜汝也耶,假问之词也。夫是非彼
 我,举体不真,倒置之徒,妄为臧否。假使我与汝对争,汝胜我
 不胜,汝胜定是,我不胜定非耶? 固不可也。

〔二〕【注】若,而,皆汝也。 【疏】假令我胜于汝,汝不及我,我决是
 也,汝定非也? 各据偏执,未足可依也。

〔三〕【疏】或,不定也。我之与汝,或是或非,彼此言之,胜负不定,故
 或是则非是,或非则非非也。

〔四〕【疏】俱是则无非,俱非则无是。故是非彼我,出自妄情也。

〔五〕【注】不知而后推,不见而后辩,辩之而不足以自信,以其与物对
 也。辩对终日,黮闇至竟,莫能正之,故当付之自正耳。 【疏】

彼我二人,各执偏见,咸谓自是,故不能相知。必也相知,己之所非者,他家之是也。假令别有一人,遣定臧否,此人还有彼此,亦不离是非,各据妄情,总成闇惑,心必怀爱,此见所以黮闇不明。三人各执,使谁正之? 黮闇,不明之谓也。 【释文】"黮闇"贪闇反。李云:黮闇,不明貌。

〔六〕【疏】既将汝同见,则与汝不殊,与汝不殊,何能正定! 此覆释第一句。 【释文】"恶能"音乌。下皆同。

〔七〕【注】同故是之,未足信也。 【疏】注云,同故是之耳,未足信也。此覆释第二句也。

〔八〕【注】异故相非耳,亦不足据。 【疏】既异我汝,故别起是非。别起是非,亦何足可据? 此覆解第三句。

〔九〕【注】是若果是,则天下不得复有非之者也;非若信非,则亦无缘复有是之者也;今是其所同而非其所异,异同既具而是非无主。故夫是非者,生于好辩而休乎天均,付之两行而息乎自正也。 【疏】彼此曲从,是非两顺,不异我汝,亦何能正之? 此解第四句。

〔一〇〕【注】各自正耳。待彼不足以正此,则天下莫能相正也,故付之自正而至矣。 【疏】我与汝及人,固受黮闇之人。总有三人,各执一见,咸言我是,故俱不相知。三人既不能定,岂复更须一人! 若别待一人,亦与前何异! 〔待〕彼也耶,言其不待之也。

102　何谓和之以天倪〔一〕? 曰:是不是,然不然。是若果是也,则是之异乎不是也亦无辩;然若果然也,则然之异乎不然也亦无辩①〔二〕。化声之相待,若其不相待〔三〕。和之以天倪,因之以曼衍,所以穷年也〔四〕。忘年忘义,振于无竟,故寓诸无竟〔五〕。"

〔一〕【注】天倪者，自然之分也。 【疏】天，自然也。倪，分也。夫彼我妄执，是非无主，所以三人四句，不能正之。故假设论端，托为问答，和以自然之分，令归无是无非。天倪之义，次列于下文。 【释文】"和之"如字，崔胡卧反。"天倪"李音崖，徐音诣，郭音五底反。李云：分也。崔云：或作霓，音同，际也。班固曰：天研。○卢文弨曰：旧本崖讹崔，今据大宗师篇改正。倪音近研，故计倪亦作计研。

〔二〕【注】是非然否，彼我更对，故无辩。无辩，故和之以天倪，安其自然之分而已，不待彼以正之。 【疏】辩，别也。夫是非然否，出自妄情，以理推求，举体虚幻，所是则不是，然则不然。何以知其然耶？是若定是，是则异非；然若定然，然则异否。而今此谓之是，彼谓之非；彼之所然，此以为否。故知是非然否，理在不殊，彼我更对，妄为分别，故无辩也矣。

〔三〕【注】是非之辩为化声。夫化声之相待，俱不足以相正，故若不相待也。 【疏】夫是非彼我，相待而成，以理推寻，待亦非实。故变化声说，有此待名；名既不真，待便虚待。待即非待，故知不相待者也。○家世父曰：言随物而变，谓之化声。是与不是，然与不然，在人者也。待人之为是为然而是之然之，与其无待于人而自是自然，一皆无与于其心，是谓和之以天倪。

〔四〕【注】和之以自然之分，任其无极之化，寻斯以往，则是非之境自泯，而性命之致自穷也。 【疏】曼衍，犹变化也。因，任也。穷，尽也。和以自然之分，所以无是无非；任其无极之化，故能不滞不著。既而处顺安时，尽天年之性命也。 【释文】"曼"徐音萬，郭武半反。"衍"徐以战反。司马云：曼衍，无极也。

〔五〕【注】夫忘年故玄同死生，忘义故弥贯是非。是非死生荡而为一,斯至理也。至理畅于无极,故寄之者不得有穷也。　【疏】振,畅也。竟,穷也。寓,寄也。夫年者,生之所禀也,既同于生死,所以忘年也;义者,裁于是非也,既一于是非,所以忘义也。此则遣前知是非无穷之义也。既而生死是非荡而为一,故能通畅妙理,洞照无穷。寄言无穷,亦无无穷之可畅,斯又遣于无极者也。　【释文】"振"如字。崔云:止也。又之忍反。"无竟"如字,极也。崔作境。

〔校〕①阙误引江南古藏本是也下亦无辩作其无辩矣,然也下亦无辩作亦无辩矣。

罔两问景曰:"曩子行,今子止;曩子坐,今子起;何其无特操与[一]?"

〔一〕【注】罔两,景外之微阴也。　【疏】罔两,景外之微阴也。曩,昔也,(特)向也。〔特〕,独也。庄子寓言以畅玄理,故寄景与罔两,明于独化之义。而罔两问景云:"汝向行今止,昔坐今起。然则子行止坐起,制在于形,唯欲随逐于他,都无独立志操者,何耶?"【释文】"罔两"郭云:景外之微阴也。向云:景之景也。崔本作罔浪,云:有无之状。○庆藩案,罔两,司马作罔浪。文选班孟坚幽通赋注引司马云:罔浪,景外重阴也。释文引崔本作罔浪,云有无之状,与司马训异义。"景"映永反,又如字。本或作影,俗也。"曩"徐乃荡反。李云:曏者也。"无特"本或作持。崔云:特,辞也。向云:无特者,行止无常也。"操与"音馀。

景曰:"吾有待而然者邪[一]? 吾所待又有待而然者邪[二]? 吾待蛇蚹蜩翼邪[三]?恶识所以然! 恶识所以不

然！〔四〕"

〔一〕【注】言天机自尔，坐起无待。无待而独得者，孰知其故，而责其所以哉？　【疏】夫物之形质，咸禀自然，事似有因，理在无待。而形影非远，尚有天机，故曰万类参差无非独化者也。

〔二〕【注】若责其所待而寻其所由，则寻责无极，(而)〔卒〕[1]至于无待，而独化之理明矣。　【疏】影之所待，即是形也。若使影待于形，形待造物，请问造物复何待乎？斯则待待无穷，卒乎无待也。

〔三〕【注】若待蛇蚹蜩翼，则无特操之所由，未为难识也。今所以不识，正由不待斯类而独化故耳。　【疏】昔诸讲人及<u>郭生</u>注意，皆云蛇蚹是腹下龃龉，蜩翼者是蜩翅也。言蛇待蚹而行，蜩待翼而飞，影待形而有也，盖不然乎？若使待翼而飞，待足而走，飞禽走兽，其类无穷，何劳独举蛇蚹，颇引为譬？即今解蚹者，蛇蜕皮也，蜩翼者，蜩甲也。言蛇蜕旧皮，蜩新出甲，不知所以，莫辩其然，独化而生，盖无待也。而蛇蜩二虫，犹蜕皮甲，称异诸物，所以引之。故<u>外篇</u>云，吾待蛇蚹蜩甲耶，是知形影之义，与蚹甲无异者也。　【释文】"蛇蚹"音附，<u>徐</u>又音敷。<u>司马</u>云：谓蛇腹下龃龉可以行者也。龃，音士女反，龉，音鱼女反。"蜩"<u>徐</u>音条。

〔四〕【注】世或谓罔两待景，景待形，形待造物者。请问：夫造物者，有耶无耶？无也？则胡能造物哉？有也？则不足以物众形。故明众形之自物而后始可与言造物耳。是以涉有物之域，虽复罔两，未有不独化于玄冥者也。故造物[2]者无主，而物各自造，物各自造而无所待焉，此天地之正也。故彼我相因，形景俱生，虽复玄合，而非待也。明斯理也，将使万物各反所宗于体中而不待乎外,外无所谢而内无所矜,是以诱然皆生而不知所以生,同焉皆得而不知所以得也。今罔两之因景,犹云俱生而非待也,则万物虽聚而共成乎天,而皆历然莫不独见矣。故罔两非景之所制,而景非形之所使,形非无之所化也,则化与不化,然与不然,从人之与由己,莫不自尔,吾安识其所以哉!故任而不助,则本末内外,畅然俱得,泯然无迹。若乃责此近因而忘其自尔,宗物于外,丧主于内,而爱尚生矣。虽欲推而齐之,然其所尚已存乎胸中,何夷之得有哉!　【疏】夫待与不待,然与不然,天机自张,莫知其宰,岂措情于寻责而思虑于心识者乎!　【释文】"丧"息浪反。

〔校〕①卒字依宋本及世德堂本改。②世德堂本物作化。

昔者庄周梦为胡蝶,栩栩然胡蝶也,自喻适志与[一]!不知周也[二]。俄然觉,则蘧蘧然周也[三]。不知周之梦为胡蝶与,胡蝶之梦为周与[四]?周与胡蝶,则必有分矣[五]。此之谓物化[六]。

〔一〕【注】自快得意,悦豫而行。　【疏】栩栩,忻畅貌也。喻,晓也。夫生灭交谢,寒暑递迁,盖天地之常,万物之理也。而庄生晖明镜以照烛,(汛)〔泛〕上善以遨游,故能托梦觉于死生,寄自他于物化。是以梦为胡蝶,栩栩而适其心;觉乃庄周,蘧蘧而畅其志者也。　【释文】"胡蝶"徐徒协反。司马崔云:蛱蝶也。"栩"徐况羽反,喜貌。崔本作翩。"自喻"李云:喻,快也。"志与"音馀。下同。崔云:与,哉。

〔二〕【注】方其梦为胡蝶而不知周,则与殊死不异也。然所在无不适志,则当生而系生者,必当死而恋死矣。由此观之,知夫在生而

哀死者误也。　【疏】方为胡蝶,晓了分明,快意适情,悦豫之
甚,只言是蝶,(宜)〔不〕识庄周。死不知生,其义亦尔。

〔三〕【注】自周而言,故称觉耳,未必非梦也。　【疏】蘧蘧,惊动之
貌也。俄顷之间,梦罢而觉,惊怪思省,方是庄周。故注云,自
周而言,故称觉耳,未必非梦也。　【释文】"然觉"古孝反。
"蘧蘧"徐音渠,又其虑反。李云:有形貌。崔作据据,引大宗
师云据然觉。

〔四〕【注】今之不知胡蝶,无异于梦之不知周也;而各适一时之志,则
无以明胡蝶之不梦为周矣。世有假寐而梦经百年者,则无以明
今之百年非假寐之梦者也。　【疏】昔梦为蝶,甚有畅情;今作
庄周,亦言适志。是以觉梦既无的当,庄蝶岂辩真虚者哉!

〔五〕【注】夫觉梦之分,无异于死生之辩也。今所以自喻适志,由其
分定,非由无分也。　【疏】既觉既梦,有蝶有庄,乃曰浮虚,亦
不无崖分也。

〔六〕【注】夫时不暂停,而今不遂存,故昨日之梦,于今化矣。死生之
变,岂异于此,而劳心于其间哉!方为此则不知彼,梦为胡蝶是
也。取之于人,则一生之中,今不知后,丽姬是也。而愚者窃窃
然自以为知生之可乐,死之可苦,未闻物化之谓也。　【疏】夫
新新变化,物物迁流,譬彼穷指,方兹交臂。是以周蝶觉梦,俄
顷之间,后不知前,此不知彼。而何为当生虑死,妄起忧悲!故
知生死往来,物理之变化也。　【释文】"可乐"音洛。

庄子集释卷二上

内篇**养生主第三**〔一〕

〔一〕【注】夫生以养存,则养生者理之极也。若乃养过其极,以养伤
　　生,非养生之主也。　【释文】养生以此为主也。

　　吾生也有涯〔一〕,而知也无涯〔二〕。以有涯随无涯,殆
已;〔三〕已而为知者,殆而已矣〔四〕。为善无近名,为恶无近
刑〔五〕。缘督以为经〔六〕,可以保身,可以全生,可以养
亲〔七〕,可以尽年〔八〕。

〔一〕【注】所禀之分各有极也。　【疏】涯,分也。夫生也受形之载,
　　禀之自然,愚智修短,各有涯分。而知止守分,不荡于外者,养
　　生之妙也。然黔首之类,莫不称吾,则凡称吾者,皆有极者也。
　　【释文】"有涯"本亦作崖,鱼佳反。

〔二〕【注】夫举重携轻而①神气自若,此力之所限也。而尚名好胜
　　者,虽复绝脰,犹未足以慊其愿,此知之无涯也。故知之为名,
　　生于失当而灭于冥极。冥极者,任其至分而无毫铢之加。是故

虽负万钧,苟当其所能,则忽然不知重之在身;虽应万机,泯然不觉事之在己。此养生之主也。　【疏】所禀形性,各有限极,而分别之智,徇物无涯,遂使心困形劳,未慊其愿,不能止分,非养生之主也。　【释文】"而知"音智。注、下同。"好胜"呼报反。下升證反。"虽复"扶又反。下皆同。"绝脰"音旅。"以慊"苦簟反,足也。○卢文弨曰:古与慊恨之慊同一声,并不以音慊者为足之正诂。

〔三〕【注】以有限之性寻无极之知,安得而不困哉!　【疏】夫生也有限,知也无涯,是以用有限之生逐无涯之知,故形劳神弊而危殆者也。　【释文】"殆已"向云:疲困之谓。

〔四〕【注】已困于知而不知止,又为知以救之,斯养而伤之者,真大殆也。　【疏】无涯之知,已用于前;有为之学,救之于后;欲不危殆,其可得乎!○家世父曰:营营以求知,而极乎无涯,终乎殆矣。而此营营之知存于心,足以累性而害心。冥然而物化,寂然而神凝,使其知不生于心,成性存存,泯知以全生。故曰已而为知者殆而已矣。

〔五〕【注】忘善恶而居中,任万物之自为,闷然与至当为一,故刑名远己而全理在身也。　【疏】夫有为俗学,抑乃多徒,要切而言,莫先善恶。故为善也无不近乎名誉,为恶也无不邻乎刑戮。是知俗智俗学,未足以救前知,适有疲役心灵,更增危殆。　【释文】"无近"附近之近。下同。○庆藩案,文选嵇叔夜幽愤诗注引司马云:勿修名也。被褐怀玉,秽恶其身,以无陋于形也。释文阙。○家世父曰:船山云,声色之类不可名之为善者,即恶也。"闷然"亡本反,又音门。"远己"于萬反。

〔六〕【注】顺中以为常也。　【疏】缘,顺也。督,中也。经,常也。夫善恶两忘,刑名双遣,故能顺一中之道,处真常之德,虚夷任物,与世推迁。养生之妙,在乎兹矣。　【释文】"缘督以为经"李云:缘,顺也。督,中也。经,常也。郭崔同。○庆藩案,文选左太冲魏都赋注引司马云:缘,顺也。督,中也。顺守道中以为常也。释文阙。○李桢曰:素问骨空论,督(录)〔脉〕②者,起于少腹以下骨中央。灵枢本输篇七,次脉,颈中央之脉,督脉也。人身惟脊居中,督脉并脊里而上,故训中。督为奇经之一脉,庄子正是假脉为喻,故下为保身全生等语。○家世父曰:船山云,奇经八脉,以任督主呼吸之息。身前之中脉曰任,身后之中脉曰督。督者,居静而不倚于左右,有脉之位而无形质。缘督者,以清微纤妙之气,循虚而行,止于所不可行,而行自顺,以适得其中。

〔七〕【注】养亲以适。　【释文】"以养"羊尚反。注同。

〔八〕【注】苟得中而冥度,则事事无不可也。夫养生非求过分,盖全理尽年而已矣。　【疏】夫惟妙舍二偏而处于中一者,故能保守身形,全其生道。外可以孝养父母,大顺人伦,内可以摄卫生灵,尽其天命。

〔校〕①赵谏议本而作其。②脉字依素问原文改。

庖丁为文惠君解牛,手之所触,肩之所倚,足之所履,膝之所踦,砉然向然,奏刀騞然〔一〕,莫不中音。合于桑林之舞,乃中经首之会〔二〕。

〔一〕【疏】庖丁,谓掌厨丁役之人,今之供膳是也。亦言:丁,名也。文惠君,即梁惠王也。解,宰割之也。踦,下角刺也。言庖丁善能宰牛,见其间理,故以其手(抟)〔搏〕触,以肩倚著,用脚蹋履,用膝刺筑,遂使皮肉离析,砉然向应,进奏鸾刀,騞然大解。此盖寄庖丁以明养生之术者也。　【释文】"庖丁"崔本作胞，同。白交反。庖人，丁其名也。管子有屠牛坦一朝解九牛，刀可剃毛。○卢文弨曰：礼记祭统辉胞，亦与庖同。"为"于伪反。"文惠君"崔司马云：梁惠王也。"所倚"徐於绮反，向偃彼反，徐又於仁反，李音妖。"所踦"徐居彼反，向鱼彼反。李云：刺也。"砉然"向呼鶪反，徐许鶪反，崔音画，又古鶪反，李又呼歷反。司马云：皮骨相离声。○卢文弨曰：旧鶪皆从贝，非。今正从臭。下并同。"騞然"许丈反，郭许亮反。本或无然字。"奏"如字。崔云：闻也。"騞"呼获反，徐许嫛反，向他亦反，又音麦。崔云：音近获，声大于砉也。

〔二〕【注】言其因便施巧，无不闲解，尽理之甚，既适牛理，又合音节。　【疏】桑林，殷汤乐名也。经首，咸池乐章名，则尧乐也。庖丁神彩从容，妙尽牛理；既而(改)〔宰〕割声嚮，雅合宫商，所以音中桑林，韵符经首也。　【释文】"中音"丁仲反。下皆同。"桑林"司马云：汤乐名。崔云：宋舞乐名。案即左传舞师题以旌夏是也。"经首"向司马云：咸池乐章也。崔云：乐章名也。或云：奏乐名。"因便"婢面反。"闲解"音蟹。

文惠君曰："嘻，善哉！技盖至此乎〔一〕？"

〔一〕【疏】嘻，叹声也。惠君既见庖丁因便施巧，奏〔刀〕音节，远合乐章，故美其技术一至于此者也。　【释文】"嘻"徐音熙。李云：叹声也。"技"具绮反。下同。

庖丁释刀对曰："臣之所好者道也，进乎技矣〔一〕。始臣之解牛之时，所见无非〔全〕①牛者〔二〕。三年之后，未尝见全牛也〔三〕。方今之时，臣以神遇而不以目视〔四〕，官知止而神欲行〔五〕。依乎天理〔六〕，批大卻〔七〕，导大窾〔八〕，因

111

其固然〔九〕。技经肯綮之未尝〔一〇〕，而况大軱乎〔一一〕！良庖岁更刀，割也〔一二〕；族庖月更刀，折也〔一三〕。今臣之刀十九年矣，所解数千牛矣，而刀刃若新发于硎〔一四〕。彼节者有间，而刀刃者无厚；以无厚入有间，恢恢乎其于游刃必有馀地矣〔一五〕，是以十九年而刀刃若新发于硎〔一六〕。虽然，每至于族，吾见其难为〔一七〕，怵然为戒，视为止〔一八〕，行为迟〔一九〕。动刀甚微，謋然已解②〔二〇〕，如土委地〔二一〕。提刀而立，为之四顾，为之踌躇满志〔二二〕，善刀而藏之〔二三〕。"

〔一〕【注】直寄道理于技耳，所好者非技也。　【疏】捨释鸾刀，对答养生之道，故倚技术，进献于君。又解：进，过也。所好者养生之道，过于解牛之技耳。　【释文】"所好"呼报反。注同。

〔二〕【注】未能见其理间③。　【疏】始学屠宰，未见间理，所睹惟牛。亦犹初学养生，未照真境，是以触途皆碍。

〔三〕【注】但见其理间也。　【疏】操刀既久，顿见理间，所以才睹有牛，已知空郤。亦犹服道日久，智照渐明，所见尘境，无非虚幻。

〔四〕【注】闇与理会。　【疏】遇，会也。经乎一十九年，合阴阳之妙数，率精神以会理，岂假目以看之！亦犹学道之人，妙契至极，推心灵以虚照，岂用眼以取尘也！　【释文】"神遇"向云：暗与理会，谓之神遇。

〔五〕【注】司察之官废，纵心而(顺)理〔顺〕④。　【疏】官者，主司之谓也；谓目主于色耳司于声之类是也。既而神遇，不用目视，故眼等主司，悉皆停废，从心所欲，顺理而行。善养生者，其义亦然。　【释文】"官知止"如字。崔云：官知，谓有所掌在也。向音智。专所司察而后动，谓之官智。"而神欲行"如字。向云：

从手放意,无心而得,谓之神欲。

〔六〕【注】不横截也。　【疏】依天然之腠理,终不横截以伤牛。亦犹养生之妙道,依自然之涯分,必不贪生以夭折也。

〔七〕【注】有际之处,因而批之令离。　【疏】间郤交际之处,用刀而批戾之,令其筋骨各相离异。亦犹学道之人,生死穷通之际,用心观照,令其解脱。　【释文】"批"备结反,一音铺迷反。字林云:击也,父迷、父节二反。"大郤"徐去逆反,郭音却。崔李云:间也。○卢文弨曰:从谷从卩,旧从谷从阝,非。今改正。"令离"力呈反。下同。下力智反。

〔八〕【注】节解窾空,就导令殊。　【疏】窾,空也。骨节空处,(蹴)〔就〕⑤导令殊。亦犹学人以有资空,将空导有。　【释文】"道"音导。注同。"大窾"徐苦管反,又苦禾反。崔郭司马云:空也。向音空。○卢文弨曰:今本道作导。窾与科通,故亦同音。○庆藩案,说文无窾字,当作款。史记太史公自序,实不中其身者谓之窾,汉书司马迁传,窾正作款。服虔注:款,空也。尔雅释器,鼎款足者谓之鬲,注:款,空也。淮南说山,见款木浮而知为舟,高注:款,空也,管子国蓄,大国内款,杨注:内款,内空也。是其证。"节解"户卖反。

〔九〕【注】刀不妄加。　【疏】因其空郤之处,然后运刀,亦因其眼见耳闻,必不妄加分别也。

〔一○〕【注】技之妙也,常游刃于空,未尝经概于微碍也。　【释文】"技经"本或作猗,其绮反。徐音技。○俞樾曰:郭注以技经为技之所经,殊不成义。技经肯綮四字,必当平列。释文曰:肯,说文作肎,字林同,著骨肉也。一曰:骨无肉也。綮,司马云:犹结处也。是肯綮并就牛身言,技经亦当同之。技疑枝字之误。素问三部九候论,治其经络,王注引<u>灵枢经</u>曰:经脉为里,支而横络。古字支与枝通。枝,谓枝脉;经,谓经脉。枝经,犹言经络也。经络相连之处,亦必有碍于游刃。<u>庖丁</u>惟因其固然,故未尝碍也。○<u>李桢</u>曰:<u>俞氏</u>改技为枝,训为经络,说信塙矣。未尝二字,须补训义。依<u>俞</u>说,尝当训试。<u>说文</u>:试,用也。言于经络肯綮之微碍,未肯以刀刃尝试之,所谓因其固然者。"肯"<u>徐</u>苦等反。<u>说文</u>作肎。<u>字林</u>同,口乃反,云:著骨肉也。一曰:骨无肉也。<u>崔</u>云:<u>许叔重</u>曰,骨间肉。肯,肯著也。"綮"苦挺反,<u>崔向徐</u>并音启,<u>李</u>乌係反,又一音磬。<u>司马</u>云:犹结处也。"经概"古代反。"微碍"五代反。

〔一一〕【注】軱,戾大骨,衄刀刃也。 【疏】肯綮,肉著骨处也。軱,大骨也。夫伎术之妙,游刃于空,微碍尚未曾经,大骨理当不犯。况养生运智,妙体真空,细惑尚不染心,粗尘岂能累德! 【释文】"大軱"音孤。<u>向郭</u>云:軱,戾大骨也。<u>崔</u>云:槃结骨。"衄刀"女六反。

〔一二〕【注】不中其理间也。 【疏】良善之庖,犹未中理,经乎一岁,更易其刀。况小学之人,未体真道,证空舍有,易夺之心者矣。 【释文】"良庖"<u>司马</u>云:良,善也。"割也"<u>司马</u>云:以刀割肉,故岁岁更作。<u>崔</u>云:岁一易刀,犹堪割也。

〔一三〕【注】中骨而折刀也。 【疏】况凡鄙之夫,心灵闇塞,触境皆碍,必损智伤神。 【释文】"族庖"<u>司马</u>云:族,杂也。<u>崔</u>云:族,众也。○<u>俞樾</u>曰:<u>郭</u>注曰,中骨而折刀也,此于文义未合。上文云良庖岁更刀割也。割以用刀言,则折亦以用刀言。折,谓折骨,非谓刀折也。<u>哀</u>元年<u>左传</u>曰:无折骨。

〔一四〕【注】硎,砥石也。 【疏】硎,砥砺石也。(牛)〔十〕,阴数也;九,阳数也;故十九年极阴阳之妙也。是以年经十九,牛解数千,游空涉虚,不损锋刃,故其刀锐利,犹若新磨者也。况善养生人,智穷空有,和光处世,妙尽阴阳。虽复千变万化,而自新其德,参涉万境,而常湛凝然矣。　【释文】"硎"音刑,磨石也。崔本作形,云:新所受形也。"砥石"音脂,又之履反。<u>尚书传</u>云,砥细于砺,皆磨石也。

〔一五〕【疏】彼牛骨节,素有间却,而刀刃锋锐,薄而不厚。用无厚之刃,入有间之牛,故游刃恢恢,必宽大有馀矣。况养生之士,体道之人,运至忘之妙智,游虚空之物境,是以安排造适,闲暇有馀,境智相冥,不一不异。

〔一六〕【疏】重叠前文,结成其义。

〔一七〕【注】交错聚结为族。

〔一八〕【注】不复属目于他物也。　【释文】"为戒"于伪反。下皆同。"属目"(意)〔章〕⑥欲反。

〔一九〕【注】徐其手也。　【疏】节骨交聚磐结之处,名为族也。虽复游刃于空,善见其却,每至交错之处,未尝不留意艰难,为其怵惕戒慎,专视徐手。况体道之人,虽复达彼虚幻,至于境智交涉,必须戒慎艰难,不得轻染根尘,动伤于寂者也。

〔二〇〕【注】得其宜则用力少。　【释文】"謋然"化百反,徐又许百反。"已解"音蟹。下皆同。

〔二一〕【注】理解而无刀迹,若聚土也。　【疏】謋,化百反。謋然,骨肉离之声也。运动鸾刀,甚自微妙,依于天理,所以不难,如土委地,有何踪迹!况运用神智,明照精微,涉于尘境,曾无挂碍,境智冥合,能所泯然。

〔二二〕【注】逸足容豫自得之谓。　【疏】解牛事讫,闲放从容,提挈鸾刀,彷徨徙倚。既而风韵清远,所以高视四方,志气盈满,为之踌躇自得。养生会理,其义亦然。　【释文】"提刀"徐徒稽反。"踌"直留反。"躇"直於反。

〔二三〕【注】拭刀而弢之也。　【疏】善能保爱,故拭而弢之。况（养）〔善〕摄生人,光而不耀。　【释文】"善刀"善,犹拭也。"拭"音式。"弢之"他刀反。○卢文弨曰:弢从叟得声。旧本山下又,讹。今改正。

〔校〕①全字依赵谏议本补。②阙误引文如海刘得一本此句下有牛不知其死也六字。③赵本无其字间字。④理顺依赵本改。⑤就字依注文改。⑥章字依释文原本改。

文惠君曰:"善哉! 吾闻庖丁之言,得养生焉〔一〕**。"**

〔一〕【注】以刀可养,故知生亦可养。　【疏】魏侯闻庖丁之言,遂悟养生之道也。美其神妙,故叹以善哉。

公文轩见右师而惊曰:"是何人也? 恶乎介也〔一〕**? 天与,其人与**〔二〕**?"曰:"天也,非人也。天之生是使独也**〔三〕**,人之貌有与也**〔四〕**。以是知其天也,非人也**〔五〕**。**

〔一〕【注】介,偏刖之名。　【疏】姓公文,名轩,宋人也。右师,官名也。介,刖也。公文见右师刖足,故惊问所由,于何犯忤而致此残刖于足者也?　【释文】"公文轩"司马云:姓公文氏,名轩,宋人也。"右师"司马云:宋人也。简文云:官名。"恶乎"音乌。"介"音戒,一音兀。司马云:刖也。向郭云:偏刖也。崔本作兀,又作跀,云:断足也。○家世父曰:善养生者养以神,神全则生全,形虽介可也。樊中之雉,神固王矣,而固不得其养。则神

者,淡然泊然,怡然涣然,无为为之,优游自得之神也。可以外
形骸,齐生死,而何有于介哉!"偏刖"音月,又五刮反。

〔二〕【注】知之所无奈何,天也。犯其所知,人也。　【疏】为禀自天
然,少兹一足? 为犯于人事,故被亏残? 此是公文致问之辞故
也?　【释文】"天与其人与"并音馀,又皆如字。司马云:为天
命,为人事也?

〔三〕【注】偏刖曰独。夫师一家之知而不能两存其足,则是知之(无)
所〔无〕①奈何。若以右师之知而必求两全,则心神内困而形骸
外弊矣,岂直偏刖而已哉!　【疏】夫智之明闇,形之亏全,并禀
自天然,非关人事。假使犯于王宪,致此形残,亦是天生顽愚,
谋身不足,直知由人以亏其形,不知由天以暗其智,是知有与
独,无非命也。　【释文】"使独"司马云:一足曰独。"之知"音
智。下之知同。

〔四〕【注】两足共行曰有与。有与之貌,未有疑其非命也。

〔五〕【注】以有与者命也,故知独者亦非我也。是以达生之情者不务
生之所无以为,达命之情者不务命之所无奈何也,全其自然而
已。　【疏】与,共也。凡人之貌,皆有两足共行,禀之造物。故
知我之一脚遭此形残,亦无非命也。欲明穷通否泰,愚智亏全,
定乎冥兆,非由巧拙。达斯理趣者,方可全生。

〔校〕①所无依道藏褚伯秀本改。

泽雉十步一啄,百步一饮,不蕲畜乎樊中〔一〕。神虽
王,不善也〔二〕。"

〔一〕【注】蕲,求也。樊,所以笼雉也。夫俯仰乎天地之间,逍遥乎自
得之场,固养生之妙处也。又何求于入笼而服养哉!　【疏】
蕲,求也。樊中,雉笼也。夫泽中之雉,任于野性,饮啄自在,放

旷逍遥，岂欲入樊笼而求服养！譬养生之人，萧然嘉遁，唯适情于林籁，岂企羡于荣华！又解：泽似雉而非，泽尾长而雉尾短，泽雉之类是也。　【释文】"一啄"涉角反。"不蕲"音祈，求也。"樊中"音烦。李云：藩也，所以笼雉也。向郭同。崔以为园中也。"妙处"昌虑反。

〔二〕【注】夫始乎适而未尝不适者，忘适也。雉心神长王，志气盈豫，而自放于清旷之地，忽然不觉善(为)之〔为〕①善也。　【疏】雉居山泽，饮啄自在，心神长王，志气盈豫。当此时也，忽然不觉善之为善。既遭樊笼，性情不适，方思昔日，甚为清畅。鸟既如此，人亦宜然。欲明至适忘适，至善忘善。　【释文】"虽王"于况反，注同。"长王"丁亮反，又直良反。

〔校〕①之为二字依世德堂本改。

老聃死，秦失吊之，三号而出〔一〕。

〔一〕【注】人吊亦吊，人号亦号。　【疏】老君即老子也。姓李，名耳，字伯阳，外字老聃，大圣人也，降生陈国苦县。当周平王时，去周，西度流沙，适之罽宾。而内外经书，竟无其迹，而此独云死者，欲明死生之理泯一，凡圣之道均齐。此盖庄生寓言耳，而老君为大道之祖，为天地万物之宗，岂有生死哉！故托此言圣人亦有死生，以明死生之理也。故老君降生行教升天，备载诸经，不具言也。秦失者，姓秦，名失，怀道之士，不知何许人也。既死且吊，奚泊三号！而俯迹同凡，事终而出也。　【释文】"老聃"吐蓝反。司马云：老子也。"秦失"本又作佚，各依字读，亦皆音逸。"三号"户羔反。注同。

弟子曰："非夫子之友邪〔一〕？"

〔一〕【注】怪其不倚户观化，乃至三号也。　【疏】秦失老君，俱游方
　　外，既号且吊，岂曰清高！故门人惊疑，起非友之问。　【释文】
　　"倚户"於绮反。

曰："然〔一〕。"

〔一〕【疏】然，犹是也。秦失答弟子云，是我方外之友。

"然则吊焉若此，可乎〔一〕？"

〔一〕【疏】方外之人，行方内之礼，号吊如此，于理可乎？未解和光，
　　更致斯问者也。

曰："然〔一〕。始也吾以为其①人也，而今非也〔二〕。向
吾入而吊焉，有老者哭之，如哭其子；少者哭之，如哭其母。
彼其所以会之，必有不蕲言而言，不蕲哭而哭者〔三〕。是（遯）
〔遁〕②天倍情，忘其所受〔四〕，古者谓之遁天之刑〔五〕。适
来，夫子时也〔六〕；适去，夫子顺也〔七〕。安时而处顺，哀乐
不能入也〔八〕，古者谓是帝之县解〔九〕。"

〔一〕【注】至人无情，与众号耳，故若斯可也。　【疏】然，犹可也。动
　　寂相即，内外冥符，故若斯可也。

〔二〕【疏】秦失初始入吊，谓哭者是方外门人，及见哀痛过，知非老君
　　弟子也。

〔三〕【注】嫌其先物施惠，不在理上往，故致此甚爱也。　【疏】蕲，求
　　也。彼，众人也。夫圣人虚怀，物感斯应，哀怜兆庶，愍念苍生，
　　不待勤求，为其演说。故其死也，众来聚会，号哭悲痛，如于母
　　子。斯乃凡情执滞，妄见死生，感于圣恩，致此哀悼。以此而
　　测，故知非老君门人也。　【释文】"少者"诗照反。"先物"悉

薦反,又如字。"理上往"一本往作住③。

〔四〕【注】天性所受,各有本分,不可逃,亦不可加。　【疏】是,指斥哭人也。倍,加也。言逃遁天然之性,加添流俗之情,妄见死之可哀,故忘失所受之分也。　【释文】"遁天"徒逊反。又作遯。"倍情"音裴,加也。又布对反。本又作背。

〔五〕【注】感物大深,不止于当,遁天者也。将驰骛于忧乐之境,虽楚戮未加而性情已困,庸非刑哉!　【疏】夫逃遁天理,倍加俗情,哀乐经怀,心灵困苦,有同捶楚,宁非刑戮! 古之达人,有如此议。　【释文】"大深"音泰。"忧乐"音洛。下文、注同。

〔六〕【注】时自生也。

〔七〕【注】理当死也。　【疏】夫子者,是老君也。秦失叹老君大圣,妙达本源,故适尔生来,皆应时而降诞;萧然死去,亦顺理而返真耳。

〔八〕【注】夫哀乐生于失得者也。今玄通合变之士,无时而不安,无顺而不处,冥然与造化为一,则无往而非我矣,将何得何失,孰死孰生哉! 故任其所受,而哀乐无所错其间矣。　【疏】安于生时,则不厌于生;处于死顺,则不恶于死。千变万化,未始非吾,所适斯适,故忧乐无错其怀矣。　【释文】"所错"七路反。

〔九〕【注】以有系者为县,则无系者县解也,县解而性命之情得矣。此养生之要也。　【疏】帝者,天也。为生死所系者为县,则无死无生者县解也。夫死生不能系,忧乐不能入者,而远古圣人谓是天然之解脱。且老君大圣,冥一死生,岂复逃遁天刑,驰骛忧乐? 子玄此注,失之远矣。若然者,何谓安时处顺,帝之县解乎? 文势前后,自相鉾楯。是知遁天之刑,属在哀恸之徒,非关老君也。　【释文】"县"音玄。"解"音蟹。注同。崔云,以

庄子集释

生为县,以死为解。

〔校〕①阙误引文如海本其作至。②遁字依世德堂本改。③赵谏议本作住。

指穷于为薪,火传也〔一〕,不知其尽也〔二〕。

〔一〕【注】穷,尽也;为薪,犹前薪也。前薪以指,指尽前薪之理,故火传而不灭;心得纳养之中,故命续而不绝;明夫养生乃生之所以生也。　【疏】穷,尽也。薪,柴樵也。为,前也。言人然火,用手前之,能尽然火之理者,前薪虽尽,后薪以续,前后相继,故火不灭也。亦犹善养生者,随变任化,与物俱迁,故吾新吾,曾无系恋,未始非我,故续而不绝者也。　【释文】“指穷于为薪”如字。绝句。为,犹前也。“火传也”直专反。注同。传者,相传继续也。崔云:薪火,爝火也。传,延也。〇俞樾曰:郭注曰,为薪犹前薪也,前薪以指,指尽前薪之理,故火传不灭。此说殊未明了。且为之训前,亦未知何义。郭注非也。广雅释诂:取,为也。然则为亦犹取也。指穷于为薪者,指穷于取薪也。以指取薪而然之,则有所不给矣,若听火之自传,则忽然而不知其薪之尽也。郭得其读,未得其义。释文引崔云,薪火,爝火也,则并失其读矣。〇家世父曰:薪尽而火传,有不尽者存也。太虚来往之气,人得之以生,犹薪之传火也,其来也无与拒,其去也无与留,极乎薪而止矣。而薪自火也,火自传也,取以为无尽也。执薪以求火,执火以求传,奚当哉!“之中”丁仲反。

〔二〕【注】夫时不再来,今不一停,故人之生也,一息一得耳。向息非今息,故纳养而命续;前火非后火,故为薪而火传,火传①而命续,由夫养得其极也,世岂知其尽而更生哉!　【疏】夫迷忘之徒,役情执固。岂知新新不住,念念迁流,昨日之我,于今已尽,

今日之我,更生于后耶！旧来分此一篇为七章明义,观其文势,
过为繁冗。今将为善合于第一,指穷合于老君,总成五章,无所
猜嫌也。

〔校〕①赵谏议本火传二字不重。

庄子集释卷二中

内篇 **人间世第四**〔一〕

〔一〕【注】与人群者,不得离人。然人间之变故,世世异宜,唯无心而
不自用者,为能随变所适而不荷其累也。 【释文】"人间世"此
人间见事,世所常行者也。○庆藩案,〔文选〕潘安仁秋兴赋注
引司马云:言处人间之宜,居乱世之理,与人群者不得离人。然
人间之事故,与世异宜,唯无心而不自用者,为能唯变所适而何
足累。释文阙。"离人"力智反。"不荷"胡我反,又音河。"其
累"力伪反。

颜回见仲尼,请行〔一〕。

〔一〕【疏】姓颜,名回,字子渊,鲁人也;孔子三千门人之中,总四科入
室弟子也。仲尼者,姓孔,名丘,字仲尼,亦鲁人,殷汤之后,生衰
周之世,有圣德,即颜回之师也。其根由事迹,遍在儒史,今既
解释庄子,意在玄虚,故不复委碎载之耳。然人间事绪,纠纷实
难,接物利他,理在不易,故寄颜孔以显化导之方,托此圣贤以

123

明心斋之术也。孔圣颜贤耳。　【释文】"颜回"孔子弟子,姓颜,名回,字子渊,鲁人也。

　　　　曰:"奚之[一]?"

〔一〕【疏】奚,何也。〔之〕,适也。质问颜回欲往何处耳。

　　　　曰:"将之卫[一]。"

〔一〕【疏】卫,即殷纣之都,又是康叔之封,今汲郡卫州是也。此则颜答孔问欲行之所也。

　　　　曰:"奚为焉[一]?"

〔一〕【疏】欲往卫国,何所云为? 重责颜生行李意谓矣。

　　　　曰:"回闻卫君,其年壮,其行独[一];轻用其国[二],而不见其过[三];轻用民死[四],死者以国量乎泽若蕉[五],民其无如矣[六]。回尝闻之夫子曰:'治国去之,乱国就之,医门多疾。'愿以所闻思其则①,庶几其国有瘳乎![七]"

〔一〕【注】不与民同欲也。　【疏】卫君,即灵公之子蒯瞆也,荒淫昏乱,纵情无道。其年少壮而威猛可畏,独行凶暴而不顺物心。颜子述己所闻以答尼父。　【释文】"卫君"司马云:卫庄公蒯瞆也。案左传,卫庄公以鲁哀十五年冬始入国,时颜回已死,不得为庄公,盖是出公辄也。"其行"下孟反。"独"崔云:自专也。向云:与人异也。郭云:不与人同欲。

〔二〕【注】夫君人者,动必乘人,一怒则伏尸流血,一喜则轩冕塞路。故君人者之用国,不可轻之也。　【疏】夫民为邦本,本固则邦宁。不能爱重黎元,方欲轻蔑其用,欲不颠覆,其可得乎!

〔三〕【注】莫敢谏也。　【疏】强足以距谏,辩足以饰非,故百姓惶惧而吞声,有过而无敢谏者也。

〔四〕【注】轻用之于死地。　【疏】不凝动静,泰然自安,乃轻用国民,
　　　投诸死地也。

〔五〕【注】举国而输之死地,不可称数,视之若草芥也。　【疏】蕉,草
　　　芥也。或征战屡兴,或赋税烦重,而死者其数极多。语其多少,
　　　以国为量,若举为数,造次难悉。纵恣一身,不恤百姓,视于国
　　　民,如薮泽之中草芥者也。　【释文】"国量"音亮。李力章反。
　　　"若蕉"似遥反。徐在尧反。向云:草芥也。崔云:芟刈也,其泽
　　　如见芟夷,言野无青草。○卢文弨曰:蕉亦同樵,故可训芟夷。
　　　○家世父曰:蕉与焦通。风俗通,水草交厝,名之为泽。若焦者,
　　　水竭草枯,如火熟然,即诗如惔如焚之意。左传成九年,虽有姬
　　　姜,无弃蕉萃,班固宾戏,朝而荣华,夕而焦瘁。蕉焦字通。博
　　　雅:蕉,黑也,亦通焦。陆氏音义引向云草芥也,崔云芟刈也,并
　　　误。"称数"所主反。

〔六〕【注】无所依归。　【疏】君上无道,臣子饥荒,非但无可奈何,亦
　　　乃无所归往也。

〔七〕【疏】庶,冀也。几,近也。瘳,愈也。治邦宁谧,不假匡扶;乱国孤
　　　危,应须规谏。颜生今将化卫,是以述昔所闻,思其禀受法言,冀
　　　其近于善道。譬彼医门,多能救疾,方兹贤士,必能拯难,荒淫之
　　　疾,庶其瘳愈者也。　【释文】"治国"直吏反。"医门"於其反。
　　　"思其则"绝句。崔李云:则,法也。"有瘳"丑由反。李云:愈也。

〔校〕①阙误引江南李氏本其下有所行二字,则字属下句。

　　仲尼曰:"嘻!若殆①**往而刑耳**〔一〕**!**

〔一〕【注】其道不足以救彼患。　【疏】嘻,怪笑声也。若,汝也。殆,
　　　近也。孔子哂其术浅,未足化他,汝若往于卫,必遭刑戮者也。
　　　【释文】"嘻"音熙,又於其反。

夫道不欲杂^{〔一〕},杂则多,多则扰,扰则忧,忧而不救^{〔二〕}。古之至人,先存诸己而后存诸人^{〔三〕}。所存于己者未定,何暇至于暴人之所行^{〔四〕}!

〔一〕【注】宜正得其人。

〔二〕【注】若夫不得其人,则虽百医守病,适足致疑而不能一愈也。
【疏】夫灵通之道,唯在纯粹。必其喧杂则事绪繁多,事多则中心扰乱,心中扰乱则忧患斯起。药病既乖,彼此俱困,己尚不立,焉能救物哉!

〔三〕【注】有其具,然后可以接物也。　【疏】诸,于也。存,立也。古昔至德之人,虚怀而游世间,必先安立己道,然后拯救他人,未有己身不存而能接物者也。援引古人,以为鉴诫。

〔四〕【注】不虚心以应物,而役思以犯难,故知其所存于己者未定也。夫唯外其知以养真,寄妙当于群才,功名归物而患虑远身,然后可以至于暴人之所行也。　【疏】夫唯虚心以应务,忘智以养真,寄当于群才,归功于万物者,方可处涉人间,逗机行化也。今颜回存立己身,犹未安定,是非喜怒,勃战胸中,有何(庸)〔容〕暇,辄至于卫,欲谏暴君!此行未可也。　【释文】"役思"息嗣反。"远身"于萬反。

且若亦知夫德之所荡而知之所为出乎哉?德荡乎名,知出乎争^{〔一〕}。名也者,相(札)〔轧〕^①也;知也者,争之器也。二者凶器,非所以尽行也^{〔二〕}。

〔一〕【注】德之所以流荡者,矜名故也;知之所以横出者,争善故也。虽复桀跖,其所矜惜,无非名善也。　【疏】汝颇知德荡智出所由乎哉？夫德之所以流荡丧真，为矜名故也；智之所以横出逾分者，争善故也。夫唯善恶两忘，名实双遣者，故能(万)〔至〕②德不荡，至智不出者也。　【释文】"而知"音智。下及注同。"所为"于伪反。"争善"此及下争名二字依字读。"虽复"扶又反。下皆同。"桀跖"之石反。桀，夏王也。跖，盗跖也。

〔二〕【注】夫名智者，世之所用也。而名起则相(札)〔轧〕①，智用则争兴，故遗名知而后行可尽也。　【疏】札，伤也。夫矜名则更相毁损，显智则争竞路兴。故二者并凶祸之器，(尽)不可〔尽〕③行于世。　【释文】"相札"徐於八反，又侧列反。李云：折也。崔云：夭也。亦作轧。崔又云：或作礼，相宾礼也。○卢文弨曰：今本作轧。○庆藩案，相札，犹言相甲也。广雅：札，甲也；今本札讹作禮。又：车搚，焦札也；太平御览引作雏禮，钞本引作鶵禮。古禮字作礼，与札相似，札讹为礼，后人又改为禮耳。(今本广雅作鶵扗，亦札之讹。)崔譔札或作禮，亦沿札礼形似而误。(淮南说林篇鸟力胜日而服于鶵禮，禮亦为札之讹。)

〔校〕①轧字依赵谏议本及世德堂本改。卢校亦作轧。②覆宋本作万，盖至之破体。③不可尽，依正文及注改。

　　且德厚信矼，未达人气，名闻不争，未达人心[一]。而强以仁义绳墨之言术①暴人之前者，是以人恶有其美也[二]，命之曰菑人。菑人者，人必反菑之[三]，若殆为人菑夫！且苟为悦贤而恶不肖，恶用而求有以异[四]？若唯无诏，王公必将乘人而斗其捷[五]。而目将荧之[六]，而色将平之[七]，口将营之[八]，容将形之[九]，心且成之[一〇]。是以火救火，以水救水，名之曰益多[一一]。顺始无穷[一二]，若

殆以不信厚言，必死于暴人之前矣〔一三〕！

〔一〕【疏】矼，确实也。假且道德纯厚，信行确实，芳名令闻，不与物争，而卫君素性顽愚，凶悖少鉴，既未达颜回之意气，岂识匡扶之心乎！　【释文】"信矼"徐古江反。崔音控。简文云：悫实貌。

〔二〕【注】夫投人夜光，鲜不按剑者，未达故也。今回之德信与其不争之名，彼所未达也，而强以仁义准绳于彼，彼将谓回欲毁人以自成也。是故至人不役志以经世，而虚心以应物，诚信著于天地，不争畅于万物，然后万物归怀，天地不逆，故德音发而天下响会，景行彰而六合俱应，而后始可以经寒暑，涉治乱，而不与逆鳞迕也。　【疏】绳墨之言，即五德圣智也。回之德性，卫君未达，而强用仁义之术行于暴人之前，所述先王美言，必遭卫君憎恶，故不可也。　【释文】"而强"其两反。注同。○卢文弨曰：今本作彊。书内并同，不重出。○家世父曰：祭义结诸心形诸色而术省之，郑注：术当作述。术暴人之前，犹言述诸暴人之前。"人恶有"乌路反。下恶不肖及注同。崔本有作育，云：卖也。○俞樾曰：释文恶音乌路反，非也。美恶相对为文，当读如本字。有者，育字之误。释文云，崔本作育，云卖也。说文贝部：賣，衒也，读若育。此育字即賣之假字，经传每以鬻为之，鬻亦音育也。以人恶育其美，谓以人之恶鬻己之美也。"鲜不"息浅反。"涉治"直吏反。"迕"音误。

〔三〕【注】适不信受，则谓与己争名而反害之。　【疏】菑，名也。卫侯不达汝心，谓汝灾害于己，既遭疑贰，必被反灾故也。　【释文】"菑"音灾。下皆同。

〔四〕【注】苟能悦贤恶愚，闻义而服，便为明君也。苟为明君，则不

（若）〔苦〕②无贤臣，汝往亦不足复奇；如其不尔，往必受害。故以有心而往，无往而可；无心而应，其应自来，则无往而不可也。　【疏】殆，近也。夫，叹也。汝若往卫，必近危亡，为暴人所灾害，深可叹也。且卫侯苟能悦爱贤人，憎恶不肖，故当朝多君子，屏黜小人，已有忠臣，何求于汝！汝至于彼，亦何异彼人！既与无异，去便无益。　【释文】"菑夫"音扶。"不肖"音笑，徐苏叫反，似也。"恶用"音乌。

〔五〕【注】汝唯有寂然不言耳，言则王公必乘人以君人之势而角其捷辩，以距谏饰非也。　【疏】诏，言也。王公，卫侯也。汝若行卫，唯当默尔不言，若有箴规，必遭戮辱。且卫侯恃千乘之势，用五等之威，饰非距谏，斗其捷辩，汝既恐怖，何暇匡扶也！

【释文】"若唯"郭如字，一音唯癸反。"无诏"绝句。诏，告也，言也。崔本作詻，音额，云：逆击曰詻。"王公必将乘人"绝句。"而斗其捷"在接反。崔读若唯无詻王公绝句，必将乘人而斗绝句。捷作接。其接，引续也。

〔六〕【注】其言辩捷，使人眼眩也。　【疏】荧，眩也。卫侯虽荒淫暴虐，而甚俊辩聪明，加持人君之威，陵藉忠谏之士，故颜回心生惶怖，眼目眩惑者也。　【释文】"荧之"户扃反。向崔本作营，音荧。○庆藩案，营荧字，古通用，皆瞥之借字也。说文：瞥，惑也，从目，荧省声。玉篇：瞥，唯并、胡亭二切。字或作荧，通作营，又通作荣。史记孔子世家匹夫而荧惑诸侯，荧，司马贞本作营。汉书吴王濞传、淮南王安传营惑，史记并作荧惑。否象传不可荣以禄，虞翻本荣作营，谓不可惑以禄也。汉书礼乐志(莹)〔营〕③乱富贵之耳目，汉纪(莹)〔营〕作荣。皆其证。"眼眩"玄遍反。

〔七〕【注】不能复自异于彼也。　【疏】纵有谏心,不敢显异,颜色靡顺,与彼和平。

〔八〕【注】自救解不暇。　【疏】卫侯位望既高,威严可畏,颜生恐祸及己,忧惧百端,所以口舌自营,略无容暇。

〔九〕【疏】形,见也。既惧灾害,故委顺面从,擎跽曲拳,形迹斯见也。【释文】"容将形之"谓擎跽也。

〔一〇〕【注】乃且释己以从彼也。　【疏】岂直外形从顺,亦乃内心和同,不能进善而更成彼恶故也。

〔一一〕【注】适不能救,乃更足以成彼之威。　【疏】以,用也。夫用火救火,猛燎更增;用水救水,波浪弥甚。故颜子之行,适足成卫侯之暴,不能匡劝,可谓益多也。

〔一二〕【注】寻常守故,未肯变也。

〔一三〕【注】未信而谏,虽厚言为害。　【疏】汝之忠厚之言,近不信用,则虽诚心献替,而必遭刑戮于暴虐君人之前矣。

〔校〕①阙误引江南古藏本术作衔。②苦字依世德堂本改。③营字依汉书改。

且昔者桀杀关龙逢,纣杀王子比干,是皆修其身以下伛拊人之民,以下拂其上者也〔一〕,故其君因其修以挤之。是好名者也〔二〕。昔者尧攻丛枝、胥敖,禹攻有扈,国为虚厉,身为刑戮,其用兵不止,其求实无已。是皆求名实者也,而独不闻之乎〔三〕? 名实者,圣人之①所不能胜也,而况若乎〔四〕!

〔一〕【注】龙逢比干,居下而任上之忧,非其事者也。　【疏】谥法,贼民多杀曰桀,残义损善曰纣。姓关,字龙逢,夏桀之贤臣,尽诚而遭斩首。比干，殷纣之庶叔，忠谏而被割心。伛拊，犹爱养也。拂，逆戾也。此二子者，并古昔良佐，修饰其身，仗行忠节，以臣下之位，忧君上之民，臣有德而君无道，拂戾其君，咸遭戮辱。援古证今，足为龟镜。是知颜回化卫，理未可行也。 【释文】"关龙逢"夏桀之贤臣。"王子比干"殷纣之叔父。"以下"遐嫁反。"伛"纡甫反。"拊"徐向音抚。李云：伛拊，谓怜爱之也。崔云：犹呕呴，谓养也。"拂其"符弗反。崔云：违也。又芳弗反。

〔二〕【注】不欲令臣有胜君之名也。 【疏】挤，坠也，陷也，毒也。夏桀殷纣，无道之君，自不揣量，犹贪令誉，故因贤臣之修饰，肆其鸩毒而陷之。意在争名逐利，遂至于此故也。 【释文】"以挤"徐子计反，又子礼反。司马云：毒也。一云：陷也。方言云：灭也。简文云：排也。"是好"呼报反。"欲令"力呈反。

〔三〕【注】夫暴君非徒求恣其欲，复乃求名，但所求者非其道耳。 【疏】尧禹二君，已具前解。丛枝，胥敖，有扈，并是国名。有扈者，今雍州鄠县是也。宅无人曰虚，鬼无后曰厉。言此三国之君，悉皆无道，好起兵戈，征伐他国。岂唯贪求实利，亦乃规觅虚名，遂使境土丘虚，人民绝灭，身遭刑戮，宗庙颠殒。贪名求实，一至如斯，今古共知，汝独不闻也。 【释文】"丛支"才公反。○卢文弨曰：今本作枝。"有扈"音户。司马云：国名，在始平郡。案即今京兆鄠县也。"虚厉"如字，又音墟。李云：居宅无人曰虚，死而无后为厉。○庆藩案，虚厉即虚庆也。墨子鲁问篇是以国为虚庆，赵策齐为虚庆，均作庆。庆厉古音义通。诗小雅节南山篇降此大庆，大雅瞻卬篇庆作厉。小宛翰飞戾天，文选西都赋〔注〕引韩诗作厉。孟子滕文公篇狼戾，盐铁论未通篇作梁厉。皆其证。

〔四〕【注】惜名贪欲之君,虽复尧禹,不能胜化也,故与众攻之,而汝
乃欲空手而往,化之以道哉? 【疏】夫庸人暴主,贪利求名,虽
尧禹圣君,不能怀之以德,犹兴兵众,问罪夷凶。况颜子匹夫,
空手行化,不然之理,亦在无疑故也。

〔校〕①赵谏议本无之字。

虽然,若必有以也,尝以语我来〔一〕!"

〔一〕【疏】尝,试也。汝之化道,虽复未弘,既欲请行,必有所以,试陈
汝意,告语我来。 【释文】"语我"鱼據反。下同。○卢文弨
曰:旧作鱼豫反,讹。今改正。

颜回曰:"端而虚〔一〕,勉而一〔二〕,则可乎〔三〕?"

〔一〕【注】正其形而虚其心也。 【疏】端正其形,尽人臣之敬;虚豁
心虑,竭匡谏之诚。既承高命,敢述所以耳。

〔二〕【注】言逊而不二也。 【疏】勉厉身心,尽诚奉国,言行忠谨,才
无差二。

〔三〕【疏】如前二术,可以行不?

**曰:"恶! 恶可〔一〕! 夫以阳为充孔扬〔二〕,采色不
定〔三〕,常人之所不违〔四〕,因案人之所感,以求容与其
心〔五〕。名之曰日渐之德不成,而况大德乎〔六〕! 将执而不
化〔七〕,外合而内不訾,其庸讵可乎〔八〕!"**

〔一〕【注】言未可也。 【疏】恶恶,犹于何也。于何而可,言未可也。
【释文】"恶恶"皆音乌,下同。

〔二〕【注】言卫君亢阳之性充张于内而甚扬于外,强御之至也。
【疏】阳,刚猛也。充,满也。孔,甚也。言卫君以刚猛之性满实

内心,强暴之甚,彰扬外迹。

〔三〕【注】喜怒无常。　　【疏】顺心则喜,违意则嗔,神采气色,曾无定准。

〔四〕【注】莫之敢逆。　　【疏】为性暴虐,威猛寻常,谏士贤人,讵能逆迕!

〔五〕【注】夫顽强之甚,人以快①事感己,己陵藉而乃抑挫之,以求从容自放而遂其侈心也。　　【疏】案,抑也。容与,犹放纵也。人以快善之事箴规感动,君乃因其忠谏而抑挫之,以求快乐纵容,遂其荒淫之意也。　　【释文】"挫之"子卧反。"从容"七容反。

〔六〕【注】言乃少多,无回降之胜也。　　【疏】卫侯无道,其来已久。日将渐渍之德,尚不能成,况乎鸿范圣明,如何可望也!

〔七〕【注】故守其本意也。　　【疏】饰非闇主,不能从(人)谏如流,固执本心,谁肯变恶为善者也。

〔八〕【注】外合而内不訾,即向之端虚而勉一耳,言此未足以化之。　　【疏】外形擎跽,以尽足恭,内心顺从,不敢訾毁。以此请行,行何利益,化卫之道,庸讵可乎!斯则斥前端虚之术未宜行用之矣。　　【释文】"不訾"向徐音紫。崔云:毁也。

〔校〕①赵谏议本快作使。

　　"然则我内直而外曲,成而上比〔一〕。内直者,与天为徒。与天为徒者,知天子之与己皆天之所子,而独以己言蕲乎而人善之,蕲乎而人不善之邪〔二〕?若然者,人谓之童子,是之谓与天为徒〔三〕。外曲者,与人之①为徒也。擎跽曲拳,人臣之礼也,人皆为之,吾敢不为邪!为人之所为者,人亦无疵焉〔四〕,是之谓与人为徒〔五〕。成而上比者,与古为徒〔六〕。其言虽教，谪之实也〔七〕。古之有也，非吾有也〔八〕。若然者，虽直而不病〔九〕，是之谓与古为徒〔一〇〕。若是则可乎〔一一〕？"

〔一〕【注】颜回更说此三条也。　【疏】前陈二事，已被诋诃，今设三条，庶其允合。此标题目，下释其义，颜生述己以简宣尼是也。【释文】"而上"时掌反。下同。

〔二〕【注】物无贵贱，得生一也。故善与不善，付之公当耳，一无所求于人也。　【疏】此下释义。蕲，求也。言我内心质素诚直，共自然之理而为徒类。是知帝王与我，皆禀天然，故能忘贵贱于君臣，遗善恶于荣辱，复矜名以避恶，求善于他人乎？具此虚怀，庶其合理。　【释文】"蕲乎"音祈。

〔三〕【注】依乎天理，推己（性）〔信〕②命，若婴儿之直往也。　【疏】然，如此也。童子，婴儿也。若如向说，推理直前，行比婴儿，故人谓之童子。结成前义，故是之谓与天为徒也。

〔四〕【疏】夫外形委曲，随顺世间者，将人伦为徒类也。擎手跽足，磬折曲躬，俯仰拜伏者，人臣之礼也。而和同尘垢，污隆任物，人皆行此，我独不为邪！是以为人所为，故人无怨疾也。　【释文】"擎"徐其惊反。"跽"徐其里反。说文云：长跪也。"曲拳"音权。"无疵"才斯反。

〔五〕【注】外形委曲，随人事之所当为者也。　【疏】此结（成）〔前〕③也。

〔六〕【注】成于今而比于古也。　【疏】忠谏之事，乃成于今，君臣之义，上比于古，故与古之忠臣比干等类，是其义也。

〔七〕【注】虽是常教，实有讽责之旨。　【疏】谪，责也。所陈之言，虽是教迹，论其意旨，实有讽责之心也。　【释文】"谪之"直革反。

“讽责”非凤反。

〔八〕【疏】夐古以来,有此忠谏,非我今日独起箴规者也。

〔九〕【注】寄直于古,故无以病我也。　【疏】若忠谏之道,自古有之,我今诚直,亦幸无忧累。

〔一〇〕【疏】此结前也。

〔一一〕【疏】呈此三条,未知可不?

〔校〕①赵谏议本无之字。②信字依赵谏议本改。③依下疏文改。

仲尼曰:“恶!恶可!大多政,法而不谍〔一〕,虽固亦无罪〔二〕。虽然,止是耳矣,夫胡可以及化〔三〕!犹师心者也〔四〕。”

〔一〕【注】当理无二,而张三条以政之,与事不冥也。　【疏】谍,条理也,当也。法苟当理,不俟多端,政设三条,大伤繁冗。于理不当,亦不安恬,故于何而可也。　【释文】“大多”音泰,徐勅佐反。崔本作太。“不谍”徐徒协反,向吐颊反。李云:安也。崔云:间谍也。○俞樾曰:政字绝句。大多政者,郭注所谓当理无二而张三条以政之也。法而不谍,四字为句。列御寇篇形谍成光,释文曰:谍,便僻也。此谍字义与彼同,谓有法度而不便僻也。李训安,崔训间谍,并失其义。

〔二〕【注】虽未弘大,亦且不见咎责。　【疏】设此三条,虽复固陋,既未行李,亦幸无咎责者也。

〔三〕【注】罪则无矣,化则未也。　【疏】胡,何也。颜回化卫,止有是法,才可独善,未及济时,故何可以及化也。又解:若止而勿行,于理便是,如其适卫,必自遭殆也。

〔四〕【注】挟三术以适彼,非无心而付之天下也。　【疏】夫圣人虚己,应时无心,譬彼明镜,方兹虚谷。今颜回预作言教,方思虑

135

可不,既非忘淡薄,故知师其有心也。　【释文】"挟三"户牒反。

颜回曰:"吾无以进矣,敢问其方〔一〕。"

〔一〕【疏】颜生三术,一朝顿尽,化卫之道,进趣无方,更请圣师,庶闻
　　妙法。

仲尼曰:"斋,吾将语若! 有〔心〕①而为之,其易
邪〔一〕? 易之者,暤天不宜〔二〕。"

〔一〕【注】夫有其心而为之②者,诚未易也。　【疏】颜回殷勤致请,
　　尼父为说心斋。但能虚忘,吾当告汝,必有其心为作,便乖心斋
　　之妙。故有心而索玄道,诚未易者也。　【释文】"曰齐"本亦作
　　斋,同,侧皆反。下同。○卢文弨曰:今本作斋。"其易"以豉
　　反。后皆同。向崔云:轻易也。

〔二〕【注】以有为为易,未见其宜也。　【疏】尔雅云,夏曰皓天。言
　　其气皓汗也。以有为之心而行道为易者,暤天之下,不见其宜。
　　言不宜以有为心斋也。　【释文】"暤天"徐胡老反。向云:暤
　　天,自然也。○卢文弨曰:旧本皞从白,今从注本从日。

〔校〕①心字依阙误引张君房本及注文补。②赵谏议本无之字。

颜回曰:"回之家贫,唯不饮酒不茹荤者数月矣。如
此,则可以为斋乎〔一〕?"

〔一〕【疏】茹,食也。荤,辛菜也。斋,齐也,谓心迹俱不染尘境也。
　　颜子家贫,儒史具悉,无酒可饮,无荤可茹,箪瓢蔬素,已经数
　　月,请若此得为斋不。　【释文】"不茹"徐音汝,食也。"荤"徐
　　许云反。"数月"色主反。

曰:"是祭祀之斋,非心斋也〔一〕。"

〔一〕【疏】尼父答言,此是祭祀神君献宗庙,俗中致斋之法,非所谓心

斋者也。

　　回曰:"敢问心斋[一]。"

〔一〕【疏】向说家贫,事当祭祀。心斋之术,请示其方。

　　仲尼曰:"若一志[一],无听之以耳而听之以心[二],无听之以心而听之以气[三]!听止于耳[四],心止于符[五]。气也者,虚而待物者也[六]。唯道集虚。虚者,心斋也[七]。"

〔一〕【注】去异端而任独(者)也(乎)①。　　【疏】志一汝心,无复异端,凝寂虚忘,冥符独化。此下答于颜子,广示心斋之术者也。
　　【释文】"去异"起吕反。下同。

〔二〕【疏】耳根虚寂,不凝宫商,反听无声,凝神心符。

〔三〕【疏】心有知觉,犹起攀缘;气无情虑,虚柔任物。故去彼知觉,取此虚柔,遣之又遣,渐阶玄妙也乎!

〔四〕【疏】不著声尘,止于听。此释无听之以耳也。

〔五〕【疏】符,合也。心起缘虑,必与境合,庶令凝寂,不复与境相符。此释无听之以心者也。

〔六〕【注】(遣)〔遗〕②耳目,去心意,而符气性之自得,此虚以待物者也。　　【疏】如气柔弱虚空,其心寂泊忘怀,方能应物。此解而听之以气也。○俞樾曰:上文云,无听之以耳而听之以心,无听之以心而听之以气。此文听止于耳,当作耳止于听,传写误倒也,乃申说无听之以耳之义。言耳之为用止于听而已,故无听之以耳也。心止于符,乃申说无听之以心之义。言心之用止于符而已,故无听之以心也。符之言合也,言与物合也,与物合,则非虚而待物之谓矣。气也者虚而待物者也,乃申说气字,明当听之以气也。郭注曰遗耳目去心意等语,误以符气二字连读,不特失其义,且不成句矣。

〔七〕【注】虚其心则至道集于怀也。　【疏】唯此真道,集在虚心。故
　　　如虚心者,心斋妙道也。

〔校〕①者乎二字依世德堂本删。②遗字依世德堂本及诸子平议改。

　　　颜回曰:"回之未始得使,实自回也〔一〕;得使之也,未
始有回也〔二〕;可谓虚乎?"

〔一〕【注】未始使心斋,故有其身。　【疏】未禀心斋之教,犹怀封滞
　　　之心,既不能隳体以忘身,尚谓颜回之实有也。　【释文】"未始
　　　得使"绝句。崔读至实字绝句。

〔二〕【注】既得心斋之使,则无其身。　【疏】既得夫子之教,使其人
　　　以虚斋,遂能物我洞忘,未尝〔回〕之可有也。

　　　夫子曰:"尽矣〔一〕。吾语若! 若能入游其樊而无感其
名,〔二〕入则鸣,不入则止〔三〕。无门无毒〔四〕,一宅而寓于不
得已〔五〕,则几矣〔六〕。

〔一〕【疏】夫子向说心斋之妙,妙尽于斯。

〔二〕【注】放心自得之场,当于实而止。　【疏】夫子语颜生化卫之
　　　要,慎莫据其枢要,且复游入蕃傍,亦宜晦迹消声,不可以名智
　　　感物。樊,蕃也。

〔三〕【注】譬之宫商,应而无心,故曰鸣也。夫无心而应者,任彼耳,
　　　不强应也。　【疏】若已道狎卫侯,则可鸣声匡救;如其谏不入
　　　耳,则宜缄口忘言。强显忠贞,必遭祸害。　【释文】"不强"其
　　　丈反。

〔四〕【注】使物自若,无门者也;付天下之自安,无毒者也。毒,治也。
　　　【疏】毒,治也。如水如镜,应感虚怀,己不预作也。　【释文】"无
　　　毒"如字,治也。崔本作每,云:贪也。○家世父曰:说文:毒,厚

也。老子:亭之毒之。无门者,入焉不测其方;无毒者,游焉不泥其迹。应乎自然之符,斯能入游其藩而无感其名。○李桢曰:门毒对文,毒与门不同类。说文:毒,厚也。害人之草,往往而生,义亦不合。毒乃壔之假借。许壔下云:保也,亦曰高土也,读若毒。与此注自安义合。张行孚说文发疑曰:壔者,累土为台以传信,即吕氏春秋所谓为高保祷于王路,置鼓其上,远近相闻是也。祷当为壔之讹。壔是保卫之所,故借其义为保卫。易经、庄、老三毒字,正是此义,(老子亭之毒之,周易以此毒天下而民从之,毒字并是假借。)广雅所以有毒安也一训。按(捣)〔壔〕为毒本字,正与门同类,所以门毒对文。读都皓切,音之转也。

〔五〕【注】不得已者,理之必然者也,体至一之宅而会乎必然之符者也。 【疏】宅,居处也。处心至一之道,不得止而应之,机感冥会,非预谋也。 【释文】"而寓"崔本作如愚。

〔六〕【注】理尽于斯。 【疏】几,尽也。应物理尽于斯也。

绝迹易,无行地难〔一〕。为人使易以伪,为天使难以伪〔二〕。闻以有翼飞者矣,未闻以无翼飞者也;闻以有知知者矣,未闻以无知知者也〔三〕。瞻彼阕者,虚室生白〔四〕,吉祥止止〔五〕。夫且不止,是之谓坐驰〔六〕。夫徇耳目内通而外于心知,鬼神将来舍,而况人乎〔七〕!是万物之化也,禹舜之所纽也,伏戏几蘧之所行终,而况散焉者乎〔八〕!"

〔一〕【注】不行则易,欲行而不践地,不可能也;无为则易,欲为而不伤性,不可得也。 【疏】夫端居绝迹,理在不难;行不践地,故当不易。亦犹无为虚寂,应感则易;有为思虑,涉物则难。其理必然,故举斯譬矣。 【释文】"绝迹易无"绝句。向崔皆以无字属下句。○卢文弨曰:此读谬甚,何不依注?

〔二〕【注】视听之所得者粗,故易欺也;至于自然之报细,故难伪也。则失真少者,不全亦少;失真多者,不全亦多;失得之报,未有不当其分者也。而欲违天为伪,不亦难乎! 【疏】夫人情驱使,其法粗浅,(而)所以易欺;天然驭用,斯理微细,是故难矫。故知人间涉物,必须率性任真也。 【释文】"者粗"音麤。

〔三〕【注】言必有其具,乃能其事,今无至虚之宅,无由有化物之实也。 【疏】夫鸟无六翮,必不可以抟空;人无二知,亦未能以接物也。 【释文】"有知知者"上音智,下如字。下句同。

〔四〕【注】夫视有若无,虚室者也。虚室①而纯白独生矣。 【疏】瞻,观照也。彼,前境也。阕,空也。观察万有,悉皆空寂,故能虚其心室,乃照真源,而智惠明白,随用而生。白,道也。 【释文】"阕者"徐苦穴反。司马云:空也。"虚室生白"崔云:白者,日光所照也。司马云:室比喻心,心能空虚,则纯白独生也。

〔五〕【注】夫吉祥之所集者,至虚至静也。 【疏】吉者,福善之事。祥者,嘉庆之征。止者,凝静之智。言吉祥善福,止在凝静之心,亦能致吉祥之善应也。○俞樾曰:止止连文,于义无取。淮南子俶真篇作虚室生白,吉祥止也,疑此文下止字亦也字之误。唐卢重元注列子天瑞篇曰,虚室生白,吉祥止耳,亦可证止止连文之误。

140

〔六〕【注】若夫不止于当,不会于极,此为以应坐之日而驰骛不息也。故外敌未至而内已困矣,岂能化物哉! 【疏】苟不能形同槁木,心若死灰,则虽容仪端拱,而精神驰骛,(不)〔可〕谓形坐而心驰者也。

〔七〕【注】夫使耳目闭而自然得者,心知之用外矣。故将任性直通,无往不冥,尚无幽昧之责,而况人间之累乎! 【疏】徇,使也。夫能令根窍内通,不缘于物境,精神安静,(志)〔忘〕外于心知者,斯则外遣于形,内忘于智,则隳体黜聪,虚怀任物,鬼神冥附而舍止,不亦当乎! 人伦钻仰而归依,固其宜矣。故外篇云无鬼责无人非也。 【释文】"夫徇"辞俊反。徐辞伦反。李云:使也。"心知"音智,注同。

〔八〕【注】言物无贵贱,未有不由心知耳目以自通者也。故世之所谓知者,岂欲知而知哉? 所谓见者,岂为②见而见哉? 若夫知见可以欲(而)为〔而〕③得者,则欲贤可以得贤,为圣可以得圣乎? 固不可矣。而世不知知之自知,因欲为知以知之;不见见之自见,因欲为见以见之;不知生之自生,又将为生以生之。故见目而求离朱之明,见耳而责师旷之聪,故心神奔驰于内,耳目竭丧于外,处身不适而与物不冥矣。不冥矣,而能合乎人间之变,应乎世世之节者,未之有也。 【疏】是,指斥之名也,此近指以前心斋等法,能造化万物,孕育苍生也。伏牛乘马,号曰伏戏,姓风,即太昊。几蘧者,三皇已前无文字之君也。言此心斋之道,夏禹虞舜以为应物纲纽,伏戏几蘧行之以终其身,而况世间凡鄙疏散之人,轨辙此道而欲化物。 【释文】"所纽"徐女酒反。崔云:系而行之曰纽。简文云:纽,本也。"伏戏"本又作羲,亦作牺,同。许宜反。即大皞,三皇之始也。"几蘧"其居反。向云:古之帝王也。李云:上古帝王。"散焉"悉旦反。李云:放也。崔云:德不及圣王为散。"之聪"一本作听。"竭丧"息浪反。

〔校〕①虚室二字赵谏议本互易。②为字世德堂本作谓,赵本亦作为。③为而依世德堂本互易。

叶公子高将使于齐,问于仲尼曰:"王使诸梁也甚重[一],齐之待使者,盖将甚敬而不急[二]。匹夫犹未可动,而况诸侯乎!吾甚慄之[三]。子常语诸梁也曰:'凡事若小若大,寡不道以欢成①[四]。事若不成,则必有人道之患[五];事若成,则必有阴阳之患[六]。若成若不成而后无患者,唯有德者能之[七]。'吾食也执粗而不臧,爨无欲清之人[八]。今吾朝受命而夕饮冰,我其内热与[九]!吾未至乎事之情,而既有阴阳之患矣;事若不成,必有人道之患。是两也[一○],为人臣者不足以任之,子其有以语我来[一一]!"

〔一〕【注】重其使,欲有所求也。 【疏】楚庄王之玄孙尹成子,名诸梁,字子高,食采于叶,僭号称公。王者,春秋实为楚子,而僭称王。齐,即姜姓太公之裔。其先禹之四岳,或封于吕,故谓太公为吕望。周武王封太公于营丘,是为齐国。齐楚二国,结好往来,玉帛使乎,相继不绝,或急难而求救,或问罪而请兵,情事不轻,委寄甚重,是故诸梁忧虑,询道仲尼也。 【释文】"叶公"音摄。"子高"楚大夫,为叶县尹,僭称公,姓沈,名诸梁,字子高。"将使"所吏反。注及下待使同。

〔二〕【注】恐直空报其敬,而不肯急应其求也。 【疏】齐侯迹尔往来,心无真实,至于迎待楚使,甚自殷勤,所请事情,未达依允。奉命既重,预有此忧。

〔三〕【疏】匹夫鄙志,尚不可动,况夫五等,如何可动!以此而量,甚为忧慄之也。 【释文】"慄之"音栗。李云:惧也。

〔四〕【注】夫事无大小,少有不言以成为欢者耳。此仲尼之所曾告诸梁者也。 【疏】子者,仲尼。寡之言少。夫经营事绪,抑乃多

142

端。虽复大小不同,而莫不以成遂为欢适也。故诸梁引前所禀,用发后机也。 　【释文】"常语"鱼据反。下同。○卢文弨曰:今本书常作尝。

〔五〕【注】夫以成为欢者,不成则怒矣。此楚王之所不能免也。 　【疏】情若乖阻,事不成遂,则有人伦之道,刑罚之忧。

〔六〕【注】人患虽去,然喜惧战于胸中,固已结冰炭于五藏矣。 　【疏】喜则阳舒,忧则阴惨。事既成遂,中情允惬,变昔日之忧为今时之喜。喜惧交集于一心,阴阳勃战于五藏,冰炭聚结,非患如何? 故下文云。 　【释文】"藏矣"才浪反。

〔七〕【注】成败若任之于彼而莫足以患心者,唯有德者乎! 　【疏】安得丧于灵府,任成败于前涂,不以忧喜累心者,其唯盛德焉!

〔八〕【注】对火而不思凉,明其所馔俭薄也。 　【疏】臧,善也。清,凉也。承命严重,心怀怖惧,执用粗餐,不暇精膳。所馔既其俭薄,爨人不欲思凉,燃火不多,无热可避之也。 　【释文】"执"众家本并然。简文作热。"粗"音麤,又才古反。"而不臧"作郎反,善也。绝句。一音才郎反,句至爨字。"爨"七乱反。"无欲清"七性反,字宜从冫。从氵者,假借也。清,凉也。"之人"言爨火为食而不思清凉,明火微而食宜俭薄。"所馔"士恋反。

〔九〕【注】所馔俭薄而内热饮冰者,诚忧事之难,非美食之为也。 　【疏】诸梁晨朝受诏,暮夕饮冰,足明怖惧忧愁,内心熏灼。询道情切,达照此怀也。 　【释文】"内热与"音馀。下慎与同。向云:食美食者必内热。

〔一〇〕【注】事未成则唯恐不成耳。若果不成,则恐惧结于内而刑网罗于外也。 　【疏】夫情事未决,成败不知,而忧喜存怀,是阴阳之患也。事若乖舛,必不成遂,则有人臣之道,刑网斯及。有此二患,何处逃愆？　【释文】"则恐惧"丘勇反。

〔一〕【疏】忝为人臣,滥充末使,位高德薄,不足任之。子既圣人,情兼利物,必有所以,幸来告示!　【释文】"以任"而林反,一音而鸩反。

〔校〕①阙误引江南古藏本此句作寡有不道以成欢。

仲尼曰:"天下有大戒二:其一,命也;其一,义也〔一〕。子之爱亲,命也,不可解于心〔二〕;臣之事君,义也,无适而非君也,无所逃于天地之间〔三〕。是之谓大戒〔四〕。是以夫事其亲者,不择地而安之,孝之至也〔五〕;夫事其君者,不择事而安之,忠之盛也〔六〕;自事其心者,哀乐不易施乎前,知其不可奈何而安之若命,德之至也〔七〕。为人臣子者,固有所不得已。行事之情而忘其身〔八〕,何暇至于悦生而恶死!夫子其行可矣〔九〕!

〔一〕【疏】戒,法也。寰宇之内,教法极多,要切而论,莫过二事。二事义旨,具列下文。

〔二〕【注】自然结固,不可解也。　【疏】夫孝子事亲,尽于爱敬。此之性命,出自天然,中心率由,故不可解。

〔三〕【注】千人聚,不以一人为主,不乱则散。故多贤不可以多君,无贤不可以无君,此天人之道,必至之宜。　【疏】夫君臣上下,理固必然。故忠臣事君,死成其节,此乃分义相投,非关天性。然六合虽宽,未有无君之国,若有罪责,亦何处逃愆!是以奉命即行,无劳进退。

〔四〕【注】若君可逃而亲可解,则不足戒也。　【疏】结成以前君亲大戒义矣。

〔五〕【疏】夫孝子养亲,务在顺适,登仕求禄,不择高卑,所遇而安,方名至孝也。

〔六〕【疏】夫礼亲事主,志尽忠贞,事无夷险,安之若命,岂得拣择利害,然后奉行! 能如此者,是忠臣之盛美也。

〔七〕【注】知不可奈何者命也而安之,则无哀无乐,何易施之有哉! 故冥然以所遇为命而不施心于其间,泯然与至当为一而无休戚于其中,虽事凡人,犹无往而不适,而况于君亲哉! 【疏】夫为道之士而自安其心智者,体违顺之不殊,达得丧之为一,故能涉哀乐之前境,不轻易施,知穷达之必然,岂人情之能制! 是以安心顺命,不乖天理。自非至人玄德,孰能如兹也! 【释文】"哀乐"音洛。注、下同。"施乎"如字。崔以豉反,云:移也。○庆藩案,施读为移,不易施,犹言不移易也。晏子春秋外篇君臣易施,荀子儒效篇哀虚之相施易也,汉书卫绾传人之所施易,施并读为移。正言之则为易施,倒言之则为施易也。(本王氏读书杂志。)

〔八〕【注】事有必至,理固常通,故任之则事济,事济而身不存者,未之有也,又何用心于其身哉! 【疏】夫臣子事于君父,必须致命尽情,有事即行,无容简择,忘身整务,固是其宜。苟不得止,应须任命也。

〔九〕【注】理无不通,故当任所遇而直前耳。若乃信道不笃而悦恶存怀,不能与至当俱往而谋生虑死,吾未见能成其事者也。
【疏】既曰行人,无容悦恶,奉事君命,但当适齐,有何闲暇谋生虑死也! 【释文】"而恶"乌路反,下皆同。

丘请复以所闻:凡交近则必相靡以信〔一〕,远则必忠之以言〔二〕,言必或传之。夫传两喜两怒之言,天下之难者也〔三〕。夫两喜必多溢美之言,两怒必多溢恶之言〔四〕。凡溢之类妄〔五〕,妄则其信之也莫〔六〕,莫则传言者殃〔七〕。故法言曰:'传其常情,无传其溢言,则几乎全〔八〕。'

〔一〕【注】近者得接,故以其信验亲相靡服也。　【释文】"复以"扶又反。下注同。

〔二〕【注】遥以言传意也。　【疏】凡交游邻近,则以信情靡顺;相去遥远,则以言表忠诚。此仲尼引己所闻劝戒诸梁也。　【释文】"传意"丈专反。下文并注同。

〔三〕【注】夫喜怒之言,若过其实,传之者宜使两不失中,故未易也。　【疏】以言表意,或使人传,彼此相投,乍相喜怒。为此使乎,人间未易。　【释文】"两怒"如字。注同。本又作怨。下同。"未易"以豉反,下文、注皆同。

〔四〕【注】溢,过也。喜怒之言常过其当也。　【疏】溢,过也,彼此两人,互相喜怒,若其顺情,则美恶之言必当过者也。

〔五〕【注】嫌非彼言,似传者妄作。　【疏】类,似也。夫溢当之言,体非真实,听者既疑,似使人妄构也。

〔六〕【注】莫然疑之也。　【疏】莫,致疑貌。既似传者妄作,遂生不信之心,莫然疑之也。

〔七〕【注】就传过言,似于诞妄①。受者有疑,则传言者横以轻重为罪也。　【疏】受者生疑,心怀不信,传语使乎,殃过斯及。

〔八〕【注】虽闻临时之过言而勿传也,必称其常情而要其诚致,则近于全也。　【疏】夫处涉人间,为使实难,必须探察常情,必使宾主折中,不得传一时喜怒,致两言(虽)〔难〕窥。能如是者,近获全身。夫子引先圣之格言,为当来之轨辙也。　【释文】"而要"一遥反。"则近"附近之近。

　　且以巧斗力者,始乎阳^{〔一〕},常卒乎阴^{〔二〕},(大)〔泰〕^①至则多奇巧^{〔三〕};以礼饮酒者,始乎治^{〔四〕},常卒乎乱^{〔五〕},(大)〔泰〕至则多奇乐^{〔六〕}。凡事亦然。始乎谅,常卒乎鄙;其作始也简,其将毕也必巨^{〔七〕}。

〔一〕【注】本共好戏。　【释文】"共好"呼报反。

〔二〕【注】欲胜情至,潜兴害彼者也^②。　【疏】阳,喜也。阴,怒也。夫较力相戏,非无机巧。初始戏谑,则情在喜欢;逮乎终卒,则心生忿怒,好胜之情,潜似相害。世间喜怒,情变例然。此举斗力以譬之也。○家世父曰:凡显见谓之阳,隐伏谓之阴。斗巧者必多阴谋,极其心思之用以求相胜也。

〔三〕【注】不复循理。　【疏】忿怒之至,欲胜之甚,则情多奇谲,巧诈百端也。　【释文】"大至"音泰,本亦作泰。徐敕佐反。下同。○卢文弨曰:今本书作泰。"奇巧"如字,又苦孝反。

〔四〕【注】尊卑有别,旅酬有次。　【释文】"乎治"直吏反。"有别"彼列反。

〔五〕【注】湛湎淫液也。　【疏】治,理也。夫宾主献酬,自有伦理,(倒辨)〔侧弁〕^③之后,无复尊卑,初正卒乱,物皆如此。举饮酒以为譬。　【释文】"湛"直林反,又苫南反。"湎"面善反。"淫液"以隻反。

〔六〕【注】淫荒^④纵横,无所不至。　【疏】宴赏既酬,荒淫斯甚,当歌屡舞,无复节文,多方奇异,欢乐何极也。

〔七〕【注】夫烦生于简,事起于微,此必至之势也。　【疏】凡情常事,亦复如然。莫不始则诚信,终则鄙恶;初起简少,后必巨大。是以烦生于简,事起于微。此合喻也。○俞樾曰:谅与鄙,文不相对。上文云,(使)〔始〕乎阳常卒乎阴,始乎治常卒乎乱,阴阳治乱皆相对,而谅鄙不相对。谅疑诸字之误。诸读为都。尔雅释地,宋有孟诸,史记夏本纪作明都,是其例也。始乎都常卒乎鄙,都鄙正相对。因字通作诸,又误作谅,遂失其恉矣。淮南子诠言篇曰,故始于都者常大于鄙,即本庄子,可据以订正。彼文大字乃卒字之误,说见王氏念孙读书杂志。

〔校〕①泰字依世德堂本及卢校改。②世德堂本无者也二字。③侧弁依刘文典补正本改。④世德堂本荒作流。

(夫)①言者,风波也;行者,实丧也〔一〕。〔夫〕风波易以动,实丧易以危〔二〕。故忿设无由,巧言偏辞〔三〕。兽死不择音,气息茀然,于是并生心厉〔四〕。克核大②至,则必有不肖之心应之,而不知其然也〔五〕。苟为不知其然也,孰知其所终〔六〕!故法言曰:'无迁令〔七〕,无劝成〔八〕,过度益也〔九〕。'迁令劝成殆事〔一〇〕,美成在久〔一一〕,恶成不及改〔一二〕,可不慎与〔一三〕!且夫乘物以游心〔一四〕,托不得已以养中,至矣〔一五〕。何作为报也〔一六〕!莫若为致命。此其难者〔一七〕。"

〔一〕【注】夫言者,风波也,故行之则实丧矣。 【疏】夫水因风而起波,譬心因言而喜怒也。故因此风波之言而行喜怒者,则丧于实理者也。○庆藩案,波当读为播。郑注禹贡云:播,散也。波与播,古字通,言风播则易动也。风播与实丧对文,则不可作波浪训矣。(外物篇司马波臣注云波荡之臣,波荡即播荡也。)僖二十三年左传波及晋国,波亦当为播,谓播散及晋国也。(本王引之经义述闻。)禹贡荥波既猪,马郑王本并作(荥)〔荣〕播。

（索隐云是播溢之义。）皆其证。　【释文】"实丧"息浪反。注、下同。○家世父曰：实丧，犹言得失。实者，有而存之；丧者，忽而忘之。倿得而倿失者，行之大患也，故曰危。郭象注，行之则实丧矣，遗风波而弗行则实不丧矣，恐误。

〔二〕【注】故遗风波而弗行，则实不丧矣。夫事得其实，则危可安而荡可定〔也〕③。　【疏】风鼓水波，易为动荡，譬言丧实理，危殆不难也。

〔三〕【注】夫忿怒之作，无他由也，常由巧言过实，偏辞失当耳。　【疏】夫施设忿怒，更无所由，每为浮伪巧言偏辞谄佞之故也。　【释文】"偏辞"音篇。崔本作谝，音辩。

〔四〕【注】譬之野兽，蹴之穷地，音急情尽，则和声不至而气息不理，莩然暴怒，俱生疵疠以相对之。　【疏】夫野兽困窘，(回)〔迫〕④之穷地，性命将死，鸣不择音，气息莩郁，心生疵疾，忽然暴怒，搏噬于人。此是起譬也。　【释文】"气息"并如字。向本作愲器，云：愲，马氏作息。器，气也。崔本作愲籁，云：喘息籁不调也。又作筆字。○庆藩案，释文气一本作器。气器古通用，气正字，器借字也。大戴记文王官人篇其气宽以柔，周书气作器，是其证。"莩然"徐符弗反。郭敷末反。李音怫。崔音勃。"心厉"如字，李音赖。"蹴之"子六反。"疵"疑卖反，又音诣。本又作疣，音尤。"疵"士卖反，又齐计反。上若作疣，此则才知反。○卢文弨曰：盖读与眭眦同。

〔五〕【注】夫宽以容物，物必归焉。克核太精，则鄙吝心生而不自觉也。故大人荡然放物于自得之场，不苦人之能，不竭人之欢，故四海之交可全矣。　【疏】夫克切责核，逼迫太甚，则不善之心欻然自应，情事相感，物理自然。是知躁则失君，宽则得众也。　【释文】"克核"幸格反。

〔六〕【注】苟不自觉,安能知祸福之所齐诣也!　【疏】夫急躁忤物,
必拒之理,数自相召,不知所以。且当时以不肖应之,则谁知终
后之祸者耶?　【释文】"所齐"如字,又才计反。○庆藩案,文
选鲍明远拟古诗注引司马云:谁知祸之所终者也。释文阙⑤。

〔七〕【注】传彼实也。　【疏】承君令命,以实传之,不得以临时喜怒
辄为迁改者也。

〔八〕【注】任其自成。　【疏】直陈君令,任彼事情,无劳劝奖,强令成
就也。

〔九〕【注】益则非任实者。　【疏】安于天命,率性任情,无劳添益语
言,过于本度也。

〔一○〕【注】此事之危殆者。　【疏】故改其君命,强劝彼(我)〔成〕⑥,
其于情事,大成危殆。

〔一一〕【注】美成者任其时化,譬之种植,不可一朝成。　【疏】心之所
美,率意而成,不由劝奖,故能长久。○家世父曰:美者久于其
道而后化成,一日之成,不足恃也,恶者一成而遂不及改。美恶
几微之辨,而难易形焉。是以就美而去恶者,人之常情也,而势
常不相及,有反施之而习而安焉者矣。注意似隔。

〔一二〕【注】彼之所恶而劝强成之,则悔败寻至。　【疏】心之所恶,强
劝而成,不及多时,寻当改悔。　【释文】"所恶"乌路反。"劝
强"其丈反。下欲强同。

〔一三〕【疏】处涉人世,衔命使乎,先圣法言,深宜戒慎。

〔一四〕【注】寄物以为意也。　【疏】夫独化之士,混迹人间,乘有物以
遨游,运虚心以顺世,则何殆之有哉!

〔一五〕【注】任理之必然者,中庸之符全矣,斯接物之至者也。　【疏】

庄子集释

150

不得已者,理之必然也。寄必然之事,养中和之心,斯真理之造
极,应物之至妙者乎!

〔一六〕【注】当任齐所报之实,何为为齐作意于其间哉! 【疏】率己运
命,推理而行,何须预生抑度,为齐作报(故)也。 【释文】"为
为"上如字,下于伪反。

〔一七〕【注】直为致命最易,而以喜怒施心,故难也。 【疏】直致率情,
任于天命,甚自简易,岂有难耶! 此其难者,言不难。

〔校〕①夫字依世德堂本移下。②世德堂本大作太。③也字依世德
堂本补。④迫字依下疏文逼迫太甚改。⑤原误在疏文下,今改
正。⑥成字依刘文典补正本改。

颜阖将傅卫灵公大子〔一〕,而问于蘧伯玉曰:"有人于
此,其德天杀〔二〕。与之为无方,则危吾国;与之为有方,则
危吾身〔三〕。其知适足以知人之过,而不知其所以过〔四〕。
若然者,吾奈之何〔五〕?"

〔一〕【疏】姓颜,名阖,鲁之贤人也。大子,蒯聩也。颜阖自鲁适卫,
将欲为太子之师傅也。 【释文】"颜阖"胡腊反。向崔本作庐。
鲁之贤人隐者。○卢文弨曰:今本庐作盍。"卫灵公"左传云名
元。"大子"音泰。司马云:蒯聩也。

〔二〕【疏】姓蘧,名瑗,字伯玉,卫之贤大夫。蒯聩禀天然之凶德,持
杀戮以快心。既是卫国之人,故言有人于此。将为储君之傅,
故询道于哲人。 【释文】"蘧"其居反。"伯玉"名瑗,卫大夫。
"天杀"如字,谓如天杀物也。徐所列反。

〔三〕【注】夫小人之性,引之轨制则憎己,纵其无度则乱邦。 【疏】
方,犹法。禀性凶顽,不履仁义。与之方法,而轨制憎己,所以

危身;纵之无度,而荒淫颠蹶,所以亡国。 【释文】"无方"李
云:方,道也。

〔四〕【注】不知民过之由己,故罪责于民而不自改。 【疏】己之无
道,曾不悛革,百姓有罪,诛戮极深。唯见黔首之愆,不知过之
由己。既知如风靡草,是知责在于君。 【释文】"其知"音智。

〔五〕【疏】然,犹如是。将奈之何,询道蘧瑗,故陈其所以。

蘧伯玉曰:"善哉问乎!戒之,慎之,正女身也①
哉〔一〕!形莫若就,心莫若和〔二〕。虽然,之二者有患〔三〕。
就不欲入〔四〕,和不欲出〔五〕。形就而入,且为颠为灭,为崩
为蹶〔六〕。心和而出,且为声为名,为妖为孽〔七〕。彼且为
婴儿,亦与之为婴儿;彼且为无町畦,亦与之为无町畦;彼
且为无崖,亦与之为无崖。达之,入于无疵〔八〕。

〔一〕【注】反覆与会,俱所以为正身。 【疏】戒,勖也。己身不可率
耳。防慎储君,勿轻犯触,身履正道,随顺机宜。前叹其能问,
后则示其方法也。 【释文】"正女"音汝。下同。"反覆"芳
服反。

〔二〕【注】形不乖迕,和而不同。 【疏】身形从就,不乖君臣之礼。
心智和顺,迹混而事济之也。

〔三〕【疏】前之二条,略标方术。既未尽善,犹有其患累也。

〔四〕【注】就者形顺,入者遂与同。 【疏】郭注云,就者形顺,入者遂
与同也。

〔五〕【注】和者(以)义济,出者自显伐(也)②。 【疏】心智和顺,方便
接引,推功储君,不显己能,斯不出也。

〔六〕【注】若遂与同,则是颠危而不扶持,与彼俱亡矣。故当(摸)

〔模〕③格天地,但不立小异耳。 【疏】颠,覆也。灭,绝也。崩,坏也。蹶,败也。形容从就,同入彼恶,则是颠危而不扶持,故致颠覆灭绝,崩蹶败坏,与彼俱亡也矣。 【释文】"为蹶"徐其月反。<u>郭</u>音厥。<u>李</u>举卫反。"摸格"莫胡反。○<u>卢文弨</u>曰:今本摸从木作模。

〔七〕【注】自显和之,且有含垢之声、济彼之名,彼将恶其胜己,妄生妖孽。故当闷然若晦,玄同光尘,然后不可得而亲,不可得而疏,不可得而利,不可得而害。 【疏】变物为妖。孽,灾也。虽复和光同尘,而自显出己智,不能韬光晦迹,故有济彼之名。<u>蒯瞆</u>恶其胜己,谓其妄生妖孽,故以事而害之。○<u>家世父</u>曰:和,如五味之相济,甘辛并用,混合无形。若表而出之,则非和矣。时其喜怒,因其缓急,以调伏其机,而不与为迎拒。有迎拒斯有出入,和不欲出,为无拒也。 【释文】"孽"彦列反。"将恶"乌路反。"闷然"音门。

〔八〕【注】不小立圭角以逆其鳞也。 【疏】町,畔也。畦,垺也。与,共也。入,会也。夫处世接物,其道实难。不可遂与和同,亦无容顿生乖忤。或同婴儿之愚鄙,且复无知;或类田野之无畦,略无界畔;纵奢侈之贪求,任凶猛之杀戮。然后道之以德,齐之以礼。达斯趣者,方会无累之道也。 【释文】"婴儿"<u>李</u>云:喻无意也。<u>崔</u>云:喻骄游也。"无町"徒顶反。"畦"户圭反。<u>李</u>云:町畦,畔垺也。无畔垺,无威仪也。<u>崔</u>云:喻守节。"无崖"<u>司马</u>云:不顾法也。"无疵"似移反,病也。

〔校〕①<u>世德堂</u>本无也字。②以字也字依<u>赵谏议</u>本及<u>世德堂</u>本删。③模字依<u>世德堂</u>本及<u>卢</u>校改。

汝不知夫螳螂乎?怒其臂以当车辙,不知其不胜任

也,是其才之美者也〔一〕。戒之,慎之! 积伐而美者以犯之,几矣〔二〕。

〔一〕【注】夫螳螂之怒臂,非不美也;以当车辙,顾非敌耳。今知之所无奈何而欲强当其任,即螳螂之怒臂也。 【疏】螳螂,有斧虫也。夫螳螂鼓怒其臂以当轩车之辙,虽复自恃才能之美善,而必不胜举其职任。喻颜阖欲以己之才能以当储君之势,何异乎螳螂怒臂之当车辙也! 【释文】"不胜"音升。○庆藩案,御览九百四十六引司马云:非不有美才,顾不胜任耳。释文阙。

〔二〕【注】积汝之才,伐汝之美,以犯此人,危殆之道。 【疏】积,蕴蓄也。而,汝也。几,危也。既傅储君,应须戒慎,今乃蕴蓄才能,自矜汝美,犯触威势,必致危亡。

汝不知夫养虎者乎? 不敢以生物与之,为其杀之之怒也〔一〕;不敢以全物与之,为其决之之怒也〔二〕;时其饥饱,达其怒心〔三〕。虎之与人异类而媚养己者,顺也;故其杀者,逆也〔四〕。

〔一〕【注】恐其因有杀心而遂怒也。 【疏】汝颇知世有养虎之法乎? 猪羊之类,不可生供猛兽,恐其因杀而生嗔怒也。○家世父曰:几矣,言其怒视螳螂,几近之也。此不自量其才者也。虎之怒也,而可使驯,马之良也,而使缺衔毁首碎胸以怒,无他,勿与撄之而已。螳螂之撄车辙,奚所利而为之哉! 【释文】"为其"于伪反。下同。

〔二〕【注】方使虎自啮分之,则因用力而怒矣。 【疏】汝颇知假令以死物投兽,犹须先为分决,若使虎自啮分,恐因用力而怒之也。 【释文】"分之"如字。

〔三〕【注】知其所以怒而顺之。　【疏】知饥饱之时,达喜怒之节,通于物理,岂复危亡!

〔四〕【注】顺理则异类生爱,逆节则至亲交兵。　【疏】夫顺则悦媚,虎狼可以驯狎;逆则杀害,至亲所以交兵。媚己之道既同,涉物之方无别也。○家世父曰:达其怒心,自有作用。所谓顺者,非务徇其欲也,无使杀焉而不导之以为怒也,无使决焉而不纵之以为怒也。苟无撄其怒而已,其心常有所自达焉,则顺矣。

夫爱马者,以筐盛矢,以蜄盛溺〔一〕。适有蚊虻僕缘〔二〕,而拊之不时〔三〕,则缺衔毁首碎胸〔四〕。意有所至而爱有所亡,可不慎邪〔五〕!"

〔一〕【注】矢溺至贱,而以宝器盛之,爱马之至者也。　【疏】蜄,大蛤也。爱马之屎,意在贵重。屎溺至贱,以大蜄盛之,情有所滞,遂至于是也。　【释文】"盛矢"音成。下及注同。矢或作屎,同。"以蜄"徐市轸反,蛤类。"溺"奴弔反。

〔二〕【注】僕僕然群著马。　【释文】"蚊"音文。本或作蟁,同。"虻"孟庚反。"僕缘"普木反,徐敷木反。向云:僕僕然,蚊虻缘马稠概之貌。崔音如字,云:僕御。○王念孙曰:案向崔二说皆非也。僕之言附也,言蚊虻附缘于马体也。僕与附,声近而义同。大雅既醉篇景命有僕,毛传曰:僕,附也。郑笺曰:天之大命又附著于女。文选子虚赋注引广雅曰:僕,谓附著于人。(案今广雅无此语。广雅疑广仓之讹。)"群著"直略反。

〔三〕【注】虽救其患,而掩马之不意。　【释文】"而拊"李音抚,又音付,一音附。崔本作府,音附。

〔四〕【注】掩其不备,故惊而至此。　【疏】僕,聚也。拊,拍也。衔,勒也。适有蚊虻,群聚缘马,主既爱惜,卒然拊之,意在除害。

不定时节，掩马不意，忽然惊骇，于是马缺衔勒，挽破辔头，人遭蹄蹋，毁首碎胸者也。

〔五〕【注】意至除患，率然拊之，以至毁碎，失其所以爱矣。故当世接物，逆顺之际，不可不慎也。　【疏】亡，犹失也。意之所(在)〔至〕①，在乎爱马，既以毁损，即失其所爱。人间涉物，其义亦然，机感参差，即遭祸害。拊马之喻，深宜慎之也。○家世父曰：人与人相接而成世，而美恶生焉，从违判焉，顺逆形焉。如是而大患因之以生，谓人之不足与处也，而乌知己之不足与处人也！处己以无用，斯得之矣。德荡乎名，知出乎争，为此一篇之主脑。篇尾五段，去名与争，乃可出入于人间世。　【释文】"率然"疏律反。本或作卒，七忽反。

〔校〕①至字依正文及郭注改。

匠石之齐，至于曲辕，见栎社树〔一〕。其大蔽数千①牛，絜之百围〔二〕，其高临山十仞而后有枝，其可以为舟者旁十数〔三〕。观者如市，匠伯不顾，遂行不辍〔四〕。

〔一〕【疏】之，适也。曲辕，地名也。其道屈曲，犹如嵩山之西有轘辕之道，即斯类也。栎，木名也。社，土神也。祀封土曰社。社，吐也，言能吐生万物，故谓之社也。匠是工人之通称，石乃巧者之私名。其人自鲁适齐，涂经曲道，睹兹异木，拥肿不材。欲明处涉人间，必须以无用为用也。　【释文】"曲辕"音袁。司马云：曲辕，曲道也。崔云：道名。"栎"力狄反。李云：木名，一云：梂也。○卢文弨曰：梂，众本作采，讹。今从宋本正。

〔二〕【疏】絜，约束也。栎社之树，特高常木，枝叶覆荫，蔽数千牛，以绳束之，围粗百尺。江南庄本多言其大蔽牛，无数千字，此本应错。且<u>商丘</u>之木,既结驷千乘,<u>曲辕</u>之树,岂蔽一牛？以此格量,数千之本是也。 【释文】"蔽牛"必世反。<u>李</u>云:牛住其旁而不见。"絜"<u>向</u>徐户结反,<u>徐</u>又虎结反。约束也。○<u>庆藩</u>案,<u>文选贾长沙过秦论</u>注引<u>司马</u>云:絜,匝也。<u>释文</u>阙。"百围"<u>李</u>云:径尺为围,盖十丈也。

〔三〕【疏】七尺曰仞。此树直竦岌岑七十馀尺,然后挺生枝干,蔽日捎云。堪为船者,旁有数十木之大。盖其状如是也。 【释文】"十仞"<u>小尔雅</u>云:四尺曰仞。案七尺曰仞。<u>崔</u>本作千仞。或云:八尺曰仞。"旁十数"所具反。<u>崔</u>云:旁,旁枝也。○<u>俞樾</u>曰:旁读为方,古字通用。<u>尚书皋陶谟篇</u>方施象刑惟明,<u>新序节士篇</u>方作旁,<u>甫刑篇</u>方告无辜于上,<u>论衡变动篇</u>方作旁,并其证也。<u>在宥篇</u>出入无旁,即出入无方,此本书假旁为方之证。<u>诗正月篇</u>民今方殆,<u>郑</u>笺云:方,且也。其可以为舟者方十数,言可以为舟者且十数也。<u>释文</u>引<u>崔</u>曰,旁,旁枝也,盖不知旁为方假字,故语词而误以为实义矣。

〔四〕【疏】辍,止也。木大异常,看者甚众。唯有<u>匠石</u>知其不材,行涂直过,曾不留视也。 【释文】"观者"古奂反,又音官。"匠伯"<u>伯</u>,<u>匠石</u>字也。<u>崔</u>本亦作石。○<u>庆藩</u>案,<u>文选何平叔景福殿赋</u>注、<u>王子渊洞箫赋</u>注、<u>嵇叔夜琴赋</u>注、<u>司马绍统赠山涛诗</u>注、<u>张景阳七命</u>注,并引<u>司马</u>云:匠石,字伯。<u>释文</u>阙。"不辍"丁劣反。

〔校〕①<u>世德堂</u>本无数千二字,与<u>释文</u>同,<u>阙</u>误引<u>江南李氏</u>及<u>张君房</u>本有。

弟子厌观之,走及<u>匠石</u>,曰:"自吾执斧斤以随夫子,未尝见材如此其美也。先生不肯视,行不辍,何邪〔一〕**？"**

〔一〕【疏】门人惊栎社之盛美,乃住立以视看。自负笈以从师,未见材有若此(怪)大也。〔怪〕匠之不顾,走及,遂以咨询。　【释文】"厌"於艳反,又於瞻反。

曰:"已矣,勿言之矣〔一〕! 散木也,以为舟则沉,以为棺椁则速腐〔二〕,以为器则速毁〔三〕,以为门户则液樠,以为柱则蠹〔四〕。是不材之木也,无所可用,故能若是之寿〔五〕。"

〔一〕【疏】已,止也。匠石知大木之不材,非世俗之所用,嫌弟子之辞费,诃令止而勿言也。

〔二〕【疏】栎木体重,为船即沉;近土多败,为棺椁速折。疏散之树,终于天年,亦是不材之木,故致闲散也。　【释文】"散木"悉但反,徐悉旦反。下同。"则速"如字。向崔本作数。向所禄反。下同。"腐"扶甫反。

〔三〕【疏】人间器物,贵在牢固。栎既疏脆,早毁何疑也!

〔四〕【疏】樠,脂汗出也。蠹,木内虫也。为门户则液樠而脂出,为梁柱则蠹而不牢。　【释文】"液"音亦。"樠"亡言反。向李莫干反。郭武半反。司马云:液,津液也。樠,谓脂出樠樠然也。崔云:黑液出也。○李桢曰:广韵二十二元:樠,松心,又木名也。说文:樠,松心木。段注云:疑有夺误,当作松心也,一曰木名也。陆所据是说文古本。按松心有脂,液樠正取此义。谓脂出如松心也。此庄子字法之妙。疏与释文义俱不明。又广韵释樠曰松脂,段云即樠为松脂之误。余疑樠为樠之或体。"蠹"丁故反。

〔五〕【注】不在可用之数,故曰散木。　【疏】闲散疏脆,故不材之木,涉用无堪,所以免早夭。

匠石归,栎社见梦曰:"女将恶乎比予哉? 若将比予于文木邪〔一〕？夫柤梨橘柚,果蓏之属〔二〕,实熟则剥,剥则辱;大枝折,小枝泄。此以其能苦其生者也,故不终其天年而中道夭,自掊击于世俗者也。物莫不若是。〔三〕且予求无所可用久矣,几死,乃今得之〔四〕,为予大用〔五〕。使予也而有用,且得有此大也邪〔六〕？且也若与予也皆物也,奈何哉其相物也〔七〕？而几死之散人,又恶知散木〔八〕!"

〔一〕【注】凡可用之木为文木。　【疏】恶乎,犹于何也。若,汝也。予,我也。可用之木为文木也。匠石归寝,栎社感梦,问于匠石:"汝将何物比并我哉？为当将我作不材散木邪？为当比予于有用文章之木邪?"　【释文】"见梦"胡荐反。"女将"音汝。"恶乎"音乌。下同。

〔二〕【疏】夫在树曰果,柤梨之类;在地曰蓏,瓜瓠之徒。汝岂比我于此之辈者耶？　【释文】"柤"侧加反。"橘"均必反。"柚"由救反。徐以救反。"果蓏"徐力果反。

〔三〕【注】物皆以自用伤。　【疏】夫果蓏之类,其味堪食,子实既熟,即遭剥落,于是大枝折损,小枝发泄。此岂不为滋味能美,所以用苦其生! 毁辱之言,即斯之谓。且春生秋落,乃尽天年;中涂打击,名为横夭。而有识无情,世俗人物,皆以有用伤夭其生,故此结言莫不如是。掊,打也。　【释文】"泄"徐思列反。崔云:泄,洩同。○俞樾曰:洩字之义,于此无取,殆非也。泄当读为抴。荀子非相篇接人则用抴,杨注:抴,牵引也。小枝抴,谓见牵引也。诗七月篇,取彼斧斨,以伐远扬,即此所云大枝折也。又曰,猗彼女桑,即此所云小枝抴也。郑笺云:女桑,少枝。少枝即小枝矣。猗乃掎之假字。说文手部:掎,偏引也,是与抴同义。

"苦其"如字。崔本作枯。"掊"普口反。徐方垢反。

〔四〕【注】数有瞵睍己者,唯今匠石明之耳。 【释文】"几死"音祈,又音機。下同。"数有"音朔。"瞵"普係反。"睍"五係反。

〔五〕【注】积无用乃为济生之大用。 【疏】不材无用,必获全生,栎社求之,其来久矣。而庸拙之匠,疑是文木,频去顾盼,欲见诛翦,惧夭斧斤,邻乎死地。今逢匠伯,鉴我不材,方得全生,为我大用。几,近也。

〔六〕【注】若有用,(必)〔久〕①见伐。 【疏】向使我是文木而有材用,必遭翦截,夭折斧斤,岂得此长大而寿年乎!

〔七〕【疏】汝之与我,皆造化之一物也,与物岂能相知!奈何哉,假问之辞。

〔八〕【注】以戏匠石。 【疏】匠石以不材为散,栎社以材能为无用,故谓石为散人也。炫材能于世俗,故邻于夭折;我以疏散而无用,故得全生。汝是近死之散人,安知我是散木耶? 托于梦中,以戏匠石也。 【释文】"而几死之"绝句,向同。一读连下散人为句,崔同。

〔校〕①久字依世德堂本改。

匠石觉而诊其梦〔一〕。弟子曰:"趣取无用,则为社何邪〔二〕?"

〔一〕【疏】诊,占也。匠石既觉,思量睡中,占候其梦,说向弟子也。 【释文】"觉"古孝反。"而诊"徐直信反。司马向云:诊,占梦也。○王念孙曰:向秀司马彪并云,诊,占梦也。案下文皆匠石与弟子论栎社之事,无占梦之事。诊当读为畛。尔雅云:畛,告也。郭注引曲礼曰,畛于鬼神。畛与诊,古字通。此谓匠石觉而告其梦于弟子,非谓占梦也。

〔二〕【注】犹嫌其以为社自荣，不趣取于无用而已。　【疏】栎木意趣，取于无用为用全其生者，则何为为社以自荣乎？门人未解，故起斯问也。

曰："密！若无言！彼亦直寄焉〔一〕，以为不知己者诟厉也〔二〕。不为社者，且几有翦乎〔三〕！且也彼其所保与众异〔四〕，而以义（誉）〔喻〕①之，不亦远乎〔五〕！"

〔一〕【注】社自来寄耳，非此木求之为社也。　【疏】若，汝也。彼，谓社也。汝但慎密，莫轻出言。彼社之神，自来寄托，非关此木（栎）〔乐〕为社也。

〔二〕【注】言此木乃以社为不知己而见辱病者也，岂荣之哉！　【疏】诟，辱也。思此社神为不知我以无用为用，贵在全生，乃横来寄托，深见诟病，翻为羞耻，岂荣之哉！　【释文】"诟"李云：呼豆反。徐音垢。"厉"如字。司马云：诟，辱也。厉，病也。

〔三〕【注】（木）〔本〕②自以无用为用，则虽不为社，亦终不近于翦伐之害。　【疏】本以疏散不材，故得全其生道，假令不为社树，岂近于翦伐之害乎！　【释文】"且几"音機，或音祈。"翦乎"子浅反。崔本作前于。○庆藩案，乎，崔本作于，于即乎也。论语为政篇书云孝乎惟孝，皇侃本及汉石经并作于。吕览审应篇然则先王圣于，高注：于，乎也。皆其例。"不近"附近之近。下同。

〔四〕【注】彼以无保为保，而众以有保为保。　【疏】疏散之树，以无用保生，文木之徒，以才能折夭，所以为其异之者也。

〔五〕【注】利人长物，禁民为非，社之义也。夫无用者，泊然不为而群才自用，（自）用者各得其叙而不与焉，此（以）③无用之所以全生也。汝以社誉之，无缘近也乎！　【疏】夫散木不材，禀之造物，赖其无用，所以全生。而社神寄托，以成诟厉，更以社义赞誉，失之弥远。　【释文】"义誉"音馀。注同。〇卢文弨曰:今本书誉作喻。"长物"丁两反。"泊然"步各反。"不与"音馀。

〔校〕①喻字依世德堂本及卢校改。②本字依疏文及世德堂本改。
　　③自字及以字依宋本删。

　　南伯子綦游乎商之丘,见大木焉有异,结驷千乘,隐
将①芘其所藾〔一〕。子綦曰:"此何木也哉? 此必有异材
夫〔二〕!"仰而视其细枝,则拳曲而不可以为栋梁;俯而(见)
〔视〕②其大根,则轴解而不可以为棺椁〔三〕;咶其叶,则口
烂而为伤;嗅之,则使人狂酲,三日而不已〔四〕。

〔一〕【注】其枝所阴,可以隐芘千乘(者也)③。　【疏】伯,长也。其道
　　甚尊,堪为物长,故(为)〔谓〕之伯,即南郭子綦也。商丘,地名,
　　在梁宋之域。驷马曰乘。藾,阴也。子綦于宋国之中,径于商丘
　　之地,遇见大木,异于寻常,树木粗长,枝叶茂盛,垂阴布影,荫
　　覆极多,连结车乘,可芘(驷)〔四〕千匹马也。　【释文】"南伯"
　　李云,即南郭也。伯,长也。"商之丘"司马云:今梁国睢阳县是
　　也。"千乘"绳證反。"隐"崔云:伤于热也。"将芘"本亦作庇。
　　徐甫至反,又悲位反。崔本作比,云:芘也。"所藾"音赖。崔本
　　作赖。向云:荫也,可以荫芘千乘也。李同。"所阴"於鸩反。

〔二〕【疏】子綦既睹此木,不识其名,疑有异能,故致斯大。

〔三〕【疏】轴解者,如车轴之转,谓转心木也。周身为棺,棺,完也。
　　周棺为椁。夫梁栋须直,拳曲所以不堪;棺椁藉牢,解散所以不
　　固也。　【释文】"异材夫"音符。"仰而"向崔本作从而。"则
　　拳"本亦作卷,音权。"轴"直竹反。"解"李云:如衣轴之直

庄子集释

162

解也。

〔四〕【疏】以舌舐叶,则唇口烂伤;用鼻嗅之,则醉闷不止。酲,酒病
也。　【释文】"舐"食纸反。"嗅"崔作齅,许救反。○卢文弨
曰:旧作崔云齅,云字讹,今改正。"狂酲"音呈。李云,狂如酲
也。病酒曰酲。

〔校〕①阙误引张君房本隐将作将隐。②视字依世德堂本改。③者
也二字依世德堂本删。

子綦曰:"此果不材之木也,以至于此其大也〔一〕。嗟
乎神人,以此不材〔二〕!

〔一〕【疏】通体不材,可谓全生之大才;众(诸)〔谓〕无用,乃是济物之
妙用;故能不夭斤斧而荫庇千乘也矣。

〔二〕【注】夫王不材于百官,故百官御其事,而明者为之视,聪者为之
听,知者为之谋,勇者为之捍。夫何为哉?玄默而已。而群材
不失其当,则不材乃材之所至赖也。故天下乐推而不厌,乘①万
物而无害也。　【疏】夫至人神矣,阴阳所以不测,混迹人间,和
光所以不耀。故能深根固蒂,长生(之)久视,舟船庶物,荫覆黔
黎。譬彼栎社,方兹异木,是以嗟叹神人〔之〕用,不材者,大材
也。　【释文】"为之"于伪反。下为之皆同。

〔校〕①赵谏议本乘作臣。

宋有荆氏者,宜楸柏桑〔一〕。其拱把而上者,求狙猴之杙
者斩之〔二〕;三围四围,求高名之丽者斩之〔三〕;七围八围,贵人
富商之家求樿傍者斩之〔四〕。故未终其天年,而中道之夭于斧
斤,此材之患也〔五〕。故解(以)之〔以〕①牛之白颡者与豚之亢
鼻者,与人有痔病者不可以适河〔六〕。此皆巫祝以知之矣〔七〕,

所以为不祥也。此乃神人之所以为大祥也〔八〕。

〔一〕【疏】荆氏，地名也。宋国有荆氏之地，宜此楸柏桑之三木，悉皆端直，堪为材用。此略举文木有材所以夭折，对前散木无用所以全生也。　【释文】"荆氏"司马云：地名也。一曰里名。"宜秋柏桑"崔云：荆氏之地，宜此三木。李云：三木，文木也。○卢文弨曰：今本书秋作楸。

〔二〕【疏】两手曰拱，一手曰把。狙猴，猕猴也。杙，橛也，亦杆也。拱把之木，其材非大，适可斩为杆橛，以击捍猕猴也。　【释文】"拱"恭勇反。"把"百雅反。徐甫雅反。司马云：两手曰拱，一手曰把。"而上"时掌反。"狙"七馀反。"猴"音侯。"之杙"以职反，又羊植反。郭且羊②反。司马作朳，音八。李云：欲以栖戏狙猴也。崔本作枝，音跋，云：枷也。

〔三〕【疏】丽，屋栋也，亦曰小船也。高名，荣显也。三尺四尺之围，其木稍大，求荣华高屋显好名船者，辄取之也。　【释文】"三围"崔云：围环八尺为一围。"之丽"如字，又音礼。司马云：小船也，又屋檽也。○庆藩案，名，大也。谓求高大之丽者，用三围四围之木也。（谓大为名，说见天下〔篇〕名山三百下。）

〔四〕【疏】樿旁：棺材也。亦言：棺之全一边而不两合者谓之樿旁。七围八围，其木极大，富贵之屋，商贾之家，求大板为棺材者，当斩取之也。　【释文】"求樿"本亦作擅，音膳。○卢文弨曰：旧本樿从示，讹。注同。今改正。"傍"薄刚反。崔云：樿傍，棺也。司马云：棺之全一边者，谓之樿傍。

〔五〕【注】有材者未能无惜也。　【疏】为有用，故不尽造化之年，而中途夭于工人之手，斯皆以其才能为之患害也。

〔六〕【注】巫祝解除，弃此三者，必妙选骍具，然后敢用。　【疏】颡，额也。亢,高也。痔,下漏病也。巫祝陈刍狗以祠祭,选牛豕以解除,必须精简纯色,择其好者,展如在之诚敬,庶冥感于鬼神。今乃有高鼻折额之豚,白额不骍之犊,痔漏秽病之人,三者既不清洁,故不可往于灵河而设祭奠者也。<u>古者将人沉河以祭河伯,西门豹为邺令,方断之</u>,即其类是也。　　【释文】"故解"徐古
,又佳买反。注同。向古邂反。"额"息党反。<u>司马云</u>:额也。"亢鼻"<u>徐</u>古葬反。<u>司马云</u>:高也,额折故鼻高。<u>崔云</u>:仰也。"痔"<u>徐</u>直里反。<u>司马云</u>:隐创也。○<u>卢文弨</u>曰:旧脱云字,今增。"适河"<u>司马云</u>:谓沉人于河,祭也。"骍具"<u>恤</u>营反。

〔七〕【注】巫祝于此亦知不材者全也。

〔八〕【注】夫全生者,天下之所谓祥也,巫祝以不材为不祥而弗用也,彼乃以不祥全生,乃大祥也。神人者,无心而顺物者也。故天下所谓大祥,神人不逆。　　【疏】女曰巫,男曰觋。祝者,执板读祭文者也。祥,善也。巫师祝史解除之时,知此三者不堪享祭,故弃而不用,以为不善之物。然神圣之人,知侔造化,知不材无用,故得全生。是知白额亢鼻之言,痔病不祥之说,适是小巫之鄙情,岂曰大人之适智!故才不全者,神人所以为吉祥大善之事也。

〔校〕①之以二字依<u>世德堂</u>本互易。②杙无且羊音。郭下疑脱作戕二字。<u>广韵</u>十一唐戕下云:戕牁,亦作牂牁,则郎切。<u>汉书地理志牂牁郡注</u>:牂戕,系船杙也。是<u>郭</u>本作戕即戕柯之戕,与杙形近义同而音殊,其音且羊反,是戕非杙明矣。

<u>支离疏者</u>,颐隐于脐,肩高于顶[一],会撮指天,五管在上,两髀为胁[二]。挫针治繲,足以糊口[三];鼓筴播精,足以食十人[四]。上征武士,则<u>支离</u>攘臂而游①于其间[五],上

有大役,则支离以有常疾不受功〔六〕;上与病者粟,则受三钟与十束薪〔七〕。夫支离其形者,犹足以养其身,终其天年,又况支离其德者乎〔八〕!"

〔一〕【疏】四支离拆,百体宽疏,遂使颐颊隐在脐间,肩膊高于顶上。形容如此,故以支离名之。　【释文】"支离疏"司马云,形体支离不全貌。疏,其名也。"颐"以之反。"于顶"如字。本作项,亦如字。司马云:言脊曲颈缩也。淮南曰脊管高于顶也。

〔二〕【疏】会撮,高竖貌。五管,五脏腧也。五脏之腧,并在人背,古人头髻,皆近顶后。今支离残病,伛偻低头,一使脏腧头髻,悉皆向上,两脚髀股挛缩而迫于胁肋也。　【释文】"会"古外反,徐古活反,向音活。"撮"子外反。向徐子活反。崔云:会撮,项椎也。"指天"司马云:会撮,髻也。古者髻在项中,脊曲头低,故髻指天也。向云:两肩竦而上,会撮然也。○李桢曰:崔云:会撮,项椎也,说是。(大宗师篇,句赘指天,李云:句赘,项椎也,其形如赘。证知崔说是。)素问刺热篇,项上三椎陷者中也,王注,此举数脊椎大法也。沈氏彤释骨曰,项大椎以下二十一椎,通曰脊骨,曰脊椎。崔知会撮是此者,难经四十五难,骨会大杼,张注:大杼,穴名,在项后第一椎,两旁诸骨,自此欜架往下支生,故骨会于大杼。据此,知会撮正从骨会取义,又在大椎之间,故曰项椎也。撮,唐徐坚初学记卷十九引作檓。玉篇:檓,木檓节也,与脊节正相似,从木作(撮)〔檓〕,于义为长。按颐肩属外说,会撮五管属内说。颐隐,故肩高,项椎指天,故藏腧在上,各相因而致者也。(灵枢背腧篇:肺腧在三椎之间,心腧在五椎之间,肝腧在九椎之间,脾腧在十一椎之间,肾腧在十四椎之间。)司马训髻,是别一义。诗小雅台笠缁撮,传云:缁撮,缁布

冠也。正义曰:言撮,是小撮持其髻而已。据此,则以会撮为髻,
当亦是小撮持其发,故名之。会与髻通。说文:髻,骨摘之可以
会发者。卫风会弁如星,许氏引作髻。周礼会五采玉琪,注:故
书会作髻。又士丧礼髻弁用桑,疏云:以髻为髻,取以发会聚之
意。会与髻亦通。集韵有鬏字,音撮,髻也。当是俗因会撮造为
头髻专字。○庆藩案,释文引崔云,会撮,项椎也,字当作楬。玉
篇:楬,木椎也,徂活切。撮楬声近。尸子行险以撮。撮,乘载
器,音与钻同。周礼丧大记君殡用楯楬,注:輴,乘柩之车,楬,犹
菆也。尸子所谓楬,即礼之楬。“管”崔本作筦。“在上”李云:
管,腧也。五藏之腧皆在上也。“两髀”本又作脾,同。音陛。
徐又甫婢反。崔云:偻人腹在髀里也。“为胁”许劫反。司马
云:脊曲髀竖,故与胁并也。

〔三〕【疏】挫针,缝衣也。治繲,洗浣也。糊,饲也,庸役身力以饲养
其口命也。 【释文】“挫”徐子卧反,郭租禾反。崔云:案也。
“针”执金反。司马云:挫针,缝衣也。“治繲”佳卖反。司马云:
浣衣也。向同。崔作繲,音线。“糊口”徐音胡。李云:食也。崔
云:字或作互,或作㕑。

〔四〕【疏】筴,小箕也。精,米也。言其扫市场,鼓箕筴,播扬土,简精
粗也。又解:鼓筴,谓布著数卦兆也。播精,谓精判吉凶辨精灵
也。或扫市以供家口,或卖卜以活身命,所得之物可以养十人
也。 【释文】“鼓筴”初革反,徐又音颊。司马云:鼓,(簸)
〔簸〕②也,小箕曰筴。崔云:鼓筴,揲著钻龟也。“播精”如字。
一音所,字则当作数。精,司马云:简米曰精。崔云:播精,卜卦
占兆也。鼓筴播精,言卖卜。○庆藩案,精当为糈之误。郭璞注
南山经曰:糈,先吕反,今江东音取。(释文音取,字当作糈③。

精字古无取音,与糈字形相似而误。)说文:糈,粮也。"以食"音嗣。

〔五〕【注】(持)〔恃〕④其无用,故不自窜匿。 【疏】边蕃有事,征求勇夫,残病之人,不堪征讨,自得无惧,攘臂遨游,恃其无用,故不窜匿。 【释文】"攘"如羊反。"臂于其间"如字。司马云:间,里也。崔本作攘臂于其开,云:开,门中也。"窜匿"女力反。

〔六〕【注】不任徭役故也。 【疏】国家有重大徭役,为有痼疾,故不受其功程者也。

〔七〕【注】役则不与,赐则受之。 【疏】六石四斗曰钟。君上忧怜鳏寡,矜恤贫病,形残既重,受物还多。故郭注云,役则不预,赐则受之者也。 【释文】"三钟"司马云:六斛四斗曰钟。○卢文弨曰:旧本六讹斛,今改正。"不与"音豫。

〔八〕【注】神人无用于物,而物各得自用,归功名于群才,与物冥而无迹,故免人间之害,处常美之实,此支离其德者也。 【疏】夫支离其形,犹忘形也;支离其德,犹忘德也。而况支离残病,适是忘形,既非圣人,故未能忘德。夫忘德者,智周万物而反智于愚,明并三光而归明于昧,故能成功不居,为而不恃,推功名于群才,与物冥而无迹,斯忘德者也。夫忘形者犹足以养身终年,免乎人间之害,何况忘德者耶! 其胜劣浅深,故不可同年而语矣。是知支离其德者,其唯圣人乎!

〔校〕①世德堂本无而游二字。②簸字依世德堂本改。③按释文不言精音取,其谓一音所者,指播字言,故云字则当作数。郭说殊误。④恃字依疏文及世德堂本改。

孔子适楚,楚狂接舆游其门曰:"凤兮凤兮,何如德之衰也〔一〕！来世不可待，往世不可追也〔二〕。天下有道，圣人成焉；天下无道，圣人生焉〔三〕。方今之时，仅免刑焉〔四〕。福轻乎羽，莫之知载〔五〕；祸重乎地，莫之知避〔六〕。已乎已乎，临人以德！殆乎殆乎，画地而趋〔七〕！迷阳迷阳，无伤吾行〔八〕！吾行①郤曲，无伤吾足〔九〕！"

〔一〕【注】当顺时直前，尽乎会通之宜耳。世之盛衰，蔑然不足觉，故曰何如。　【疏】何如，犹如何也。适，之也。时孔子自鲁之楚，舍于宾馆。楚有贤人，姓陆，名通，字接舆，知孔子历聘，行歌讥刺。凤兮凤兮，故哀叹圣人，比于来仪应瑞之鸟也，有道即见，无道当隐，如何怀此圣德，往适衰乱之邦者耶！

〔二〕【注】趣当尽临时之宜耳。　【疏】当来之世，有怀道之君可应聘者，时命如驰，故不可待。适往之时，尧舜之主，变化已久，亦不可寻。趣合当时之宜，无劳瞻前顾后也。

〔三〕【注】付之自尔，而理自生成。生成非我也，岂为治乱易节哉！治者自求成，故遗成而不败；乱者②自求生，故忘生而不死。　【疏】有道之君，休明之世，圣人弘道施教，成就天下。时逢暗主，命属荒季，适可全生远害，韬光晦迹。　【释文】"岂为"于伪反。"治乱"直吏反。下同。

〔四〕【注】不瞻前顾后，而尽当今之会，冥然与时世为一，而后妙当可全，刑名可免。　【疏】方，犹当。今丧乱之时，正属衰周之世，危行言逊，仅可免于刑戮，方欲执迹应聘，不亦妄乎！此接舆之词，讥诮孔子也。　【释文】"仅"音觐。

〔五〕【注】足能行而放之，手能执而任之，听耳之所闻，视目之所见，知止其所不知，能止其所不能，用其自用，为其自为，恣其性内而无纤芥于分外，此无为之至易也。无为而性命不全者，未之有也;性命全而非福者,理未闻也。故夫福者,即向之所谓全耳,非假物也,岂有寄鸿毛之重哉! 率性而动,动不过分,天下之至易者也;举其自举,载其自载,天下之至轻者也。然知以无涯伤性,心以欲恶荡真,故乃释此无为之至易而行彼有为之至难,弃夫自举之至轻而取夫载彼之至重,此世之常患也。 【释文】"至易"以豉反。下同。"知以"音智。"欲恶"乌路反。

〔六〕【注】举其性内,则虽负万钧而不觉其重也;外物寄之,虽重不盈锱铢,有不胜任者矣。为内,福也,故福至轻;为外,祸也,故祸至重。祸至重而莫之知避,此世之大迷也。 【疏】夫视听知能,若有涯分。止于分内,可以全生;求其分外,必遭夭折。全生所以为福,夭折所以为祸。而分内之福,轻于鸿毛,贪竞之徒,不知载之在己;分外之祸,重于厚地,执迷之徒,不知避之去身。此盖流俗之常患者也,故寄孔陆以彰其累也。 【释文】"知避"旧本作寘,云:置也。"不胜"音升。

〔七〕【注】夫画地而使人循之,其迹不可掩矣;有其己而临物,与物不冥矣。故大人不明我以耀彼而任彼之自明,不德我以临人而付人之自(得)〔德〕③,故能弥贯万物而玄同彼我,泯然与天下为一而内外同福也。 【疏】已,止也。殆,危也。仲尼生衰周之末,当浇季之时,执持圣迹,历国应聘,频遭斥逐,屡被诋诃。故重言已乎,不如止而勿行也。若用五德临于百姓,舍己效物,必致危己,犹如画地作迹,使人走逐,徒费巧劳,无由得掩,以己率物,其义亦然也。 【释文】"画地"音獲。

〔八〕【注】迷阳,犹亡阳也。亡阳任独,不荡于外,则吾行全矣。天下皆全其吾,则凡称吾者莫不皆全也。 【疏】迷,亡也。阳,明也,动也。陆通劝尼父,令其晦迹韬光,宜放独任之无为,忘遗应物之明智,既而止于分内,无伤吾全生之行也。　【释文】"迷阳"司马云:迷阳,伏阳也,言诈狂。

〔九〕【注】曲成其行,自足矣。　【疏】郤,空也。曲,从顺也。虚空其心,随顺物性,则凡称吾者自足也。　【释文】"郤曲"去逆反。字书作㕗。广雅云,㕗,曲也。○卢文弨曰:案今说文广雅俱作迟。○庆藩案,郤,释文引字书作㕗,是也。说文:迟,曲行也,从辵,只声。广雅:迟,曲也。集韵作迟,云:物曲也。一曰曲受也。玉篇音丘戟反。说文又云:乚,(读若隐。)匿也,象迟曲隐蔽形。字本从乚作㕗,今作迟。

〔校〕①阙误引张君房本吾行作郤曲。②治者乱者,世德堂本无两者字。③德字依赵谏议本改。

山木自寇也,膏火自煎也〔一〕**。桂可食,故伐之;漆可用,故割之**〔二〕**。人皆知有用之用,而莫知无用之用也**〔三〕**。**

〔一〕【疏】寇,伐也。山中之木,楸梓之徒,为有材用,横遭寇伐。膏能明照,以充镫炬,为其有用,故被煎烧。岂独膏木,在人亦然。　【释文】"山木自寇也膏火自煎也"子然反。司马云:木生斧柄,还自伐;膏起火,还自消。崔云:山有木,故火焚也。

〔二〕【疏】桂心辛香,故遭斫伐;漆供器用,所以割之;俱为才能,夭于斤斧。

〔三〕【注】有用则与彼为功,无用则自全其生。夫割肌肤以为天下者,天下之所知也。使百姓不失其自全而彼我俱适者,恍然不觉妙之在身也。　【疏】楸柏橘柚,膏火桂漆,斯有用也。曲辕之树,商丘之木,白颡之牛,亢鼻之豕,斯无用也。而世人皆炫己才能为有用之用,而不知支离其德为无用之用也。故郭注云,有用则与彼为功,无用则自全乎其生也。 【释文】"悗然"亡本反。

庄子集释卷二下

内篇德充符第五〔一〕

〔一〕【注】德充于内,(应)物〔应〕①于外,外内玄合,信若符命而遗其
　　　形骸也。　　【释文】崔云:此遗形弃知,以德实之验也。

〔校〕①物应依赵谏议本改。

　　　鲁有兀者王骀〔一〕,从之游者与仲尼相若〔二〕。常季问
于仲尼曰:"王骀,兀者也,从之游者与夫子中分鲁〔三〕。立
不教,坐不议,虚而往,实而归〔四〕。固有不言之教,无形而
心成者邪〔五〕? 是何人也〔六〕?"

〔一〕【疏】姓王,名骀,鲁人也。刖一足曰兀。形虽残兀,而心实虚
　　　忘,故冠德充符而为篇首也。　　【释文】"兀者"五忽反,又音界。
　　　李云:刖足曰兀。案篆书兀介字相似。"王骀"音臺,徐又音殆。
　　　人姓名也。

〔二〕【注】弟子多少敌孔子。　　【疏】若,如也。陪从王骀游行禀学,
　　　门人多少似于仲尼者也。　　【释文】"从之"如字,李才用反。下

同。"相若"若,如也,弟子如夫子多少也。

〔三〕【疏】姓常,名季,鲁之贤人也。王骀游行,外忘形骸,内德充实,所以从游学者,数满三千,与孔子之徒中分鲁国。常季未达其趣,是以生疑。 【释文】"常季"或云:孔子弟子。

〔四〕【注】各自得而足也。 【疏】弟子虽多,曾无讲说,立不教授,坐无议论,请益则虚心而往,得理则实腹而归。又解:未学无德,亦为虚往也。 【释文】"立不教坐不议"司马云:立不教授,坐不议论。

〔五〕【注】怪其残形而心乃充足也。夫心之全也,遗身形,忘五藏,忽然独往,而天下莫能离。 【疏】教授门人,曾不言议。残兀如是,无复形容,而玄道至德,内心成满。必固有此,众乃从之也。 【释文】"五藏"才浪反。后同。

〔六〕【疏】常季怪其残兀而聚众极多。欲显德充之美,故发斯问也。

仲尼曰:"夫子,圣人也,丘也直后而未往耳。丘将以为师,而况不若丘者乎〔一〕!奚假鲁国! 丘将引天下而与从之〔二〕。"

〔一〕【疏】宣尼呼王骀为夫子,答常季云:"王骀是体道圣人也,汝自不识人,所以致疑。丘直为参差在后,未得往事。丘将尊为师傅,咨询问道,何况晚学之类,不如丘者乎! 请益服膺,固其宜矣。" 【释文】"丘也直后而未往耳"李云:自在众人后,未得往师之耳。○庆藩案,直之为言特也。吕氏春秋忠廉篇特王子庆忌为之伤而不杀耳,高注:特,犹直也。郳风柏舟实维我特,韩(子)〔诗〕特作直。史记叔孙通传吾直戏耳,汉书直作特。

〔二〕【注】夫神全心具,则体与物冥。与物冥者,天下之所不能远,奚但一国而已哉! 【疏】奚,何也。"何但假藉鲁之一邦耶! 丘将诱引宇内,禀承盛德,犹恐未尽其道也。”【释文】“能远”于万反。

常季曰:“彼兀者也,而王先生,其与庸亦远矣〔一〕。若然者,其用心也独若之何〔二〕?”

〔一〕【疏】王,盛也。庸,常也。先生,孔子也。彼王骀者,是残兀之人,门徒侍从,盛于尼父。以斯疑怪,应异常流,与凡常之人固当远矣。　【释文】“而王”于况反。李云:胜也。崔云:君长也。“其与庸亦远矣”与凡庸异也。崔云:庸,常人也。

〔二〕【疏】然,犹如是也。王骀盛德如是,为物所归,未审运智用心,独若何术? 常季不妄,发此疑也。

仲尼曰:“死生亦大矣〔一〕,而不得与之变〔二〕;虽天地覆坠,亦将不与之遗〔三〕。审乎无假〔四〕而不与物迁〔五〕,命物之化〔六〕而守其宗①也〔七〕。”

〔一〕【注】人虽日变,然死生之变,变之大者也。

〔二〕【注】彼与变俱,故死生不变于彼。　【疏】夫山舟潜遁,薪指迁流,虽复万境皆然,而死生最大。但王骀心冥造物,与变化而迁移,迹混人间,将死生而俱往,故变所不能变者也。

〔三〕【注】斯顺之也。　【疏】遗,失也。虽复圆天颠覆,方地坠陷,既冥于安危,故未尝丧我也。　【释文】“虽天地覆”芳服反。“坠”本又作队,直类反。李云:天地犹不能变已,况生死也!

〔四〕【注】明性命之固当。○庆藩案,无假当是无瑕之误,谓审乎己之无可瑕疵,斯任物自迁而无役于物也。淮南精神篇正作审乎无瑕。瑕假皆从叚声,致易互误。(汉书)〔史记〕郑世家使人诱劫郑大夫甫假,左传作傅瑕。礼檀弓肩假,汉书古今人表作公肩瑕,即其证也。

〔五〕【注】任物之自迁。　【疏】灵心安审,妙体真元,既与道相应,故不为物所迁变者也。

〔六〕【注】以化为命,而无乖迕。　【释文】"怪迕"五故反。本亦作
　　遌。下同。

〔七〕【注】不离至当之极。　【疏】达于分命,冥于外物,唯命唯物,与
　　化俱行,动不乖寂,故恒住其宗本者也。　【释文】"不离"力
　　智反。

〔校〕①阙误引江南古藏本宗下有者字。

　　常季曰:"何谓也〔一〕?"

〔一〕【疏】方深难悟,更请决疑。

　　仲尼曰:"自其异者视之,肝胆楚越也〔一〕;自其同者视
之,万物皆一也〔二〕。夫若然者,且不知耳目之所宜〔三〕,而
游心乎德之和〔四〕;物视其所一而不见其所丧,视丧其足犹
遗土也〔五〕。"

〔一〕【注】恬苦之性殊,则美恶之情背。　【疏】万物云云,悉归空寂。
　　倒置之类,妄执是非,于重玄道中,横起分别。何异乎肝胆
　　〔附〕①生,本同一体也,楚越迢递,相去数千,而于一体之中,起
　　数千之远,异见之徒,例皆如是也。　【释文】"肝胆"丁览反。
　　"美恶"乌路反。下皆同。"情背"音佩。

〔二〕【注】虽所美不同,而同有所美。各美其所美,则万物一美也;各
　　是其所是,则天下一是也。夫因其所异而异之,则天下莫不异。
　　而浩然大观者,官天地,府万物,知异之不足异,故因其所同而
　　同之,则天下莫不皆同;又知同之不足有,故因其所无而无之,
　　则是非美恶,莫不皆无矣。夫是我而非彼,美己而恶人,自中知
　　以下,至于昆虫,莫不皆然。然此明乎我而不明乎彼者尔。若
　　夫玄通泯合之士,因天下以明天下。天下无曰我非也,即明天

下之无非;无曰彼是也,即明天下之无是。无是无非,混而为
一,故能乘变任化,迕物而不慑。　【疏】若夫玄通之士,浩然大
观,二仪万物,一指一马;故能忘怀任物,大顺群生。然同者见
其同,异者见其异,至论众妙之境,非异亦非同也。　【释文】
"中知"音智。"不慑"之涉反。

〔三〕【注】宜生于不宜者也。无美无恶,则无不宜。无不宜,故忘②
其宜也。　【疏】耳目之宜,宜于声色者也。且凡情分别,耽滞
声色,故有宜与不宜,可与不可。而王骀混同万物,冥一死生,
岂于根尘之间而怀美恶之见耶!

〔四〕【注】都忘宜,故无不任也。都任之而不得者,未之有也;无不得
而不和者,亦未闻也。故放心于道德之间,荡然无不当,而旷③
然无不适也。　【疏】既而混同万物,不知耳目之宜,故能游道
德之乡,放任乎至道之境者也。

〔五〕【注】体夫极数之妙心,故能无物而不同,无物而不同,则死生变
化,无往而非我矣。故生为我时,死为我顺;时为我聚,顺为我
散。聚散虽异,而我皆我之,则生故我耳,未始有得;死亦我也,
未始有丧。夫死生之变,犹以为一,既睹其一,则蜕④然无系,玄
同彼我,以死生为寤寐,以形骸为逆旅,去生如脱屣,断足如遗
土,吾未见足以缨茀其心也。　【疏】物视,犹视物也。王骀一
于死生,均于彼我。生为我时,不见其得;死为我顺,不见其丧;
覩视万物,混而一之。故虽兀足,视之如遗土者也。　【释文】
"所丧"息浪反。下及注同。"说然"始锐反,又音悦。"脱屦"
九具反。本亦作屣,所买反。○卢文弨曰:今本书作屣。"断
足"丁管反。

〔校〕①附字依刘文典补正本补。②世德堂本作亡。下同。③世德

德充符第五

177

堂本作扩。④世德堂本作说，赵谏议本作悦。

常季曰："彼为己以其知〔一〕，得其心以其心〔二〕。得其常心，物何为最之哉〔三〕？"

〔一〕【注】嫌王骀未能忘知而自存。　【疏】彼，王骀也。谓王骀修善修己，犹用心知。嫌其未能忘知而任独者也。　【释文】"为己"于伪反。

〔二〕【注】嫌未能遗心而自得。　【疏】嫌王骀不能忘怀任致，犹用心以得心也。夫得心者，无思无虑，忘知忘觉，死灰槁木，泊尔无情，措之于方寸之间，起之于视听之表，同二仪之覆载，顺三光以照烛，混尘秒而不挠其神，履穷塞而不忤其虑，不得为得，而得在于无得，斯得之矣。若以心知之术而得之者，非真得也。

〔三〕【注】夫得其常心，平往者也。嫌其不得平往而与物遇，故常使物就之。　【疏】最，聚也。若能虚忘平淡，得真常之心者，固当和光匿耀，不殊于俗。岂可独异于物，使众归之者也！　【释文】"最之"徂会反，徐采会反。下注同。司马云：聚也。○家世父曰：知者外发，心者内存；以其知得其心，循外以葆中也。心者，不息之真机，常心者，无妄之本体；以其心得其常心，即体以证道也。说文：最，犯而取也，犹言物莫能犯之。郭象断句误。○庆藩案，说文：冣，积也，从冖（莫狄切。）取，取亦声。徐锴曰：古以聚物之聚为冣。世人多见最，少见冣，故书传冣字皆作最。

仲尼曰："人莫鉴于流水而鉴于止水〔一〕，唯止能止众止〔二〕。受命于地，唯松柏独也①在冬夏青青〔三〕；受命于天，唯舜独也正②〔四〕，幸能正生，以正众生〔五〕。夫保始之征，不惧之实。勇士一人，雄入于九军。将求名而能自要者,而犹若是〔六〕,而况官③天地,府万物〔七〕,直寓六骸〔八〕,象耳目〔九〕,一知之所知,而心未尝死者乎〔一○〕!彼且择日而登假,人则从是也〔一一〕。彼且何肯以物为事乎〔一二〕!"

〔一〕【注】夫止水之致鉴者,非为止以求鉴也。故王骀之聚众,众自归之,岂引物使从己耶④! 【疏】鉴,照也。夫止水所以留鉴者,为其澄清故也;王骀所以聚众者,为其凝寂故也。止水本无情于鉴物,物自照之;王骀岂有意于招携,而众自来归凑者也。 【释文】"鉴"古暂反。"流水"崔本作沫水,云:沫或作流。○庆藩案,流水与止水相对为文。崔本作沫,非也。隶书或作(淲)〔流〕。(见鲁相史晨飨孔庙后碑。)与沫形相似,故崔氏误以为沫。淮南说山篇人莫鉴于沫雨,高注:沫雨,或作流潦,则沫为流字之讹益磌。

〔二〕【注】动而为之,则不能居众物之止。 【疏】唯,独也。唯止是水本凝湛,能止是留停鉴人,众止是物来临照。亦犹王骀忘怀虚寂,故能容止群生,由是功能,所以为众归聚也。

〔三〕【注】夫松柏特禀自然之钟⑤气,故能为众木之杰耳,非能为而得之也。 【疏】凡厥草木,皆资厚地。至于禀质坚劲,隆冬不凋者在松柏,通年四序,常保青全,受气自尔,非关指意。王骀聚众,其义亦然也。

〔四〕【注】言特受自然之正气者至希也,下首则唯有松柏,上首则唯有圣人,故凡不正者皆来求正耳。若物皆有青全,则无贵于松柏;人各自正,则无羡于大圣而趣之。 【疏】人禀三才,受命苍昊,圆首方足,其类极多。至如挺气正真,独有虞舜。岂由役意,直置自然。王骀合道,其义亦尔。郭注曰下首唯有松柏上首唯有圣人者,但人头在上,去上则死,木头在下,去下则死,是以呼人为上首,呼木为下首。故上首食傍首,傍首食下首。下首,草木也;傍首,虫兽也。

〔五〕【注】幸自能正耳,非为正以正之。 【疏】受气上玄,能正生道也,非由用意,幸率自然,既能正己,复能正物。正己正物,自利利他,内外行圆,名为大圣。虞舜既尔,王骀亦然。而舜受让人,故为标的也。

〔六〕【注】非能遗名而无不任。 【疏】徵,成也,信也。天子六军,诸侯三军,故九军也。或有一人,禀气勇武,保守善始之心,信成令终之节,内怀不惧之志,外显勇猛之姿。既而直入九军,以求名位,尚能伏心要誉,忘死忘生。何况王骀! 体道之状,列在下文也。 【释文】"保始之徵"李云:徵,成也,终始可保成也。"九军"崔(本)〔李〕⑥云:天子六军,诸侯三军,通为九军也。简文云:兵书以攻九天,收九地,故谓之九军。"自要"一遥反。

〔七〕【注】冥然无不体也。 【疏】纲维二仪曰官天地,苞藏宇宙曰府万物。夫勇士入军,直要名位,犹能不顾身命,忘于生死。而况官府两仪,混同万物,视死如生,不亦宜乎!

〔八〕【注】所谓逆旅。 【疏】寓,寄也。六骸,谓身首四肢也。王骀体一身非实,达万有皆真,故能混尘秽于俗中,寄精神于形内,直置暂遇而已,岂系之耶! 【释文】"六骸"崔云:手足首身也。

〔九〕【注】人用耳目,亦用耳目,非须耳目。 【疏】象,似也。和光同尘,似用耳目,非须也。

〔一〇〕【注】知与变化俱,则无往而不冥,此知之一者也。心与死生顺,则无时而非生,此心之未尝死也。 【疏】一知,智也。所知,境也。能知之智照所知之境,境智冥会,能(无)所〔无〕差,故知与不知,通而为一。虽复迹理物化,而心未尝见死者也,岂容有全兀于其间哉！

德充符第五

〔一〕【注】以不失会为择耳，斯人无择也，任其天行而时动者也。故假借之人，由此而最之耳。　【疏】彼王骀者，岂复简择良日而登升玄道？盖不然乎，直置虚淡忘怀而会之也。至人无心，止水留鉴，而世间虚假之人，由是而从之也。　【释文】"彼且"如字。徐子余反。下同。"假人"古雅反，借也。徐音遐，读连上句，人字向下。○庆藩案，登假即登格也。假格古通用。诗奏格或作奏假，是其证。尔雅：格，陟，登，升也。既言登又曰格者，古人自有复语耳。楚辞离骚陟升皇之赫戏兮，陟亦升也。

〔二〕【注】其恬漠故全也。　【疏】唯彼王骀，冥真合道，虚假之物自来归之，彼且何曾以为己务！

〔校〕①阙误引张君房本也下有正字。俞樾以下在字乃正之误。②阙误引张君房本此句作尧舜独也正，正下有在万物之首五字。③唐写本官作宫。④世德堂本无耶字。⑤赵谏议本钟作种。⑥李字依世德堂本改。

　　申徒嘉，兀者也，而与郑子产同师于伯昏无人〔一〕。子产谓申徒嘉曰："我先出则子止，子先出则我止〔二〕。"其明日，又与合堂同席而坐。子产谓申徒嘉曰："我先出则子止，子先出则我止。今我将出，子可以止乎，其未邪〔三〕？且子见执政而不违，子齐执政乎〔四〕？"

〔一〕【疏】姓申徒，名嘉，郑之贤人，兀者也。姓公孙，名侨，字子产，郑之贤大夫也。伯昏无人，师者之嘉号也。伯，长也。昏，闇也。德居物长，韬光若闇，洞忘物我，故曰伯昏无人。子产申徒，俱学玄道,虽复出处殊隔,而同师伯昏,故寄此三人以彰德充之义也。

【释文】"申徒嘉"李云:申徒,氏;嘉,名。"无人"杂篇作胥人。

〔二〕【注】羞与刖者并行。　【疏】子产执政当涂,荣华富贵;申徒禀形残兀,无复容仪。子产虽学伯昏,未能忘遗,犹存宠辱,耻见形残,故预相检约,令其必不并己也。　【释文】"刖者"音月,又五刮反。

〔三〕【注】质而问之,欲使必不并己。　【疏】子产存荣辱之意,申徒忘贵贱之心,前虽有言,都不采领,所以居则共堂,坐还同席。公孙见其如此,故质而问之。

〔四〕【注】常以执政自多,故直云子齐执政,便谓足以明其不逊①。

【疏】违,避也。夫出处异涂,贵贱殊致。我秉执朝政,便为贵大;汝乃卑贱形残,应殊敬我。不能逊让,翻欲齐己也。

〔校〕①赵谏议本逊下有也字。

申徒嘉曰:"先生之门,固有执政焉如此哉〔一〕?子而说子之执政而后人者也〔二〕?闻之曰:'鉴明则尘垢不止,止则不明也。久与贤人处则无过。'今子之所取大者,先生也,而犹出言若是,不亦过乎〔三〕!"

〔一〕【注】此论德之处,非计位也。　【疏】先生,伯昏也。先生道门,深明众妙,混同荣辱,齐一死生。定以执政自多,必如此耶?

【释文】"之处"昌虑反。

〔二〕【注】笑其矜说在位,欲处物先。　【疏】汝犹悦爱荣华,矜夸政事,推人于后,欲处物先。意见如斯,何名学道?　【释文】"而说"音悦。注同。

〔三〕【注】事明师而鄙吝之心犹未去,乃真过也。　【疏】鉴,镜也。夫镜明则尘垢不止,止则非明照也,亦犹久与贤人居则无过,若有过则非贤哲。今子之所取,可重可大者,先生之道也。而先生之道,退己虚忘,子乃自矜,深乖妙旨,而出言如是,岂非过乎!

子产曰:"子既若是矣[一],犹与尧争善,计子之德不①足以自反邪[二]?"

〔一〕【注】若是形残。

〔二〕【注】言不自顾省,而欲轻蔑在位,与有德者并。计子之德,故不足以补形残之过。 【疏】反,犹复也。言申徒形残如是而不自知,乃欲将我并驱,可谓与尧争善。子虽有德,何足在言!以德补残,犹未平复也。 【释文】"争善"如字。

〔校〕①阙误引文成李张诸本不作□。

申徒嘉曰:"自状其过以不当亡者众[一],不状其过以不当存者寡[二]。知不可奈何而安之若命,唯有德者能之[三]。游于羿之彀中。中央者,中地也;然而不中者,命也[四]。人以其全足笑吾不全足者多①矣[五],我怫然而怒[六];而适先生之所,则废然而反[七]。不知先生之洗我以善邪②[八]?吾与夫子游十九年矣③,而未尝知吾兀者也[九]。今子与我游于形骸之内,而子索我于形骸之外,不亦过乎[一〇]!"

〔一〕【注】多自陈其过状,以己为不当亡者众也。

〔二〕【注】默然知过,自以为应死者少也。 【疏】夫自显其状,推罪于他,谓己无愆,不合当亡,如此之人,世间甚多。不显过状,将罪归己,谓己之过,不合存生,如此之人,世间寡少。郑子产奢侈矜伐,于义亦然者也。

〔三〕【疏】若,顺也。夫素质形残,禀之天命,虽有知计,无如之何,唯当安而顺之,则所造皆适。自非盛德,其孰能然! 【释文】"知不可"如字,又音智。

〔四〕【注】羿,古之善射者。弓矢所及为彀中。夫利害相攻,则天下皆羿也。自不遗身忘知与物同波者,皆游于羿之彀中耳。虽张毅之出,单豹之处,犹未免于中地,则中与不中,唯在命耳。而区区者各有所遇,而不知④命之自尔。故免乎弓矢之害者,自以为巧,欣然多己,及至不免,则自恨其谬而志伤神辱,斯未能达命之情者也。夫我之生也,非我之所生也,则一生之内,百年之中,其坐起行止,动静趣舍,情性知能,凡所有者,凡所无者,凡所为者,凡所遇者,皆非我也,理自尔耳。而横生休戚乎其中,斯又逆自然而失者也⑤。 【疏】羿,尧时善射者也。其矢所及,谓之彀中。言羿善射,矢不虚发,彀中之地,必被残伤,无问鸟兽,罕获免者。偶然得免,乃关天命,免与不免,非由工拙,自不遗形忘智,皆游于羿之彀中。是知申徒兀足,忽遭羿之一箭;子产形全,中地偶然获免;既非人事,故不足自多矣。 【释文】"羿"音诣,徐胡係反。善射人,唐夏有之。一云:有穷之君篡夏者也。"彀"音遘,张弓也。○家世父曰:玉篇:彀,张弓弩。汉书周亚夫传,彀弓弩待满。游于羿之彀中,触处皆危机也。而恢恢乎有中地,以自处不中,则上弦下弰,中承箭筈,反有激而伤者矣。均之游也,中与不中,偶值之数也,不可奈何而安之则命也。言亡足之非其罪。"中"如字。"央"於良反,旧於仓反。郭云:弓矢所及为彀中。"中地"丁仲反。下不中、注中地、中与不中同。"单豹"音善。

〔五〕【注】皆不知命而有斯笑矣⑥。

〔六〕【注】见其不知命而怒,斯又不知命也。 【疏】怫然,暴戾之心也。人不知天命，妄计亏全，况己形好，嗤彼残兀。如此之人，其流甚众。忿其无知，怫然暴怒，嗔忿他人，斯又未知命也。【释文】"怫然"扶弗反。

〔七〕【注】见至人之知命遗形，故废向者之怒而复常。　【疏】往<u>伯昏</u>之所，禀不言之教，则废向者之怒而复于常性也。

〔八〕【注】不知先生洗我以善道故耶？我为能自反耶？斯自忘形而遗累矣⑦。　【疏】既适师门，入于虚室，废弃忿怒，反覆寻常。不知师以善水洗涤我心？为是我之性情〔能〕⑧自反覆？进退寻责，莫测所由。斯又忘于学心，遗其系累。

〔九〕【注】忘形故也。　【疏】我与<u>伯昏</u>游于道德，故能穷阴阳之妙要，极至理之精微。既其遗智忘形，岂觉我之残兀！　【释文】"知吾介"本又作兀，两通⑨。

〔一○〕【注】形骸外矣，其德内也。今子与我德游耳，非与我形交也，而索我外好，岂不过哉！　【疏】<u>郭</u>注云：形骸外矣，其德内也。今子与我德游耳，非与我形交也，而索我外(交)〔好〕⑩，岂不过哉！此注意更不劳别释也。　【释文】"子索"色百反。注同。

〔校〕①<u>世德堂</u>本作众。②<u>阙误</u>引<u>张君房</u>本邪下有吾之自寤邪五字。③<u>世德堂</u>本无矣字。④<u>赵谏议</u>本知下有我字。⑤<u>赵</u>本无也字。⑥<u>世德堂</u>本无矣字。⑦<u>世德堂</u>本遗作遣，无矣字。⑧能字依注文补。⑨今本书作兀。⑩好字依注文改。

<u>子产</u>蹴然改容更貌曰："子无乃称〔一〕！"

〔一〕【注】已悟则厌其多言也。　【疏】蹴然，惊惭貌也。<u>子产</u>未能忘怀遣欲，多在物先。既被讥嫌，方怀惊悚，改矜夸之貌，更丑恶之容，悟知已至，不用称说者也。　【释文】"蹴"子六反。"乃称"如字，举也。又尺證反。

鲁有兀者叔山无趾，踵见仲尼[一]。仲尼曰："子不谨，前既犯患若是矣。虽今来，何及矣[二]！"

〔一〕【注】踵，频也。　【疏】叔山，字也。踵，频也。残兀之人，居于鲁国，虽遭刖足，犹有学心，所以接踵频来，寻师访道。既无足趾，因以为其名也。　【释文】"叔山无趾"音止。李云，叔山，(氏)〔字〕①，无足趾。○卢文弨曰：字疑氏。"踵"朱勇反。向郭云：频也。崔云：无趾，故踵行。"见"贤遍反。

〔二〕【疏】子之修身，不能谨慎，犯于宪(纲)〔网〕，前已遭官，患难艰辛，形残若此。今来请益，何所逮耶！　【释文】"子不谨前"绝句。一读以谨字绝句。

〔校〕①字字依世德堂本及卢校改。

无趾曰："吾唯不知务而轻用吾身，吾是以亡足[一]。今吾来也，犹有尊足者存[二]，吾是以务全之也[三]。夫天无不覆，地无不载[四]，吾以夫子为天地，安知夫子之犹若是也[五]！"

〔一〕【注】人之生也，理自生矣，直莫之为而任其自生，斯重其身而知务者也。若乃忘其自生，谨而矜之，斯轻用其身而不知务也，故五藏相攻于内而手足残伤于外也。

〔二〕【注】刖一足未足以亏其德，明夫形骸者逆旅也。

〔三〕【注】去其矜谨，任其自生，斯务全也。　【疏】无趾交游恭谨，重德轻身，唯欲务借声名，不知务全生道，所以触犯宪章，遭斯残兀。形虽亏损，其德犹存，是故频烦追讨，务全道德。以德比形，故言尊足者存。存者，在也。　【释文】"去其"羌吕反。

〔四〕【注】天不为覆，故能常覆；地不为载，故能常载。使天地而为覆载,则有时而息矣;使舟能沉而为人浮,则有时而没矣。故物为焉则未足以终其生也。　【释文】"不为"(於)〔于〕伪反。下不为、而为皆同。

〔五〕【注】责其不谨,不及天地也。　【疏】夫天地亭毒,覆载无偏,而圣人德合二仪,固当弘普不弃,宁知夫子尚不舍形残?善救之心,岂其如是也?

孔子曰:"丘则陋矣〔一〕。夫子胡不入乎,请讲以所闻!"

〔一〕【疏】仲尼所陈,不过圣迹;无趾请学,务其全生。答浅问深,足成鄙陋也。

无趾出〔一〕。孔子曰:"弟子勉之!夫无趾,兀者也,犹务学以复补前行之恶,而况全德之人乎〔二〕!"

〔一〕【注】闻所闻而出,全其无为也。　【疏】夫子,无趾也。胡,何也。仲尼自觉鄙陋,情实多惭,故屈无趾,令其入室,语说所闻方内之道。既而(蓬)〔蘧〕庐久处,刍狗再陈,无趾恶闻,故默然而出也。

〔二〕【注】全德者生便忘生。　【疏】勉,勖励也。夫无趾残兀,尚实全生,补其亏残,悔其前行。况贤人君子,形德两全,生便忘生,德充于内者也。门人之类,宜勖之焉。　【释文】"前行"下孟反。

无趾语老聃曰:"孔丘之于至人,其①未邪?彼何宾宾以学子为〔一〕?彼且蕲以諔诡幻怪之名闻,不知至人之以是为己桎梏邪〔二〕?"

〔一〕【注】怪其方复学于老聃。　【疏】宾宾,恭勤貌也。夫玄德之人,穷理极妙,忘言绝学,率性生知。而仲尼执滞文字,专行圣迹,宾宾勤敬,问礼老君。以汝格量,故知其未如至人也,学子何为者也? 【释文】"语老"鱼據反。"宾宾"司马云:恭貌。张云:犹贤贤也。崔云:有所亲疏也。简文云:好名貌。○俞樾曰:宾宾之义,释文所引,皆望文生义,未达古训。宾宾,犹频频也。汉书司马相如传仁频并间,颜注曰:频字或作宾,是其例也。诗桑柔篇国步斯频,说文目部作国步斯矉。书禹贡篇海滨广斥,汉书地理志作海濒广潟。是皆宾频声相通之证。广雅释训:频频,比也。杨子法言学行篇,频频之党,甚于鸒斯。皆可说此宾宾之义。

〔二〕【注】夫无心者,人学亦学。然古之学者为己,今之学者为人,其弊也遂至乎为人之所为矣。夫师人以自得者,率其常然者也;舍己效人而逐物于外者,求乎非常之名者也。夫非常之名,乃常之所生②。故学者非为幻怪也,幻怪之生必由于学;礼者非为华藻也,而华藻之兴必由于礼。斯必然之理,至人之所无奈何,故以为己之桎梏也③。 【疏】蕲,求也。諔诡,犹奇谲也。在手曰桎,在足曰梏,即今之杻械也。彼之仲尼,行于圣迹,所学奇谲怪异之事,唯求虚妄幻化之名。不知方外体道至人,用此声教为己枷锁也。 【释文】"且蕲"音祈。"諔"尺叔反。"诡"九委反。李云:諔诡,奇异也。○俞樾曰:淑与诡语意不伦,淑诡当读为弔诡。齐物论篇其名为弔诡,正与此同。弔作淑者,古字通用,哀十六年左传昊天不弔,周官大祝职先郑注引〔作〕④闵天不淑,是其证矣。○庆藩案,諔诡亦作俶诡。(见吕览伤乐篇。)諔,犹俶也。薛综注西京赋曰:诡,异也。高诱注淮南本经篇曰:诡文,奇异之文也。"幻"滑辩反。亦作刭。○卢文弨曰:

旧本刁作勾。案说文作彑,从反予。"桎"之实反,郭真一反。木在足也。"梏"古毒反,木在手也。"为己"于伪反。下者为人同。"舍己"音捨。

〔校〕①阙误引张君房本其作□。②世德堂本有也字。③世德堂本无也字。④作字依诸子平议补。

老聃曰:"胡不直使彼以死生为一条,以可不可为一贯者,解其桎梏,其可乎〔一〕?"

〔一〕【注】欲以直理冥之,冀其无迹。 【疏】无趾前见仲尼谈讲之日,何不使孔丘忘于仁义,混同生死,齐一是非?条贯既融,则是帝之县解,岂非释其枷锁,解其杻械也! 【释文】"一贯"古乱反。

无趾曰:"天刑之,安可解〔一〕!"

〔一〕【注】今仲尼非不冥也。顾自然之理,行则影从,言则嚮随。夫顺物则名迹斯立,而顺物者非为名也。非为名则至矣,而终不免乎名,则孰能解之哉!故名者影嚮也,影嚮者形声之桎梏也。明斯理也,则名迹可遗;名迹可遗,则尚彼可绝;尚彼可绝,则性命可全矣。 【疏】仲尼宪章文武,祖述尧舜,删诗书,定礼乐,穷陈蔡,围商周,执于仁义,遭斯戮耻。亦犹行则影从,言则响随,自然之势,必至之宜也。是以陈迹既兴,疵衅斯起,欲不困弊,其可得乎!故天然刑戮,不可解也。 【释文】"嚮随"许丈反。本又作向。下同。

鲁哀公问于仲尼曰:"卫有恶人焉,曰哀骀它〔一〕。丈夫与之处者,思而不能去也。妇人见之,请于父母曰'与为人妻宁为夫子妾'者,十数①而未止也〔二〕。未尝有闻其唱者也,常和人而已矣〔三〕。无君人之位以济乎人之死〔四〕,无聚禄以望人之腹〔五〕。又以恶骇天下〔六〕,和而不唱〔七〕,知不出乎四域〔八〕,且而雌雄合乎前〔九〕。是必有异乎人者也〔一〇〕。寡人召而观之,果以恶骇天下。与寡人处,不至以月数,而寡人有意乎其为人也〔一一〕;不至乎期年,而寡人信之。国无宰,寡②人传国焉〔一二〕。闷然而后应〔一三〕,氾(而)③若辞〔一四〕。寡人丑乎,卒授之国。无几何也,去寡人而行,寡人恤焉若有亡也,若无与乐是国也。是何人者也?〔一五〕"

〔一〕【注】恶,丑也。 【疏】恶,丑也。言卫国有人,形容丑陋,内德充满,为物所归。而哀骀是丑貌,因以为名。 【释文】"恶人"恶,貌丑也。"哀骀"音臺,徐又音殆。"它"徒何反。李云:哀骀,丑貌;它,其名。

〔二〕【疏】妻者,齐也,言其位齐于夫。妾者,接也,适可接事君子。哀骀才全德满,为物归依,大顺群生,物忘其丑。遂使丈夫与〔之〕④同处,恋仰不能舍去;妇人美其才德,竞请为其媵妾。十数未止,明其慕义者多不为人妻,彰其道能感物也。

〔三〕【疏】灭迹匿端,谦居物后,直置应和而已,未尝诱引先唱。【释文】"常和"户卧反。下同。

〔四〕【注】明物不由权势而往。 【疏】夫人君者,必能赦过宥罪,恤死护生。骀它穷为匹夫,位非南面,无权无势,可以济人。明其怀人不由威力。

〔五〕【注】明非求食而往。 【疏】夫储积仓廪,招迎士众归凑,本希饱腹。而骀它既无聚禄,何以致人!明其慕义非由食往也。○李桢曰:望人之望,当读如易月几望之朢。说文:朢,月满也。与望各字。腹满则饱,犹月满为朢,故以拟之。与逍遥游篇腹犹果然同一字法。假望为朢,不见其妙。

〔六〕【注】明不以形美故往。　【疏】骀它形容,异常鄙陋,论其丑恶,惊骇天下,明其聚众,非由色往。　【释文】"恶骇"胡楷反。崔本作駴。

〔七〕【注】非招而致之。　【疏】譬幽谷之响,直而无心,既不以言说招携,非由先物而唱者也。

〔八〕【注】不役思于分外。　【疏】域,分也。忘心遣智,率性任真,未曾役思运怀,缘于四方分外也。　【释文】"役思"息嗣反。

〔九〕【注】夫才全者与物无害,故入兽不乱群,入鸟不乱行,而为万物之林薮。　【疏】雌雄,禽兽之类也。夫才全之士,与物同波,人无害物之心,物无畏人之虑,故鸟与兽且群聚于前也。　【释文】"雌雄合乎前"李云:禽兽属也。"乱行"户刚反。

〔一○〕【疏】一无权势,二无利禄,三无色貌,四无言说,五无知虑。夫聚集人物,必不徒然,今骀它为众归依,不由前之五事,以此而验,固异于常人者也。

〔一一〕【注】未经月已觉其有远处。　【疏】既闻有异,故命召看之。形容丑陋,果惊骇于天下。共其同处,不过二旬,观其为人,察其意趣,心神凝淡,似觉深远也。

〔一二〕【注】委之以国政。　【疏】日月既久,渍炼弥深,是以共处一年,情相委信。而国无良宰,治道未弘,庶屈贤人,传于国政者也。　【释文】"期年"音基。"传国"丈专反。

〔一三〕【注】宠辱不足以惊其神。　【疏】闷然而后应,不觉之容,亦是虚淡之貌。既无情于利禄,岂有意于荣华,故同彼世人,闷然而应之也。 【释文】"闷然"音门。李云:不觉貌。崔⑤云:有顷之间也。"后应"应对之应。

〔一四〕【注】人辞亦辞。 【疏】氾若者,是无的当不系之貌也。虽无惊于宠辱,亦乃同尘以逊让,故氾然常人辞亦辞也。 【释文】"氾"浮剑反,不系也。

〔一五〕【疏】愧,惭也。卒,终也。几何,俄顷也。恤,忧也。寡人是五等之谦称也。既见良人,氾然虚淡,中心愧丑,恋慕殷勤,终欲与之国政,屈为卿辅。俄顷之间,逃遁而去,丧失贤宰,实怀忧恤,情之恍惚,若有遗亡,虽君鲁邦,曾无欢乐。来喜去忧,感动如此,何人何术,一至于斯? 【释文】"丑乎"李云:丑,惭也。崔云:愧也。"无几"居岂反。"与乐"音洛。

〔校〕①赵谏议本十数作数十。②世德堂本寡上有而字。③而字依赵本及疏文删。④之字依正文补。⑤崔下疑脱作间二字。

仲尼曰:"丘也尝使于楚矣,适见独子食于其死母者〔一〕,少焉眴若皆弃之而走。不见己焉尔,不得类焉尔〔二〕。所爱其母者,非爱其形也,爱使其形者也〔三〕。战而①死者,其人之葬也不以翣资〔四〕;刖者之屦,无为爱之〔五〕;皆无其本矣〔六〕。为天子之诸御,不爪翦,不穿耳〔七〕;取妻者止于外,不得复使〔八〕。形全犹足以为尔〔九〕,而况全德之人乎〔一〇〕!今哀骀它未言而信,无功而亲,使人授己国,唯恐其不受也,是必才全而德不形者也〔一一〕。"

〔一〕【注】食乳也。 【释文】"尝使于楚矣"使,音所吏反。本亦作游,本又直云尝于楚矣。"狌子"本又作豚,徒门反。"食于"音饮,邑锦反。注同。旧如字,简文同。

〔二〕【注】夫生者以才德为类,死而才德去矣,故生者以失类而走也。故含德之厚,(者)②比于赤子,无往而不为之赤子也,则天下莫之害,斯得类而明己故也。情苟类焉,则虽形不与同而物无害心;情类苟亡,(虽)则〔虽〕③形同母子而不足以固其志矣。

【疏】哀公陈己心迹以问孔子,孔子以豚子为譬,以答哀公:"丘曾领门徒游行楚地,适见豚子饮其死母之乳,眴目之顷,少时之间,弃其死母,皆散而走。不见己类,所以为然。"故郭注云,生者以才德为类,死而才德去矣,故生者以失类而走也。以况哀公素无才德,非是己类,弃舍而去。骀它才德既全,〔比〕④于赤子,物之亲爱,固是其宜矣。 【释文】"眴若"本亦作瞬,音舜。司马云:惊貌。崔云:目动也。谓死母自动。○俞樾曰:眴若,犹眴然也。徐无鬼篇众狙见之,恂然弃而走。此云眴若,彼云恂然,文异义同。眴恂并夐之假字。说文夕部:夐,惊辞也。从夕,旬声。眴恂亦从旬声,故得通用。释文引司马曰:惊貌,得之矣。眴若皆弃之而走,言狌子皆惊而走也。盖始焉不知其为死母,就之而食;少焉觉其死,故皆惊走也。眴若二字,以其子言,不以其母言。释文又引崔云,目动也,谓死母自动。然则其母不死,与下意不合矣。下文不见己焉尔,不得类焉尔,郭注曰,夫生者以才德为类,死而才德去矣,故生者以失类而走也。若从崔说,死母之目尚动,是其才德未去,何为以失类而走乎?

〔三〕【注】使形者,才德也。 【疏】郭注曰,使形者才德也。而才德者,精神也。豚子爱母,爱其精神;人慕骀它,慕其才德者也。

〔四〕【注】翣者,武所资也。战而死者无武也,翣将安施! 【释文】

"翣资"所甲反,扇也,武王所造。宋均云:武饰也。李云:资,送也。崔本作翣枕,音坎,谓先人坟墓也。○卢文弨曰:李下旧无云字,案当有,今增。

〔五〕【注】所爱屦者,为足故耳。　【释文】"为足"于伪反。

〔六〕【注】翣屦者以足武为本。　【疏】翣者,武饰之具,武王为之,或云周公作也。其形似方扇,(使)〔饰〕车两边。军将行师,陷阵而死,及其葬日,不用翣资。是知翣者武之所资,屦者足之所(使)用,形者神之所使;无足〔则〕屦无所用,无武则翣无所资,无神则形无所(爱)〔受〕。然翣屦以足武为本,形貌以才德为原,二者无本,故并无用也。

〔七〕【注】全其形也。

〔八〕【注】恐伤其形。　【疏】夫帝王宫闱,拣择御女,穿耳翦爪,恐伤其形。匹夫取妻,停于外务,使役驱驰,虑亏其色。此重举譬以况全才也。　【释文】"不得复使"扶又反。章末注同。崔本作不得复使(矣)〔入〕⑤,云:不复入直也。○家世父曰:不爪翦,不穿耳,谓不加修饰而后本质见。止于外不复使,谓不交涉他事而后精神专一。郭象以为恐伤其形,误也。

〔九〕【注】采择嫔御及燕尔新昏,本以形好为意者也。故形之全也,犹⑥以降至尊之情,回贞女之操也。　【释文】"形好"呼报反。

〔一○〕【注】德全而物爱之,宜矣。　【疏】尔,然也。夫形之全具,尚能降真人,感贞女,而况德全乎! 此合譬也。故郭注云,德全而物爱之,宜矣哉!

〔一一〕【疏】夫亲由绩彰,信藉言显。今驺它未至言说而已遭委信,本无功绩而付托实亲,遂使鲁侯虚襟授其朝政,卑己逊让,唯恐不受。如是之人,必当才智全具而推功于物,故德不形见之也。

〔校〕①赵谏议本无而字。②者字依世德堂本删。③则虽依世德堂本互易。④比字依注文补。⑤入字依释文原本改。⑥赵本犹作无。

哀公曰:"何谓才全[一]?"

〔一〕【疏】前虽标举,于义未彰,故发此疑,庶希后答。

仲尼曰:"死生存亡,穷达贫富,贤与不肖毁誉,饥渴寒暑,是事之变、命之行也[一],日夜相代乎前[二],而知不能规乎其始者也[三]。故不足以滑和[四],不可入于灵府[五]。使之和豫,通而不失于兑[六];使日夜无郤①[七]而与物为春[八],是接而生时于心者也[九]。是之谓才全[一〇]。"

〔一〕【注】其理固当,不可逃也。故人之生也,非误生也;生之所有,非妄有也。天地虽大,万物虽多,然吾之所遇适在于是,则虽天地神明,国家圣贤,绝力至知而弗能违也。故凡所不遇,弗能遇也,其所遇,弗能不遇也;〔凡〕②所不为,弗能为也,其所为,弗能不为也;故付之而自当矣。 【疏】夫二仪虽大,万物虽多,人生所遇,适在于是。故前之八对,并是事物之变化,天命之流行,而留之不停,推之不去,安排任化,所遇(所)〔斯〕③适。自非德充之士,其孰能然! 此则仲尼答哀公才全之义。 【释文】"毁誉"音馀。

〔二〕【注】夫命行事变,不舍昼夜,推之不去,留之不停。故才全者,随所遇而任之。 【释文】"不舍"音捨。

〔三〕【注】夫始非知之所规,而故非情之所留。是以知命之必行,事之必变者,岂于终规始,在新恋故哉? 虽有至知而弗能规也。逝者之往,吾奈之何哉! 【疏】夫命行事变,其速如驰;代谢迁流,不舍昼夜。一前一后,反覆循环,虽有至知,不能测度,岂复在新恋故,在终规始哉? 盖不然也。唯当随变任化,则无往而不逍遥也。

〔四〕【注】苟知性命之固当,则虽死生穷达,千变万化,淡然自若而和理在身矣。 【疏】滑,乱也。虽复事变命迁,而随形任化,淡然自若,不乱于中和之道也。 【释文】"以滑"音骨。"淡然"徒暂反。

〔五〕【注】灵府者,精神之宅也。夫至足者,不以忧患经神,若皮外而过去。 【疏】灵府者,精神之宅,所谓心也。经寒(涉)暑,〔涉〕治乱,千变万化,与物俱往,未当概意,岂复关心耶!

〔六〕【注】苟使和性不滑,灵府闲豫,则虽涉乎至变,不失其兑然也。 【疏】兑,遍悦也。体穷通,达生死,遂使所遇和乐,中心逸豫,经涉夷险,兑然自得,不失其适悦也。 【释文】"于兑"徒外反。<u>李</u>云:悦也。"闲豫"音闲。

〔七〕【注】泯然常任之。 【疏】郤,间也。<u>驰它</u>流转,日夜不停,心心相系,亦无间断也。 【释文】"无郤"去逆反。<u>李</u>云:间也。

〔八〕【注】群生之所赖也。 【疏】慈照有生,恩沾动植,与物仁惠,事等青春。

〔九〕【注】顺四时而俱化。 【疏】是者,指斥以前事也。才全之人,接济群品,生长万物,应赴顺时,无心之心,逗机而照者也。 【释文】"是接而生时乎心者也"<u>司马</u>云:接至道而和气在心也。<u>李</u>云:接万物而施生,顺四时而俱作。○<u>卢文弨</u>曰:今本书乎作于。

〔一○〕【疏】总结以前,是才全之义也。

〔校〕①<u>敦煌</u>本郤作陈。②凡字依<u>世德堂</u>本补。③斯字依<u>刘文典</u>补正本改。

"何谓德不形〔一〕?"

〔一〕【疏】已领才全,未悟德不形义。更相发问,庶闻后旨也。

曰:"平者,水停之盛也〔一〕。其可以为法也〔二〕,内保之而外不荡也〔三〕。德者,成和之修也〔四〕。德不形者,物不能离也〔五〕。"

〔一〕【注】天下之平,莫盛于停水也。 【疏】停,止也。而天下均平,莫盛于止水。故上文云人莫鉴于流水而必鉴于止水。此举为譬,以彰德不形义故也。

〔二〕【注】无情至平,故天下取正焉。

〔三〕【注】内保其明,外无情伪,玄鉴洞照,与物无私,故能全其平而行其法也。 【疏】夫水性澄清,鉴照于物,大匠虽巧,非水不平。故能保守其明而不波荡者,可以轨(彻)〔辙〕工人,洞鉴妍丑也。故下文云水平中准,大匠取则焉。况至人冥真合道,和光(和)〔利〕①物,模楷苍生,动而常寂,故云内保之而外不荡者也。【释文】"情为"于伪反。○庆藩案,情为即情伪也。古为伪二字通用。史记小司马本五帝纪平秩南为,汉书王莽传作南伪。礼月令作淫巧,郑注曰:今月令作为作情伪。左定公十二年传子伪不知,释文:伪,一作为。荀子性恶篇,可学而能,可事而成之在人者谓之伪。伪即为也。皆其证。

〔四〕【注】事得以成,物得以和,谓之德也。 【疏】夫成于庶事,和于万物者,非盛德孰能之哉! 必也先须修身立行,后始可成事和物。(之德)〔物得〕以和而我不丧者,方可以谓之德也。

〔五〕【注】无事不成,无物不和,此德之不形也。是以天下乐推而不厌。 【疏】夫明齐日月而归明于昧,功侔造化而归功于物者,

（也）〔此〕②德之不形也。是以含德之厚，比于赤子，天下乐推而不厌，斯物不离之者也。 【释文】"能离"力智反。

〔校〕①利字依应帝王篇名实不入句下疏文改。后同。②此字依注文改。

哀公异日以告闵子曰："始也吾以南面而君天下，执民之纪而忧其死，吾自以为至通矣。今吾闻至人之言，恐吾无其实，轻用吾身而亡其国。吾与孔丘，非君臣也，德友而已矣〔一〕。"

〔一〕【注】闻德充之风者，虽复哀公，犹欲遗形骸，忘贵贱也。 【疏】姓闵，名损，字子骞，宣尼门人，在四科之数，甚有孝德，鲁人也。异日，犹它日也。南面，君位也。初始未悟，矜于鲁君，执持纲纪，忧于兆庶，养育教诲，恐其夭死。用斯治术，为至美至通。今闻尼父言谈，且陈才德之义，鲁侯悟解，方觉前非。至通忧死之言，更成虚幻；执纪南面之大，都无实录；于是隳肢体，黜聪明，遗尊卑，忘爵位，观鲁邦若蜗角，视己形如隙影，友仲尼以全道德，礼司寇以异君臣。故知庄老之谈，其风清远，德充之美，一至于斯。 【释文】"闵子"孔子弟子闵子骞也。

闉跂支离无脤说卫灵公，灵公说之；而视全人，其脰肩肩。瓮㼜大瘿说齐桓公，桓公说之；而视全人，其脰肩肩〔一〕。故德有所长而形有所忘〔二〕，人不忘其所忘而忘其所不忘，此谓诚忘〔三〕。故圣人有所游〔四〕，而知为孽，约为胶，德为接，工为商〔五〕。圣人不谋，恶用知？不斫，恶用胶？无丧，恶用德？不货，恶用商〔六〕？四者，天鬻也。天鬻者，天食也〔七〕。既受食于天，又恶用人〔八〕！有人之形〔九〕，无人之情〔一〇〕。有人之形，故群于人〔一一〕，无人之情，故是非不得于身〔一二〕。眇乎小哉，所以属于人也〔一三〕！謷乎大哉，独成其天〔一四〕！

〔一〕【注】偏情一往①，则丑者更好而好者更丑也。　【疏】闉，曲也，谓挛曲企肿而行。跂，唇也，谓支体坏裂，伛偻残病，复无唇也。瓮，盆也。胫，颈也。肩肩，细小貌也。而支离残病，企肿而行；瘿瘤之病，大如盆瓮。此二人者，穷天地之陋，而俱能忘形建德，体道谈玄。遂使齐卫两君，钦风爱悦，美其盛德，不觉病丑，顾视全人之颈翻小而自肩肩者。　【释文】“闉”音因，郭乌年反。“跂”音企，郭其逆反。“支离无脤”徐市轸反，又音唇。司马云：闉，曲；跂，企也。闉跂支离，言脚常曲，行体不正卷缩也。无脤，名也。崔云：闉跂，偃者也。支离，伛者也。脤，唇同。简文云：跂，行也。脤，臀也。○庆藩案，慧琳一切经音义一百肇论卷上引司马云：跂，望也。释文阙。“说卫”始锐反，又如字。下说齐桓同。“说之”音悦。下说之同。“胫”音豆，颈也。“肩肩”胡咽反，又胡恩反。李云：羸小貌。崔云：犹玄玄也。简文云：直貌。○李桢曰：考工梓人文数目顾胫，注云：顾，长胫貌，与肩肩义合。知肩是省借，本字当作顾。并可据郑注补释文一义。“瓮”乌送反，郭於宠反。“瓮”乌葬反，郭於两反。李云：瓮瓮，大瘿貌。崔同。“大瘿”一领反。说文云：瘤也。

〔二〕【注】其德长于顺物，则物忘其丑；长于逆物，则物忘其好。　【疏】大瘿支离，道德长远，遂使齐侯卫主，忘其形恶。

〔三〕【注】生则爱之，死则弃之。故德者，世之所不忘也；形者，理之所不存也。故夫忘形者，非忘也；不忘形而忘德者，乃诚忘也。

【疏】诚,实也。所忘,形也;不忘,德也;忘形易而忘德难也,故谓形为所忘,德为不忘也。不忘形而忘德者,此乃真实(志)〔忘〕②。斯德不形之义也。

〔四〕【注】游于自得之场,放之而无不至者,才德全也。 【疏】物我双遣,形德两忘,故放任乎变化之场,遨游于至虚之域也。

〔五〕【注】此四者自然相生,其理已具。 【疏】夫至人道迈三清而神游六合,故蕴智以救殃孽,约束以检散心,树德以接苍生,工巧以利群品。此之四事,凡类有之,大圣慈救,同尘顺物也。【释文】"而知"音智,下同。"为孽"鱼列反。司马云:智慧生妖孽。"约为胶"司马云:约束而后有如胶漆。崔云:约誓所以为胶固。"德为接"司马云:散德以接物也。"工为商"司马云:工巧而商贾起。

〔六〕【注】自然已具,故圣人无所用其己也。 【疏】恶,何也。至人不殃孽谋谟,何用智惠? 不散乱雕斫,何用胶固? 本不丧道,用德何为? 不贵难得之货,无劳商贾。只为和光(和)〔利〕物,是故有之者也。 【释文】"恶用"音乌,下同。"不斫"陟角反。"无丧"息浪反。

〔七〕【注】言自然而禀之。 【疏】鬻,食也。食,禀也。天,自然也。以前四事,苍生有之,禀自天然,各率其性,圣人顺之,故无所用己也。 【释文】"天鬻"音育,养也。"天食"音嗣,亦如字。

〔八〕【注】既禀之自然,其理已足。则虽沉思以免难,或明戒以避祸,物无妄然,皆天地之会,至理所趣。必自思之,非我思也;必自不思,非我不思也。或思而免之,或思而不免,或不思而免之,或不思而不免。凡此皆非我也,又奚为哉? 任之而自至也。【疏】禀之自然,各有定分。何须分外添足人情! 违天任人,故至悔者也。　【释文】"受食"如字,又音嗣。"沉思"息嗣反,亦如字。"免难"乃旦反。

〔九〕【注】视其形貌若人。

〔一〇〕【注】掘若槁木之枝。　【疏】圣人同尘在世,有生处之形容;体道虚忘,无是非之情虑。　【释文】"掘若"其勿反。"槁木"苦老反。

〔一一〕【注】类聚群分,自然之道。　【疏】和光混迹,群聚世间。此解有人之形。　【释文】"群分"如字。

〔一二〕【注】无情,故付之于物也。　【疏】譬彼灵真,绝无性识①;既忘物我②,何有是非! 此解无人之情故也。

〔一三〕【注】形貌若人。　【疏】属,系也。迹闵嚚俗,形系人群,与物不殊,故称眇小也。此结有人之形耳。　【释文】"眇"亡小反。简文云:陋也。○庆藩案,慧琳一切经音义九十八广弘明集音卷十五引司马云:眇,高视也。释文阙。

〔一四〕【注】无情,故浩然无不任。无不任者,有情之所未能也,故无情而独③成天也。　【疏】謷,高大貌也。謷然大教,万境都忘,智德高深,凝照弘远。故叹美大人,独成自然之至。此结无人之情也。　【释文】"謷乎"五羔反,徐五报反。简文云:放也。今取遨游义也。"独成其天"如字。崔本天字作大,云:类同于人,所以为小;情合于天,所以为大。

〔校〕①赵谏议本作性。②忘字依正文改。③赵本独作及。

惠子谓庄子曰:"人故无情乎〔一〕?"

〔一〕【疏】前文云,有人之形,无人之情。惠施引此语来质疑。庄子所言人者,必固无情虑乎? 然庄惠二贤,并游心方外,故常禀而为论端。

庄子曰:"然[一]。"

〔一〕【疏】然,如是也。许其所问,故答云然。

惠子曰:"人而无情,何以谓之人[一]?"

〔一〕【疏】若无情智,何名为人? 此是惠施进责之辞,问于庄子。

庄子曰:"道与之貌,天与之形,恶得不谓之人[一]?"

〔一〕【注】人之生也,非情之所生也;生之所知,岂情之所知哉? 故有
情于为离旷而弗能也,然离旷以无情而聪明矣;有情于为贤圣
而弗能也,然贤圣以无情而贤圣矣。岂直贤圣绝远而离旷难慕
哉? 虽下愚聋瞽及鸡鸣狗吠,岂有情于为之,亦终不能也。不
问远之与近,虽去己一分,颜孔之际,终莫之得也。是以关之万
物,反取诸身,耳目不能以易任成功,手足不能以代司致业。故
婴儿之始生也,不以目求乳,不以耳向明,不以足操物,不以手
求行。岂百骸无定司,形貌无素主,而专由情以制之哉!
【疏】恶,何也。虚通之道,为之相貌;自然之理,遗其形质。形
貌具有,何得不谓之人? 且形之将貌,盖亦不殊。道与自然,互
其文耳。欲显明斯义,故重言之也。 【释文】"恶得"音乌。下
恶得同。"吠"扶废反。"一分"如字。"足操"七刀反。

惠子曰:"既谓之人,恶得无情[一]?"

〔一〕【注】未解形貌之非情也。 【疏】既名为人,理怀情虑。若无情
识,何得谓之人? 此是惠施未解形貌之非情。 【释文】"未解"
音蟹。

庄子曰:"是非吾所谓情也[一]。吾所谓无情者,言人
之不以好恶内伤其身[二],常因自然而不益生也[三]。"

〔一〕【注】以是非为情,则无是无非无好无恶者,虽有形貌,直是人耳,情将安寄! 　【疏】吾所言情者,是非彼我好恶憎嫌等也。若无是无非,虽有形貌,直是人耳,情将安寄!

〔二〕【注】任当而直前者,非情也。 　【疏】庄子所谓无情者,非木石其怀也,止言不以好恶缘虑分外,遂成性而内理其身者也。何则?蕴虚照之智,无情之情也。

〔三〕【注】止于当也。 　【疏】因任自然之理,以此为常;止于所禀之涯,不知生分。

惠子曰:"不益生,何以有其身〔一〕?"

〔一〕【注】未明生之自生,理之自足。 　【疏】若不资益生道,何得有此身乎?未解生之自生,理之自足者也。

庄子曰:"道与之貌,天与之形〔一〕,无以好恶内伤其身〔二〕。今子外乎子之神,劳乎子之精,倚树而吟,据槁梧而瞑〔三〕。天选子之形,子以坚白鸣〔四〕!"

〔一〕【注】生理已自足于形貌之中,但任之则身存。 　【疏】道与形貌,生理已足,但当任之,无劳措意也。

〔二〕【注】夫好恶之情,非所以益生,只足以伤身,以其生之有分也。 　【疏】还将益以酬后问也。 　【释文】"无以好恶"呼报反。下乌路反。注同。"只足"音支。

〔三〕【注】夫神不休于性分之内,则外矣;精不止于自生之极,则劳矣。故行则倚树而吟,坐则据梧而睡,言有情者之自困也。 　【疏】槁梧,夹膝几也。惠子未遗筌蹄,耽内名理,疏外神识,劳苦精灵,故行则倚树而吟咏,坐则隐几而谈说,是以形劳心倦,疲怠而瞑者也。 　【释文】"倚树"於绮反。"据槁"苦老反。"梧"音吾。"而瞑"音眠。崔云:据琴而睡也。"而睡"垂臂反。

〔四〕【注】言凡子所为,外神劳精,倚树据梧,且吟且睡,此世之所谓
　　　情也。而云天选,明夫情①者非情之所生,而况他哉! 故虽万物
　　　万形,云为趣舍,皆在无情中来,又何用情于其间哉! 　【疏】
　　　选,授也。鸣,言说也。自然之道,授与汝形,夭寿妍丑,其理已
　　　定,无劳措意,分外益生。而子禀性聪明,辨析(明)〔名〕②理,执
　　　持己德,炫耀众人。亦何异乎公孙龙作白马论,云白马非马,坚
　　　守斯论,以此自多! 信有其言而无其实,能伏众人之口,不能伏
　　　众人之心。今子分外夸谈,即是斯之类也。　【释文】"天选"宣
　　　转反,旧思缓反。

〔校〕①赵谏议本情作此。②名字依刘文典说改。

庄子集释卷三上

内篇**大宗师第六**〔一〕

〔一〕【注】虽天地之大，万物之富，其所宗而师者无心也。　【释文】
"大宗师"崔云：遗形忘生，当大宗此法也。

　　知天之所为，知人之所为者，至矣〔一〕。知天之所为
者，天而生也〔二〕；知人之所为者，以其知之所知以养其知
之所不知，终其天年而不中道夭者，是知之盛也〔三〕。

〔一〕【注】知天人之所为者，皆自然也，则内放其身而外冥于物，与众
　　玄同，任之而无不至者也。　【疏】天者，自然之谓。至者，造极
　　之名。天之所为者，谓三景晦明，四时生杀，风云舒卷，雷雨寒
　　温也。人之所为者，谓手捉脚行，目视耳听，心知工拙，凡所施
　　为也。知天之所为，悉皆自尔，非关修造，岂由知力！是以内放
　　其身，外冥于物，浩然大观，与众玄同，穷理尽性，故称为至也。

〔二〕【注】天者，自然之谓也。夫为为者不能为，而为自为耳；为知者
　　不能知，而知自知耳。自知耳，不知也，不知也则知出于不知

矣;自为耳,不为也,不为也则为出于不为矣。为出于不为,故以不为为主;知出于不知,故以不知为宗。是故真人遗知而知,不为而为,自然而生,坐忘而得,故知称绝而为名去也。　【疏】云行雨施,川源岳渎,非关人力,此乃天生,能知所知,并自然也。此解前知天之所为。　【释文】"天而生"向崔本作失而生。"知称"尺證反。

〔三〕【注】人之生也,形虽七尺而五常必具,故虽区区之身,乃举天地以奉之。故天地万物,凡所有者,不可一日而相无也。一物不具,则生者无由得生;一理不至,则天年无缘得终。然身之所有者,知或不知也;理之所存者,为或不为也。故知之所知者寡而身之所有者众,为之所为者少而理之所存者博,在上者莫能器之而求其备焉。人之所知不必同而所为不敢异,异则伪成矣,伪成而真不丧者,未之有也。或好知而不倦以困其百体,所好不过一枝而举根俱弊,斯以其所知而害所不知也。若夫知之盛也,知人之所为者有分,故任而不(强)〔彊〕也,知人之所知者有极,故用而不荡也。故所知不以无涯自困,则一体之中,知与不知,闇相与会而俱全矣,斯以其所知养所不知者也。　【疏】人之所为,谓四肢百体各有御用也。知之所知者,谓目知于色,即以色为所知也。知之所不知者,谓目能知色,不能知声,即以声为所不知也。既而目为手足而视,脚为耳鼻而行,虽复无心相为,而济彼之功成矣。故眼耳鼻舌,四肢百体,更相役用,各有司存。心之明闇,亦有限极,用其分内,终不强知。斯以其知之所知以养其知之所不知也,故得尽其天年,不横夭折。能如是者,可谓知之盛美者也。　【释文】"不丧"息浪反,下皆同。"或好"呼报反。下同。"不强"其两反。○卢文弨曰:今本书作彊。

虽然，有患〔一〕。夫知有所待而后当〔二〕，其所待者特未定也〔三〕。庸讵知吾所谓天之非人乎？所谓人之非天乎〔四〕？

〔一〕【注】虽知盛，未若遗知任天之无患也。　【疏】知虽盛美，犹有患累，不若忘知而任独也。

〔二〕【注】夫知者未能无可无不可，故必有待也。若乃任天而生者，则遇物而当也。

〔三〕【注】有待则无定也。　【疏】夫知必对境，非境不当。境既生灭不定，知亦待夺无常。唯当境知两忘，能所双绝者，方能无可不可，然后无患也已。

〔四〕【注】我生有涯，天也；心欲益之，人也。然此人之所谓耳，物无非〔天也〕①。天也者，自然者也；人皆自然，则治乱成败，遇与不遇，非人为也，皆自然耳。　【疏】近取诸身，远托诸物，知能运用，无非自然。是知天之与人，理归无二。故谓天则人，谓人则天。凡庸之流，讵晓斯旨！所言吾者，庄生自称。此则泯合人天，混同物我者也。　【释文】“庸讵”徐其庶反。“则治”直吏反。

〔校〕①天也二字依世德堂本补。

且有真人而后有真知〔一〕。何谓真人〔二〕？古之真人，不逆寡〔三〕，不雄成〔四〕，不谟士〔五〕。若然者，过而弗悔，当而不自得也〔六〕。若然者，登高不慄，入水不濡，入火不热。是知之能登假于道者也若此。〔七〕

〔一〕【注】有真人，而后天下之知皆得其真而不可乱也。　【疏】夫圣人者，诚能冥真合道，忘我遗物。怀兹圣德，然后有此真知，是以混一真人而无患累。真(知)〔人〕之状,列在下文耳。

〔二〕【疏】假设疑问,庶显其旨。

〔三〕【注】凡寡皆不逆,则所愿者众矣。 【疏】寡,少也。引古御今,
崇本抑末,虚怀任物,大顺群生,假令微少,曾不逆忤者也。

〔四〕【注】不恃其成而处物先。 【疏】为而不恃,长而不宰,岂雄据
成绩,欲处物先耶!

〔五〕【注】纵心直前而群士自合,非谋谟以致之者也。 【疏】虚夷忘
淡,士众自归,非关运心谋谟招致故也。 【释文】“不谟”没
乎反。

〔六〕【注】直自全当而无过耳,非以得失经心者也。 【疏】天时已
过,曾无悔吝之心;分命偶当,不以自得为美也。○俞樾曰:过
者,谓于事有所失也。当者,谓行之而当也。在众人之情,于
事有所过失则悔矣,行之而当则自以为得矣。真人不然。故曰
过而弗悔,当而不自得也。正文明言过,郭注谓全当而无过,
失之。

〔七〕【注】言夫知之登至于道者,若此之远也。理固自全,非畏死也。
故真人陆行而非避濡也,远火而非逃热也,无过而非措当也。
故虽不以热为热而未尝赴火,不以濡为濡而未尝蹈水,不以死
为死而未尝丧生。故夫生者,岂生之而生哉,成者,岂成之而成
哉! 故任之而无不至者,真人也,岂有概意于所遇哉! 【疏】
慄,惧也。濡,湿也。登,升也。假,至也。真人达生死之不二,
体安危之为一,故能入水入火,曾不介怀,登高履危,岂复惊惧。
真知之士,有此功能,升至玄道,故得如是者也。 【释文】“不
慄”音栗。“不濡”而朱反。“登假”更百反,至也。“远火”于萬
反。“有概”古爱反。

古之真人，其寝不梦〔一〕，其觉无忧〔二〕，其食不甘〔三〕，其息深深。真人之息以踵〔四〕，众人之息以喉。屈服者，其嗌言若哇〔五〕。其耆欲深者，其天机浅〔六〕。

〔一〕【注】无意想也。

〔二〕【注】当所遇而安也。　【疏】梦者，情意妄想也。而真人无情虑，绝思想，故虽寝寐，寂泊而不梦，以至觉悟，常适而无忧也。　【释文】"其觉"古孝反。

〔三〕【注】理当食耳。　【疏】混迹人间，同尘而食，不耽滋味，故不知其美。

〔四〕【注】乃在根本中来者也。　【疏】踵，足根也。真人心性和缓，智照凝寂，至于气息，亦复徐迟。脚踵中来，明其深静也。
【释文】"深深"李云：内息之貌。○家世父曰：存息于无息之地，而后纳之深，泊然寂然，无出无入，无往无来，郁怒之所不能结，耆欲之所不能加，百骸九窍六藏，一不与为灌输，而退而寄之于踵，乃以养息于深微博厚而寓诸无穷。"以踵"章勇反。王穆夜云：起息于踵，遍体而深。

〔五〕【注】气不平畅。　【疏】嗌，喉也。哇，碍也。凡俗之人，心灵驰竞，言语喘息，唯出咽喉。情躁气促，不能深静，屈折起伏，气不调和，咽喉之中恒如哇碍也。　【释文】"以喉"向云：喘悸之息，以喉为节，言情欲奔竞所致。"其嗌"音益。郭音厄，厄咽喉也。"若哇"獲娲反，徐胡卦反，又音絓。崔一音於佳反，结也，言咽喉之气结碍不通也。简文云：哇，呕也。

〔六〕【注】深根宁极，然后反一，无欲也。　【疏】夫耽耆诸尘而情欲深重者，其天然机神浅钝故也。若使智照深远，岂其然乎！
【释文】"其耆"市志反。

古之真人，不知说生，不知恶死〔一〕；其出不䜣，其入不距〔二〕；翛然而往，翛然而来而已矣〔三〕。不忘其所始，不求其所终〔四〕；受①而喜之〔五〕，忘而复之〔六〕，是之谓不以心捐道，不以人助天。是之谓真人〔七〕。

〔一〕【注】与化为体者也。 【疏】气聚而生，生为我时；气散而死，死为我顺。既冥变化，故不以悦恶存怀。 【释文】"说生"音悦。"恶死"乌路反。

〔二〕【注】泰然而任之也。 【疏】时应出生，本无情于忻乐；时应入死，岂有意于距讳耶！ 【释文】"不䜣"音欣，又音祈。"不距"本又作拒，音巨。李云：欣出则营生，距入则恶死。

〔三〕【注】寄之至理，故往来而不难也。 【疏】翛然，无系貌也。翛然独化，任理遨游，虽复死往生来，曾无意恋之者也。 【释文】"翛然"音萧。本又作儵。徐音叔，郭与久反，李音悠。向云：翛然，自然无心而自尔之谓。郭崔云：往来不难之貌。司马云：儵，疾貌。李同。○卢文弨曰：旧久讹冬，今从宋本正。

〔四〕【注】终始变化，皆忘之矣，岂直逆忘其生，而犹复探求死意也！ 【疏】始，生也。终，死也。生死都遣，曾无滞著。岂直独忘其生而偏求于死邪？终始均平，所遇斯适也。 【释文】"犹复"扶又反。下非复同。

〔五〕【注】不问所受者何物，遇之而无不适也。 【疏】喜所遇也。

〔六〕【注】复之不由于识，乃至也。 【疏】反未生也。

〔七〕【注】人生而静，天之性也；感物而动，性之欲也。物之感人无穷，人之逐欲无节，则天理灭矣。真人知用心则背道，助天则伤生，故不为也。 【疏】是谓者，指斥前文，总结其旨也。捐，弃也。言上来智惠忘生，可谓不用取舍之心，捐弃虚通之道；亦不用人情分别,添助自然之分。能如是者,名曰真人也。　【释文】"捐"徐以全反。郭作揖,一人反。崔云:或作楫,所以行舟也。○卢文弨曰:揖旧讹楫。案下方云或作楫,则此当作揖。○俞樾曰:捐字误。释文云,郭作揖,崔云或作楫,所以行舟也,其义弥不可通。疑皆借字之误。偝即背字,故郭注曰,真人知用心则背道,助天则伤生。是郭所据本正作偝也。"则背"音佩。

〔校〕①赵谏议本受作爱。

若然者,其心志[一],其容寂[二],其颡頯[三]:凄然似秋[四],煖然似春[五],喜怒通四时[六],与物有宜而莫知其极[七]。

〔一〕【注】所居而安为志。　【疏】若如以前不捐道等心,是心怀志力而能致然也。故老经云,强行者有志。○家世父曰:郭象注,所居而安为志,应作其心志。说文:志,心之所之也。商书,若射之有志,孔疏云:如射之有志,志之所主,欲得中也。佛书性相如如,常住不迁,即此所谓其心志也。○庆藩案,说文无志篆,所引当出字林字书。

〔二〕【注】虽行而无伤于静。　【释文】"容家"本亦作寂。崔本作宋。○卢文弨曰:旧本讹家,今改正,说见前。本书作寂。

〔三〕【注】頯,大朴之貌。　【疏】頯,额也。頯,大朴貌。夫真人降世,挺气异凡,非直智照虚明,志力弘普,亦乃威容闲雅,相貌端严。日角月弦,即斯类也。　【释文】"其颡"息黨反。崔云:额也。"頯"徐去轨反,郭苦对反,李音仇,一音逵,权也。王云:质朴无饰也。向本作䫜,云:䫜然,大朴貌。广雅云:䫜,大也。五罪反。

〔四〕【注】杀物非为威也。　　【释文】"凄然"七西反。

〔五〕【注】生物非为仁也。　　【释文】"煖然"音暄,徐况晚反。

〔六〕【注】夫体道合变者,与寒暑同其温严,而未尝有心也。然有温
　　严之貌,生杀之节,故寄名于喜怒也。　　【疏】圣人无心,有感斯
　　应,威恩适务,宽猛逗机。同素秋之降霜,本无心于肃杀;似青
　　春之生育,宁有意于仁惠! 是以真人如雷行风动,木茂华敷,覆
　　载合乎二仪,喜怒通乎四序。

〔七〕【注】无心于物,故不夺物宜;无物不宜,故莫知其极。　　【疏】真
　　人应世,赴感随时,与物交涉,必有宜便。而虚心慈爱,常善救
　　人,量等太虚,故莫知其极。

故圣人之用兵也,亡国而不失人心〔一〕;利泽施乎万
世,不为爱人〔二〕。故乐通物,非圣人也〔三〕;有亲,非仁
也〔四〕;天时,非贤也〔五〕;利害不通,非君子也〔六〕;行名失
己,非士也〔七〕;亡身不真,非役人也〔八〕。若狐不偕、务光、
伯夷、叔齐、箕子、胥馀、纪他、申徒狄,是役人之役,适人之
适,而不自适其适者也〔九〕。

〔一〕【疏】尧攻丛支,禹攻有扈,成汤灭夏,周武伐殷,并上合天时,下
　　符人事。所以兴动干戈,吊民问罪,虽复殄亡邦国,而不失百姓
　　欢心故也。　　【释文】"亡国而不失人心"崔云:亡敌国而得其
　　人心。

〔二〕【注】因人心之所欲亡而亡之,故不失人心也。夫白日登天,六
　　合俱照,非爱人而照之也。故圣人之在天下,煖焉若春阳之自
　　和,故蒙①泽者不谢;凄乎若秋霜之自降,故凋落者不怨也。
　　【疏】利物滋泽,事等阳春,岂直一时,乃施乎万世。而刍狗百

庄子集释

212

姓,故无偏爱之情。

〔三〕【注】夫圣人无乐也,直莫之塞而物自通。 【疏】夫悬镜高台,
物来斯照,不迎不送,岂有情哉!大圣应机,其义亦尔。和而不
唱,非谓乐通。故知授意于物,非圣人者也。

〔四〕【注】至仁无亲,任理而自存。 【疏】至仁无亲,亲则非至仁也。

〔五〕【注】时天者,未若忘时而自合之贤也。 【疏】占玄象之亏盈,
候天时之去就,此乃小智,岂是大贤者也!

〔六〕【注】不能一是非之涂而就利违害,则伤德而累当矣。 【疏】未
能一穷通,均利害,而择情荣辱,封执是非者,身且不能自达,焉
能君子人物乎!

〔七〕【注】善为士者,遗名而自得,故名当其实而福应其身。 【疏】
矫行求名,失其己性,此乃流俗之人,非为道之士。 【释文】
"行名"下孟反。"福应"应对之应。

〔八〕【注】自失其性而矫以从物,受役多矣,安能役人乎! 【疏】夫
矫行丧真,求名亡己,斯乃受人驱役,焉能役人哉!

〔九〕【注】斯皆舍己效②人,徇彼伤我者也。 【疏】姓狐,字不偕,古
之贤人。又云,尧时贤人,不受尧让,投河而死。务光,黄帝时
人,身长七尺。又云:夏时人,饵药养性,好鼓琴,汤让天下不
受,自负石沉于庐水。伯夷叔齐,辽西孤竹君之二子,神农之裔,
姓姜氏。父死,兄弟相让,不肯嗣位,闻西伯有道,试往观焉。
逢文王崩,武王伐纣,夷齐扣马而谏,武王不从,遂隐于河东首
阳山,不食其粟,卒饿而死。箕子,殷纣贤臣,谏纣不从,遂遭奴
戮。胥馀者,箕子名也。又解:是楚大夫伍奢之子,名员,字子
胥,吴王夫差之臣,忠谏不从,抉眼而死,尸沉于江。纪他者,姓
纪,名他,汤时逸人也;闻汤让务光,恐及乎己,遂将弟子陷于窾

水而死。申徒狄闻之，因以蹈河。此数子者，皆矫情伪行，亢志立名，分外波荡，遂至于此。自饿自沉，促龄夭命，而芳名令誉，传诸史籍。斯乃被他驱使，何能役人！悦乐众人之耳目，焉能自适其情性耶！　【释文】"狐不偕"司马云：古贤人也。"务光"皇甫谧云：黄帝时人，耳长七寸。"伯夷叔齐"孤竹君之二子。"箕子胥馀"司马云：胥馀，箕子名也，见尸子。崔同。又云：尸子曰：箕子胥馀，漆身为厉，被发佯狂。或云：尸子曰：比干也，胥馀其名。○庆藩案，书微子正义、僖十五年左传正义、论语十八正义，并引司马云：箕子，名胥馀。与释文异。"纪他"徒何反。"申徒狄"殷时人，负石自沉于河。崔本作司徒狄。"皆舍"音捨。下同。

〔校〕①世德堂本脱蒙字。②世德堂本效作殉。

古之真人，其状义而不朋〔一〕，若不足而不承〔二〕；与乎其觚而不坚也〔三〕，张乎其虚而不华也〔四〕；邴邴乎其似喜乎①〔五〕！崔乎其不得已乎②〔六〕！滀乎进我色也〔七〕，与乎止我德也〔八〕；厉乎其似世乎③〔九〕！謷乎其未可制也〔一〇〕；连乎其似好闭也〔一一〕，悗乎忘其言也〔一二〕。以刑为体〔一三〕，以礼为翼〔一四〕，以知为时〔一五〕，以德为循〔一六〕。以刑为体者，绰乎其杀也〔一七〕；以礼为翼者，所以行于世也〔一八〕；以知为时者，不得已于事也〔一九〕；以德为循者，言其与有足者至于丘也〔二〇〕；而人真以为勤行者也〔二一〕。故其好之也一，其弗好之也一〔二二〕。其一也一，其不一也一〔二三〕。其一与天为徒〔二四〕，其不一与人为徒〔二五〕。天与人不相胜也，是之谓真人〔二六〕。

〔一〕【注】与物同宜而非朋党。　【疏】状,迹也。义,宜也。降迹同世,随物所宜,而虚己均平,曾无偏党也。○俞樾曰:郭注训义为宜,朋为党,望文生训,殊为失之。此言其状,岂言其德乎?义当读为峨,峨与义并从我声,故得通用。天道篇而状义然,义然即峨然也。朋读为嵭。易复象辞朋来无咎,汉书五行志引作嵭来无咎,是也。其状峨而不嵭者,言其状峨然高大而不崩坏也。广雅释诂:峨,高也;释训:峨峨,高也。高与大,义相近,故文选西京赋神山峨峨,薛综注曰:峨峨,高大也。天道篇义然,即可以此说之。郭不知义为峨之假字,于此文则训为宜,于彼文则曰蹑跂自持之貌,皆就本字为说,失之。

〔二〕【注】冲虚无馀,如不足也;下之而无不上,若不足而不承也。　【疏】韬晦冲虚,独如神智不足;率性而动,(汛)〔泛〕然自得,故无所禀承者也。　【释文】"不承"如字。李云:迎也。又音拯。"不上"时掌反。

〔三〕【注】常游于独而非固守。　【疏】觚,独也。坚,固也。彷徨放任,容与自得,遨游独化之场而不固执之。　【释文】"与乎"如字,又音豫,同云:疑貌。○卢文弨曰:同当是向字之误。"其觚"音孤。王云:觚,特立群也。崔云:觚,棱也。○俞樾曰:郭注曰,常游于独而非固守,是读觚为孤,然与不坚之义殊不相应。释文引崔云,觚,棱也,亦与不坚之义不应。殆皆非也。养生主篇技经肯綮之未尝,而况大軱乎,释文引崔云:不軱结骨。疑此觚字即彼軱字。骨之槃结,是至坚者也;軱而不坚,是谓真人。崔不知觚軱之同字,故前后异训耳。○李桢曰:与乎其觚与张乎其虚对文,觚字太不伦。据注疏,觚训独。释文引王云:觚,特立不倚也。并是孤字之义。知所据本必皆作孤,觚是假借。尔

雅释地觚竹北户,释文云:本又作孤。此觚孤互通之证。孤特
　　　方而有棱,故其字亦可借觚为之。与乎二字,与下与乎止
　我德也复,疑此误。注云常游于独,就游字义求之,或元是趣
　字,抑或是恩字。说文:趣,安行也。恩,趣步恩恩也。并与游
　义合。

〔四〕【注】旷然无怀,乃至于实。　【疏】张,广大貌也。灵府宽闲,与
　　　虚空等量,而智德真实,故不浮华。

〔五〕【注】至人无喜,畅然和适,故似喜也。　【疏】邴邴,喜貌也。随
　　　变任化,所遇斯适,实忘喜怒,故云似喜者也。　【释文】"邴邴"
　　　徐音丙,郭甫杏反。向云:喜貌。简文云:明貌。

〔六〕【注】动静行止,常居必然之极。　【疏】崔,动也。已,止也。真
　　　人凝寂,应物无方,迫而后动,非关先唱故,不得已而应之者也。
　　　【释文】"崔乎"(于)〔千〕罪反,徐息罪反。郭且雷反。向云:动
　　　貌。简文云:速貌。

〔七〕【注】不以物伤己也。　【疏】滀,聚也。进,益也。心同止水,故
　　　能滀聚群生。是以应而无情,惠而不费,适我益我,神色终无减
　　　损者也。　【释文】"滀乎"本又作俦,勑六反。司马云:色愤起
　　　貌。王云:富有德充也。简文云:聚也。

〔八〕【注】无所趋也。　【疏】虽复应动随世,接物逗机,而恒容与无
　　　为,作于真德,所谓动而常寂者也。

〔九〕【注】至人无厉,与世同行,故若厉也。　【疏】厉,危也。真人一
　　　于安危,冥于祸福,而和光同世,亦似厉乎。如孔子之困匡人,
　　　文王之拘羑里,虽遭危厄,不废无为之事也。　【释文】"厉乎"
　　　如字。崔本作广,云:苞罗者广也。○俞樾曰:郭注殊不可通。
　　　且如注意,当云世乎其似厉,不当反言其似世也。今案世乃泰

之假字。荀子荣辱篇桥泄者人之殃也,刘氏台拱补注曰:桥泄即骄泰之异文。荀子他篇或作汏,或作忕,或作泰,皆同。漏泄之泄,古多与外大害败为韵,亦读如泰也。又引贾子简泄不可以得士为证。然则以世为泰,犹以泄为泰也。猛厉与骄泰,其义相应。释文曰,厉,崔本作广,广大亦与泰义相应,泰亦大也。若以本字读之,而曰似世,则皆不可通矣。○庆藩案,厉当从崔本作广者是。郭注训与世同行,则有广大之义。然既曰无厉,又曰若厉,殊失解义。经传中厉广二字,往往而混。如礼月令天子乃厉饰,淮南时则篇作广饰。史记平津侯传厉贤予禄,徐广曰:厉亦作广。儒林传以广贤材,汉书广作厉。汉书地理志齐郡广,说文水部注广讹为厉。皆其证。○又案,俞氏云世为泰之假字,是也。古无泰字,其字作大。大世二字,古音义同,得通用也。礼曲礼不敢与世子同名,注:世,或为大。春秋文(三)十〔三〕年大室屋坏,公羊作世室。卫太叔仪,公羊作世叔仪。宋乐大心,公羊〔作〕乐世心。郑子大叔,论语作世叔。皆其证。

〔一〇〕【注】高放而自得。 【疏】圣德广大,謷然高远,超于世表,故不可禁制也。 【释文】"謷乎"五羔反,徐五到反。司马云:志远貌。王云:高迈于俗也。

〔一一〕【注】绵邈深远,莫见其门。 【疏】连,长也。圣德遐长,连绵难测。心知路绝,孰见其门,昏默音声,似如关闭,不闻见人也。 【释文】"连乎"如字。李云:连,绵长貌。崔云:謇连也,音辇。"似好"呼报反,下皆同。

〔一二〕【注】不识不知而天机自发,故悗然也。 【疏】悗,无心貌也。放任安排,无为虚淡,得玄珠于赤水,所以忘言。自此以前,历显真人自利利他内外德行。从此以下,明真人利物为政之方也。　【释文】"悗乎"亡本反。字或作免。李云:无匹貌。王云:废忘也。崔云:婉顺也。

〔一三〕【注】刑者,治之体,非我为。　【释文】"治之"直吏反。

〔一四〕【注】礼者,世之所以自行耳,非我制。　【疏】用刑法为治,政之体本;以礼乐为御,物之羽仪。

〔一五〕【注】知者,时之动,非我唱。

〔一六〕【注】德者,自彼所循,非我作。　【疏】循,顺也。用智照机,不失时候;以德接物,俯顺物情。以前略标,此以下解释也。
　【释文】"为循"本亦作修,两得。○俞樾曰:陆氏以为两得,非。下文与有足者至于丘也,自〔以〕作循为是。说文:循,顺行也。若作修则无义矣。○庆藩案,作(修)〔循〕是也。广雅:循,述也。诗邶风传:述,循也。隶书循修字易混。易系辞损德之修也,释文:马作循。晋语矇瞍修声,王制正义作循声。史记商君传汤武不循古而王,索隐:商君书作修古。管子九守篇循名而督实,今本讹作修。皆其例。

〔一七〕【注】任治之自杀,故虽杀而宽。　【疏】绰,宽也。所以用刑法为治体者,以杀止杀,杀一惩万,故虽杀而宽简。是以惠者民之仇,法者民之父。　【释文】"绰乎"昌略反。崔本作淖。

〔一八〕【注】顺世之所行,故无不行。　【疏】礼虽忠信之薄,而为御世之首,故不学礼无以立,非礼勿动,非礼勿言,人而无礼,胡不遄死。是故礼之于治,要哉!羽翼人伦,所以大行于世者也。

〔一九〕【注】夫高下相受,不可逆之流也;小大相群④,不得已之势也;旷然无情,群知之府也。承百流之会,居师人之极者,奚为哉?任时世之知,委必然之事,付之天下而已。　【疏】随机感以接物,运至知以应时,理无可视听之色声,事有不得已之形势。故为宗师者,旷然无怀,付之群智,居必然之会,乘之以游者也。

〔二〇〕【注】丘者,所以本也;以性言之,则性之本也。夫物各有足,足于本也。付群德之自循,斯与有足者至于本也,本至而理尽矣。 【疏】丘,本也。以德接物,顺物之性,性各有分,止分而足。顺其本性,故至于丘也。○家世父曰:孔安国云,九州之志,谓之九丘,庄子则阳篇亦云丘里之言,是凡所居曰丘,颛顼遗墟,谓之帝丘。有足而能行,终必反其所居。循礼者,若所居之安,有足而必至也。

〔二一〕【注】凡此皆自彼而成,成之不在己,则虽处万机之极,而常闲暇自适,忽然不觉事之经身,怳然不识言之在口。而人之大迷,真谓至人之为勤行者也。 【疏】夫至人者,动若行云,止若谷神,境智洞忘,虚心玄应,岂有怀于为物,情系于拯救者乎!而凡俗之人,触涂封执,见舟航庶品,亭毒群生,实谓圣人勤行不怠。讵知汾水之上,凝淡宵然?故〔前〕文云孰肯以物为事也。 【释文】"常闲"音闲。

〔二二〕【注】常无心而顺彼,故好与不好,所善所恶,与彼无二也。 【疏】既忘怀于美恶,亦遗荡于爱憎。故好与弗好,出自凡情,而圣智虚融,未尝不一。

〔二三〕【注】其一也,天徒也;其不一也,人徒也。夫真人同天人,均彼我,不以其一异乎不一。 【疏】其一,圣智也;其不一,凡情也。既而凡圣不二,故不一皆一之也。

〔二四〕【注】无有而不一者,天也。

〔二五〕【注】彼彼而我我者,人也。 【疏】同天人,齐万致,与玄天而为类也。彼彼而我我,将凡庶而为徒也。

〔二六〕【注】夫真人同天人,齐万致。万致不相非,天人不相胜,故旷然无不一,冥然无不在⑤,而玄同彼我也。　【疏】虽复天无彼我,人有是非,确然论之,咸归空寂。若使天胜人劣,岂谓齐乎!此又混一天人,冥同胜负。体此趣者,可谓真人者也。

〔校〕①阙误引文如海成玄瑛张君房本喜乎作喜也。②又引文成张本重崔字,已乎作已也。③又世乎作世也。④赵谏议本群作君。⑤宋本在作任。

死生,命也,其有夜旦之常,天也〔一〕。人之有所不得与,皆物之情也〔二〕。彼特以天为父,而身犹爱之,而况其卓乎〔三〕!人特以有君为愈乎己,而身犹死之,而况其真乎〔四〕!

〔一〕【注】其有昼夜之常,天之道也。故知死生者命之极,非妄然也,若夜旦耳,奚所系哉!　【疏】夫旦明夜闇,天之常道;死生来去,人之分命。天不能无昼夜,人焉能无死生。故任变随流,我将于何系哉!　【释文】“夜旦”如字。崔本作靻,音怛。

〔二〕【注】夫真人在昼得昼,在夜得夜。以死生为昼夜,岂有所不得!人之有所不得而忧娱在怀,皆物情耳,非理也。　【疏】夫死生昼夜,人天常道,未始非我,何所系哉!而流俗之徒,逆于造化,不能安时处顺,与变俱往,而欣生恶死,哀乐存怀。斯乃凡物之滞情,岂是真人之通智也!

〔三〕【注】卓者,独化之谓也。夫相因之功,莫若独化之至也。故人之所因者,天也;天之所生者,独化也。人皆以天为父,故昼夜之变,寒暑之节,犹不敢恶,随天安之。况乎卓尔独化,至于玄冥之境,又安得而不任之哉!既任之,则死生变化,惟命之从也。　【疏】卓者,独化之谓也。彼之众人,禀气苍旻,而独以天为父,身犹爱而重之,至于昼夜寒温,不能返逆。况乎至道窈冥

庄子集释

之乡,独化自然之境,生天生地,开辟阴阳,适可安而任之,何得拒而不顺也! 【释文】"其卓"中学反。○庆藩案,卓之言超也,绝也,独也。字同趠,广雅,趠绝。一作逴,玉篇:敕角切,蹇也。蹇者独任一足,故谓之逴。李善西都赋注:逴跞,犹超绝也。匡谬正俗:逴者,谓超逾不依次第。又作踔。汉书河间献王传踔尔不群,说苑君道篇踔然独立。依说文当作𨅬。禾部:𥝖,特止。徐锴〔曰〕:特止,卓(止)〔立〕也。卓趠逴踔𥝖,古同声通用。"敢恶"乌路反。"之竟"音境。

〔四〕【注】夫真者,不假于物而自然也。夫自然之不可避,岂直君命而已哉! 【疏】愈,犹胜也。其真则向之独化者也。人独以君王为胜己尊贵,尚殒身致命,不敢有避,而况玄道至极,自然之理,欲不从顺,其可得乎! 安排委化,固其宜矣。

泉涸,鱼相与处于陆,相呴以湿,相濡①以沫,不如相忘于江湖〔一〕。与其誉尧而非桀也,不如两忘而化其道〔二〕。夫大块载我以形,劳我以生,佚我以老,息我以死〔三〕。故善吾生者,乃所以善吾死也〔四〕。

〔一〕【注】与其不足而相爱,岂若有馀而相忘! 【疏】此起譬也。江湖浩瀚,游泳自在,各足深水,无复往还,彼此相忘,恩情断绝。泊乎泉源旱涸,鳣鲔困苦,共处陆地,颒尾曝腮。于是吐沫相濡,呴气相湿,恩爱往来,更相亲附,比之江湖,去之远矣。亦犹大道之世,物各逍遥,鸡犬声闻,不相来往。淳风既散,浇浪渐兴,从理生教,圣迹斯起;矜鳖蘬以为仁,踶跂以为义,父子兄弟,怀情相欺。圣人羞之,良有以也。故知鱼失水所以呴濡,人丧道所以亲爱之者也。 【释文】"泉涸"户各反,郭户格反。尔雅云:竭也。"相呴"况于、况付二反。"相濡"本又作濡,音儒,或一音如戍反。"以沫"音末。"相忘"音亡。下同。

〔二〕【注】夫非誉皆生于不足。故至足者,忘善恶,遗死生,与变化为一,旷然无不适矣,又安知尧桀之所在耶! 【疏】此合喻。夫唐尧圣君,夏桀庸主,故誉尧善而非桀恶,祖述尧舜以勖将来,仁义之兴,自兹为本也。岂若无善无恶,善恶两忘;不是不非,是非双遣! 然后出生入死,随变化而遨游;莫往莫来,履玄道而自得;岂与夫呴濡圣迹,同年而语哉! 【释文】"誉尧"音馀。注同。

〔三〕【注】夫形生老死皆我也。故形为我载,生为我劳,老为我佚,死为我息,四者虽变,未始非我,我奚惜哉! 【疏】大块者,自然也。夫形是构造之物,生是诞育之始,老是耆艾之年,死是气散之日。但运载有形,生必劳苦;老既无能,暂时闲逸;死灭还无,理归停憩;四者虽变而未始非我,而我坦然何所惜耶! 【释文】"大块"苦怪反,又苦对反,徐胡罪反。○庆藩案,文选郭景纯江赋注引司马云:大块,自然也。释文阙。"佚我"音逸。

〔四〕【注】死与生,皆命也。无善则死,有善则生,不独善也。故若以吾生为善乎? 则吾死亦善也。 【疏】夫形生老死皆我也。故以善吾生为善者,吾死亦可以为善矣。

〔校〕①赵谏议本作濡。

222 夫藏舟于壑,藏山于泽,谓之固矣〔一〕。然而夜半有力者负之而走,昧者不知也〔二〕。藏小大有宜,犹有所遁〔三〕。若夫藏天下于天下而不得所遁,是恒物之大情也〔四〕。特犯人之形而犹喜之。若人之形者,万化而未始有极也〔五〕,其为乐可胜计邪〔六〕! 故圣人将游于物之所不得遁而皆存〔七〕。善妖①善老，善始善终，人犹效之〔八〕，又况万物之所系，而一化之所待乎〔九〕！

〔一〕【注】方言死生变化之不可逃，故先举无逃之极，然后明之以必变之符，将任化而无系也。　【释文】"于壑"火各反。

〔二〕【注】夫无力之力，莫大于变化者也；故乃揭天地以趋新，负山岳以舍故。故不暂停，忽已涉新，则天地万物无时而不移也。世皆新矣，而自以为故；舟日易矣，而视之若旧；山日更矣，而视之若前。今交一臂而失之，皆在冥中去矣。故向者之我，非复今我也。我与今俱往，岂常守故哉②！而世莫之觉，横谓今之所遇可系而在，岂不昧哉！　【疏】夜半闇冥，以譬真理玄邃也。有力者，造化也。夫藏舟船于海壑，正合其宜；隐山岳于泽中，谓之得所。然而造化之力，担负而趋；变故日新，骤如逝水。凡惑之徒，心灵愚昧，真谓山舟牢固，不动岿然。岂知冥中贸迁，无时暂息。昨我今我，其义亦然也。○俞樾曰：山非可藏于泽，且亦非有力者所能负之而走，其义难通。山，疑当读为汕。尔雅释器，罧谓之汕。诗南有嘉鱼篇毛传曰：汕，汕罧也，笺云：今之撩罟也。藏舟藏汕，疑皆以渔者言，恐为人所窃，故藏之，乃世俗常有之事，故庄子以为喻耳。○家世父曰：壑可以藏舟，泽之大可以藏山。然而大化之运行无穷，举天地万物，日夜推移，以舍故而即新，而未稍有止息。水负舟而立，水移即舟移矣；气负山而行，气运即山运矣。夜半者，惟行于无象无兆之中，而人莫之见也。○庆藩案，文选江文通杂体诗注引司马云：舟，水物；山，陆居者。藏之壑泽，非人意所求，谓之固；有力者或能取之。释文阙。　【释文】"乃揭"其列、其谒二反。

〔三〕【注】不知与化为体，而思藏之使不化，则虽至深至固，各得其所宜,而无以禁其日变也。故夫藏而有之者,不能止其遁也;无藏而任化者,变不能变也。　【疏】遁,变化也。藏舟于壑,藏山于泽,此藏大也;藏人于室,藏物于器,此藏小也。然小大虽异而藏皆得宜,犹念念迁流,新新移改。是知变化之道,无处可逃也。

〔四〕【注】无所藏而都任之,则与物无不冥,与化无不一。故无外无内,无死无生,体天地而合变化,索所遁而不得矣。此乃常存之大情,非一曲之小意。　【疏】恒,常也。夫藏天下于天下者,岂藏之哉? 盖无所藏也。故能一死生,冥变化,放纵寰宇之中,乘造物以遨游者,斯藏天下于天下也。既变所不能变,何所遁之有哉! 此乃体凝寂之人物,达大道之真情,岂流俗之迷徒,运人间之小智耶!　【释文】"索所"所百反。

〔五〕【注】人形乃③是万化之一遇耳,未足独喜也。无极之中,所遇者皆若人耳,岂特人形可喜而馀物无乐耶!　○庆藩案,<u>文选贾长沙</u>(鹏)〔鹏〕④鸟赋注引<u>司马</u>云:当复化而为无。释文阙。　【释文】"无乐"音洛。下及注同。

〔六〕【注】本非人而化为人,化为人,失于故矣。失故而喜,喜所遇也。变化无穷,何所不遇! 所遇而乐,乐岂有极乎!　【疏】特,独也。犯,遇也。夫大冶洪炉,陶铸群品,独遇人形,遂以为乐。如人形者,其貌类无穷,所遇即喜,喜亦何极! 是以唯形与喜,不可胜计。　【释文】"可胜"音升。

〔七〕【注】夫圣人游于变化之涂,放于日新之流,万物万化,亦与之万化,化者无极,亦与之无极,谁得遁之哉! 夫于生为亡而于死为存,则何时而非存哉!　【疏】夫物不得遁者,自然也,孰能逃于自然之道乎! 是故圣人游心变化之涂,放任日新之境,未始非我,何往不存耶!

〔八〕【注】此自均于百年之内,不善少而否老,未能体变化,齐死生也。然其平粹,犹足以师人也。 【释文】"善妖"崔本作狡,同。古卯反。本又作夭,於表反。简文於桥反,云:异也。○卢文弨曰:今本作夭。○庆藩案,妖字,正作夭。夭妖古通用。史记周本纪后宫童妾所弃妖子,徐广曰:妖,一作夭。崔氏作狡,非也。"善少"诗照反。"否老"音鄙。本亦作鄙。"平粹"虽遂反。

〔九〕【注】此玄同万物而与化为体,故其为天下之所宗也,不亦宜乎! 【疏】系,属也。夫人之识性,明暗不同。自有百年之中,一生之内,从容平淡,鲜有欣戚,至于寿夭老少,都不介怀。虽未能忘生死,但复无嫌恶,犹足以为物师傅,人放效之。而况混同万物,冥一变化。属在至人,必资圣知,为物宗匠,不亦宜乎!

〔校〕①世德堂本妖作夭,阙误引张君房本作少。②赵谏议本无哉字。③赵本乃作方。④鹏字依文选改。

夫道,有情有信,无为无形〔一〕;可传而不可受〔二〕,可得而不可见〔三〕;自本自根,未有天地,自古以固存〔四〕;神鬼神帝,生天生地〔五〕;在太极之先而不为高,在六极之下而不为深,先天地生而不为久,长于上古而不为①老〔六〕。狶韦氏得之,以挈天地〔七〕;伏戏氏得之,以袭气母〔八〕;维斗得之,终古不忒〔九〕;日月得之,终古不息〔一〇〕;堪坏得之,以袭昆仑〔一一〕;冯夷得之,以游大川〔一二〕;肩吾得之,以处大山〔一三〕;黄帝得之,以登云天〔一四〕;颛顼得之,以处玄宫〔一五〕;禺强得之,立乎北极〔一六〕;西王母得之,坐乎少广,莫知其始,莫知其终〔一七〕;彭祖得之,上及有虞,下及五

伯^{〔一八〕};傅说得之,以相<u>武丁</u>,奄有天下,乘东维,骑箕尾,
而比于列星^{〔一九〕}。

〔一〕【注】有无情之情,故无为也;有无常之信,故无形也。 【疏】明
　　鉴洞照,有情也。趣机若响,有信也。恬淡寂寞,无为也。视之
　　不见,无形也。

〔二〕【注】古今传而宅之,莫能受而有之。 【释文】"可传"直专反。
　　注同。

〔三〕【注】咸得自容,而莫见其状。 【疏】寄言诠理,可传也。体非
　　量数,不可受也。方寸独悟,可得也。离于形色,不可见也。

〔四〕【注】明无不待有而无也。 【疏】自,从也。存,有也。虚通至
　　道,无始无终。从（本）〔古〕^②以来,未有天地,五气未兆,大道存
　　焉。故<u>老经</u>云有物混成,先天地生;又云迎之不见其首,随之不
　　见其后者也。

〔五〕【注】无也,岂能生神哉? 不神鬼帝而鬼帝自神,斯乃不神之神
　　也;不生天地而天地自生,斯乃不生之生也。故夫神^③之果不足
　　以神,而不神则神矣,功何足有,事何足恃哉! 【疏】言大道能
　　神于鬼灵,神于天帝,开明三景,生立二仪,至无之力,有兹功
　　用。斯乃不神而神,不生而生,非神之而神,生之而生者也。故
　　<u>老经</u>云天得一以清,神得一以灵也。

〔六〕【注】言道之无所不在也,故在高为无高,在深为无深,在久为无
　　久,在老为无老,无所不在,而所在皆无也。且上下无不格者,
　　不得以高卑称也;外内无不至者,不得以表里名也;与化俱移
　　者,不得言久也;终始常无者,不可谓老也。 【疏】太极,五气
　　也。六极,六合也。且道在五气之上,不为高远;在六合之下,
　　不为深邃;先天地生,不为长久;长于复古,不为耆艾。言非高

非深,非久非老,故道无不在而所在皆无者也。 【释文】"在大极"音泰。"之先"一本作之先未,崔本同。○卢文弨曰:今本作一本作先之,无未字。"先天"悉薦反。"长于"丁丈反。"称也"尺證反。

〔七〕【疏】狶韦氏,文字已前远古帝王号也。得灵通之道,故能驱驭群品,提挈二仪。又作契字者,契,合也,言能混同万物,符合二仪者也。 【释文】"狶韦氏"许岂反,郭褚伊反。李音豕。司马云:上古帝王名。"以挈"徐苦结反,郭苦係反。司马云:要也,得天地要也。崔云:成也。

〔八〕【疏】伏戏,三皇也,能伏牛乘马,养伏牺牲,故谓之伏牺也。袭,合也。气母者,元气之母,应道也。为得至道,故能画八卦,演六爻,调阴阳,合元气也。 【释文】"伏戏"音義。崔本作伏戏氏。"以袭气母"司马云:袭,入也。气母,元气之母也。崔云:取元气之本。

〔九〕【疏】维斗,北斗也,为众星纲维,故谓之维斗。忒,差也。古,始也。得于至道,故历于终始,维持天地,心无差忒。 【释文】"维斗"李云:北斗,所以为天下纲维。○卢文弨曰:今本天下作天之。"终古"崔云:终古,久也。郑玄注周礼云:终古,犹言常也。"不忒"它得反,差也。崔本作代。

〔一〇〕【疏】日月光证于一道,故能终始照临,竟无休息者也。

〔一一〕【疏】昆仑,山名也,在北海之北。堪坏,昆仑山神名也。袭,入也。堪坏人面兽身,得道入昆仑山为神也。 【释文】"堪坏"徐扶眉反,郭孚杯反。崔作邳。司马云:堪坏,神名,人面兽形。淮南作钦负。"昆仑"昆,或作崐,同。音昆。下力门反。昆仑,山名。

〔一二〕【疏】姓冯,名夷,<u>弘农华阴潼乡堤首里</u>人也,服八石,得水仙。
大川,黄河也。天帝锡<u>冯夷</u>为河伯,故游处<u>盟</u>津大川之中
也。 【释文】"冯夷"<u>司马</u>云:<u>清泠传</u>曰:<u>冯夷,华阴潼乡堤首</u>人
也。服八石,得水仙,是为河伯。一云以八月庚子浴于河而溺
死,一云渡河溺死。"大川"<u>河</u>也。<u>崔</u>本作泰川。

〔一三〕【疏】<u>肩吾</u>,神名也。得道,故处东岳为<u>太山</u>之神。 【释文】
"肩吾"<u>司马</u>云:山神,不死,至<u>孔子</u>时。"大山"音泰,又如字。

〔一四〕【疏】<u>黄帝</u>,轩辕也。采首山之铜,铸鼎于荆山之下,鼎成,有龙
垂于鼎以迎帝,帝遂将群臣及后宫七十二人,白日乘云驾龙,以
登上天,仙化而去。 【释文】"黄帝"<u>崔</u>云:得道而上天也。

〔一五〕【疏】<u>颛顼</u>,(皇)〔黄〕帝之孙,即帝高阳也,亦曰<u>玄帝</u>。年十二而
冠,十五佐<u>少昊</u>,二十即位。采<u>羽</u>山之铜为鼎,能召四海之神,
有灵异。年九十七崩,得道,为北方之帝。玄者,北方之色,故
处于玄宫也。 【释文】"颛顼"音专,下许玉反。"玄宫"<u>李</u>云:
<u>颛顼,帝高阳氏</u>。玄宫,北方宫也。<u>月令</u>曰:其帝<u>颛顼</u>,其神
<u>玄冥</u>。

〔一六〕【疏】<u>禺强</u>,水神名也,亦曰<u>禺京</u>。人面鸟身,乘龙而行,与<u>颛顼</u>
并<u>轩辕</u>之胤也。虽复得道,不居帝位而为水神。水位北方,故
位号北极也。 【释文】"禺强"音虞,<u>郭</u>语龙反。<u>司马</u>云:<u>山海</u>
<u>经</u>曰:北海之渚有神,人面鸟身,珥两青蛇,践两赤蛇,名<u>禺强</u>。
<u>崔</u>云:<u>大荒经</u>曰:北海之神,名曰<u>禺强</u>,灵龟为之使。<u>归藏</u>曰:昔
<u>穆王子</u>筮卦于<u>禺强</u>。案<u>海外经</u>云:北方<u>禺强</u>,黑身手足,乘两
龙。<u>郭璞</u>以为水神,人面鸟身。<u>简文</u>云:北海神也,一名<u>禺京</u>,是
<u>黄帝</u>之孙也。

〔一七〕【疏】<u>少广</u>,西极山名也。<u>王母</u>,太阴之精也,豹尾,虎齿,善笑。

舜时,王母遣使献玉环,汉武帝时,献青桃。颜容若十六七女子,甚端正,常坐西方少广之山,不复生死,故莫知始终也。

【释文】"西王母"山海经云:状如人,狗尾,蓬头,戴胜,善啸,居海水之涯。汉武内传云:西王母与上元夫人降帝,美容貌,神仙人也。"少广"司马云:穴名。崔云:山名。或云,西方空界之名。

〔一八〕【疏】彭祖,帝颛顼之玄孙也。封于彭城,其道可祖,故称彭祖,善养性,得道者也。五伯者,昆吾为夏伯,大彭豕韦为殷伯,齐桓晋文为周伯,合为五伯。而彭祖得道,所以长年,上至有虞,下及殷周,凡八百年也。 【释文】"彭祖"解见逍遥篇。崔云:寿七百岁。或以为仙,不死。"五伯"如字。又音霸。崔李云:夏伯昆吾,殷大彭豕韦,周齐桓晋文。

〔一九〕【注】道,无能也。此言得之于道,乃所以明其自得耳。自得耳,道不能使之得也;我之未得,又不能为得也。然则凡得之者,外不资于道,内不由于己,掘然自得而独化也。夫生之难也,犹独化而自得之矣,既得其生,又何患于生之不得而为之哉!故夫④为生果不足以全生,以其生之不由于己为也,而为之则伤其真生也。 【疏】武丁,殷王名也,号曰高宗。高宗梦得傅说,使求之天下,于陕州河北县傅(严)〔岩〕板筑之所而得之,相于武丁,奄然清泰。傅说,星精也。而傅说一星在箕尾上,然箕尾则是二十八宿之数,维持东方,故言乘东尾、骑箕尾;而与角亢等星比并行列,故言比于列星也。 【释文】"傅说"音悦。"得之以相"息亮反。"武丁奄有天下乘东维骑箕尾而比于列星"司马云:傅说,殷相也。武丁,殷王高宗也。东维,箕斗之间,天汉津之东维也。星经曰:傅说一星在尾上,言其乘东维,骑箕尾之间也。崔云：傅说死，其精神乘东维，托龙尾，乃列宿。今尾上有傅说星。崔本此下更有其生无父母，死登假三年而形遁，此言神之无能名者也，凡二十二字。"掘然"其勿反。

〔校〕①世德堂本无为字。②古字依正文改。③世德堂本神作人。④世德堂本无夫字。

南伯子葵问乎女偊曰："子之年长矣，而色若(孺)〔孺〕子，何也〔一〕?"

〔一〕【疏】葵当为綦字之误，犹人间世篇中南郭子綦也。女偊，古之怀道人也。孺子，犹稚子也。女偊久闻至道，故能摄卫养生，年虽老，犹有童颜之色，驻彩之状。既异凡人，是故子葵问其何以致此也。　【释文】"南伯子葵"李云：葵当为綦，声之误也。"女偊"徐音禹，李音矩。一云，是妇人也。"年长"张丈反。○卢文弨曰：今本作丁丈反，与前后同。"孺子"本亦作孺，如喻反。李云：弱子也。○卢文弨曰：今本作孺，是正体。

曰："吾闻道矣〔一〕。"

〔一〕【注】闻道则任其自生，故气色全也。　【疏】答云：闻道故得全生，是以反少还童，色如稚子。

南伯子葵曰："道①可得学邪〔一〕?"

〔一〕【疏】睹其容色，既异常人，心怀景慕，故询其方术也。

〔校〕①赵谏议本无道字。

曰："恶！恶可！子非其人也〔一〕。夫卜梁倚有圣人之才而无圣人之道，我有圣人之道而无圣人之才〔二〕，吾欲以教之，庶几其果为圣人乎！不然，以圣人之道告圣人之才，

亦易矣。吾犹守而告之〔三〕，参日而后能外天下〔四〕；已外天下矣，吾又守之，七日而后能外物〔五〕；已外物矣，吾又守之，九日而后能外生〔六〕；已外生矣，而后能朝彻〔七〕；朝彻，而后能见独〔八〕；见独，而后能无古今〔九〕；无古今，而后能入于不死不生〔一〇〕。杀①生者不死，生生者不生〔一一〕。其为物，无不将也〔一二〕，无不迎也〔一三〕；无不毁也〔一四〕，无不成也〔一五〕。其名为撄宁〔一六〕。撄宁也者，撄而后成者也〔一七〕。"

〔一〕【疏】恶恶可，言不可也。女偊心神内静，形色外彰。子葵见（有）〔其〕容貌，欣然请学。嫌其所问，故抑之谓非其人也。 【释文】"恶恶可"并音乌。下恶乎同。

〔二〕【疏】卜梁，姬姓也，倚，名也。虚心凝淡为道，智用明敏为才。言梁有外用之才而无内凝之道，女偊有虚淡之道而无明敏之才，各滞一边，未为通美。然以才方道，才劣道胜也。 【释文】"卜梁倚"鱼绮反，又其绮反。李云：卜梁，姓；倚，名。

〔三〕【疏】庶，慕也。几，近也。果，决也。夫上士闻道，犹藉勤行，若不勤行，道无由致。是故虽蒙教诲，必须修学，慕近玄道，决成圣人。若其不然，告示甚易，为须修守，所以成难。然女偊久闻至道，内心凝寂，今欲传告，犹自守之。况在初学，无容懈怠，假令口说耳闻，盖亦何益。是以非知之难，行之难也。 【释文】"亦易"以豉反。

〔四〕【注】外，犹遗也。 【疏】外，遗忘也。夫为师不易，传道极难。方欲教人，故凝神静虑，修而守之，凡经三日。心既虚寂，万境皆空，是以天下地上，悉皆非有也。 【释文】"参日"音三。

〔五〕【注】物者,朝夕所须,切己难忘。 【疏】天下万境疏远,所以易忘;资身之物亲近,所以难遗。守经七日,然后遗之。故郭注云,物者朝夕所须,切己难忘者也。

〔六〕【注】都遗也。 【疏】隳体离形,坐忘我丧,运心既久,遗遣渐深也。

〔七〕【注】遗生则不恶死,不恶死故所遇即安,豁然无滞,见机而作,斯朝彻也。 【疏】朝,旦也。彻,明也。死生一观,物我兼忘,惠照豁然,如朝阳初启,故谓之朝彻也。 【释文】"能朝"如字。李除遥反。下同。"彻"如字。郭司马云:朝,旦也。彻,达妙之道。李云:夫能洞照,不崇朝而远彻也。"不恶"乌路反。下同。"豁然"唤活反。

〔八〕【注】当所遇而安之,忘先后之所接,斯见独者也。 【疏】夫至道凝然,妙绝言象,非无非有,不古不今,独往独来,绝待绝对。睹斯胜境,谓之见独。故老经云寂寞而不改。

〔九〕【注】与独俱往。 【疏】任造物之日新,随变化而俱往,不为物境所迁,故无古今之异。

〔一〇〕【注】夫系生故有死,恶死故有生。是以无系无恶,然后能无死无生。 【疏】古今,会也。夫时有古今之异,法有生死之殊者,此盖迷徒倒置之见也。时既运运新新,无今无古,故法亦不去不来,无死无生者也。会斯理者,其唯女偊之子耶!

〔一一〕【疏】杀,灭也;死,亦灭也。谓此死者未曾灭,谓此生者未曾生。既死既生,能入于无死无生,故体于法,无生灭也。法既不生不灭,而情亦何欣何恶耶! 任之而无不适也。 【释文】"杀生者不死"李云:杀,犹亡也,亡生者不死也。崔云:除其营生为杀生。"生生者不生"李云:矜生者不生也。崔云:常营其生为

232

生生。

〔一二〕【注】任其自将，故无不将。

〔一三〕【注】任其自迎，故无不迎。　【疏】将，送也。夫道之为物，拯济无方，虽复不灭不生，亦而生而灭，是以迎无穷之生，送无量之死也。

〔一四〕【注】任其自毁，故无不毁。

〔一五〕【注】任其自成，故无不成。　【疏】不送而送，无不毁灭；不迎而迎，无不生成也。

〔一六〕【注】夫与物冥者，物萦亦萦，而未始不宁也。　【疏】撄，扰动也。宁，寂静也。夫圣人慈惠，道济苍生，妙本无名，随物立称，动而常寂，虽撄而宁者也。　【释文】"撄"郭音萦，徐於营反，李於盈反。崔云：有所系著也。○家世父曰：<u>赵岐孟子注</u>：撄，迫也。物我生死之见迫于中，将迎成毁之机迫于外，而一无所动，其心乃谓之撄宁。置身纷纭蕃变交争互触之地，而心固宁焉，则几于成矣，故曰撄而后成。

〔一七〕【注】物萦而独不萦，则败矣。故萦而任之，则莫不曲成也②。　【疏】既能和光同尘，动而常寂，然后随物撄扰，善贷生成也。

〔校〕①阙误引<u>江南</u>古藏本杀上有故字。②世德堂本也作矣。

南伯子葵曰："子独恶乎闻之〔一〕？"

〔一〕【疏】<u>子葵</u>怪<u>女偶</u>之谈，其道高妙，故问"子于何处独得闻之"？自斯已下，凡有九重，前六约教，后三据理，并是<u>女偶</u>告示<u>子葵</u>之辞也。

曰："闻诸副墨之子〔一〕，副墨之子闻诸洛诵之孙〔二〕，洛诵之孙闻之瞻明〔三〕，瞻明闻之聂许〔四〕，聂许闻之需役〔五〕,需役闻之於讴〔六〕,於讴闻之玄冥〔七〕,玄冥闻之参寥〔八〕,参寥闻之疑始〔九〕。"

〔一〕【疏】诸,之也。副,副贰也。墨,翰墨也;翰墨,文字也。理能生教,故谓文字为副贰也。夫鱼必因筌而得,理亦因教而明,故闻之翰墨,以明先因文字得解故也。 【释文】"副墨"李云:可以副贰玄墨也。崔云:此已下皆古人姓名,或寓之耳,无其人。

〔二〕【疏】临本谓之副墨,背文谓之洛诵。初既依文生解,所以执持披读;次则渐悟其理,是故罗洛诵之。且教从理生,故称为子;而诵因教起,名之曰孙也。 【释文】"洛诵"李云:诵,通也。苞洛无所不通也。

〔三〕【疏】瞻,视也,亦至也。读诵精熟,功劳积久,渐见至理,灵府分明。 【释文】"瞻明"音占。李云:神明洞彻也。

〔四〕【疏】聂,登也,亦是附耳私语也。既诵之稍深,因教悟理,心生欢悦,私自许当,附耳窃私语也。既闻于道,未敢公行,亦是渐登胜妙玄情者也。 【释文】"聂许"徐乃摄反。李云:许,与也。摄而保之,无所施与也。

〔五〕【疏】需,须也。役,用也,行也。虽复私心自许,智照渐明,必须依教遵循,勤行勿怠。懈而不行,道无由致。 【释文】"需役"徐音须,李音儒,云:儒弱为役也。王云:需,待也。役,亭毒也。

〔六〕【疏】讴,歌谣也。既因教悟理,依解而行,遂使盛惠显彰,讴歌满路也。 【释文】"於"音乌,又如字。"讴"徐乌侯反。李香于反,云:讴,煦也,欲化之貌。王云:讴,歌谣也。

〔七〕【注】玄冥者,所以名无而非无也。 【疏】玄者,深远之名也。冥者,幽寂之称。既德行内融,芳声外显,故渐阶虚极,以至于玄冥故也。 【释文】"玄冥"李云:强名曰玄,视之冥然。向郭云:所以名无而非无也。

〔八〕【注】夫阶名以至无者,必得无于名表。故虽玄冥犹未极,而又推寄于参寥,亦是玄之又玄也。　【疏】参,三也。寥,绝也。一者绝有,二者绝无,三者非有非无,故谓之三绝也。夫玄冥之境,虽妙未极,故至乎三绝,方造重玄也。　【释文】"参"七南反。"寥"徐力彫反。李云:参,高也。高邈寥旷,不可名也。

〔九〕【注】夫自然之理,有积习而成者。盖阶近以至远,研粗以至精,故乃七重而后及无之名,九重而后疑无是始也。　【疏】始,本也。夫道,超此四句,离彼百非,名言道断,心知处灭,虽复三绝,未穷其妙。而三绝之外,道之根本,(而)〔所〕谓重玄之域,众妙之门,意亦难得而差言之矣。是以不本而本,本无所本,疑名为本,亦无的可本,故谓之疑始也。　【释文】"疑始"李云:又疑无是始,则始非无名也。"研粗"七胡反。"七重"直龙反。下同。

子祀子舆子犁子来四人相与语曰:"孰能以无为首,以生为脊,以死为尻,孰知死生存亡之一体者,吾与之友矣。"〔一〕四人相视而笑,莫逆于心,遂相与为友〔二〕。

〔一〕【疏】子祀四人,未详所据。观其心迹,并方外之士,情同淡水,共结素交,叙莫逆于虚玄,述忘言于至道。夫人起自虚无,无则在先,故以无为首;从无生有,生则居次,故以生为脊;既生而死,死最居后,故以死为尻;亦故然也。尻首离别,本是一身;而死生乃异,源乎一体。能达斯趣,所遇皆适,岂有存亡欣恶于其间哉!谁能知是,我与为友也。　【释文】"子祀"崔云:淮南作子永,行年五十四而病伛偻。○庆藩案,崔本作子永,是也。今本淮南精神篇作子求,与崔所见本异。顾千里曰:求当作永。抱朴子博喻篇曰子永叹天伦之伟,字正作永。永求形近,经传中互误者,不可枚举。"子舆"本又作与,音馀。"子犁"礼兮反。"为尻"苦羔反。

〔二〕【疏】目击道存,故相见而笑;同顺玄理,故莫逆于心也。

俄而子舆有病,子祀往问之〔一〕。曰:"伟哉夫造物者,将以予为此拘拘也〔二〕! 曲偻发背,上有五管,颐隐于齐,肩高于顶,句赘指天。"阴阳之气有沴〔三〕,其心闲而无事〔四〕,跰𨇠而鉴于井,曰:"嗟乎! 夫造物者又将以予为此拘拘也〔五〕!"

〔一〕【疏】友人既病,须往问之,任理而行,不乖于方外也。

〔二〕【疏】伟,大也。造物,犹造化也。拘拘,挛缩不申之貌也。夫洪炉大冶,造物无偏,岂独将我一身故为拘挛之疾! 以此而言,无非命也。子舆达理,自叹此辞也。 【释文】"伟哉"韦鬼反。向云:美也。崔云:自此至鉴于井,皆子祀自说病状也。"拘拘"郭音驹。司马云:体拘挛也。王云:不申也。

〔三〕【注】沴,陵乱也。 【疏】伛偻曲腰,背骨发露。既其俯而不仰,故藏腑并在上,头低则颐隐于脐,(膞)〔髆〕耸则肩高于顶,而咽项句曲,大挺如赘。阴阳二气,陵乱不调,遂使一身,遭斯疾笃。 【释文】"曲偻"徐力主反。"于顶"本亦作项。崔本作缸,音项。○卢文弨曰:旧作钉,音顶。今本作缸,音项。据宋本钉音项,疑钉为缸之讹,参酌改正。"句"俱树反,徐古侯反。"赘"徐之税反。"指天"李云:句赘,项椎也。其形似赘,言其上向也。"有沴"音丽,徐又徒显反。郭奴结反,云:陵乱也。李同。崔本作邅,云:满也。

〔四〕【注】不以为患。　【疏】死生犹为一体,疾患岂复概怀! 故虽曲偻拘拘,而心神闲逸,都不以为事。　【释文】"其心閒"音闲。崔以其心属上句。

〔五〕【注】夫任自然之变者,无嗟也,与物嗟耳。　【疏】跰𨇤,曳疾貌。言曳疾力行,照临于井,既见己貌,遂使发伤嗟。寻夫大道自然,造物均等,岂偏于我,独此拘挛? 欲显明物理,故寄兹嗟叹也。　【释文】"跰𨇤"步田反,下悉田反。崔本作边鲜。司马云:病不能行,故跰𨇤也。"而鉴"古暂反。"曰嗟乎"崔云:此子舆辞。

子祀曰:"女恶之乎〔一〕?"

〔一〕【疏】淡水素交,契心方外,见其嗟叹,故有惊疑。　【释文】"女恶"音汝。下同。下乌路反。

曰:"亡,予何恶〔一〕! 浸假而化予之左臂以为鸡,予因以求时夜;浸假而化予之右臂以为弹,予因以求鸮炙;浸假而化予之尻以为轮,以神为马,予因以乘之,岂更驾哉〔二〕! 且夫得者,时也〔三〕,失者,顺也〔四〕;安时而处顺,哀乐不能入也〔五〕。此古之所谓县解也,而不能自解者,物有结之〔六〕。且夫物不胜天久矣,吾又何恶焉〔七〕!"

〔一〕【疏】亡,无也。存亡死生,本自无心。不嗟之嗟,何嫌恶之也! 　【释文】"曰亡"如字。绝句。"予何恶"乌路反。下及注同。一音如字读,则连亡字为句。

〔二〕【注】浸,渐也。夫体化合变,则无往而不因,无因而不可也。　【疏】假令阴阳二气,渐而化我左右两臂为鸡为弹,弹则求于鸮鸟,鸡则夜候天时。尻无识而为轮,神有知而作马,因渐渍而变化,乘轮马以遨游,苟随任以安排,亦于何而不适者也。　【释文】"浸"子鸩反。向云:渐也。"予因以求时夜"一本无求字。"为弹"徒旦反。"鸮"户骄反。"炙"章夜反。

〔三〕【注】当所遇之时,世谓之得。

〔四〕【注】时不暂停,顺往而去,世谓之失。

〔五〕【疏】得者,生也;失者,死也。夫忽然而得,时应生也;倏然而失,顺理死也。是以安于时则不欣于生,处于顺则不恶于死。既其无欣无恶,何忧乐之入乎!　【释文】"哀乐"音洛。

〔六〕【注】一不能自解,则众物共结之矣。故能解则无所不解,不解则无所而解也。　【疏】处顺忘时,萧然无系,古昔至人,谓为县解。若夫当生虑死,而以憎恶存怀者,既内心不能自解,故为外物结缚之也。　【释文】"县"音玄。"解"音蟹。下及注同。(同)〔向〕①云:县解,无所系也。

〔七〕【注】天不能无昼夜,我安能无死生而恶之哉!　【疏】玄天在上,犹有昼夜之殊,况人居世间,焉能无死生之变!且物不胜天,非唯今日,我复何人,独生憎恶!

〔校〕①向字依世德堂本及释文原本改。

　　俄而子来有病,喘喘然将死,其妻子环而泣之〔一〕。子犁往问之,曰:"叱! 避! 无怛化〔二〕!"倚其户与之语曰:"伟哉造化! 又将奚以汝为,将奚以汝适? 以汝为鼠肝乎? 以汝为虫臂乎?"〔三〕

〔一〕【疏】环,绕也。喘喘,气息急也。子舆语讫,俄顷之间,子来又病,气奔欲死。既将属纩,故妻子绕而哭之也。　【释文】"喘喘"川转反,又尺软反。崔本作惴惴。"环而"如字。徐音患。李云:绕也。

〔二〕【注】夫死生犹寤寐耳，于理当寐，不愿人惊之，将化而死亦宜，无为怛之也。　【疏】叱，诃声也。夫方外之士，冥一死生，而朋友临终，和光往问。故叱彼亲族，令避傍近，正欲变化，不欲惊怛也。　【释文】"叱避"昌失反。"无怛"丁达反。崔本作䶃，音怛。案怛，惊也。郑众注周礼考工记不能惊怛，是也。

〔三〕【疏】又，复也。奚，何也。适，往也。倚户观化，与之而语。叹彼大造，弘普无私，偶尔为人，忽然返化。不知方外适往何道，变作何物。将汝五藏为鼠之肝，或化四支为虫之臂。任化而往，所遇皆适也。　【释文】"倚其"於绮反。"鼠肝"向云：委弃土壤而已。王云：取微蔑至贱。"虫臂"臂，亦作肠。崔本同。

子来曰："父母于子，东西南北，唯命之从。阴阳于人，不翅于父母〔一〕；彼近吾死而我不听，我则悍①矣，彼何罪焉〔二〕！夫大块载我以形，劳我以生，佚我以老，息我以死。故善吾生者，乃所以善吾死也〔三〕。今（之）②大冶铸金，金踊跃曰'我且必为镆铘'，大冶必以为不祥之金。今一犯人之形，而曰'人耳人耳'，夫造化者必以为不祥之人〔四〕。今一以天地为大炉，以造化为大冶，恶乎往而不可哉〔五〕！"成③然寐，蘧然觉〔六〕。

〔一〕【注】自古或有能违父母之命者矣，未有能违阴阳之变而距昼夜之节者也。　【疏】自此已下，是子来临终答子犁之词也。夫孝子侍亲，尚驱驰唯命。况阴阳造化，何啻二亲乎！故知违亲之教，世或有焉；拒于阴阳，未之有也。　【释文】"不翅"徐诗知反。

〔二〕【注】死生犹昼夜耳，未足为远也。时当死，亦非所禁，而横有不听之心,适足悍逆于理以速其死。其死之速,由于我悍,非死之罪也。彼,谓死耳;在生,故以死为彼。 【疏】彼,造化也。而造化之中,令我近死。我恶其死而不听从,则是我拒阴阳,逆于变化。斯乃咎在于我,彼何罪焉! 郭注以死为彼也。 【释文】"彼近"如字。"则悍"本亦作捍,胡旦反。又音旱。说文云:捍,抵也。

〔三〕【注】理常俱也。 【疏】此重引前文,证成彼义。斯言切当,所以再出。其解释文意,不异前旨。

〔四〕【注】人耳人耳,唯愿为人也。亦犹金之踊跃,世皆知金之不祥,而不能任其自化。夫变化之道,靡所不遇,今一遇人形,岂故为哉?生非故为,时自生耳。务而有之,不亦妄乎! 【疏】祥,善也。犯,遇也。镆铘,古之良剑名也。昔吴人干将为吴王造剑,妻名镆铘,因名雄剑曰干将,雌剑曰镆铘。夫洪炉大冶,镕铸金铁,随器大小,悉皆为之。而炉中之金,忽然跳踯,殷勤致请,愿为良剑。匠者惊嗟,用为不善。亦犹自然大冶,雕刻众形,鸟兽鱼虫,种种皆作。偶尔为人,遂即欣爱,郑重启请,愿更为人,而造化之中,用为妖孽也。 【释文】"我且"如字。徐子馀反。"镆"音莫。"铘"似嗟反。镆铘,剑名。

〔五〕【注】人皆知金之有系为不祥,故明己之无异于金,则所系之情可解,可解则无不可也。 【疏】夫用二仪造化,一为炉冶,陶铸群物,锤锻苍生,磅礴无心,亭毒均等,所遇斯适,何恶何欣,安排变化,无往不可也。 【释文】"大炉"劣奴反。"恶乎"音乌。"可解"如字,下同。

〔六〕【注】寐寐自若,不以死生累心。 【疏】成然是闲放之貌,蘧然是惊喜之貌。寐,寝也,以譬于死也。觉是寤也,以况于生。然瘏瘵虽殊,何尝不从容逸乐;死生乃异,亦未始不任命逍遥。此总结子来以死生为瘏瘵者也。　【释文】"成然"如字,崔同。李云:成然,县解之貌。本或作戌,音恤。简文云:当作灭。本又作眣,呼括反,视高貌。本亦作俄然。"蓬然"李音渠。崔本作據,又其據反。蓬然,有形之貌。"觉"古孝反。向崔本此下更有发然汗出一句,云:无系则津液通也。崔云:荣卫和通,不以化为惧也。

〔校〕①赵谏议本悍作捍。②之字依世德堂本删。③阙误引古本成作眣,云:眣音呼聒切,高视貌。又音烘,矇眣,不明。

子桑户孟子反子琴张三人相与友,曰:"孰能相与于无相与,相为于无相为〔一〕?孰能登天游雾,挠挑无极〔二〕;相忘以生,无所终穷〔三〕?"三人相视而笑,莫逆于心,遂相与为友〔四〕。

〔一〕【注】夫体天地,冥变化者①,虽手足异任,五藏殊官②,未尝相与而百节同和,斯相与于无相与也;未尝相为而表里俱济,斯相为于无相为也。若乃役其心志以恤手足,运其股肱以营五藏,则相营愈笃而外内愈困矣。故以天下为一体者,无爱为于其间也。　【疏】此之三人,并方外之士,冥于变化,一于死生,志行既同,故相与交友。仍各率乃诚,述其情致云:谁能于虚无自然而相与为朋友乎?斯乃无与而与,无为而为,非为之而为,与之而与者也。犹如五藏六根,四肢百体,各有司存,更相御用,岂有心于相与,情系于亲疏哉!虽无意于相为,而相济之功成矣。故于无与而相与周旋,于无为而为交友者,其义亦然乎耳。

【释文】"相与"如字。崔云:犹亲也。或一音豫。"相为"如字,或一音于伪反。"爱为"于伪反。

〔二〕【注】无所不任。　【疏】挠挑，犹宛转也。夫登升上天，示清高轻举；遨游云雾，表不滞其中；故能随变化而无穷，将造物而宛转者也。　【释文】"挠"徐而少反，郭许尧反。"挑"徐徒了反，郭李徒尧反。又作兆。李云：挠挑，犹宛转也，宛转玄旷之中。简文云：循环之名。

〔三〕【注】忘其生，则无不忘矣，故能随变任化，俱无所穷竟。　【疏】终穷，死也。相与忘生复忘死，死生混一，故顺化而无穷也。

〔四〕【注】若然者岂友哉？盖寄明至亲而无爱念之近情也。　【疏】得意忘言，故相视而笑；智冥于境，故莫逆于心。方外道同，遂相与为友也。

庄子集释

〔校〕①世德堂本变作而，赵谏议本无夫字者字。②世德堂本官作管。赵本此两句作虽手足五脏异殊。

　　莫然有间而子桑户死，未葬。孔子闻之，使子贡往侍①事焉〔一〕。或编曲，或鼓琴，相和而歌〔二〕曰："嗟来桑户乎！嗟来桑户乎！而已反其真，而我犹为人猗〔三〕！"子贡趋而进曰："敢问临尸而歌，礼乎〔四〕？"

〔一〕【疏】莫，无也。三人相视，寂尔无言。俄顷之间，子桑户死。仲尼闻之，使子贡往而吊，仍令供给丧事，将迎宾客。欲显方外方内，故寄尼父琴张。　【释文】"莫然"如字。崔云：定也。"有间"如字。崔李云：顷也。本亦作为间。○庆藩案，有，释文作为。为间即有间矣。古为有义通。孟子滕文公篇，将为君子焉，将为野人焉，赵岐注：为，有也，虽小国亦有君子野人也。又弟子怃然为间，注：为间，有顷之间也。又尽心篇为间不用，注：为间，有间也。又梁惠王篇善推其所为而已矣，说苑贵德篇引孟子为作有。燕策故不敢为辞说，新序杂事篇为作有。皆其证。

〔二〕【疏】曲，薄也。或编薄织帘，或鼓琴歌咏，相和欢乐，曾无戚容。所谓相忘以生，方外之至也。　【释文】“编曲”必连反，字林布千反，郭父珍反，史记甫连反。李云：曲，蚕薄。“相和”胡卧反。

〔三〕【注】人哭亦哭，俗内之迹也。齐死生，忘哀乐，临尸能歌，方外之至也。　【疏】嗟来，歌声也。桑户乎以下，相和之辞也。猗，相和声也。夫从无出有，名之曰生；自有还无，名之曰死。汝今既还空寂，便是归本反真，而我犹寄人间，羁旅未还桑梓。欲齐一死生，而发斯猗叹者也。○李桢曰：嗟来是歌声，却是叹辞。释名释言语：嗟，佐也；言之不足以尽意，故发此声以自佐也。来，哀也；(故)〔使〕②来入已哀之，故其言之低头以招之也。孟子反子琴张叹桑户之得已反真，故为此歌也。　【释文】“我犹”崔本作独。“人猗”於宜反。崔云，辞也。“哀乐”音洛。

〔四〕【疏】方内之礼，贵在节文，邻里有丧，春犹不相。况临朋友之尸，曾无哀哭，琴歌自若，岂是礼乎？子贡怪其如此，故趋走进问也。

〔校〕①世德堂本侍作待。阙误引张君房本作侍。②使字依释名改。

二人相视而笑曰：“是恶知礼意〔一〕！”

〔一〕【注】夫知礼意者，必游外以经内，守母以存子，称情而直往也。若乃矜乎名声，牵乎形制，则孝不任诚，慈不任实，父子兄弟，怀情相欺，岂礼之大意哉！　【疏】夫大礼与天地同节，不拘制乎形名，直致任真，率情而往，况冥同生死，岂存哀乐于胸中！而子贡方内儒生，性犹偏执，唯贵粗迹，未契妙本。如是之人，于何知礼之深乎！为方外所嗤，固其宜矣。　【释文】“恶知”音乌，下皆同。“称情”尺證反。

子贡反，以告孔子，曰：“彼何人者邪？修行无有，而

外其形骸,临尸而歌,颜色不变,无以命之。彼何人者
邪?"〔一〕

〔一〕【疏】命,名也。子贡使返,且告尼父云:彼二人情事难识,修己
德行,无有礼仪,而忘外形骸,混同生死,临丧歌乐,神形不变。
既莫测其道,故难以名之。　【释文】"无以命之"崔李云:命,
名也。

孔子曰:"彼,游方之外者也;而丘,游方之内者也〔一〕。
外内不相及,而丘使女往吊之,丘则陋矣〔二〕。彼方且与造
物者为人,而游乎天地之一气〔三〕。彼以生为附赘县
疣①〔四〕,以死为决㽵①溃痈〔五〕,夫若然者,又恶知死生先后
之所在〔六〕!假于异物,托于同体〔七〕;忘其肝胆,遗其耳
目〔八〕;反覆终始,不知端倪〔九〕;芒然彷徨乎尘垢之外,逍
遥乎无为之业〔一〇〕。彼又恶能愦愦然为世俗之礼,以观众
人之耳目哉〔一一〕!"

〔一〕【注】夫理有至极,外内相冥,未有极游外之致而不冥于内者也,
未有能冥于内而不游于外者也。故圣人常游外以(宏)〔冥〕②
内,无心以顺有,故虽终日(挥)〔见〕③形而神气无变,俯仰万机
而淡然自若。夫见形而不及神者,天下之常累也。是故睹其与
群物并行,则莫能谓之遗物而离人矣;睹其体化而应务,则莫能
谓之坐忘而自得矣。岂直谓圣人不然哉?乃必谓至理之无此。
是故庄子将明流统之所宗以释天下之可悟,若直就称仲尼之如
此,或者将据所见以排之,故超圣人之内迹,而寄方外于数子。
宜忘其所寄以寻述作之大意,则夫游外(宏)〔冥〕内之道坦然自
明,而庄子之书,故是涉俗盖世之谈矣。　【疏】方,区域也。彼

庄子集释

之二人,齐一死生,不为教迹所拘,故游心寰宇之外。而仲尼子贡,命世大儒,行裁非之义,服节文之礼,锐意哀乐之中,游心区域之内,所以为异也。 【释文】"而淡"徒暂反。"而离"力智反,下同。"而应"应对之应。下同。"数子"所主反。"坦然"吐但反。○庆藩案,文选谢灵运之郡初发都诗注、夏侯孝若东方朔赞注,并引司马云:方,常也,言彼游心于常教之外也。释文阙。

〔二〕【注】夫吊者,方内之近事也,施之于方外则陋矣。 【疏】玄儒理隔,内外道殊,胜劣而论,不相及逮。用区中之俗礼,吊方外之高人,刍狗再陈,鄙陋之甚也。 【释文】"使女"音汝。下同。

〔三〕【注】皆冥之,故无二也。 【疏】达阴阳之变化,与造物之为人;体万物之混同,游二仪之一气也。○王引之曰:应帝王篇,予方将与造物者为人,郭曰:任人之自为。天运篇,丘不与化为人,郭曰夫与化为人者,任其自化者也。案郭未晓人字之义。人,偶也;为人,犹为偶。中庸仁者人也,(郭)〔郑〕④注:读如相人偶之人,以人意相存偶之言。诗匪风笺:人偶能割亨者,人偶能辅周道治民者。聘礼注:每门辄揖者,以相人偶为敬也。公食大夫礼注:每曲揖及当碑揖相人偶。是人与偶同义,故汉世有相人偶之语。淮南原道篇,与造化者为人,义与此同。(高注:为治也,非是。互见淮南。)齐俗篇曰:上与神明为友,下与造化为人。是其明证也。○庆藩案,文选颜延年三月三日曲水诗序注引司马云:造物者为道。任彦昇到大司马记室笺注、宣德皇后令注、陆佐公石关铭注、沈休文齐故安陆昭王碑文注并引司马云:造物,谓道也。释文阙。

〔四〕【注】若疣之自县,赘之自附,此气之时聚,非所乐也。 【释文】"县"音玄。注同。"疣"音尤。

〔五〕【注】若疣之自决,痈之自溃,此气之自散,非所惜也。 【疏】彼三子体道之人,达于死生,冥于变化。是以气聚而生,譬疣赘附县,非所乐也;气散而死,若疣痈决溃,非所惜也。 【释文】"决"徐古穴反。"疣"胡乱反。○卢文弨曰:今本正文亦作疣,音义作疣,胡虬反,恐臆改。"溃"胡对反。○庆藩案,慧琳一切经音义卷十六大方广三戒经下引司马云:浮热为疽,不通为痈。卷三十持人菩萨经二、卷三十七准提陀罗尼经、九十五正诬经注引并同。释文阙。

〔六〕【注】死生代谢,未始有极,与之俱往,则无往不可,故不知胜负之所在也。 【疏】先,胜也。后,劣也。夫疣赘疣痈,四者皆是疾,而气有聚散,病无胜负。若以此方于生死,亦安知优劣之所在乎!

〔七〕【注】假,因也。今死生聚散,变化无方,皆异物也。无异而不假,故所假虽异而共成一体也。 【疏】水火金木,异物相假,众诸寄托,共成一身。是知形体,由来虚伪。

〔八〕【注】任之于理而冥往也。 【疏】既知形质虚假,无可欣爱,故能内则忘于脏腑,外则忘其根窍故也。

〔九〕【注】五藏犹忘,何物足识哉! 未始有识,故能放任于变化之涂,玄同于反覆之波,而不知终始之所极⑤也。 【疏】端,绪也。倪,畔也。反覆,犹往来也。终始,犹生死也。既忘其形质,隳体绌聪,故能去来生死,与化俱往。化又无极,故莫知端倪。 【释文】"反覆"芳服反。"端倪"本或作况,同。音崖。徐音诣。

〔一○〕【注】所谓无为之业,非拱默而已;所谓尘垢之外,非伏于山林也。 【疏】芒然,无知之貌也。彷徨逍遥,皆自得逸豫之名也。

尘垢,色声等有为之物也。前既遗于形骸,此又忘于心智,是以放任于尘累之表,逸豫于清旷之乡,以此无为而为事业也。

【释文】"芒然"莫刚反。李云:无系之貌。"彷"薄刚反。"徨"音皇。"尘垢"如字。崔本作塚均,云:塚,音逢;均,垢同。齐人以风尘为逢塕。○卢文弨曰:旧塕作逢,今本作撻,乃塕字之讹,今改正。

〔一〕【注】其所以观示于众人者,皆其尘垢耳,非方外之冥物也。

【疏】愦愦,犹烦乱也。彼数子者,清高虚淡,安排去化,率性任真。何能强事节文,拘世俗之礼;威仪显示,悦众人之视听哉!

【释文】"愦愦"工内反,说文、苍颉篇并云:乱也。"以观"古乱反,示也。注同。

〔校〕①世德堂本疣作疣,注同。②冥字依赵谏议本改。下同。世德堂本上冥字误作私,下冥字误作弘。③见字依世德堂本改。④郑字依中庸注改。⑤世德堂本极作及。

子贡曰:"然则夫子何方之依〔一〕?"

〔一〕【注】子贡不闻性与天道,故见其所依而不见其所以依也。夫所以依者,不依也,世岂觉之哉! 【疏】方内方外,浅深不同,未知夫子依从何道。师资起发,故设此疑。

孔子曰:"丘,天之戮民也〔一〕。虽然,吾与汝共之〔二〕。"

〔一〕【注】以方内为桎梏,明所贵在方外也。夫游外者依内,离人者合俗,故有天下者无以天下为也。是以遗物而后能入群,坐忘而后能应务,愈遗之,愈得之。苟居斯极,则虽欲释之而理固自来,斯乃天人之所不赦者也。 【疏】夫圣迹礼仪,乃桎梏形性。仲尼既依方内,则是自然之理,刑戮之人也。故德充符篇云,天刑之,安可解乎。

〔二〕【注】虽为世所桎梏,但为与汝共之耳。明己恒自在外也。

【疏】夫孔子圣人,和光接物,扬波同世,贵斯俗礼;虽复降迹方内,与汝共之,而游心方外,萧然无著也。

子贡曰:"敢问其方〔一〕**。"**

〔一〕【注】问所以游外而共内之意。　【疏】方,犹道也。问:"迹混域中,心游方外,外内玄合,其道若何?"

孔子曰:"鱼相造乎水,人相造乎道〔一〕**。相造乎水者,穿池而养给;相造乎道者,无事而生定**〔二〕**。故曰,鱼相忘乎江湖,人相忘乎道术**〔三〕**。"**

〔一〕【疏】造,诣也。鱼之所诣者,适性莫过深水;人之所至者,得意莫过道术。虽复情智不一,而相与皆然。此略标义端,次下解释也。　【释文】"相造"七报反,诣也。下同。

〔二〕【注】所造虽异,其于由无事以得事,自方外以共内,然后养给而生定,则莫不皆然也。俱不自知耳,故成无为也。　【疏】此解释前义也。夫江湖淮海,皆名天池。鱼在大水之中,窟穴泥沙,以自资养供给也;亦犹人处大道之中,清虚养性,无事逍遥,故得性分静定而安乐也。　【释文】"穿池"本亦作地,崔同。○俞樾曰:定疑足字之误。穿池而养给,无事而生足,两句一律。给,亦足也。足与定,字形相似而误。管子中匡篇:功定以得天与失天,其人事一也。今本定误作足,与此正可互证。

〔三〕【注】各自足而相忘者,天下莫不然也。至人常足,故常忘也。
【疏】此结释前义也。夫深水游泳,各足相忘;道术内充,偏爱斯绝;岂与夫呴濡仁义同年而语哉!临尸而歌,其义亦尔故也。
【释文】"相忘"音亡。下同。

子贡曰："敢问畸人[一]。"

〔一〕【注】问向之所谓方外而不耦于俗者,又安在也。　【疏】畸者,
　　　不耦之名也。修行无有,而疏外形体,乖异人伦,不耦于俗。敢
　　　问此人,其道如何?　【释文】"畸人"居宜反。司马云:不耦也。
　　　不耦于人,谓阙于礼教也。李其宜反,云:奇异也。

曰:"畸人者,畸于人而侔于天[一]。故曰,天之小人,
人之君子;人之君子,天之小人也[二]。"

〔一〕【注】夫与内冥者,游于外也。独能游外以冥内,任万物之自然,
　　　使天性各足而帝王道成,斯乃畸于人而侔于天也。　【疏】自此
　　　已下,孔子答子贡也。侔者,等也,同也。夫不修仁义,不偶于
　　　物,而率其本性者,与自然之理同也。　【释文】"而侔"音谋。
　　　司马云:等也,亦从也。

〔二〕【注】以自然言之,则人无小大①;以人理言之,则侔于天者可谓
　　　君子矣。　【疏】夫怀仁履义为君子,乖道背德为小人也。是以
　　　行鳖蠓之仁,用蹑跂之义者,人伦谓之君子,而天道谓之小人
　　　也。故知子反琴张,不偶于俗,乃曰畸人,实天之君子。重言之
　　　者,复结其义也。

〔校〕①赵谏议本大作人。

颜回问仲尼曰:"孟孙才,其母死,哭泣无涕,中心不
戚,居丧不哀。无是三者,以善处①丧[一]盖鲁国。固有无
其实而得其名者乎?回壹②怪之[二]。"

〔一〕【疏】姓孟孙,名才,鲁之贤人。体无为之一道,知生死之不二,
　　　故能迹同方内,心游物表。居母氏之丧,礼数不阙,威仪详雅,

甚有孝容;而泪不滂沱,心不悲戚,声不哀痛。三者既无,不名
孝子,而乡邦之内,悉皆善之,云其处丧深得礼法也。　【释文】
"孟孙才"李云:三桓后,才其名也。崔云:才,或作牛。〇李桢
曰:以善处丧绝句,文义未完,且嫌于不辞。下盖鲁国三字当属
上为句,不当连下固有云云为句。盖与应帝王篇功盖天下义
同,言孟孙才以善处丧名盖鲁国。尔雅释言:弇,盖也。小尔雅
广诂:盖,覆也。释名释言语:盖,加也。并有高出其上之意,即
此盖字义也。

〔二〕【注】鲁国观其礼,而颜回察其心。　【疏】盖者,发语之辞也。
哭泣缞绖,同域中之俗礼;心无哀戚,契方外之忘怀。鲁人睹其
外迹,故有善丧之名;颜子察其内心,知无至孝之实。所以一见
孟孙才,遂生疑怪也。

〔校〕①世德堂本无处字。②世德堂本壹作一。

仲尼曰:"夫孟孙氏尽之矣,进于知矣〔一〕。唯简之而
不得〔二〕,夫已有所简矣。孟孙氏不知所以生,不知所以
死〔三〕;不知就先,不知就后〔四〕;若化为物〔五〕,以待其所不
知之化已乎〔六〕!且方将化,恶知不化哉?方将不化,恶知
已化哉〔七〕?吾特与汝,其梦未始觉者邪〔八〕!且彼有骇形
而无损心〔九〕,有旦宅而无情死〔一〇〕。孟孙氏特觉,人哭亦
哭,是自其所以乃①〔一一〕。且也相与吾之耳矣〔一二〕,庸讵
知吾所谓吾之乎〔一三〕?且汝梦为鸟而厉乎天,梦为鱼而没
于渊〔一四〕。不识今之言者,其觉者乎,其梦者乎〔一五〕?造
适不及笑,献笑不及排〔一六〕,安排而去化,乃入于寥天
一〔一七〕。"

〔一〕【注】尽死生之理,应内外之宜者,动而以天行,非知之匹也。【疏】进,过也。夫孟孙氏穷哀乐之本,所以无乐无哀;尽生死之源,所以忘生忘死。既而本迹难测,故能合内外之宜;应物无心,岂是运知之匹者耶!【释文】"应内"应对之应。

〔二〕【注】简择死生而不得其异,若春秋冬夏四时行耳。【疏】夫生来死去,譬彼四时,故孟孙简择,不得其异。

〔三〕【注】已简而不得,故无不安,无不安,故不以生死概意而付之自化也。【疏】虽复有所简择,竟不知生死之异,故能安于变化而不以哀乐概怀也。

〔四〕【注】所遇而安。

〔五〕【注】不违化也。【疏】先,生也。后,死也。若,顺也。既一于死生,故无去无就;冥于变化,故顺化为物也。

〔六〕【注】死生宛转,与化为一,犹乃忘其所知于当今,岂待所未知而豫忧者哉!【疏】不知之化,谓当来未化之事也。已,止也。见在之生,犹自忘遣;况未来之化,岂复逆忧!若用心预待,不如止而勿为也。

〔七〕【注】已化而生,焉知未生之时哉!未化而死,焉知已死之后哉!故无所避就,而与化俱往②也。【疏】方今正化为人,安知过去未化之事乎!正在生日未化而死,又安知死后之事乎!俱当推理直前,与化俱往,无劳在生忧死,妄为欣恶也。【释文】"恶知"音乌,下同。"焉知"於虔反。下皆同。

〔八〕【注】夫死生犹觉梦耳,今梦自以为觉,则无以明觉之非梦也;苟无以明觉之非梦,则亦无以明生之非死矣。死生觉梦,未知所在,当其所遇,无不自得,何为在此而忧彼哉!【疏】梦是昏睡之时,觉是了知之日。仲尼颜子,犹拘名教,为昏于大梦之中,不达死生,未尝暂觉者也。　【释文】"觉者"古孝反。注、下皆同。

〔九〕【注】以③变化为形之骇动耳,故不以死生损累其心。　【疏】彼之**孟孙**,冥于变化,假见生死为形之惊动,终无哀乐损累心神也。　【释文】"骇形"如字。崔作咳,云:有婴儿之形。

〔一〇〕【注】以形骸之变为旦宅之日新耳,其情不以为死。　【疏】旦,日新也。宅者,神之舍也。以形之改变为宅舍之日新耳,其性灵凝淡,终无死生之累者也。　【释文】"旦宅"并如字。**王**云:旦暮改易,宅是神居也。**李**本作怛忋,上丹末反,下陟嫁反,云:惊惋之貌。**崔**本作靼宅。靼,怛也。

〔一一〕【注】夫常觉者,无往而有逆也,故人哭亦哭,正自是其所宜也④。　【疏】**孟孙**冥同生死,独居觉悟,应于内外,不乖人理。人哭亦哭,自是顺物之宜者也。　【释文】"所以乃"崔本乃作恶。

〔一二〕【注】夫死生变化,吾皆吾之。既皆是吾,吾何失哉!未始失吾,吾何忧哉⑤!无逆,故人哭亦哭;无忧,故哭而不哀。　【疏】吾生吾死,相与皆吾,未始非吾,吾何所失!若以系吾为意,何适非吾!

〔一三〕【注】靡所不吾也,故玄同外内,弥贯古今,与化日新,岂知吾之所在也!　【疏】庸,常也。凡常之人,识见浅狭,讵知吾之所谓无处非吾!假令千变万化,而吾常在,新吾故吾,何欣何恶也!　【释文】"庸讵"其庶反。下章同。

〔一四〕【注】言无往而不自得也。

〔一五〕【注】梦之时自以为觉,则焉知今者之非梦耶,亦焉知其非觉耶?觉梦之化,无往而不可,则死生之变,无时而足惜也。　【疏】厉,至也。且为鱼为鸟,任性逍遥,处死处生,居然自得。而鱼鸟既无优劣,死生亦何胜负而系之哉!<u>孟孙</u>妙达斯源,所以未尝介意。又不知今之所论鱼鸟者,为是觉中而辩,为是梦中而说乎?夫人梦中,自以为觉;今之觉者,何妨梦中!是知觉梦生死,未可定也。

〔一六〕【注】所造皆适,则忘适矣,故不及笑也。排者,推移之谓也。夫礼哭必哀,献笑必乐,哀乐存怀,则不能与适推移矣。今<u>孟孙</u>常适,故哭而不哀,与化俱往。　【疏】造,至也。献,善也。排,推移也。夫所至皆适,斯亦适也,其常适何及欢笑然后乐哉!若从善事感己而后适者,此则不能随变任化,与物推移也。今<u>孟孙</u>常适,故哭而不哀也。　【释文】"造适"七报反。注同。"献笑"<u>向</u>云:献,善也。<u>王</u>云:章也,意有适,章于笑,故曰献笑。○<u>家世父</u>曰:造适者,以心取适而已,言笑皆忘也。献笑者,以笑为欢而已,推排皆化也。极推排之力而冥然安之,穷变化之用而超然去之,乃以游荡于万物之表而与天为一。"及排"皮皆反。"必乐"音洛。下同。

〔一七〕【注】安于推移而与化俱去,故乃入于寂寥而与天为一也。自此以上,至于<u>子祀</u>,其致一也。所执之丧异,故歌哭不同。　【疏】所在皆适,故安任推移,未始非吾,而与化俱去。如此之人,乃能入于寥廓之妙门,自然之一道也。　【释文】"寥"本亦作廖,力彫反。<u>李</u>良救反。"天一"<u>崔</u>本作造敌不及笑,献芥不及鳖,安排而造化不及眇,眇不及雄漂淰,雄漂淰不及簟筬,簟筬乃入于潦天一。"以上"时掌反。

〔校〕①<u>朱桂曜</u>本乃作盈。②<u>世德堂</u>本往作生。③<u>世德堂</u>本以作似。④<u>赵谏议</u>本无注首夫字,注末也字。⑤<u>世德堂</u>本是吾作自吾,两哉字均作矣。

意而子见许由。许由曰："尧何以资汝〔一〕？"

〔一〕【注】资者，给济之谓也。　【疏】意而，古之贤人。资，给济之谓
也。意而先谒帝尧，后见仲武。问云："帝尧大圣，道德甚高，汝
既谒见，有何敬授资济之术，幸请陈说耳。"　【释文】"意而子"
李云：贤士也。"资汝"资，给也。

意而子曰："尧谓我：'汝必躬服仁义而明言是
非〔一〕。'"

〔一〕【疏】躬，身也。仁则恩慈育物，义则断割裁非，是则明赏其善，
非则明惩其恶。此之四者，人伦所贵，汝必须己身服行，亦须明
言示物。此是意而述尧教语之辞也。

许由曰："而奚来为轵〔一〕？夫尧既已黥汝以仁义，而
劓汝以是非矣，汝将何以游夫遥荡恣睢转徙之涂乎〔二〕？"

〔一〕【疏】而，汝也。奚，何也。轵，语助也。尧将教迹刑害于汝，疮
痕已大，何为更来矣？　【释文】"为轵"之是反，郭之忍反。崔
云：轵，辞也。李云：是也。

〔二〕【注】言其将以刑教自亏残，而不能复游夫自得之场，无系之涂
也。　【疏】黥，凿额也。劓，割鼻也。恣睢，纵任也。转徙，变
化也。涂，道也。夫仁义是非，损伤真性，其为残害，譬之刑戮。
汝既被尧黥劓，拘束性情，如何复能遨游自得，逍遥放荡，从容
自适于变化之道乎？言其不复能如是。　【释文】"黥"其京反。
"劓"鱼器反。李云：毁道德以为仁义，不似黥乎！破玄同以为
是非，不似劓乎！"遥荡"王云：纵散也。"恣"七咨反，又如字。
"睢"郭李云：许维反，徐许鼻反。李王皆云：恣睢，自得貌。"复
游"扶又反。下同。

意而子曰："虽然,吾愿游于其藩〔一〕。"

〔一〕【注】不敢复求涉中道也,且愿游其藩傍而已。 【疏】我虽遭此

　　亏残,而庶几之心靡替,不复敢当中路,愿涉道之藩傍也。

　　【释文】"其藩"甫烦反,李音烦。司马向皆云:崖也。崔云:

　　域也。

许由曰："不然。夫盲者无以与乎眉目颜色之好,瞽
者无以与乎青黄黼黻之观〔一〕。"

〔一〕【疏】盲者,有眼睛而不见物;瞽者,眼无眹缝如鼓皮也。作斧形

　　谓之黼,两己相背谓之黻。而盲瞽之人,眼睛已败,既不能观文

　　彩青黄,亦不爱好眉目颜色。譬意而遭尧黥劓,情智已伤,岂能

　　爱慕深玄,观览众妙邪! 【释文】"盲者"本又作眇。崔本作

　　目,云:目,或作刑。刑,黥劓也。"以与"音豫。下同。"之好"

　　如字,又呼报反。"黼黻"上音甫,下音弗。"观"古乱反。

意而子曰："夫无庄之失其美,据梁之失其力,黄帝之
亡其知,皆在炉捶①之间耳〔一〕。庸讵知夫造物者之不息
我黥而补我劓,使我乘成以随先生邪〔二〕?"

〔一〕【注】言天下之物,未必皆自成也,自然之理,亦有须冶锻而为器

　　者耳。故此之三人,亦皆闻道而后忘其所务也。此皆寄言,以

　　遣云为之累耳。 【疏】无庄,古之美人,为闻道故,不复庄饰,

　　而自忘其美色也。据梁,古之多力人,为闻道守雌,故不勇其力

　　也。黄帝,轩辕也,有圣知,亦为闻道,故能忘遣其知也。炉,灶

　　也。锤,锻也。以上三人,皆因闻道,然后忘其所务以契其真,

　　犹如世间器物,假于炉冶打锻以成其用者耳。今何妨自然之

　　理,令夫子教示于我,以成其道耶? 故知自然造物,在炉冶之

间,则是有修学冶锻之义也。　【释文】"无庄据梁"司马云:皆
人名。李云:无庄,无庄饰也。据梁,强梁也。"炉"音卢。"捶"
本又作锤。徐之睡反,又之蕊反,一音时蕊反。李云:锤,鸱头颇
口,句铁以吹火也。崔云:卢谓之瓮。捶当作甄。卢甄之间,言
小处也。甄音丈伪反。"锻"丁乱反。

〔二〕【注】夫率性②直往者,自然也;往而伤性,性伤而能改者,亦自
然也。庸讵知我③之自然当不息黥补劓,而乘可成之道以随夫
子耶?而欲弃而勿告,恐非造物之至也④。　【疏】造物,犹造
化也。我虽遭仁义是非残伤情性,焉知造化之内,不补劓息黥,
令我改过自新,乘可成之道,随夫子以请益耶?乃欲弃而不教,
恐乖造物者也。○庆藩案,乘,犹载也。成,犹备也。与诗仪既
成兮义同。黥劓则形体不备,息之补之,复完成矣。言造物者
使我得遇先生,安知不使我载一成体以相随耶?此兼采宣氏
说,较郭训为长。

〔校〕①赵谏议本捶作锤。②赵本性作然。③世德堂本知我作我知。
④世德堂本无也字。

许由曰:"噫!未可知也。我为汝言其大略〔一〕。吾师
乎!吾师乎!齑万物而不为义,泽及万世而不为仁〔二〕,长
于上古而不为老〔三〕,覆载天地刻雕众形而不为巧〔四〕。此
所游已〔五〕。"

〔一〕【疏】噫,叹声也。至道深玄,绝于言象,不可以心虑测,故叹云
未可知也。既请益殷勤,亦无容杜默,虽复不可言尽,为汝梗概
陈之。　【释文】"曰噫"徐音医。李云:叹声也。崔云:乱也。
本亦作意,音同。又如字,谓呼意而名也。"我为"于伪反。
注同。

〔二〕【注】皆自尔耳,亦无爱为于其间也,安所寄其仁义! 【疏】吾师乎者,至道也。然至道不可心知,为汝略言其要,即吾师是也。螫,碎也。至如素秋霜降,碎落万物,岂有情断割而为义哉? 青春和气,生育万物,岂有情恩爱而为仁哉? 盖不然而然也。而许由师于至道,至道既其如是,汝何得躬服仁义耶? 此略为意而说息黥补劓之方也。 【释文】"螫"子兮反。司马云:碎也。○卢文弨曰:说文作齑,亦作齏。陆每从敊,讹。今从隶省作螫。下并同。

〔三〕【注】日新也。 【释文】"长于"丁丈反。

〔四〕【注】自然,故非巧也。 【疏】万象之前,先有此道,智德具足,故义说为长而实无长也。长既无矣,老岂有耶! 欲明不长而长,老而不老,故长于上古而不为老也。虽复天覆地载,而以道为源,众形雕刻,咸资造化,同禀自然,故巧名斯灭。既其无老无巧,无是无非,汝何所明言耶?

〔五〕【注】游于不为而师于无师也。 【疏】吾师之所游心,止如此说而已。此则总结以前吾师之义是也。

　　颜回曰:"回益矣〔一〕。"

〔一〕【注】以损之为益也。 【疏】颜子禀教孔氏,服膺问道,觉己进益,呈解于师。损有资空,故以损为益也。

　　仲尼曰:"何谓也〔一〕?"

〔一〕【疏】既言益矣,有何意谓?

　　曰:"回忘仁义矣〔一〕。"

〔一〕【疏】忘兼爱之仁,遣裁非之义,所言益者,此之谓乎!

　　曰:"可矣,犹未也〔一〕。"

〔一〕【注】仁者,兼爱之迹;义者,成物之功。爱之非仁,仁迹行焉;成之非义,义功见焉。存夫仁义,不足以知爱利之由无心,故忘之可也。但忘功迹,故犹未玄达也。　【疏】仁义已忘,于理渐可;解心尚浅,所以犹未。　【释文】"功见"贤遍反。下文同。

他日,复见,曰:"回益矣〔一〕。"

〔一〕【疏】他日,犹异日也。空解日新,时更复见。所言进益,列在下文。　【释文】"他日"崔本作异日。下亦然。"复见"扶又反。下同。

曰:"何谓也〔一〕?"

〔一〕【疏】所言益者,是何意谓也?

曰:"回忘礼乐矣〔一〕。"

〔一〕【疏】礼者,荒乱之首;乐者,淫荡之具。为累更重,次忘之也。

曰:"可矣,犹未也〔一〕。"

〔一〕【注】礼者,形体之用;乐者,乐生之具。忘其具,未若忘其所以具也。　【疏】虚心渐可,犹未至极也。　【释文】"乐生"音洛,又音嶽。

他日,复见,曰:"回益矣。"

曰:"何谓也〔一〕?"

〔一〕【疏】并不异前解也。

曰:"回坐忘矣〔一〕。"

〔一〕【疏】虚心无著,故能端坐而忘。坐忘之义,具列在下文。○庆藩案,文选贾长沙鵩鸟赋注引司马云:坐而自忘其身。释文阙。

仲尼蹴然曰:"何谓坐忘〔一〕?"

〔一〕【疏】蹴然,惊悚貌也,忘遗既深,故悚然惊叹。坐忘之谓,厥义云何也？　【释文】"蹴然"子六反。崔云:变色貌。

颜回曰:"堕肢体,黜聪明〔一〕,离形去知,同于大通,此谓坐忘〔二〕。"

〔一〕【疏】堕,毁废也。黜,退除也。虽聪属于耳,明关于目,而聪明之用,本乎心灵。既悟一身非有,万境皆空,故能毁废四肢百体,屏黜聪明心智者也。　【释文】"堕"许规反。徐又待果反。

〔二〕【注】夫坐忘者,奚所不忘哉！既忘其迹,又忘其所以迹者,内不觉其一身,外不识有天地,然后旷然与变化为体而无不通也。　【疏】大通,犹大道。道能通生万物,故谓道为大通也。外则离析于形体,一一虚假,此解堕肢体也。内则除去心识,怳然无知,此解黜聪明也。既而枯木死灰,冥同大道,如此之益,谓之坐忘也。　【释文】"去"起吕反。"知"音智。"坐忘"崔云:端坐而忘。○卢文弨曰:依次当在蹴然之前。

仲尼曰:"同则无好也〔一〕,化则无常也〔二〕。而果其贤乎！丘也请从而后也〔三〕。"

〔一〕【注】无物不同,则未尝不适,未尝不适,何好何恶哉！　【释文】"无好"呼报反。注同。"何恶"乌路反。

〔二〕【注】同于化者,唯化所适,故无常也。　【疏】既同于大道,则无是非好恶;冥于变化,故不执滞守常也。

〔三〕【疏】果,决也。而,汝也。"忘遗如此,定是大贤。丘虽汝师,遂落汝后。从而学之,是丘所愿。"执谦退己,以进颜回者也。

子舆与子桑友,而霖①雨十日。子舆曰:"子桑殆病矣！"裹饭而往食之〔一〕。至子桑之门,则若歌若哭,鼓琴曰:"父邪! 母邪! 天乎! 人乎!"有不任其声而趋举其诗焉[二]。

[一]【注】此二人相为于无相为者也。今裹饭而相食者,乃任之天理而自尔耳,非相为而后往者也。　【疏】雨经三日已上为霖。殆,近也。子桑家贫,属斯霖雨,近于饿病。此事不疑于方外之交,任理而往,虽复裹饭,非有相为之情者也。　【释文】"霖雨"本又作淋,音林。左传云:雨三日以往为霖。"裹"音果。"食"音嗣。注同。

[二]【疏】任,堪也。趋,卒疾也。子桑既遭饥馁,故发琴声,问此饥贫从谁而得,为关父母? 为是人天? 此则歌哭之辞也。不堪此举,又卒尔诗咏也。　【释文】"有不任"音壬。"其声而趋"七住反。"举其诗焉"崔云:不任其声,怠也;趋举其诗,无音曲也。

[校]①赵谏议本作淋。

子舆入,曰:"子之歌诗,何故若是[一]?"

[一]【注】嫌其有情,所以趋出远理也。　【疏】一于死生,忘于哀乐,〔相与〕于无相与,方外之交。今子歌诗,似有怨望,故入门惊怪,问其所由也。

曰:"吾思夫使我至此极者而弗得也。父母岂欲吾贫哉? 天无私覆,地无私载,天地岂私贫我哉? 求其为之者而不得也。然而至此极者,命也夫[一]!"

[一]【注】言物皆自然,无为之者也。　【疏】夫父母慈造,不欲饥冻;天地无私,岂独贫我! 思量主宰,皆是自然,寻求来由,竟无兆朕。而使我至此穷极者,皆我之赋命也,亦何惜之有哉!

庄子集释卷三下

内篇 应帝王第七〔一〕

〔一〕【注】夫无心而任乎自化者,应为帝王也。 【释文】崔云:行不言之教,使天下自以为牛马,应为帝王者也。

啮缺问于王倪,四问而四不知〔一〕。啮缺因跃而大喜,行以告蒲衣子。

〔一〕【疏】四问而四不知,则齐物篇中四问也。夫帝王之道,莫若忘知,故以此义而为篇首。老子云:不以智治国,国之德者也。

【释文】"啮缺"五结反。下丘悦反。"王倪"五兮反。"四问而四不知"向云:事在齐物论中。

蒲衣子曰:"而乃今知之乎〔一〕?有虞氏不及泰氏〔二〕。有虞氏,其犹藏①仁以要人;亦得人矣,而未始出于非人〔三〕。泰氏,其卧徐徐,其觉于于〔四〕;一以己为马,一以己为牛〔五〕;其知情信〔六〕,其德甚真〔七〕,而未始入于非人〔八〕。"

261

〔一〕【疏】蒲衣子,尧时贤人,年八岁,舜师之,让位不受,即被衣子也。啮缺得不知之妙旨,仍踊跃而喜欢,走以告于蒲衣子,述王倪之深义。蒲衣是方外之大贤,达忘言之至道,理无知而固久,汝今日乃知也? 【释文】"蒲衣子"尸子云:蒲衣八岁,舜让以天下。崔云:即被衣,王倪之师也。淮南子曰:啮缺问道于被衣。

〔二〕【注】夫有虞氏之与泰氏,皆世事之迹耳,非所以迹者也。所以迹者,无迹也,世孰名之哉! 未之尝名,何胜负之有耶! 然无迹者,乘群变,履万世,世有夷险,故迹有不及也。 【疏】有虞氏,舜也。泰氏,即太昊伏羲也。三皇之世,其俗淳和;五帝之时,其风浇竞。浇竞则运知而养物,淳和则任真而驭宇,不及之义,验此可知也。 【释文】"泰氏"司马云:上古帝王也。崔云:帝王也。李云:大庭氏;又云:无名之君也。○庆藩案:路史前纪七引司马云:上古之帝王,无名之称。与释文所引小异。

〔三〕【注】夫以所好为是人,所恶为非人者,唯以是非为域者也。夫能出于非人之域者,必入于无非人之境矣,故无得无失,无可无不可,岂直藏仁而要人也! 【疏】夫舜,包藏仁义,要求士庶,以得百姓之心,未是忘怀,自合天下,故未出于是非之域。亦有作臧字者。臧,善也。善于仁义,要求人心者也。 【释文】"藏仁"才刚反。崔云:怀仁心以结人也。本亦作臧,作刚反,善也。简文同。"以要"一遥反。注同。○家世父曰:有人之见存,而要人之仁行焉。无人之见存,出入鸟兽之群而不乱;其(世)〔与〕人也(汎)〔泛〕乎相遇泯泯之中,而奚以要人为! 出于非人,忘非我之分矣。入于非人,人我之分之两忘者,不以心应焉。为马为牛,非独忘人也,亦忘己也。"所好"呼报反。"所恶"乌路反。"之竟"音境。

〔四〕【疏】徐徐,宽缓之貌。于于,自得之貌。伏牺之时,淳风尚在,故卧则安闲而徐缓,觉则欢娱而自得也。　【释文】"徐徐"如字。崔本作祛祛。"其觉"古孝反。"于于"如字。司马云:徐徐,安稳貌。于于,无所知貌。简文云:徐徐于于,寐之状也。○庆藩案,于于,即盱盱也。说文:盱,张目也。于与盱,声近义同。淮南俶真篇,万民睢睢盱盱然。鲁灵光殿赋鸿荒朴略,厥状睢盱,张载曰:睢盱,质朴之形。正与司马注无所知意相合。(淮南览冥篇卧倨倨,兴盱盱,高注曰:盱盱,无智巧貌也。又淮南盱盱作眄眄。王氏读书杂志据诸书证为盱盱之伪,亦正与质朴无知同义。)

〔五〕【注】夫如是,又奚是人非人之有哉!斯可谓出于非人之域。　【疏】忘物我,遗是非,或马或牛,随人呼召。人兽尚且无主,何是非之有哉!

〔六〕【注】任其自知,故情信。　【疏】率其真知,情无虚矫,故实信也。

〔七〕【注】任其自得,故无伪。　【疏】以不德为德,德无所德,故不伪者也。

〔八〕【注】不入乎是非之域,所以绝于有虞之世。　【疏】既率其情,其德不伪,故能超出心知之境,不入是非之域者也。

〔校〕①赵谏议本藏作臧。

肩吾见狂接舆。狂接舆曰:"日中始何以语女?"〔一〕

〔一〕【疏】肩吾接舆,已具前解。日中始,贤人姓名,即肩吾之师也。既是女师,有何告示?此是接舆发语以问故也。　【释文】"日"人实反。"中"音仲,亦如字。"始"李云:日中始,人姓名,贤者也。崔本无日字,云:中始,贤人也。○俞樾曰:释文引李云,日中始,人姓名,贤者也。此恐不然。中始,人名,日,犹云日者也。谓日者中始何以语女也,文七年左传,日卫不睦,襄二十六年传,日其过此也,昭七年传,日君以夫公孙段为能任其事,十六年传,日起请夫环,并与此日字同义。李以日中始三字为人姓名,失之矣。崔本无日字。"以语"鱼据反。"女"音汝。后皆同。

肩吾曰:"告我君人者以己出经式义度,人①孰敢不听而化诸〔一〕!"

〔一〕【疏】式,用也。教我为君之道,化物之方,必须己出智以经纶,用仁义以导俗,则四方氓庶,谁不听从,遐远黎元,敢不归化耶!　【释文】"出经"绝句。司马云:出,行也。经,常也。崔云:出典法也。"式义度人"绝句。式,法也。崔云:式,用也。用仁义以法度人也。○王念孙曰:释文曰:出经绝句,式义度人绝句,引诸说皆未协。案此当以以己出经式义度为句,人孰敢不听而化诸为句。义读为仪。(义〔与〕仪,古字通。说文:义,己之威仪也。文侯之命父义和,郑注:义读为仪。周官肆师治其礼仪,郑注:故书仪为义,郑司农云:义读为仪。古者书仪但为义,今时所为义为谊。小雅楚茨篇礼仪卒度,韩诗作义。周官大行人大客之仪,大戴礼朝事篇作义。乐记制之礼义,汉书礼乐志作仪。周语示民轨仪,大射仪注引作义。)仪,法也。(见周语注、淮南精神篇注、楚词九叹注。)经式仪度,皆谓法度也,解者失之。

〔校〕①阙误引张君房本度人作庶民。

狂①接舆曰:"是欺德也〔一〕;其于治天下也,犹涉海凿河而使蚊负山也〔二〕。夫圣人之治也，治外乎〔三〕？正而后行〔四〕，确乎能其事者而已矣〔五〕。且鸟高飞以避矰弋之害，鼷鼠深穴乎神丘之下以避熏凿之患〔六〕，而曾二虫之无知〔七〕！”

〔一〕【注】以己制物，则物失其真。　【疏】夫以己制物，物丧其真，欺诳之德非实道。　【释文】“欺德”简文云：欺，(忘)〔妄〕②也。

〔二〕【注】夫寄当于万物，则无事而自成；以一身制天下，则功莫就而任不胜也。　【疏】夫溟海弘博，深广难穷，而穿之为河，必无成理。犹大道遐旷，玄绝难知，而凿之为义，其功难克。又蚊虫至小，山岳极高，令其负荷，无由胜任。以智经纶，用仁理物，能小谋大，其义亦然。　【释文】“涉海凿”待洛反。下同。郭粗鹤反。“河”李云：涉海必陷波，凿河无成也。“蚊”音文。本亦作螡，同。“不胜”音升。

〔三〕【注】全其性分之内而已。　【疏】随其分内而治之，必不分外治物。治乎外者，言不治之者也。

〔四〕【注】各正性命之分也。　【疏】顺其正性而后行化。

〔五〕【注】不为其所不能。　【疏】确，实也。顺其实性，于事有能者，因而任之，止于分内，不论于外者也。　【释文】“确乎”苦学反。李云：坚貌。崔本作橐，音託。○庆藩案，文选刘孝标辩命论注引司马云：确乎，不移易。释文阙。

〔六〕【注】禽兽犹各有以自存，故帝王任之而不为，则自成也。　【疏】矰，网也。弋，以绳系箭而射之也。鼷鼠，小鼠也。神丘，社坛也。鸟则高飞而逃网，鼠则深穴而避熏，斯皆率性自然，岂待教而远害者也！鸟鼠既尔，在人亦然。故知式义出经，诬罔之甚矣。　【释文】“矰”则能反。李云：罔也。“之害”崔本作灾。"龚"音兮。"熏"香云反。

〔七〕【注】言汝曾不知③此二虫之各存而不待教乎！　【疏】而，汝
　　也。汝不曾知此二虫，不待教令，而解避害全身者乎？既深穴
　　高飞，岂无知耶！况在人伦，而欲出经式义，欺矫治物，不亦
　　妄哉！

〔校〕①世德堂本无狂字。②妄字依世德堂本改。③世德堂本知
　　作如。

天根游于殷阳，至蓼水之上，适遭无名人而问焉，曰：
"请问为天下。"〔一〕

〔一〕【疏】天根无名，并为姓字，寓言问答也。殷阳，殷山之阳。蓼
　　水，在赵国界内。遭，遇也。天根遨游于山水之侧，适遇无名人
　　而问之，请问之意，在乎天下。　【释文】"天根"崔(本)①云：人
　　姓名也。"游于殷阳"李云：殷，山名。阳，山之阳。崔云：殷阳，
　　地名。司马云：殷，众也，言向南游也。或作殷汤。"蓼水"音
　　了。李云：水名也。

〔校〕①本字依世德堂本及释文原本删。

无名人曰："去！汝鄙人也，何问之不豫①也〔一〕！予
方将与造物者为人〔二〕，厌，则又乘夫莽眇之鸟，以出六极
之外，而游无何有之乡，以处圹埌之野〔三〕。汝又何帛以治
天下感予之心为〔四〕？"

〔一〕【注】问为天下，则非起于大初，止于玄冥也。　【疏】汝是鄙陋
　　之人，宜其速去。所问之旨，甚不悦豫我心。　【释文】"不豫"
　　司马云：嫌不渐豫，太仓卒也。简文云：豫，悦也。○卢文弨曰：

今本作不预。○俞樾曰:尔雅释诂:豫,厌也。楚词惜诵篇行婟直而不豫兮,王逸注亦曰:豫,厌也。是豫之训厌,乃是古义。无名人深怪天根之多问,故曰何问之不豫,犹云何许子之不惮烦也。简文云,豫,悦也,殊失其义。"大初"音泰。

〔二〕【注】任人之自为。　【疏】夫造物为人,素分各足,何劳作法,措意治之!既同于大通,故任而不助也。

〔三〕【注】莽眇,群碎之谓耳。乘群碎,驰万物,故能出处常通,而无狭滞之地。　【疏】莽眇,深远之谓。圹埌,弘博之名。鸟则取其无迹轻升。六极,犹六合也。夫圣人驭世,恬淡无为,大顺物情,有同造化。若其息用归本,厌离世间,则乘深远之大道,凌虚空而灭迹,超六合以放任,游无有以逍遥,凝神智于射山,处清虚于旷野。如是,则何天下之可为哉!盖无为者也。　【释文】"乘夫"音符。"莽"莫荡反。崔本作猛。"眇"妙小反。莽眇,轻虚之状也。崔云:猛眇之鸟首也,取其行而无迹。"圹"徐苦廣反。"埌"徐力黨反。李音浪。圹埌,无滞为名也。崔云:犹旷荡也。"无狭"户夹反。

〔四〕【注】言皆放之自得之场,则不治而自治也。　【疏】夫放而任之,则物皆自化。有何帠术,辄欲治之?感动我心,何为如此?【释文】"帠"徐音艺,又鱼例反。司马云:法也。一本作㜌,牛世反。崔本作为。○俞樾曰:帠,未详何字,以诸说参考之,疑帠乃臬字之误,故有鱼例反之音;而司马训法,亦即臬之义也。然字虽是臬,而义则非臬,当读为㜌。㜌,本从臬声,古文以声为主,故或止作臬也。一本作㜌者,破假字而为正字耳。一切经音义引通俗文曰:梦语谓之㜌。无名人盖谓天根所问皆梦语也,故曰汝又何㜌以治天下感予之心为?○庆藩案,一切经音义四分律卷三十二引三苍云：譫，（于）〔牛〕岁反，谎言也。谎言即与梦语无异。"而自治"直吏反。下文同。

〔校〕①世德堂本作预。

又复问〔一〕。

〔一〕【疏】天根未达，更请决疑。 【释文】"又复"扶又反。

无名人曰："汝游心于淡〔一〕，合气于漠〔二〕，顺物自然而无容私焉，而天下治矣〔三〕。"

〔一〕【注】其任性而无所饰焉则淡矣。 【释文】"于淡"徒暂反，徐大敢反。

〔二〕【注】漠然静于性而止。 【疏】可游汝心神于恬淡之域，合汝形气于寂寞之乡，唯形与神，二皆虚静。如是，则天下不待治而自化者耳。 【释文】"于漠"音莫。

〔三〕【注】任性自生，公也；心欲益之，私也。容私果不足以生生，而顺公乃全也。 【疏】随造化之物情，顺自然之本性，无容私作法术，措意治之。放而任之，则物我全之矣。

阳子居见老聃，曰："有人于此，嚮疾强梁，物彻疏明，学道不倦。如是者，可比明王乎〔一〕？"

〔一〕【疏】姓阳，名朱，字子居。问老子明王之道：假且有人，素性聪达，神智捷疾，犹如嚮应，涉事理务，强干果决，鉴物洞彻，疏通明敏，学道精勤，曾无懈倦。如是之人，可得将明王圣帝比德否乎？ 【释文】"阳子居"李云：居，名也。子，男子通称。"嚮"许亮反。李许两反。"疾强梁"崔云：所在疾强梁之人也。李云：敏疾如嚮也。简文云：如嚮，应声之疾，故是强梁之貌。"物彻疏明"司马云:物,事也;彻,通也;事能通而开明也。崔云:无物不达,无物不明。"不倦"其眷反。

老聃曰:"是于圣人也,胥易技係,劳形怵心者也〔一〕。且(曰)〔也〕①虎豹之文来田,猿狙之便执斄之狗来藉。如是者,可比明王乎?〔二〕"

应帝王第七

〔一〕【注】言此功夫,容身不得,不足以比圣王。 【疏】若将彼人比圣王,无异胥徒劳苦,改易形容,技术工巧,神虑劬劳,故形容变改;係累,故心灵怵惕也。 【释文】"胥"如字。司马云:疏也。简文云:相也。"易"音亦。崔以豉反,云:相轻易也。简文同。"技"徐其绮反。简文云:艺也。"係"如字。崔本作繋,或作彀。简文云:音繋。〇卢文弨曰:彀,旧作繋,与上复。今定作彀,见汉书。〇庆藩案,郑注周礼:胥徒,民给徭役者。易,读如孟子易其田畴之易。胥易,谓胥徒供役治事。郑注檀弓:易墓,谓治草木。易,犹治也。技係,若王制凡执技以事上者,不贰事,不移官,谓为技所繋也。释文云:司马云,胥,疏也,简文云,胥,相也,并误。"怵心"勅律反。

〔二〕【注】此皆以其文章技能系累其身,非涉虚以御乎无方也。【疏】藉,绳也。猿狙,猕猴也。虎豹之皮有文章,故来田猎;猕猴以跳跃便捷,恒被绳拘;狗以执捉狐狸,每遭系颈。若以镌疾之人类于圣帝,则此之三物,可比明王乎? 【释文】"来田"李云:虎豹以皮有文章见猎也。田,猎也。"猿"音袁。"狙"七馀反。"之便"毗肩反,旧扶面反。"斄"音来,李音狸。崔云:旄牛也。"来藉"司马云:藉,绳也,由捷见结缚也。崔云:藉,系也。

〔校〕①也字惟覆宋本作曰,今依各本改。

阳子居蹵然曰:"敢问明王之治〔一〕。"

〔一〕【疏】既其失问,故惊悚变容,重请明王为政,其义安在。 【释文】"蹴然"子六反,改容之貌。"之治"直吏反。下同。

老聃曰:"明王之治:功盖天下而似不自己〔一〕,化贷万物而民弗恃〔二〕;有莫举名,使物自喜〔三〕;立乎不测〔四〕,而游于无有者也〔五〕。"

〔一〕【注】天下若无明王,则莫能自得。令①之自得,实明王之功也。然功在无为而还任天下。天下皆得自任,故似非明王之功。
【疏】夫圣人为政,功侔造化,覆等玄天,载周厚地,而功成不处,故非己为之也。

〔二〕【注】夫明王皆就足物性,故人人皆云我自尔,而莫知恃赖于明王。 【疏】诱化苍生,令其去恶;贷借万物,与其福善;而玄功潜被,日用不知,百姓谓我自然,不赖君之能。 【释文】"贷"吐代反。

〔三〕【注】虽有盖天下之功,而不举以为己名,故物皆自以为得而喜。
【疏】莫,无也。举,显也。推功于物,不显其名,使物各自得而欢喜适悦者也。

〔四〕【注】居变化之涂,日新而无方者也。

〔五〕【注】与万物为体,则所游者虚也。不能冥物,则连物不暇,何暇游虚哉! 【疏】无有,妙本也。树德立功,神妙不测,而即迹即本,故常游心于至极也。

〔校〕①世德堂本令作今。

郑有神巫曰季咸〔一〕,知人之死生存亡,祸福寿夭,期以岁月旬日,若神。郑人见之,皆弃而走〔二〕。列子见之而心醉,归,以告壶子〔三〕,曰:"始吾以夫子之道为至矣,则又有至焉者矣〔四〕。"

〔一〕【疏】郑国有神异之巫,甚有灵验,从齐而至,姓季名咸也。

【释文】"神巫曰季咸"李云:女曰巫,男曰觋。季咸,名。

〔二〕【注】不喜自闻死日也。 【疏】占候吉凶,必无差失,克定时日,验若鬼神。不喜预闻凶祸,是以弃而走避也。 【释文】"不喜"许忌反。

〔三〕【疏】列子事迹,具逍遥篇,今不重解。壶子,郑之得道人也。号壶子,名林,即列子之师也。列子见季咸小术,验若鬼神,中心羡仰,恍然如醉,既而归反,具告其师。 【释文】"心醉"向云:迷惑于其道也。"壶子"司马云:名林,郑人,列子师。

〔四〕【注】谓季咸之至又过于夫子。 【疏】夫子,壶子也。至,极也。初始禀学,先生之道为至,今见季咸,其道又极于夫子。此是御寇心醉之言也。

壶子曰:"吾与汝既①其文,未既其实,而固得道与〔一〕?众雌而无雄,而又奚卵焉〔二〕!而以道与世亢,必信,夫故使人得而相(女)〔汝〕②〔三〕。尝试与来,以予示之〔四〕。"

〔一〕【疏】与,授也。既,尽也。吾比授汝,始尽文言,于其妙理,全未造实。汝固执文字,谓言得道,岂知筌蹄异于鱼兔耶! 【释文】"既其文"李云:既,尽也。"得道与"音馀。

〔二〕【注】言列子之未怀道也。 【疏】夫众雌无雄,无由得卵。既文无实,亦何道之有哉! 【释文】"众雌而无雄而又奚卵焉"司马云:言汝受训未熟,故未成,若众雌无雄则无卵也。

〔三〕【注】未怀道则有心,有心而亢其一方,以必信于世,故可得而相之。 【疏】女用文言之道而与世间亢对,既无大智,必信彼小巫,是故季咸得而相女者也。 【释文】"世亢"苦浪反。"必信"崔云:绝句。"相女"息亮反,注、下同。○卢文弨曰:今本作汝。

〔四〕【疏】夫至人凝远,神妙难知,本迹寂动,非凡能测,故召令至,以我示之也。 【释文】"示之"本亦作视。崔云:视,示之也。

〔校〕①阙误引江南古藏本既作无。②汝字依世德堂本及卢校改。

明日,列子与之见壶子。出而谓列子曰:"嘻! 子之先生死矣! 弗活矣! 不以旬数矣! 吾见怪焉,见湿灰焉〔一〕。"

〔一〕【疏】嘻,叹声也。子林示其寂泊之容,季咸谓其将死,先怪已彰,不过十日,弗活之兆,类彼湿灰也。 【释文】"嘻"徐音熙,郭许意反。"旬数"所主反。

列子入,泣涕沾襟以告壶子。壶子曰:"乡①吾示之以地文,萌乎不震不正②〔一〕。是殆见吾杜德机也〔二〕。尝又与来〔三〕。"

〔一〕【注】萌然不动,亦不自正,与枯木同其不华,湿灰均于寂魄,此乃至人无感之时也。夫至人,其动也天,其静也地,其行也水流,其止也渊默。渊默之与水流,天行之与地止,其于不为而自尔,一也。今季咸见其尸居而坐忘,即谓之将死;睹其神动而天随,因谓之有生。诚〔能〕③应不以心而理自玄符,与变化升降而以世为量,然后足为物主而顺时无极,故非相者所测耳。此应帝王之大意也。 【疏】文,象也。震,动也。地以无心而宁静,故以不动为地文也。萌然寂泊,曾不震动,无心自正,(文)〔又〕类倾颓,此是大圣无感之时,小巫谓之弗活也。而**壶丘**示见,义有四重:第一,示妙本虚凝,寂而不动;第二,示垂迹应感,动而不寂;第三,本迹相即,动寂一时;第四,本迹两忘,动寂双遣。此则第一妙本虚凝,寂而不动也。　【释文】"乡吾"许亮反。本作嚮,亦作向,同。崔本作康,云:向也。"地文"与土同也。崔云:文,犹理也。"不震不正"并如字。崔本作不眹不止,云:如动不动也。○俞樾曰:列子黄帝篇作罪乎不眹不止,当从之。罪读为嶵。说文山部作嶵,云:山貌,是也。眹即震之异文。不眹不止者,不动不止也。故以嶵乎形容之,言与山同也。今罪误作萌,(正)〔止〕误作(止)〔正〕④,失其义矣。据释文,则崔本作不眹不止,与列子同,可据以订正。"诚应"应对之应。后同。

〔二〕【注】德机不发曰杜。　【疏】殆,近也。杜,塞也。机,动也。至德之机,开而不发,示其凝淡,便为湿灰。小巫庸琐,近见于此矣。　【释文】"杜德机"崔云:塞吾德之机。

〔三〕【疏】前者伊妄言我死,今时重命,令遣更来也。

〔校〕①赵谏议本作嚮。②阙误引江南古藏本正作止。③能字依道藏本补。④止误作正,依诸子平议改。

　　明日,又与之见**壶子**。出而谓列子曰:"幸矣子之先生遇我也!有瘳矣,全然有生矣〔一〕!吾见其杜权矣〔二〕。"

〔一〕【疏】此即第二,垂迹应感,动而不寂,示以应容,神气微动,既殊槁木,全似生平。而滥以圣功用为己力,谬言遇我,幸矣有瘳也。　【释文】"有瘳"丑留反。

〔二〕【注】权,机也。今乃自觉昨日之所见,见其杜权,故谓之将死也。 【疏】权,机也。前时一睹,有类湿灰,杜塞机权,全无应动。今日遇我,方得全生。小巫寡识,有兹叨滥者也。

列子入,以告壶子。壶子曰:"乡吾示之以天壤[一],名实不入[二],而机发于踵[三]。是殆见吾善者机也[四]。尝又与来。"

〔一〕【注】天壤之中,覆载之功见矣。比之地文,不犹(卵)〔外〕①乎!此应感之容也。 【疏】壤,地也。示之以天壤,谓示以应动之容也。譬彼两仪,覆载万物,至人应感,其义亦然。 【释文】"功见"贤遍反。○庆藩案,文选陆士衡演连珠注引司马云:壤,地也。释文阙。

〔二〕【注】任自然而覆载,则天机玄应,而名利之饰皆为弃物也。 【疏】虽复降迹同尘,和光利物,而名誉真实,曾不入于灵府也。

〔三〕【注】常在极上起。 【疏】踵,本也。虽复物感而动,不失时宜,而此之神机,发乎妙本,动而常寂。

〔四〕【注】机发而善于彼,彼乃见之。 【疏】示其善机,应此两仪。季咸见此形容,所以谓之为善。全然有生,则是见善之谓也。

〔校〕①外字依宋本改。

明日,又与之见壶子。出而谓列子曰:"子之先生不齐,吾无得而相焉。试齐,且复相之。[一]"

〔一〕【疏】此是第三,示本迹相即,动寂一时。夫至人德满智圆,虚心凝照,本迹无别,动静不殊。其道深玄,岂小巫能测耶!谓齐其心迹,试相之焉。不敢的定吉凶,故言且复相者耳。 【释文】"不齐"侧皆反,本又作斋。下同。"且复"扶又反。

列子入,以告壶子。壶子曰:"吾乡示之以太冲莫

胜〔一〕。是殆见吾衡气机也〔二〕。鲵桓之审为渊,止水之审
为渊,流水之审为渊。渊有九名,此处三焉〔三〕。尝又与
来〔四〕。"

〔一〕【注】居太冲之极,浩然泊心而玄同万方,故胜负莫得厝①其间
也。　【疏】冲,虚也。莫,无也。夫圣照玄凝,与太虚等量,本
迹相即,动寂一时,初无优劣,有何胜负哉!　【释文】"泊心"白
博反,又音魄。"得厝"七故反。字又作措,同。○卢文弨曰:今
本作措。

〔二〕【注】无往不平,混然一之。以管窥天者,莫见其涯,故似不
齐。　【疏】衡,平也。即迹即本,无优无劣,神气平等,以此应
机。小巫近见,不能远测,心中迷乱,所以请齐耳。　【释文】
"管窥"去规反。

〔三〕【注】渊者,静默之谓耳。夫水常无心,委顺外物,故虽流之与
止,鲵桓之与龙跃,常渊然自若,未始失其静默也。夫至人用之
则行,舍之则止,行止虽异而玄默一焉,故略举三异以明之。虽
波流九变,治乱纷如,居其极者,常淡然自得,泊乎忘为也。
【疏】此举譬也。鲵,大鱼也。桓,盘也。审,聚也。夫水体无
心,动止随物,或鲸鲵盘桓,或螭龙腾跃,或凝湛止住,或波流湍
激。虽复涟漪清淡,多种不同,而玄默无心,其致一也。故鲵桓
以方衡气,止水以譬地文,流水以喻天壤,虽复三异,而虚照一
焉。而言渊有九名者,谓鲵桓、止水、流水、(汛)〔沈〕②水、滥水、
沃水、雍水、(文)〔汧〕③水、肥水,故谓之九也。并出列子,彼文
具载,此略叙有此三焉也。　【释文】"鲵"五兮反。"桓"司马
云:鲵桓,二鱼名也。简文云:鲵,鲸鱼也,桓,盘桓也。崔本作鲵
拒,云:鱼所处之方穴也。又云:拒,或作桓。"之审"郭如字。

简文云:处也。司马云:审当为蟠,蟠,聚也。崔本作潘,云:回流所钟之域也。○俞樾曰:审,司马云当为蟠,蟠,聚也;崔本作潘,云回流所钟之域也。今以字义求之,则实当为瀀。说文水部:瀀,大波也,从水,旛声。作潘者,字之省。司马彪读为蟠,误也。郭本作审,则失其字矣。又案列子黄帝篇云:鲵旋之潘为渊,止水之潘为渊,流水之潘为渊,滥水之潘为渊,沃水之潘为渊,氿水之潘为渊,雍水之潘为渊,汧水之潘为渊,肥水之潘为渊,是为九渊焉。九渊全列,然于上下文殊不相属,疑为它处之错简。庄子所见已然。虽不敢径去,而实非本篇文义所系,故聊举其三耳。○家世父曰:释文引崔本审作潘,云回流所钟之域也。列子黄帝篇鲵旋之潘为渊。字当作潘。说文:渊,回水也。管子度地篇水出地而不流,命曰渊。谓水回旋而潴为渊,有物伏孕其中而成渊者,有止而不流者,有流而中渟为渊者,水之渟潴,因其自然之势而或流或止,皆积之以成渊焉,故曰太冲莫朕。侵寻(汛)〔泛〕溢,非人力之所施也。"渊有九名"淮南子云,有九旋之渊。许慎注云:至深也。"治乱"直吏反。

〔四〕【疏】欲示极玄,应须更召。

〔校〕①世德堂本作措。②氿字依列子改。③汧字依列子改。

　　明日,又与之见壶子。立未定,自失而走〔一〕。壶子曰:"追之〔二〕!"

〔一〕【疏】季咸前后虞度来相,未呈玄远,犹有近见。今者第四,其道极深,本迹两忘,动寂双遣。圣心行虚,非凡所测,遂使立未安定,奔逸而走也。　　【释文】"失而走"如字,徐音逸。

〔二〕【疏】既见奔逃,命令捉取。

　　列子追之不及。反,以报壶子曰:"已灭矣,已失矣,吾弗及已〔一〕。”

〔一〕【疏】惊迫已甚，奔驰亦速，灭矣失矣，莫知所之也。 【释文】
“已灭”崔云：灭，不见也。

壶子曰：“乡吾示之以未始出吾宗〔一〕。吾与之虚而委
蛇〔二〕，不知其谁何〔三〕，因以为弟靡，因以为波流，故逃
也〔四〕。”

〔一〕【注】虽变化无常，而常深根冥极也。 【疏】夫妙本玄源，窈冥
恍惚，超兹四句，离彼百非，不可以心虑知，安得以形名取！既
绝言象，无的宗涂，不测所由，故失而走。

〔二〕【注】无心而随物化。 【释文】“委”於危反。“蛇”以支反。委
蛇，至顺之貌。

〔三〕【注】(汛)〔泛〕然无所系也。 【疏】委蛇，随顺之貌也。至人应
物，虚己忘怀，随顺逗机，不执宗本；既不可名目，故不知的是何
谁也。

〔四〕【注】变化颓靡，世事波流，无往而不因也。夫至人一耳，然应世
变而时动，故相者无所措其目，自失而走。此明应帝王者无方
也。 【疏】颓者，放任；靡者，顺从。夫上德无心，有感斯应，放
任不务，顺从于物，而扬波尘俗，随流世间，因任前机，曾无执
滞。千变万化，非相者所知，是故季咸宜其逃逸也。 【释文】
“为弟”徐音颓，丈回反。“靡”弟靡，不穷之貌。崔云：犹逊伏
也。○卢文弨曰：正字通弟作弚。后来字书亦因之，而于古无
有也。类篇弚字下有徒回反一音，云：弟靡，不穷貌。正本此。
列子黄帝篇作茅靡。“波流”如字。崔本作波随，云：常随从之。
○王念孙曰：郭象曰，变化颓靡，世事波流，无往而不因。释文
曰，波流，崔本作波随，云常随从之。案作波随者是也。蛇何靡

随为韵。蛇,古音徒禾反。(委蛇之委,古音於禾反。委蛇,叠韵字也。召南羔羊篇委蛇委蛇,与皮绒为韵。皮,古音婆。庄子庚桑楚篇与物委蛇,与为波为韵。为,古音讹。委蛇,或作委佗。鄘风君子偕老篇委委佗佗,与珈河宜何为韵。宜,古音俄。)靡,古音摩。(中孚九二,吾与尔靡之,与和为韵。庄子知北游篇安与之相靡,与化多为韵。成二年左传师至于靡笄之下,靡一音摩。史记苏秦传期年以出揣摩,邹诞本作揣靡。)随,古亦音徒禾反。(波随叠韵。诗序男行而女不随,老子前后相随,管子白心篇天不始不随,吕氏春秋审应篇人先我随,韩子解老篇大奸作则小盗随,淮南泰族篇上动而下随,史记太史公自序主先而臣随,并与和为韵。又吕氏春秋任数篇无先有随,与和多为韵。贾子道术篇有端随之,与和宜为韵。淮南原道篇祸乃相随,与多为韵。说文:随,从辵,隋声。隋音佗果反。史记天官书,前列直斗口,三星随北端兑,索隐曰:随音他果反。)

然后**列子**自以为未始学而归〔一〕,三年不出。为其妻爨,食豕如食人〔二〕。于事无与亲〔三〕,雕琢复朴〔四〕,块然独以其形立〔五〕。纷而封哉①〔六〕,一以是终〔七〕。

〔一〕【疏】季咸逃逸之后,列子方悟己迷,始觉壶丘道深,神巫术浅。自知未学,请乞其退归,习尚无为,伏膺玄业也。

〔二〕【注】忘贵贱也。 【疏】不出三年,屏于俗务。为妻爨火,忘于荣辱。食豕如人,净秽均等。 【释文】"为其"于伪反。"妻爨"七判反。"食豕"音嗣。下同。

〔三〕【注】唯所遇耳。 【疏】悟于至理,故均彼我,涉于世事,无亲疏也。

〔四〕【注】去华取实。 【疏】雕琢华饰之务,悉皆弃除,直置任真,复于朴素之道者也。　【释文】"雕琢"竹角反。"去华"羌吕反。

〔五〕【注】外饰去也。　【疏】块然，无情之貌也。外除雕饰，内遣心智，槁木之形，块然无偶也。　【释文】"块然"徐苦怪反，又苦对反。

〔六〕【注】虽动而真不散也。　【疏】封，守也。虽复涉世纷扰，和光接物，而守于真本，确尔不移。　【释文】"纷而"芳云反。崔云：乱貌。"封哉"崔本作戎，云：封戎，散乱也。○李桢曰：纷而封哉，列子黄帝篇作份然而封戎。按封戎是也。六句并韵语。食豕二句，人亲为韵。雕琢二句，朴立为韵。纷而二句，戎终为韵。哉字，传写之讹。下四亦韵语。惟崔本不误，与列子同。尚书公无困哉，汉书两引作公无困我。此以我讹哉。亦是一证。

〔七〕【注】使物各自终。　【疏】动不乖寂，虽纷扰而封哉；应不离真，常抱一以终始。

〔校〕①阙文引张君房本〔封〕〔纷〕下有然字。又一本作〔粉〕〔纷〕而封戎。

　　无为名尸〔一〕，无为谋府〔二〕；无为事任〔三〕，无为知主〔四〕。体尽无穷〔五〕，而游无朕〔六〕；尽其所受乎天〔七〕，而无见得〔八〕，亦虚而已〔九〕。至人之用心若镜〔一○〕，不将不迎①，应而不藏〔一一〕，故能胜物而不伤〔一二〕。

〔一〕【注】因物则物各自当其名也。　【疏】尸，主也。身尚忘遗，名将安寄，故无复为名誉之主也。

〔二〕【注】使物各自谋也。　【疏】虚淡无心，忘怀任物，故无复运为谋虑于灵府耳。

〔三〕【注】付物使各自任。　【疏】各率素分，恣物自为，不复于事，任用于己。

〔四〕【注】无心则物各自主其知也。　【疏】忘心绝虑,大顺群生,终不运知,以主于物。　【释文】"知主"音(知)〔智〕②。注同。

〔五〕【注】因天下之自为,故驰万物而无穷也。　【疏】体悟真源,故能以智境冥会,故曰皆无穷也。

〔六〕【注】任物,故无迹。　【疏】朕,迹也。虽遨游天下,接济苍生,而晦迹韬光,故无朕也。　【释文】"无朕"直忍反。崔云:兆也。

〔七〕【注】足则止也。　【疏】所禀天性,物物不同,各尽其能,未为不足者也。

〔八〕【注】见得则不知止。　【疏】夫目视之所见,虽见不见;得于分内之得,虽得不得。既不造意于见得,故虽见得而无见得也。

〔九〕【注】不虚则不能任群实。　【疏】所以尽于分内而无见得者,(自)直〔自〕虚心(忘)淡〔忘〕而已。

〔一〇〕【注】鉴物而无情。　【疏】夫悬镜高堂,物来斯照,至人虚应,其义亦然。

〔一一〕【注】来即应,去即止。　【疏】将,送也。夫物有去来而镜无迎送,来者即照,必不隐藏。亦犹圣智虚凝,无幽不烛,物感斯应,应不以心,既无将迎,岂有情于隐匿哉!　【释文】"应而不藏"如字。本又作藏,亦依字读。

〔一二〕【注】物来乃③鉴,鉴不以心,故虽天下之广④,而无劳神之累。　【疏】夫物有生灭,而镜无隐显,故常能照物而物不能伤。亦(由)〔犹〕圣人德合二仪,明齐三景,鉴照遐广,覆载无偏。用心不劳,故无损害,为其胜物,是以不伤。

〔校〕①世德堂本作逆。②智字依释文原本及世德堂本改。③世德堂本乃作即。④赵谏议本作来照。

南海之帝为儵,北海之帝为忽,中央之帝为浑沌〔一〕。儵与忽时相与遇于浑沌之地,浑沌待之甚善〔二〕。儵与忽谋报浑沌之德,曰:"人皆有七窍以视听食息,此独无有,尝试凿之〔三〕。"日凿一窍,七日而浑沌死〔四〕。

〔一〕【疏】南海是显明之方,故以儵为有。北是幽闇之域,故以忽为无。中央既非北非南,故以浑沌为非无非有者也。 【释文】"儵"音叔。李云:喻有象也。"忽"李云:喻无形也。"浑"胡本反。"沌"徒本反。崔云:浑沌,无孔窍也。李云:清浊未分也。此喻自然。简文云:儵忽取神速为名,浑沌以合和为貌。神速譬有为,合和譬无为。

〔二〕【疏】有无二心,会于非无非有之境,和二偏之心执为一中之志,故云待之甚善也。

〔三〕【疏】儵忽二人,(由)〔犹〕怀偏滞,未能和会,尚起学心,妄嫌浑沌之无心,而谓穿凿之有益也。

〔四〕【注】为者败之。 【疏】夫运四肢以滞境,凿七窍以染尘,乖浑沌之至淳,顺有无之取舍;是以不终天年,中涂夭折。勖哉学者,幸勉之焉!故郭注云为者败之也。 【释文】"七窍"苦叫反。说文云:孔也。"七日而浑沌死"崔云:言不顺自然,强开耳目也。

庄子集释卷四上

外篇骈拇第八^{〔一〕}

〔一〕【释文】举事以名篇。

骈拇枝指,出乎性哉! 而侈于德^{〔一〕}。附赘县疣,出乎形哉! 而侈于性^{〔二〕}。多方乎仁义而用之者,列于五藏哉! 而非道德之正也^{〔三〕}。是故骈于足者,连无用之肉也;枝于手者,树无用之指也^{〔四〕};多方骈枝于五藏之情者,淫僻于仁义之行^{〔五〕},而多方①于聪明之用也^{〔六〕}。

〔一〕【疏】骈,合也;〔拇,足〕大〔指〕②也;谓足大拇指与第二指相连,合为一指也。枝指者,谓手大拇指傍枝生一指,成六指也。出乎性者,谓此骈枝二指,并禀自然,性命生分中有之。侈,多也。德,谓仁义礼智信五德也。言曾史禀性有五德,蕴之五藏,于性中非剩也。 【释文】"骈"步田反。广雅云:並也。李云:併也。"拇"音母,足大指也。司马云:骈拇,谓足拇指连第二指也。崔云:诸指连大指也。"枝指"如字。三苍云:枝指,手有六指也。

崔云：音歧，谓指有歧也。○卢文弨曰：歧当作岐，后人强分之。"而侈"昌是反，徐处豉反。郭云：多貌。司马云：溢也。崔云：过也。"于德"崔云：德，犹容也。

〔二〕【注】夫长者不为有馀，短者不为不足，此则骈赘皆出于形性，非假物也。然骈与不骈，其性③各足，而此独骈枝，则于众以为多，故曰侈耳。而惑者或云非性，因欲割而弃之，是道有所不存，德有所不载，而人有弃才，物有弃用也，岂是至治之意哉！夫物有小大，能有少多，所大即骈，所多即赘。骈赘之分，物皆有之，若莫之任，是都弃万物之性也。　【疏】附生之赘肉，县系之小疣，并禀形以后方有，故出乎形哉而侈性者，譬离旷禀性聪明，列之藏府，非关假学，故无侈性也。　【释文】"附赘"章锐反。广雅云：疣也。释名云：横生一肉，属著体也。一云：瘤结也。"县"音玄。"疣"音尤。"而侈于性"司马云：性，人之本体也。骈拇，枝指，附赘，县疣，此四者各出于形性，而非形性之正，于众人为侈耳。于形为侈，于性为多，故在手为莫用之肉，于足为无施之指也。王云：性者，受生之质；德者，全生之本。骈枝受生而有，不可多于德；赘疣形后而生，不可多于性。此四者以况才智德行。○俞樾曰：性之言生也。骈拇枝指，生而已然者也。故曰出乎性。附赘县疣，成形之后而始有者也，故曰出乎形。德者，所以生者也。天地篇曰，物得以生谓之德，是也。骈拇枝指出乎性，而以德言之则侈矣；附赘县疣出乎形，而以性言之则侈矣。崔云：德，犹容也，司马云：性，人之本体也。混性与德与形而一之，殊失其旨。○家世父曰：释文引王云：性者，受生之质；德者，全生之本。骈拇枝指，与生俱来，故曰出于性；附赘县疣，形既具而后附焉，故曰出于形。"夫"音符。发句之端放此。"至治"直吏反。"之分"符问反。后可以意求。"物皆有之"之，或作定。

〔三〕【注】夫与物冥者，无多也。故多方于仁义者，虽列于五藏，然自一家之正耳，未能与物无方而各正性命，故曰非道德之正。夫方之少多，天下未之有限。然少多之差，各有定分，毫芒之际，即不可以相跂，故各守其方，则少多无不自得。而惑者闻多之不足以正少，因欲弃多而任少，是举天下而弃之，不亦妄乎！

【疏】方，道术也。言曾史之德，性多仁义，罗列藏府而施用之，此直一家之知，未能大冥万物。夫能与物冥者，故当非仁非义而应夫仁义，不多不少而应夫多少，千变万化，与物无穷，无所偏执，故是道德之正(言)〔也〕。　【释文】"五藏"才浪反，后皆同。黄帝素问云：肝心脾肺肾为五藏。

〔四〕【注】直自性命不得不然，非以有用故然也。　【疏】夫骈合之拇，无益于行步，故虽有此连，终成无用之肉；枝生于手指者，既不益操捉，故虽树立此肉，终是无用之指也。欲明禀自然天性有之，非关助用而生也。

〔五〕【注】五藏之情，直自多方耳，而少者横复尚之，以至淫僻，而失至当于体中也。　【疏】夫曾史之徒，性多仁义，以此情性，骈于藏府。性少之类，矫情慕之，务此为行，求于天理，既非率性，遂成淫僻。淫者，耽滞；僻者，不正之貌。　【释文】"淫僻"本又作辟，匹亦反，徐敷赤反。注及篇末同。"于仁义之行"下孟反。崔云：骈枝赘疣，虽非性之正，亦出于形，不可去也。五藏之情，虽非道德之正，亦列于性，不可治也。今设仁义之教以治五藏之情，犹削骈枝赘疣也，既伤自然之理，更益其疾也。"横复"扶又反。(徐)〔除〕篇末注皆同。"至当"丁浪反。后皆仿此。

〔六〕【注】聪明之用，各有本分，故多方不为有馀，少方不为不足。然情欲之所荡,未尝不贱少而贵多也,见夫可贵而矫以尚之,则自多于本用而困其自然之性。若乃忘其所贵而保其素分,则与性无多而异方俱全矣。　【疏】言离旷素分,足于聪明,性少之徒,矫情为尚,以此为用,不亦谬乎!

〔校〕①阙误引<u>张君房</u>本方作□。②三字依<u>释文</u>补。③<u>世德堂</u>本性作于。

是故骈于明者,乱五色,淫文章,青黄黼黻之煌煌非乎?而<u>离朱</u>是已〔一〕。多于聪者,乱五声,淫六律,金石丝竹黄鐘①大吕之声非乎?而<u>师旷</u>是已〔二〕。枝于仁者,擢德塞性以收名声,使天下簧鼓以奉不及之法非乎?而<u>曾史</u>是已〔三〕。骈于辩者,累瓦结绳窜句,游心于坚白同异之间,而敝跬誉无用之言非乎?而<u>杨墨</u>是已〔四〕。故此皆多骈旁枝之道,非天下之至正也〔五〕。

〔一〕【疏】斧形谓之黼。两已相背谓之黻。五色,青黄赤白黑也。青与赤为文,赤与白为章。煌煌,眩目貌也。岂非<u>离朱</u>乎?是也。已,助声也。<u>离朱</u>,一名<u>离娄</u>,<u>黄帝</u>时明目人,百里察毫毛也。

【释文】"黼黻"音甫,下音弗。<u>周礼</u>云:白与黑谓之黼,黑与青谓之黻。"煌煌"音皇。<u>广雅</u>云:光也。<u>向</u><u>崔</u>本作鞾。<u>向</u>云:<u>马氏</u>音煌。<u>毛诗传</u>云:皇皇,犹煌煌也。煌,又音晃。○<u>卢文弨</u>曰:旧作光光也,今据本书删一光字。"非乎"<u>向</u>云:非乎,言是也。"<u>离朱</u>"<u>司马</u>云:<u>黄帝</u>时人,百步见秋毫之末,一云:见千里针锋。<u>孟子</u>作离娄。"是已"<u>向</u>云:犹是也。

〔二〕【注】夫有耳目者,未尝以慕聋盲自困也,所困常在于希<u>离</u>慕<u>旷</u>,则<u>离</u><u>旷</u>虽性聪明,乃是乱耳目之主也。　【疏】五声,谓宫商角

徵羽也。六律，黄钟大吕姑洗蕤宾无射夹钟之徒是也。六律
阳，六吕阴，总十二也。金石丝竹匏土革木，此八音也。非乎，
言滞著此声音，岂非是师旷乎。师旷，字子野，晋平公乐师，极知
音律。言离旷二子素分聪明，庸昧之徒横生希慕，既失本性，宁
不困乎！然则离旷聪明，乃是乱耳目之主也。　【释文】"五声"
本亦作五音。"师旷"司马云：晋贤大夫也，善音律，能致鬼神。
史记云：冀州南和人，生而无目。

〔三〕【注】夫曾史性长于仁耳，而性不长者横复慕之，慕之而仁，仁已
伪矣。天下未尝慕桀跖而必慕曾史，则曾史之簧鼓天下，使失
其真性，甚于桀跖也。　【疏】枝于仁者，谓素分枝多仁义，（由）
〔犹〕如生分中枝生一指也。擢用五德，既偏滞邪淫，仍闭塞正
性。用斯接物，以收聚名声，遂使苍生驰动奔竞，（由）〔犹〕如笙
簧鼓吹，能感动于物欣企也。然曾史性长于仁义，而不长者横
复慕之，舍短效长，故言奉不及之法也。擢，拔；谓拔擢伪德，塞
其真性也。曾者，姓曾，名参，字子舆，仲尼之弟子。史者，姓史，
名鰌，字子鱼，卫灵公臣。此二人并禀性仁孝，故举之。　【释
文】"擢德"音濯。司马云，拔也。○王念孙曰：塞与擢义不相
类。塞当为搴，擢、搴，皆谓拔取之也。广雅云：搴，取也，（楚词
离骚注及史记叔孙通传索隐引许慎，并与广雅同。方言作攓，
云：取也，南楚曰攓。说文作搟，云：拔取也。）拔也。（樊光注尔
雅及李奇注汉书季布栾布田叔传赞，并与广雅同。）此言世之人
皆擢其德，搴其性，务为仁义以收名声，非谓塞其性也。淮南俶
真篇曰：俗世之学，擢德搴性，内愁五藏，外劳耳目，乃始招蛲振
缱物之毫芒，摇消掉捎仁义礼乐，暴行越智于天下，以招号名声
于世。又曰：今万物之来，擢拔吾性，攓取吾情。皆其证也。隶

书手字或作扌,(若擧字作擧,奉字作奉之类。)故塞字或作寋,形与塞相似,因讹而为塞矣。"簧鼓"音黄,谓笙簧也。鼓,动也。"曾史"曾参史鰌也。曾参行仁,史鰌行义。"跖"之石反。

〔四〕【注】夫骋其奇辩,致其危辞者,未曾容思于梼杌之口,而必竞辩于杨墨之间,则杨墨乃乱群言之主也。 【疏】杨者,姓杨,名朱,字子居,宋人也。墨者,姓墨,名翟,亦宋人也,为宋大夫;以其行墨之道,故称为墨。此二人并墨之徒,禀性多辩,咸能致高谈危险之辞,鼓动物性,固执是非;(由)〔犹〕如缄结藏匿文句,使人难解,其游心学处,惟在坚执守白之论,是非同异之间,未始出非人之域也。蹩躠,(由)〔犹〕自持也,亦用力之貌。誉,光赞也。杨墨之徒,并矜其小学,炫耀众人,夸无用之言,惑于群物。然则杨墨岂非乱群之师乎? 言即此杨墨而已也。 【释文】"累"劣彼反。"瓦"危委反,向同,崔如字。一云:瓦当作丸。"结绳"(本)〔李〕② 云:言小辩危词,若结绳之累瓦也。崔云:聚无用之语,如瓦之累,绳之结也。"窜"七乱反。尔雅云:微也。一云藏也。"句"纪具反。司马云:窜句,谓邪说微隐,穿凿文句也。一音钩。"敝"本亦作蹩。徐音婢,郭父结反,李步计反。司马云:罢也。"跬"徐丘婢反,郭音屑。向崔本作赽。向丘氏反,云:近也。司马同。李却垂反。一云:敝跬,分外用力之貌。"誉"音馀。○家世父曰:释文,敝跬,分外用力之貌。今案跬誉犹云咫言。方言,半步为跬。司马法,一举足曰跬。跬,三尺也。跬誉者,邀一时之近誉也。敝,如周礼弓人筋欲敝之敝,谓劳敝也。敝精罢神于近名而无实用之言,故谓之骈于辩。"杨墨"崔李云:杨朱墨翟也。"容思"息嗣反。"梼杌"上徒刀反。下音兀。

287

〔五〕【注】此数子皆师其天性,直自多骈旁枝,各自是一家之正耳。然以一正万,则万不正矣。故至正者不以己正天下,使天下各得其正而已。　【疏】言此数子皆自天然聪明仁辩,(由)〔犹〕如合骈之拇,傍生枝指,禀之素分,岂由人为!故知率性多仁,乃是多骈傍枝之道也。而愚惑之徒,舍己效物,求之分外,由而不已。然摇动物性,由此数人,以一正万,故非天下至道正理也。　【释文】"此数"色主反。下文此数音同。

〔校〕①赵谏议本鐘作锺。②李字依世德堂本及释文原本改。

彼正正者,不失其性命之情〔一〕。故合者不为骈〔二〕,而枝者不为跂①〔三〕;长者不为有馀〔四〕,短者不为不足〔五〕。是故凫胫虽短,续之则忧;鹤胫虽长,断之则悲〔六〕。故性长非所断,性短非所续,无所去忧也〔七〕。意仁义其非人情乎〔八〕!彼仁人何其多忧也〔九〕?

〔一〕【注】物各任性,乃正正也。自此已下观之,至正可见矣。　【疏】以自然之正理,正苍生之性命,故言正也。物各自得,故言不失也。言自然者即我之自然,所言性命者亦我之性命也,岂远哉!故言正正者,以不正而正,正而不正(之无)言〔之〕也②。自此以上,明矫性之失;自此以下,显率性之得也。○俞樾曰:上正字乃至字之误。上文云故此皆多骈旁枝之道,非天下之至正也,此云彼至正者不失其性命之情,两文相承。今误作正正,义不可通。郭曲为之说,非是。

〔二〕【注】以枝正合,乃谓合为骈。

〔三〕【注】以合正枝,乃谓枝为跂。　【疏】以枝望合,乃谓合为骈,而合实非骈;以合望枝,乃谓枝为跂,而枝实非跂也。　【释文】"不为跂"其知反。崔本作枝,音同。或渠支反。

〔四〕【注】以短正长，乃谓长有馀。

〔五〕【注】以长正短，乃谓短不足。　【疏】长者，谓曾史离旷杨墨，并禀之天性，蕴蓄仁义，聪明俊辩，比之群小，故谓之长，率性而动，故非有馀。短者，众人比曾史等不及，故谓之短，然亦天机自张，故非为不足。

〔六〕【注】各自有正，不可以此正彼而损益之。　【疏】凫，小鸭也。鹤，鹤之类也。胫，脚也。自然之理，亭毒众形，虽复修短不同，而形体各足称事，咸得逍遥。而惑者方欲截鹤之长续凫之短以为齐，深乖造化，违失本性，所以忧悲。　【释文】"凫"音符。"胫"形定反。释名云：茎也，直而长，如物茎也。本又作踁。"鹤"户各反。"断之"丁管反。下及注同。

〔七〕【注】知其性分非所断续而任之，则无所去忧而忧自去也。　【疏】夫禀性受形，金有崖量，修短明暗，素分不同。此如凫鹤，非所断续。如此，即各守分内，虽为无劳去忧，忧自去也。　【释文】"去忧"起吕反。注去忧、去也同。

〔八〕【注】夫仁义自是人之情性，但当任之耳。　【释文】"意"如字。下同。亦作医。

〔九〕【注】恐仁义非人情而忧之者，真可谓多忧也。　【疏】噫，嗟叹之声也。夫仁义之情，出自天理，率性有之，非由放效。彼仁人者，则是曾史之徒，不体真趣，横生劝奖，谓仁义之道可学而成。庄生深嗟此迷，故发噫叹。分外引物，故谓多忧也。（非）其〔非〕③人情乎者，是人之情性者也。

〔校〕①阙误引江南古藏本云岐作跂。今本作跂，疑释文云崔本作枝之枝系岐字之误，故云或渠支反。②之无二字依刘文典补正本删，并以之字属言字下。③其非依正文改。

且夫骈于拇者,决之则泣;枝于手者,龁之则啼。二者,或有馀于数,或不足于数,其于忧一也〔一〕。今世之仁人,蒿目而忧世之患〔二〕;不仁之人,决性命之情而饕贵富〔三〕。故意仁义其非人情乎〔四〕!自三代以下者,天下何其嚣嚣也〔五〕?

〔一〕【注】谓之不足,故泣而决之;以为有馀,故啼而龁之。夫如此,虽①群品万殊,无释忧之地矣。唯各安其天性,不决骈而龁枝,则曲成而无伤,又何忧哉!　【疏】龁者,啮断也。决者,离析也。有馀于数,谓枝生六指也。不足于数,谓骈为四指也。夫骈枝二物,自出天然,但当任置,未为多少。而惑者不能忘淡,固执是非,谓枝为有馀,骈为不足,横欲决骈龁枝,成于五数。既伤造化,所以泣啼,故决龁虽殊,其忧一也。　【释文】"龁"李音纥,恨发反,齿断也。徐胡勿反。郭又胡突反。"啼"音提。崔本作谛。

〔二〕【注】兼爱之迹可尚,则天下之目乱矣。以可尚之迹,蒿令有患而遂忧之,此为陷人于难而后拯之也。然今世正谓此为仁也。　【疏】蒿,目乱也。仁,兼爱之迹也。今世,犹末代。言曾史之徒,行此兼爱,遂令惑者舍己效人,希幸之路既开,耳目之用乱矣。耳目乱则患难生,于是忧其纷扰,还救以仁义。不知患难之所兴,兴乎圣迹也。　【释文】"蒿目"好羔反。司马云:乱也。李云:蒿目,快性之貌。○卢文弨曰:今本快作决②。○俞樾曰:司马与郭注共以蒿目二字为句,解为乱天下之目,义殊未安。蒿乃睳之假字。玉篇目部:睳,庚鞠切,目明又望也。是睳为望视之貌。仁人之忧天下,必为之睳然远望,故曰睳目而忧世之患。睳与蒿,古音相近,故得通用。诗灵台篇白鸟翯翯,孟子梁惠王篇作鹤鹤,文选景福殿赋作嶉嶉。然则蒿之通作嶉,犹翯之通作鹤与嶉矣。周易文言传:确乎其不可拔。说文土部曰:堉,坚不可拔也。即本易义。是确与堉通,亦其例也。"蒿令"力呈反,下同。"于难"乃旦反。"后拯"拯救之拯。

〔三〕【注】夫贵富所以可蒿,由有蒿之者也。若乃无可尚之迹,则人安其分,将量力受任,岂有决己效彼以饕窃非望哉? 【疏】饕,贪财也。素分不怀仁义者,谓之不仁之人也。意在贪求利禄,偷窃贵富,故绝己之天性,亡失分命真情,而矫性伪情,舍我逐物,良由圣迹可尚,故有斯弊者也。是知抱朴还淳,必须绝仁弃义。 【释文】"饕"吐刀反。杜预注左传云:贪财曰饕。

〔四〕【疏】此重结前旨也。○庆藩案,意读为抑。抑或作意,语词也。论语学而篇抑与之与,汉石经作意。墨子非命篇意将以为利天下乎,晏子春秋杂篇意者非臣之罪乎,汉书叙传曰:其抑者从横之事复起于今乎。抑者与意者同,并与此句法一例。或言意者,或单言意,义亦同也。

〔五〕【注】夫仁义自是人情也。而三代以下,横共嚣嚣,弃③情逐迹,如将不及,不亦多忧乎! 【疏】自,从也。三代,夏殷周也。嚣嚣,犹讙聒也。夫仁义者,出自性情。而三代以下,弃情徇迹,嚣嚣竞逐,何愚之甚! 是以夏行仁,殷行义,周行礼,即此嚣嚣之状也。 【释文】"嚣嚣"许桥反,又五羔反。字林云:声也。崔云:忧世之貌。

〔校〕①世德堂本虽作举。②释文原刻作快,世德堂本作决。③世德堂本弃作乘。

且夫待钩绳规矩而正者,是削其性者也〔一〕;待绳约胶漆而固者,是侵其德者也〔二〕;屈折礼乐,响俞仁义,以慰天下之心者,此失其常然也〔三〕。天下有常然。常然者,曲者不以钩,直者不以绳,圆者不以规,方者不以矩,附离不以胶漆,约束不以纆索〔四〕。故天下诱然皆生而不知其所以生,同焉皆得而不知其所以得〔五〕。故古今不二,不可亏也〔六〕。则仁义又奚连连如胶漆纆索而游乎道德之间为哉〔七〕,使天下惑也〔八〕!

〔一〕【疏】钩,曲;绳,直;规,圆;矩,方也。夫物赖钩绳规矩而后曲直方圆也,此非天性也;(谕)〔喻〕人待教迹而后仁义者,非真性也。夫真率性而动,非假学也。故矫性伪情,舍己效物而行仁义者,是减削毁损于天性也。

〔二〕【疏】约,束缚也。固,牢也。侵,伤也。德,真智也。夫待绳索约束,胶漆坚固者,斯假外物,非真牢者也;喻学曾史而行仁者,此矫伪,非实性也。既乖本性,所以侵伤其德也。

〔三〕【疏】屈,曲也。折,截也。呴俞,犹妪抚也。揉直为曲,施节文之礼;折长就短,行漫澶之乐;妪抚偏爱之仁,呴俞执迹之义。以此伪真,以慰物心,遂使物丧其真,人亡其本,既而弃本逐末,故失其真常自然之性者也。此则总结前文之失,以生后文之得也。 【释文】"屈"崔本作诎。"折"之热反,谓屈折支体为礼乐也。"呴"况於反,李况付反。本又作伛,於禹反。"俞"音臾,李音喻,本又作呴,音诩,谓呴喻颜色为仁义之貌。

〔四〕【疏】夫天下万物,各有常分。至如蓬曲麻直,首圆足方也,水则冬凝而夏释,鱼则春聚而秋散,斯出自天然,非假诸物,岂有钩绳规矩胶漆纆索之可加乎!在形既然,于性亦尔。故知礼乐仁义者,乱天之经者也。又解:附离,离,依也。故汉书云,哀帝时

附离董氏者,皆起家至二千石,注云:离,依之也。 【释文】
"纆"音墨。广雅云:索也。"索"悉各反。下同。

〔五〕【注】夫物有常然,任而不助,则泯然自得而不自觉也。 【疏】
诱然生物,禀气受形,或方或圆,乍曲乍直,亭之毒之,各足于
性,悉莫辨其然,皆不知所以生,岂措意于缘虑,情系于得失者
乎!是知屈折呴俞,失其常也。

〔六〕【注】同物,故与物无二而常全。 【疏】夫见始终以不一者,凡
情之闇惑也;睹古今之不二者,圣智之明照也。是以不生而生,
不知所以生,不得而得,不知所得;虽复时有古今而法无亏
损,千变万化,常唯一也。

〔七〕【注】任道而得,则抱朴独往,连连假物,无为其间也。 【疏】
奚,何也。连连,犹接续也。夫道德者,非有非无,不生不灭,不
可以圣智求,安得以形名取!而曾史之类,性多于仁,以己率
物,滞于名教,束缚既似缄绳,执固又如胶漆,心心相续,连连不
断。怀挟此行,遨游道德之乡者,譬犹以圆学方,以鱼慕鸟,徒
希企尚之名,终无功用之实,筌蹄不忘鱼兔,又丧已陈刍狗,贵
此何为也! 【释文】"连连"司马云:谓连续仁义,游道德间也。

〔八〕【注】仁义连连,祇足以惑物,使丧其真。 【疏】仁义之教,聪明
之迹,乖自然之道,乱天下之心。 【释文】"祇足"音支。"使
丧"息浪反。下已丧同。

夫小惑易方,大惑易性〔一〕。何以知其然邪〔二〕?自虞
氏招仁义以挠天下也,天下莫不奔命于仁义〔三〕,是非以仁
义易其性与〔四〕?故尝试论之,自三代以下者,天下莫不以
物易其性矣〔五〕。小人则以身殉利,士则以身殉名,大夫则
以身殉家,圣人则以身殉天下〔六〕。故此数子者,事业不

同,名声异号,其于伤性以身为殉,一也〔七〕。臧与穀,二人相与牧羊而俱亡其羊〔八〕。问臧奚事,则挟筴读书;问穀奚事,则博塞以游。二人者,事业不同,其于亡羊均也〔九〕。伯夷死名于首阳之下,盗跖死利于东陵之上〔一〇〕,二人者,所死不同,其于残生伤性均也〔一一〕,奚必伯夷之是而盗跖之非乎〔一二〕!天下尽殉也。彼其所殉仁义也,则俗谓之君子;其所殉货财也,则俗谓之小人〔一三〕。其殉一也,则有君子焉,有小人焉;若其残生损性,则盗跖亦伯夷已,又恶取君子小人于其间哉!〔一四〕

〔一〕【注】夫东西易方,于体未亏;矜仁尚义,失其常然,以之死地,乃大惑也。 【疏】夫指南为北,其迷尚小;滞迹丧真,为惑更大。

〔二〕【疏】然,如是也。此即假设疑问以出后文。

〔三〕【注】夫与物无伤者,非为仁也,而仁迹行焉;令万理皆当者,非为义也,而义功见焉;故当而无伤者,非仁义之招也。然而天下奔驰,弃我徇彼,以失其常然。故乱心不由于丑而恒在美色,挠世不由于恶而恒由仁义,则仁义者,挠天下之具也。 【疏】虞氏,舜也。招,取也。挠,乱也。自唐尧以前,犹怀质朴;虞舜以后,淳风渐散,故以仁义圣迹,招慰苍生,遂使宇宙黎元,荒迷奔走,丧于性命,逐于圣迹。 【释文】“以挠”而小反,郭呼尧反,又许羔反。广雅云:乱也。又奴爪反。○俞樾曰:国语周语好尽言以招人过,韦注曰:招,举也。旧音曰,招音翘。汉书陈胜传赞招八州而朝同列,邓展曰:招,举也。苏林曰:招音翘。此文招字,亦当训举而读为翘,言举仁义以挠天下也。郭注曰,故当而无伤者,非仁义之招也,然而天下奔驰,弃我殉彼,以失其常然,是读如本字。然以仁义招人，不得反云招仁义，可知其非矣。"功见"贤遍反。

〔四〕【注】虽虞氏无易之〔之〕①情，而天下之性固以易矣。　【疏】由是观之，岂非用仁义圣迹挠乱天下，使天下苍生，弃本逐末而改其天性耶？　【释文】"性与"音馀。此可以意消息，后皆仿此。

〔五〕【注】自三代以上，实有无为之迹。无为之迹，亦有为者之所尚也，尚之则失其自然之素。故虽圣人有不得已，或以槃夷之事易垂拱之性，而况悠悠者哉！　【疏】五帝以上，犹扇无为之风；三代以下，渐兴有为之教。浇淳异世，步骤殊时，遂使舍己效人，易夺真性，殉物不及，不亦悲乎！注云或以槃夷之事易垂拱之性者，槃夷，犹创伤也。言夏禹以风栉雨沐，手足胼胝，以此辛苦之事，易于无为之业，居上既尔，下民亦然也。　【释文】"三代"夏殷周也。"以上"时掌反。"槃夷"并如字，谓创伤也。依字应作瘢痍。

〔六〕【注】夫鹑居而鷇食，鸟行而无章者，何惜而不殉哉！故与世常冥，唯变所适，其迹则殉世之迹也；所遇者或时有槃夷秃胫之变，其迹则伤性之迹也。然而虽挥斥八极而神气无变，手足槃夷而居形者不扰，则奚殉哉？无殉也，故乃不殉其所殉，而迹与世同殉也。　【疏】殉，从也，营也，求也，逐也，谓身所以从之也。夫小人贪利，廉士重名，大夫殉为一家，帝王营于四海，所殉虽异，易性则同。然圣人与世常冥，其迹则殉，故有瘢痍秃胫之变，而未始累其神者也。　【释文】"殉"辞俊反，徐辞伦反。司马云：营也。崔云：杀身从之曰殉。"鹑"音纯，又音敦。"鷇"口豆反。"秃"吐木反。"挥斥"上音挥，下音赤。

〔七〕【疏】数子者，则前之三世以下四人也。事业者，谓利名〔家〕②

天下不同也。名声者,谓小人士大夫圣人异号也。言此四人,
事业虽复不同,名声异号也,其于残生以身逐物,未始不均也。

〔八〕【疏】此仍前举譬以生后文也。孟子云:臧,善学人;穀,孺子也。
扬雄云:男婿婢曰臧;穀,良家子也。牧,养也。亡,失也。言此
二人各耽事业,俱失其羊也。 【释文】"臧"作郎反。崔云:好
书曰臧。方言云:齐之北鄙,燕之北郊,凡民男而婿婢谓之臧,女
而妇奴谓之获。张揖云:婿婢之子谓之臧,妇奴之子谓之获。
"与穀"如字。尔雅云:善也。崔本作毂,云:孺子曰毂。"牧羊"
牧养之牧。

〔九〕【疏】奚,何也。册,简也。古人无纸,皆以简册写书。行五道而
投琼曰博,不投琼曰塞。问臧问穀,乃有书塞之殊,牧羊亡羊,
实无复异也。 【释文】"挟"音协。"筴"字又作策,初革反。
李云:竹简也。古以写书,长二尺四寸。"博塞"悉代反。塞,博
之类也。汉书云:吾丘寿王以善格五待诏,谓博塞也。

〔一〇〕【疏】此下合譬也。伯夷叔齐,并孤竹君之子也。孤竹,神农氏
之后也,姜姓。伯夷,名允,字公信;叔齐,名致,字公远。夷长而
庶,齐幼而嫡,父常爱齐,数称之于夷。及其父薨,兄弟相让,不
袭先封。闻文王有德,乃往于周。遇武王伐纣,扣马而谏,谏不
从,走入首阳山,采薇为粮,不食周粟,遂饿死首阳山。山在蒲
州河东县。蒲州城南三十里,见有夷齐庙墓,林木森疏。盗跖
者,柳下惠之从弟,名跖,徒卒九千,常为巨盗,故以盗为名。东
陵者,山名,又云即太山也,在齐州界,去东平十五里,跖死其上
也。 【释文】"首阳"山名,在河东蒲坂县。死,谓饿而死。"东
陵"李云:谓泰山也。一云:陵名,今名东平陵,属济南郡。○庆
藩案,文选任彦昇王文宪集序注引司马云:东陵,陵名,今属济

296

南也。释文阙。

〔一〕【疏】伯夷殉名,死于首阳之下;盗跖贪利,殒于东陵之上。乃名利所殉不同,其于残伤,未能相异也。

〔二〕【注】天下之所惜者生也,今殉之太甚,俱残其生,则所殉是非,不足复论。　【疏】据俗而言,有美有恶;以道观者,何是何非。故盗跖不必非,伯夷岂独是。○庆藩案,慧琳一切经音义卷八十九梁高僧传四引司马云:盗跖,凶恶人也。释文阙。

〔三〕【疏】此总结前文以成后义。但道丧日久,并非适当。今俗中尽殉,岂独夷跖! 从于仁义,未始离名;逐于货财,固当走利。唯名与利,残生之本,即非天理,近出俗情,君子小人,未可正据也。

〔四〕【注】天下皆以不残为善,今均于残生,则虽所殉不同,不足复计也。夫生奚为残,性奚为易哉? 皆由乎尚无为之迹也。若知迹之由乎无为而成,则绝尚去甚而反冥我极矣。尧桀将均于自得,君子小人奚(辩)〔辨〕③哉! 　【疏】恶,何也。其所殉名利,则有君子小人之殊;若残生损性,曾无盗跖伯夷之异。此盖俗中倒置,非关真极。于何而取君子,于何而辨小人哉? 言无别也。　【释文】"又恶"音乌。"取君子小人于其间哉"崔本无小人于三字。

〔校〕①之字依王叔岷说补。②家字依正文补。③辨字依世德堂本改。

　　且夫属其性乎仁义者,虽通如曾史,非吾所谓臧也〔一〕;属其性于五味,虽通如俞儿,非吾所谓臧也〔二〕;属其性乎五声,虽通如师旷,非吾所谓聪也;属其性乎五色,虽通如离朱,非吾所谓明也〔三〕。吾所谓臧者,非仁义之谓也,臧于其德而已矣〔四〕;吾所谓臧者,非所谓仁义之谓也,任其性命之情而已矣〔五〕;吾所谓聪者,非谓其闻彼也,自闻而已矣;吾所谓明者,非谓其见彼也,自见而已矣〔六〕。夫不自见而见彼,不自得而得彼者,是得人之得而不自得其得者也,适人之适而不自适其适者也〔七〕。夫适人之适而不自适其适,虽盗跖与伯夷,是同为淫僻也〔八〕。余愧乎道德,是以上不敢为仁义之操,而下不敢为淫僻之行也〔九〕。

〔一〕【注】以此系彼为属。属性于仁,殉仁者耳,故不善也。　【疏】属,系也。臧,善也。吾,庄生自称也。夫舍己效人,得物丧我者,流俗之伪情也。故系我天性,学彼仁义,虽通达圣迹,如曾参史鱼,乖于本性,故非论生之所善也。　【释文】"属其"郭时,谓系属也。徐音烛,属,著也。下皆同。

〔二〕【注】率性通味乃善。　【疏】孟子云:俞儿,齐之识味人也。尸子云:俞儿和薑桂,为人主上食。夫自无天素,效物得知,假令通似俞儿,非其善故也。　【释文】"虽通如杨墨"一本无此句。"俞儿"音榆,李式榆反。司马云:古之善识味人也。崔云:尸子曰:膳俞儿和之以姜桂,为人主上食。淮南云:俞儿狄牙,尝淄渑之水而别之。一云:俞儿,黄帝时人。狄牙则易牙,齐桓公时识味人也。一云:俞儿亦齐人。淮南子一本作申儿,疑申当为臾。

〔三〕【注】不付之于我而属之于彼,则虽通之如彼,而我己丧矣。故各任其耳目之用,而不系于离旷,乃聪明也。　【疏】夫离朱师旷,禀分聪明,率性而能,非关学致。今乃矫性伪情,舍己效物,虽然通达,未足称善也。

〔四〕【注】善于自得，忘仁而仁。　【疏】德，得也。夫达于玄道者，不易性以殉者也，岂复执已陈之刍狗，滞先王之蓬庐者哉！故当知其自知，得其自得，以斯为善，不亦宜乎！

〔五〕【注】谓仁义为善，则损身以殉之，此于性命还自不仁也。身且不仁，其如人何！故任其性命，乃能及人，及人而不累于己，彼我同于自得，斯可谓善也。　【疏】夫曾参史鱼杨朱墨翟，此四子行仁义者，盖率性任情，禀之天命，譬彼骈枝，非由学得。而惑者睹曾史之仁义，言放效之可成；闻离旷之聪明，谓庶几之必致；岂知造物而亭毒之乎！故王弼注易云，不性其情，焉能久行其致，斯之谓也。　【释文】"不累"劣伪反。后皆仿此。

〔六〕【注】夫绝离弃旷，自任闻见，则万方之聪明莫不皆全也。　【疏】夫希离慕旷，见彼闻他，心神驰奔，耳目竭丧，此乃愚闇，岂曰聪明！若听耳之所闻，视目之所见，保分任真，不荡于外者，即物皆聪明也。

〔七〕【注】此舍己效人者也，虽效之若人，而己已亡矣。　【疏】夫不能视见之所见而见目以求离(未)〔朱〕之明，不能知知之所知而役知以慕史鱼之义，斯乃伪情学人之得，非谓率性自得己得也。既而伪学外显，效彼悦人，作伪心劳，故不自适其适也。【释文】"舍己"音捨。

〔八〕【注】苟以失性为淫僻，则虽所失之涂异，其于失之一也。　【疏】淫，滞也。僻，邪也。夫保分率性，正道也；尚名好胜，邪淫也。是以舍己逐物，开希幸之路者，虽伯夷之善，盗跖之恶，亦同为邪僻也。重举适人之适者，此叠前生后以起文势故也。

〔九〕【注】愧道德之不为，谢冥复之无迹，故绝操行，忘名利，从容吹累，遗我忘彼，若斯而已矣。　【疏】夫虚通之道，至忘之德，绝仁绝义,无利无名。而<u>庄生</u>妙体环中,游心物表,志操绝乎仁义,心行忘乎是非;体自然之无有,愧道德之不为。而言上下者,显仁义淫僻之优劣也。而云余愧不敢者,示谦也。<u>郭</u>注云从容吹累者,从容,犹闲放;而吹累,动而无心也。吹,风也;累,尘;犹清风之动,微尘轻举也。 【释文】"愧乎"<u>崔</u>本作聭,云:聭,愧同。"之行"下孟反。注同。"冥复"音服。"从容"七容反。"吹"如字,又昌伪反。字亦作炊。

庄子集释卷四中

外篇马蹄第九^{〔一〕}

〔一〕【释文】举事以名篇。

马,蹄可以践霜雪,毛可以御风寒,龁草饮水,翘足而陆,此马之真性也^{〔一〕}。虽有义台路寝,无所用之^{〔二〕}。及至伯乐,曰:"我善治马。"烧之,剔之,刻之,雒之,连之以羁馽,编之以皂栈,马之死者十二三矣;^{〔三〕}饥之,渴之,驰之,骤之,整之,齐之,前有橛饰之患,而后有鞭筴之威,而马之死者已过半矣^{〔四〕}。陶者曰:"我善治埴,圆者中规,方者中矩^{〔五〕}。"匠人曰:"我善治木,曲者中钩,直者应绳^{〔六〕}。"夫埴木之性,岂欲中规矩钩绳哉^{〔七〕}?然且世世称之曰"伯乐善治马而陶匠善治埴木",此亦治天下者之过也^{〔八〕}。

301

〔一〕【注】驽骥各适于身而足。 【疏】龁,啮也;践,履;御,捍;翘,举也。夫蹄践霜雪,毛御风寒,饥即龁草,渴即饮水,逸豫适性,即举足而跳踯,求禀乎造物,故真性岂愿羁罿皂栈而为服养之乎!况万有参差,咸资素分,安排任性,各得逍遥,不矜不企,即生涯可保。　【释文】"马"释名云:武也。<u>王弼</u>注<u>易</u>云:在下而行者也。"蹄"音提。<u>司马</u>云:马足甲也。"御"鱼吕反。<u>广雅</u>云:敌也。<u>崔</u>本作辟。"龁"恨發反,又胡切反。"翘"祁饶反。"足"<u>崔</u>本作尾。"而陆"<u>司马</u>云:陆,跳也。字书作驇。驇,马健也。○<u>庆藩</u>案,<u>释文崔</u>本作翘尾,引<u>司马</u>云,陆,跳也。字书作驇,马健也。今案足作尾是也。<u>文选</u>〔<u>郭景纯</u>〕<u>江赋</u>注引<u>庄子</u>正作尾,陆作踛,云:踛,音六。<u>广韵</u>:踛,力竹切,翘踛也。踛依字当作跼。<u>说文</u>:跼,曲胫也,读若逯。是踛即跼之异体。逯从辵坴,踛从足坴,古足辵之字多互用,形相似也。据选注所引,知陆乃踛之讹。"驽"音奴,恶马也。"骥"音冀,千里善马也。

〔二〕【注】马之真性,非辞鞍而恶乘,但无羡于荣华。　【疏】义,养也,谓是贵人养卫之台观也。亦言:义台,犹灵台也。路,大也,正也,即正寝之大殿也。言马之为性,欣于原野,虽有高台大殿,无所用之。况清虚之士,淳朴之民,乐彼茅茨,安兹瓮牖,假使丹楹刻桷,于我何为!　【释文】"义"许宜反,又如字。<u>徐</u>音仪,<u>崔</u>本同。一本作羲。"台"<u>崔</u>云:义台,犹灵台也。"路寝"路,正也,大也。<u>崔</u>云:路寝,正室。○<u>庆藩</u>案,<u>史记魏世家</u>索隐引<u>司马</u>云:义台,台名。<u>释文</u>阙。○<u>俞樾</u>曰:义,<u>徐</u>音仪,当从之。<u>周官肆师职郑</u>注曰:故书仪为义。是义即古仪字也。仪台,犹言容台。<u>淮南子览冥篇</u>容台振而掩覆,<u>高</u>注曰:容台,行礼容之台。仪与容,异名同实,盖是行礼仪之台,故曰仪台也。"而恶"乌路反。

〔三〕【注】有意治之,则不治矣。治之为善,斯不善也。　【疏】<u>列子</u>

云:姓孙,名阳,字伯乐,秦穆公时善治马人。烧,铁炙之也。
剔,谓翦其毛;刻,谓削其蹄;雒,谓著笼头也。羁,谓连枝绊也;
絷,谓约前两脚也。皁,谓槽枥也。栈,编木为棧,安马脚下,以
去其湿,所谓马床也。夫不能任马真性,而横见烧剔,既乖天
理,而死者已多。况无心徇物,性命所以安全;有意治之,天年
于焉夭折。　【释文】"伯乐"音洛,下同。伯乐,姓孙,名阳,善
驭马。石氏星经云:伯乐,天星名,主典天马。孙阳善驭,故以为
名。"剔之"敕历反。字林云:剃也。徐诗赤反。向崔本作鬏。
向音郝。"雒之"音洛。司马云:烧,谓烧铁以烁之;剔,谓翦其
毛;刻,谓削其甲;雒,谓羁雒其头也。〇王念孙曰:司马彪曰,
雒,谓羁络其头也。案雒读为铬,(音落。)字或作剒,通作雒,又
通作落。铬之言落也,剔去毛鬣爪甲谓之铬。说文曰:铬,鬎也。
广雅曰:雒,剔也。吴子治兵篇说畜马之法云:刻剔毛鬣,谨落四
下。此云烧之剔之刻之雒之,语意略相似。司马以铬为羁络,非
也。下文连之以羁絷,乃始言羁络耳。〇家世父曰:司马云,
刻,谓削其甲;雒,谓羁雒其头也。是通雒为络。疑上四者专就
马身言之,下文羁絷皁栈,始及衔勒之事。雒当为烙,所谓火针
曰烙也。杜甫诗,细看六印带官字。六印,亦作火印。刻,谓凿
蹄;雒,谓印烙。烧之剔之以理其毛色。刻之雒之以存其表识。
作络者非也。〇俞樾曰:司马彪解雒之曰,谓羁雒其头也,是以
雒为络之假字。然下文连之以羁絷,乃始言羁络之事,此恐非
也。雒疑当为烙。说文火部新附有烙字,曰:灼也。今官马以火
烙其皮毛为识,即其事矣。"羁"居宜反。广雅云:勒也。"絷"
丁邑反,徐丁立反,绊也。李音述。本或作豬,非也。豬音之树
反。司马向崔本并作颣。向云:马氏音竦。崔云:绊前两足也。

○卢文弨曰：旧本无音字，案例当有，今增。"编之"必然反。
"皂"才老反，枥也。一云：槽也。崔云：马闲也。"栈"（土）
〔士〕①板反。徐在简反，又士谏反。编木作（灵）似〔灵〕床曰栈，
以御濕也。崔云：木棚也。○卢文弨曰：灵即欞字。濕当作溼，
后人多混用。棚，疑当作栅。○庆藩案，文选颜延年赭白马赋
注、潘安仁马汧督诔注引司马云：皂，枥也。栈，若欞床，施之湿
地也。释文阙。"不治"直吏反。

〔四〕【注】夫善御者，将以尽其能也。尽能在于自任，而乃走作驰步，
求其过能之用，故有不堪而多死焉。若乃任驽骥之力，适迟疾
之分，虽则足迹接乎八荒之表，而众马之性全矣。而惑②者闻任
马之性，乃谓放而不乘；闻无为之风，遂云行不如卧；何其往而
不返哉！斯失乎庄生之旨远矣。　【疏】橛，衔也，谓以宝物饰
于镳也。带皮曰鞭，无皮曰筴，俱是马杖也。夫驰骤过分，饥渴
失常，整之以衡扼，齐之以镳镳，威之以鞭筴，而求其以分外之
能，故驽骀不堪，而死已过半。圣智治物，其损亦然。　【释文】
"骤"士救反。"橛"向徐其月反。司马云：衔也。崔云：镳也。
"饰"徐音式。司马云：排衔也，谓加饰于马镳也。○庆藩案，文
选潘安仁西征赋注引司马云：橛，骊马口中长衔也。与释文异。
○又案，橛，一作檕。说文鑛下曰：鑛，马口中檕也。史记索隐引
周〔迁〕舆服志云：钩逆上者为檕，檕在衔中，以铁为之，大如鸡
子。汉书司马相如传张揖注曰：衔，马勒衔也。檕，骊马口长衔
也。韩子奸劫弒臣篇无垂策之威，衔橛之备，虽造父不能以服
马，盐铁论刑德篇犹无衔橛而御捍马也，是衔与橛皆所以制马
者。"鞭"必然反。"筴"初革反。杜注左传云：马檛也。檛，音
竹瓜反。

〔五〕【疏】范土曰陶。陶，化也，亦窑也。埴，黏也，亦土也。谓陶者善能调和水土而为瓦器，运用方圆，必中规矩也。　【释文】“陶”道刀反，谓窑也。窑，音弋消反。“埴”徐时力反。崔云：土也。司马云：埴土可以为陶器。尚书传云：土黏曰埴。释名云：埴，臟也。臟音之食反。“中规”丁仲反。下皆同。

〔六〕【疏】钩，曲也。绳，直也。谓匠人机巧，善能治木，木之曲直，必中钩绳。　【释文】“应绳”应对之应。后不音者仿此。

〔七〕【疏】土木之性，禀之造物，不求曲直，岂慕方圆；陶者匠人，浪为臧否。

〔八〕【注】世以任自然而不加巧者为不善于治也，揉曲为直，厉驽习骥，能为规矩以矫拂其性，使死而后已，乃谓之善治也，不亦过乎！　【疏】此总举前文以合其譬。然世情愚惑，以治为善，不治之为伪，伪莫大焉。　【释文】“揉曲”汝久反。“矫”居兆反。“拂”房弗反。

〔校〕①士字依世德堂本及释文原本改。②世德堂本惑作或。

吾意善治天下者不然〔一〕。彼民有常性，织而衣，耕而食，是谓同德〔二〕；一而不党，命曰天放〔三〕。故至德之世，其行填填，其视颠颠〔四〕。当是时也，山无蹊隧，泽无舟梁〔五〕；万物群生，连属其乡〔六〕；禽兽成群，草木遂长〔七〕。是故禽兽可系羁而游，鸟鹊之巢可攀援而窥〔八〕。

〔一〕【注】以不治治之，乃善治也。　【疏】然，犹如此也。庄子云：我意谓善治天下，不如向来陶匠等也。善治之术，列在下文。

〔二〕【注】夫民之德，小异而大同。故性之不可去者，衣食也；事之不可废者，耕织也；此天下之所同而为本者也。守斯道者，无为之至也。　【疏】彼民，黎首也。言苍生皆有真常之性而不假于物也。德者,得也。率其真常之性,物各自足,故同德。郭象云,性之不可去者衣食,事之不可废者耕织,此天下之所同而为本也,守斯道也,无为至矣。 【释文】"去者"羌吕反。

〔三〕【注】放之而自一耳,非党也,故谓之天放。 【疏】党,偏也。命,名也。天,自然也。夫虚通一道,亭毒群生,长之育之,无偏无党。若有心治物,则乖彼天然,直置放任,则物皆自足,故名曰天放也。 【释文】"天放"如字。崔本作牧,云:养也。

〔四〕【注】此自足于内,无所求及之貌。 【疏】填填,满足之心。颠颠,高直之貌。夫太上淳和之世,遂初至德之时,心既遣于是非,行亦忘乎物我。所以守真内足,填填而处无为;自不外求,颠颠而游于虚淡。 【释文】"填填"徐音田,又徒偃反。质重貌。崔云:重迟也。一云:详徐貌。淮南作莫莫。"颠颠"丁田反。崔云:专一也。淮南作瞑瞑。

〔五〕【注】不求非望之利,故止于一家而足。 【疏】蹊,径;隧,道也。舟,船也。当是时,即至德之世也。人知守分,物皆淳朴,不伐不夺,径道所以可遗;莫往莫来,船桥于是乎废。 【释文】"蹊"徐音兮。李云:径也。"隧"徐音遂。崔云:道也。

〔六〕【注】混茫而同得也,则与一世而淡漠焉,岂国异而家殊哉! 【疏】夫混茫之世,淳和淡漠。故无情万物,连接而共里间;有识群生,系属而同乡县;岂国异政而家殊俗哉! 【释文】"连属其乡"王云:既无国异家殊,故其乡连属。"混"胡本反。"茫"莫刚反。"淡"徒暂反。"漠"音莫。

〔七〕【注】足性而止,无吞夷之欲,故物全。 【疏】飞禽走兽不害,所以成群;蔬草果木不伐,遂其盛茂。 【释文】"遂长"丁丈反,又直良反。"无吞"敦恩反,又音天。

〔八〕【注】与物无害,故物驯也。 【疏】人无害物之心,物无畏人之虑。故山禽野兽,可羁系而遨游;鸟鹊巢窠,可攀援而窥望也。 【释文】“攀”本又作扳,普班反。“援”音袁。<u>广雅</u>云:牵也,引也。“窥”去规反。“物驯”似遵反,或音纯。

夫至德之世,同与禽兽居,族与万物并,恶乎知君子小人哉〔一〕!同乎无知,其德不离〔二〕;同乎无欲,是谓素朴〔三〕;素朴而民性得矣〔四〕。及至圣人〔五〕,蹩躠为仁,踶跂为义,而天下始疑矣;澶漫为乐,摘僻为礼,而天下始分矣〔六〕。故纯朴不残,孰为牺尊!白玉不毁,孰为珪璋〔七〕!道德不废,安取仁义〔八〕!性情不离,安用礼乐〔九〕!五色不乱,孰为文采!五声不乱,孰应六律〔一○〕!夫残朴以为器,工匠之罪也;毁道德以为仁义,圣人之过也。〔一一〕

〔一〕【疏】夫殉物邪僻为小人,履道方正为君子。既而巢居穴处,将鸟兽而不分;含哺鼓腹,混群物而无异;于何而知君子,于何而辨小人哉! 【释文】“恶乎”音乌。

〔二〕【注】知则离道以善也。 【疏】既无分别之心,故同乎无知之理。又不(以)险德以求行,故抱一而不离也。 【释文】“不离”力智反。注皆同。

〔三〕【注】欲则离性以饰也。 【疏】同遂初之无欲,物各清廉;异末代之浮华,人皆淳朴。 【释文】“素朴”普剥反。

〔四〕【注】无烦乎知欲也。 【疏】夫苍生所以失性者,皆由滞欲故也。既而无欲素朴,真性不丧,故称得也。此一句总结已前至德之美者也。

〔五〕【注】圣人者,民得性之迹耳,非所以迹也。此云及至圣人,犹云及至其迹也。

〔六〕【注】夫圣迹既彰，则仁义不真而礼乐离性，徒得形表而已矣①。有圣人即有斯弊，吾若是何哉！　【疏】自此以上，明淳素之德；自此以下，斥圣迹之失。及至圣人，即五帝已下行圣迹之人也。蹩躠，用力之貌。踶跂，矜恃之容。澶漫是纵逸之心，摘僻是曲拳之行。夫淳素道消，浇伪斯起。踶跂恃裁非之义，蹩躠夸偏爱之仁，澶漫贵奢淫之乐，摘僻尚浮华之礼，于是宇内分离，苍生疑惑，乱天之经，自斯而始矣。　【释文】"蹩"步结反。向崔本作弊，音同。"躠"本又作薛，悉结反。向崔本作杀，音同。一音素葛反。"踶"直氏反，向同，崔音缇。"跂"丘氏反，一音吕氏反，崔音技。李云：蹩躠踶跂，皆用心为仁义之貌。○庆藩案，踶，各本无训。说文：踶，躛也。躛，踶（躛）②也。（〔段注〕旧本讹作卫，今据踶字注及牛部躛字注改正。）"澶"本又作儃，徒旦反。又吐旦反。向崔本作但，音燀。"漫"武半反。向崔本作曼，音同。李云：澶漫，犹纵逸也。崔云：但曼，淫衍也。一云：澶漫，牵引也。"摘"敕历反，又涉革反。"僻"匹壁反，向音檗，徐敷历反，李父历反。本或作辟，音同。李云：纠摘邪辟而为礼也。一音妇赤反，法也。崔云：摘辟，多节。○卢文弨曰：今本作僻。○家世父曰：释文引李曰，纠摘邪辟而为礼也，崔云，摘辟，多节。摘辟，当作摘擗。王逸注楚词：擗，析也。摘者，摘取之；擗者，分之；谓其烦碎也。"始分"如字。下分皆同。

〔七〕【疏】纯朴，全木也。不残，未雕也。孰，谁也。牺尊，酒器，刻为牛首，以祭宗庙也。上锐下方曰珪，半珪曰璋。此略举譬喻，以明浇竞之治也。　【释文】"牺尊"音羲。尊，或作樽。司马云：画牺牛象以饰樽也。王肃云：刻为牛头。郑玄云：画凤皇羽饰尊,婆娑然也。音先河反。○卢文弨曰:今本作樽,俗③。“珪璋”音章。李云:皆器名也。锐上方下曰珪,半珪曰璋。

〔八〕【疏】此合譬也。夫大道之世,不辨是非;至德之时,未论憎爱。无爱则人心自息,无非则本迹斯忘,故老经云大道废,有仁义矣。

〔九〕【疏】礼以检迹,乐以和心。情苟不散,安用和心! 性苟不离,何劳检迹! 是知和心检迹,由乎道丧也。 【释文】“情性不离”如字。别离也。○卢文弨曰:今本情性作性情。

〔一○〕【注】凡此皆变朴为华,弃本崇末,于其天素,有残废矣,世虽贵之,非其贵也。 【疏】夫文采本由相间,音乐贵在相和。若各色各声,不相显发,则宫商齟齬,无由成用。此重起譬,却证前旨。

〔一一〕【注】工匠则有规矩之制,圣人则有可尚之迹。 【疏】此总结前义。夫工匠以牺尊之器残淳朴之本,圣人以仁义之迹毁无为之道,为弊既一,获罪宜均。

〔校〕①赵谏议本无矣字及注首夫字。②甗字依说文删。③世德堂本作樽,本书依释文改。

夫马,陆居则食草饮水,喜则交颈相靡,怒则分背相踶。马知已此矣〔一〕。夫加之以衡扼,齐之以月题,而马知介倪闉扼鸷曼诡衔窃辔〔二〕。故马之知而态至盗者,伯乐之罪也〔三〕。

〔一〕【注】御其真知,乘其自(陆)〔然〕①,则万里之路可致,而群马之性不失。 【疏】靡,摩也,顺也。踶,蹢也。已,止也。夫物之喜怒,禀自天然,率性而动,非由矫伪。故喜则交颈而摩顺,怒则分背而蹢蹋,而马之知解适尽于此,食草饮水,乐在其中矣。【释文】“交颈”颈，领也。居郢反，又祁盈反。“相靡”如字。李云：摩也。一云：爱也。○庆藩案，靡，古读若摩，故与摩通。（见唐韵正。）汉书淮南衡山王传亦其俗薄臣，下渐靡使然也。渐靡即渐摩。荀子性恶篇身日进于仁义而不自知也者，靡使然也。靡即摩也。（礼学记相观而善之谓摩，郑注：摩，相切磋也。）成二年左传师至于靡笄之下，靡一音摩。史记苏秦传以出揣摩，邹诞本作揣靡。靡读为摩。元戴侗六书故：靡与摩通。本书凡交近则相靡以信，亦读靡为摩。“相踶”大计反，又徒兮反，又徒祁反。李云：踶，蹋也。广雅、字韵、声类并同。通俗文云：小蹋谓之踶。“马知”李音智。下同。

〔二〕【疏】衡，辕前横木也。扼，叉马颈木也。月题，额上当颅，形似月者也。介，独也。倪，睥睨也。闉，曲也。鸷，抵也。曼，突也。诡，诈也。窃，盗也。夫马之真知，唯欣放逸；不求服饰，岂慕荣华！既而加以月题，齐以衡扼，乖乎天性，不任困苦，是以谲诈萌出，睥睨曲头綟扼，抵突御人。窃辔即盗脱笼头，诡衔乃吐出其勒。良由乖损真性，所以矫伪百端者矣。【释文】“衡扼”於革反。衡，辕前横木，缚轭者也。扼，叉马颈者也。“月题”徒兮反。司马崔云：马额上当颅如月形者也。“介”徐古八反。“倪”徐五圭反，郭五第反。李云：介倪，犹睥睨也。崔云：介出俾倪也。“闉”音因。“鸷”徐敕二反，郭音踬。“曼”武半反，郭武谏反。李云：闉，曲也。鸷，抵也。曼，突也。崔云：闉扼鸷曼，距扼顿迟也。司马云：言曲颈于扼以抵突也。一云：鸷曼，旁出也。○家世父曰：释文引李云：介倪，犹睥睨也。闉，曲也。鸷，抵也。曼，突也。崔云，闉扼鸷曼，距扼顿迟也。司马云，言曲颈于扼以抵突也，一云：鸷曼，旁出也。今案成二年左传不介马而驰之,杜预注:介,马甲也。说文:俾,益也。倪,俾也。言马知甲之加其身。史记晋世家马骜不能行。说文:骜,马重貌。闟扼,犹言困扼;骜曼,犹言迟重;言马被介而气塞行滞,有决衔绝辔之忧,李云睥睨者,失之。"诡"九彼反。"衔"口中勒也。或云:诡衔,吐出衔也。"窃辔"啮辔也。崔云:诡衔窃辔,庆衔橛,盗粮辔也。○卢文弨曰:旧粮讹艰,今改正。说文:车前革曰粮。

〔三〕【注】马性不同而齐求其用,故有力竭而态作者。 【疏】态,奸诈也。夫马之真知,适于原野,驰骤过分,即矫诈心生,诡窃之态,罪归伯乐也。 【释文】"态作"吐代反。

〔校〕①然字依王叔岷说改。

夫赫胥氏之时,民居不知所为,行不知所之,含哺而熙,鼓腹而游,民能以此矣〔一〕。及至圣人,屈折礼乐以匡天下之形,县跂仁义以慰天下之心,而民乃始踶跂好知,争归于利,不可止也。此亦圣人之过也〔二〕。

〔一〕【注】此民之真能也。 【疏】之,适也。赫胥,上古帝王也;亦言有赫然之德,使民胥附,故曰赫胥,盖炎帝也。夫行道之时,无为之世,心绝缘虑,安居而无所为;率性而动,游行而无所往。既而含哺而熙戏,与婴儿而不殊;鼓腹而遨游,将童子而无别。此至淳之世,民能如此也。 【释文】"赫"本或作荥,呼白反。"胥氏"司马云:赫胥氏,上古帝王也。一云:有赫然之德,使民胥附,故曰赫胥,盖炎帝也。○俞樾曰:释文引司马云,赫胥氏上古帝王也,此为允当。又曰,一云有赫然之德,使民胥附,故曰赫胥,盖炎帝也。此望文生训,殊不足据。炎帝,即神农也。胠箧篇既云赫胥氏,又云神农氏,其非一人明矣。赫胥,疑即列子书所称华胥氏。华与赫,一声之转耳。广雅释器:赫,赤也。

311

而古人名赤者多字华。羊舌赤字伯华,公西赤字子华,是也。是华亦赤也。赤谓之赫,亦谓之华,可证赫胥之即华胥矣。“含哺”音步。

〔二〕【注】其过皆由乎迹之可尚也。 【疏】夫屈曲折旋,行礼乐以正形体;高县仁义,令企慕以慰心灵;于是始踶跂自矜,好知而兴矫诈;经营利禄,争归而不知止。噫! 圣迹之过者也。 【释文】“县企”音玄。○卢文弨曰:今本作跂。○庆藩案,文选傅长虞赠何劭王济诗注引司马云:企,望也。释文阙。“踶”直氏反。“跂”丘氏反。“好知”呼报反。下音智。

胠箧第十〔一〕

〔一〕【释文】举事以名篇。

　　将为胠箧探囊发匮之盗而为守备,则必摄缄縢,固（扃）〔扃〕①鐍,此世俗之所谓知也。〔一〕然而巨盗至,则负匮揭箧担囊而趋,唯恐缄縢扃鐍之不固也。然则乡②之所谓知者,不乃为大盗积者也〔二〕?

〔一〕【疏】胠,开;箧,箱;囊,袋;摄,收;缄,结;縢,绳也。扃,关钮也;鐍,锁钥也。夫将为开箱探囊之窃,发匮取财之盗,此盖小贼,非巨盗者也。欲为守备,其法如何? 必须收摄箱囊,缄结绳约,坚固扃鐍,使不慢藏。此世俗之浅知也。 【释文】“胠”李起居反。史记作擖。徐起法反,一音虚乏反。司马云:从旁开为胠。一云:发也。“箧”苦协反。“探”吐南反。“囊”乃刚反。“匮”其位反,柜也。“必摄”如字。李云:结也。崔云:收也。“缄”古

312

减反。"縢"向崔本作𦝩,同。徒登反。崔云:约也。案广雅云:缄縢,皆绳也。"扃"古荧反。崔李云:关也。"鐍"古穴反。李云:纽也。崔云:环舌也。"知也"如字,又音智。下同。

〔二〕【注】知之不足恃也如此。　【疏】夫摄缄縢固扃鐍者,以备小贼。然大盗既至,负揭而趋,更恐绳约关钮之不牢,向之守备,翻为盗资,是故俗知不足可恃。　【释文】"揭"徐其谒反,又音桀。三苍云:举也,担也,负也。"担"丁甘反。"而趋"七须反。李云:走也。"唯恐"丘用反。"乡之"本又作向,亦作曏,同。许亮反。"为大盗"于伪反。下及下注而同。"积者"如字,李子赐反。

〔校〕①依世德堂本及释文原本改。以下均误,不复出。②赵谏议本作向。

　　故尝试论之,世俗之所谓知者,有不为大盗积者乎?所谓圣者,有不为大盗守者乎?〔一〕何以知其然邪〔二〕?昔者齐国邻邑相望,鸡狗之音相闻,罔罟之所布,耒耨之所刺,方二千馀里〔三〕。阖四竟之内,所以立宗庙社稷,治邑屋州闾乡曲者,曷尝不法圣人①哉〔四〕!然而田成子一旦杀齐君而盗其国〔五〕。所盗者岂独其国邪?并与其圣知之法而盗之〔六〕。故田成子有乎盗贼之名,而身处尧舜之安〔七〕;小国不敢非,大国不敢诛,十二世有齐国〔八〕。则是不乃窃齐国,并与其圣知之法以守其盗贼之身乎〔九〕?

〔一〕【疏】夫体道大贤,言无的当,将欲显忘言之理,故曰试论之。曰:夫世俗之人,知谟浅近,显迹之圣,于理未深。既而意在防闲,更为贼之聚积;虽欲官世,翻为盗之守备。而(信)〔言〕有不为者,欲明岂有不为大盗积守乎,言其必为盗积也。

〔二〕【疏】假设疑问,发明义旨。

〔三〕【疏】齐,即太公之后,封于营丘之地。逮桓公九合诸侯,一匡天下,百姓殷实,无出三齐。是以鸡犬鸣吠相闻,邻邑栋宇相望,罔罟布以事畋渔,耒耨刺以修农业。境土宽大,二千馀里,论其盛美,实冠诸侯。耒,犁也。耨,锄也。　【释文】"罔罟"音古,罔之通名。"耒"力对反,徐力猥反,郭吕匮反。李云:犁也。一云:耜柄也。"耨"乃豆反。李云:锄也。或云:以木为锄柄。"所刺"徐七智反。

〔四〕【疏】夫人非土不立,非谷不食,故邑封土祠曰社,封稷祠曰稷。稷,五谷之长也。社,吐也,言能吐生万物也。司马法:六尺为步,步百为亩,亩百为夫,夫三为屋,屋三为井,井四为邑。又云:五家为比,五比为闾,五闾为族,五族为党,五党为州,五州为乡。郑玄云:二十五家为闾,二千五百家为州,万二千五百家为乡也。阖,合也。曷,何也。阖四境之内,三齐之中,置此宗庙等事者,皆放效尧舜以下圣人,立邦国之法则也。　【释文】"阖"户腊反。"四竟"音境。下之竟同。"治邑"直吏反。"屋"周礼:夫三为屋。"州"五党为州,二千五百家也。"闾"五比为闾,二十五家也。"乡"五州为乡,万二千五百家也。

〔五〕【注】法圣人者,法其迹耳。夫迹者,已去之物,非应变之具也,奚足尚而执之哉!执成迹以御乎无方,无方至而迹滞矣,所以守国而为人守之也。　【疏】田成子,齐大夫陈恒也,是敬仲七世孙。初,敬仲适齐,食(菜)〔采〕于田,故改为田氏。鲁哀公十四年,陈恒弑其君,君即简公也。割安平至于郎邪,自为封邑。至恒曾孙太公和,迁齐康公于海上,乃自立为齐侯。自敬仲至庄公,凡九世知齐政;自太公至威王,三世为齐侯;通计为十二

世。庄子,宣王时人,今不数宣王,故言十二世也。 【释文】
"田成子"齐大夫陈恒也。"一旦"宋元嘉中本作一日。"杀"音
试。"齐君"简公也。春秋哀公十四年,陈恒杀之于舒州。"而
盗其国"司马云:谓割安邑以东至郎邪自为封邑也。

〔六〕【注】不盗其圣法,乃无以取其国也。 【疏】田恒所盗,岂唯齐
国? 先盗圣智,故得诸侯。是知仁义陈迹,适为盗本也。 【释
文】"圣知"音智。下同。

〔七〕【疏】田恒篡窃齐国,故有巨盗之声名;而位忝诸侯,身处唐虞之
安乐。

〔八〕【疏】子男之邦,不敢非毁;伯侯之国,讵能征伐! 遂胤胄相系,
宗庙遐延。世历十二,俱如前解。 【释文】"十二世有齐国"自
敬仲至庄子,九世知齐政;自太公和至威王,三世为齐侯,故云
十二世也。○俞樾曰:释文曰,自敬仲至庄子九世知齐政;自太
公和至威王,三世为齐侯,故云十二世。此说非也。本文是说
田成子,不当追从敬仲数起。疑庄子原文本作世世有齐国,言
自田成子之后,世有齐国也。古书遇重字,止于字下作二字以
识之,应作世二有齐国。传写者误倒之,则为二世有齐国。于
是其文不可通,而从田成子追数至敬仲适得十二世,遂臆加十
字于其上耳。

〔九〕【注】言圣法唯人所用,未足以为全当之具。 【疏】揭仁义以窃
国,资圣智以保身。此则重举前文,以结其义也。 【释文】"以
守"如字,旧音狩。

〔校〕①阙误引张君房本圣人作圣智,下文善人不得圣人之道不立,
跖不得圣人之道不行;则圣人之利天下也少;圣人生而大盗起;
掊击圣人;圣人已死;圣人不死;虽重圣人;是乃圣人之过也;彼

圣人者天下之利器也;句内圣人并同。

尝试论之,世俗之所谓至知者,有不为大盗积者乎?所谓至圣者,有不为大盗守者乎〔一〕? 何以知其然邪〔二〕? 昔者龙逢斩,比干剖,苌弘胣,子胥靡,故四子之贤而身不免乎戮〔三〕。故跖之徒问于跖曰:"盗亦有道乎〔四〕?"跖曰:"何適而无有道邪〔五〕!"夫妄意室中之藏,圣也;入先,勇也;出后,义也;知可否,知也;分均,仁也。五者不备而能成大盗者,天下未之有也。〔六〕由是观之,善人不得圣人之道不立,跖不得圣人之道不行〔七〕;天下之善人少而不善人多,则圣人之利天下也少而害天下也多〔八〕。故曰,唇竭则齿寒,鲁酒薄而邯郸围,圣人生而大盗起〔九〕。掊击圣人,纵舍盗贼,而天下始治矣〔一〇〕。夫川竭而谷虚,丘夷而渊实。圣人已死,则大盗不起,〔一一〕天下平而无故矣〔一二〕。

〔一〕【疏】重结前义,以发后文也。

〔二〕【疏】假设疑问,以畅其旨也。

〔三〕【注】言暴乱之君,亦得据君人之威以戮贤人而莫之敢亢者,皆圣法之由也。向无圣法,则桀纣焉得守斯位而放其毒,使天下侧目哉! 【疏】龙逢,姓关,夏桀之贤臣,为桀所杀。比干,王子也,谏纣,纣剖其心而视之。苌弘,周灵王贤臣。说苑云:晋叔向之杀苌弘也,苌弘数见于周,因(群)〔佯〕遗书,苌弘谓叔向曰:"子起晋国之兵以攻周,以废刘氏(以)〔而〕①立单氏。"刘子谓君曰:"此苌弘也。"乃杀之。胣,裂也。亦言:胣,刳肠;靡,烂也,碎也。言子胥遭戮,浮尸于江,令靡烂也。言此四子共有忠贤之行,而不免于戮刑者,为无道之人,恃君人之势,赖圣迹之威,故得颠顿忠良,肆其毒害。 【释文】"比干剖"普口反,谓割心也。崔本作节,云:支解也。"苌"直良反。"弘胣"本又作胚。徐勑纸反,郭诗氏反。崔云:读若拖,或作施字。胣,裂也。淮南子曰:苌弘钣裂而死。司马云:胣,剔也。苌弘,周灵王贤臣也。案左传,是周景王敬王之大夫,鲁哀公三年六月,周人杀苌弘。一云:刳肠曰胣。"子胥靡"密池反,司马如字,云:縻也。崔云:烂之于江中也。案子胥,伍员也,谏夫差,夫差不从,赐之属镂以死,投之江也。"焉得"於虔反。

〔四〕【疏】假设跖之徒类以发问之端。 【释文】"故跖"之石反。

〔五〕【疏】此即答前问意。道无不在,何往非道! 道之所在,具列下文。○庆藩案,何适而无有道邪,当作何适其有道邪。适与奚同。(秦策疑臣者不适三人,适与奚通。史记甘茂传作疑臣者非特三人。)后人不知,误以为适齐适楚适秦之适,故改而无二字。吕氏春秋当务篇正作奚啻其有道也。(淮南道应篇奚适其有道也,今本作无道,亦后人所妄改。)

〔六〕【注】五者所以禁盗,而反为盗资也。 【疏】室中库藏,以贮财宝,贼起妄心,斟量商度,有无必中,其验若神,故言圣也。戮力同心,不避强御,并争先入,岂非勇也! 矢石相交,不顾性命,出竞居后,岂非义也! 知可则为,不可则止,识其安危,审其吉凶,往必克捷,是其智也。轻财重义,取少让多,分物均平,是其仁也。五者则向之圣勇义智仁也。夫为一盗,必资五德,五德不备,盗则不成。是知无圣智而成巨盗者,天下未之有也。 【释文】"之藏"才浪反,又如字。○庆藩案,意,度也,与亿同。礼运圣人耐以天下为一家,以中国为一人者,非意之也。管子小问篇君子善谋而小人善意,(以)〔臣〕②意之也。皆训度之义。韩子

317

解老篇前识者,无缘而忘意度也。(案忘即妄字之隶变。)王褒四子讲德论君子执分寸而罔意度。(案罔即妄字之义。)少仪郑注曰:测,意度也,意,本〔又〕作亿,论语先进篇亿则屡中,汉书货殖传作意。"知可"如字,本或作知可否。○卢文弨曰:今本有否字。"分均"符问反,又如字。

〔七〕【疏】圣人之道,谓五德也。以向如是(以)〔之〕理观之,为善之徒不履五德,则无由立身行道,盗跖之类不资圣智,岂得行其盗窃乎!

〔八〕【注】信哉斯言!斯言虽信,而犹不可亡圣者,犹天下之知未能都亡,故须圣道以镇之也。群知不亡而独亡于圣知,则天下之害又多于有圣矣。然则有圣之害虽多,犹愈于亡圣之无治也。虽愈于亡圣,故未若都亡之无害也。甚矣,天下莫不求利而不能一亡其知,何其迷而失致哉! 【疏】夫善恶二途,皆由圣智者也。伯夷守廉洁著名,盗跖恣贪残取利。然盗跖之徒甚众,伯夷之类盖寡,故知圣迹利益天下也少而损害天下也多。 【释文】"无治"直吏反。下文始治同。

〔九〕【注】夫竭唇非以寒齿而齿寒,鲁酒薄非以围邯郸而邯郸围,圣人生非以起大盗而大盗起。此自然相生,必至之势也。夫圣人虽不立尚于物,而亦不能使物不尚也。故人无贵贱,事无真伪,苟效圣法,则天下吞声而闇服之,斯乃盗跖之所至赖而以成其大盗者也。 【疏】春秋左传云,唇亡齿寒,虞虢之谓也。邯郸,赵城也。昔楚宣王朝会诸侯,鲁恭公后至而酒薄。宣王怒,将辱之。恭公曰:"我周公之胤,行天子礼乐,勋在周室。今送酒已失礼,方责其薄,无乃太甚乎!"遂不辞而还。宣王怒,兴兵伐鲁。梁惠王恒欲伐赵,畏鲁救之。今楚鲁有事,梁遂伐赵而邯郸围。亦(由)〔犹〕圣人生，非欲起大盗而大盗起，势使之然也。

【释文】"鲁酒薄而邯"音寒。"郸"音丹。邯郸，赵国都也。"围"楚宣王朝诸侯，鲁恭公后至而酒薄，宣王怒，欲辱之。恭公不受命，乃曰："我周公之胤，长于诸侯，行天子礼乐，勋在周室。我送酒已失礼，方责其薄，无乃太甚！"遂不辞而还。宣王怒，乃发兵与齐攻鲁。梁惠王常欲击赵，而畏楚救。楚以鲁为事，故梁得围邯郸。言事相由也，亦是感应。宣王，名熊良夫，悼王之子。恭公，名奋，穆公之子。许慎注淮南云：楚会诸侯，鲁赵俱献酒于楚王。鲁酒薄而赵酒厚，楚之主酒吏求酒于赵，赵不与。吏怒，乃以赵厚酒易鲁薄酒，奏之。楚王以赵酒薄，故围邯郸也。○俞樾曰：此竭字当读为竭其尾之竭。说文豕篆说解曰：竭其尾，故谓之豕，是也。盖竭之本义为负举，竭其尾即举其尾也。此云唇竭者，谓反举其唇以向上。③

〔一〇〕【注】夫圣人者，天下之所尚也。若乃绝其所尚而守其素朴，弃其禁令而代以寡欲，此所以掊击圣人而我素朴自全，纵舍盗贼而彼奸自息也。故古人有言曰："闲邪存诚，不在善察；息淫去华，不在严刑。"此之谓也。　【疏】掊，打也。圣人，犹圣迹也。夫圣人者，智周万物，道济天下。今言掊击者，亦示贬斥仁义绝圣弃智之意也。不贵难得之货，故纵舍盗贼，不假严刑，而天下太平也。

【释文】"掊"普口反。"击"徐古历反。"纵舍"音捨，注同。"闲邪"似嗟反。"去华"起吕反。下注去欲、去其皆同。

〔一一〕【注】竭川非以虚谷而谷虚，夷丘非以实渊而渊实，绝圣非以止盗而盗止。故止盗在去欲，不在彰圣知。　【疏】夫智惠出则奸伪生，圣迹亡则大盗息。犹如川竭谷虚，丘夷渊实，岂得措意，必至之宜。死，息也。　【释文】"圣人已死则大盗不起"向云：

事业日新,新者为生,故者为死,故曰圣人已死也。乘天地之正,御日新之变,得实而损其名,归真而忘其涂,则大盗息矣。

〔一二〕【注】非唯息盗,争尚之迹故都去矣。 【疏】故,事也。绝圣弃智,天下太平,人歌击壤,故无有为之事。 【释文】"争尚"争斗之争。后皆同。

〔校〕①佯字而字依说苑原文改。②臣字依管子原文改。③俞注原误置疏文下,今依例改正。

圣人不死,大盗不止。虽重圣人而治天下,则是重利盗跖也。〔一〕为之斗斛以量之,则并与斗斛而窃之;为之权衡以称之,则并与权衡而窃之;为之符玺以信之,则并与符玺而窃之;为之仁义以矫之,则并与仁义而窃之。〔二〕何以知其然邪? 彼窃钩者诛,窃国者为诸侯,诸侯之门而仁义存焉,则是非窃仁义圣知邪〔三〕? 故逐于大盗,揭诸侯,窃仁义并斗斛权衡符玺之利者,虽有轩冕之赏弗能劝,斧钺之威弗能禁〔四〕。此重利盗跖而使不可禁者,是乃圣人之过也〔五〕。

〔一〕【注】将重圣人以治天下,而桀跖之徒亦资其法。所资者重,故所利不得轻也。 【疏】若夫淳朴之世,恬淡无为,物各归根,人皆复命,岂待教迹而后冥乎! 及至圣智不忘,大盗斯起,虽复贵圣法,治天下,无异重利盗跖。何者? 所以夏桀肆其害毒,盗跖肆其贪残者,由资乎圣迹故也。向无圣迹,夏桀岂得居其九五,毒流黎庶! 盗跖何能拥卒数千,横行天下! 所资既重,所利不轻,以此而推,过由圣智也。 【释文】"圣人不死大盗不止"向云:圣人不死,言守故而不日新,牵名而不造实也。大盗不止,不亦宜乎!

〔二〕【注】小盗之所困,乃大盗之所资而利也。　【疏】斛者,今之函,所以量物之多少。权,称锤也;衡,称梁也,所以平物之轻重也。符者,分为两片,合而成一,即今之铜鱼木契也。玺者,是王者之玉印,握之所以摄召天下也。仁,恩也;义,宜也。王者恩被苍生,循宜作则,所以育养黔黎也。此八者,天下之利器也,不可相无也。夫圣人立教以正邦家,田成用之以窃齐国,岂非害于小贼而利大盗者乎!　【释文】"为之斗斛以量之"向云:自此以下,皆所以明苟非其人,虽法无益。"权衡"李云:权,称锤;衡,称衡也。锤,音直伪反。"符玺"音徙。"矫之"居表反。

〔三〕【疏】钩者,腰带钩也。夫圣迹之兴,本惩恶劝善。今私窃钩带,必遭刑戮;公劫齐国,翻获诸侯:仁义不存,无由率众。以此而言,岂非窃圣迹而盗国邪?何以知其然者,假问也;彼窃以下,假答也。　【释文】"窃钩"钩,谓带也。○王引之曰:存焉当为焉存。焉,于是也。言仁义于是乎存也。吕氏春秋季春篇注曰:焉,犹于此也。聘礼记曰,及享发气焉盈容,言发气于是盈容也。月令曰,天子焉始乘舟,(今本焉字在上句乃告舟偹具于天子之下,此后人不晓文义而妄改之。今据吕氏春秋季春篇、淮南时则篇订正。)言天子于是始乘舟也。晋语曰,焉始为令,言于是始为令也。三年问曰,故先王焉为之立中制节,言先王于是为之立中制节也。(荀子礼论篇焉作安,杨倞曰:安,语助。或作安,或作案,荀子多用此字。焉安案,三字同义,详见释词。)大荒南经曰,云雨之山有木名曰栾,群帝焉取药,言群帝于是取药也。管子揆度篇曰,民财足,则君赋敛焉不穷,言赋敛于是不穷也。墨子非攻篇曰,天乃命汤于镳宫,用受夏之大命,汤焉敢奉率其众以乡有夏之境,言汤于是敢伐夏也。楚辞九章曰,焉洋洋而为客,又曰,焉舒情而抽信兮,言于是洋洋而为客,于是舒情而抽信也。又僖十五年左传,晋于是乎作爰田,晋于是乎作州兵,晋语作焉作辕田,焉作州兵。西周策,君何患焉,史记周本纪作君何患于是。是焉与于是同义。庄八年公羊传,吾将以甲午之日然后祠兵于是,管子小问篇,且臣观小国诸侯之不服者唯莒于是,是于是与焉同义。此四句以诛侯为韵,门存为韵,其韵皆在句末。史记游侠传作窃钩者诛,窃国者侯,侯之门,仁义存,是其明证也。

〔四〕【注】夫轩冕斧钺,赏罚之重者也。重赏罚以禁盗,然大盗者又逐而窃之,则反为盗用矣。所用者重,乃所以成其大盗也。大盗也者,必行以仁义,平以权衡,信以符玺,劝以轩冕,威以斧钺,盗此公器,然后诸侯可得而揭也。是故仁义赏罚者,适足以诛窃钩者也。 【疏】逐,随也。劝,勉也。禁,止也。轩,车也。冕,冠也。夫圣迹之设,本息奸衰,而田恒遂用其道而窃齐国,权衡符玺,悉共有之,誓揭诸侯,安然南面,胡可劝之以轩冕,威之以斧钺者哉! 小曰斧,大曰钺。又曰黄金饰斧钺。 【释文】"揭"其谒、其列二反。"斧钺"音越。○庆藩案,慧琳一切经音义卷九十五正诬论三引司马云:夏执黄戉,殷执白戚,周左仗黄戉,右秉白旄。释文阙。"能禁"音今,又居鸩反。下不可禁同。

〔五〕【注】夫跖之不可禁,由所盗之利重也。利之所以重,由圣人之不轻也。故绝盗在贱货,不在重圣也。 【疏】盗跖所以拥卒九千横行天下者,亦赖于五德故也。向无圣智,岂得尔乎! 是知驱马掠人,不可禁制者,原乎圣人作法之过也。

故曰:"鱼不可脱于渊,国之利器不可以示人〔一〕。"彼圣人者,天下之利器也〔二〕,非所以明天下也〔三〕。故绝圣弃知,大盗乃止〔四〕;擿玉毁珠,小盗不起〔五〕;焚符破玺,而民朴鄙〔六〕;掊斗折衡,而民不争〔七〕;殚残天下之圣法,而民始可与论议〔八〕。擢乱六律,铄绝竽瑟,塞瞽旷之耳,而天下始人含其聪矣;灭文章,散五采,胶离朱之目,而天下始人含其明矣;〔九〕毁绝钩绳而弃规矩,攦工倕之指,而天下始人有其巧矣。故曰:"大巧若拙。"〔一〇〕削曾史之行,钳杨墨之口,攘弃仁义,而天下之德始玄同矣〔一一〕。彼人含其明,则天下不铄矣;人含其聪,则天下不累矣;〔一二〕人含其知,则天下不惑矣;人含其德,则天下不僻矣。〔一三〕彼曾、史、杨、墨、师旷、工倕、离朱,皆外立其德而以爚乱天下者也〔一四〕,法之所无用也〔一五〕。

〔一〕【注】鱼失渊则为人禽,利器明则为盗资,故不可示人。 【疏】脱,失也。利器,圣迹也。示,明也。鱼失水则为物所禽,利器明则为人所执,故不可也。

〔二〕【注】夫圣人者,诚能绝圣弃知而反冥物极,物极各冥,则其迹利物之迹也。器犹迹耳,可执而用曰器。 【疏】圣人则尧舜文武等是也。〇家世父曰:假圣人之知而收其利,天下皆假而用之,则固天下之利器矣。天下假圣人以为利器,而惟惧人之发其覆也,(能)〔则〕无有能明之者也。

〔三〕【注】示利器于天下,所以资其盗贼。 【疏】夫圣人驭世,应物随时,揖让干戈,行藏匪一,不可执固,明示天下。若执而行者,必致其弊,即燕哙白公之类是也。

〔四〕【注】去其所资,则未施禁而自止也。 【疏】弃绝圣知,天下之物各守其分,则盗自息。

〔五〕【注】贱其所宝,则不加刑而自息也。 【疏】藏玉于山,藏珠于川,不贵珠宝,岂有盗滥! 【释文】"擿玉"持赤反,义与掷字同。崔云:犹投弃之也。郭都革反。李云:刻也。

〔六〕【注】除矫诈之所赖者,则无以行其奸巧。 【疏】符玺者,表诚信也。矫诈之徒,赖而用之,故焚烧毁破,可以反朴还淳而归鄙野矣。

〔七〕【注】夫小平乃大不平之所用也。 【疏】斗衡者,所以量多少,称轻重也。既遭(斗)〔盗〕窃,翻为盗资。掊击破坏,合于古人之智守,故无忿争。

〔八〕【注】外无所矫,则内全我朴,而无自失之言也。 【疏】殚,尽也。残,毁也。圣法,谓五德也。既残三王,又毁五帝,蓬庐咸尽,刍狗不陈,忘筌忘蹄,物我冥极,然后始可与论重妙之境,议道德之遐也。 【释文】"殚"音丹,尽也。

〔九〕【注】夫声色离旷,有耳目者之所贵也。受生有分,而以所贵引之,则性命丧矣。若乃毁其所贵,弃彼任我,则聪明各全,人含其真也。 【疏】擢,拔也。铄,消也。竽形与笙相似,并布管于匏内,施簧于管端。瑟长八尺一寸,阔一尺八寸,二十七弦,伏牺造也。夫耳淫宫徵,慕师旷之聪;目滞玄黄,希离朱之视;所以心神奔驰,耳目竭丧。既而拔管绝弦,销经绝纬;毁黄华之曲,弃白雪之歌;灭黼黻之文,散红紫之采。故胶离朱之目,除矫效之端;塞瞽旷之耳,去乱群之帅。然后人皆自得,物无丧我,极耳之所听而反听无声,恣目之能视而内视无色,天机自张,无为之至也,岂有明暗优劣于其间哉! 是以天下和平,万物同德。率己闻见,故人含其聪明。含,怀养也。 【释文】"铄绝"郭李诗灼反,向徐音藥。崔云:烧断之也。"竽"徐音于。

"瑟"本亦作笙。"塞瞽旷"崔本塞作杜,云:塞也。○卢文弨曰:今本无瞽①字。"胶"音交,徐古孝反。"丧矣"息浪反。

〔一〇〕【注】夫以蜘蛛蛣蜣之陋,而布网转丸,不求之于工匠,则万物各有能也。所能虽不同,而所习不敢异,则若巧而拙矣。故善用人者,使能方者为方,能圆者为圆,各任其所能,人安其性,不责万民以工倕之巧。故众技以不相能似拙,而天下皆自能则大巧矣。夫用其自能,则规矩可弃而妙匠之指可攦也。 【疏】钩,曲;绳,直;规,圆;矩,方。工倕是尧工人,作规矩之法;亦云舜臣也。攦,折也,割也。工倕禀性机巧,运用钩绳,割刻异端,述作规矩,遂令天下黔黎,诱然放效,舍己逐物,实此之由。若使弃规矩,绝钩绳,攦割倕指,则人师分内,咸有其巧。譬犹蜘网蜣丸,岂关工匠人事,若天机巧也! (事)〔语〕出老经。 【释文】"攦"郭吕係反,又力结反,徐所绮反。李云:折也。崔云:撕之也。"工倕"音垂,尧时巧者也。一音睡。○卢文弨曰:旧本音讹名,据达生篇改正。"蜘"音知。"蛛"音诛。"蛣"起一反。"蜣"音羌。

〔一一〕【注】去其乱群之率,则天下各复其所而同于玄德也②。 【疏】削,除也。钳,闭也。攘,却也。玄,原也,道也。曾参至孝,史鱼忠直,杨朱墨翟,禀性弘辩。彼四子者,素分天然,遂使天下学人,舍己效物,由此乱群,失其本性。则削除忠信之行,钳闭浮辩之口,攘去蹩躠之仁,弃掷踶跂之义。于是物不丧真,人皆自得,率性全理,故与玄道混同也。 【释文】"之行"下孟反。"钳"李巨炎反,又其严反。"攘"如羊反。"之帅"本又作率,同。所类反。○卢文弨曰:今本作率。

〔一二〕【疏】铄,消散也。累,忧患也。只为自炫聪明,故忧患斯集,彼苍生颠仆而销散也。若能含抱聪明于内府而不炫于外者,则物皆适乐而无忧患也。 【释文】"不铄"(朱)〔失〕③灼反。崔云:不消坏也。向音耀。

〔一三〕【疏】若能知于分内,养德而不荡者,固当履环中之正道,游寓内而不惑,岂有倒置邪僻于其间哉! 【释文】"不僻"匹亦反。

〔一四〕【注】此数人者,所禀多方,故使天下跃而效之。效之则失我,我失由彼,则彼为乱主矣。夫天下之大患者,失我也。 【疏】以前数子,皆禀分过人,不能韬光匿耀,而扬波激俗,标名于外,引物从己,炫耀群生。天下亡德而不反本,失我之原,斯之由也。 【释文】"爥"徐音藥。三苍云:火光销也。司马崔云:散也。"此数"所主反。

〔一五〕【注】若夫法之所用者,视不过于所见,故众目无不明;听不过于所闻,故众耳无不聪;事不过于所能,故众技无不巧;知不过于所知,故群性无不适;德不过于所得,故群德无不当。安用立所不逮于性分之表,使天下奔驰而不能自反哉! 【疏】夫率性而动,动必由性,此法之妙也。而曾史之徒,以己引物,既无益于当世,翻有损于将来,虽设此法,终无所用也。

〔校〕①世德堂本无瞀字,本书依释文补。②赵谏议本无也字。③失字依世德堂本及释文原本改。

子独不知至德之世乎? 昔者容成氏、大庭氏、伯皇氏、中央氏、栗陆氏、骊畜氏、轩辕氏、赫胥氏、尊卢氏、祝融氏、伏牺氏、神农氏,当是时也,民结绳而用之〔一〕,甘其食,美其服〔二〕,乐其俗,安其居〔三〕,邻国相望,鸡狗之音相闻,民至老死而不相往来〔四〕。若此之时,则至治已〔五〕。今遂至使民延颈举踵曰,"某所有贤者",赢粮而趣之,则内弃其亲而外去其主之事，足迹接乎诸侯之境，车轨结乎千里之外[六]。则是上好知(也)〔之〕①过也[七]。

〔一〕【注】足以纪要而已。 【疏】已上十二氏，并上古帝王也。当时既未有史籍，亦不知其次第前后。刻木为契，结绳表信，上下和平，人心淳朴。故易云，上古结绳而治，后世圣人易之以书契。 【释文】"容成氏"司马云：此十二氏皆古帝王。"骊"徐力池反，李音犁。"畜"徐敕六反。"伏戏"音義。

〔二〕【注】适故常甘，当故常美。若思(失)〔夫〕②侈靡，则无时慊矣。 【释文】"慊"口簟反。

〔三〕【疏】止分，故甘；去华，故美；混同，故乐；恬淡，故安居也。 【释文】"乐其"音洛。

〔四〕【注】无求之至。 【疏】境邑相比，相去不远，鸡犬吠声，相闻相接。而性各自足，无求于世，卒于天命，不相往来，无为之至。 【释文】"而不相往来"一本作不相与往来。检元嘉中郭注本及崔向永和中本，并无与字。

〔五〕【疏】无欲无求，怀道抱德，如此时也，岂非至哉！ 【释文】"至治"直吏反。注同。

〔六〕【注】至治之迹，犹致斯弊。 【疏】赢，裹也。亦是至理之风，播而为教，贵此文迹，使物学之。尚贤路开，寻师访道，引颈举足，远适他方，轨辙交行，足迹所接，裹粮负戴，不惮千里，内则弃亲而不孝，外则去主而不忠。至治之迹，遂致斯弊也。 【释文】"颈"如字。李巨盈反。"赢"音盈。崔云：裹也。广雅云：负也。"粮"音良。"而趣"七于反，徐七喻反。○庆藩案，轨，徹迹也。说文：轨，车徹也，从车，九声。(案徹者通也，中空而通也。经传多训轨为车辖头，盖軑字之讹。说文：軑，车辋前也，从车，凡声。)车轨与足迹对文,则轨之为车迹明矣。(考工记匠人皆容力九轨,郑注:轨,徹广也。结,交也。)车迹可并列,亦可邪交。邪交则相接,结轨即结徹也。管子小匡篇车不结徹,徹,迹也。高注:结,交也。车轮之迹,往来纵横,彼此交错,故曰结交也。史记司马相如传结轨(适)〔还〕辕,东乡将报。索隐引张揖注:结,屈也。轨,车迹也。本西行,折而东之,则迹亦曲而东也。

〔七〕【注】上,谓好知之君。知而好之,则有斯过矣。 【疏】尚至治之迹,好治物之智,故致斯也。 【释文】"上好"呼报反。注下皆同。

〔校〕①之字依世德堂本改。②夫字依世德堂本改。

上诚好知而无道,则天下大乱矣〔一〕。何以知其然邪〔二〕?夫弓弩毕弋机变之知多,则鸟乱于上矣;钩饵罔罟罾笱之知多,则鱼乱于水矣;削格罗落罝罘之知多,则兽乱于泽矣;〔三〕知诈渐毒颉滑坚白解垢同异之变多,则俗惑于辩矣〔四〕。故天下每每大乱,罪在于好知〔五〕。故天下皆知求其所不知而莫知求其所已知者〔六〕,皆知非其所不善而莫知非其所已善者〔七〕,是以大乱。故上悖日月之明,下烁山川之精,中堕四时之施;惴①耎之虫,肖翘之物,莫不失其性。甚矣夫好知之乱天下也!〔八〕自三代以下者是已,舍夫種種之民②而悦夫役役之佞,释夫恬淡无为而悦夫啍啍之意,啍啍已乱天下矣〔九〕!

〔一〕【疏】在上君王不能无为恬淡,清虚合道,而以知能治物,物必弊之,故大乱也。老君云以知治国,国之贼也。

〔二〕【疏】假设疑问,出其所由。

【注】攻之愈密,避之愈巧,则虽禽兽犹不可图之以知,而况人哉! 故治天下者唯不任知,任知无妙也。 【疏】网小而柄,形似毕星,故名为毕。以绳系箭射,谓之弋。罦罟,皆网也。笱,曲梁也,亦筌也。削格为之,即今之鹿角马枪,以绳木罗落而取兽也。置罘,兔网也。既以智治于物,宁无沸腾之患,故治国者必不可用智也。 【释文】"弩"音怒。"毕弋机变"李云:兔网曰毕,缴射曰弋,弩牙曰机。"之知"音智,下及注并下知诈皆同。"钩饵"如志反。"罔罟罦"音曾。○卢文弨曰:今本罔作网③。"笱"音④钩,钓钩也。饵,鱼饵也。广雅云:罟谓之罔。罦,鱼网也。尔雅云:嫠妇之笱谓之罶。○王念孙曰:钩,本作钓,钓即钩也,今本作钩者,后人但知钓为钓鱼之钓,而不知其又为钩之异名,故以意改之耳。今案广雅曰:钓,钩也。田子方篇曰,文王,观于臧,见一丈夫钓,而其钓莫钓,非持其钓,有钓者也,常钓也。(以上六钓字,惟其钓与持其钓两钓字指钩而言,馀四钓字皆读为钓鱼之钓。)鬼谷子摩篇曰,如操钩而临深渊;淮南说山篇曰,操钓上山,揭斧入渊;说林篇曰,一目之罗不可以得鸟,无饵之钓不可以得鱼;东方朔七谏曰,以直针而为钓兮,又何鱼之能得。是古人谓钩为钓也。又案释文云,饵,如志反,罦,音曾;笱,音苟,此是释饵罦笱三字之音。下又云,钓,钩也;饵,鱼饵也。广雅云,罟谓之网;罦,鱼网也。尔雅云,嫠妇之笱谓之罶。此是释钓饵网罟罦笱六字之义。后人既改正文钓字为钩,又改释文笱音苟钓钩也六字为笱音钩钓钩也,其失甚矣。又外物篇任公子为大钩巨缁,释文:钩,本亦作钓,亦当以作钓者为是。文选七启注、傅咸赠何劭王济诗注、谢灵运七里濑诗注及太平御览资产部十四引此,并作钓也。又列子汤问篇,

詹何以芒针为钓,后人改钓为钩,不知御览引此正作钓也。又下文投纶沉钓,今本钓作钩,亦是后人所改。韵府群玉钓字下引列子投纶沉钓,则所见本尚作钓也。又齐策,君不闻海大鱼乎?网不能止,钓不能牵,后人改钓为钩,不知御览鳞介部七引此正作钓,淮南人间篇亦作钓也。又淮南说山篇,人不爱江汉之珠而爱己之钓,高注云:钓,钩也。后人既改正文钓字为钩,又改注文为钩钩也,〔则〕其谬滋甚,盖后人不知钓为钩之异名,故以其所知改其所不知,古义寖亡矣。"削"七妙反。"格"古百反。李云:削格,所以施罗网也。"罗落罝"子斜反。"罦"本又作罣,音浮。尔雅云:鸟罟谓之罗,兔罟谓之罝,繴谓之罿,罿,覆车也。郭璞云:今翻车也。○家世父曰:释文引李云:削格,所以施罗网也。说文:格,木长貌。徐锴曰:长枝为格。削格,谓刮削之。郑注周礼雍氏所谓(柞)〔柞〕⑤鄂也。书(传)〔费誓〕杜乃护。〔正义护〕,捕兽机槛。左思吴都赋峭格周施,峭削义通。谓之格者,格拒之意,削格罗落,皆所以遮要禽兽。汉书晁错传为中周虎落,师古注:谓遮落之。削格既阱护之护也。罗落与上毕弋同文。玉篇云:弋,橜也,一作杙。尔雅释宫,橛谓之杙,郭璞注:橜也。毕弋,谓施弋以张毕。人间世狙猴之杙,则用以系狙猴者。说文:率,捕鸟毕也。诗小雅毕之罗之。鸟罟亦谓之毕。李云:兔网曰毕,缴射曰弋,均失之。

〔四〕【注】上之所多者,下不能安其少也,性少而以逐多则迷也。

【疏】智数诈伪,渐渍毒害于物也。颉滑,滑稽也,亦奸黠也。解垢,诈伪也。夫滑稽坚白之智,谲诡同异之谈,谅有亏于真理,无益于世教,故远观譬于若讷,愚俗惑于小辩。 【释文】"渐毒"李云:渐渍之毒,不觉深也。崔云:渐毒,犹深害。○庆藩

案,知与智同,谓智故也。淮南主术注曰:故,巧。管子心术去知

与故,荀子非十二子知而险,淮南原道偶(瞮)〔睯〕⑥智故,并此

知字之义。渐,诈也。荀子议兵是渐之也,正论上凶险则下渐诈

矣,皆欺诈之义。(李颐谓为渐渍之毒,失之远矣。)尚书民兴胥

渐,王念孙曰:渐,诈也,言小民方兴为诈欺,故下文曰罔中于

信,以覆诅盟也。彼传训为渐化,则与下文不属。"颉"户结反。

"滑"干八反。颉滑,谓难料理也。崔云:缠屈也。李音骨,滑稽

也。一云:颉滑,不正之语也。"解"苦懈反。"垢"苦豆反。司

马崔云:解垢,隔角也。或云:诡曲之辞。

〔五〕【疏】每每,昏昏貌也。夫忘怀任物,则宇内清夷;执迹用智,则

天下大乱。故知上下昏昏,由乎好智。　【释文】"每每"李云:

犹昏昏也。○庆藩案,每每即梦梦也。尔雅释训:梦梦訰訰,乱

也。梦之为每,犹薨之为瓿。(方言瓿谓之(甋)〔甑〕⑦,郭注:今

字作薨。)

〔六〕【注】不求所知而求所不知,此乃舍己效人而不止⑧其分也。

　　【疏】所以知者,分内也;所不知者,分外也。舍内求外,非惑如

何也!　【释文】"舍己"音捨,下文同。

〔七〕【注】善其所善,争尚之所由生也。　【疏】所不善者,桀跖也;所

以善者,圣迹也。盗跖行不善以据东陵,田恒行圣迹以窃齐国。

故(藏)〔臧〕榖业异,亡羊趣同,或夷跖行殊,损性均也。愚俗之

徒,妄生臧否,善与不善,诚未足定也。

〔八〕【注】夫吉凶悔吝,生于动者也。而知之所动,诚能摇荡天地,运

御群生,故君人者,胡可以不忘其知哉!　【疏】是以,仍上辞

也。只为上来用智执迹,故天下大乱。悖,乱也。烁,销也。

堕,坏也。附地之徒曰喘耎,飞空之类曰肖翘,皆轻小物也。夫

执迹用智,为害必甚,故能鼓动阴阳,摇荡天地,日月为之薄蚀,山川为之崩竭,炎凉为之愆叙,风雨所以不时,飞走水陆,失其本性。好知毒物,一至于此也。 【释文】"上悖"李郭云:必内反,又音佩。司马云:薄食也。"下烁"失约反。崔云:消也。司马云:崩竭也。崔向本作栎,同。徐音药。"中堕"许规反,毁也。"之施"始豉反。"惴"本亦作蝡,又作喘,川兖反。向音揣。"夐"耳转反。崔云:蠕蝡动虫也。一云:惴夐,谓无足虫。"肖翘"音消,下音祁饶反。崔云:肖翘,植物也。李云:翾飞之属也。

〔九〕【注】啍啍,以己诲人也。 【疏】自,从也。三代,谓夏殷周也。种种,淳朴之人。役役,轻黠之貌。释,废也。啍啍,以己诲人也。夫上古至淳之世,素朴之时,像圜天而清虚,法方地而安静,并万物而为族,同禽兽之无知。逮乎散浇去淳,离道背德,而五帝圣迹已彰,三代用知更甚;舍淳朴之素士,爱轻黠之佞夫,废无欲之自安,悦有心之诲物,已乱天下,可不悲乎! 【释文】"种种"向章勇反。李云:谨悫貌。一云:淳厚也。"而说"音悦。下同。○卢文弨曰:今本作悦。"役役"李云:鬼黠貌。一云:有为人也。"恬"徒谦反。"淡"徒暂反。徐大敢反。"啍啍"李之闰反,又之纯反。郭音惇,以己诲人之貌。下同。司马云:少智貌。徐许彭反,又许刚反。向本作啍,音亨。崔本上句作啍啍,少知而芒也。一云:啍啍,壮健之貌。○卢文弨曰:〔今本〕此与下俱作啍啍。案从享亦可得亨音。

〔校〕①赵谏议本作喘。②世德堂本民作机,赵本作民。③世德堂本作网,本书依释文改。④释文原本无音字。⑤栎字依周礼郑注改。⑥睦字依淮南子改。⑦瓤字依方言改。⑧赵本止作正。

庄子集释卷四下

外篇 在宥第十一^{〔一〕}

〔一〕【释文】以义名篇。○庆藩案,<u>文选</u><u>谢灵运</u><u>九日从宋公戏马台集送孔令诗</u>注引<u>司马</u>云:在,察也。宥,宽也。<u>释文</u>阙。

闻在宥天下,不闻治天下也^{〔一〕}。在之也者,恐天下之淫其性也;宥之也者,恐天下之迁其德也。^{〔二〕}天下不淫其性,不迁其德,有治天下者哉^{〔三〕}!昔尧之治天下也,使天下欣欣焉人乐其性,是不恬也;桀之治天下也,使天下瘁瘁焉人苦其性,是不愉也^{〔四〕}。夫不恬不愉,非德也。非德也而可长久者,天下无之。^{〔五〕}

〔一〕【注】宥使自在则治,治之则乱也。人之生也直,莫之荡,则性命不过,欲恶不爽。在上者不能无为,上之所为而民皆赴之,故有诱慕好欲而民性淫矣。故所贵圣王者,非贵其能治也,贵其无为而任物之自为也。 【疏】宥,宽也。在,自在也。治,统驭也。寓言云,闻诸贤圣任物,自在宽宥,即天下清谧;若立教以

333

驭苍生,物失其性,如<u>伯乐</u>治马也。 【释文】"闻在宥"音又,宽也。"则治"直吏反。下治乱同。"欲恶"乌路反。"好欲"呼报反。

〔二〕【疏】性者,禀生之理;德者,功行之名;故致在宥之言,以防迁淫之过。若不任性自在,恐物淫僻丧性也。若不宥之,复恐效他,其德迁改也。

〔三〕【注】无治乃不迁淫。 【疏】性正德定,何劳布政治之哉!有政不及无政,为有为不及无为。 【释文】"有治天下者哉"<u>崔</u>本作有治天下者材失,云:强治之,是材之失也。

〔四〕【注】夫<u>尧</u>虽在宥天下,其迹则治也。治乱虽殊,其于失后世之恬愉,使物争尚畏鄙而不自得则同耳。故誉<u>尧</u>而非<u>桀</u>,不如两忘也。 【疏】恬,静也。愉,乐也。瘁,忧也。<u>尧</u>以德临人,人歌击壤,乖其静性也;<u>桀</u>以残害于物,物遭忧瘁,乖其愉乐也。<u>尧桀</u>政代斯异,使物失性均也。 【释文】"人乐"音洛。"恬"徒谦反。"瘁瘁"在季反,病也。<u>广雅</u>云:忧也。<u>崔</u>本作醉。"愉"音瑜,<u>徐</u>音喻。"故誉"音馀。

〔五〕【注】恬愉自得,乃可长久。 【疏】<u>尧</u>以不恬苶人,<u>桀</u>以不愉取物,不合淳和之性;欲得长久,天下未之有也。

人大喜邪?毗于阳;大怒邪?毗于阴。阴阳并毗,四时不至,寒暑之和不成,其反伤人之形乎!使人喜怒失位,居处无常,〔一〕思虑不自得,中道不成章〔二〕,于是乎天下始乔诘卓鸷,而后有<u>盗跖曾史</u>之行。故举天下以赏其善者不足,〔三〕举天下以罚其恶者不给〔四〕,故天下之大不足以赏罚〔五〕。自<u>三代</u>以下者,匈匈焉终以赏罚为事,彼何暇安其

性命之情哉〔六〕！

〔一〕【疏】毗，助也。喜出于魂，怒出于魄，人禀阴阳，与二仪同气。尧令百姓喜，毗阳暄舒；桀使人怒，助阴惨肃。人喜怒过分，则天失常，盛夏不暑，隆冬无霜。既失和气，加之天灾，人多疾病，岂非反伤形乎！不可有为作法，必致残伤也。　【释文】"毗于"如字。司马云：助也。一云：并也。○俞樾曰：释文，毗如字，司马云，助也，一云，并也。然下文云，阴阳并毗，四时不至，寒暑之和不成，则训（为）①助已不可通，若训并更为失之矣。案此毗字当读为毗刘暴乐之毗。尔雅释诂云，毗刘，暴乐也。合言之则曰毗刘，分言之则或止曰刘，诗桑柔篇捋采其刘是也；或止曰毗，此言毗于阳毗于阴是也。暴乐，毛公传作爆烁。郑氏笺云：捋采之则爆烁而疏。然则爆烁犹剥落也。喜属阳，怒属阴，故大喜则伤阳，大怒则伤阴。毗阴毗阳，言伤阴阳之和也，故四时不至，寒暑之和不成。若从司马训毗为助，则下三句不贯矣。淮南子原道篇，人大怒破阴，大喜坠阳，正与此同义。

〔二〕【注】此皆尧桀之流，使物喜怒大过，以致斯患也。人在天地之中，最能以灵知喜怒扰乱群生而振荡阴阳也。故得失之间，喜怒集乎百姓之怀，则寒暑之和败，四时之节差，百度昏亡，万事失②落也。　【疏】为滞喜怒，遂使百姓谋虑失真，既乖宪章之法，斯败也已。　【释文】"思虑"息嗣反。"大过"音泰。

〔三〕【注】慕赏乃善，故赏不能供。　【释文】"乔"向钦消反，或去夭反，郭音矫，李音骄。"诘"李去吉反，徐起列反。崔云：乔诘，意不平也。"卓"勅角反，郭丁角反，向音笮。"鸷"勅二反，李猪栗反，向猪立反，又勅栗反。崔云：卓鸷，行不平也。"之行"下孟反。

〔四〕【注】畏罚乃止，故罚不能胜。　【疏】乔，诈伪也。诘，责问也。

卓,独也。骜,猛也。于是乔伪诘责,卓尔不群,独怀骜猛,轻陵于物,自尧为始,次后有盗跖之恶,曾史之善,善恶既著,赏罚系焉。慕赏行善,惧罚止恶,举天下斧钺不足以罚恶,倾宇宙之藏不足以赏善。给,犹足也。 【释文】"能胜"音升。

〔五〕【疏】若忘赏罚,任真乃在足也。

〔六〕【注】忘赏罚而自善,性命乃大足耳。夫赏罚者,圣王之所以当功过,非以著劝畏也。故理至则遗之,然后至一可反也。而三代以下,遂寻其事迹,故匈匈焉与迹竞逐,终以所寄为事,性命之情何暇而安哉! 【疏】匈匈,欢哗也,竞逐之谓也。人惧斧钺之诛,又慕轩冕之赏,心怀百虑,事出万端,匈匈竞逐而不知止。夏殷已来,其风渐扇,赏罚撄扰,终日荒忙,有何容暇安其性命! 【释文】"匈匈"音凶。

〔校〕①为字依诸子平议删。②赵谏议本失作夭,世德堂本作失。

而且说明邪?是淫于色也;说聪邪?是淫于声也;〔一〕说仁邪?是乱于德也;说义邪?是悖于理也;〔二〕说礼邪?是相于技也;说乐(也)〔邪〕①?是相于淫也;〔三〕说圣邪?是相于艺也;说知邪?是相于疵也〔四〕。天下将安其性命之情,之八者,存可也,亡可也〔五〕;天下将不安其性命之情,之八者,乃始脔卷獊②囊而乱天下也〔六〕。而天下乃始尊之惜之,甚矣天下之惑也〔七〕!岂直过也而去之邪!乃齐戒以言之,跪坐以进之,鼓歌以儛之,吾若是何哉〔八〕!

〔一〕【疏】说,爱染也。淫,耽滞也。希离慕旷,为滞声色。 【释文】"而且"如字,徐子馀反。"说明"音悦。下同。

〔二〕【疏】德无憎爱,偏爱故乱德;理无是非,裁非故逆理。悖,逆也。

【释文】"是悖"必内反,徐蒲没反。

〔三〕【疏】礼者,擎跽曲拳,节文隆杀。乐者,咸池大夏,律吕八音。说礼乃助浮华技能,爱乐更助宫商淫声。 【释文】"是相"息亮反,助也。下及注皆同。"于技"其绮反,李音歧,崔同,云:不端也。

〔四〕【注】当理无说,说之则致淫悖之患矣。相,助也。 【疏】说圣迹,助世间之艺术;爱智计,益是非之疵病也。 【释文】"说知"音智。"于疵"疾斯反。

〔五〕【注】存亡无所在,任其所受之分,则性命安矣。 【疏】八者,聪明仁义礼乐圣智是也。言人禀分不同,性情各异。离旷曾史,素分有者,存之可也;众人性分本无,企慕乖真,亡之可也。

〔六〕【注】必存此八者,则不能纵任自然,故为脔卷猵囊也。 【疏】脔卷,不舒放之容也。猵囊,匆遽之貌也。天下群生,唯知分外,不能安任,脔卷自拘,夸华人事,猵囊匆速,争驰逐物,由八者不忘,致斯弊者也。 【释文】"脔"力转反。崔本作栾。"卷"卷勉反,徐居阮反。司马云:脔卷,不申舒之状也。崔同。一云:相牵引也。"猵"音仓。崔本作戗。"囊"如字。崔云:戗囊,犹抢攘。○卢文弨曰:今本猵作怆。

〔七〕【注】不能遗之,已为误矣。而乃复尊之以为贵,岂不甚惑哉! 【疏】前八者,乱天下之经,不能忘遗,已是大惑。方复尊敬,用为楷模,痛惜甚也。 【释文】"乃复"扶又反。

〔八〕【注】非直由寄而过去也,乃珍贵之如此。 【疏】八条之义,事同刍狗,过去之后,不合更收。诚禁致齐,明言执礼,君臣跪坐,更相进献,鼓九韶之歌,舞大章之曲。珍重蘧庐,一至于此,庄生目击,无奈之何也。 【释文】"而去"起虑反。"之邪"崔本唯此一字作邪,徐皆作咫。"齐戒"本又作斋,同。侧皆反。"跪"其诡反,郭音危。

〔校〕①邪字依世德堂本改。②世德堂本作恠,注同。赵谏议本作伧。

故君子不得已而临莅天下,莫若无为。无为也而后安其性命之情。^{〔一〕}故贵以身于为天下,则可以托天下;爱以身于为天下,则可以寄天下^{〔二〕}。故君子苟能无解其五藏,无擢其聪明^{〔三〕};尸居而龙见,渊默而雷声^{〔四〕},神动而天随^{〔五〕},从容无为而万物炊累焉^{〔六〕}。吾又何暇治天下哉^{〔七〕}!

〔一〕【注】无为者,非拱默之谓也,直各任其自为,则性命安矣。不得已者,非迫于威刑也,直抱道怀朴,任乎必然之极,而天下自宾也。　【疏】君子,圣人也。不得已临莅天下,恒自无为。虽复无为,非关拱默,动寂无心,而性命之情未始不安也。　【释文】"莅"音利,又音类。○家世父曰:言贵其身重于所以为天下,爱其身甚于所以为天下。惟贵惟爱,故无为。

〔二〕【注】若夫轻身以赴利,弃我而殉物,则身且不能安,其如天下何!　【疏】贵身贱利,内我外物,保爱精神,不荡于世者,故可寄坐万物之上,托化于天下也。

〔三〕【注】解擢则伤也。　【疏】五藏,精灵之宅;聪明,耳目之用。若分辨五藏情识,显擢聪明之用,则精神奔驰于内,耳目竭丧于外矣。　【释文】"无解"如字。一音蟹,散也。

〔四〕【注】出处默语,常无其心而付之自然。　【疏】圣人寂同死尸寂泊,动类飞龙在天,岂有寂动理教之异哉!故寂而动,尸居而龙见,渊默而雷声。欲明寂动动寂,理教教理,不一异也。　【释文】"龙见"贤遍反。向崔本作晛,向音见,崔音晛。

〔五〕【注】神顺物而动,天随理而行。　【疏】神者,妙万物而为言也,即动即寂,德同苍昊,随顺生物也。○家世父曰:尸居龙见,不见而章;渊默雷声,不动而变;神动天随,无为而成。

〔六〕【注】若游尘之自动。　【疏】累,尘也。从容自在,无为虚淡,若风动细尘,类空中浮物,阳气飘飘,任运去留而已。　【释文】"从容"七容反。"炊"昌睡反,又昌规反。本或作吹,同。"累"劣伪反。司马云:炊累,犹动升也。向郭云:如埃尘之自动也。

〔七〕【注】任其自然而已。　【疏】物我齐混,俱合自然,何劳功暇,更为治法也!

崔瞿问于老聃曰:"不治天下,安藏①人心?"

老聃曰:"女慎无撄人心〔一〕。人心排下而进上〔二〕,上下囚杀〔三〕,淖约柔乎刚强〔四〕。廉刿雕琢,其热焦火,其寒凝冰〔五〕。其疾俯仰之间而再抚四海之外〔六〕,其居也渊而静,其动也县而天〔七〕。偾骄而不可系者,其唯人心乎〔八〕!

〔一〕【注】撄之则伤其自善也。　【疏】姓崔,名瞿,不知何许人也。既问:"在宥不治人心,何以履善?"答曰:"宥之放之,自合其理,作法理物,则撄挠人心。"〔人心〕列下文云。　【释文】"崔瞿"向崔本作矍。向求朱反。崔瞿,人姓名也。"老聃"吐蓝反。"女慎"音汝。"撄"於营反,又於盈反。司马云:引也。崔云:羁落也。

〔二〕【注】排之则下,进之则上,言其易摇荡也。　【疏】人心排他居下,进己在上,皆常情也。　【释文】"排"皮皆反。崔本作俳。

"进上"时掌反。注及下同。"其易"以豉反。

〔三〕【注】无所排进,乃安全耳。 【疏】溺心上下,为境所牵,如禁之
囚,撄烦困苦。 【释文】"囚杀"如字,徐所例反。言囚杀万物
也。○家世父曰:上下囚杀,言诡上诡下,使其心拘囚譙杀,不
自适也。淖约者矫揉,则刚可使柔,廉刿者径遂,寒热百变,水
火兼施,撄之而遂至于不可遏。郭象注恐误。

〔四〕【注】言能淖约,则刚强者柔矣。 【疏】淖约,柔弱也。矫情行
于柔弱,欲制服于刚强。 【释文】"淖"昌略反,又直角反。

〔五〕【注】夫焦火之热,凝冰之寒,皆喜怒并积之所生。若乃不雕不
琢,各全其朴,则何冰炭之有哉! 【疏】廉,务名也。刿,伤也。
雕琢名行,欲在物前。若违情起怒,寒甚凝冰;顺心生喜,热逾
焦火。 【释文】"廉刿"居卫反。司马云:伤也。广雅云:利也。
"琢"丁角反。

〔六〕【注】风俗之所动也。 【疏】逐境之心,一念之顷,已遍十方,况
俯仰之间,不再临四海哉!

〔七〕【注】静之可使如渊,动之则系天而踊跃也。 【疏】有欲之心,
去无定准。偶尔而静,如流水之遇渊潭;触境而动,类高天之
县;不息动之,则系天踊跃。 【释文】"县而天"音玄。向本无
而字,云:希高慕远,故曰县天。

〔八〕【注】人心之变,靡所不为。顺而放之,则静而自②通;治而系
之,则跂而债骄。债骄者,不可禁之势也。 【疏】排下进上,美
恶喜怒,债发骄矜,不可禁制者,其在人心乎! 【释文】"债"向
粉问反。广雅云:僵也。郭音奔。"骄"如字,又居表反。郭云:
债骄者,不可禁之势。

〔校〕①世德堂本藏作臧。②世德堂本无自字。

昔者黃帝始以仁義攖人之心〔一〕，尧舜于是乎股无胈，胫无毛，以养天下之形，愁其五藏以为仁义，矜其血气以规法度。然犹有不胜也〔二〕，尧于是放讙兜于崇山，投三苗于三峗，流共工于幽都，此不胜天下也。〔三〕夫施及三王而天下大骇矣〔四〕。下有桀跖，上有曾史〔五〕，而儒墨毕起〔六〕。于是乎喜怒相疑〔七〕，愚知相欺〔八〕，善否相非〔九〕，诞信相讥〔一〇〕，而天下衰矣〔一一〕；大德不同，而性命烂漫矣〔一二〕；天下好知，而百姓求竭矣〔一三〕。于是乎釿锯制焉，绳墨杀焉，椎凿决焉〔一四〕。天下脊脊大乱，罪在攖人心。故贤者伏处大①山嵁巖之下，而万乘之君忧栗乎②庙堂之上〔一五〕。

〔一〕【注】夫黃帝非为仁义也，直与物冥，则仁义之迹自见。迹自见，则后世之心必自殉之，是亦黃帝之迹使物攖也。　【疏】黃帝因宜作则，慈爱养民，实异偏尚之仁，裁非之义。后代之王，执其轨辙，苍生名之为圣，攖人之心自此始也。弊起后王，衅非黃帝。　【释文】"自见"贤遍反。下同。

〔二〕【疏】胈，白肉也。尧舜行黃帝之迹，心形瘦弊，股瘦无白肉，胫秃无细毛，养天下形容，安万物情性，五藏忧愁于内，血气矜庄于外，行仁义以为规矩，立法度以为楷模，尚不免流放凶族，则有不胜。　【释文】"股"音古。胫本曰股。"胈"畔末反，向父末反。李扶盖反，云：白肉也。或云：字当作绂。绂，蔽膝也。崔云：胈，厜也。"胫"刑定反。〇庆藩案，矜其血气，犹孟子言苦其心志也。矜者，苦也，训见尔雅释言篇。

〔三〕【疏】昔帝鸿氏有不才子，天下谓之浑沌，即讙兜也，为党共工，

341

放南裔也。缙云氏有不才子,天下谓之饕餮,即三苗也,为尧诸
侯,封三苗之国。国在左洞庭,右彭蠡,居豫章,近南岳。三峗,
山名,在西裔,即秦州西羌地。少昊氏有不才子,天下谓之穷奇,
即共工也,为尧水官。幽都在北方,即幽州之地。尚书有殛鲧,
此文不备也。四人皆包藏凶恶,不遵尧化,故投诸四裔,是尧不
胜天下之事。放四凶由舜,今称尧者,其时舜摄尧位故耳。

【释文】"讙"音歡。"兜"(下)〔丁〕③侯反。"崇山"南裔也。尧
六十年,放讙兜于崇山。"投三苗"崔本投作杀,尚书作窜。三
苗者,缙云氏之子,即饕餮也。"三峗"音危。本亦作危。三危,
西裔之山也,今属天水。尧六十六年,窜三苗于三危。"共工"
音恭。共工,官名,即穷奇也。"幽都"李云:即幽州也。尚书作
幽州,北裔也。尧六十四年,流共工于幽州。

〔四〕【注】夫尧舜帝王之名,皆其迹耳,我寄斯迹而迹非我也,故骇者
自世。世弥骇,其迹愈粗,粗之与妙,自途之夷险耳,游者岂常
改其足哉!故圣人一也,而④有尧舜汤武之异。明斯异者,时世
之名耳,未足以名圣⑤人之实也。故夫尧舜者,岂直一尧舜而已
哉!是以虽有矜愁之貌,仁义之迹,而所以迹者故全也。

【疏】施,延也。自黄帝逮乎尧舜,圣迹滞,物扰乱,延及三王,惊
骇更甚。　【释文】"施及"以智反。崔云:延也。"大骇"骇,惊
也。"愈粗"音麤。下同。

〔五〕【疏】桀跖行小人之行为下,曾史行君子之行为上。

〔六〕【疏】谓儒墨守迹,是非因之而起也。

〔七〕【疏】喜是怒非,更相疑贰。

〔八〕【疏】饰智惊愚,互为欺侮。　【释文】"愚知"音智。下及注同。

〔九〕【疏】善与不善,彼此相非。

〔一○〕【疏】诞虚信实,自相讥诮。

〔一一〕【注】莫能齐于自得。　【疏】相仍纠纷,宇宙衰也。

〔一二〕【注】立小异而不止于分。　【疏】喜怒是非,炽然大盛,故天年夭枉,性命烂漫。烂漫,散乱也。

〔一三〕【注】知无涯而好之,故无以供其求。　【疏】圣人穷无涯之知,百姓焉不竭哉!　【释文】"好知"呼报反。注同。

〔一四〕【注】雕琢性命,遂至于此。　【疏】绳墨,正木之曲直;礼义,示人之隆杀;椎凿,穿木之孔窍;刑法,决人之身首。工匠运斤锯以残木,圣人用礼法以伤道。　【释文】"釿"音斤,本亦作斤。"锯"音據。"制焉"釿锯制,谓如肉刑也。"绳墨杀焉"并如字。崔云:谓弹正杀之。"椎"直追反。"凿"在洛反。"决焉"古穴反,又苦穴反。崔云:肉刑,故用椎凿。

〔一五〕【注】若⑥夫任自然而居当,则贤愚袭情而贵贱履位,君臣上下,莫匪尔极,而天下无患矣。斯迹也,遂⑦撄天下之心,使奔驰而不可止。故中知以下,莫不外饰其性以眩惑众人,恶直丑正,蕃徒相引。是以任真者失其据,而崇伪者窃其柄,于是主忧于上,民困于下矣。　【疏】脊脊,相践籍也。一云乱,宇宙大乱,罪由圣知。君子道消,晦迹林薮,人君虽在庙堂,心恒忧栗,既无良辅,恐国倾危也。　【释文】"脊脊"音藉,在亦反,相践藉也。本亦作肴肴。广雅云:肴,乱也。"大山"音泰,亦如字。"嵁"苦巖反,一音苦咸反,又苦严反。"巖"音严,语衔反。一音喦,语咸(及)〔反〕⑧。○卢文弨曰:今本作岩⑨。○俞樾曰:释文,大山音泰,亦如字,当以读如字为是。此泛言山之大者,不必东岳泰山也。嵁当为湛。文选封禅文湛恩庞鸿,李注曰:湛,深也。湛巖,犹深岩,因其以山岩言,故变从水者而从山耳。山言其大,巖言其深,义正相应。学者不达其义,而音大为泰,失之矣。田子方篇其神经乎大山而无介,入乎渊泉而不濡,释文大音泰,失与此同。文选风赋缘泰山之阿,古诗冉冉孤生竹,结根泰山阿,夫风之所缘,竹之所生,非必泰山也。其原文应并作大山,泛言山之大者。后人误读为泰,并改作泰耳。"以眩"玄遍反。"恶直"乌路反。"蕃徒"音烦。

〔校〕①赵谏议本大作太。②赵本无乎字。③丁字依世德堂本及释文原本改。④世德堂本而作天,赵本而下有天字。⑤赵本圣作至。⑥世德堂本若作故。⑦世德堂本无遂字。⑧反字依世德堂本及释文原本改。⑨世德堂本作岩,本书依释文改。

今世殊死者相枕也,桁杨者相推也,刑戮者相望也〔一〕,而儒墨乃始离跂攘臂乎桎梏之间。意,甚矣哉!其无愧而不知耻也甚矣〔二〕!吾未知圣知之不为桁杨椄槢也,仁义之不为桎梏凿枘也〔三〕,焉知曾史之不为桀跖嚆矢也〔四〕!故曰'绝圣弃知而天下大治〔五〕'。"

〔一〕【疏】殊者,决定当死也。桁杨者,械也,夹脚及颈,皆名桁杨。六国之时及衰周之世,良由圣迹,黥劓五刑,遂使桁杨者盈衢,殊死者相枕,残兀满路。相推相望,明其多也。 【释文】"殊死"如字。广雅云:殊,断也。司马云:决也。一云:诛也。字林云:死也。说文同。又云:汉令曰,蛮夷长有罪,当殊之。崔本作妖死。"相枕"之鸩反。"桁"户刚反。司马云:脚长械也。"杨"向音阳。崔云:械夹颈及胫者,皆曰桁杨。

〔二〕【注】由腐儒守迹,故致斯祸。不思捐迹反一,而方复攘臂用迹以治迹,可谓无愧而不知耻之甚也。 【疏】离跂,用力貌也。圣迹为害物之具,而儒墨方复攘臂分外,用力于桎梏之间,执迹

庄子集释

封教,救当世之弊,何荒乱之能极哉!故发噫叹息,固陋不已,无愧而不知耻也。 【释文】"离"力氏反,又力智反。"跂"丘氏反,又丘豉反。"攘"如羊反。"桎"之实反。"梏"古毒反。○庆藩案,离跂即荀子荣辱篇离纵而跂訾之义,谓自异于众也。"意"如字,又音医。"无愧"崔本作魄。"腐"音辅。"方复"扶又反。

〔三〕【注】桁杨以桜楶为管,而桎梏以凿枘为用。圣知仁义者,远于罪之迹也。迹远罪则民斯①尚之,尚之则矫②诈生焉,矫诈生而御奸③之器不具者,未之有也。故弃所尚则矫诈不作,矫诈不作则桁杨桎梏废矣,何凿枘桜楶之为哉! 【疏】桜楶,械楔也。凿,孔也。以物内孔中曰枘。械不楔不牢,梏无孔无用。亦犹宪章非圣迹不立,桀跖无仁义不行,圣迹是撄扰之原,仁义是残害之本。 【释文】"桜"李如字,向徐音(蠻)〔妾〕④,郭慈接反。"楶"郭李音习,向徐徒蠻反。司马云:桜楶,械楔。音息节反。崔本作㯺,云:读为牒,或作諜字。桜楶,桎梏梁也。淮南曰:大者为柱梁,小者为桜楶也。○庆藩案,文选何平叔景福殿赋注引司马〔云:〕楶,械楔也。与释文异。(释文楶上有桜字,楔下无也字。)"凿"在洛反,又在报反。"枘"人锐反。向本作内,音同。三苍云:柱头枘也。凿头厕木,如柱头枘也。"远于"于萬反。下同。"而御"鱼吕反。本又作御,音同。

〔四〕【注】嚆矢,矢之猛者,言曾史为桀跖之利用也。 【疏】嚆,箭镞有吼猛声也。圣智是窃国之具,仁义为凶暴之资,曾史为桀跖利用猛箭,故云然也。 【释文】"焉知"於虔反。"嚆矢"许交反。本亦作嗃。向云:嚆矢,矢之鸣者。郭云:矢之猛者。字林云:嚆,大呼也。崔本作蒿,云:萧蒿可以为箭。或作矫,矫,㬴也。<u>崔</u>本此下更有有无之相生也则其,<u>曾史</u>与<u>桀跖</u>生有无也,又恶得无相毂也,凡二十四字。

〔五〕【注】去其所以撄也。 【疏】绝窃国之具,弃凶暴之资,即宇内清平,言大治也。 【释文】"大治"直吏反。"去其"起吕反。

〔校〕①<u>世德堂</u>本作思,<u>赵谏议</u>本作斯。②<u>赵</u>本矫作骄。③<u>世德堂</u>本作奸。④姜字依<u>世德堂</u>本改,释文原本亦误爕。

黄帝立为天子十九年,令行天下〔一〕,闻<u>广成子</u>在于<u>空同</u>之(上)〔山〕①,故往见之〔二〕,曰:"我闻吾子达于至道,敢问至道之精。吾欲取天地之精,以佐五谷,以养民人〔三〕,吾又欲官阴阳,以遂群生,为之奈何〔四〕?"

〔一〕【疏】德化诏令,(寓)〔寅〕内大行。

〔二〕【疏】<u>空同山</u>,<u>凉州</u>北界。<u>广成</u>,即<u>老子</u>别号也。 【释文】"<u>广成子</u>"或云:即<u>老子</u>也。"空同"<u>司马</u>云:当北斗下山也。<u>尔雅</u>云:北戴斗极为<u>空同</u>。一曰:在<u>梁国虞城</u>东三十里。

〔三〕【疏】五谷,黍稷菽麻麦也。欲取窈冥之理,天地阴阳精气,助成五谷,以养苍生也。

〔四〕【疏】遂,顺也。欲象阴阳设官分职,顺群生之性,问其所以。

〔校〕①山字依<u>阙误</u>引<u>张君房</u>本及<u>成</u>疏改。

广成子曰:"而所欲问者,物之质也〔一〕;而所欲官者,物之残也〔二〕。自而治天下,云气不待族而雨,草木不待黄而落,日月之光益以荒矣〔三〕。而佞人之心翦翦者,又奚足以语至道〔四〕!"

〔一〕【注】问至道之精,可谓质也。 【疏】而,汝也。欲播植五谷,官府二仪,所问粗浅,不过形质,乖深玄之致。是诋诃也。　【释文】"质也"广雅云:质,正也。

〔二〕【注】不任其自尔而欲官之,故残也。　【疏】苟欲设官分职,引物从己,既乖造化,必致伤残。

〔三〕【疏】族,聚也。分百官于阴阳,有心治万物,必致凶灾。雨风不调,炎凉失节,云未聚而雨降,木尚青而叶落;欃枪薄蚀,三光昏晦,人心遭扰,玄象荒殆。　【释文】"云气不待族而雨"司马云:族,聚也。未聚而雨,言泽少。"草木不待黄而落"司马云:言杀气多也。尔雅云:落,死也。"益以"崔本作盖以。

〔四〕【疏】翦翦,狭劣之貌也。是汝谄佞之人,心甚狭劣,何能语至道也!　【释文】"佞人"如字。郭音宁。"翦翦"如字。郭司马云:善辩也。一曰:佞貌。李云:浅短貌。或云:狭小之貌。

　　黄帝退,捐天下,筑特室,席白茅,閒居三月,复往邀之〔一〕。

〔一〕【疏】黄帝退,清齐一心,舍九五尊位,筑特室,避諠器,藉白茅以洁净,閒居经时,重往请道。邀,遇也。　【释文】"捐"悦全反。"閒居"音闲。下注同。"复往"扶又反。"邀之"古尧反,要也。

　　广成子南首而卧,黄帝顺下风膝行而进,再拜稽首而问曰:"闻吾子达于至道,敢问,治身奈何而可以长久?"广成子蹶然而起,曰:"善哉问乎〔一〕!来!吾语女至道。至道之精,窈窈冥冥;至道之极,昏昏默默〔二〕。无视无听,抱神以静,形将自正〔三〕。必静必清,无劳女形,无摇女精,乃可以长生〔四〕。目无所见,耳无所闻,心无所知,女神将守形,形乃长生〔五〕。慎女内〔六〕,闭女外〔七〕,多知为败〔八〕。

347

我为女遂于大明之上矣,至彼至阳之原也;为女入于窈冥之门矣,至彼至阴之原也〔九〕。天地有官,阴阳有藏〔一〇〕,慎守女身,物将自壮〔一一〕。我守其一以处其和,故我修身千二百岁矣,吾形未常衰〔一二〕。"

〔一〕【注】人皆自修而不治天下,则天下治矣,故善之也。　【疏】使人治物,物必撄烦,各各治身,天下清正,故善之。蹶然,疾起。　【释文】"南首"音狩。"蹶"其月反,又音厥,惊而起也。○庆藩案,<u>文选张景阳七命</u>注引<u>司马</u>云:蹶,疾起貌。释文阙。"天下治"直吏反。

〔二〕【注】窈冥昏默,皆了无也。夫<u>庄老</u>之所以屡称无者,何哉?明生物者无物而物自生耳。自生耳,非为生也,又何有为于已生乎!　【疏】至道精微,心灵不测,故寄窈冥深远,昏默玄绝。【释文】"吾语"鱼据反。下同。"女"音汝。后仿此。"窈窈"乌了反。

〔三〕【注】忘视而自见,忘听而自闻,则神不扰而形不邪也。　【疏】耳目无外视听,抱守精神,境不能乱,心与形合,自冥正道。【释文】"不邪"似嗟反。

〔四〕【注】任其自动,故闲静而不夭也。　【疏】清神静虑,体无所劳,不缘外境,精神常寂,心闲形逸,长生久视。

〔五〕【注】此皆率性而动,故长生也。　【疏】任视听而无所见闻,根尘既空,心亦安静,照无知虑,应机常寂,神淡守形,可长生久视也。

〔六〕【注】全其真也。　【疏】忘心,全(漠)〔真〕①也。

〔七〕【注】守其分也。　【疏】绝视听,守分也。

〔八〕【注】知无崖,故败。　【疏】不慎智虑,心神既困,耳目竭于外,何不败哉！

〔九〕【注】夫极阴阳之原，乃遂于大明之上，入于窈冥之门也。

【疏】阳，动也。阴，寂也。遂，出也。至人应动之时，智照如日月，名大明也。至阳之原，表从本降迹，故言出也。无感之时，深根寂然凝湛也。至阴之原，示摄迹归本，故曰入窈冥之门。<u>广成</u>示<u>黄帝</u>动寂两义，故托阴阳二门也。　【释文】"我为"于伪反。下同。

〔一〇〕【注】但当任之。

〔一一〕【疏】天官，谓日月星辰，能照临四方，纲维万物，故称官也。地官，谓金木水火土，能维持动植，运载群品，亦称官也。阴阳二气，春夏秋冬，各有司存，如藏府也。咸得随任，无不称适，何违造化，更立官府也！女但无为，慎守女身，一切万物，自然昌盛，何劳措心，自贻伊戚哉！　【释文】"物将自壮"侧亮反。谓不治天下，则众物皆自任，自任而壮也。

〔一二〕【注】取于尽性命之极，极长生之致耳。身不夭乃能及物也。

【疏】保恬淡一心，处中和妙道，摄卫修身，虽有寿考之年，终无衰老之日。

〔校〕①真字依注文改。

<u>黄帝</u>再拜稽首曰："<u>广成子</u>之谓天矣〔一〕**！"**

〔一〕【注】天，无为也。　【疏】叹圣道之清高，可与玄天合德也。

349

<u>广成子</u>曰："来！余语女。彼其物无穷，而人皆以为有终〔一〕；彼其物无测，而人皆以为有极〔二〕。得吾道者，上为皇而下为王〔三〕；失吾道者，上见光而下为土〔四〕。今夫百昌皆生于土而反于土，故余将去女〔五〕，入无穷之门，以

在宥第十一

游无极之野〔六〕。吾与日月参光,吾与天地为常〔七〕。当我,缗乎！远我,昏乎〔八〕！人其尽死,而我独存乎〔九〕！"

〔一〕【疏】死生变化,物理无穷,俗人愚惑,谓有终始。

〔二〕【注】徒见其一变也。　【疏】万物不测,千变万化,愚人迷执,谓有限极。○庆藩案,无测,言无尽也。说文:测,深所至也。深所至,谓深之尽极处。吕氏春秋论人篇阔大渊深,不可测也,高注:测,尽极也。淮南原道篇水大不可极,深不可测,高注:测,尽也。无测有极,正对文言之。

〔三〕【注】皇王之称,随世之上下耳,其于得通变之道以应无穷,一也。　【疏】得自然之道,上逢淳朴之世,则作羲农;下遇浇季之时,应为汤武。皇王迹自夷险,道则一也。　【释文】"之称"尺證反。

〔四〕【注】失无穷之道,则自信于一变而不能均同上下,故俯仰异心。　【疏】丧无为之道,滞有欲之心,生则睹于光明,死则便为土壤。迷执生死,不能均同上下,故有两名也。

〔五〕【注】土,无心者也。生于无心,故当反守无心而独往也。　【疏】夫百物昌盛,皆生于地,及其凋落,还归于土。世间万物,从无而生,死归空寂。生死不二,不滞一方,今将去女任适也。　【释文】"百昌"司马云:犹百物也。

〔六〕【注】与化俱也。　【疏】反归冥寂之本,入无穷之门;应变天地之间,游无极之野。

〔七〕【注】都任之也。　【疏】参,同也。与三景齐明,将二仪同久,岂千二百岁哉!

〔八〕【注】物之去来,皆不觉也。　【疏】圣人无心若镜,机当感发,即应机冥符,若前机不感,即昏然晦迹也。　【释文】"当我"如字。

350

“缗乎”武巾反。郭音泯,泯合也。○家世父曰:释文,缗,泯合也。缗昏字通,缗亦昏也。当我,乡我而来;远我,背我而去;任人之乡背,而一以无心应之。“远我”于萬反。“昏乎”如字,暗也。司马云:缗昏,并无心之谓也。

〔九〕【注】以死生为一体,则无往而非存。 【疏】一死生,明变化,未始非我,无去无来,我独存也。人执生死,故忧患之。

云将东游,过扶摇之枝而适遭鸿蒙。鸿蒙方将拊脾雀①跃而游。〔一〕**云将见之**〔二〕**,倘然止,贽然立,曰:“叟何人邪? 叟何为此**〔三〕**?”**

〔一〕【疏】云将,云主将也。鸿蒙,元气也。扶摇,(木)神〔木〕②,生东海也。亦云风。遭,遇也。拊,拍也。爵跃,跳跃也。寓言也。夫气是生物之元也,云为雨泽之本也,木是春阳之乡,东为仁惠之方。举此四事,示君王御物,以德泽为先也。 【释文】“云将”子匠反。下同。李云:云主帅也。“扶摇”扶,亦作夫,音符。李云:扶摇,神木也,生东海。一云:风也。○庆藩案,初学记一、御览八引司马云:云将,云之主帅。释文阙。“鸿蒙”如字。司马云:自然元气也。一云:海上气也。“拊”孚甫反,一音甫。“脾”本又作髀,音陛。徐甫婢反,又甫娣反。“雀”本又作爵,同。将略反。“跃”司马云:雀跃,若雀浴也。一云:如雀之跳跃也。

〔二〕【疏】怪其容仪殊俗,动止异凡,故问行李(也)〔之〕由,庶为理物之道也。

〔三〕【疏】倘,惊疑貌。贽,不动也。叟,长老名也。 【释文】“倘”尺掌反,一音吐郎反,李吐黨反。司马云:欲止貌。李云:自失

貌。"贽"之二反,又猪立反,又鱼列反。李云:不动貌。"叟"本
又作俊,素口反,郭疏走反。司马云:长者称。

〔校〕①赵谏议本脾雀作髀爵,下同。②神木依释文改。

鸿蒙拊脾雀跃不辍,对云将曰,"游〔一〕!"

〔一〕【疏】乘自然变化遨游也。 【释文】"不辍"丁劣反。李云:
止也。

云将曰:"朕愿有问也。"

鸿蒙仰而视云将曰:"吁!"

云将曰:"天气不和,地气郁结〔一〕,六气不调〔二〕,四时不节〔三〕。今我愿合六气之精以育群生,为之奈何〔四〕?"

〔一〕【疏】二气不降不升,郁结也。 【释文】"曰吁"况于反。亦作
呼。○庆藩案,释文,吁亦作呼。呼吁,古通用字。说文:吁,惊
〔语〕①也。文元年左传呼役夫,杜注:呼,发声也。尧典帝曰吁,
传曰:吁,疑怪之辞。惊疑之声,亦发声也。檀弓瞿然曰呼,释文
呼作吁。月令大雩帝,郑注:雩,吁嗟求雨之祭。周官女巫疏引
董仲舒曰:雩,求雨之术,呼嗟之歌。皆其例。"郁结"如字。崔
本作绾,音结。

〔二〕【疏】阴阳风雨晦明,此六气也。

〔三〕【疏】春夏秋冬,节令愆滞其序。

〔四〕【疏】我欲合六气精华以养万物,故问也。

〔校〕①语字依说文补。

鸿蒙拊脾雀跃掉头曰:"吾弗知! 吾弗知〔一〕!"

〔一〕【疏】万物咸禀自然,若措意治之,必乖造化,故掉头不答。
【释文】"掉"徒吊反。

庄子集释

云将不得问。又三年,东游,过有宋之野而适遭鸿蒙。云将大喜,行趋而进曰:"天忘朕邪?天忘朕邪?"再拜稽首,愿闻于鸿蒙[一]。

〔一〕【疏】(故)〔敬〕如上天,再言忘朕,幸忆往事也。　【释文】"有宋"如字,国名也。本作宗者非。

鸿蒙曰:"浮游,不知所求[一];猖狂,不知所往[二];游者鞅掌,以观无妄[三]。朕又何知[四]!"

〔一〕【注】而自得所求也。　【疏】浮游处世,无贪取也。

〔二〕【注】而自得所往也。　【疏】无心妄行,无的当也。

〔三〕【注】夫内足者,举目皆自正也。　【疏】鸿蒙游心之处宽大,涉见之物众多,能观之智,知所观之境无妄也。鞅掌,众多也。
　　　【释文】"鞅掌"於丈反。毛诗传云:鞅掌,失容也。今此言自得而正也。

〔四〕【注】以斯而已矣。　【疏】浮游猖狂,虚心任物,物各自正,我复何知!

云将曰:"朕也自以为猖狂,而民随予①所往;朕也不得已于民,今则民之放也[一]。愿闻一言[二]。"

〔一〕【注】夫乘物非为迹而迹自彰,猖狂非招民而民自往,故为民所放效而不得已也。　【疏】我同鸿蒙,无心驭世,不得已临人,人则随我迹,便为物放效也。　【释文】"之放"方往反,效也。注同。

〔二〕【疏】愿闻要旨,庶决深疑。

〔校〕①赵谏议本予作子。

鸿蒙曰:"乱天之经,逆物之情,玄天弗成[一];解兽之

在宥第十一

群,而鸟皆夜鸣[二];灾及草木,祸及止①虫[三]。意②,治人
之过也[四]!"

〔一〕【注】若夫顺物性而不治,则情不逆而经不乱,玄默成而自然得
也。 【疏】乱天然常道,逆物真性,即谲诈方起,自然之化不
成也。

〔二〕【注】离其所以静也。 【疏】放效迹彰,害物灾起,兽则惊群散
起,鸟则骇飞夜鸣。

〔三〕【注】皆坐而受害也。 【疏】草木未霜零落,灾祸及昆虫。昆,
明也,向阳启蛰。 【释文】"止虫"如字。本亦作昆虫。崔本作
正虫。"皆坐"才卧反。

〔四〕【注】夫有治之迹,乱之所由生也。 【疏】天治斯灭,治人过
也。 【释文】"意"音医。本又作噫。下皆同。

〔校〕①赵谏议本止作昆。②赵本意作噫,下同。

　　云将曰:"然则吾奈何[一]?"

〔一〕【疏】欲请不治之术。

　　鸿蒙曰:"意,毒哉[一]! 僊僊①乎归矣[二]。"

〔一〕【注】言治人之过深。 【疏】重伤祸败屡叹。噫,叹声。

〔二〕【注】僊僊,坐起之貌。嫌不能隤然通放,故遣使归。 【疏】僊
僊,轻举之貌。嫌云将治物为祸,故示轻举,劝令息迹归本。
　　【释文】"僊僊"音仙。

〔校〕①赵谏议本僊作仙。

　　云将曰:"吾遇天难,愿闻一言。"

　　鸿蒙曰:"意! 心养[一]。汝徒处无为,而物自化[二]。
堕尔形体,吐尔聪明,伦与物忘[三];大同乎涬溟[四],解心

释神,莫然无魂〔五〕。万物云云,各复其根,各复其根而不知〔六〕;浑浑沌沌,终身不离〔七〕;若彼知之,乃是离之〔八〕。无问其名,无窥其情,物固自生〔九〕。"

〔一〕【注】夫心以用伤,则养心者,其唯不用心乎! 【疏】养心之术,
　　列在下文。

〔二〕【疏】徒,但也。但处心无为而物自化。

〔三〕【注】理与物皆不以存怀,而闇付自然,则无为而自化矣。
　　【疏】伦,理也。堕形体,忘身也。吐聪明,忘心也。身心两忘,
　　物我双遣,是养心也。 【释文】"堕"许规反。○王引之曰:吐
　　当为咄。咄与黜同。(徐无鬼篇黜耆欲,司马本作咄。)韦昭注
　　周语曰:黜,废也。黜与堕,义相近。大宗师篇堕枝体,黜聪明,
　　即其证也。隶书出字或省作士,(若敤省作敖,賣省作賣,歉省
　　作款之类。)故咄字或作吐,形与吐相似,因讹为吐矣。(咄之讹
　　作吐,犹吐之讹作咄。汉书外戚传必畏恶吐弃我,汉纪吐讹作
　　咄。)俞樾曰:吐当作杜,言杜塞其聪明也。

〔四〕【注】与物无际。 【疏】溟涬,自然之气也。茫荡身心大同,自
　　然合体也。 【释文】"涬"户顶反,又音幸。"溟"亡顶反。司
　　马云:溟涬,自然气也。

〔五〕【注】坐忘任独。 【疏】魂,好知为也。解释,遣荡也。莫然,无
　　知;涤荡心灵,同死灰枯木,无知魂也。

〔六〕【注】不知而复,乃真复也。 【疏】云云,众多也。众多往来,生
　　灭不离自然,归根明矣,岂得用知然后复根矣哉!

〔七〕【注】浑沌无知而任其自复,乃能终身不离其本也。 【疏】浑沌
　　无知而任独,千变万化,不离自然。 【释文】"浑浑"户本反。
　　"沌沌"徒本反。"不离"力智反。下及注皆同。

〔八〕【注】知而复之①，与复乖矣。　【疏】用知慕至本，乃离自然之性。

〔九〕【注】窥问则失其自生也。　【疏】道离名言，理绝情虑。若以名问道，以情窥理，不亦远哉！能遣情忘名，任于独化，物得生理也。

〔校〕①世德堂本之作知。

云将曰："天降朕以德，示朕以默；躬身求之，乃今也得〔一〕。"再拜稽首，起辞而行。

〔一〕【注】知而不默，常自失也。　【疏】降道德之言，示玄默之行，立身以来，方今始悟。

世俗之人，皆喜人之同乎己而恶人之异于己也〔一〕。同于己而欲之，异于己而不欲者，以出乎众为心也〔二〕。夫以出乎众为心者，曷常出乎众哉〔三〕！因众以宁所闻，不如众技众矣〔四〕。而欲为人之国者，此揽乎三王之利而不见其患者也〔五〕。此以①人之国侥倖也，几何侥倖而不丧人之国乎〔六〕！其存人之国也②，无万分之一；而丧人之国也，一不成而万有馀丧矣〔七〕。悲夫，有土者之不知也〔八〕！

〔一〕【疏】染习之人，迷执日久，同己喜欢，异己嫌恶也。　【释文】"而恶"乌路反。

〔二〕【注】心欲出群，为众隽也。　【疏】夫是我而非彼，喜同而恶异者，必欲显己功名，超出群众。○家世父曰：出乎众者，以才智加人而人皆顺之。抑不知己之出乎众乎，众之出乎己乎？因众之所同而同之，因众之所异而异之，以为众也，则夫喜人之同而恶人之异，犹之异同乎众也。喜与怒固不因己而因众，而一据之以为己，此所以为惑也。

〔三〕【注】众皆以出众③为心，故所以为众人也。若我亦欲出乎众，则与众无异而不能相出矣。夫众皆以相出为心，而我独无往而不同，乃大殊于众而为众主也。　【疏】人以竞先出乎众为心，此是恒物鄙情，何能独超群外！同其光尘，方大殊于众而为众杰。

〔四〕【注】吾一人之所闻，不如众技多，故因众则宁也。若不因众，则众之千万，皆我敌也。　【疏】用众人技能，因众人闻见，即无忿竞。所谓明者为之视，智者为之谋也。　【释文】"因众以宁所闻"因众人之所闻见，委而任之，则自宁安。"不如众技"其绮反。"众矣"若役我之知达众人，众人之技多于我矣，安得而不自困哉！

〔五〕【注】夫欲为人之国者，不因众之自为而以己为之者，此为徒求三王主物之利而不见己为之患也。然则三王之所以利，岂为之哉？因天下之自为而任耳。　【疏】用一己偏执为国者，徒求三王主物之利，不知为丧身之大患也。　【释文】"此揽"音览。本亦作览。

〔六〕【疏】侥，要也。以皇王之国利要求非分，为一身之幸会者，未尝不身遭殒败。万不存一，故云几何也。　【释文】"侥"古尧反。徐古了反，字或作徼。"倖"音幸。一云：侥倖，求利不止之貌。○庆藩案，侥，要也，求也。释文或作徼，徼亦求也。（见吕览颂民篇高注。）"几何"居岂反，郭巨機反。"不丧"息浪反。下及注同。

〔七〕【注】己与天下,相因而成者也。今以一己而专制天下,则天下塞矣,己岂通哉!故一身既不成,而万方有馀丧矣。 【疏】以侥幸之心为帝王之主,论存则固无一成,语亡则有馀败也。【释文】"万分"如字,又扶问反。

〔八〕【疏】此一句伤叹君王不知侥幸为弊矣。

〔校〕①阙误引江南古藏本此以作以此因。②世德堂本无此句。③世德堂本无众字。

夫有土者,有大物也〔一〕。有大物者,不可以物;物〔二〕而不物,故能物物〔三〕。明乎物物者之非物也,岂独治天下百姓而已哉!出入六合,游乎九州〔四〕,独往独来,是谓独有〔五〕。独有之人,是谓至贵〔六〕。

〔一〕【疏】九五尊高,四海弘巨,是称大物也。

〔二〕【注】不能用物而为物用,即是物耳,岂能物物哉!不能物物,则不足以有大物矣。 【疏】苟求三王之国,不能任物自为,翻为物用。己自是物,焉能物物!断不可也。

〔三〕【注】夫用物者,不为物用也。不为物用,斯不物矣,不物,故物天下之物,使各自得也。 【疏】不为物用而用于物者也。○家世父曰:有物在焉,而见以为物而物之,终身不离乎物,所见之物愈大而身愈小,不见有物而物皆效命焉。夫且不见有物,又奚以物之大小为哉!○俞樾曰:郭断不可以物物五字为句,失其读矣。此当读不可以物为句,物而不物为句。

〔四〕【注】用天下之自为,故驰万物而不穷。 【疏】圣人通自然,达造化,运百姓心知,用群生耳目,是知物物非物也。岂独戴黄屋,坐汾阳,佩玉玺,治天下哉?固当排六合,陵太清,超九州,游姑射矣。

〔五〕【注】人皆自异而己独群游,斯乃独往独来者也。独有斯独,可谓独有矣。　【疏】有注释也。

〔六〕【注】夫与众玄同,非求贵于众,而众人不能不贵,斯至贵也。若乃信其偏见而以独异为心,则虽同于一致,故是俗中之一物耳,非独有者也。未能独有,而欲饕窃轩冕,冒取非分,众岂归之^①哉!故非至贵也。　【疏】(人皆自异而己独与群游,斯乃独往独来者也。独有斯独,可谓独有矣。^②)人欲出众而己独游,众无此能,故名独有。独有之人,苍生乐推,百姓荷戴。以斯为主,可谓至尊至贵也。　【释文】"饕"吐刀反。"冒"亡北反,又亡报反。

〔校〕①世德堂本之下有也字。②"人皆"至"有矣"二十七字,注文混入,当删。

大人之教,若形之于影,声之于响^①〔一〕。有问而应之,尽其所怀〔二〕,为天下配〔三〕。处乎无响〔四〕,行乎无方〔五〕。挈汝适复之挠挠〔六〕,以游无端〔七〕;出入无旁〔八〕,与日无始〔九〕;颂论形躯,合乎大同〔一〇〕,大同而无己〔一一〕。无己,恶乎得有有〔一二〕!睹有者,昔之君子〔一三〕;睹无者,天地之友〔一四〕。

〔一〕【注】百姓之心,形声也;大人之教,影响也。大人之于天下何心哉?犹影响之随形声耳。　【疏】大人,圣人也。无心感应,应不以心,故百姓之心,形声也;大人之教,影响也。　【释文】"于礐"许丈反。本又作响。注及下同。

〔二〕【注】使物之所怀各得自尽也。　【疏】圣人心随物感,感又称机,尽物怀抱。

〔三〕【注】问者为主,应故为配。　【疏】配,匹也,先感为主,应者为匹也。

〔四〕【注】寂以待物。　【疏】处,寂也。无感之时,心如枯木,寂无影响也。

〔五〕【注】随物转化。　【疏】行,应机也。逗机不定方所也。

〔六〕【注】挠挠,自动也。提挈万物,使复归自动之性,即无为之至也。　【疏】挠挠,自动也。逗机无方,还欲提挈汝等群品,令归自本性,则无为至也。　【释文】"挈"苦结反。广雅云:持(包)〔也〕②。"挠挠"而小反。○俞樾曰:郭注未得其解。尔雅释诂:适,往也。然则适复,犹往复也。挠挠,乱也。广雅释诂:挠,乱也。重言之则为挠挠矣。适复之挠挠,此世俗之人所以不能独往独来也。惟大人则提挈其适复之挠挠者而与之共游于无端,故曰挈汝适复之挠挠以游无端。二句本止一句,郭失其解,并失其读矣。

〔七〕【注】与化俱,故无端。　【疏】游,心与自然俱游,故无朕迹之端崖。

〔八〕【注】玄同无表。　【疏】出入尘埃生死之中,玄同造物,无边可见。

〔九〕【注】与日新俱,故无始也。　【疏】与日俱新,故无终始。

〔一○〕【注】其形容与天地无异。　【疏】(赞)颂,〔赞〕;论,语。圣人盛德躯貌,与二仪大道合同,外不窥乎宇宙,内不有其己身也。

〔一一〕【注】有己则不能大同也。　【疏】合二仪,同大道,则物我俱忘也。

〔一二〕【注】天下之难无者己也。己既无矣,则群有不足复有之。　【疏】己既无矣,物焉有哉!　【释文】"恶"音乌。"足复"扶又反。

〔一三〕【注】能美其名者耳。 【疏】行仁义,礼君臣者,不离有为君子也。

〔一四〕【注】睹无则任其独生也。 【疏】睹无为之妙理,见自然之正性,二仪非有,万物尽空,翻有入无,故称为友矣。

〔校〕①赵谏议本作响,世德堂本作礀,注同。依释文应作礀。②也字依世德堂本改。

贱而不可不任者,物也;卑而不可不因者,民也〔一〕;匿而不可不为者,事也〔二〕;粗而不可不陈者,法也〔三〕;远而不可不居者,义也〔四〕;亲而不可不广者,仁也〔五〕;节而不可不积者,礼也〔六〕;中而不可不高者,德也〔七〕;一而不可不易者,道也〔八〕,神而不可不为者,天也〔九〕。故圣人观于天而不助〔一〇〕,成于德而不累〔一一〕,出于道而不谋〔一二〕,会于仁而不恃〔一三〕,薄于义而不积〔一四〕,应于礼而不讳〔一五〕,接于事而不辞〔一六〕,齐于法而不乱〔一七〕,恃于民而不轻〔一八〕,因于物而不去〔一九〕。物者莫足为也,而不可不为〔二〇〕。不明于天者,不纯于德〔二一〕;不通于道者,无自而可〔二二〕;不明于道者,悲夫〔二三〕!

〔一〕【注】因其性而任之则治,反其性而凌之则乱。夫民物之所以卑而贱者,不能因任故也。是以任贱者贵,因卑者尊,此必然之符也。 【疏】民虽居下,各有功能;物虽轻贱,咸负材用。物无弃材,人无弃用,庶咸亨也。 【释文】"则治"直吏反。

〔二〕【注】夫事藏于彼,故匿也。彼各自为,故不可不为,但当因任耳。 【疏】匿,藏也。事有隐显,性有工拙,或显于此,或隐于彼,或工于此,或拙于彼,但当任之,悉事济也。 【释文】"匿而”女力反。

〔三〕【注】法者妙事之迹也,安可以迹粗而不陈妙事哉! 【疏】法,言教也。以教望理,理妙法粗,取谕筌蹄,故顺陈说故也。

〔四〕【注】当乃居之,所以为远。 【疏】义虽去道疏远,苟其合理,应须取断。

〔五〕【注】亲则苦偏,故广乃仁耳。 【疏】亲(虽)〔则〕①偏爱狭劣,周普广爱,乃大仁也。

〔六〕【注】夫礼节者,患于系一,故物物体之,则积而周矣。 【疏】积,厚也。节,文也。夫礼贵尚往来,人情乖薄,故外示折旋,内敦积厚,此真礼也。

〔七〕【注】事之下者,虽中非德。 【疏】中,顺也。修道之人,和光处世,卑顺于物,而志行清高,涅而不缁其德也。 【释文】“中而不可不高者德也”中者,顺也。顺其性而高也。

〔八〕【注】事之难者,虽一非道,况不一哉! 【疏】妙本一气,通生万物,甚自简易,其唯道乎! 【释文】“不易”以豉反。下注同。

〔九〕【注】执意不为,虽神非天,况不神哉! 【疏】神功不测,显晦无方,逗机无滞,合天然也。

〔一〇〕【注】顺其②自为而已。 【疏】圣人观自然妙理,大顺群物而不助其性分。此下释前文。

〔一一〕【注】自然与高会也。 【疏】能使境智冥会,上德既成,自无瑕累也。

〔一二〕【注】不谋而一,所以为易。 【疏】显出妙一之道,岂得待(显)谋而后说!

〔一三〕【注】恃则不广。 【疏】老经云,为而不恃。仁慈博爱,贵在合宜,故无恃赖。

〔一四〕【注】率性居远,非积也。　【疏】先王蒭庐,非可宝重,已陈刍狗,岂积而留!

〔一五〕【注】自然应礼,非由忌讳。　【疏】妙本湛然,迹应于礼,岂拘忌讳!○俞樾曰:讳读为违。违讳并从韦声,故广雅释诂曰:讳,避也。韦昭注周语、晋语,并曰:违,避也。是二字声近义通。应于礼而不讳,即不违也。郭注曰,自然应礼,非由忌讳,则失之迂曲矣。

〔一六〕【注】事以(礼)〔理〕③接,能否自任,应动而动,无所辞让。　【疏】混俗扬波,因事接物,应机不取,亦无辞让。　【释文】"应动"忆升反。

〔一七〕【注】御粗以妙,故不乱也。　【疏】因于物性,以法齐之,故不乱也。

〔一八〕【注】恃其自为耳,不轻用也。　【疏】民惟邦本,本固而邦宁,故恃藉不敢轻用也。

〔一九〕【注】因而就任之,不去其本也。　【疏】顺黔黎之心,因庶物之性,虽施于法教,不令离于性本。

〔二○〕【注】夫为者,岂以足为故为哉?自体此为,故不可得而止也。　【疏】物之禀性,功用万殊,如蜣螂转丸,蜘蛛结网,出自天然,非关假学。故素无之而不可强为,性中有者不可不为也。　【释文】"物者莫足为也"分外也。"而不可不为"分内也。

363

〔二一〕【注】不明自然则有为,有为而德不纯也。　【疏】闇自然之理,则浇薄之德不纯也。

〔二二〕【注】不能虚己以待物,则事事失会。　【疏】滞虚玄道性,故触事面墙,谅无从而可也。

〔二三〕【疏】闇天人之理，惑君臣之义，所作颠蹶，深可悲伤。

〔校〕①则字依注文改。②世德堂本无其字。③理字依世德堂本改。

何谓道？有天道，有人道。无为而尊者，天道也；[一]有为而累者，人道也[二]。主者，天道也[三]；臣者，人道也[四]。天道之与人道也，相去远矣[五]，不可不察也[六]。

〔一〕【注】在上而任万物之自为也。　【疏】无事无为，尊高在上者，合自然天道也。

〔二〕【注】以有为为累者，不能率其自得也。　【疏】司职有为，事累繁扰者，人伦之道。

〔三〕【注】同乎天之任物，则自然居物上。　【疏】君在上任物，合天道无为也。

〔四〕【注】各当所任。

〔五〕【注】君位无为而委百官，百官有所司而君不与焉。二者俱以不为而自得，则君道逸，臣道劳，劳逸之际，不可同日而论之也。　【疏】君位尊高，委之宰牧；臣道卑下，竭诚奉上；故君道逸，臣道劳，不可同日而语也。　【释文】"不与"音豫。

〔六〕【注】不察则君臣之位乱矣。　【疏】天道君而无为，人道臣而有事。尊卑有隔，劳逸不同，各守其分，则君臣咸无为也。必不能鉴理，即劳逸失宜，君臣乱矣。(夫二仪生育，变化无穷，形质之中，最为广大，而新新变化，念念推迁，实为等均，所谓亭之毒之也。)①

〔校〕①"夫二仪"以下三十七字，系下卷天地篇首二句疏文混入，当删。

庄子集释卷五上

外篇天地第十二〔一〕

〔一〕【释文】以事名篇。

天地虽大,其化均也〔一〕;万物虽多,其治一也〔二〕;人卒虽众,其主君也〔三〕。君原于德而成于天〔四〕,故曰,玄古之君天下,无为也,天德而已①矣〔五〕。

〔一〕【注】均于不为而自化也。 【疏】夫二仪生育,覆载无穷,形质之中,最为广大;而新新变化,其状不殊,念念迁谢,实惟均等,所谓亭之也。故云天地与我并生。 【释文】"天地"释名云:天,显也,高显在上也;又坦也,坦然高远也;地,底也,其体底下,载万物也。礼统云:天地者,元气之所生,万物之祖也。易说云:元气初分,清轻上为天,浊重下为地。

〔二〕【注】一以自得为治。 【疏】夫四生万物,其类最繁,至于率性自得,斯理唯一,所谓毒之也。故又云万物与我为一。 【释文】"其治"直吏反。注同,下官治并注亦同。

〔三〕【注】天下异心,无心者主也。 【疏】黔首卒隶,其数虽多,主而君者,一人而已。无心因任,允当斯位。 【释文】"人卒"尊忽反。

〔四〕【注】以德为原,无物不得。得者自得,故得而不谢,所以成天也。 【疏】原,本也。夫君主人物,必须以德为宗;物各自得,故全成自然之性。 【释文】"君原"原,本也。

〔五〕【注】任自然之运动。 【疏】玄,远也。古之君,谓三皇已前帝王也。言玄古圣君,无为而治天下也,盖何为哉!此引古证今,成天德之义也。

〔校〕①赵谏议本已作止。

以道观言而天下之君正〔一〕,以道观分而君臣之义明〔二〕,以道观能而天下之官治〔三〕,以道泛观而万物之应备〔四〕。故通于天地者,德也〔五〕;行于万物者,道也①〔六〕;上治人者,事也〔七〕;能有所艺者,技也〔八〕。技兼于事,事兼于义,义兼于德,德兼于道,道兼于天〔九〕。故曰,古之畜天下者,无欲而天下足,无为而万物化〔一〇〕,渊静而百姓定〔一一〕。记曰:"通于一而万事毕〔一二〕。无心得而鬼神服〔一三〕。"

〔一〕【注】无为者,自然为君,非邪也。 【疏】以虚通之理,观应物之数,而无为因任之君,不用邪僻之言者,故理当于正道。○家世父曰:言者,名也。正其君之名,天下自然听命焉。故曰名之必可言也,一衰诸道而已矣。 【释文】"非邪也"似嗟反。本又作为。

〔二〕【注】各当其分,则无为位上,有为位下也。 【疏】夫君道无为,而臣道有事,尊卑劳逸,理固不同。譬如首自居上,足自居下,用道观察,分义分明。

〔三〕【注】官各当其所能则治矣。　【疏】夫官有高卑,能有优劣,能受职则物无私得,是故天下之官治也。

〔四〕【注】无为也,则天下各以其无为应之。　【疏】夫大道生物,性情不同,率己所以,悉皆备足,或走或飞,咸应其用,不知所以,岂复措心! 故以理遍观,则庶物之应备。

〔五〕【注】万物莫不皆得,则天地通。　【疏】通,同也。同两仪之覆载,与天地而俱生者,德也。

〔六〕【注】道不塞其所由,则万物自得其行矣。　【疏】至理无塞,恣物往来,同行万物,故曰道也。

〔七〕【注】使人人自得其事。　【疏】虽则治人,因其本性,物各率能,咸自称适,故事事有宜而天下治也。

〔八〕【注】技者,万物之末用也。　【疏】率其本性,自有艺能,非假外为,故真技术也。　【释文】"技也"其绮反。注、下同。

〔九〕【注】夫本末之相兼,犹手臂之相包,故一身和则百节皆适,天道顺则本末俱畅。　【疏】兼,带也,济也,归也。夫艺能之技,必须带事。不带于事,技术何施也! 事苟失宜,(事)〔技〕便无用。(难)〔虽〕行于义,不可乖德;虽有此德,理须法道虚通;(故)〔虽〕曰虚通,终归自然之术。斯乃理事相包,用不同耳。是故示本能摄末,自浅之深之义。

〔一○〕【疏】夫兼天所以无为,兼道所以无欲。故古之帝王养畜群庶者,何为哉? 盖无欲而苍生各足,无为而万物自化也。

〔一一〕【疏】一人垂拱而玄默,百姓则比屋而可封。故老经云我好静而民自正。

〔一二〕【疏】一,道也。夫事从理生,理必包事,本能摄末,故知一,万事毕。语在西升经,庄子引以为证。 【释文】"记曰"书名也,云老子所作。

〔一三〕【注】一无为而群理都举。 【疏】夫迹混人间之事,心证自然之理,而穷原彻际,妙极重玄者,故在于显则为人物之所归,处于幽则为神鬼之所服。

〔校〕①阙误引江南古藏本此二句作故通于天者道也,顺于地者德也,行于万物者义也。

夫子曰:"夫道,覆载万物者也,洋洋乎大哉! 君子不可以不刳心焉〔一〕。无为为之之谓天〔二〕,无为言之之谓德〔三〕,爱人利物之谓仁〔四〕,不同同之之谓大〔五〕,行不崖异之谓宽〔六〕,有万不同之谓富〔七〕。故执德之谓纪〔八〕,德成之谓立〔九〕,循于道之谓备〔一○〕,不以物挫志之谓完〔一一〕。君子明于此十者,则韬乎其事心之大也〔一二〕,沛乎其为万物逝也〔一三〕。若然者,藏金于山,藏①珠于渊〔一四〕,不利货财〔一五〕,不近贵富〔一六〕;不乐寿,不哀夭〔一七〕:不荣通,不丑穷〔一八〕;不拘一世之利以为己私分〔一九〕,不以王天下为己处显〔二○〕。显则明〔二一〕,万物一府,死生同状〔二二〕。"

〔一〕【注】有心则累其自然,故当刳而去之。 【疏】夫子者,老子也。庄子师老君,故曰夫子也。刳,去也,洒也。虚通之道,包罗无外,二仪待之以覆载,万物得之以化生,何莫由斯,最为物本。叹洋洋之美大,以勖当世之君王,可不法道之无为,洗去有心之累者邪! 【释文】"夫子"司马云:庄子也。一云:老子也。此两夫子曰，元嘉本皆为别章，崔本亦尔。"覆载"芳富反。"洋洋"音羊，又音详。"不刿"口吴反，又口侯反。崔本作轩，云：宽悦之貌。"而去"起吕反。

〔二〕【注】不为此为，而此为自为，乃天道。　【疏】无为为之，率性而动也。天机自张，故谓之天。此不为为也。

〔三〕【注】不为此言，而此言自言，乃真德。　【疏】寂然无说而应答无方，譬县镜高堂，物来斯照，语默不殊，故谓之德也。此不言而言者也。

〔四〕【注】此任其性命之情也。　【疏】慈若云行，爱如雨施，心无偏执，德泽弘普，措其性命，故谓之仁也。

〔五〕【注】万物万形，各止其分，不引彼以同我，乃成大耳。　【疏】夫刻彫众形，而性情各异，率其素分，合自然，任而不割，故谓之大也。

〔六〕【注】玄同彼我，则万物自容，故有馀。　【疏】夫韬光晦迹，而混俗扬波，若树德不异于人，立行岂殊于物！而心无崖际，若万顷之波，林薮苍生，可谓宽容矣。

〔七〕【注】我无不同，故能独有斯万。　【疏】位居九五，威夸万乘，任庶物之不同，顺苍生之为异，而群性咸得，故能富有天下也。

〔八〕【注】德者，人之纲要。　【疏】能持已前之德行者，可谓群物之纲纪也。

〔九〕【注】非德而成者，不可谓立。　【疏】德行既成，方可立功而济物也。

〔一〇〕【注】夫道非偏物也。　【疏】循，顺也。能顺于虚通，德行方足。　【释文】"循"音旬，或作脩。

〔一一〕【注】内自得也。　【疏】挫，屈也。一毁誉，混荣辱，不以世物屈节,其德完全。　【释文】"挫"作卧反。

〔一二〕【注】心大,故事无不容也。　【疏】韬,包容也。君子贤人,肆于已前十事,则能包容物务,心性宽大也。　【释文】"韬"吐刀反。广雅云:藏也。○俞樾曰:郭注未得事字之义。事心,犹立心也,言其立心之大也。礼记郊特牲篇郑注曰:事,犹立也。释名曰:事,倳也;倳,立也。并其证也。如郭注,则是心足以容事而非事心矣。吕氏春秋论人篇,事心乎自然之涂,亦以事心连文,义与此同,足证郭注之误。

〔一三〕【注】德泽滂沛,任万物之自往也。　【疏】逝,往也。心性宽闲,德泽滂沛,故为群生之所归往也。　【释文】"沛"普贝反。字林云:流也。"物逝"崔本逝作启,云:开也。"滂沛"普旁反。

〔一四〕【注】不贵难得之物。　【疏】若如前行,便是无为,既不羡于荣华,故不贵于宝货。是以珠生于水,不索故藏之于渊;金出于山,不求故韬之于岳也。

〔一五〕【注】乃能忘我,况货财乎!　【疏】虽得珠玉,尚不贪以资身;常用货财,岂复将为利也!

〔一六〕【注】自来寄耳,心常去之远也。　【疏】寄去寄来,不哀不乐,故外疏远乎轩冕,内不近乎富贵也。　【释文】"不近"附近之近。

〔一七〕【注】所谓县解。　【疏】假令寿年延永,不以为乐,性命夭促,不以为哀。　【释文】"不乐"音洛。"县解"上音玄,下音蟹。

〔一八〕【注】忘寿夭于胸中,况穷通之间哉!　【疏】富贵荣达,不以为荣华;贫贱室塞,不以为丑辱。寿夭(尝)〔尚〕不以措意,荣辱之情,岂容介怀!

〔一九〕【注】皆委之万物也。　【疏】光临宇宙,统御天下,四海珍宝,总系一人而行,不利货财,委之万国,岂容拘束入己,用为私分也!

〔二〇〕【注】忽然不觉荣之在身。 【疏】覆育黔黎,王领天下,而推功于物,忘其富贵,故不以己大而荣显也。 【释文】"不以王"于况反。下王德并同。

〔二一〕【注】不显则默而已②。 【疏】明,彰也。虽坐汾阳,丧其天下,必也显智,岂曰韬光也!

〔二二〕【注】蜕然无所在也。 【疏】忘于物我,故万物可以为一府;冥于变化,故死生同其形状。死生无变于己,况穷通夭寿之间乎! 【释文】"蜕然"始锐反,又音悦。

〔校〕①阙误引张君房本藏作沈。②赵谏议本已作止。

夫子曰:"夫道,渊乎其居也,漻乎其清也〔一〕。金石不得,无以鸣〔二〕。故金石有声,不考不鸣〔三〕。万物孰能定之〔四〕!夫王德之人,素逝而耻通于事〔五〕,立之本原而知通于神〔六〕。故其德广〔七〕,其心之出,有物采之〔八〕。故形非道不生,生非德不明〔九〕。存形穷生,立德明道,非王德者邪〔一〇〕!荡荡乎!忽然出,勃然动,而万物从之乎!此谓王德之人〔一一〕。视乎冥冥,听乎无声〔一二〕。冥冥之中,独见晓焉;无声之中,独闻和焉〔一三〕。故深之又深而能物焉〔一四〕,神之又神而能精焉〔一五〕;故其与万物接也,至无而供其求〔一六〕,时骋而要其宿,大小、长短、修远〔一七〕。"

〔一〕【疏】至理深玄,譬犹渊海,漻然清洁,明烛(鬓)〔须〕眉。渊则叹其居寂以深澄,漻则叹其虽动而恒洁也。本亦作君字者。 【释文】"漻"李良由反,徐力萧反,广雅下巧反,云:清貌。

〔二〕【注】声由寂彰。 【疏】鸣由寂彰,应由真起也。

〔三〕【注】因以喻体道者物感而后应也。 【疏】考,击也。夫金石之

内,素蕴宫商,若不考击,终无声响。亦(由)〔犹〕至人之心,实怀
圣德,物若不感,无由显应。前托渊水以明至道,此寄金石以显
圣心。

〔四〕【注】应感无方。 【疏】喻彼明镜,方兹虚谷,物来斯应,应而无
心。物既修短无穷,应亦方圆无定。○家世父曰:渊穆澄清之
中,而天机自动焉。夫机之动也,有所以动之者也,而动无常。
金石无常矣,而韶夏濩武,由所动而乐生焉,所以动之者,物莫
能定也。

〔五〕【注】任素而往耳,非好通于事也。 【疏】素,真也。逝,往也。
王德不骄不(务)〔矜〕,任真而往,既抱朴以清高,故羞通于物务。
【释文】"非好"呼报反。

〔六〕【注】本立而知不逆。 【疏】神者,不测之用也。常在理上,往
而应物也。不测之神,知通于物,此之妙用,必资于本。欲示本
能起用,用不乖本义也。 【释文】"而知"音智。注同。

〔七〕【注】任素通神,而后弥广。 【疏】夫清素无为,任真而往,神知
通物,而恒立本原,用不乖体,动不伤寂。德行如是,岂非大中
之道耶!

〔八〕【注】物采之而后出耳,非先物而唱也。 【疏】采,求也。夫至
圣虚怀,而物我斯应,自非物求圣德,无由显出圣心。圣心之
出,良由物采。欲〔示〕和而不唱,不为物先。

〔九〕【疏】形者,七尺之身;生者,百龄之命;德者,能澄之智;道者,可
通之境。道能通生万物,故非道不生;德能鉴照理原,故非德
不明。老经云,道生之,德畜之也。

〔一〇〕【疏】存,任也。穷,尽也。任形容之妍丑,尽生龄之夭寿,立盛
德以匡时,用至道以通物。能如是者,其唯王德乎!

〔一〕【注】忽,勃,皆无心而应之貌。动出无心,故万物从之,斯荡荡矣,故能存形穷生,立德明道而成王德也。 【疏】荡荡,宽平之名。忽,勃,无心之貌。物感而动,逗机而出,因循任物,物则从之。(犹)〔由〕具众美,故为王德也。

〔二〕【疏】至道深玄,圣心凝寂,非色不可以目视,绝声不可以耳听。

〔三〕【注】若夫视听而不寄之于寂,则有闇昧而不和也。 【疏】虽复冥冥非色,而能陶甄万象,乃云寂寂无响,故能谐韵八音。欲明从体起用,功能如是者也。

〔四〕【注】穷其原而后能物物。 【疏】即有即无,即寂即应,遣之又遣,故深之又深。既而穷理尽性,故能物众物也。

〔五〕【注】极至顺而后能尽妙。 【疏】神者,不测之名。应寂相即,有无洞遣,既而非测非不测,亦〔非非〕不(非)测,乃是神之精妙。

〔六〕【注】我确斯而都任彼,则彼求自供。 【疏】遣之又遣,乃曰至无。而接物无方,随机称适,千差万品,求者即供,若县镜高堂,物来斯照也。 【释文】"而供"音恭,本亦作恭。"确"苦学反。"斯"音赐,又如字。

〔七〕【注】皆恣而任之,会其所极而已。 【疏】骋,纵也。宿,会也。若夫体故至无,所以随求称适,故能顺时因任,应物多方,要在会归而不滞一。故或大或小,乍短乍长,乃至修远,恣其来者,随彼机务,悉供其求,应病以药,理无不当。

　　黄帝游乎赤水之北,登乎昆仑之丘而南望,还①归,遗其玄珠〔一〕。使知索之而不得〔二〕,使离朱索之而不得〔三〕,使喫诟索之而不得也〔四〕。乃使象罔,象罔得之〔五〕。黄帝曰:"异哉! 象罔乃可以得之乎〔六〕?"

〔一〕【注】此寄明得真之所由。　【疏】赤是南方之色,心是南方之藏。水性流动,位在北方。譬迷心缘镜,闇无所照,故言赤水北也。昆丘,身也。南是显明之方,望是观见之义,玄则疏远之目,珠乃珍贵之宝。欲明世间群品,莫不身心迷妄,驰骋耽著,无所觉知,闇似北方,动如流水,迷真丧道,实此之由。今欲返本还源,祈真访道,是以南望示其照察,还归表其复命,故先明失真之处,后乃显得道之方。所显方法,列在下文。　【释文】"赤水"李云:水出昆仑山下。"还归"音旋。"玄珠"司马云:道真也。○庆藩案,文选刘孝标广绝交论注引司马云:赤水,(而)〔水〕②假名,玄珠,喻道也。与释文异。

〔二〕【注】言用知不足以得真。　【疏】索,求也。故绝虑不可以心求也。　【释文】"使知"音智。注及下皆同。"索之"所白反。下同。

〔三〕【疏】非色,不可以目取也。

〔四〕【注】聪明喫诟,失真愈远。　【疏】喫诟,言辨也。离言不可以辨索。　【释文】"喫"口懈反。"诟"口豆反。司马云:喫诟,多力也。○家世父曰:广韵,喫,同嘅。嘅,声也;诟,怒也,怒亦声也。集韵云喫诟力诤者是也。知者以神索之,离朱索之形影矣,喫诟索之声闻矣,是以愈索而愈远也。象罔者,若有形,若无形,故曰眒而得之。即形求之不得,去形求之亦不得也。释文引司马云,喫诟,多力也,误。

〔五〕【疏】罔象,无心之谓。离声色,绝思虑,故知与离朱自涯而反,喫诟言辨,用力失真,唯罔象无心,独得玄珠也。

〔六〕【注】明得真者非用心也,象罔然即真也。　【疏】离娄迷性,恃明目而丧道,轩辕悟理,叹罔象而得珠。勖诸学生,故可以不离形去智,黜聪隳体也。

〔校〕①赵谏议本还作旋。②水字依胡刻本文选注改。

尧之师曰许由,许由之师曰啮缺,啮缺之师曰王倪,王倪之师曰被衣〔一〕。

〔一〕【疏】已上四人,并是尧时隐士,厌秽风尘,怀道抱德,清廉洁己,不同人世,尧知其贤,欲让天下。庄生示有承禀,故具列其师资也。 【释文】“王倪”徐五兮反。“被衣”音披。

尧问于许由曰:“啮缺可以配天乎〔一〕?吾藉王倪以要之〔二〕。”

〔一〕【注】谓为天子。

〔二〕【注】欲因其师以要而使之。 【疏】配,合也。藉,因也。尧云:“啮缺之贤者,有合天位之德,庶因王倪,遥能屈致。”情事不决,故问许由。 【释文】“要之”一遥反。注同。

许由曰:“殆哉圾乎天下〔一〕!啮缺之为人也,聪明睿知,给数以敏,其性过人〔二〕,而又乃以人受天〔三〕。彼审乎禁过。而不知过之所由生〔四〕。与之配天乎?彼且乘人而无天〔五〕,方且本身而异形〔六〕,方且尊知而火驰〔七〕,方且为绪使〔八〕,方且为物絯〔九〕,方且四顾而物应〔一〇〕,方且应众宜〔一一〕,方且与物化〔一二〕而未始有恒〔一三〕。夫何足以配天乎?虽然,有族,有祖〔一四〕,可以为众父,而不可以为众父父〔一五〕。治,乱之率也〔一六〕,北面之祸也〔一七〕,南面之贼也〔一八〕。”

〔一〕【注】圾,危也。 【疏】殆,近也。圾,危也。若要啮缺,让万乘,危亡之征，其则不远也。　【释文】"圾"本又作岌，五急反，又五合反。郭李云：危也。

〔二〕【注】聪敏过人，则使人跂之，屡伤于民也。　【疏】睿，圣也。给，捷也。敏，速也。夫圣人治天下也，冕旒垂目，黈纩塞耳，所以杜聪明，不欲多闻多见。今啮缺乃内怀圣知，外眩聪明，词锋捷辩，计数弘远，德行性识，所作过人；其迹既彰，必以为患。危亡之状，列在已下。　【释文】"给数"音朔。

〔三〕【注】用知以求复其自然。　【疏】物之丧真，其日已久，乃以心智之术，令复其初，故自然之性失之远矣。

〔四〕【注】夫过生于聪知，而又役知以禁之，其过弥甚矣。故曰，无过在去知，不在于强禁。　【疏】过之所由生者，知也。言啮缺但知审禁苍生之过患，而不知患生之由智也。　【释文】"在去"起吕反。"于强"其丈反。

〔五〕【注】若与之天下，彼且遂使后世任知而失真。　【疏】若与天位，令御群生，必运乎心智，伐乎天理，则物皆丧己，无复自然之性也。

〔六〕【注】夫以万物为本，则群变可一而异形可同。斯迹也，将遂使后世由己以制物，则万物乖矣。　【疏】方，将也。夫圣人无心，因循任物。今啮缺以己身为本，引物使归，令天下异形从我之化。物之失性，实此之由，后世之患，自斯而始也。　【释文】"方且"如字。凡言方且者，言方将有所为也。

〔七〕【注】贤者当位于前，则知见尊于后，奔竞而火驰也。　【疏】夫不能忘智以任物，而尊知以御世，遂将徇迹，舍己效人，驰骤奔逐，其速如火矣。

〔八〕【注】将兴后世事役之端。　【疏】绪，端也。使，役也。不能无

庄子集释

376

为,而任知御物,后世劳役,自此为端。

〔九〕【注】将遂使后世拘牵而制物。 【疏】絯,碍也。不能用道以通人,方复任智以碍物也。 【释文】"物絯"徐户隔反,广雅公才反,云:束也。与郭义同。今用广雅音。○家世父曰:释文引广雅云,絯,束也。疑絯当为该。广韵:该,备也,兼也。汉书律历志该藏万物,太玄经万物该兼。绪使者,其绪馀足〔以〕役(役)〔使〕群伦。物絯者,其机缄足以包罗万物。

〔一○〕【注】将遂使后世指麾以动物,令应(工)〔上〕①务。 【疏】方将顾盼四方,抚安万国,令彼之氓黎,应我之化法。 【释文】"令应"力呈反。

〔一一〕【注】将遂使后世不能忘善,而利仁以应宜也。 【疏】用一己之知,应众物之宜,既非无心,未免危殆矣。

〔一二〕【注】将遂使后世与物相逐,而不能自得于内。 【疏】将我已知,施与物众,令庶物从化,物既失之,我亦未得也。

〔一三〕【注】此皆尽当时之宜也,然今日受其德,而明日承其弊矣,故曰未始有恒。 【疏】以智理物,政出多门,前荷其德,后遭其弊,既乖淳古,所以无恒。

〔一四〕【注】其事类可得而祖效。 【疏】族,薮也。夫啮缺隐居山薮,高尚其志,不能混迹,未足配天。而混俗之中,罕其辈类,故志尚清退,良可效耳。○家世父曰:族者,比类之迹也。祖者,生物之原也。从其比类而合之,则万物统于一,而主宰夫物者群生之归也;从其生物之原而求之,则万物托始于无,而生物者枝流之衍也。未究乎生物之原,而窃窃焉比类以求合,而治乱繇以生,君臣之祸繇以起矣。

〔一五〕【注】众父父者,所以迹也。 【疏】父,君也。言啮缺高尚无为,不夷乎俗,虽其道可述,适可为众人之父,而未可为父父也。父父者,尧也。夫尧寄坐万物之上,而心驰乎姑射之山,往见四子之时,即在汾阳之地。是以即寂而动,即动而寂,无为有为,〔有〕为无为(有),有无一时,动寂相即,故可为君中之君,父中之父。所为穷理尽性,玄之又玄,而为众父之父,故其宜矣。故郭注云,众父父者,所以迹也。

〔一六〕【注】言非但治主,乃为乱率。　【疏】率,主也。若用智理物,当时虽治,于后必乱。二涂皆以智为率。　【释文】"治乱"直吏反。注同。"之率"色类反。注同。又色律反。

〔一七〕【注】夫桀纣非能杀贤臣,乃赖圣知之迹以祸之。　【疏】桀纣赖圣知以杀贤臣,故圣知是北面之祸也。

〔一八〕【注】田桓非能杀君,乃资仁义以贼之。　【疏】田桓资仁义以杀主,故仁义南面之贼。注云,田桓非能杀君,乃资仁义以贼之。【释文】"杀君"音试。本又作弑,音同。

〔校〕①上字依宋本改。

尧观乎华。华封人曰:"嘻,圣人! 请祝圣人。"〔一〕

〔一〕【疏】华,地名也,今华州也。封人者,谓华地守封疆之人也。嘻,叹声也。封人见尧有圣人之德,光临天下,请祝愿寿富,多其男子。　【释文】"华"胡化反,又胡花反。司马云:地名也。"封人"司马云:守封疆人也。"曰嘻"音熙。"请祝"之又反,又州六反。

"使圣人寿。"尧曰:"辞。""使圣人富。"尧曰:"辞。"
"使圣人多男子。"尧曰:"辞。"〔一〕

〔一〕【疏】夫富寿多男子,实为繁挠,而能体之者,不废无为。故寄彼二人,明兹三患。辞让之旨,列在下文。

封人曰:"寿,富,多男子,人之所欲也。女独不欲,何邪?"〔一〕

〔一〕【疏】前之三事,人之大欲存焉。女独致辞,有何意谓? 【释文】"女独"音汝。后同。

尧曰:"多男子则多惧,富则多事,寿则多辱。是三者,非所以养德也,故辞。"〔一〕

〔一〕【疏】夫子嗣扶疏,忧惧斯重;财货殷盛,则事业实繁;命寿延长,则贻困辱。三者未足养无为之德,适可以益有为之累,所以并辞。

封人曰:"始也我以女为圣人邪,今然君子也〔一〕。天生万民,必授之职。多男子而授之职,则何惧之有!〔二〕富而使人分之,则何事之有〔三〕! 夫圣人,鹑居〔四〕而鷇食〔五〕,鸟行而无彰〔六〕;天下有道,则与物皆昌〔七〕;天下无道,则修德就闲〔八〕;千岁厌世,去而上僊〔九〕;乘彼白云,至于帝乡〔一〇〕。三患莫至,身常无殃,则何辱之有〔一一〕!"

〔一〕【疏】我始言女有无双照,便为体道圣人;今既舍有趣无,适是贤人君子也。

〔二〕【注】物皆得所而志定也。 【疏】天地造化为万物,各有才能,量才授官,有何忧惧!

〔三〕【注】寄之天下,故无事也。 【疏】百姓丰饶,四海殷实,寄之群有而不以私焉,斯事无为也。

〔四〕【注】无意而期安也。 【释文】"鹑"音淳。"居"鹑居,谓无常处也。又云:如鹑之居,犹言野处。

〔五〕【注】仰物而足。 【疏】鹑,鹌鹑也,野居而无常处。鷇者,鸟之子,食必仰母而足。圣人寝处俭薄,譬彼鹌鹑;供膳裁充,方兹鷇鸟。既无心于侈靡,岂有情于滋味乎! 【释文】"鷇"口豆反。"食"尔雅云:生哺,鷇。鷇食者,言仰物而足也。○卢文弨曰:旧生讹主,今改正。

〔六〕【注】率性而动,非常迹也。 【疏】彰,文迹也。夫圣人灰心灭智而与物俱冥,犹如鸟之飞行,无踪迹而可见也。

〔七〕【注】猖狂妄行而自蹈大方也。 【疏】运属清夷,则抚临亿兆;物来感我,则应时昌盛。郭注云猖狂妄行,恐乖文旨。

〔八〕【注】虽汤武之事,苟顺天应人,未为不闲也。故无为而无不为者,非不闲也。 【疏】时逢扰乱,则混俗韬光,修德隐迹,全我生道,嘉遁闲居,逍遥遁世。所谓隐显自在,用舍随时。 【释文】"就闲"音闲。注同。

〔九〕【注】夫至人极寿命之长,任穷(理)〔通〕①之变,其生也天行,其死也物化,故云厌世而上儴也。 【疏】夫圣人达生死之不二,通变化之为一,故能尽天年之修短,厌嚣俗以消升。何必鼎湖之举,独为上仙,安期之寿,方称千岁! 【释文】"上儴"音仙。

〔一〇〕【注】气之散,无不之。 【疏】精灵上升,与太一而冥合,乘云御气,届于天地之乡。

〔一一〕【疏】三患,前富寿多男子也。夫驾造物而来往,乘变化而遨游,三患本自虚无,七尺来从非有,殃辱之事,曾何足云!

〔校〕①通字依王叔岷说改。

封人去之。尧随之,曰:"请问。"〔一〕

〔一〕【疏】请言既讫,封人于是去之。尧方悟其非,所以请问。

封人曰:"退已①〔一〕**!"**

〔一〕【疏】所疑已决，宜速退归。

〔校〕①阙误引江南古藏本已作纪。

尧治天下，伯成子高立为诸侯。尧授舜，舜授禹，伯成子高辞为诸侯而耕。〔一〕禹往见之，则耕在野。禹趋就下风，立而问焉，曰："昔尧治天下，吾子立为诸侯。尧授舜，舜授予，而吾子辞为诸侯而耕，敢问，其故何也？"〔二〕

〔一〕【疏】伯成子高，不知何许人也，盖有道之士。　【释文】"伯成子高"通变经云：老子从此天地开辟以来，吾身一千二百变，后世得道，伯成子高是也。

〔二〕【疏】唐虞之世，南面称孤，逮乎有夏，退耕于野。出处顿殊，有何意谓？

子高曰："昔尧治天下，不赏而民劝，不罚而民畏〔一〕。今子赏罚而民且不仁，德自此衰，刑自此立，后世之乱，自此始矣〔二〕。夫子阖行邪？无落吾事！"俋俋乎耕而不顾〔三〕。

〔一〕【疏】夫赏罚者，所以著劝畏也。而尧以无为为治，物物从其化，故百姓不待其褒赏而自勉行善，无劳刑罚而畏恶不为。此显尧之圣明，其德如是。

〔二〕【疏】盛行赏罚，百姓犹不仁，至德既衰，是以刑书滋起，故知将来之乱，从此始矣。

〔三〕【注】夫禹时三圣相承，治成德备，功美渐去，故史籍无所载，仲尼不能间，是以虽有天下而不与焉，斯乃有而无之也。故考其时而禹为最优，计其人则虽三圣，故一尧耳。时无圣人，故天下

381

之心俄然归启。夫至公而居当者,付天下于百姓,取与之非己,故失之不求,得之不辞,忽然而往,侗然而来,是以受非毁于廉节之士而名列于三王,未足怪也。庄子因斯以明尧之弊,弊起于尧而衅成于禹,况后世之无圣乎! 寄远迹于子高,便①弃而不治,将以绝圣而反一,遗知而宁极耳。其实则未闻也。夫庄子之言,不可以一途诘,或以黄帝之迹秃尧舜之胫,岂独贵尧而贱禹哉! 故当遗其所寄,而录其绝圣弃智之意焉。 【疏】阍,何不也。落,废也。偟偟,耕地之貌。伯成谓禹为夫子。"夫子何不行去耶! 莫废我农事。"于是用力而耕,不复顾盼也。夫三圣相承,盖无优劣,但浇淳异世,故其迹不同。郭注云弊起于尧而衅成于禹者,欲明有圣不如无圣,有为不及无为,故尚远迹,以明绝圣弃智者耳。 【释文】"阍"本亦作盍,胡腊反。"无落"落,犹废也。"偟偟"徐於执反,又直立反。李云:耕貌。一云:耕人行貌。又音秩,又於十反。字林云:勇壮貌。"治成"直吏反。"能间"间厕之间。"不与"音豫。"侗"音洞,又音同。

〔校〕①赵谏议本便作使。

泰初有无,无有无名〔一〕;一之所起,有一而未形〔二〕。物得以生,谓之德〔三〕;未形者有分,且然无间,谓之命〔四〕;留动而生物,物成生理,谓之形〔五〕;形体保神,各有仪则,谓之性〔六〕。性修反德,德至同于初〔七〕。同乃虚,虚乃大〔八〕。合喙鸣〔九〕;喙鸣合,与天地为合〔一〇〕。其合缗缗,若愚若昏〔一一〕,是谓玄德,同乎大顺〔一二〕。

〔一〕【注】无有,故无所名。 【疏】泰,太;初,始也。元气始萌,谓之太初,言其气广大,能为万物之始本,故名太初。太初之时,惟有此无,未有于有。有既未有,名将安寄! 故无有无名。 【释文】"泰初"易说云:气之始也。

〔二〕【注】一者,有之初,至妙者也,至妙,故未有物理之形耳。夫一之所起,起于至一,非起于无也。然庄子之所以屡称无于初者,何哉? 初者,未生而得生,得生之难,而犹上不资于无,下不待于知,突然而自得此生矣,又何营生于已生以失其自生哉! 【疏】一(应)〔者〕道也,有一之名而无万物之状。

〔三〕【注】夫无不能生物,而云物得以生,乃所以明物生之自得,任其自得,斯可谓德也。 【疏】德者,得也,谓得此也。夫物得以生者,外不资乎物,内不由乎我,非无非有,不自不他,不知所以生,故谓之德也。

〔四〕【疏】虽未有形质,而受气以有素分,然且此分修短,悉乎更无间隙,故谓之命。 【释文】"有分"符问反。"无间"如字。○家世父曰:一阴一阳之谓道,继之者善也,成之者性也。物得其生,所谓继之者善也,未有德之名也。至凝而为命,而性含焉,所谓成之者性也。命立而各肖乎形,践形而乃反乎性,各有仪则,尽性之功也。庄生于此盖亦得其恍惚。

〔五〕【疏】留,静也。阳动阴静,氤氲升降,分布三才,化生万物,物得成就,生理具足,谓之形也。 【释文】"留动"留,或作流。

〔六〕【注】夫德形性命,因变立名,其于自尔一也。 【疏】体,质;保,守也。禀受形质,保守精神,形则有丑有妍,神则有愚有智。既而宜循轨则,各自不同,素分一定,更无改易,故谓之性也。

〔七〕【注】恒以不为而自得之。 【疏】率此所禀之性,修复生初之德,故至其德处,同于太初。

〔八〕【注】不同于初,而中道有为,则其怀中故为有物也,有物而容养之德小矣。 【疏】同于太初,心乃虚豁;心既虚空,故能包容广大。

〔九〕【注】无心于言而自言者,合于喙鸣。 【疏】喙,鸟口也。心既虚空,迹复冥物,故其说合彼鸟鸣。鸟鸣既无心于是非,圣言岂有情于憎爱! 【释文】"喙"丁豆反,又充芮、喜秽二反。

〔一〇〕【注】天地亦无心而自动。 【疏】言既合于鸟鸣,德亦合于天地。天地无心于覆载,圣人无心于言说,故与天地合也。

〔一一〕【注】坐忘而自合耳,非照察以合之。 【疏】缗,合也。圣人内符至理,外顺群生,唯迹与本,馨无不合,故曰缗缗。是混俗扬波,同尘万物,既若愚迷,又如昏暗。又解:既合喙鸣,又合天地,亦是缗缗。 【释文】"缗缗"武巾反。

〔一二〕【注】德玄而所顺者大矣。 【疏】总结已前,叹其美盛。如是之人,可谓深玄之德,故同乎太初,大顺天下也。

夫子问于老聃曰:"有人治道若相放,可不可,然不然〔一〕。辩者有言曰,'离坚白若县寓〔二〕。'若是则可谓圣人乎〔三〕?"

〔一〕【注】若相放效,强以不可为可,不然为然,斯矫其性情也。 【疏】师于老聃,所以每事请答。泛论无的,故曰有人。布行政化,使人效放,以己制物,物失其性,故己之可者,物或不可,己之然者,物或不然,物之可然,于己亦尔也。 【释文】"夫子"仲尼也。"相方"如字,又甫往反。本亦作放,甫往反。注同①。"强以"其两反。

〔二〕【注】言其高显易见。 【疏】坚白,公孙龙守白论也。孔穿之徒,坚执此论,当时独步,天下无敌。今辩者云:我能离析坚白之论,不以为辩,雄辩分明,如县日月于区宇。故郭注云言其高显易见也。 【释文】"县"音玄。"寓"音宇,司马云:辩明白若县室在人前也。"易见"以豉反。

〔三〕【疏】结前问意。"如是之人,得为圣否?"

〔校〕①世德堂本作相放,甫往反,注同。本作作方,如字,又甫往反。

老聃曰:"是胥易技系劳形怵心者也〔一〕。执留①之狗成思,猿狙之便自山林来〔二〕。丘,予告若,而所不能闻与而所不能言。凡有首有趾无心无耳者众〔三〕,有形者与无形无状而皆存者尽无〔四〕。其动,止也;其死,生也;其废,起也。此又非其所以也〔五〕。有治在人〔六〕,忘乎物,忘乎天,其名为忘己〔七〕。忘己之人,是之谓入于天〔八〕。"

〔一〕【疏】胥,相也。言以是非更相易夺,用此技艺系缚其身,所以疲劳形体,怵惕心虑也。此答前问意。技,有本或作枝字者,言是非易夺,枝分叶派也。 【释文】"技系"其绮反。

〔二〕【注】言此皆失其常然也。 【疏】猿狙,狝猴也。执捉狐狸之狗,多遭系颈而猎,既不自在,故成愁思。猿猴本居山林,逶迤放旷,为(挑)〔跳〕攫便捷,故失其常处。狸,有本作貚者,竹鼠也。 【释文】"执留"如字。本又作(狸)〔貚〕,音同。一本作(留)〔狸〕②,亦如字。司马云:貚③,竹鼠也。一云:执留之狗,谓有能故被留系,成愁思也。○家世父曰:释文,留如字,一本作狸,司马云,狸,竹鼠也。疑狸不当为鼠。秋水篇骐骥骅骝一日而驰千里,捕鼠不如狸狌,非鼠可知。如司马说,字当作𪕝。说文:𪕝,竹鼠也。埤雅:一名竹𪕝。郭璞山海经注其音如留牛,亦引此文执留之狗为证,则此本作留。然山海经自谓留牛,此自谓竹鼠,亦未宜混而一之。司马一云,执留之狗,谓有能故被留系。说文:留,止也,谓系而止之。熟玩文义,言狗留系思,脱然以去。猿狙之在山林,号为便捷矣,而可执之以来,皆失其性者也。于执狸之说无取,当从司马后说。"猿"音袁。"狙"七徐反。"之便"婢面反,徐扶面反。司马云:言便捷见捕。

〔三〕【注】首趾,犹始终也。无心无耳,言其自化。 【疏】若,而,皆汝也。首趾,终始也。理绝言辩,故不能闻言也。又不可以心虑知,耳根听,故言无心无耳也。凡有识无情,皆曰终始,故言众也。咸不能以言说,悉不可以心知,汝何多设猿狙之能,高张悬寓之辩,令物效己,岂非过乎!

〔四〕【注】言有形者善变,不能与无形无状者并存也。故善治道者,不以故自持也,将顺日新之化而已。 【疏】有形者,身也;无形者,心也。汝言心与身悉存,我以理观照,尽见是空也。

〔五〕【注】此言动止死生,盛衰废兴,未始有恒,皆自然而然,非其所用而然,故放之而自得也。 【疏】时有动静,物有死生,事有兴废,此六者,自然之理,不知所以然也。岂关人情思虑,仿效能致哉!但任而顺(之)物之自当也。

〔六〕【注】不在乎主自用。 【疏】人各(有)率性而动,天机自张,非(犹)〔由〕主教。

〔七〕【注】天物皆忘,非独忘己,复何(所)④有哉? 【疏】岂惟物务是空,抑亦天理非有。唯事与理,二种皆忘,故能造乎非有非无之至也。 【释文】"复何"扶又反。

〔八〕【注】人之所不能忘者,己也,己犹忘之,又奚识哉!斯乃不识不知而冥于自然。 【疏】入,会也。凡天下难忘者,己也,而己尚能忘,则天下有何物足存哉!是知物我兼忘者,故冥会自然之道也。○家世父曰:有首有趾,人物之所同也;无心而不能虑事,若鸟兽是也;无耳而不能闻声,若虫鱼是也。其动止,其死生,其废起,一皆天地之化机也。化机之在天地,不穷于物,无形无状,推移动荡天地之中者,皆化机也。而有治在人,人其多事矣乎!强物以从治,不如忘己而听诸物之适然也。○庆藩案,此言唯忘己之人能与天合德也。管子白心篇尹注:天地,忘形者也。能效天地者,其唯忘己乎! 与此同意。

〔校〕①赵谏议本留作狸。②貍字狸字依释文本改。③世德堂本作狸,此依释文原本。④所字依赵本删。

将间葂见季彻曰:"鲁君谓葂也曰:'请受教。'辞不获命,既已告矣,未知中否,请尝荐之〔一〕。吾谓鲁君曰:'必服恭俭,拔出公忠之属而无阿私,民孰敢不辑〔二〕!'"

〔一〕【疏】荐,献也。蒋间及季,姓也。葂,彻,名也。此二贤未知何许人也,未详所据。鲁君,鲁侯也,伯禽之后,未知的是何公。鲁公见葂,请受治国之术,虽复辞不得免君之命,遂告鲁君为政之道。当时率尔,恐不折中,敢陈所告,试献吾贤。必不宜,幸希针艾。 【释文】"将"一本作蒋。"间"力於反。"葂"字亦作莬,音免,又音晚,郭音问。将间葂,人姓名也。一云:姓将间,名莬。或云:姓蒋,名间葂也。"季彻"人姓名也,盖季氏之族。"鲁君"或云:定公。"知中"丁仲反。

〔二〕【疏】阿,曲也。孰,谁也。辑,和也。夫为政之道,先须躬服恭敬,俭素清约,然后拔擢公平忠节之人,铨衡质直无私之士,献可替否,共治百姓,则蕃境无虞,域中清谧,民歌击壤,谁敢不和! 【释文】"不辑"音集。尔雅云:和也。又侧立反。郭思鱼反。

季彻局局然笑曰:"若夫子之言,于帝王之德,犹螳螂之怒臂以当车轶,则必不胜任矣[一]。且若是,则其自为处危,其观台[二]多,物将往[三],投迹者众[四]。"

〔一〕【注】必服恭俭,非忘俭而俭也;拔出公忠,非忘忠而忠也。故虽无阿私,而不足以胜矫诈之任也。 【疏】局局,俯身而笑也。夫必能恭俭,拔出公忠,此皆伪情,非忘淡者也。故以此言为南面之德,何异乎螳螂怒臂以敌车辙!用小拟大,故不能任也。 【释文】"局局"其玉反。一云:大笑之貌。"螳螂"音堂郎。"车轶"音辙。○庆藩案,释文轶音辙,是也。辙,车辙也。古辙字通作轶。战国策车轶之所至,注:轶,音辙。(说文无辙篆,辙即徹也。)史记文帝纪结轶于道,注亦音辙。汉书文帝纪作结辙,是其证。"不胜"音升。注同。

〔二〕【注】此皆自处高显,若台观之可睹也。 【疏】夫恭俭公忠,非能忘淡,适自显耀以炫众。人既高危,必遭隳败,犹如台观峻耸,处置危县,虽复行李观见,而崩毁非久。 【释文】"自为遽"其据反。本又作处。○卢文弨曰:今本作处。"观台"古乱反。注同。

〔三〕【注】将使物不止于本性之分,而矫跂自多以附之。 【疏】观台高迥,人竞观之,立行自多,物争归凑。○家世父曰:观台多,言使民观象受法,其事繁也。郭象以危其观台断句,恐误。

〔四〕【注】亢足投迹,不安其本步也。 【疏】显耀动物,物不安分,故举足投迹,企踵者多也。

蒋闾葂觑觑然惊曰:"葂也汒若于夫子之所言矣[一]。

虽然,愿先生之言其风也〔二〕。”

〔一〕【疏】觑觑,惊貌也。汒,无所见也。乍闻高议,率尔惊悚,思量不悟,所以汒然矣。 【释文】“觑觑”许逆反,又生责反。或云:惊惧之貌。“汒若”本或作芒,武刚反,郭武荡反。

〔二〕【疏】风,教也。我前所陈,深为乖理,所愿一言,庶为法教。○俞樾曰:风当读为凡,犹云言其大凡也。风本从凡声,故得通用。

季彻曰:“大圣之治天下也,摇荡民心,使之成教易俗,举灭其贼心而皆进其独志,若性之自为,而民不知其所由然〔一〕。若然者,岂兄尧舜之教民,溟涬然弟之哉〔二〕?欲同乎德而心居矣〔三〕。”

〔一〕【注】夫志各有趣,不可相效也。故因其自摇而摇之,则虽摇而非为也;因其自荡而荡之,则虽荡而非动也。故其贼心自灭,独志自进,教成俗易,闷然无迹,履性自为而不知所由,皆云我自然矣。(举,皆也)①。 【疏】夫圣治天下,大顺群生,乘其自摇而作法,因其自荡而成教;是以教成而迹不显,俗易而物不知,皆除灭其贼害之心,而进修独化之志。不动于物,故若性之自为;率性而动,故不知其所由然也。举,皆也。 【释文】“举灭”举,皆也。“闷然”音门。

〔二〕【注】溟涬,甚贵之谓也。不肯多谢尧舜而推之为兄也。 【疏】溟涬,甚贵之谓也。若前方法,以教苍生,则治合淳古,物皆得性,讵须独贵尧舜而推之为兄邪!此意捐让之风,不让唐虞矣。 【释文】“岂兄”元嘉本作岂足。“溟”亡顶反。“涬”户顶反。

〔三〕【注】居者,不逐于外也,心不居则德不同也。 【疏】居,安定之谓也。夫心驰分外,则触物参差;虚夷静定,则万境唯一。故境之异同,在心之静乱耳。是以欲将尧舜同德者,必须定居其心也。

〔校〕①举皆也三字系释文误入,依赵谏议本删。

子贡南游于楚,反于晋,过汉阴,见一丈人方将为圃畦,凿隧而入井,抱瓮而出灌,搰搰然用力甚多而见功寡。〔一〕子贡曰:"有①械于此,一日浸百畦,用力甚寡而见功多,夫子不欲乎〔二〕?"

〔一〕【疏】水南曰阴,种蔬曰圃,垎中曰畦。隧,地道也。搰搰,用力貌也。丈人,长者之称也。子贡南游荆楚之地,涂经汉水之阴,遂与丈人更相泛答。其抑扬词调,具在文中。庄子因托二贤以明称混沌。 【释文】"圃"布户反,又音布,园也。李云:菜蔬曰圃。"畦"(口)〔户〕②圭反,李云:垎中曰畦。说文云:五十亩曰畦。"隧"音遂。李云:道也。"瓮"乌送反。字亦作瓮。"搰搰"苦骨反,徐李苦滑反,郭忽滑反。用力貌。一音胡没反。

〔二〕【疏】械,机器也。子贡既见丈人力多而功少,是以教其机器,庶力少功多。辄进愚诚,未知欲否? 【释文】"有械"户戒反。字林作械③。李云:器械也。"浸"子鸩反。司马云:灌也。

〔校〕①阙误引张君房本有下有机字。②户字依世德堂本及释文原本改。③械疑搣字之误。

为圃者卬①而视之曰:"奈何〔一〕?"曰:"凿木为机,后重前轻,挈水若抽,数如泆汤,其名为②槔〔二〕。"为圃者忿然作色而笑曰:"吾闻之吾师,有机械者必有机事,有机事者必有机心。机心存于胸中,则纯白不备;纯白不备,则神生不定;神生不定者,道之所不载也。吾非不知,羞而不为也〔三〕。"

〔一〕【疏】柰何,犹如何,(谓)〔请〕其方法也。　【释文】"卬而"音仰。本又作仰。

〔二〕【疏】机,关也。提挈其水,灌若抽引,欲论数疾,似泆汤之腾沸,前轻后重,即今之所用桔槔也。　【释文】"挈水"口节反。"若抽"敕留反。李云:引也。司马崔本作流。"数如"所角反,徐所录反。"泆汤"音逸。本或作溢。李云:疾速如汤沸溢也。司马本作佚荡,亦言其往来数疾如佚荡。佚荡,唐佚也。"槔"本又作桥,或作皋,同。音羔,徐居桥反。司马李云:桔槔也。

〔三〕【注】夫用时之所用者,乃纯备也。斯人欲修纯备,而抱一守古,失其旨也。　【疏】夫有机关之器者,必有机动之务;有机动之务者,必有机变之心。机变存乎胸府,则纯粹素白不圆备矣。纯粹素白不圆备,则精神县境,生灭不定。不定者,至道不载也,是以羞而不为。此未体真修,故抱一守白者也。　【释文】"吾师"谓老子也。

〔校〕①赵谏议本卬作仰。②阙误引张君房本为作桔。

子贡瞒然惭,俯而不对〔一〕。

〔一〕【疏】瞒,羞作之貌也。既失所言,故不知何答也。　【释文】"瞒"武版反,又亡安反。字林云:目眦平貌。李〔作悗〕天典反,惭貌。一音门,又亡干反。司马本作忨,音武。崔本作抚。

有间,为圃者曰:"子奚为者邪〔一〕?"

〔一〕【疏】有间,俄顷也。奚,何也。问子贡:"汝是谁门徒? 作何学业?"

曰:"孔丘之徒也〔一〕。"

〔一〕【疏】答,宣尼之弟子也。○庆藩案,一切经音义二十五引司马
云:徒,弟子也。释文阙。

为圃者曰:"子非夫博学以拟圣,於于以盖众,独弦哀
歌以卖名声于天下者乎〔一〕?汝方将忘汝神气,堕汝形骸,
而庶几乎〔二〕!而身之不能治,而何暇治天下乎!子往矣,
无乏吾事〔三〕!"

〔一〕【疏】於于,佞媚之谓也。言汝博学赡闻,拟似圣人,谄曲佞媚,
以盖群物;独坐弦歌,抑扬哀叹,执斯圣迹,卖彼名声,历聘诸
国,遍行天下。 【释文】"於于"并如字。本或作唹吁,音同。
司马云:夸诞貌。一云:行仁恩之貌。"以盖众"司马本盖作善。
○家世父曰:应帝王,其卧徐徐,其觉于于。说文:于,於也,象气
之舒。是於于字同,於于,犹于于也。

〔二〕【注】不忘不堕,则无庶几之道。 【疏】几,近也。汝忘遗神气,
堕坏形骸,身心既忘,而后庶近于道。 【释文】"堕"许规反。

〔三〕【疏】而,汝也。乏,阙也。夫物各自治,则天下理矣;以己理物,
则大乱矣。如子贡之德,未足以治身,何容应聘天下!理宜速
往,无废吾业。 【释文】"无乏"乏,废也。

子贡卑陬失色,顼顼然不自得,行三十里而后愈〔一〕。

〔一〕【疏】卑陬,惭怍之貌。顼顼,自失之貌。既被诋诃,颜色自失,
行三十里,方得复常。 【释文】"卑陬"走侯反,徐侧留反。李
云:卑陬,愧惧貌。一云:颜色不自得也。"顼顼"本又作旭旭,
许玉反。李云:自失貌。

其弟子曰:"向之人何为者邪?夫子何故见之变容失

色,终日不自反邪?〔一〕"

〔一〕【疏】反,复也。子贡之门人谓赐为夫子也。"向见之人,修何艺
　　业,遂使先生一睹,容色失常,竟日崇朝,神气不复?"门人怪之,
　　所以致问。　【释文】"向之"许亮反。本又作乡,音同。后
　　仿此。

曰:"始吾以为天下一人耳〔一〕,不知复有夫人也〔二〕。
吾闻之夫子,事求可,功求成。用力少,见功多者,圣人之
道。〔三〕今徒不然。执道者德全,德全者形全,形全者神全。
神全者,圣人之道也。托生与民并行而不知其所之,汒乎
淳备哉! 功利机巧必忘夫人之心。〔四〕若夫人者,非其志不
之,非其心不为。虽以天下誉之,得其所谓,謷然不顾;以
天下非之,失其所谓,傥然不受。天下之非誉,无益损焉,
是谓全德之人哉! 我之谓风波之民。〔五〕"

〔一〕【注】谓孔丘也。

〔二〕【疏】昔来禀学,宇内唯夫子一人;今逢丈人,道德又更深远,所
　　以卑惭不能自得也。既未体乎真假,实谓贤乎仲尼也。　【释
　　文】"复有"扶又反。"夫人"音符。下夫人同。

〔三〕【注】圣人之道,即用百姓之心耳。　【疏】夫事以适时为可,功
　　以能遂为成。故力少而见功多者,则是适时能遂之机。子贡述
　　昔时所闻,以为圣人之道。

〔四〕【注】此乃圣王之道,非夫人道也。子贡闻其假修之说而服之,
　　未知纯白者之同乎世也。　【疏】今丈人问余,则不如此。言执
　　持道者则德行无亏,德全者则形不亏损,形全者则精神专一。
　　神全者则寄迹人间,托生同世,虽与群物并行,而不知所往,芒

昧深远,不可测量。故其操行淳和,道德圆备,不可以此功利机巧语其心也。斯乃圣人之道,非假修之术。<u>子贡</u>未悟,妄致斯谈。 【释文】"汒乎"莫刚反。"之心"心,或作道。

〔五〕【注】此<u>宋荣子</u>之徒,未足以为全德。<u>子贡</u>之迷没于此人,即若<u>列子</u>之心醉于<u>季咸</u>也。 【疏】謷〔是〕诞慢之容,儻是无心之貌。丈人志气淳素,不任机巧,心怀寡欲,不务有为。纵令举世赞誉,称为(斯)〔有〕德,知为无益,曾不顾盼;举世非毁,声名丧失,达其无损,都不领受;既毁誉不动,可谓全德之人。夫水性虽澄,逢风波起,我心不定,类彼波澜,故谓之风波之民也。<u>郭</u>注云,此<u>宋荣子</u>之徒,未足以为全德。<u>子贡</u>之迷没于此人,即若<u>列子</u>之心醉于<u>季咸</u>。 【释文】"誉之"音馀,下同。"謷然"五羔反。<u>司马</u>本作警。"儻然"本亦作黨。<u>司马</u>本作偒,同。勅荡反,<u>郭</u>吐更反。

反于<u>鲁</u>,以告<u>孔子</u>。<u>孔子</u>曰:"彼假修<u>浑沌氏</u>之术者也〔一〕:识其一,不知其二〔二〕;治其内,而不治其外〔三〕。夫明白入素,无为复朴,体性抱神,以游世俗之间者,汝将固惊邪〔四〕?且<u>浑沌氏</u>之术,予与汝何足以识之哉〔五〕!"

〔一〕【注】以其背今向古,羞为世事,故知其非真浑沌也。 【疏】<u>子贡</u>自<u>鲁</u>适<u>楚</u>,反归于<u>鲁</u>,以其情事,咨告<u>孔子</u>。夫浑沌者,无分别之谓也。既背今向古,所以知其(不)〔非〕真<u>浑沌氏</u>之术也。 【释文】"浑"胡本反。"沌"徒本反。"背今"音佩。

〔二〕【注】徒识修古抱灌之朴,而不知因时任物之易也。 【疏】识其一,谓〔向〕古而不移也。不知其二,谓不能顺今而适变。 【释文】"之易"以豉反。

〔三〕【注】夫真浑沌,都不治也,岂以其外内为异而偏有所治哉!

【疏】抱道守素,治内也;不能随时应变,不治外也。

〔四〕【注】此真浑沌也,故与世同波而不自失,则虽游于世俗而泯然无迹,岂必使汝惊哉! 【疏】夫心智明白,会于质素之本;无为虚淡,复于淳朴之原。悟真性而抱精淳,混嚣尘而游世俗者,固当江海苍生,林薮万物,鸟兽不骇,人岂惊哉! 而言汝将固惊者,明其(必)不〔必〕惊也。○俞樾曰:固读为胡。胡固皆从古声,故得通用。汝将胡惊邪,言汝与真浑沌遇则不惊也。郭注曰,故与世同波而不自失,则虽游于世俗而泯然无迹,岂必使汝惊哉! 正得其意。古书胡字或以故字为之。管子侈靡篇,公将有行,故不送公,墨子尚贤中篇,故不察尚贤为政之本也,皆以故为胡之证。礼记哀公问篇郑注曰:固,犹故也。是以固为胡,犹以故为胡矣。

〔五〕【注】在彼为彼,在此为此,浑沌玄同,孰识之哉? 所识者常识其迹耳。 【疏】夫浑沌无心,妙绝智虑,假令圣贤特达,亦何足识哉! 明恍惚深玄,故推之于情意之表者也。

谆芒将东之大壑,适遇苑风于东海之滨〔一〕**。苑风曰:**
"子将奚之〔二〕**?"**

〔一〕【疏】谆,淳也。苑,小风也,亦言是扶摇大风也。滨,涯;大壑,海也。谆芒苑风,皆寓言也。庄生寄此二人,明于大道,故假为宾主,相值海涯。 【释文】"谆"郭之伦反,又述伦反。"芒"本或作汇,武刚反。李云:望之谆谆,察之芒芒,故曰谆芒。一云:姓名也。或云:雾气也。"大壑"火各反。李云:大壑,东海也。"苑风"本亦作宛。徐於阮反。李云:小貌,谓游世俗也。一云:苑风,人姓名。一云:扶摇大风也。"之滨"音宾。○庆藩案,释文苑亦作宛,苑宛字同也。淮南俶真篇形苑而神壮,高诱注:苑,枯病也,苑读南阳宛之宛。

〔二〕【疏】奚,何也。之,往也。借问谆芒,有何游往。

曰:"将之大壑〔一〕。"

〔一〕【疏】欲往东海。

曰:"奚为焉〔一〕?"

〔一〕【疏】又问何所求访。

曰:"夫大壑之为物也,注焉而不满,酌焉而不竭。吾将游焉〔一〕。"

〔一〕【疏】夫大海泓宏,深远难测,百川注之而不溢,尾闾泄之而不乾。以譬至理,而其义亦然。故虽寄往沧溟,实乃游心大道也。　【释文】"酌焉"一本作取焉。

苑风曰:"夫子无意于横目之民乎? 愿闻圣治〔一〕。"

〔一〕【疏】五行之内,唯民横目,故谓之横目之民。且谆芒东游,临于大壑,观其深远,而为治方。苑风既察此情,因发斯问:"夫子岂无意于黔首? 愿闻圣化之法也。"　【释文】"横目之民"李云:裸虫之属,欲令其治之也。"愿闻"本或依司马本作问,下同。"圣治"直吏反。下皆同。

谆芒曰:"圣治乎? 官施而不失其宜,拔举而不失其能〔一〕,毕见其情事而行其所为〔二〕,行言自为而天下化〔三〕,手挠顾指,四方之民莫不俱至,此之谓圣治〔四〕。"

〔一〕【疏】施令设官,取得宜便,拔擢荐举,不失才能。如此则天下太平,彝伦攸叙,圣治之术,在乎兹也。　【释文】"官施"始支反,又始智反。司马云:施政布教,各得其宜。

〔二〕【注】皆因而任之。 【疏】夫所乘舛，事业多端，是以步骤殊时，浇淳异世。故治之者莫先任物，必须睹见其情事而察其所为，然后顺物而行，则无不当也。

〔三〕【注】使物为之，则不化也。 【疏】所有施行之事，教令之言，咸任物自为，而不使物从己。如此，则宇内苍生自然从化。

〔四〕【注】言其指麾顾眄而民各至其性也，任其自为故。 【疏】挠，动也。言动手指挥，举目顾眄，则四方款附，万国来朝。圣治功能，其义如是。有本作颐字者，言用颐指挥，四方皆服。此中凡有三人：一圣，二德，三神。以上圣治，以下次列德神二人。

【释文】"手挠"而小反，又而了反。司马云：动也。一云：谓指麾四方也。"顾指"如字。向云：顾指者，言指麾顾（眄）〔盼〕①而治也。或音颐。本亦作颐，以之反，谓举颐指挥也。〇庆藩案，手挠顾指，二义对文。注指麾承手挠言，顾盼承顾指言，故疏以动手举目分释四字。如向云顾指者言指麾顾盼，失其义矣。顾指，目顾其人而指使之。左思吴都赋搴旗若顾指，刘逵注：谓顾指如意。此言顾指，与汉书贡禹传目指气使同义。（师古注曰：动目以指物，出气以使人。）

〔校〕①盼字依释文原本改。

"愿闻德人〔一〕。"

〔一〕【疏】前之圣治，已蒙敷释；德人之义，深所愿闻。

曰："德人者，居无思，行无虑〔一〕，不藏是非美恶〔二〕。四海之内共利之之谓悦，共给之之为安〔三〕；怊乎若婴儿之失其母也，傥乎若行而失其道也〔四〕。财用有馀而不知其所自来，饮食取足而不知其所从，此谓德人之容〔五〕。"

〔一〕【注】率自然耳。 【疏】妙契道境，得无所得，故曰德人。德人凝神端拱,寂尔无思,假令应物行化,曾无谋虑。

〔二〕【注】无是非于胸中而任之天下。　【疏】怀道抱德,物我俱忘,岂容蕴蓄是非,包藏善恶邪!　【释文】"美恶"乌路反。

〔三〕【注】无自私之怀也。　【疏】夫德人惠泽弘博,遍覃群品,故货财将四海共同,资给与万民无别,是〔以〕普天庆悦,率土安宁。○庆藩案,谓悦与为安对文。谓,犹为也。古谓为字同义互用。

〔四〕【疏】夫婴儿失母,心怊怅而无所依;行李迷途,神怳莽而无所据。用斯二事,以况德人也。　【释文】"怊乎"音超。字林云:怅也。徐尺遥反,郭音条。"怳乎"敕党反。司马本作傺。

〔五〕【注】德者,神人迹也,故曰容。　【疏】寡欲止分,故财用有馀;不贪滋味,故饮食取足;性命无求,故不知所从来也。都结前义,故云德之容。　【释文】"德人之容"羊凶反。或云:依注当作客。

"愿闻神人〔一〕。"

〔一〕【注】愿闻所以迹也。　【疏】德者,神人之迹耳,愿闻所以迹也。

曰:"上神乘光,与形灭亡〔一〕,此谓照旷〔二〕。致命尽情,天地乐而万事销亡〔三〕,万物复情,此之谓混冥〔四〕。"

〔一〕【注】乘光者乃无光。　【疏】乘,用也。光,智也。上品神人,用智照物,虽复光如日月,即照而亡,隳体黜聪,心形俱遣,是故与形灭亡者也。

〔二〕【注】无我而任物,空虚无所怀者,非闇塞也。　【疏】智周万物,明逾三景,无幽不烛,岂非旷远!

〔三〕【注】情尽命至,天地乐矣。事不妨乐,斯无事矣。　【疏】穷性命之致,尽生化之情,故寄天地之间而未尝不逍遥快乐。既达物我虚幻,是以万事销亡。　【释文】"天地乐"音洛。注同。

"销亡"徐音消。

〔四〕【注】情复而混冥无迹也。　【疏】夫忘照而照,照与三景高明;忘生而生,生将二仪并乐。故能视万物之还原,睹四生之复命,是以混沌无分而冥同一道也。　【释文】"混冥"胡本反。

门无鬼与赤张满稽观于武王之师〔一〕。赤张满稽曰:"不及有虞氏乎! 故离此患也〔二〕。"

〔一〕【疏】门与赤张,姓也。无鬼,满稽,名也。二千五百人为师,师,众也。武王伐纣,兵渡孟津,时则二人共观。　【释文】"门无鬼"司马本作无畏,云:门,姓;无畏,字也。"赤张满"本或作蒲。"稽"古兮反。李云:门、赤张,氏也。无鬼、满稽,名也。

〔二〕【疏】离,遭也。虞舜以揖让御时,武王以干戈济世。而揖让干戈,优劣悬隔。以斯商度,至有不及之言。而兵者不祥之器,故遭残杀之祸也。

门无鬼曰:"天下均治而有虞氏治之邪? 其乱而后治之与〔一〕?"

〔一〕【注】言二圣俱以乱故治之,则揖让之与用师,直是时异耳,未有胜负于其间也。　【疏】均,平也。若天下太平,物皆得理,则何劳虞舜作法治之! 良由尧年将减,其德日衰,故让重华,令其缉理也。　【释文】"均治"直吏反。下及注均治并同。"之与"音馀。本又作邪。"复何"扶又反。下章注同。

赤张满稽曰:"天下均治之为愿,而何计以有虞氏为〔一〕! 有虞氏之药疡也〔二〕,秃而施髢,病而求医〔三〕。孝子操药以修慈父,其色燋然,圣人羞之①〔四〕。

399

〔一〕【注】均治则愿各足矣,复何为计有虞氏之德而推以为君哉!许无鬼之言是也。　【疏】宇内清夷,志愿各足,则何须计有虞氏之德而推之为君!此领悟无鬼之言,许其有理也。

〔二〕【注】天下皆患创乱,故求虞氏之药。　【疏】疡,头疮也。夫身上患创,故求医疗,亦犹世逢纷扰,须圣人治之。是以不病则无医,不乱则无圣。　【释文】"疡"音羊。李云:头创也。言创以喻乱,求虞氏药治之。司马云:疕疡也。○王引之曰:乐,古读曜,(说见唐韵正。)声与疗相近。方言:愮,疗治也。江湘郊会谓医治之曰愮,或曰疗。注:愮,音曜。与药古字通。故申鉴俗嫌篇云:药者,疗也。襄三十一年左传不如吾闻而药之也。家语正论篇同,王肃注:药,疗也。诗大雅板篇,不可救药,韩诗外传药作疗。药疗字,古同义通用。"患创"初良反。

〔三〕【疏】鬈发如云,不劳施髢;幸无疾恙,岂假医人!是知天下清平,无烦大圣。此之二句,总结前旨也。　【释文】"秃"吐木反。"髢"大细反。司马云:髲也。又吐帝反。郭②音毛。李云:髢,发也。

〔四〕【注】明治天下者,非以为荣。　【疏】操,执也。修,理也。燋然,憔悴貌。夫孝子之治慈父,既不伐其功绩;圣人之救祸乱,岂务矜以荣显!事不得已,是故羞之。　【释文】"操药"七刀反。"燋然"将遥反,又音樵。

400　〔校〕①阙误引张君房本羞之作所羞也。②郭下疑脱作髦二字。

　　至德之世,不尚贤〔一〕,不使能〔二〕;上如标枝〔三〕,民如野鹿〔四〕;端正而不知以为义,相爱而不知以为仁〔五〕,实而不知以为忠,当而不知以为信〔六〕,蠢动而相使,不以为赐〔七〕。是故行而(为)〔无〕①迹〔八〕,事而无传〔九〕。"

〔一〕【注】贤当其位,非尚之也。 【疏】夫不肖与贤,各当其分,非尚之以别贤。

〔二〕【注】能者自为,非使之也。 【疏】巧拙习性,不相夸企,非尚而使之。

〔三〕【注】出物上而不自高也。 【疏】君居民上,恬淡虚忘,犹如高树之枝,无心荣贵也。 【释文】“如标”方小反,徐方遥反,又方妙反。言树杪之枝无心在上也。“校”胡孝反,李音较。一本作枝。○卢文弨曰:今本校作枝。

〔四〕【注】放而自得也。 【疏】上既无为,下亦淳朴,譬彼野鹿,绝君王之礼也。

〔五〕【疏】端直其心,不为邪恶,岂识裁非之义!率乎天理,更相亲附,宁知偏爱之仁者也!

〔六〕【注】率性自然,非由知也。 【疏】率性成实,不知此实为忠;任真当理,岂将此当为信!

〔七〕【注】用其自动,故动而不谢。 【疏】赐,蒙赖也。蠢动之物,即是精爽之类,更相驱使,理固自然。譬彼股肱,方兹耳目,既无心于为造,岂有情于蒙赖!无为理物,其义亦然。 【释文】“蠢”郭处允反,动也。

〔八〕【注】(王)〔主〕②能任其自行,故无迹也。 【疏】君民淳朴,上下和平,率性而动,故无迹之可记。

〔九〕【注】各止其分,故不传教于彼也。 【疏】方之首足,各有职司,止其分内,不相传习。迹既昧矣,事亦灭焉。 【释文】“无传”丈专反。

〔校〕①无字依宋本及各本改。②主字依道藏本改。

孝子不谀其亲，忠臣不谄其君，臣子之盛也〔一〕。亲之所言而然，所行而善，则世俗谓之不肖子；君之所言而然，所行而善，则世俗谓之不肖臣。而未知此其必然邪〔二〕？世俗之所谓然而然之，所谓善而善之，则不谓之道①谀之人也。然则俗故严于亲而尊于君邪〔三〕？谓己道人，则勃然作色；谓己谀人，则怫然作色〔四〕。而终身道人也，终身谀人也〔五〕，合譬饰辞聚众也，是终始本末不相②坐〔六〕。垂衣裳，设采色，动容貌，以媚一世，而不自谓道谀，与夫人之为徒，通是非，而不自谓众人，愚之至也〔七〕。知其愚者，非大愚也；知其惑者，非大惑也。大惑者，终身不解；大愚者，终身不灵〔八〕。三人行而一人惑，所适者犹可致也，惑者少也；二人惑则劳而不至，惑者胜也。而今也以天下惑，予虽有祈嚮，不可得也。不亦悲乎〔九〕！

〔一〕【疏】善事父母为孝。谀，伪也。谄，欺也。不以正求人谓之谄。为臣为子，事父事君，不谄不谀，尽忠尽孝，此乃臣子之盛德也。　　【释文】"不谀"羊朱反，郭贻附反。"不谄"敕检反。

〔二〕【注】此直违俗而从君亲，故俗谓不肖耳，未知至当正在何许。　　【疏】不肖，犹不似也。君父言行，不择善恶，直致随时，曾无谏争之心，故世俗之中，实为不肖，未知正理的在何许也。　　【释文】"不肖"音笑。

〔三〕【注】言俗不为尊严于君亲而从俗，俗不谓之谄，明尊严不足以服物，则服物者更在于从俗也。是以圣人未尝独异于世，必与时消息，故在皇为皇，在王为王，岂有背俗而用我哉！　　【疏】严，敬也。此明违从不定也。世俗然善，则谏争是也。夫违俗从亲,谓之道谀,而违亲从俗,岂非诣佞耶!且有逆有顺,故见是见非,而违顺既空,未知正在何处,又违亲从俗,岂谓尊严君父! 【释文】"之道"音导。下同。○庆藩案,道人即诣人也。渔父篇曰,希意道言谓之诣,道与诣同义。荀子不苟篇非诣谀也,贾子先醒篇君好诣谀而恶至言,韩诗外传并作道谀。诣与道,声之转。"岂有背"音佩。

〔四〕【注】世俗遂以多同为正,故谓之道谀,则作色不受。 【释文】"则勃"步忽反。"谓己谀人"本又作众人。下同。司马云:众人,凡人也。"则怫"符弗反,郭敷谓反。

〔五〕【注】亦不问道理,期于相善耳。 【疏】勃,怫,皆嗔貌也。道,达也,谓其诣佞以媚君亲也。言世俗之人,谓己诣佞,即作色而怒,不受其名,而终身道谀,举世皆尔。

〔六〕【注】夫合譬饰辞,应受道谀之罪,而世复以此得人以此聚众亦为从俗者,恒不见罪坐也。 【疏】夫合于譬喻,饰于浮词,人皆竞趋,故以聚众,能保其终始,合其本末;众既从之,故不相罪坐也。譬,本有作璧字者,言合珪璧也。 【释文】"相坐"才卧反。注同。

〔七〕【注】世皆至愚,乃更不可不从。 【疏】黄帝垂衣裳而天下治,上衣下裳,以象天地,红紫之色,间而为彩,用此华饰,改动容貌,以媚一世,浮伪之人,不谓道谀,翻且从君诣佞。此乃与夫流俗之人而徒党,更相彼此,通用是非,自谓殊于众人,可谓愚痴之至。 【释文】"与夫"音符。

〔八〕【注】夫圣人道同而帝王殊迹者,诚世俗之惑不可解,故随而任之。 【疏】解,悟也。灵,知也。知其愚惑者,圣人也。随而任之,故(愚)非〔愚〕惑也。大愚惑者,凡俗也,识闇鄙,触境生迷,所以竟世终身不觉悟也。　【释文】"不解"音蟹,又佳买反。
"不灵"本又作无灵。司马云:灵,晓也。

〔九〕【注】天下都惑,虽我有求向至道之情而终不可得。故尧舜汤
武,随时而已。　【疏】适,往也。致,至也。惑,迷也。祈,求
也。夫三人同行,一人迷路,所往之方,犹自可至,惑少解多故
也;二人迷则神劳而不至,迷胜悟劣故也。今字内皆惑,庄子虽
求向至道之情,无由能致,故可悲伤也。　【释文】"祈嚮"许亮
反。司马云:祈,求也。○俞樾曰:祈字无义。司马云,祈,求也。
则但云予祈嚮足矣。郭注云,虽我有求向至道之情,则又增出
情字,殆皆非也。祈疑所字之误,言天下皆惑,予虽有所向往,
不可得也。祈所字形相似,故误耳。下同。

〔校〕①赵谏议本道作导,下同。②阙误引张君房本相下有罪字。

大声不入于里耳〔一〕,折杨皇荂,则嗑然而笑〔二〕。是
故高言不止于众人之心〔三〕,至言不出,俗言胜也〔四〕。以
二缶锺惑,而所适不得矣〔五〕。而今也以天下惑,予虽有祈
嚮,其庸可得邪〔六〕!知其不可得也而强之,又一惑也,故
莫若释之而不推〔七〕。不推,谁其比忧〔八〕!厉之人夜半生
其子,遽取火而视之,汲汲然唯恐其似己也〔九〕。

〔一〕【注】非委巷之所尚也。　【释文】"大声"司马云:谓咸池六英
之乐也。

〔二〕【注】俗人得啧曲,则同声动笑也。　【疏】大声,谓咸池大韶之
乐也,非下里委巷之所闻。折杨皇华,盖古之俗中小曲也,玩狎
鄙野,故嗑然动容,同声大笑也。昔魏文侯听于古乐,恍焉而
睡,闻郑卫新声,欣然而喜,即其事也。　【释文】"折杨"之列

反。"皇荂"况于反,又抚于反。本又作华,音花。<u>司马</u>本作里华。"嗑然"许甲反。<u>李</u>云:折杨皇华,皆古歌曲也。嗑,笑声也。本又作嗌,乌邂反。<u>司马</u>本作槅。"喷曲"仕责反。本又作嗑。

〔三〕【注】不以存怀。 【疏】至妙之谈,超出俗表,故谓之高言。适可蕴群圣之灵府,岂容止于众人之智乎!大声不入于里耳,高言固不止于众心。

〔四〕【注】此天下所以未曾用圣而常自用也。 【疏】出,显也。至道之言,淡而无味,不入委巷之耳,岂止众人之心!而流俗之言,饰词浮伪,犹如折杨之曲,喜听者多。俗说既其当涂,至言於乎隐蔽,故齐物云,言隐于荣华。

〔五〕【注】各自信据,故不知所之。 【疏】蹢,足也。夫迷方之士,指北为南,而二惑既生,垂脚不行,一人亦无由独进,欲达前所,其可得乎!此复释前惑者也。 【释文】"以二缶锺"缶应作垂,锺应作蹢,言垂脚空中,必不得有之适也。<u>司马</u>本作二垂锺,云:锺,注意也。"所适"<u>司马</u>云:至也。○<u>家世父</u>曰:释文缶应作垂,锺应作蹢,言垂脚空中,必不得有所适也。<u>司马</u>本作二垂锺。今案说文:缶,瓦器也,所以盛酒浆。锺,酒器也。<u>小尔雅</u>:釜二有半谓之薮,薮二有半谓之缶,缶二谓之锺。缶锺皆量器也,缶受四斛,锺受八斛。以二缶锺惑,谓不辨缶锺二者所受多寡也,持以为量,茫乎无所适从矣。上文一人惑,二人惑,据人言之;此以二缶锺惑,据事言之。尽人皆惑,而谁与明之!操量器而惑,不足与定数。举天下之大而皆惑也,谁与举而指之!自分两义。○<u>俞樾</u>曰:二缶锺之文,未知何义。释文云,缶应作垂,锺应作蹢,言垂脚空中,必不得有之适也。此于<u>庄子</u>之意不合。

所适,谓所之也。<u>郭</u>注曰,各自信据,故不知所之,是也。如<u>陆氏</u>说,则以适为适意之适,当云不得其适,不当云所适不得也。今案锺当作踵,而二则一字之误,缶则企字之误。企下从止,缶字俗作𠇍,其下亦从止,两形相似,因致误耳。<u>文选</u>叹<u>逝</u>赋注引<u>字林</u>曰:企,举踵也。<u>一切经音义</u>十五引<u>通俗文</u>曰:举踵曰企。然则企踵犹举踵也。人一企踵,不过步武之间耳,然以一企踵惑,则已不得其所适矣。故下云而今也以天下惑,予虽有所嚮,其庸可得邪! 以天下惑,极言其地之大;以一企踵惑,极言其地之小也。上文二人惑则劳而不至,惑者胜也。而今也以天下惑,予虽有所嚮,不可得也。以天下对二人言,则以人之多寡言;此以天下对一企踵言,则以地之广狭言。一企踵误为二缶锺,则不得其义矣。

〔六〕【疏】夫二人垂踵,所适尚难,况天下皆迷,如何得正! 故虽有求向之心,其用固不可得。此释前不亦悲乎,伤叹既深,所以郑重。

〔七〕【注】即而同之。 【疏】释,放也。迷惑既深,造次难解,而强欲正者,又是一愚,莫若放而不推,则物我安矣。 【释文】"而强"其丈反。下注同。

〔八〕【注】趣(令)〔舍〕①得当时之适,不强推之令解也,则相与无忧于一世矣。 【疏】比,与也。若任物解惑,弃而不推,则彼此逍遥,忧患谁与也! 【释文】"比忧"毗志反。<u>司马</u>本作鼻,云:始也。"趣令"力呈反,下同。"令解"音蟹。

〔九〕【注】厉,恶人也。言天下皆不愿为恶,及其为恶,或迫于苟役,或迷而失性耳。然迷者自思复,而厉者自思善,故我无为而天下自化。 【疏】厉,丑病人。遽,速也。汲汲,匆迫貌。言丑人半夜生子，速取火而看之，情意匆忙，恐其似己。而厉丑恶之甚，尚希改丑以从妍，欲明愚惑之徒，岂不厌迷以思悟耶！释之不推，自无忧患。　【释文】"厉"音赖，又如字。○家世父曰：厉之人夜半生其子，别出一义以收足上意。以己同俗，亦喜俗之同乎己，不知其非也。厉者生子，而惧其似己，于此顾不求同焉，惟自知其厉也。然则其同于俗也，与其强己以同于厉无以异也，而懵然不辨其非，亦唯其不知焉而已。"遽"巨据反。本或作蘧，音同。"汲汲"音急。"苟役"音河。

〔校〕①舍字依赵谏议本改。

百年之木，破为牺尊，青黄而文之，其断在沟中。比牺尊于沟中之断，则美恶有间矣，其于失性一也〔一〕。跖与曾史，行义有间矣，然其失性均也〔二〕。且夫失性有五〔三〕：一曰五色乱目，使目不明〔四〕；二曰五声乱耳，使耳不聪〔五〕；三曰五臭薰鼻，困惾中颡〔六〕；四曰五味浊口，使口厉爽〔七〕；五曰趣舍滑心，使性飞扬〔八〕此五者，皆生之害也〔九〕。而杨墨乃始离跂自以为得，非吾所谓得也〔一〇〕。夫得者困，可以为得乎？则鸠鸮之在于笼也，亦可以为得矣〔一一〕。且夫趣舍声色以柴其内，皮弁鹬冠搢笏绅修以约其外〔一二〕，内支盈于柴栅，外重纆缴，睆睆然在纆缴之中而自以为得，则是罪人交臂历指而虎豹在于囊槛，亦可以为得矣〔一三〕。

〔一〕【疏】牺，刻作牺牛之形，以为祭器，名曰牺尊也。间，别。既削刻为牛，又加青黄文饰，其一断弃之沟渎，不被收用。若将此两断相比,则美恶有殊,其于失丧木性一也。此且起譬也。 【释文】"牺"音羲,又素河反。○庆藩案,毛传曰:牺尊有沙饰(者)〔也〕①。(见诗闷宫篇。)郑司农曰:牺尊饰以翡翠。(见周官司尊彝注。)后郑曰:牺读如沙,(见礼明堂位正义。)刻画凤凰之象于尊,其羽形婆娑然。王念孙引高注淮南俶真篇曰:牺尊,犹疏镂之尊。然则牺尊者,刻而画(昼)〔之〕②为象物之形,在六尊之中,最为华美。故古人言文饰之盛者,独举牺尊。今案或曰有沙饰者,或曰饰以翡翠,或曰刻画凤凰之象于尊,或曰疏镂之尊,说虽不同,其于雕镂之义则一。至阮谌礼图云:牺尊饰以牛,于尊腹之上画为牛之形,则因牺从牛,望文生义矣。"其断"徒乱反。下同。本或作故。

〔二〕【疏】此合譬也。桀跖之纵凶残,曾史之行仁义,虽复善恶之迹有别,而丧真之处实同。

〔三〕【疏】迷情失性,抑乃多端,要且而言,其数有五。

〔四〕【疏】五色者,青黄赤白黑也,流俗耽贪,以此乱目,不能见理,故曰不明也。

〔五〕【疏】五声,谓宫商角徵羽也。淫滞俗声,不能闻道,故曰不聪。

〔六〕【疏】五臭,谓膻薰香鲤腐。慘,塞也,谓刻贼不通也。言鼻耽五臭,故壅塞不通而中伤颡额也。外书呼香为臭也。故易云其臭如兰;道经谓五香,故西升经云香味是冤也。 【释文】"困"如字。本或作悃,音同。"慘"子公反。郭音俊,又素奉反。李云:困慘,犹刻贼不通也。"中"丁仲反。"颡"桑荡反。

〔七〕【疏】五味,谓酸辛甘苦咸也。厉,病;爽,失也。令人著五味,秽浊口根,遂使咸苦成痾,舌失其味,故言厉爽也。 【释文】"浊口"本又作噣,音同。○庆藩案,大雅思齐笺曰:厉,病也。逸周书谥法篇曰:爽,伤也。(广雅同。)使口厉爽,病伤滋味也。(见淮南精神篇。高诱注作爽伤,文子九守篇作使口生创,皆后人妄改。)

〔八〕【疏】趣,取也。滑,乱也。顺心则取,违情则舍,挠乱其心,使自然之性驰竞不息,轻浮躁动,故曰飞扬也。 【释文】"滑心"李音骨。本亦作矞。

〔九〕【疏】总结前之五事,皆是伐命之刀,害生之斧,是生民之巨害也。

〔一〇〕【疏】离跂,用力貌也。言杨朱墨翟,各擅己能,失性害生,以此为得,既乖自然之理,故非庄生之所得也。 【释文】"离"力智(也)〔反〕③。"跂"丘跂反。

〔一一〕【疏】夫仁义礼法约束其心者,非真性者也。既伪其性,则遭困苦。若以此困而为得者,则何异乎鸠鸮之鸟在樊笼之中,俯其自得者也!

〔一二〕【疏】皮弁者,以皮为冠也。鹬者,鸟名也,似鹥,绀色,出郁林;取其翠羽饰冠,故谓之鹬冠。此鸟,知天文者为之冠也。搢,插也。笏,犹珪,谓插笏也。绅,大带也。修,长裙也。此皆以饰朝服也。夫浮伪之徒,以取舍为业,故声色诸尘柴塞其内府,衣冠搢笏约束其外形,背无为之道,乖自然之性,以此为得,何异鸠鸮也! 【释文】"鹬"尹必反,徐音述。本又作鹬,音同,鸟名也。一名翠,似燕,绀色,出郁林,取其羽毛以饰冠。○庆藩案,说文:鹬,知天将雨鸟也。案鹬即翠鸟也。礼记:知天文冠鹬。玉篇、尔雅、释文、汉书五行志,鹬并聿述二音。匡谬正俗曰:案鹬,水鸟,天将雨即鸣,古人以其知天时,乃为象此鸟之形,使掌天文者冠之。鹬,音聿。亦有术音,故礼之衣服图及蔡邕独断谓为術氏冠。亦(音)〔因〕鹬音转为術耳。此释文鹬又作鹬。案汉书舆服志引记曰知天者冠述,说苑修文篇作冠鈌,盖因鹬有述音,故或作鹬,或作述,或作鈌耳。"笏"音忽。"绅"音申,带也。

〔一三〕【疏】支,塞也。盈,满也。栅,笼也。缧缴,绳也。睆睆,视貌也。夫以取舍塞满于内府,故方柴栅;绅搢约束于外形,取譬缴绳。既外内困弊如斯,而自以为得者,则何异有罪之人,交臂历指,以绳反缚也! 又类乎虎豹遭陷,困于囊槛之中,忧危困苦,莫斯之甚,自以为得,何异此乎! 【释文】"柴栅"楚格反,郭音策。"外重"直龙反。"缧"音墨。"缴"音灼,郭古弔反。"睆睆"环版反,又户鳏反。李云:穷视貌。一云:眠目貌。"交臂历指"司马云:交臂,反缚也。历指,犹历楼貌。"槛"户览反。

〔校〕①也字依毛传原文改。②之字依经义述闻改。③依世德堂本及释文原本改。

庄子集释卷五中

外篇天道第十三〔一〕

〔一〕【释文】以义名篇。

　　天道运而无所积,故万物成〔一〕;帝道运而无所积,故天下归〔二〕;圣道运而无所积,故海内服〔三〕。明于天,通于圣,六通四辟于帝王之德者,其自①为也,昧然无不静者矣〔四〕。圣人之静也,非曰静也善,故静也〔五〕;万物无足以铙心者,故静也〔六〕。水静则明烛须眉,平中準,大匠取法焉〔七〕。水静犹明,而况精神! 圣人之心静乎! 天地之鉴也,万物之镜也〔八〕,夫虚静恬淡寂漠无为者,天地之平而道德之至②〔九〕,故帝王圣人休焉〔一〇〕。休则虚,虚则实,实者伦③矣〔一一〕。虚则静,静则动,动则得矣〔一二〕。静则无为,无为也则任事者责矣〔一三〕。无为则俞俞,俞俞者忧患不能处,年寿长矣〔一四〕。夫虚静恬淡寂漠无为者,万物之

411

本也〔一五〕。明此以南乡,尧之为君也;明此以北面,舜之为臣也〔一六〕。以此处上,帝王天子之德也;以此处下,玄圣素王之道也〔一七〕。以此退居而閒游江海,山林之士服〔一八〕;以此进为而抚世,则功大名显而天下一也〔一九〕。静而圣,动而王〔二〇〕,无为也而尊〔二一〕,朴素而天下莫能与之争美〔二二〕。夫明白于天地之德者,此之谓大本大宗,与天和者也〔二三〕;所以均调天下,与人和者也〔二四〕。与人和者,谓之人乐;与天和者,谓之天乐〔二五〕。

〔一〕【疏】运,动也,转也。积,滞也,蓄也。言天道运转,覆育苍生,照之以日月,润之以雨露,鼓动陶铸,曾无滞积,是以四序回转,万物生成也。 【释文】"无所积"积,谓滞积不通。

〔二〕【疏】王者法天象地,运御群品,散而不积,施化无方,所以六合同归,八方款附。

〔三〕【注】此三者,皆恣物之性而无所牵滞也。 【疏】圣道者,玄圣素王之道也。随应垂迹,制法立教,舟航有识,拯济无穷,道合于天,德同于帝,出处不一,故有帝圣二道也。而运智救时,亦无滞蓄,慈造弘博,故海内服也。

〔四〕【注】任其自为,故虽六通四辟而无伤于静也。 【疏】六通,谓四方上下也。四辟者,谓春秋冬夏也。夫唯照天道之无为,洞圣情之绝虑,通六合以生化,顺四序以施为,以此而总万乘,可谓帝王之德也。任物自动,故曰自为;晦迹韬光,其犹昧闇,动不伤寂,故无不静也。 【释文】"六通"谓六气,阴阳风雨晦明。"四辟"毗赤反,谓四方开也。"胅"音妹。〇卢文弨曰:今本作昧。

〔五〕【注】善之乃静,则有时而动也。 【疏】夫圣人(以)〔之〕所以虚静者,直形同槁木,心若死灰,亦不知静之故静也。若以静为善美而有情于为静者,斯则有时而动矣。

〔六〕【注】斯乃自得也。 【疏】妙体二仪非有,万境皆空,是以参变同尘而无喧挠,非由饬励而得静也。 【释文】"铙心"乃孝反,又女交反,一音而小反。

〔七〕【疏】夫水,动则波流,止便澄静,悬鉴洞照,与物无私,故能明烛鬓眉,清而中正,治诸邪枉,可为准的,纵使工倕之巧,犹须仿水取平。故老经云,上善若水。此举喻言之义。 【释文】"中準"丁仲反。○卢文弨曰:今本作准④。"大匠"或云:天子也。

〔八〕【注】夫有其具而任其自为,故所照无不洞明。 【疏】夫圣人德合二仪,智周万物,岂与夫无情之水同日论邪!水静犹明烛鬓眉,况精神圣人之心静乎!是以鉴天地之精微,镜万物之玄赜者,固其宜矣。此合譬也。

〔九〕【注】凡不平不至者,生于有为。 【疏】虚静恬淡寂漠无为,四者异名同实者也。叹无为之美,故具此四名,而天地以此为平,道德用兹为至也。 【释文】"淡"徒暂反。○庆藩案,至与质同。至,实也。礼杂记使某实,郑注:实当为至。史记苏秦传赵得讲于魏,至公子延,索隐曰:至当为质。汉书东方朔传非至数也,师古曰:至,实也。刻意篇正作道德之质。

〔一○〕【注】未尝动也。 【疏】息虑,故平至也。

〔一一〕【注】伦,理也。 【疏】既休虑息心,乃与虚空合德;与虚空合德,则会于真实之道;真实之道,则自然之理也。

〔一二〕【注】不失其所以动。 【疏】理虚静寂,寂而能动,斯得之矣。

〔一三〕【注】夫无为也,则群才万品,各任其事而自当其责矣。故曰巍巍乎舜禹之有天下而不与焉,此之谓也。　【疏】任事,臣也,言臣下各有任职之事也。夫帝王任智,安静无为,则臣下职任,各司忧责。斯则主上无为而臣下有事,故冕旒垂目而不与焉。【释文】"巍巍"鱼归反。"不与"音预。

〔一四〕【注】俞俞然,从容自得之貌。　【疏】俞俞,从容和乐之貌也。夫有为滞境,尘累所以撄其心;无为自得,忧患不能处其虑。俞俞和乐,故年寿长矣。　【释文】"俞俞"羊朱反。广雅云:喜也。又音喻。"从容"七容反。

〔一五〕【注】寻其本皆在不为中来。　【疏】此四句万物根源,故重举前言,结成其(美)〔义〕也。

〔一六〕【疏】夫揖让之美,无出唐虞;君臣之盛,莫先尧舜;故举二君以明四德,虽南面北面,而平至一焉。　【释文】"南乡"许亮反。本亦作嚮。

〔一七〕【注】此皆无为之至也。有其道为天下所归而无其爵者,所谓素王自贵也。　【疏】用此无为而处物上者,天子帝尧之德也;用此虚淡而居臣下者,玄圣素王之道也。夫有其道而无其爵者,所谓玄圣素王,自贵者也,即老君尼父是也。　【释文】"素王"往况反。注同。

〔一八〕【疏】退居,谓晦迹隐处也。用此道而退居,故能游玩山水,从容闲乐,是以天下隐士无不服从,即巢许之流是也。　【释文】"而间"音闲。

〔一九〕【注】此又其次也。故退则巢许之流,进则伊望之伦也。夫无为之体大矣,天下何所不(无)⑤为哉!故主上不为冢宰之任,则伊吕静而司尹矣;冢宰不为百官之所执,则百官静而御事矣;百官不为万民之所务,则万民静而安其业矣;万民不易彼我之所能,则天下之彼我静而自得矣。故自天子以下至于庶人,下及昆虫,孰能有为而成哉!是故弥无为而弥尊也。　【疏】进为,谓显迹出仕也。夫妙体无为而同尘降迹者,故能抚苍生于仁寿,弘至德于圣朝,著莫测之功名,显阿衡之政绩。是以天下大同,车书共轨,尽善尽美,其唯伊望之伦乎!

〔二〇〕【注】时行则行,时止则止。

〔二一〕【注】自然为物所尊奉。　【疏】其应静也,玄圣素王之尊;其应动也,九五万乘之贵;无为也而尊,出则天子,处则素王。是知道之所在,孰敢不贵也!

〔二二〕【注】夫美配天者,唯朴素也。　【疏】夫淳朴素质,无为虚静者,实万物之根本也。故所尊贵,孰能与之争美也!

〔二三〕【注】天地以无为为德,故明其宗本,则与天地无逆也。　【疏】夫灵府明静,神照洁白,而德合于二仪者,固可以宗匠苍生,根本万有,冥合自然之道,与天和也。

〔二四〕【注】夫顺天所以应人也,故天和至而人和尽。　【疏】均,平也。调,顺也。且应感无心,方之影响,均平万有,大顺物情,而混迹同尘,故与人和也。

〔二五〕【注】天乐适则人乐足矣。　【疏】俯同尘俗,且适人世之欢;仰合自然,方欣天道之乐也。　【释文】"人乐"音洛,下同。

〔校〕①阙误引张君房本自下有然字。②阙误引张君房本至下有也字。③阙误引张君房本伦作备。④世德堂本作准,本书依释文改。⑤无字依世德堂本删。

庄子曰:"吾师乎!吾师乎!齑万物而不为戾〔一〕,泽及万世而不为仁〔二〕,长于上古而不为寿〔三〕,覆载天地刻彫众形而不为巧〔四〕,此之谓天乐〔五〕。故曰:'知天乐者,其生也天行,其死也物化[六]。静而与阴同德,动而与阳同波[七]。'故知天乐者,无天怨,无人非,无物累,无鬼责[八]。故曰:'其动也天,其静也地[九],一心定而王天下;其鬼不祟,其魂不疲[一〇],一心定而万物服[一一]。'言以虚静推于天地,通于万物,此之谓天乐[一二]。天乐者,圣人之心,以畜天下也[一三]。"

〔一〕【注】变而相杂,故曰𪉹。自𪉹耳,非吾师之暴戾。　【疏】𪉹,碎也。戾,暴也。庄子以自然至道为师,再称之者,叹美其德。言我所师大道,亭毒生灵,假令𪉹万物,亦无心暴怒,故素秋摇落而凋零者不怨。此明虽复断裁而非义也。　【释文】"𪉹"子兮反。"为戾"力计反,暴也。

〔二〕【注】仁者,兼爱之名耳;无爱,故无所称仁。　【疏】仁者,偏爱之迹也。言大道开阖天地,造化苍生,慈泽无穷而不偏爱,故不为仁。

〔三〕【注】寿者,期之远耳;无期,故无所称寿。　【疏】岂但长于上古,抑乃象帝之先。既其不灭不生,复有何夭何寿也!郭注云,寿者,期之远耳。　【释文】"长于"丁丈反。章末同。

〔四〕【注】巧者,为之妙耳;皆自尔,故无所称巧。　【疏】乘二仪以覆载,取万物以刻彫,而二仪以生化为巧,万物以自然为用。生化既不假物,彫刻岂假他人!是以物各任能,人皆率性,则工拙之名于斯灭矣。郭注云,巧者,为之妙耳。

〔五〕【注】忘乐而乐足。　【疏】所在任适,结成天乐。　【释文】"天乐"音洛。章内同。

〔六〕【疏】既知天乐非哀乐,即知生死无生死。故其生也同天道之四时,其死也混万物之变化也。

〔七〕【疏】妙本虚凝,将至阴均其寂泊;应迹同世,与太阳合其波流。

〔八〕【疏】德合于天,故无天怨;行顺于世,故无人非;我冥于物,故物不累我;我不负幽显,有何鬼责也!

〔九〕【注】动静虽殊,无心一也。　【疏】天地,以结动静无心之义也。

〔一○〕【注】常无心,故王天下而不疲病。　【疏】境智冥合,谓之为一。物不能挠,谓之为定。只为定于一心,故能王于万国。既无鬼责,有何祸祟!动而常寂,故魂不疲劳。　【释文】"而王"往况反。注及下王天同。"祟"虽遂反,徐息类反。李云:祸也。

〔一一〕【疏】一心凝寂者类死灰,而静为躁君,故万物归服。

〔一二〕【注】我心常静,则万物之心通矣。通则服,不通则叛。　【疏】所以一心定而万物服者,只言用虚静之智,推寻二仪之理,通达万物之情,随物变转而未尝不适,故谓之天乐也。

〔一三〕【注】圣人之心所以畜天下者奚为哉?天乐而已。　【疏】夫圣人之所以降迹同凡,合天地之至乐者,方欲畜养苍生,亭毒群品也。　【释文】"畜天"许六反。注同。

夫帝王之德,以天地为宗,以道德为主,以无为为常〔一〕。无为也,则用天下而有馀〔二〕;有为也,则为天下用而不足〔三〕。故古之人贵夫无为也。上无为也,下亦无为也,是下与上同德,下与上同德则不臣;下有为也,上亦有为也,是上与下同道,上与下同道则不主〔四〕。上必无为而用天下,下必有为为天下用,此不易之道也〔五〕。故古之王天下者,知虽落天地,不自虑也〔六〕;辩虽彫万物,不自说也〔七〕;能虽穷海内,不自为也〔八〕。天不产而万物化,地不长而万物育^{〔九〕}，帝王无为而天下功^{〔一〇〕}。故曰莫神于天，莫富于地，莫大于帝王^{〔一一〕}。故曰帝王之德配天地^{〔一二〕}。此^①乘天地，驰万物，而用人群之道也^{〔一三〕}。

〔一〕【疏】王者宗本于天地，故覆载无心；君主于道德，故生而不有；虽复千变万化而常自无为。盛德如此，尧之为君也。

〔二〕【注】有馀者，闲暇之谓也。

〔三〕【注】不足者，汲汲然欲为物用也。欲为物用，故可得而臣也，及其为臣，亦有馀也。　【疏】不足者，汲汲之辞。有馀者，闲暇之谓。言君上无为，智照宽旷，御用区宇，而闲暇有馀；臣下有为，情虑狭劣，各有职司，为君所用，匪懈在公，犹恐不足。是知无为有事，劳逸殊涂。

〔四〕【注】夫工人无为于刻木而有为于用斧，主上无为于亲事而有为于用臣。臣能亲事，主能用臣；斧能刻木而^②工能用斧；各当其能，则天理自然，非有为也。若乃主代臣事，则非主矣；臣秉主用，则非臣矣。故各司其任，则上下咸得而无为之理至矣。

【疏】无为者，君德也；有为者，臣道也。若上下无为，则臣僭君德；上下有为，则君滥臣道。君滥臣道，则非主矣；臣僭君德，岂曰臣哉！于是上下相混，君臣冒乱，既乖天然，必招危祸。故无为之言，不可不察。无为，君也。古之人贵夫无为。郭注此文，甚有辞理。

〔五〕【注】无为之言，不可不察也。夫用天下者，亦有用之为耳。然自得此为，率性而动，故谓之无为也。今之为天下用者，亦自得耳。但居下者亲事，故虽舜禹为臣，犹称有为。故对上下，则君静而臣动；比古今，则尧舜无为而汤武有事。然各用其性而天机玄发，则古今上下无为，谁有为也！　【疏】夫处上为君，则必须无为任物,用天下之才能;居下为臣,亦当亲事有为,称所司之职任,则天下化矣。斯乃百王不易之道。

〔六〕【疏】谓三皇五帝淳古之君也。知照明达,笼落二仪,而垂拱无为,委之臣下,知者为谋,故不自虑也。 【释文】"知虽"音智。下愚知同。

〔七〕【疏】弘辩如流,彫饰万物,而付之司牧,终不自言也。 【释文】"自说"音悦。

〔八〕【注】夫在上者,患于不能无为而代人臣之所司。使咎繇不得行其明断,后稷不得施其播殖,则群才失其任而主上困于役矣。故冕旒垂目而付之天下,天下皆得其自为,斯乃无为而无不为者也,故上下皆无为矣。但上之无为则用下,下之无为则自用也。 【疏】艺术才能冠乎海内,任之良佐而不与焉,夫何为焉哉?玄默而已。故老经云,是谓用人之力。 【释文】"咎"音羔。"繇"音遥。"明断"丁乱反。

〔九〕【注】所谓自尔。 【疏】天无情于生产而万物化生,地无心于长成而万物成育,故郭注云,所谓自然也。

〔一〇〕【注】功自彼成。 【疏】王者同两仪之含育,顺四序以施生,任万物之自为,故天下之功成矣。○王念孙曰:案如郭解,则功下须加成字而其义始明。不知功即成也,言无为而天下成也。(中庸曰,无为而成。)尔雅曰:功,成也。大戴礼盛德篇曰,能成德法者为有功。周官稿人,乃入功于司弓矢及缮人,郑注曰:功,成也。管子五辅篇曰,大夫任官辩事,官长任事守职,士修身功材。功材,谓成材也。荀子富国篇曰,百姓之力,待之而后功,谓待之而后成也。万物化,万物育,天下功,相对为文,是功为成也。

〔一〕【疏】夫日月明晦,云雷风雨,而荫覆不测,故莫神于天。囊括川原,包容岳渎,运载无穷,故莫富于地。位居九五,威跨万乘,日月照临,一人总统,功德之大,莫先王者。故老经云,域中四大,王居其一焉。

〔二〕【注】同乎天地之无为也。 【疏】配,合也。言圣人之德,合天地之无为。

〔三〕【疏】达覆载之无主,是以乘驭两仪;循变化之往来,故能驱驰万物;任黔黎之才,用人群之道也。

〔校〕①世德堂本无此字。②道藏本无而字。

本在于上,末在于下〔一〕;要在于主,详在于臣〔二〕。三军五兵之运,德之末也〔三〕;赏罚利害,五刑之辟,教之末也〔四〕;礼法度数,形名比详,治之末也〔五〕;钟鼓之音,羽旄之容,乐之末也〔六〕;哭泣衰绖,隆杀之服,哀之末也〔七〕。此五末者,须精神之运,心术之动,然后从之者也〔八〕。

〔一〕【疏】本,道德也。末,仁义也。言道德淳朴,治之根本,行于上古;仁义浇薄,治之末叶,行于下代。故云,本在于上,末在于下也。 【释文】"本在于上末在于下"李云:本,天道;末,人道也。

〔二〕【疏】要,简省也。详,繁多也。主道逸而简要,臣道劳而繁冗。繁冗,故有为而奉上;简要,故无为而御下也。

〔三〕【疏】五兵者,一弓,二殳,三矛,四戈,五戟也。运,动也。夫圣明之世,则偃武修文;逮德下衰,则偃文修武。偃文修武,则五兵动乱;偃武修文,则四民安业。德之本末,自此可知也。

〔四〕【疏】赏者,轩冕荣华,故利也。罚者,诛残戮辱,故害也。辟,法也。五刑者,一劓,二墨,三刖,四宫,五大辟。夫道丧德衰,浮伪日甚,故设刑辟以被黎元,既亏理本,适为教末也。 【释文】"之辟"毗赤反。

〔五〕【疏】礼法者,五礼之法也。数者,计算;度〔者〕,丈尺;形者,容仪;名者,字讳;比者,校当;详者,定审。用此等法以养苍生,治乖淳古,故为治末也。 【释文】"比详"毗志反。下同。一音如字,云:比较详审。"治之"直吏反。下治之至、注至治之道同。

〔六〕【疏】乐者,和也。羽者,鸟羽;旄者,兽毛;言采鸟兽之羽毛以饰其器也。夫帝王之所以作乐者,欲上调阴阳,下和时俗也。古人闻乐即知国之兴亡,治世乱世,其音各异。是知大乐与天地同和,非羽毛钟鼓者也。自三代以下,浇浪荐兴,赏郑卫之淫声,弃云韶之雅韵,遂使羽毛文采,盛饰容仪,既非咸池之本,适是濮水之末。

〔七〕【疏】绖者,实也。衰,摧也。上曰(衰)〔服〕,下曰裳。在首在腰,二俱有绖。隆杀者,言礼有斩衰、齐衰、大功、小功、缌麻五等,哭泣衣裳,各有差降。此是教迹外仪,非情发于衷,故哀之末也。 【释文】"衰"音崔。"绖"田结反。"隆杀"所界反。

〔八〕【注】夫精神心术者,五末之本也。任自然而运动,则五事之末不振而自举也。 【疏】术,能也;心之所能,谓之心术也。精神心术者,五末之本也。言此之五末,必须精神心智率性而动,然后从于五事,即非矜矫者也。

末学者,古人有之,而非所以先也〔一〕。君先而臣从,父先而子从,兄先而弟从,长先而少从,男先而女从,夫先而妇从〔二〕。夫尊卑先后,天地之行也,故圣人取象焉〔三〕。天尊,地卑,神明之位也;春夏先,秋冬后,四时之序也〔四〕。

万物化作,萌区有状〔五〕;盛衰之杀,变化之流也〔六〕。夫天地至神①,而有尊卑先后之序,而况人道乎〔七〕!宗庙尚亲,朝廷尚尊,乡党尚齿,行事尚贤,大道之序也〔八〕。语道而非其序者,非其道也〔九〕;语道而非其道者,安取道②〔一〇〕!

〔一〕【注】所以先者本也。　【疏】古之人,谓中古人也。先,本也。五末之学,中古有之,事涉浇伪,终非根本也。

〔二〕【疏】夫尊卑先后,天地之行也。　【释文】"长先而少"诗照反。

〔三〕【注】言③此先后虽是人事,然皆在至④理中来,非圣人之所作也。　【疏】天地之行者,谓春夏先,秋冬后,四时行也。夫天地虽大,尚有尊卑,况在人伦,而无先后!是以圣人象二仪之造化,观四序之自然,故能笃君臣之大义,正父子之要道也。

〔四〕【疏】天尊,地卑,不刊之位也。春夏先,秋冬后,次序悫乎。举此二条,足明万物。

〔五〕【疏】夫万物变化,未始暂停,或起或伏,乍生乍死,千族万种,色类不同,而萌兆区分,各有形状。　【释文】"萌区"曲俱反。

〔六〕【疏】夫春夏盛长,秋冬衰杀,或变生作死,或化故成新,物理自然,非关措意,故随流任物而所造皆适。

〔七〕【注】明夫尊卑先后之序,固有物之所不能无也。　【疏】二仪生育,有不测之功,万物之中,最为神化,尚有尊卑先后,况人伦之道乎!

〔八〕【注】言非但人伦所尚也。　【疏】宗庙事重,必据昭穆,以嫡相承,故尚亲也。朝廷以官爵为尊,乡党以年齿为次第,行事择贤能用之,此理之必然,故云大道之序。　【释文】"朝廷"直遥反。

〔九〕【疏】议论道理而不知次第者,虽有语言,终非道语;既失其序,不堪治物也。

〔一〇〕【注】所以取道,为〔其〕有序〔也〕⑤。　【疏】既不识次第,虽语非道,于何取道而行理之邪!

〔校〕①阙误引张君房本神下有也字。②阙误引文如海本道下有哉字。③赵谏议本无言字。④赵本无至字。⑤其字也字依宋本及道藏本补。世德堂本作为有序也,无其字。

是故古之明大道者,先明天而道德次之〔一〕,道德已明而仁义次之〔二〕,仁义已明而分守次之〔三〕,分守已明而形名次之〔四〕,形名已明而因任次之〔五〕,因任已明而原省次之〔六〕,原省已明而是非次之〔七〕,是非已明而赏罚次之〔八〕。赏罚已明而愚知处宜,贵贱履位〔九〕;仁贤不肖袭情〔一〇〕,必分其能,必由其名〔一一〕。以此事上〔一二〕,以此畜下,以此治物,以此修身〔一三〕,知谋不用,必归其天,此之谓大平,治之至也〔一四〕。

〔一〕【注】天者,自然也。自然既明,则物得其道也。　【疏】此重开大道次序之义。言古之明开大道之人,先明自然之理。为自然是道德之本,故道德次之。

〔二〕【注】物得其道而和,理自适也。　【疏】先德后仁,先仁后义,故仁义次之。

〔三〕【注】理适而不失其分也。　【疏】既行兼爱之仁,又明裁非之义,次令各守其分,不相争夺也。

〔四〕【注】得分而物物之名各当其形也。　【疏】形,身也。各守其分,不相倾夺,次劝修身,致其名誉也。

〔五〕【注】无所复改。　【疏】虽复劝令修身以致名誉,而皆须因其素分,任其天然,不可矫性伪情以要令闻也。

〔六〕【注】物各自任,则罪责除也。 【疏】原者,恕免;省者,除废。虽复因任其本性,而不无其愆过,故宜布之恺泽,宥免其辜也。 【释文】"原省"所景反。原,除;省,废也。

〔七〕【注】各以得性为是,失性为非。 【疏】虽复赦过宥罪,而人心渐薄,次须示其是非,以为鉴诫也。

〔八〕【注】赏罚者,失得之报也。夫至治之道,本在于天而末极于斯。 【疏】是非既明,臧否斯见,故赏善罚恶,以勖黎元也。

〔九〕【注】官①各当其才也。 【疏】用此赏罚,以次前序而为治方者,智之明暗,安处各得其宜,才之高下,贵贱咸履其位也。

〔一〇〕【注】各自行其所能之情。 【疏】仁贤,智也;不肖,愚也。袭,用也。主上圣明,化导得所,虽复贤愚各异,而咸用本情,终不舍己效人,矜夸炫物也。

〔一一〕【注】无相易业。 【疏】夫性性不同,物物各异,艺能固别,才用必分,使之如器,无不调适也。 【释文】"必分"方云反。

〔一二〕【注】名当其实,故由名而实不滥也。 【疏】夫名以召实,而(由)〔当〕实故名。若使实不(当)〔由〕②名,则名过其实。今明名实相称,故云必由其名也。

〔一三〕【疏】以,用也。言用以前九法,可以为臣事上,为君畜下,外以治物,内以修身也。

〔一四〕【疏】至默无为,委之群下,塞聪闭智,归之自然,可谓太平之君,至治之美也。 【释文】"知谋"音智。"大平"音泰。

〔校〕①世德堂本官作言。②当由二字依注文互易。

故书曰:"有形有名。"形名者,古人有之,而非所以先也〔一〕。古之语大道者,五变而形名可举,九变而赏罚可言也〔二〕。骤而语形名,不知其本也〔三〕;骤而语赏罚,不知其始也〔四〕。倒道而言,迕道而说者,人之所治也,安能治人〔五〕!骤而语形名赏罚,此有知治之具,非知治之道〔六〕;可用于天下,不足以用天下;此之谓辩士,一曲之人也〔七〕。礼法数度,形名比详,古人有之,此下之所以事上,非上之所以畜下也〔八〕。

〔一〕【疏】先,本也。言形名等法,盖圣人之应迹耳,不得已而用之,非所以迹也。书者,道家之书,既遭秦世焚烧,今检亦无的据。

〔二〕【注】自先明天以下,至形名而五,至赏罚而九,此自然先后之序也。　【疏】夫为治之体,必随世污隆,世有浇淳,故治亦有宽急。是以五变九变,可举可言。苟其不失次序,则是太平至治也。

〔三〕【疏】骤,数也,速也。季世之人,不知伦序,数语形名,以为治术,而未体九变,以自然为宗,但识其末,不知其本也。

〔四〕【疏】速论赏罚,以此驭时,唯见枝条,未知根本。始,犹本也,互其名耳。

〔五〕【注】治人者必顺序。　【疏】迕,逆也。不识治方,不知次序,颠倒道理,迕逆物情,适可为物所治,岂能治物也!　【释文】"迕道"音悟。司马云:横也。"而说"徐音悦,又如字。

〔六〕【注】治道先明天,不为弃赏罚也,但当不失其先后之序耳。【疏】夫形名赏罚,此乃知治之具,度非知治之要道也。

〔七〕【注】夫用天下者,必大通顺序之道。　【疏】若以形名赏罚可施用于天下者,不足以用于天下也。斯乃苟饰华辞浮游之士,一节曲见偏执之人,未可以识通方,悟于大道者也。

〔八〕【注】寄此事于群才，斯乃畜下也。　【疏】重叠前语。古人有
之，但寄群才而不亲预，故是臣下之术，非主上养民之道。总结
一章之意，以明本末之旨归也。

昔者舜问于尧曰："天王之用心何如〔一〕？"

〔一〕【疏】天王，犹天子也。舜问于尧为帝王之法，若为用心以合大
道也。

尧曰："吾不敖无告〔一〕，不废穷民〔二〕，苦死者，嘉孺子
而哀妇人〔三〕。此吾所以用心已〔四〕。"

〔一〕【注】无告者，所谓顽民也。　【疏】敖，侮慢也。无告，谓顽愚之
甚，无堪告示也。尧答舜云："纵有顽愚之民，不堪告示，我亦殷
勤教诲，不敖慢弃舍也。"故老经云，不善者吾亦善之。敖亦有
作教字者，今不用也。　【释文】"不敖"五报反。

〔二〕【注】恒加恩也。　【疏】百姓之中有贫穷者，每加拯恤，此心不
替也。

〔三〕【疏】孺子，犹稚子也。哀，怜也。民有死者，辄悲苦而慰之。稚
子小儿，妇人孤寡，并皆矜愍善嘉养恤也。

〔四〕【疏】已，止也。总结以前，用答舜问。"我之用心，止尽于此。"

舜曰："美则美矣，而未大也〔一〕。"

〔一〕【疏】用心为治，美则美矣，其道狭劣，未足称大。既领尧答，因
发此讥。

尧曰："然则何如〔一〕？"

〔一〕【疏】尧既被讥，因兹请益，"治道之大，其术如何？"

舜曰："天德而出宁〔一〕，日月照而四时行，若昼夜之有

经,云行而雨施矣〔二〕。"

〔一〕【注】与天合德,则虽出而静。　【疏】化育之方,与玄天合德,迹
　　虽显著,心恒宁静。

〔二〕【注】此皆不为而自然也。　【疏】经,常也。夫日月盛明,六合
　　俱照,春秋凉暑,四序运行,昼夜昏明,云行雨施,皆天地之大
　　德,自然之常道者也。既无心于偏爱,岂有情于养育!帝王之
　　道,其义亦然。　【释文】"雨施"始豉反。

　　尧曰:"胶胶扰扰乎〔一〕!子,天之合也;我,人之合
也〔二〕。"

〔一〕【注】自嫌有事。　【疏】胶胶,扰扰,皆扰乱之貌也。领悟此言,
　　自嫌多事,更相发起,聊此执谦。　【释文】"胶胶"交卯反。司
　　马云:和也。"扰扰"而小反。司马云:柔也。案如注意,胶胶扰
　　扰,动乱之貌。

〔二〕【疏】尧自谦光,推让于舜,故言子之盛德,远合上天,我之用心,
　　近符人事。夫尧舜二君,德无优劣,故寄此两圣以显方治耳。

　　夫天地者,古之所大也〔一〕,而黄帝尧舜之所共美
也〔二〕。故古之王天下者,奚为哉?天地而已矣〔三〕。

〔一〕【疏】自此已下,庄生之辞也。夫天覆地载,生育群品,域中四
　　大,此当二焉。故引古证今,叹美其德。

〔二〕【疏】唯天为大,唯尧则之。故知轩顼唐虞,皆以德合天地为其
　　美也。

〔三〕【疏】言古之怀道帝王,何为者哉?盖无心顺物,德合二仪而已
　　矣。　【释文】"之王"往况反。

孔子西藏书于周室。子路谋曰：“由闻周之征藏史有老聃者，免而归居，夫子欲藏书，则试往因焉〔一〕。”

〔一〕【疏】姓仲，名由，字子路，宣尼弟子也。宣尼睹周德已衰，不可匡辅，故将己所修之书，欲藏于周之府藏，庶为将来君王治化之术，故与门人谋议，详其可否。老君，姓李，名聃，为周征藏史，犹今之秘书官，职典坟籍。见周室版荡，所以解免其官，归休静处。故子路咨劝孔子，何不暂试过往，因而问焉。　【释文】“藏书”司马云，藏其所著书也。“征藏”才浪反。司马云：征藏，藏名也。一云：征，典也。“史”藏府之史。“老聃”吐甘反。或云：老聃是孔子时老子号也。“免而归”言老子见周之末不复可匡，所以辞去也。

孔子曰：“善。”

往见老聃，而老聃不许〔一〕，于是繙十二经以说〔二〕。

〔一〕【疏】老子知欲藏之书是先圣之已陈刍狗，不可久留，恐乱后人，故云不许。

〔二〕【疏】孔子删诗书，定礼乐，修春秋，赞易道，此六经也；又加六纬，合为十二经也。委曲敷演，故繙覆说之。　【释文】“繙”敷袁反。徐又音盘，又音烦。司马〔云〕：烦冤也。“十二经”说者云：诗书礼乐易春秋六经，又加六纬，合为十二经也。一说云：易上下经并十翼为十二。又一云：春秋十二公经也。“以说”如字，又始锐反。绝句。

老聃中其说，曰：“大①谩，愿闻其要〔一〕。”

〔一〕【疏】中其说者，许其有理也。大谩者，嫌其繁谩太多，请简要之术也。　【释文】“老聃中”丁仲反。“其说”如字。绝句。“曰大”音泰，徐敕佐反。“谩”末旦反，郭武谏反。

孔子曰：“要在仁义〔一〕。”

〔一〕【疏】经有十二，乃得繁盈，切要而论，莫先仁义也。

老聃曰：“请问，仁义，人之性邪〔一〕？”

〔一〕【疏】问：“此仁义率性不乎？”

孔子曰：“然。君子不仁则不成，不义则不生。仁义，真人之性也，又将奚为矣〔一〕？”

〔一〕【疏】然，犹如此。言仁义是人之天性也。贤人君子，若不仁则名行不成，不义则生道不立。故知仁义是人之真性。又将何为，是疑之也邪？

老聃曰：“请问，何谓仁义〔一〕？”

〔一〕【疏】前言仁义是人之真性，今之重问，请解所由也。

孔子曰：“中心物恺，兼爱无私，此仁义之情也〔一〕。”

〔一〕【注】此常人之所谓仁义者也，故寄孔老以正之。 【疏】恺，乐也。忠诚之心，愿物安乐，慈爱平等，兼济无私，允合人情，可为世教也。 【释文】“中心物”本亦作勿。“恺”开待反。司马云：乐也。

老聃曰：“意，几乎後言！夫兼爱，不亦迂乎〔一〕！无私焉，乃私也〔二〕。夫子若欲使天下无失其牧乎〔三〕？则天地固有常矣，日月固有明矣，星辰固有列矣〔四〕，禽兽固有群矣，树木固有立矣〔五〕。夫子亦放德而行，循道而趋，已至矣〔六〕；又何偈偈乎揭仁义，若击鼓而求亡子焉〔七〕？意，夫子乱人之性也〔八〕！”

〔一〕【注】夫至仁者，无爱而直前也。 【疏】意，不平之声也。几，近

天道第十三

429

也。迂，曲也。后发之言，近乎浮伪，故兴意叹，以(长)〔表〕不平。夫至人推理直前，无心思虑，而汝存情兼爱，不乃私曲乎！　【释文】"曰意"於其反。司马云：不平声也。下同。"几乎"音機。司马本作颅，云：颅，长也，後言长也。○卢文弨曰：旧本後作復[1]，未详。"迂乎"音于。

〔二〕【注】世所谓无私者，释己而爱人。夫爱人者，欲人之爱己，此乃甚私，非忘公而公也。　【疏】夫兼爱于人，欲人之爱己也，此乃甚私，何公之有邪！

〔三〕【疏】牧，养也。欲使天下苍生咸得本性者，莫若上下各各守分，自全恬养，则大治矣。牧有本作放字者，言君王但放任群生，则天下太平也。　【释文】"牧乎"司马云：牧，养也。

〔四〕【疏】夫天地覆载，日月照临，星辰罗列，此并自然之理也，非关人事。岂唯三种，万物悉然，但当任之，莫不备足，何劳措意，妄为矜矫也！

〔五〕【注】皆已[2]自足。　【疏】有识禽兽，无情草木，各得生立，各有群分，岂资仁义，方获如此！

〔六〕【注】不待于兼爱也。　【疏】循，顺也。放任己德而逍遥行世，顺于天道而趋步人间，人间至极妙行，莫过于此也。　【释文】"放德"方往反。

〔七〕【注】无由得之。　【疏】偈偈，励力貌也。揭，担负也。亡子，逃人也。言孔丘勉励身心，担负仁义，强行于世，以教苍生，何异乎打击大鼓而求觅亡子，是以鼓声愈大而亡者愈离，仁义弥彰而去道弥远，故无由得之。　【释文】"偈偈"居谒反，又巨谒反。或云：用力之貌。"揭仁"其谒反，又音桀。

〔八〕【注】事至而爱，当义而止，斯忘仁义者也，常念之则乱真矣。

【疏】亡子不获,罪在鸣鼓;真性不明,过由仁义;故发噫叹,总结之也。

〔校〕①释文原本及世德堂本均作復。②世德堂本已作以。

士成绮见老子而问曰:"吾闻夫子圣人也,吾固不辞远道而来愿见,百舍重跰而不敢息[一]。今吾观子,非圣人也。鼠壤有馀蔬[二],而弃妹之者,不仁也[三],生熟不尽于前[四],而积敛无崖[五]。"

〔一〕【疏】姓土,字成绮,不知何许人。舍,逆旅也。跰,脚生泡浆创也。成绮素闻老子有神圣之德,故不辞艰苦,慕义远来。百经旅舍,一不敢息,涂路既遥,足生重跰。 【释文】"土成绮"如字,又鱼纸反。土成绮,人姓名也。"愿见"贤遍反。下同。"百舍"司马云:百日止宿也。"重"直龙反。"跰"古显反。司马云:胝也。胝,音陟其反。许慎云:足指约中断伤为跰。○庆藩案,释文引许说,本淮南修务篇注。淮南引庄子作重跰,跰即跰字之误也。高注云:跰,足生胝也。跰,又读若茧。贾子劝学篇百舍重茧,宋策墨子百舍重茧,(高注:重茧,累胝也。)皆假茧作跰也。

〔二〕【注】言其不惜物也。 【疏】昔时藉甚,谓是至人;今日亲观,知无圣德。见其鼠穴土中,有馀残蔬菜。嫌其秽恶,故发此讥也。【释文】"馀蔬"所居反,又音所。司马云:蔬读曰糈。糈,粒也。鼠壤内有遗馀之粒,秽恶过甚也。一云:如鼠之堆壤,馀益蔬外也。

〔三〕【注】无近恩,故曰弃。 【疏】妹,犹昧也。闇昧之徒,应须诱进,弃而不教,岂曰仁慈也! 【释文】"弃妹"一本作妹之者。"不仁"释名云:妹,末也。谓末学之徒,须慈诱之,乃见弃薄,不

431

仁之甚也。

〔四〕【注】至足，故恒有馀。　【疏】生，谓粟帛；熟，谓饮食。充足之外，不复概怀，所以饮食资财，目前狼藉。且大圣宽弘而不拘小节，士成庸琐，以此为非。细碎之间，格量真圣，可谓以螺酌海，焉测浅深也！　【释文】"生熟"司马云：生，胗也。一云：生熟，谓好恶也。

〔五〕【注】万物归怀，来者受之，不小立界畔也。　【疏】既有圣德，为物所归，故供给聚敛，略无涯（峙）〔涘〕，浩然无心，积散任物也。　【释文】"而积"子亦反，李子赐反。"敛"力检反，李狸艳反。

老子漠然不应〔一〕。

〔一〕【注】不以其言概意。　【疏】尘垢之言，岂曾入耳！漠然虚淡，何足介怀！

士成绮明日复见，曰："昔者吾有刺于子，今吾心正却矣，何故也〔一〕**？"**

〔一〕【注】自怪刺讥之心，所以坏也。　【疏】却，空也，息也。昨日初来，妄生讥刺，今时思省，方觉己非，所以引过责躬，深怀惭竦。心之空矣，不识何耶。　【释文】"复见"扶又反。"有刺"（于）〔千〕①赐反。"正却"去逆反，或云：息也。

432　〔校〕①千字依释文原本改。

老子曰："夫巧知神圣之人，吾自以为脱焉〔一〕**。昔者子呼我牛也而谓之牛，呼我马也而谓之马**〔二〕**。苟有其实，人与之名而弗受**〔三〕**，再受其殃**〔四〕**。吾服也恒服**〔五〕**，吾非以服有服**〔六〕**。"**

〔一〕【注】脱,过去也。 【疏】夫巧智神圣之人者,盖是迹,非所以迹也。"汝言我欲于圣人乎?我于此久以免脱,汝何为乃谓我是圣非圣耶?"老君欲抑成绮之讥心,故示以息迹归本也。郭注云,脱,过去也,谓我于圣已得过免而去也。 【释文】"夫巧"苦教反,又如字。"知"音智。"为脱"徒活反。注同。

〔二〕【注】随物所名。

〔三〕【注】有实,故不以毁誉经心也。 【释文】"毁誉"音馀,下同。

〔四〕【注】一毁一誉,若受之于心,则名实俱累,斯所以再受其殃也。 【疏】昨日汝唤我作牛,我即从汝唤作牛,唤我作马,我亦从汝唤作马,我终不拒。且有牛马之实,是一名也。人与之名,讳而不受,是再殃也。讥刺之言,未甚牛马,是尚不讳,而况非乎!

〔五〕【注】服者,容行之谓也。不以毁誉自殃,故能不变其容。 【疏】郭注云,服者,容行之谓也。老君体道大圣,故能制服身心,行行容受,呼牛呼马,唯物是从,此乃恒常,非由措意也。 【释文】"容行"如字。

〔六〕【注】有为为之,则不能恒服。 【疏】言我率性任真,自然容受,非关有心用意,方得而然。必也用心,便成矫性,既其有作,岂曰无为!

士成绮雁行避影,履行遂进而问:"修身若何〔一〕?"

〔一〕【疏】成绮自知失言,身心惭愧,于是雁行斜步,侧身避影,随逐老子之后,不敢履蹑其迹,仍徐进问,请修身之道如何。

老子曰:"而容崖然〔一〕,而目冲然〔二〕,而颡頯然〔三〕,而口阚然〔四〕,而状义然〔五〕,似繫马而止也〔六〕。动而持〔七〕,发也机〔八〕,察而审〔九〕,知巧而睹于泰〔一〇〕,凡以为不信〔一一〕。边竟①有人焉，其名为窃〔一二〕。"

〔一〕【注】进趋不安之貌。　【疏】而，汝也。言汝庄饰容貌，夸骇于人，自为崖岸，不能舒适。

〔二〕【注】冲出之貌。　【疏】心既不安，目亦驰动，故左盼右睐，睢盱充诎也。

〔三〕【注】高露发美之貌。　【疏】颡额高亢，显露华饰，持此容仪，矜敖于物。　【释文】"颡额"上息黨反，下去轨反。本又作显，如字。司马本作頯。

〔四〕【注】虓豁之貌。　【疏】郭注云，虓豁之貌也。谓志性强梁，言语雄猛，夸张虓豁，使人可畏也。　【释文】"阚"郭许览反，又火斩反，又火暂反。"虓"火交反。"豁"火括反。

〔五〕【注】踶跂自持之貌。　【疏】义，宜也。踶跂骄豪，实乖典礼，而修饰容状，自然合宜也。　【释文】"踶"直氏反。"跂"去氏反。○庆藩案，义读为峨。义然，峨然也。说详俞氏大宗师篇平议。郭训成疏两失之。

〔六〕【注】志在奔驰。　【疏】形虽矜庄，而心性諠躁，犹如逸马被繋，意存奔走。

〔七〕【注】不能自舒放也。　【疏】驰情逐境，触物而动，不能任适，每事拘持。

〔八〕【注】趋舍速也。　【疏】机，弩牙也。攀缘之心，遇境而发，其发猛速，有类弩牙。

〔九〕【注】明是非也。　【疏】不能虚遣，违顺两忘，而明察是非，域心审定。

〔一〇〕【注】泰者，多于本性之谓也。巧于见泰，则拙于抱朴。　【疏】泰，多也。不能忘巧忘知，观无为之一理，而诈知诈巧，见有为之多事。

〔一一〕【注】凡此十事，以为不信性命而荡夫毁誉，皆非修身之道
也。 【疏】信，实也。言此十事，皆是虚诈之行，非真实之德
也。○家世父曰：郭象云，凡此十事，以为不信性命而荡夫毁
誉，于文多一转折。凡以为不信，言凡所为皆出于矫揉，与自然
之性不相应，故谓之不信。容也，目也，颡也，口也，状也，一有
矜持，若繫马而制其奔突，不能自信于心也。动而发，一其机应
之，而相胜以知巧，不能自信于外也。微分两义，不得为十事。

〔一二〕【注】亦如②汝所行，非正人也。 【疏】窃，贼也。边蕃境域，忽
有一人，不惮宪章，但行窃盗。内则损伤风化，外则阻隔蕃情，
蠹政害物，莫斯之甚。成绮之行，其猥亦然，举动睢盱，犹如此贼
也。 【释文】"边竟"音境。"有人焉其名为窃"边垂之人，不
闻知礼乐之正，纵有言语，偶会坟典，皆是窃盗所得，其道何足
语哉！司马云：言远方尝有是人。

〔校〕①赵谏议本竟作境。②世德堂本如作知。

夫子曰："夫道，于大不终，于小不遗，故万物备〔一〕。
广广乎其无不容也，渊①乎其不可测也〔二〕。形德仁义，神
之末也，非至人孰能定之〔三〕！夫至人有世，不亦大乎！而
不足以为之累〔四〕。天下奋棅而不与之偕〔五〕，审乎无假而
不与利迁〔六〕，极物之真，能守其本〔七〕，故外天地，遗万物，
而神未尝有所困也〔八〕。通乎道，合乎德〔九〕，退仁义〔一〇〕，
宾礼乐〔一一〕，至人之心有所定矣〔一二〕。"

〔一〕【疏】庄周师老君，故呼为夫子也。终，穷也。二仪虽大，犹在道

中,不能穷道之量;秋毫虽小,待之成体,此则于小不遗。既其能小能大,故知备在万物。

〔二〕【疏】既大无不包,细无不入,贯穿万物,囊括二仪,故广广叹其宽博,渊乎美其深远。○庆藩案,广广,犹言旷旷也。旷旷者,虚无人之貌。〔汉书〕五行志,师出过时,兹谓广,李奇曰:广,音旷。旷与广,古字义通。(汉书)武五子传,横術(薛瓚曰:術,道路也。)何广广兮,苏林曰:广,音旷。

〔三〕【疏】夫形德仁义者,精神之末迹耳,非所以迹也,救物之弊,不得已而用之。自非至圣神人,谁能定其粗妙耶!

〔四〕【注】用世,故不患其大也。　【疏】圣人威跨万乘,王有世界,位居九五,不亦大乎!而姑射汾阳,忘物忘己,即动即寂,何四海之能累乎!

〔五〕【注】静而顺之。　【疏】棅,权也。偕,居也。社稷颠覆,宇内崩离,趋世之人,奋动权棅,必静而自守,不与并逐也。　【释文】"奋棅"音柄。司马云:威权也。李丑伦反。一本作棟。○家世父曰:释文引司马云:棅,威权也。说文:柄,柯也。柄,或(从)〔作〕棅。管子山权数篇此之谓国权,此谓君棅。操国计之盈虚,谓之国权。制人事之重轻,谓之君棅。棅者,所藉以制事者也。大者制大,小者制小,相与奋起以有为于世,皆有所借者也。说文:叚,借也。无所假则无为,无为则因以为弟靡,因以为波流,而随物以迁焉。无假而不与利迁,斯之谓无为而无不为。郭象云,任真而直往,非也。

〔六〕【注】任真而直往也。　【疏】志性安静,委命任真,荣位既不关情,财利岂能迁动也!

〔七〕【疏】夫圣人灵鉴洞彻,穷理尽性,斯极物之真者也。而应感无方,动不伤寂,能守其本。

〔八〕【疏】虽复握图御寓,总统群方,而忘外二仪,遗弃万物,是以为既无为,事既无事,心闲神王,何困弊之有!

〔九〕【疏】淡泊之心,通乎至道,虚忘之智,合乎上德,斯乃境智相会,能(斯)〔所〕冥符也。

〔一〇〕【注】进道德也。

〔一一〕【注】以情性为主也。　【疏】退仁义之浇薄,进道德之淳和,摈礼乐之浮华,主无为之虚淡。○俞樾曰:宾当读为摈,谓摈斥礼乐也,与上句退仁义一律。郭注曰,以性情为主也,则以本字读之,其义转迁。达生篇曰,宾于乡里,逐于州部,此即假宾为摈之证。○庆藩案,俞说是也。古宾摈音同,音同之字,往往假借为义。周礼司仪,宾拜送币,释文云:宾,音摈。本书徐无鬼篇,宾于寡人,司马本宾作摈,即其证。

〔一二〕【注】定于无为也。　【疏】恬淡无为而用不乖寂,定矣。

〔校〕①阙误引江南古藏本重渊字。

　　世之所贵道者书也〔一〕,书不过语,语有贵也。语之所贵者意也〔二〕,意有所随。意之所随者,不可以言传也〔三〕,而世因贵言传书。世虽贵之①,我犹不足贵也,为其贵非其贵也〔四〕。故视而可见者,形与色也;听而可闻者,名与声也。悲夫,世人以形色名声为足以得彼之情!夫形色名声果不足以得彼之情〔五〕,则知者不言,言者不知,而世岂识之哉〔六〕!

〔一〕【疏】道者,言说;书者,文字。世俗之人,识见浮浅,或托语以通心,或因书以表意,持(许)〔诵〕往来,以为贵重,不知无足可言也。

〔二〕【疏】所以致书,贵宣于语,所以宣语,贵表于意也。

〔三〕【疏】随,从也。意之所出,从道而来,道既非色非声,故不可以言传说。 【释文】"言传"丈专反。后同。

〔四〕【注】其贵恒在意言之表。 【疏】夫书以载言,言以传意,而末世之人,心灵暗塞,遂贵言重书,不能忘言求理。故虽贵之,我犹不足贵者,为言书糟粕,非可贵之物也。故郭注云,其贵恒在意言之表。 【释文】"为其"于伪反。

〔五〕【注】得彼〔之〕②情,唯忘言遗书者耳。 【疏】夫目之所见,莫过形色,耳之所听,唯在名声。而世俗之人,不达至理,谓名言声色,尽道情实。岂知玄极,视听莫偕! 愚惑如此,深可悲叹。郭注云,得彼之情,唯忘言遗书者耳。

〔六〕【注】此绝学去知之意也。 【疏】知道者忘言,贵德者不知,而聋俗愚迷,岂能识悟! 唯当达者方体之矣。 【释文】"知者"如字。下同。或并音智。"去尚"起吕反。

〔校〕①世德堂本之下有哉字。②之字依宋本及疏补。

桓公读书于堂上。轮扁斲轮于堂下,释椎凿而上,问桓公曰:"敢问,公之所读者①何言邪〔一〕?"

438

〔一〕【疏】桓公,齐桓公也。轮,车轮也。扁,匠人名也。斲,雕斲也。释,放也。齐君翫读,轮扁打车,贵贱不同,事业各异,乃释放其具,方事质疑。欲明至道深玄,不可传(集)〔说〕,故寄桓公匠者,略显忘言之致也。 【释文】"桓公"李云:齐桓公也,名小白。"轮扁"音篇,又符珍反。司马云:斲轮人也,名扁。"斲"陟角反。"椎"直追反。"而上"时掌反。

〔校〕①世德堂本者作为。

公曰:"圣人之言也〔一〕。"

〔一〕【疏】所谓宪章文武,祖述尧舜,是圣人之言。

曰:"圣人在乎〔一〕?"

〔一〕【疏】又问:"圣人见在以不?"

公曰:"已死矣〔一〕。"

〔一〕【疏】答曰:"圣人虽死,厥教尚存焉。"

曰:"然则君之所读者,古人之糟魄已夫〔一〕!"

〔一〕【疏】(夫)酒滓曰糟,渍糟曰粕。夫醇酎比乎道德,糟粕方之仁
义,已陈刍狗,曾何足云! 【释文】"糟"音遭。李云:酒滓也。
"魄"普各反。司马云:烂食曰魄。一云:糟烂为魄。本又作粕,
音同。许慎云:粕,已漉粗糟也。或普白反,谓魂魄也。"已夫"
音符。绝句。或如字。○庆藩案,释文,魄,本又作粕,即司马
本也。文选陆士衡文赋〔注〕引司马云:烂食曰粕。

桓公曰:"寡人读书,轮人安得议乎! 有说则可,无说
则死〔一〕。"

〔一〕【疏】贵贱礼隔,不可轻言,庸委之夫,辄敢议论。说若有理,方
可免辜,如其无辞,必获死罪。

轮扁曰:"臣也以臣之事观之。斫轮,徐则甘而不固,
疾则苦而不入。不徐不疾,得之于手而应于心,口不能言,
有数存焉于其间。〔一〕臣不能以喻臣之子,臣之子亦不能受
之于臣,是以行年七十而老斫轮〔二〕。古之人与其不可传
也死矣,然则君之所读者,古人之糟魄已夫〔三〕!"

〔一〕【疏】甘,缓也。苦,急也。数,术也。夫斫轮失所则〔不〕①牢

固,若使得宜,则口不能言也。况之理教,其义亦然。　【释文】
"甘"如字,又音酣。司马云:甘者,缓也。苦者,急也。"有数"
李云:色注反,数,术也。○卢文弨曰:案前后俱作色主反,此注
字疑讹。

〔二〕【注】此言物各有性,教学之无益也。　【疏】喻,晓也。轮扁之
术,不能示其子,轮扁之子,亦不能禀受其教,是以行年至老,不
免斤斧之劳。故知物各有性,不可仿效。

〔三〕【注】当古②之事,已灭③于古矣,虽或传之,岂能使古在今哉!
古不在今,今事已变,故绝学任性,与时变化而后至焉。　【疏】
夫圣人制法,利物随时,时既不停,法亦随变。是以古人古法沦
残于前,今法今人自兴于后,无容执古圣迹行乎今世。故知所
读之书,定是糟粕也。　【释文】"人与"如字,又一音馀。"可
传"直专反。注同。

〔校〕①不字依正文补。②赵谏议本古作今。③赵本灭作减。

庄子集释卷五下

外篇天运第十四^[一]

〔一〕【释文】以义名篇。天运，司马作天员。

　　"天其运乎^[一]？地其处乎^[二]？日月其争于所乎^[三]？孰主张是^[四]？孰维纲是^[五]？孰居无事推而行是^[六]？意者其有机缄而不得已邪^[七]？意者其运转而不能自止邪^[八]？云者为雨乎？雨者为云乎^[九]？孰隆施^①是^[一○]？孰居无事淫乐而劝是^[一一]？风起北方，一西一东，有^②上彷徨，孰嘘吸是？孰居无事而披拂是^[一二]？敢问何故^[一三]？"

441

〔一〕【注】不运而自行也。　【疏】言天禀阳气，清浮在上，无心运行而自动。　【释文】"其运"尔雅云：运，徙也。广雅云：转也。○庆藩案，运，释文司马本作员，运员二字，古通用也。越语广运百里，韦注曰：东西为广，南北为运。西山经作广员百里。墨子非命上篇譬犹运钧之上而立朝夕者也，中篇运作员。运，古又读若云。云与员通。管子戒篇四时云下而万物化,云即运字。说文,鸰,一名运日,刘逵吴都赋注运日作云日。云即员也。书泰誓虽则云然,汉书韦贤传注作员然。诗出其东门聊乐我员,释文:员,本作云。商颂景员维何,郑笺:员,古文作云。皆其证。

〔二〕【注】不处而自止也。　【疏】地禀阴气,浊沉在下,亦无心宁静而自止。

〔三〕【注】不争所而自代谢也。　【疏】昼夜照临,出没往来,自然如是。既无情于代谢,岂有心于争处!

〔四〕【疏】孰,谁也。是者,指斥前文也。言四时八节,云行雨施,覆育苍生,亭毒群品,谁为主宰而施张乎?此一句解天运也。

〔五〕【注】皆自尔。　【疏】山岳产育,川源流注,包容万物,运载无穷,春生夏长,必无差忒。是谁维持纲纪,故得如斯?此一句解地处也。

〔六〕【注】无则无所能推,有则各自有事。然则无事而推行是者谁乎哉?各自行耳。　【疏】夫日月代谢,星辰朗耀,各有度数,咸由自然。谁安居无事,推算而行之乎?此一句解日月争所。已前三者,并假设疑问,显发幽微。故知皆自尔耳,无物使之然也。　【释文】"推而"如字,一音吐回反。司马本作谁。

〔七〕【疏】机,关也。缄,闭也。玄冬肃杀,夜(霄)〔宵〕暗昧,以意亿度,谓有主司关闭,事不得已,致令如此。以理推者,皆自尔也。方地不动,其义亦然也。　【释文】"缄"古咸反,徐古陷反。司马本作咸,云:引也。

〔八〕【注】自尔,故不可知也。　【疏】至如青春气发,万物皆生,昼夜开明,六合俱照,气序运转,致兹生育,寻其理趣,无物使然。圆天运行,其义亦尔也。

〔九〕【注】二者俱不能相为,各自尔也。　【疏】夫气腾而上,所以为云;云散而下,流润成雨。然推寻始末,皆无攸肇,故知二者不能相为。　【释文】“为雨”于伪反。下及注同。

〔一○〕【疏】隆,兴也。施,废也。言谁兴云雨而洪注滂沱,谁废甘泽而致兹亢旱也。　【释文】“隆施”音弛,式氏反。○俞樾曰:此承上云雨而言。隆当作降,谓降施此云雨也。书大传隆谷,郑注曰:隆读如庞降之降。盖隆从降声,古音本同。荀子天论篇隆礼尊贤而王,韩诗外传隆作降。齐策岁八月降雨下,风俗通义祀典篇降作隆。是古字通用之证。

〔一一〕【疏】谁安居无事,自励劝彼,作此淫雨而快乐邪? 司马本作倦字。　【释文】“淫乐”音洛,又音嶽。“而劝”司马本劝作倦,云:读曰随,言谁无所作,在随天往来,运转无已也。

〔一二〕【疏】彷徨,回转之貌也。嘘吸,犹吐纳也。披拂,犹扇动也。北方阴气,起风之所,故云北方。夫风吹无心,东西任适,或彷徨而居空里,或嘘吸而在山中,拂披升降,略无定准。孰居无事而为此乎? 盖自然也。　【释文】“有上”时掌反。“彷”薄皇反。“徨”音皇。司马本作旁皇,云:旁皇,飙风也。“嘘”音虚。“吸”许急反。“披”芳皮反。“拂”芳弗反,郭扶弗反。披拂,风貌。司马本作翼。

〔一三〕【注】设问所以自尔之故。　【疏】此句总问以前有何意故也。

〔校〕①阙误引李氏本施作弛。②阙误引张君房本有作在。

巫咸祒曰:“来! 吾语女。天有六极五常〔一〕,帝王顺之则治,逆之则凶〔二〕。九洛之事,治成德备,监照下土〔三〕,天下戴之,此谓上皇〔四〕。”

〔一〕【注】夫物事之近,或知其故,然寻其原以至乎极,则无故而自尔也。自尔则无所稍问其故也,但当顺之。　【疏】巫咸,神巫也,为殷中宗相。招,名也。六极,谓六合,四方上下也。五常,谓五行,金木水火土,人伦之常性也。言自然之理,有此六极五常,至于日月风云,例皆如此,但当任之,自然具足,何为措意于其间哉!　【释文】"巫咸招"赤遥反,郭音条,又音绍。李云:巫咸,殷相也。招,寄名也。"吾语"鱼据反。"女"音汝。后皆同。"六极"司马云:四方上下也。〇俞樾曰:六极五常,疑即洪范之五福六极也。常与祥,古字通。仪礼士虞礼记荐此常事,郑注曰:古文常为祥,是其证也。说文示部:祥,福也。然则五常即五福也。下文曰,九洛之事,治成德备,其即谓禹所受之洛书九类乎!

〔二〕【注】夫假学可变,而天性不可逆也。　【疏】夫帝王者,上符天道,下顺苍生,垂拱无为,因循任物,则天下治矣。而逆万国之欢心,乖二仪之和气,所作凶(勃)〔悖〕,则祸乱生也。

〔三〕【疏】九洛之事者,九州聚落之事也。言王者应天顺物,驭用无心,故致天下太平,人歌击壤。九州聚落之地,治定功成;八荒夷狄之邦,道圆德备。既合二仪,覆载万物;又齐三景,照临下土。〇家世父曰:此言天之运自然而已,帝王顺其自然,以道应之,天地亦受裁成焉,而风雨调,四时序。九洛之事,即禹所受之九畴也。庄子言道有不诡于圣人者,此类是也。

〔四〕【注】顺其自尔故也。　【疏】道合自然,德均造化,故众生乐推而不厌,百姓荷戴而不辞,可谓返朴还淳,上皇之治也。

商大宰荡问仁于庄子〔一〕。**庄子曰:"虎狼,仁也**〔二〕**。"**

〔一〕【疏】宋承殷后,故商即宋国也。大宰,官号,名荡,字荡。方欲决己所疑,故问仁于<u>庄子</u>。　【释文】“商大”音泰,下文大息同。“宰荡”<u>司马</u>云:<u>商</u>,<u>宋</u>也,大宰,官也,<u>荡</u>,字也。

〔二〕【疏】仁者,亲爱之迹。夫虎狼猛兽,犹解相亲,足明万类皆有仁性也。

曰:“何谓也^{〔一〕}?”

〔一〕【疏】<u>大宰</u>未达深情,重问有何意谓。

<u>庄子</u>曰:“父子相亲,何为不仁^{〔一〕}?”

〔一〕【疏】父子亲爱,出自天然,此乃真仁,何劳再问!

曰:“请问至仁^{〔一〕}。”

〔一〕【疏】虎狼亲爱,厥义未弘,故请至仁,庶闻深旨。

<u>庄子</u>曰:“至仁无亲^{〔一〕}。”

〔一〕【注】无亲者,非薄德之谓也。夫人之一体,非有亲也;而首自在上,足自处下,府藏居内,皮毛在外;外内上下,尊卑贵贱,于其体中各任其极,而未有亲爱于其间也。然至仁足矣,故五亲六族,贤愚远近,不失分于天下者,理自然也,又奚取于有亲哉!　【疏】夫至仁者,忘怀绝虑,与大虚而同体,混万物而为一,何亲疏之可论乎!泊然无心而顺天下之亲疏也。　【释文】“府藏”才浪反。

<u>大宰</u>曰:“<u>荡</u>闻之,无亲则不爱,不爱则不孝。谓至仁不孝,可乎?^{〔一〕}”

〔一〕【疏】夫无爱无亲,便是不孝。谓至仁不孝,于理可乎?<u>商荡</u>不悟深旨,遂生浅惑。<u>庄生</u>为其显折,义列下文。　【释文】“荡闻之”一本荡作盈,<u>崔</u>本同。或云:盈,大宰字。

<u>庄子</u>曰:“不然。夫至仁尚矣,孝固不足以言之^{〔一〕}。

此非过孝之言也,不及孝之言也^{〔二〕}。夫南行者至于郢,北面而不见冥山,是何也?则去之远也^{〔三〕}。故曰:以敬孝易,以爱孝难^{〔四〕};以爱孝易,以忘亲难^{〔五〕};忘亲易,使亲忘我难^{〔六〕};使亲忘我易,兼忘天下难;兼忘天下易,使天下兼忘我难^{〔七〕}。夫德遗尧舜而不为也^{〔八〕},利泽施于万世,天下莫知也^{〔九〕},岂直大息而言仁孝乎哉^{〔一〇〕}!夫孝悌仁义,忠信贞廉,此皆自勉以役其德者也,不足多也^{〔一一〕}。故曰,至贵,国爵并焉^{〔一二〕};至富,国财并焉^{〔一三〕};至愿,名誉并焉^{〔一四〕}。是以道不渝^{〔一五〕}。"

〔一〕【注】必言之于忘仁忘孝之地,然后至耳^①。 【疏】至仁者,忘义忘仁,可贵可尚,岂得将爱敬近迹以语其心哉?固不足以言也。

〔二〕【注】凡名生于不及者,故过仁孝之名而涉乎无名之境,然后至焉。 【疏】商荡之问,近滞域中,庄生之答,远超方外。故知亲爱之旨,非过孝之谈,封执名教,不及孝之言也。

〔三〕【注】冥山在乎北极,而南行以观之;至仁在乎无亲,而仁爱以言之;故郢虽见而愈远冥山,仁孝虽彰而愈非至理也。 【疏】郢地居南,冥山在北,故郭注云,冥山在乎北极,南行以观之;至仁在乎无亲,而仁爱以言之;故郢虽见而愈远冥山,仁孝虽彰而愈非至道。此注甚明,不劳更解。 【释文】"郢"以井反,又以政反,楚都也,在江陵北。"冥山"司马云:北海山名。○庆藩案,史记苏秦列传索隐引司马云:冥山在朔州北。与释文异。"愈远"于万反。

〔四〕【疏】夫敬在形迹,爱率本心。心由天性,故难;迹关人情,故易也。　【释文】"孝易"以豉反。下皆同。

〔五〕【疏】夫爱孝虽难，犹滞域中，未若忘亲，澹然无系。忘既胜爱，
　　　有优有劣，以此格量，难易明之矣。

〔六〕【疏】夫腾猿断肠，老牛舐犊，恩慈下流，物之恒性。故子忘亲
　　　易，亲忘子难。自非达道，孰能行之！

〔七〕【注】夫至仁者，百节皆适，则终日不自识也。圣人在上，非有为
　　　也，恣之使各自得而已耳。自得其为，则众务自适，群生自足，
　　　天下安得不各自忘我哉！各自忘矣，主其安在乎？斯所谓兼忘
　　　也。　【疏】夫兼忘天下者，弃万乘如脱屣也；使天下兼忘我者，
　　　谓百姓日用而不知也。夫垂拱汾阳而游心姑射，揖让之美，贵
　　　在虚忘，此兼忘天下者也。方前则难，比后便易，未若忘怀至
　　　道，息智自然，将造化而同功，与天地而合德者，故能恣万物之
　　　性分，顺百姓之所为，大小咸得，飞沉不丧，利泽潜被，物皆自
　　　然，上如标枝，民如野鹿。当是时也，主其安在乎？此使天下兼
　　　忘我者也，可谓轩顼之前，淳古之君耳。其德不见，故天下忘
　　　之。斯则从劣向优，自粗入妙，遣之又遣，玄之又玄也。

〔八〕【注】遗尧舜，然后尧舜之德全耳；若系之在心，则非自得也。
　　　【疏】遗，忘弃也。言尧舜二君，盛德深远，而又忘其德，任物不
　　　为。斯解兼忘天下难。

〔九〕【注】泯然常适。　【疏】有利益恩泽，惠润群生，万世之后，其德
　　　不替，而至德潜被，日用不知。斯解使天下兼忘我难也。

〔一〇〕【注】失于江湖，乃思濡沫。　【疏】大息，犹嗟叹也。夫盛德同
　　　于尧舜，尚能遗忘而不自显，岂复太息言于仁孝，嗟叹于陈迹
　　　乎！　【释文】"濡沫"音末。

〔一一〕【疏】悌，顺也。德者，真性也。以此上八事，皆矫性伪情，勉强

励力,舍己效人,劳役其性,故不足多也。 【释文】"孝弟"音悌。〇卢文弨曰:旧本作孝悌,音弟。此因今本作悌而妄改也。若作悌字,则更无两读,又何用音? 此如他卷道音导,亦有倒作导音道者,皆出后人所变乱,今正之。

〔一二〕【注】并,除弃之谓也。夫贵在于身,身犹忘之,况国爵乎! 斯贵之至也。 【疏】并者,除弃之谓也。夫贵爵禄者,本为身也。身犹忘之,况爵禄乎! 斯至贵者也。 【释文】"并焉"必领反,弃除也。注同。

〔一三〕【注】至富者,自足而已,故除天下之财者也。 【疏】至富者,知足者也。知足之人,以不贪为宝,纵令倾国资财,亦弃而不用。故老经云,知足者富,斯之谓也。

〔一四〕【注】所至愿者适也,得适而仁孝之名都去矣。 【疏】夫至愿者,莫过适性也。既一毁誉,混荣辱,忘物我,泯是非,故令闻声名,视之如涕唾也。

〔一五〕【注】去华取实故也。 【疏】渝,变也,薄也。既忘富贵,又遗名誉,是以道德淳厚,不随物变也。 【释文】"去华"起吕反。

〔校〕①世德堂本耳作矣。

北门成问于黄帝曰:"帝张咸池之乐于洞庭之野〔一〕,吾始闻之惧,复闻之怠,卒闻之而惑〔二〕;荡荡默默,乃不自得〔三〕。"

〔一〕【疏】姓北门,名成,黄帝臣也。欲明至乐之道,故寄此二人,更相发起也。咸池,乐名。张,施也。咸,和也。洞庭之野,天(地)〔池〕之间,非太湖之洞庭也。 【释文】"北门成"人姓名也。"洞庭"徒送反。

〔二〕【疏】怠,退息也。卒,终也。复,重也。惑,闇也。不悟至乐,初
闻之时,惧然惊悚;再闻其声,稍悟音旨,故惧心退息;最后闻
之,知至乐与二仪合德,视之不见,听之不闻,故心无分别,有同
暗惑者也。　【释文】"之惧"如字。或音句,下同。一本作懅,
音况缚反。案说文,惧是正字,懅是古文。○卢文弨曰:说文,
愳,古文惧字;有懅字,与昚同,非惧字重文,并无懅字。不知陆
氏所据。"复闻"扶又反。下注同。

〔三〕【注】不自得,坐忘之谓也。　【疏】荡荡,平易之容。默默,无知
之貌。第三闻之,体悟玄理,故荡荡而无偏,默默而无知,芒然
坐忘,物我俱丧,乃不自得。

帝曰:"汝殆其然哉! 吾奏之以人,徵①之以天,行之
以礼义,建之以大清〔一〕。夫至乐者,先应之以人事,顺之
以天理,行之以五德,应之以自然,然后调理四时,太和万
物〔二〕。四时迭起,万物循生;一盛一衰,文武伦经〔三〕;一
清一浊,阴阳调和,流光其声〔四〕;蛰虫始作,吾惊之以雷
霆〔五〕;其卒无尾,其始无首〔六〕;一死一生,一偾一起;所常
无穷〔七〕,而一不可待。汝故惧也〔八〕。

〔一〕【注】由此观之,知夫至乐者,非音声之谓也;必先顺乎天,应乎
人,得于心而适于性,然后发之以声,奏之以曲耳。故咸池之
乐,必待黄帝之化而后成焉。　【疏】殆,近也。奏,应也。徵,
顺也。礼义,五德也。太清,天道也。黄帝既允北门成第三闻
乐,体悟玄道,忘知息虑,是以许其所解,故云汝近于自然
也。　【释文】"徵之"如字。古本多作徽。"大清"音泰。

〔二〕【疏】虽复行于礼义之迹,而忘自然之本者也。此是第一奏也。

449

〔三〕【疏】循,顺;伦,理;经,常也。言春夏秋冬更迭而起,一切物类顺序而生;夏盛冬衰,春文秋武,生杀之理,天道之常,但常任之,斯至乐矣。　【释文】"迭起"大节反。一本作递,大计反。"循生"似伦反。

〔四〕【注】自然律吕以满天地之间,但当顺而不夺,则至乐全②。
　　【疏】清,天也。浊,地也。阴升阳降,二气调和,故施生万物,和气流布,三光照烛,此谓至乐,无声之声。○家世父曰:乐记,礼减而进,以进为文;乐盈而反,以反为文;故乐阕而后作衰者,阕之馀声也。始奏以文,复乱以武,以文武纪其盛衰。伦经,犹言经纶。比和分合,所谓经纶也。

〔五〕【注】因其自作而用其所以动。　【疏】仲春之月,蛰虫始启,自然之理,惊之雷霆,所谓动静顺时,因物或作,至乐具合斯道也。　【释文】"蛰虫"沈执反。郭音执。尔雅云:静也。"霆"音廷,又音挺,徒侫反。电也。○家世父曰:雷霆之起,莫知其所自起,莫知其所自竟。其所自起,首也,生之端也;其所自竟,尾也,死之归也。死生者,万物之大常,与天为无穷,而忽一至焉,则亦物之所不能待也。以喻乐之变化,动于自然。

〔六〕【注】运转无极。　【疏】寻求自然之理,无始无终;讨论至乐之声,无首无尾。故老经云,迎之不见其首,随之不见其后也。

〔七〕【注】以变化为常,则所常者无穷也。　【疏】偾,仆也。夫盛衰生死,虚盈起偾,变化之道,理之常数。若以变化为常,则所谓常者无穷也。　【释文】"一偾"方问反。司马云:仆也。

〔八〕【注】初闻无穷之变,不能待之以一,故惧然悚听也。　【疏】至一之理,绝视绝听,不可待之以声色,故初闻惧然也。○俞樾曰:一不可待者,皆不可待也。大戴记卫将军文子篇,则一诸侯之相也,卢注曰:一,皆也。荀子劝学篇,一可以为法则,君子篇,一皆善也谓之圣,杨注曰:一,皆也。是一有皆义。郭注曰,不能待之以一,与语意未合。

〔校〕①赵谏议本徵作徽。②赵本全下有矣字。

吾又奏之以阴阳之和,烛之以日月之明〔一〕;其声能短能长,能柔能刚;变化齐一,不主故常〔二〕;在谷满谷,在坑满坑〔三〕;涂郤守神〔四〕,以物为量〔五〕。其声挥绰〔六〕,其名高明〔七〕。是故鬼神守其幽〔八〕,日月星辰行其纪〔九〕。吾止之于有穷〔一〇〕,流之于无止〔一一〕。予欲虑之而不能知也,望之而不能见也,逐之而不能及也〔一二〕;傥然立于四虚之道〔一三〕,倚于槁梧而吟〔一四〕。目知穷乎所欲见,力屈乎所欲逐,吾既不及已夫①〔一五〕!形充空虚,乃至委蛇。汝委蛇,故怠〔一六〕。

〔一〕【注】所谓用天之道。 【疏】言至乐之声,将阴阳合其序;所通生物,与日月齐其明。此第二奏也。

〔二〕【注】齐一于变化,故不主故常。 【疏】顺群生之修短,任万物之柔刚,齐变化之一理,岂守故而执常!

〔三〕【注】至乐之道,无不周也。 【疏】至乐之道,无所不遍,乃谷乃坑,悉皆盈满。所谓道无不在,所在皆无也。 【释文】"在坑"苦庚反。尔雅云:虚也。

〔四〕【注】塞其兑也。 【疏】涂,塞也。郤,孔也。闭心知之孔郤,守凝寂之精神。郭注云,塞其兑也。 【释文】"涂郤"去逆反,与隙义同。"其兑"徒外反。

〔五〕【注】大制不割。 【疏】量,音亮。大小修短,随物器量,终不制割而从己也。　【释文】"为量"音亮。

〔六〕【注】所谓阐谐。　【疏】挥,动也。绰,宽也。同雷霆之震动,其声宽也。

〔七〕【注】名当其实,则高明也。　【疏】高如上天,明如日月,声既广大,名亦高明。

〔八〕【注】不离其所。　【疏】人物居其显明,鬼神守其幽昧,各得其所而不相挠。故老经云,以道利天下,其鬼不神也。　【释文】"不离"力智反。

〔九〕【注】不失其度。　【疏】三光朗耀,依分而行,纲纪上玄,必无差忒也。

〔一〇〕【注】常在极(止)〔上〕②住也。　【疏】止,住也。穷,极也。虽复千变万化,而常居玄极,不离妙本,动而常寂也。

〔一一〕【注】随变而往也。　【疏】流,动也。应感无方,随时适变,未尝执守,故寂而动也。

〔一二〕【注】故闇然恣使化去。　【疏】夫至乐者,真道也。欲明道非心识,故谋虑而不能知;道非声色,故瞻望而不能见;道非形质,故追逐而不能逮也。

〔一三〕【注】弘敞无偏之谓。　【疏】傥然,无心貌也。四虚,谓四方空,大道也。言圣人无心,与至乐同体,立志弘敞,接物无偏,包容万有,与虚空而合德。　【释文】"傥"敕黨反,一音敞。

〔一四〕【注】无所复为也。　【疏】弘敞虚容,忘知绝虑,故形同槁木,心若死灰,逍遥无为,且吟且咏也。　【释文】"倚于"於绮反。"槁"古③老反。

〔一五〕【注】言物之知力各有所齐限。　【疏】夫目知所见,盖有涯限,所以称穷;力〔所〕驰逐,亦有分齐,所以称屈。至乐非心色等法,不可以限穷,故吾知尽其不及,故止而不逐也。心既有限,故知爱无名。此覆前予欲虑之等文也。　【释文】"目知"音智。"齐限"才细反。

〔一六〕【注】夫形充空虚,无身也,无身,故能委蛇。委蛇任性,而悚惧之情怠也。　【疏】夫形充虚空,则与虚空而等量;委蛇任性,故顺万境而无心;所谓隳体黜聪,离形去智者也。只为委蛇任性,故悚惧之情怠息。此解第二闻乐也。　【释文】"委"於危反。徐如字。"蛇"以支反。又作施,徐音絁。

〔校〕①赵谏议本夫作矣。②上字依世德堂本改。③世德堂本古作枯。

吾又奏之以无怠之声〔一〕,调之以自然之命〔二〕,故若混逐丛生〔三〕,林乐而无形〔四〕;布挥而不曳〔五〕,幽昏而无声〔六〕。动于无方〔七〕,居于窈冥〔八〕;或谓之死,或谓之生;或谓之实,或谓之荣;行流散徙,不主常声〔九〕。世疑之,稽于圣人〔一〇〕。圣也者,达于情而遂于命也〔一一〕。天机不张而五官皆备,此之谓天乐〔一二〕,无言而心说〔一三〕。故有焱氏为之颂曰:'听之不闻其声,视之不见其形,充满天地,苞裹六极。'汝欲听之而无接焉,而故惑也〔一四〕。

〔一〕【注】意既怠矣,乃复无怠,此其至也。　【疏】再闻至乐,任性逶迤,悚惧之心,于焉怠息。虽复贤于初闻,犹自不及后闻,故奏无怠之声。斯则以无遣怠,故郭注云,意既怠矣,乃复无怠,此其至者也。此是第三奏也。

〔二〕【注】命之所有者,非为也,皆自然耳。　【疏】调,和也。凡百苍生,皆以自然为其性命。所以奏此咸池之乐者,方欲调造化之心灵,和自然之性命也已。

〔三〕【注】混然无系,随丛而生。　【疏】混,同也。生,出也。同风物之动吹,随丛林之出声也。　【释文】"丛生"才公反。

〔四〕【注】至乐者,适而已。适在体中,故无别形。　【疏】夫丛林地籁之声,无心而成至乐,适于性命而已,岂复有形也!　【释文】"林乐"音洛,亦如字。

〔五〕【注】自布耳。　【疏】挥动四时,布散万物,各得其所,非由牵曳。　【释文】"布挥"音辉。广雅云:振也。

〔六〕【注】所谓至乐。　【疏】言至乐寂寥,超于视听,故幽冥昏暗而无声响矣。○家世父曰:说文:丛木曰林。林乐者,相与群乐之。五音繁会,不辨声之所从出,故曰无形。挥者,振而扬之,若布之曳而愈长,而亦无有曳之者。林乐而无形,其声聚也;布挥而不曳,其声悠也;幽昏而无声,其声淡也。

〔七〕【注】夫动者岂有方而后动哉!　【疏】夫至乐之本,虽复无声,而应动随时,实无方所,斯寂而动之也。

〔八〕【注】所谓宁极。　【疏】虽复应物随机,千变万化,而深根宁极,恒处窈冥,斯动而寂也。　【释文】"于窈"乌了反。

〔九〕【注】随物变化。　【疏】夫春生冬死,秋实夏荣,云行雨散,水流风从,自然之理,日新其变,至乐之道,岂(常)主〔常〕①声也!

〔一〇〕【注】明圣人应世非唱也。　【疏】稽,留也。夫圣人者,譬幽谷之响,明镜之象,对之不知其所以来,绝之不知其所以往,物来斯应,应而忘怀,岂预前作法而留心应世!故行留散徙,不主常声,而世俗之人,妄生疑惑也。　【释文】"稽于"古兮反。

〔一一〕【注】故有情有命者,莫不资焉。　【疏】所言圣者,更无他义也,通有物之情,顺自然之命,故谓之圣。

〔二〕【注】忘乐而乐足,非张而后备。　　【疏】天机,自然之枢机。五官,五藏也。言五藏各有主司,故谓之官。夫目视耳听,手把脚行,布网转丸,飞空走地,非由仿效,禀之造物,岂措意而后能为! 故五藏职司,素分备足,天乐之美,其在兹也。

〔三〕【注】心说在适,不在言也。　　【疏】体此天和,非由措意,故心灵适悦而妙绝名言也。　　【释文】"心说"音悦。注同。

〔四〕【注】此乃无乐之乐,乐之至也。　　【疏】焱氏,神农也。美此至乐,为之章颂。大音希声,故听之不闻;大象无形,〔故〕②视之不见;道无不在,故充满天地二仪;大无不包,故囊括六极。六极,六合也。假欲留意听之,亦不可以耳根承接,是故体兹至乐,理趣幽微,心无分别,事同愚惑也。　　【释文】"焱氏"必遥反。本亦作炎。"苞裹"音包。本或作包。

〔校〕①常声依正文改。②故字依上下文补。

乐也者,始于惧,惧故祟〔一〕;吾又次之以怠,怠故遁〔二〕;卒之于惑,惑故愚;愚故道,道可载而与之俱也〔三〕。"

〔一〕【注】惧然悚听,故是祟耳,未大和也。　　【疏】以下重释三奏三听之意,结成至乐之道。初闻至乐,未悟大和,心生悚惧,不能放释,是故祸祟之也。　　【释文】"祟"虽遂反。

〔二〕【注】迹稍灭也。　　【疏】再闻之后,情意稍悟,故惧心怠退,其迹遁灭也。

〔三〕【注】以无知为愚,愚乃至也。　　【疏】最后闻乐,灵府淳和,心无分别,有同闇惑,荡荡默默,类彼愚迷。不怠不惧,雅符真道,既而运载无心,与物俱至也。

孔子西游于卫。颜渊问师金曰："以夫子之行为奚如〔一〕？"

〔一〕【疏】卫本昆吾之邑，又是康叔之封。自鲁适卫，故曰西游。师金，鲁太师，名金也。奚，何也。言夫子行仁义之道以化卫侯，未知此术行用可否邪？　【释文】"师金"李云：师，鲁太师也。金，其名也。"之行"下孟反。

师金曰："惜乎，而夫子其穷哉〔一〕！"

〔一〕【疏】言仲尼睿哲明敏，才智可惜，守先王之圣迹，执尧舜之古道，所以频遭辛苦，屡致困穷。

颜渊曰："何也〔一〕？"

〔一〕【疏】问穷之所以也。

师金曰："夫刍狗之未陈也，盛以箧衍，巾以文绣，尸祝齐戒以将之〔一〕。及其已陈也，行者践其首脊，苏者取而爨之而已；将复取而盛以箧衍，巾以文绣，游居寝卧其下，彼不得梦，必且数眯焉〔二〕。今而夫子，亦取先王已陈刍狗，聚①弟子游居寝卧其下。故伐树于宋，削迹于卫，穷于商周，是非其梦邪〔三〕？围于陈蔡之间，七日不火食，死生相与邻，是非其眯邪〔四〕？

〔一〕【疏】此下譬喻，凡有六条：第一刍狗，第二舟车，第三桔槔，第四楂梨，第五猿狙，第六妍丑。刍(狗)，草也，谓结草为狗以解除也。衍，笥也。尸祝，巫师也。将，送也。言刍狗未陈，盛以箧笥之器，覆以文绣之巾，致齐絜以表诚，展如在之将送，庶其福祉，贵之如是。　【释文】"刍狗"李云：结刍为狗，巫祝用之。"盛"音成。下同。"箧"苦牒反。本或作筐。"衍"延善反，郭怡面反。李云:笥也,盛狗之物也。司马云:合也。○庆藩案,巾字,疑饰字之误。太平御览引淮南绢以绮绣作饰以绮绣。"齐戒"侧皆反。本亦作斋。

〔二〕【注】废弃之物,于时无用,则更致他妖也。 【疏】践,履也。首,头也。脊,背也。取草曰苏。爨,炊也。眯,魇也。言刍狗未陈,致斯肃敬。既祭之后,弃之路中,故行人履践其头脊,苏者取供其炊爨。方将复取而贵之,盛于筐衍之中,覆于文绣之下,遨游居处,寝卧其旁,假令不致恶梦,必当数数遭魇。故郭注云,废弃之物,于时无用,则更致他妖也。 【释文】"苏者"李云:苏,草也,取草者得以炊也。案方言云:江淮南楚之间谓之苏。史记云,樵苏后爨,注云:苏,取草也。"爨之"七丸反。"将复"扶又反。"必且"如字。徐子馀反。"数"音朔。"眯"李音米,又音美。字林云:物入眼为病也。司马云:厌也。音一琰反。

〔三〕【疏】此合刍狗之譬,并合孔子穷义也。先王,谓尧舜禹汤,先代之帝王也。宪章文武,祖述尧舜,而为教迹,故集聚弟子,遨游于仁义之域,卧寝于礼信之乡。古法不可执留,事同已陈刍狗。伐树于宋者,孔子曾游于宋,与门人讲说于大树之下,司马桓魋欲杀夫子,夫子去后,桓魋恶其坐处,因伐树焉。削,刬也。夫子尝游于卫,卫人疾之,故刬削其迹,不见用也。商是殷地,周是东周,孔子历聘,曾困于此。良由执于圣迹,故致斯弊。狼狈如是,岂非恶梦耶!○俞樾曰:上取字如字,下取字当读为聚。周易萃象传聚以正也。释文曰:聚,荀作取,汉书五行志,内取兹,师古曰:取,读如礼记聚麀之聚。是聚取古通用。

〔四〕【注】此皆绝圣弃知之意耳,无所稍嫌也。夫先王典礼,所以适时用也。时过而不弃,即为民妖,所以兴矫效之端也。 【疏】

当时楚昭王聘夫子,夫子领徒宿于陈蔡之地。蔡人见徒众极多,谓之为贼,故兴兵围绕,经乎七日,粮食罄尽,无复炊爨,从者饿病,莫之能兴,忧悲困苦,邻乎死地。岂非遭于已陈刍狗而魇耶!

〔校〕①世德堂本聚作取。

夫水行莫如用舟,而陆行莫如用车。以舟之可行于水也而求推之于陆,则没世不行寻常。〔一〕古今非水陆与?周鲁非舟车与?今蕲行周于鲁,是犹推舟于陆也,〔二〕劳而无功,身必有殃。彼未知夫无方之传,应物而不穷者也。〔三〕

〔一〕【疏】夫舟行于水,车行于陆,至于千里,未足为难。若推舟于陆,求其运载,终没一世,不可数尺。 【释文】"推之"郭吐回反,又如字。下同。

〔二〕【疏】此合(谕)〔喻〕也。蕲,求也。(亦)今古代殊,岂异乎水陆!周鲁地异,何异乎舟车! 【释文】"陆与"音馀。下同。"今蕲"音祈,求也。

〔三〕【注】时移世异,礼亦宜变,故因物而无所系焉,斯不劳而有功也。 【疏】方,犹常也。传,转也。言夫子执先王之迹,行衰周之世,徒劳心力,卒不成功。故削迹伐树,身遭殃祸也。夫圣人之智,接济无方,千转万变,随机应物。未知此道,故婴斯祸也。 【释文】"无方之传"直专反,下注同。司马云:方,常也。○庆藩案,传读若转,言无方之转动也。吕氏春秋必己篇,若夫万物之情,人伦之传,高注:传,犹转也。汉书刘向传禹稷与咎繇传相汲引,犹转相汲引也。淮南主术篇生无乏用,死无转尸,逸周书大聚篇作传尸。襄二十五年左传注,传写失之,释文:传,一本作转。

且子独不见夫桔槔者乎？引之则俯，舍之则仰。彼，人之所引，非引人也，故俯仰而不得罪于人〔一〕。故夫<u>三皇五帝</u>之礼义法度，不矜于同而矜于治〔二〕。故譬<u>三皇五帝</u>之礼义法度，其犹柤梨橘柚邪！其味相反而皆可于口〔三〕。

〔一〕【疏】桔槔，挈水木也。人牵引之则俯下，舍放之则仰上。俯仰上下，引舍以人，委顺无心，故无罪。夫人能虚己，其义亦然也。　【释文】"桔"音结。"槔"音羔。○<u>庆藩</u>案，<u>文颖</u>说烽火云，橹上有桔槔，以薪置其中，有寇则然之，字从木。<u>通俗文</u>，机汲谓之擽槔，字从手。然则从木者橹上之物，从手者汲水之物也。据<u>庄子</u>文义，当从<u>通俗文</u>为正。

〔二〕【注】期于合时宜，应治体而已。　【疏】矜，美也。夫<u>三皇五帝</u>，步骤殊时，礼乐威仪，不相沿袭，美在逗机，不治以定，不贵率今以同古。　【释文】"于治"直吏反，注同。

〔三〕【疏】夫柤梨橘柚，甘苦味殊，至于啖嚼而皆可于口。譬<u>三皇五帝</u>，浇淳异世，至于为政，咸适机宜也。　【释文】"柤"侧加反。"柚"由救反。

故礼义法度者，应时而变者也〔一〕。今取猿狙而衣以<u>周公</u>之服，彼必龁啮挽裂，尽去而后慊。观古今之异，犹猿狙之异乎<u>周公</u>也。〔二〕故<u>西施</u>病心而矉其里，其里之丑人见之而美之，归亦捧心而矉其里。其里之富人见之，坚闭门而不出，贫人见之，挈妻子而去走。〔三〕彼知矉美而不知矉之所以美〔四〕。惜乎，而夫子其穷哉〔五〕！"

〔一〕【注】彼以为美而此或以为恶，故当应时而变，然后皆适也。

【疏】帝王之迹，盖无常准，应时而变，不可执留，岂得胶柱刻船，居今行古也！

〔二〕【疏】慊，足也。周公圣人，譬淳古之世；狙猿狡兽，喻浇竞之时。是以礼服虽华，猿狙不以为美；圣迹乃贵，末代不以为尊。故毁礼服，猿狙始慊其心；弃圣迹，苍生方适其性。　【释文】“猿狙”上音袁，下七馀反。“而衣”於既反。“齕”音纥。“挽”音晚。“尽去”起吕反。“慊”苦牒反，李云：足也。本亦作嗛，音同。

〔三〕【疏】西施，越之美女也，貌极妍丽，既病心痛，嚬眉苦之。而端正之人，体多宜便，因其嚬蹙，更益其美，是以闾里见之，弥加爱重。邻里丑人，见而学之，不病强嚬，倍增其陋，故富者恶之而不出，贫人弃之而远走。舍己效物，其义例然。削迹伐树，皆学嚬之过也。　【释文】“而矉”徐扶真反，又扶人反。通俗文云：蹙额曰矉。“其里”绝句。“捧心”敷勇反，郭音奉。“挈”苦结反。

〔四〕【注】况夫礼义，当其时而用之，则西施也；时过而不弃，则丑人也①。　【疏】所以，犹所由也。颦之所以美者，出乎西施之好也。彼之丑人，但美颦之丽雅，而不知由西施之姝好也。

〔五〕【疏】总会后文，结成其旨。穷之事迹，章中具载矣。

〔校〕①赵谏议本无况夫及二则字。

孔子行年五十有一而不闻道，乃南之沛见老聃〔一〕。

〔一〕【疏】仲尼虽领徒三千，号素王，而盛行五德，未闻大道，故从鲁之沛，自北徂南而见老君，以询玄极故也。　【释文】“之沛”音贝。司马云：老子，陈国相人。相，今属苦县，与沛相近。

老聃曰：“子来乎？吾闻子，北方之贤者也，子亦得道

乎?"孔子曰:"未得也。"〔一〕

〔一〕【疏】闻仲尼有当世贤能,未知颇得至道不? 答言未得。自楚望鲁,故曰北也。

老子曰:"子恶乎求之哉〔一〕?"

〔一〕【疏】问:"于何处寻求至道?" 【释文】"恶乎"音乌,下同。

曰:"吾求之于度数,五年而未得也〔一〕。"

〔一〕【疏】数,算术也。三年一闰,天道小成,五年再闰,天道大成,故言五年也。道非术数,故未得之也。

老子曰:"子又恶乎求之哉〔一〕?"

〔一〕【疏】更问:"求道用何方法?"

曰:"吾求之于阴阳,十有二年而未得〔一〕。"

〔一〕【注】此皆寄孔老以明绝学之义也。 【疏】十二年,阴阳之一周也。而未得者,明以阴阳取道,而道非阴阳。故下文云,中国有人,非阴非阳。

老子曰:"然。使道而可献,则人莫不献之于其君;使道而可进,则人莫不进之于其亲;使道而可以告人,则人莫不告其兄弟;使道而可以与人,则人莫不与其子孙。然而不可者,无佗也,〔一〕中无主而不止〔二〕,外无正而不行〔三〕。由中出者,不受于外,圣人不出〔四〕;由外入者,无主于中,圣人不隐〔五〕。名①,公器也〔六〕,不可多取〔七〕。仁义,先王之蘧庐也〔八〕,止可以一宿而不可久处,觏而多责〔九〕。

〔一〕【疏】夫至道深玄,妙绝言象,非无非有,不自不佗。是以不进献于君亲,岂得告于子弟! 所以然者,无佗由也。故托孔老二圣以明玄中之玄也。

〔二〕【注】心中无受道之质，则虽闻道而过去也。　【疏】若使中心无受道之主，假令闻于圣说，亦不能止住于胸怀，故知无佗也。

〔三〕【注】中无主，则外物亦无正己者(也)②，故未尝通也。　【疏】中既无受道之心，故外亦无能正于己者，故不可行也。○俞樾曰：正乃匹字之误。礼记缁衣篇，唯君子能好其正，郑注曰：正当为匹，字之误也，是其例矣。此云中无主而不止，外无匹而不行，与宣三年公羊传自内出者无匹不行，自外至者无主不止，文义相似。自外至者，无主不止，故此言中无主而不止也。自内出者，无匹不行，故此言外无匹而不行也。因匹误为正，郭注遂以正己为说，殊非其义。则阳篇，自外入者有主而不执，由中出者有正而不距，正亦当为匹，误与此同。

〔四〕【注】由中出者，圣人之道也，外有能受之者乃出耳。　【疏】由，从也。从内出者，圣人垂迹显教也。良由物能感圣，故圣人显应，若使外物不能禀受，圣人亦终不出教。

〔五〕【注】由外入者，假学以成性者也。虽性可③学成，然要当内有其质，若无主于中，则无以藏圣道也。　【疏】隐，藏也。由外入者，习学而成性也。由其外禀圣教，宜在心中，若使素无受人之心，则无藏于圣道。○家世父曰：由中出者，师其成心者也；由外入者，学一先生言，暖暖姝姝而私自说者也。师其成心，则外有所不能受，圣人不能出而强之使受也；学一先生之言而私自说，则中莫得所主，圣人不能隐于其心而为之主也。

〔六〕【注】夫名者，天下之所共用。　【疏】名，鸣也。公，平也。器，用也。名有二种：一是命物，二是毁誉。今之所言，是毁誉名也。　【释文】"名公器也"释名云：名，鸣也。公，平也。器，用也。尹文子云：名有三科：一曰命物之名，方圆是也；二曰毁誉之名,善恶是也;三曰况谓之名,爱憎是也。今此是毁誉之名也。

〔七〕【注】矫饰过实,多取者也,多取而天下乱也。　【疏】夫令誉善名,天下共用,必其多取,则矫饰过实而争竞斯起也。

〔八〕【注】犹传舍也。　【释文】"蘧"音渠。司马郭云:蘧庐,犹传舍也。

〔九〕【注】夫仁义者,人之性也。人性有变,古今不同也。故游寄而过去则冥,若滞而系于一方则见。见则伪生,伪生而责多矣。　【疏】蘧庐,逆旅传舍也。觏,见也,亦久也。夫蘧庐客舍,不可久停;仁义礼智,用讫宜废。客停久,疵衅生;圣迹留,过责起。　【释文】"觏"古豆反,见也,遇也。

〔校〕①阙误引张君房本名下有者字。②也字依赵谏议本删。③世德堂本性可作由假。

古之至人,假道于仁,托宿于义〔一〕,以游逍遥之虚①〔二〕,食于苟简之田,立于不贷之圃〔三〕。逍遥,无为也〔四〕;苟简,易养也〔五〕;不贷,无出也〔六〕。古者谓是采真之游〔七〕。

〔一〕【注】随时而变,无常迹也。

〔二〕【疏】古之真人,和光降迹,逗机而行博爱,应物而用人群,何异乎假借涂路,寄托宿止,暂时游寓,盖非真实。而动不伤寂,应不离真,故恒逍遥乎自得之场,彷徨乎无为之境。　【释文】"之虚"音墟。本亦作墟。

〔三〕【疏】苟,且也。简,略也。贷,施与也。知止知足,食于苟简之田;不损己物,立于不贷之圃。而言田圃者,明是圣人养生之地。　【释文】"苟简"王云:苟,且也。简,略也。司马本简作闲,云:分别也。○庆藩案,简,司马本作闲。案闲与简同也。淮南要略篇故节财薄葬,閒服生焉,(閒服,简服也。閒服,谓三月之服也。)文选〔潘安仁〕夏侯常侍诔注及路史后纪引淮南,并作简服。"不贷"敕代反。司马云:施与也。"之圃"音补。

〔四〕【注】有为则非仁义。

〔五〕【注】且从其简,故易养也。　【疏】只为逍遥累尽,故能无为恬淡。苟简,苟且简素,自足而已,故易养也。　【释文】"易养"以豉反。注同。

〔六〕【注】不贷者,不损己以为物也。　【疏】不损我以益彼,故无所出。此三句覆释前义也。　【释文】"以为物"于伪反。

〔七〕【注】游而任之,斯②真采也。(真〔采〕真③则色不伪矣。　【疏】古者圣人行苟简等法,谓是神采真实而无假伪,逍遥任适而随化遨游也。

〔校〕①赵谏议本虚作墟。②世德堂本斯作则。③采真依世德堂本改。

以富为是者,不能让禄;以显为是者,不能让名;亲权者,不能与人柄〔一〕。操之则栗,舍之则悲〔二〕,而一无所鉴,以窥其所不休者,是天之戮民也〔三〕。怨恩取与谏教生杀,八者,正之器也〔四〕,唯循大变无所湮者为能用之。故曰,正者,正也。其心以为不然者,天门弗开矣。〔五〕"

〔一〕【注】天下未有以所非自累者,而各没命于所是。所是而以没其命者,非立乎不贷之圃也。　【疏】夫是富非贫,贪于货贿者,岂能让人财禄!是显非隐,滞于荣位者,何能与人名誉!亲爱权势,矜夸于物者,何能与人之柄!柄,权也。唯厌秽风尘,膻臊荣利者,故能弃之如遗。

〔二〕【注】舍之悲者,操之不能不栗也。　【疏】操执权柄,恐失所以战栗；舍去威力，哀去所以忧悲。　【释文】"操之"七刀反。
"舍之"音捨。注同。

〔三〕【注】言其知进而不知止，则①性命丧矣，所以为戮。　【疏】是
富好权之人，心灵愚暗，唯滞名利，一无鉴识，岂能窥见玄理而
休心息智者乎！如是之人，虽复楚戮未加，而情性以困，故是自
然刑戮之民。　【释文】"丧"息浪反。

〔四〕【疏】夫怨敌必杀，恩惠须偿，分内自取，分外与佗，臣子谏上，君
父教下，应青春以生长，顺素秋以杀罚，此八者治正之器，不得
不用之也。

〔五〕【注】守故不变，则失正矣。　【疏】循，顺也。湮，塞也。唯当顺
于人理，随于变化，达于物情而无滞塞者，故能用八事治之。正
变合于天理，故曰正者正也。其心之不能如是者，天机之门拥
而弗开。天门，心也。　【释文】"湮者"音因。李云：塞也，亦滞
也。郭音煙，又乌节反。司马本作歅，疑也。简文作甄，云：隔
也。"天门"一云：谓心也，一云：大道也。

〔校〕①赵谏议本无则字。

　　孔子见老聃而语仁义。老聃曰："夫播糠眯目，则天
地四方易位矣；蚊虻噆肤，则通昔不寐矣。〔一〕夫仁义憯然
乃愤吾心，乱莫大焉〔二〕。吾子使天下无失其朴〔三〕，吾子
亦放风而动，总德而立矣〔四〕，又奚杰①然若负建鼓而求亡
子者邪〔五〕？夫鹄不日浴而白，乌不日黔而黑〔六〕。黑白之
朴〔七〕，不足以为辩〔八〕；名誉之观，不足以为广〔九〕。泉涸，
鱼相与处于陆，相呴以湿，相濡以沫，不若相忘于江

湖〔一〇〕！"

〔一〕【注】外物加之虽小，而伤性已大也。　【疏】仲尼滞于圣迹，故发辞则语仁义。夫播糠眯目，目暗故不能辩东西；蚊虻噆肤，肤痛则彻宵不睡。是以外物虽微，为害必巨。况夫仁非天理，义不率性，舍己效佗，丧其本性，其为害也，岂眯目噆肤而已哉！噆，啮也。　【释文】"播"甫佐反，又彼我反。"糠"音康，字亦作康。"蚊"音文，字亦作䖟。"虻"音盲，字亦作蝱。"噆"子盍反，郭子合反。司马云：啮也。"通昔"昔，夜也。○庆藩案，昔，犹夕。通昔，犹通宵也。吕氏春秋任地篇曰，孟夏之昔，杀三叶而获大麦。（淮南天文篇以至于仲春之夕，乃收其藏而闭其寒，正作夕。）书大传曰，月之朝，月之中，月之夕，郑注曰：上旬为朝，中旬为中，下旬为夕，字亦作昔。

〔二〕【注】尚之以加其性，故乱。　【疏】仁义憯毒，甚于蚊虻，愦愦吾心，令人烦闷，扰乱物性，莫大于此。本亦作愤字者，不审。【释文】"憯然"七感反。"乃愤"扶粉反。本又作愦，古内反。○庆藩案，愤，释文本又作愦，当从之。贲贵形相近，故从贲从贵之字常相混。潜夫论浮侈篇怀忧愦愦，后汉书王符传作（愦愦）〔愤愤〕②，即其证也。

〔三〕【注】质全而仁义著。

〔四〕【注】风自动而依之，德自立而秉③之，斯易持易行之道也。【疏】放，纵任也。欲使苍生丧其淳朴之性者，莫若绝仁弃义，则反冥我极也。仲尼亦宜放无为之风教，随机务而应物，总虚妄之至德，立不测之神功。亦有作放④，方往反。放，依也。　【释文】"亦放"方往反。"风而动"司马云：放，依也。依无为之风而动也。"易持易行"并以豉反。

庄子集释

466

〔五〕【注】言夫揭仁义以趋道德之乡,其犹击鼓而求逃者,无由得也。【疏】建,击。杰然,用力貌。夫揭仁义以趋道德之乡,何异乎打大鼓以求逃亡之子! 故鼓声大而亡子远,仁义彰而道德废也。【释文】"杰然"<u>郭</u>居竭反,又居谒反,巨竭反。"夫揭"其列、其谒二反。

〔六〕【注】自然各已足。 【释文】"鹄"本又作鹤,同。胡洛反。"日黔"巨淹反,<u>徐</u>其金反。<u>司马</u>云:黑也。

〔七〕【注】俱自然耳,无所偏尚。 【疏】浴,洒也。染缁曰黔。黔,黑也。辩者,别其胜负也。夫鹄白乌黑,禀之自然,岂须日日浴染,方得如是! 以言物性,其义例然。黑白素朴,各足于分,所遇斯适,故不足于分,所以论胜负。亦言:辩,变也,黑白分定,不可变白为黑也。

〔八〕【注】夫至足者忘名誉,忘名誉乃广耳。 【疏】修名立誉,招物观视,〔如〕此(挟)〔狭〕劣,何足自多! 唯忘遗名誉,方可称大耳。 【释文】"之观"古乱反。<u>司马</u>本作讙。

〔九〕【注】言仁义之誉,皆生于不足。 【释文】"泉涸"胡洛反。"相呴"况付反,又况于反。"相濡"如主反,又如瑜反。"以沫"音末。

〔一〇〕【注】斯乃忘仁而仁者也。 【疏】此总结前文,斥仁义之弊。夫泉源枯竭,鱼传沫以相濡;朴散淳离,行仁义以济物。及其江湖浩荡各足所以相忘;道德深玄,得性所以虚淡。既江湖比于道德,濡沫方于仁义,以此格量,故不同日而语矣。 【释文】"相忘"并如字。

〔校〕①阙误引<u>张君房</u>本重杰字,<u>赵谏议</u>本同。②愦愦依<u>后汉书</u>改。③<u>赵谏议</u>本秉作乘。④放疑当作仿。

孔子见老聃归，三日不谈〔一〕。弟子问曰："夫子见老聃，亦将何规哉〔二〕?"

〔一〕【疏】老子方外大圣，变化无常，不可测量，故无所谈说也。

　　【释文】"不谈"本亦作不言。

〔二〕【疏】不的姓名，直云弟子，当是升堂之类，共发此疑。既见老子，应有规诲，何所闻而三日不谈说?

孔子曰："吾乃今于是乎见龙! 龙，合而成体，散而成章〔一〕，乘云气而养乎阴阳〔二〕。予口张而不能嗋①，予又何规老聃哉〔三〕!"

〔一〕【注】谓老聃能变化。　　【疏】夫龙之德，变化不恒。以况至人隐显无定，故本合而成妙体，妙体窈冥;迹散而起文章，文章焕烂。

〔二〕【注】言其因御无方，自然已足。　　【疏】言至人乘云气而无心，顺阴阳而养物也。

〔三〕【疏】嗋，合也。心惧不定，口开不合，复何容暇闻规训之言乎!

　　【释文】"嗋"许劫反，合也。

〔校〕①阙误引江南古藏本嗋下有"舌举而不能切"六字。

子贡曰："然则人①固有尸居而龙见，雷声而渊默，发动如天地者乎②〔一〕? 赐亦可得而观乎?"遂以孔子声见老聃〔二〕。

〔一〕【疏】言至人其处也若死尸之安居，其出也似龙神之变见，其语也如雷霆之振响，其默也类玄理之无声，是以奋发机动，同二仪之生物者也。既而或处或出，或语或默，岂有出处语默之异而异之哉! 然则至人必有出处默语不言之能，故仲尼见之，口开而不能合。　　【释文】"龙见"贤遍反。

〔二〕【疏】赐,子贡名也。子贡欲(至)观至人龙德之相,遂以孔子声教而往见之。 【释文】"赐亦"本亦作赐也。

〔校〕①阙误引江南古藏本人上有至字。②阙误引张君房本乎作哉。

老聃方将倨堂而应,微曰:"予年运而往矣,子将何以戒我乎〔一〕?"

〔一〕【疏】倨,踞也。运,时也。老子自得从容,故踞堂敖诞,物感斯应,微发其言。"予年衰迈,何以教戒我乎?" 【释文】"倨堂"居虑反,跂也。

子贡曰:"夫三王①五帝之治天下②不同,其系声名一也。而先生独以为非圣人,如何哉?〔一〕"

〔一〕【疏】浇淳渐异,步骤有殊,用力用兵,逆顺斯异,故云不同,声名令闻,相系一也。"先生乃排三王为非圣,有何意旨,可得闻乎?" 【释文】"夫三王"本或作三皇,依注,作王是也。馀皆作三皇。

〔校〕①阙误王作皇。②阙误引江南古藏本天下下有也字。

老聃曰:"小子少进! 子何以谓不同〔一〕?"

〔一〕【疏】"汝少进前,说不同所由。"

对曰:"尧授舜,舜授禹①,禹用力而汤用兵,文王顺纣而不敢逆,武王逆纣而不肯顺,故曰不同〔一〕。"

〔一〕【疏】尧舜二人,既是五帝之数,自夏禹以降,便是三王。尧让舜,舜让禹,禹治水而用力,汤伐桀而用兵,文王拘羑里而顺商辛,武王渡孟津而逆殷纣,不同之状,可略言焉。

〔校〕①敦煌本此六字作尧与而舜受。

老聃曰:"小子少进! 余语汝三皇①五帝之治天

下〔一〕。黄②帝之治天下，使民心一，民有其亲死不哭而民不非也〔二〕。尧之治天下，使民心亲，民有为其亲杀其杀③而民不非也〔三〕。舜之治天下，使民心竞，民孕妇十月生子，子生五月而能言〔四〕，不至乎孩而始谁〔五〕，则人始有夭矣〔六〕。禹之治天下，使民心变，人有心而兵有顺〔七〕，杀盗非杀〔八〕，人自为种而天下耳〔九〕，是以天下大骇，儒墨皆起〔一○〕。其作始有伦，而今乎妇女〔一一〕，何言哉〔一二〕！余语汝，三皇五帝之治天下，名曰治之，而乱莫甚焉〔一三〕。三皇之知，上悖日月之明，下睽山川之精，中堕四时之施〔一四〕。其知憯于蛎虿之尾，鲜规之兽，莫得安其性命之情者，而犹自以为圣人，不可耻乎，其无耻也〔一五〕？"

〔一〕【疏】三皇者，伏羲神农黄帝也。五帝，少昊颛顼高辛唐虞也。治天下之（治）〔状〕，列在下文。　【释文】"余语"鱼据反。下同。

〔二〕【注】若非之，则强哭。　【疏】三皇行道，人心淳一，不独亲其亲，不独子其子，故亲死不哭而世俗不非。必也非之，则强哭者众。　【释文】"则强"其丈反。

〔三〕【注】杀，降也。言亲疏者降杀。　【疏】五帝行德，不及三皇，使父子兄弟更相亲爱，为降杀之服以别亲疏，既顺人心，亦不非毁。　【释文】"为其"于伪反。"杀其杀"并所戒反，降也。注同。○家世父曰：杀其杀者，意主于相亲，定省之仪，拜跪之节，凡出于仪文之末者，皆可以从杀也。郭象云亲疏有降杀，误。

〔四〕【注】教之速也。　【疏】舜是五帝之末，其俗渐浇，朴散淳离，民心浮竞，遂使怀孕之妇，十月生子，五月能言。古者怀孕之妇，十四月而诞育,生子两岁,方始能言。浇淳既革,故与古(之)乖异也。　【释文】"孕"以證反。

〔五〕【注】谁者,别人之意也。未孩已择人,言其竞教速成也。　【疏】未解孩笑,已识是非,分别之心,自此而始矣。　【释文】"孩"亥才反。说文云:笑也。"别人"彼列反。下同。

〔六〕【注】不能同彼我,则心竞于亲疏,故不终其天年也。　【疏】分别既甚,不终天年,夭折之始,起自虞舜。

〔七〕【注】此言兵有顺,则天下已有不顺故也。　【疏】去道既远,浇伪日兴,遂使蠢尔之民,好为祸变。废无为之迹,兴有为之心,赏善罚恶,以此为化。而禹怀慈爱,犹解泣辜,兵刃所加,必顺天道也。

〔八〕【注】盗自应死,杀之顺也,故非杀。　【疏】盗贼有罪,理合其诛,顺乎素秋,虽杀非杀。此则兵有顺义也。

〔九〕【注】不能大齐万物而人人自别,斯人自为种也。承百代之流而会乎当今之变,其弊至于斯者,非禹也,故曰天下耳。言圣知之迹非乱天下,而天下必有斯乱。　【疏】夫浇浪既兴,分别日甚,人人自为种见,不能大齐万物。此则解人有心也。圣智之迹,使其如是,非禹之过也,故曰天下耳矣。　【释文】"为种"章勇反。注同。○家世父曰:人自为种类以成乎天下,于是乎有善恶之分,是非之辨。兵者,逆人之性而制其死生者也。既有善恶之分,是非之辨,而兵之用繁矣。于是据之以为顺,而杀盗者谓之当然,因乎人心之变而兵以施焉,而人之心乃日变而不可穷矣。

〔一〇〕【注】此乃百代之弊。　【疏】此总论三皇五帝之迹,惊天下苍生,致使儒崇尧舜以饰非,墨遵禹道而自是。既而百家竞起,九流争(骛)〔骛〕,后代之弊,实此之由也。　【释文】"大骇"胡楷反。

〔一一〕【注】今之以女为妇而上下悖逆者,非作始之无理,但至理之弊,遂至于此。　【疏】伦,理也。当庄子之世,六国竞兴,淫风大行,以女为妇,乖礼悖德,莫甚于兹。故知圣迹始兴,故有伦理,及其末也,例同斯弊也。○家世父曰:荀子乐论,乱世之征,其服组,其容妇,杨倞注:妇,好貌。此(今)〔云〕而今乎妇女,言诸子之兴,其言皆有伦要,而终相与为谐好以悦人也。

〔一二〕【注】弊生于理,故无所复言。　【疏】从理生教,遂至于此。世浇俗薄,何可稍言! 论主发愤而伤叹也。　【释文】"复言"扶又反。

〔一三〕【注】必弊故也。　【疏】夫三皇之治,实自无为。无为之迹,迹生于弊,故百代之后,乱莫甚焉。弊乱之状,列在下文。

〔一四〕【疏】悖,逆也。睽,(乎)〔乖〕离也。堕,废坏也。施,泽也。运无为之智以立治方,后世执迹,遂成其弊。致星辰悖彗,日月为之不明;山川乖离,岳渎为之崩竭;废坏四时,寒暑为之愆叙。　【释文】"之知"音智,下同。"上悖"补对反。"下睽"苦圭反,又音圭,乖也。"中堕"许规反。"之施"式豉反。

〔一五〕【疏】憯,毒也。蛎虿,尾端有毒也。鲜规,小貌。言三皇之智,损害苍生,其为毒也,甚于(虿)〔蛎〕虿,是故细小虫兽,能遭扰动,况乎黔首,如何得安! 以斯为圣,于理未可。毒害既多,深可羞愧也。　【释文】"憯于"七感反。"蛎"敕迈反,又音例。本亦作厉。郭音赖,又敕介反。"虿"许谒反,或敕迈反。或云:依字,上当作虿,下当作蝎。通俗文云:长尾为虿,短尾为蝎。○王引之曰:释文云,蛎,敕迈反,又音例,本亦作厉。郭音赖,又敕

介反。虿,许谒反,或敕迈反。或云,依字,上当作虿,下当作
蝎。案陆读蠆为虿,读虿为蝎,皆非也。蠆,音赖,又音例。陆云
本亦作厉,即其证也。虿,音敕迈反,蝎,音许谒反。蠆,虿,皆
蝎之异名也。广雅曰:虿,蛒,蝎也。(今本广雅脱蛒字。一切
经音义卷五引广雅,虿,蛒,蝎也。集韵引广雅,蛒,虿也。今据
补。)蛒,音卢达反。虿,蛒,皆毒螫伤人之名。虿之言蛆。(蛆
音哲。一切经音义卷十引字林曰:蛆,螫也。僖二十二年左传正

义引通俗文曰:蝎毒伤人曰蛆。)蛒之言瘌也。(瘌,音卢达反。
郭璞注方言曰:瘌,辛螫也。字或作剌。左思魏都赋曰:蔡莽螫
刺,昆虫毒噬(也)是〔也〕。)广雅释诂云:毒,蛆,瘌,痛也,是其
义矣。蛒与蠆,古同声。庄子作蠆,广雅作蛒,其实一字也。
(史记秦本纪厉共公,始皇纪作剌龚公。剌之通作厉,犹蛒之通
作蠆矣。)"鲜规之兽"李云:鲜规,明貌。一云:小虫也。一云:
小兽也。

〔校〕①世德堂本皇作王。②阙误引江南古藏本黄上有昔字。③唐
写本其杀作其服。

子贡蹴蹴然立不安〔一〕。

〔一〕【注】子贡本谓老子独绝三王,故欲同三王于五帝耳。今又见老
子通毁五帝,上及三皇,则失其所以为谈矣。 【疏】蹴蹴,惊悚
貌也。子贡欲(救)〔效〕三王,同五帝;今见老子词调高邈,排摈
五帝,指斥三皇,心形惊悚,失其所谓,故蹴〔蹴〕然,形容虽立,
心神不安。 【释文】"蹴蹴"子六反。

孔子谓老聃曰:"丘治诗书礼乐易春秋六经,自以为
久矣,孰知其故矣;以奸者七十二君,论先王之道而明周召

天运第十四

473

之迹，一君无所钩用。甚矣夫！人之难说也，道之难明邪？"

老子曰："幸矣子之不遇治世之君也！夫六经，先王之陈迹也，岂其所以迹哉〔一〕！今子之所言，犹迹也。夫迹，履之所出，而迹岂履哉！〔二〕夫白鶂之相视，眸子不运而①风化；虫，雄鸣于上风，雌应于下风而风化〔三〕；类自为雌雄，故②风化〔四〕。性不可易，命不可变，时不可止，道不可壅〔五〕。苟得于道，无自而不可〔六〕；失焉者，无自而可〔七〕。"

〔一〕【注】所以迹者，真性也。夫任物之真性者，其迹则六经也。
　　　　【释文】"奸"音干。三苍云：犯也。"钩用"钩，取也。"甚矣夫"音符，篇末同。"难说"始锐反。"治世"直吏反。

〔二〕【注】况今之人事，则以自然为履，六经为迹。

〔三〕【注】鶂以眸子相视。虫以鸣声相应，俱不待合而便生子，故曰风化。　　【释文】"白鶂"五歷反。三苍云：鸽鶂也。司马云：鸟子也。"之相视眸"茂侯反。"子不运而风化"司马云：相待风气而化生也。又云：相视而成阴阳。"虫雄鸣于上风雌应于下风而化"一本作而风化③。司马云：雄者，鼀类；雌者，鳖类。

〔四〕【注】夫同类之雌雄，各自有以相感。相感之异，不可胜极，苟得其类，其化不难，故乃有遥感而风化也。　　【释文】"类自为雌雄故风化"或说云：方之物类，犹如草木异种而同类也。山海经云：亶爰之山有兽焉，其状如狸而有发，其名曰师类；带山有鸟，其状如凤，五采文，其名曰奇类，皆自牝牡也。"可胜"音升。

〔五〕【注】故至人皆顺而通之。　　【释文】"可壅"於勇反。

〔六〕【注】虽化者无方而皆可也。

〔七〕【注】所在皆不可也。

〔校〕①阙误引张君房本而下有感字，下句而下同。②阙误引张君房本故下有曰字。③今书而化作而风化。

孔子不出三月，复见曰："丘得之矣。乌鹊孺，鱼傅沫，细要者化〔一〕，有弟而兄啼〔二〕。久矣夫，丘不与化为人！不与化为人，安能化人〔三〕！"

〔一〕【注】言物之自然，各有性也。　【疏】鹊居巢内，交尾而表阴阳；鱼在水中，傅沫而为牝牡；蜂取桑虫，祝为己子。是知物性不同，禀之大道，物之自然，各有性也。　【释文】"复见"扶又反。下贤遍反，又如字。"乌鹊孺"如喻反。李云：孚乳而生也。"鱼傅"音附，又音付。本亦作传，直专反。"沫"音末。司马云，传沫者，以沫相育也。一云：傅口中沫，相与而生子也。"细要"一遥反。"者化"蜂之属也。司马云：取桑虫祝使似己也。案即诗所谓螟蛉有子，果蠃负之是。○庆藩案，列子释文上引司马云：稚蜂细要者，取桑虫祝之，使似己之子也。视释文所引为详。

〔二〕【注】言人之性舍长而(视)〔亲〕①幼，故啼也。　【疏】有弟而兄失爱，舍长怜幼，故啼。是知陈迹不可执留，但当顺之，物我无累，〔郭云，〕言人性舍长视幼，故啼也。　【释文】"舍"音捨。"长"张丈反。

〔三〕【注】夫与化为人者，任其自化者也。若播六经以说则疏也。

〔校〕①亲字依道藏本改。

老子曰："可。丘得之矣！"

庄子集释卷六上

外篇刻意第十五〔一〕

〔一〕【释文】以义名篇。

刻意尚行，离世异俗，高论怨诽，为亢而已矣；此山谷之士，非世之人，枯槁赴渊者之所好也。〔一〕语仁义忠信，恭俭推让，为修而已矣；此平世之士，教诲之人，游居学者之所好也。〔二〕语大功，立大名，礼君臣，正上下，为治而已矣；此朝廷之士，尊主强国之人，致功并兼者之所好也。〔三〕就薮泽，处閒旷，钓鱼闲处，无为而已矣；此江海之士，避世之人，闲暇者之所好也。〔四〕吹呴呼吸，吐故纳新，熊经鸟申，为寿而已矣；此道①引之士，养形之人，彭祖寿考者之所好也。〔五〕

〔一〕【疏】刻，削也。意，志也。亢，穷也。言偏滞之人，未能会理，刻励身心，高尚其行，离世异俗，卓尔不群，清谈五帝之风，高论三皇之教,怨有才而不遇,诽无道而荒淫,亢志林籁之中,削迹岩崖之下。斯乃隐处山谷之士,非毁时世之人。枯槁则鲍焦介推之流,赴渊则申狄卞随之类,盖是一曲之士,何足以语至道哉!已,止也。其术止于此矣。　【释文】"刻意"司马云:刻,削也,峻其意也。案谓削意令峻也。广雅云:意,志也。"尚行"下孟反。"离世"力智反。"高论"力困反。"怨诽"非谓反,徐音非。李云:非世无道,怨己不遇也。"为亢"苦浪反。李云:穷高曰亢。"枯槁"苦老反。"赴渊"司马云:枯槁,若鲍焦介推;赴渊,若申徒狄。

〔二〕【疏】发辞吐气,则语及仁义,用兹等法为修身之本。此乃平时治世之士,施教诲物之人,斯乃子夏之在西河,宣尼之居洙泗,或游行而议论,或安居而讲说,盖是学人之所好,良非道士之所先。　【释文】"所好"呼报反。下及注皆同。

〔三〕【疏】建海内之功绩,立今古之鸿名,致君臣之盛礼,主上下之大义,宁安社稷,缉熙常道,既而尊君主而服遐荒,强本邦而兼并敌国,岂非朝廷之士,廊庙之臣乎!即皋陶伊尹吕望之徒是也。【释文】"为治"直吏反。下同。"此朝"直遥反。

〔四〕【疏】栖隐山薮,放旷皋泽,闲居而事纶钓,避世而处无为,天子不得臣,诸侯不得友。斯乃从容闲暇之人,即巢父许由公阅休之类。　【释文】"薮"素口反。"处閒"音闲。下同。"鮕鱼"本亦作钓,同。彫叫反。○卢文弨曰:今本鮕作钓。

〔五〕【注】此数子者,所好不同,恣其所好,各之其方,亦所以为逍遥也。然此仅各自得,焉能靡所不树哉!若夫使万物各得其分而不自失者,故当付之无所执为也。　【疏】吹冷呼而吐故,呴暖吸而纳新,如熊攀树而自经,类鸟飞空而伸脚。斯皆导引神气,以养形魂,延年之道,驻形之术。故彭祖八百岁,白石三千年,寿考之人,即此之类。以前数子,志尚不同,各滞一方,未为通美。自不刻意而下,方会玄玄之妙致也。 【释文】"吹呴"况于反,字亦作煦。"呼吸"许及反。"吐故纳新"李云:吐故气,纳新气也。"熊经"如字,李古定反。司马云:若熊之攀树而引气也。"鸟申"如字,郭音信。司马云:若鸟之嚬呻也。"道引"音导。下同。李云:导气令和,引体令柔。"此数"所主反。"仅"其靳反。"焉能"如虔反。

〔校〕①赵谏议本道作导,下同。

若夫不刻意而高,无仁义而修,无功名而治,无江海而闲,不道引而寿〔一〕,无不忘也,无不有也〔二〕,澹然无极而众美从之〔三〕。此天地之道,圣人之德也〔四〕。

〔一〕【注】所谓自然。

〔二〕【注】忘,故能有,若有之,则不能救其忘矣。故有者,非有之而有也,忘而有之也。 【疏】夫玄通合变之士,冥真契理之人,不刻意而其道弥高,无仁义而恒自修习,忘功名而天下大治,去江海而淡尔清闲,不导引而寿命无极者,故能唯物与我,无不尽忘,而万物归之,故无不有也。斯乃忘而有之,非有之而有也。○家世父曰:仁义者,人与人相接而见焉者也。爱焉之谓仁,因乎人而爱之,是固有人之见存也;宜焉之谓义,因乎人而宜之,是仍有己之见存也。无人己之见存,则仁义之名可以不立,而所修者乃真修也。○庆藩案,忘乃亡之借字。亡,犹已也。管子乘马篇今日为明日忘货,史记孟尝君传所期勿忘其中,并与亡同。汉书武五子传臣闻子胥于忠而忘其号,师古注:忘,亡也。淮南修务篇南荣畴耻圣道之独亡于己,贾子劝学篇亡作忘,皆其例。

〔三〕【注】若厉己以为之，则不能无极而众恶生。　【疏】心不滞于一方，迹冥符于五行，是以澹然虚旷而其道无穷，万德之美皆从于己也。　【释文】"澹"大暂反，徐音谈。"然"一本作澹而。

〔四〕【注】不为万物而万物自生者，天地也；不为百行而百行自成者，圣人也。　【疏】天地无心于亭毒而万物生，圣人无心于化育而百行成，是以天地以无生生而为道，圣人以无为为而成德。故老经云，天地不仁，圣人不仁。　【释文】"百行"下孟反。下及篇末百行同。

故曰，夫恬惔寂漠，虚无无为，此天地之平而道德之质也〔一〕。故曰，圣人休休焉①则平易矣〔二〕，平易则恬惔矣〔三〕。平易恬惔，则忧患不能入，邪气不能袭②〔四〕，故其德全而神不亏③〔五〕。

〔一〕【注】非夫寂漠无为也，则危其平而丧其质也。　【疏】恬惔寂漠，是凝湛之心；虚无无为，是寂用之智；天地以此法为平均之源，道德以此法为质实之本也。　【释文】"恬惔"大暂反，徐音谈。下皆同。"质也"质，正也。"而丧"息浪反。下同。

〔二〕【注】休乎恬惔寂漠，息乎虚无无为，则虽历乎阻险④之变，常平夷而无难。　【疏】休心于恬惔之乡，息智于虚无之境，则履艰难而简易，涉危险而平夷也。　【释文】"人休"虚求反，息也。下及注同。"平易"以豉反。下及注皆同。○俞樾曰：休焉二字，传写误倒。此本作故曰圣人休焉，休则平易矣。天道篇故帝王圣人休焉，休则虚，与此文法相似，可据订正。"无难"乃旦反。下同。

〔三〕【注】患难生于有为，有为亦生于患难，故平易恬惔交相成也。

479

【疏】岂唯休心恬惔故平易,抑乃平易而惔(淡)〔惔〕矣,是知平易恬惔交相成也。

〔四〕【注】泯然与正理俱往。 【疏】心既恬惔,迹又平易,唯心与迹,一种无为,故殷忧患累不能入其灵台,邪气妖氛不能袭其藏府。袭,犹入也,互其文也。 【释文】"邪气"似嗟反。下同。

〔五〕【注】夫不平不惔者,岂唯伤其形哉?神德并丧于内也。 【疏】夫恬惔无为者,岂唯外形无毁,亦乃内德圆全。形德既安,则精神无损亏矣。

〔校〕①阙误引张君房本休休焉作休焉休。②唐写本入下袭下均有也字。③唐写本亏下有矣字。④世德堂本作险阻。

故曰,圣人之生也天行[一],其死也物化[二];静而与阴同德,动而与阳同波[三];不为福先,不为祸始;感而后应[四],迫而后动[五],不得已而后起[六]。去知与故,循天之理[七]。故无天灾[八],无物累[九],无人非[一○],无鬼责[一一]。其生若浮,其死若休[一二]。不思虑[一三],不豫谋[一四]。光矣而不耀[一五],信矣而不期[一六]。其寝不梦,其觉无忧[一七]。其神纯粹[一八],其魂不罢[一九]。虚无恬惔,乃合天德[二○]。

〔一〕【注】任自然而运动。

〔二〕【注】蜕然无所系。 【疏】圣人体劳息之不二,达去来之为一,故其生也如天道之运行,其死也类万物之变化,任炉冶之陶铸,无纤介于胸中也。 【释文】"蜕然"音悦,又始锐反。

〔三〕【注】动静无心而付之阴阳也。 【疏】凝神静虑,与大阴同其盛德;应感而动,与阳气同其波澜;动静顺时,无心者也。

〔四〕【注】无所唱也。 【疏】夫善为福先,恶为祸始,既善恶双遣,亦祸福两忘。感而后应,岂为先始者也!

〔五〕【注】会至乃动。 【疏】迫,至也,逼也。动,应也。和而不唱,赴机而应。

〔六〕【注】任理而起,吾不得已也。 【疏】已,止也。机感(通)〔逼〕①至,事不得止而后起应,非预谋。

〔七〕【注】天理自然,知故无为乎其间。 【疏】循,顺也。内去心知,外忘事故,如混沌之无为,顺自然之妙理也。 【释文】"去知"起吕反。○庆藩案,故,诈也。晋语多为之故以变其志,韦注曰:谓多作计术以变易其志。吕览论人篇去巧故,高注:巧故,伪诈也。淮南主术篇上多故则下多诈,高注:故,巧也。皆其例。管子心术篇去智与故,尹知章注:故,事也。失之。

〔八〕【注】灾生于违天。 【疏】合天,故无灾也。

〔九〕【注】累生于逆物。 【疏】顺物,故无累也。

〔一〇〕【注】与人同者,众必是焉。 【疏】同人,故无非也。

〔一一〕【注】同于自得,故无责。

〔一二〕【注】泛然无所惜也。 【疏】夫圣人动静无心,死生一贯,故其生也如浮沤之暂起,变化俄然;其死也若疲劳休息,曾无繫恋也。

〔一三〕【注】付之天理。 【疏】心若死灰,绝于缘念。

〔一四〕【注】理至而应。 【疏】譬悬镜高堂,物来斯照,终不预前谋度而待机务者也。

〔一五〕【注】用天下之自光,非吾耀也。 【疏】智照之光,明逾日月,而韬光晦迹,故不炫耀于物也。

〔一六〕【注】用天下之自信,非吾期也。 【疏】逗机赴感,如影随形,信若四时,必无差忒,机来方应,不预期也。

〔一七〕【疏】契真,故凝寂而不梦;累尽,故常适而无忧也。 【释文】"其觉"古孝反。

〔一八〕【注】一无所欲。 【疏】纯粹者,不杂也。既无梦无忧,契真合道,故其心神纯粹而无间杂也。 【释文】"粹"虽遂反。

〔一九〕【注】有欲乃疲。 【疏】恬惔无为,心神闲逸,故其精魂应用,终不疲劳。 【释文】"不罢"音皮。

〔二〇〕【注】乃与天地合其②恬惔之德也。 【疏】叹此虚无,与天地合其德。

〔校〕①逼字依上句疏文改。上正文迫而后动,疏谓迫,至也,逼也。逼与通形近而误。②世德堂本无其字。

故曰,悲乐者,德之邪〔一〕;喜怒者,道之过〔二〕;好恶者,德之失①〔三〕。故心不忧乐,德之至也〔四〕;一而不变,静之至也〔五〕;无所于忤,虚之至也〔六〕;不与物交,惔之至也〔七〕;无所于逆,粹之至也〔八〕。故曰,形劳而不休则弊,精用而不已则劳,劳则竭〔九〕。

〔一〕【疏】违心则悲,顺意则乐,不达违从,是德之邪妄。 【释文】"悲乐"音洛。下同。

〔二〕【疏】称心则喜,乖情则怒,喜怒不忘,是道之罪过。

〔三〕【疏】无好为好,无恶为恶,此之(忘)〔妄〕心,是德之愆咎也。 【释文】"好恶"乌路反。

〔四〕【注】至德常适,故情无所概。 【疏】不喜不怒,无忧无乐,恬惔虚夷,至德之人也。

〔五〕【注】静而一者,不可变也。 【疏】抱真一之玄道,混嚣尘而不变,自非至静,孰能如斯!

〔六〕【注】其心豁然确尽,乃无纤介之违。　【疏】忤,逆也。大顺群
　　生,无所乖逆,自非虚豁之极,其孰能然也!　【释文】"于忤"五
　　故反。"确"苦角反。"纤介"音界。

〔七〕【注】物自来耳,至恬者无交物之情。　【疏】守分情高,不交于
　　物,无所须待,恬恢之至也。

〔八〕【注】若杂乎浊欲,则有所不顺。　【疏】智照精明,至纯无杂,故
　　能混同万物,大顺苍生。(至)〔此〕论忤之与逆,厥理不殊,显虚
　　粹两义,故再言耳。

〔九〕【注】物皆有当,不可失也。　【疏】夫形体精神,禀之有限,而役
　　用无涯,必之死地。故分外劳形,不知休息,则困弊斯生。精神
　　逐物而不知止,必当劳损,损则精气枯竭矣。

〔校〕①唐写本邪字过字失字下均有也字。

　　水之性,不杂则清,莫动则平;郁闭而不流,亦不能清;
天德之象也。〔一〕故曰,纯粹而不杂〔二〕,静一而不变〔三〕,恬
而无为〔四〕,动而以天行〔五〕,此养神之道也〔六〕。夫有干越
之剑者,柙而藏之,不敢①用也,宝之至也〔七〕。精神四达
并流,无所不极,上际于天,下蟠于地〔八〕,化育万物,不可
为象〔九〕,其名为同②帝〔一〇〕。

〔一〕【注】象天德者,无心而偕会也。　【疏】象者,法效也。言水性
　　清平,善鉴于物。若混而杂之,拥郁而闭塞之,则乖于常性,既
　　不能涟漪流注,亦不能鉴照于物也。唯当不动不闭,则清而且
　　平,洞照无私,为物准的者,天德之象也。以况圣人心灵皎洁,
　　鉴照无私,法象自然,与玄天合德,故老经云上善若水也。

〔二〕【注】无非至当之事也。　【疏】虽复和光同尘,而精神凝湛。此

覆释前其神纯粹也。

〔三〕【注】常在当上住。 【疏】纵使千变万化,而心恒静一。此重释一而不变。

〔四〕【注】与会俱而已矣。 【疏】假令混俗扬波,而无妨虚恬,与物交接,亦不废无为。此释前恬惔之至也。

〔五〕【注】若夫逐欲而动,人行也。 【疏】感物而动,应而无心,同于天道之运行,无心而生万物。

〔六〕【疏】总结以前天行等法,是治身之术,养神之道也。

〔七〕【注】况敢轻用其神乎! 【疏】干,溪名也。越,山名也。干谿越山,俱出良剑也。又云:(于)〔干〕,吴也。言吴越二国,并出名剑,因以为名也。夫有此干越之宝剑,柙中而藏之,自非敌国大事,不敢轻用。宝而重之,遂至于此,而况宝爱精神者乎!

【释文】"干越之剑"司马云:干,吴也。吴越出善剑也。李云:干溪越山出名剑。案吴有溪名干溪,越有山名若耶,并出善铁,铸为名剑也。○庆藩案,王念孙曰:干越,犹言吴越。汉书货殖传辟犹戎翟之与于越,不相入矣。于亦干之误。干,越,皆国名,故言戎翟之与干越。颜师古以为春秋之於越,又因而误於。当从司马说为是。(淮南原道篇干越生葛絺,高注曰:干,吴也。刘本改干为于,云:于越一作於越,非。)"柙而"户甲反。

〔八〕【注】夫体天地之极应万物之数以为精神者,故若是矣。若是而有落天地之功者,任天行耳,非轻用也。 【疏】流,通也。夫爱养精神者,故能通达四方,并流无滞。既而下蟠薄于厚地,上际逮于玄天,四维上下,无所不极,动而常寂,非轻用之者也。

【释文】"下蟠"音盘,郭音烦。

〔九〕【注】所育无方。 【疏】化导苍生,含育万物,随机俯应,不守一方,故不可以形象而域之也。

〔一〇〕【注】同天帝之不为。　【疏】帝,审也。总结以前,名为审实之
　　　道也。亦言:同天帝之不为也已。

〔校〕①郭注及成玄英本敢下均有轻字。②唐写本无同字。

　　纯素之道,唯神是守;守而勿失,与神为一〔一〕;一之精
通,合于天伦〔二〕。野语有之曰:"众人重利,廉士重名,贤
人尚志,圣人贵精〔三〕。"故素也者,谓其无所与杂也;纯也
者,谓其不亏其神也〔四〕。能体纯素,谓之真人〔五〕。

〔一〕【注】常以纯素守乎至寂而不荡于外,则冥也。　【疏】纯精素质
　　　之道,唯在守神。守神而不丧,则精神凝静,既而形同枯木,心
　　　若死灰,物我两忘,身神为一也。

〔二〕【注】精者,物之真也。　【疏】伦,理也。既与神为一,则精智无
　　　碍,故冥乎自然之理。

〔三〕【注】与神为一,非守神也;不远其精,非贵精也;然其迹则贵守
　　　之①也。　【疏】庄生欲格量人物志尚不同,故泛举大纲,略为
　　　四品,仍寄野逸之人,以明言无的当。且世俗众多之人,咸重财
　　　利,则盗跖之徒是也;贞廉纯素之士,皆重声名,则伯夷介推是
　　　也;贤人君子,高尚志节,不屈于世,则许由子州支伯是也。唯
　　　体道圣人,无所偏滞,故能宝贵精神,不荡于物,虽复应变随时,
　　　而不丧其纯素也。

〔四〕【注】苟以不亏为纯,则虽百行同举,万变参备,乃至纯也;苟以
　　　不杂为素,则虽龙章凤姿,倩乎有非常之观,乃至素也。若不能
　　　保其自然之质而杂乎外饰,则虽犬羊之鞟,庸得谓之纯素
　　　哉!　【疏】夫混迹世物之中而与物无杂者,至素者也;参变器
　　　尘之内而其神不亏者,至纯者也;岂复独立于高山之顶,拱手于

林籟之间而称纯素哉？盖不然乎！此结释前纯素之道义
也。　【释文】"倩乎"七练反。"之观"古唤反。"鞟"苦郭反。

〔五〕【疏】体，悟解也。妙契纯素之理，则所在皆真道也，故可谓之得
真道之人也。

〔校〕①赵谏议本之作迹。

外篇 缮性第十六^{〔一〕}

〔一〕【释文】以义名篇。

缮性于俗，俗①学以求复其初^{〔一〕}；滑欲于俗②，思以求
致其明^{〔二〕}；谓之蔽蒙之民^{〔三〕}。

〔一〕【注】已治性于俗矣，而欲以俗学复性命之本，所以求者愈非其
道也。　【疏】缮，治也。性，生也。俗，习也。初，本也。言人
禀性自然，各守生分，率而行之，自合于理。今乃习于伪法，治
于真性，矫而矫之，已困弊矣。方更行仁义礼智儒俗之学，以求
归复本初之性，故俗弥得而性弥失，学愈近而道愈远也。　【释
文】"缮"善战反。崔云：治也。或云：善也。"性"性，本也。

〔二〕【注】已乱其心于欲，而方复役思以求明，思之愈精，失之愈
远。　【疏】滑，乱也。致，得也。欲，谓名利声色等可贪之物
也。言人所以心灵暗乱者，为贪欲于尘俗故也。今还役用分别
之心，思量求学，望得获其明照之道者，必不可也。唯当以无学
学，可以归其本矣；以无思思，可以得其明矣。本亦有作滑欲于
欲者也。　【释文】"滑"音骨，乱也。崔云：治也。○俞樾曰：释
文，滑音骨，乱也。崔云，治也。此当从崔说为长。上文缮性于
俗学以求复其初，崔注缮亦训治。盖二句一义，缮也，滑也，皆

治也,故曰求复其初,求致其明。若训滑为乱,则与求字之义不
贯矣。滑得训治者,滑,犹汩也。<u>说文水部</u>:汩,治水也。是其义
也。<u>玉篇手部</u>曰:扣,亦捐字。然则滑之与汩,犹捐之与扣矣。
"思以"<u>李</u>息吏反。注役思同。"方复"扶又反。下无复、虽
复同。

〔三〕【注】若夫发蒙者,必离俗去欲而后几焉。　【疏】蔽,塞也。蒙,
　　暗也。此则结前。以俗学归本,以思虑求明,如斯之类,可谓蔽
　　塞蒙暗之人。　【释文】"必离"力智反。下文同。"去欲"起
　　吕反。

〔校〕①阙误引<u>张君房</u>本下俗字作□。②阙误引<u>张君房</u>本俗作欲。

古之治道者,以恬养知〔一〕;知①生而无以知为也,谓
之以知养恬〔二〕。知与恬交相养,而和理出其性〔三〕。夫
德,和也;道,理也〔四〕。德无不容,仁也〔五〕;道无不理,义
也〔六〕;义明而物亲,忠②也〔七〕;中纯实而反乎情,乐也〔八〕;
信行容体而顺乎文,礼也〔九〕。礼乐徧③行,则天下乱
矣〔一○〕。彼正而蒙己德,德则不冒,冒则物必失其性
也〔一一〕。

〔一〕【注】恬静而后知不荡,知不荡而性不失也。　【疏】恬,静也。
　　古者圣人以道治身治国者,必以恬静之法养真实之知,使不荡
　　于外也。　【释文】"治道"如字,又直吏反。"养知"音智。下
　　以意求之。

〔二〕【注】夫无以知为而任其自知,则虽知周万物而恬然自得也。
　　【疏】率性而照,知生者也;无心而知,无以知为也。任知而往,
　　无用造为,斯则无知而知,知而无知,非知之而知者也。故终日

知而未尝知,亦未尝不知,终日为而未尝为,亦未尝不为,仍以此真知养于恬静。若不如是,何以恬乎!

〔三〕【注】知而非为,则无害于恬;恬而自为,则无伤于知;斯可谓交相养矣。二者交相养,则和理之分,岂出佗哉! 【疏】夫不能恬静,则何以生彼真知? 不有真知,何能致兹恬静? 是故恬由于知,所以能静;知资于静,所以获真知。故知之与恬,交相养也。斯则中和之道,存乎寸心,自然之理,出乎天性,在我而已,岂关他哉!

〔四〕【注】和,故无不得;道,故无不理。 【疏】德被于人,故以中和为义;理通于物,故以大道为名也。

〔五〕【注】无不容者,非为仁也,而仁迹行焉。 【疏】玄德深远,无不包容,慈爱弘博,仁迹斯见。

〔六〕【注】无不理者,非为义也,而义功著焉。 【疏】夫道能通物,物各当理,理既宜矣,义功著焉。

〔七〕【注】若夫义明而不由忠,则物愈疏。 【疏】义理明显,情率于中,既不矜矫,故物来亲附也。

〔八〕【注】仁义发中,而还任本怀,则志得矣,志得矣,其迹则乐也。 【疏】既仁义由中,故志性纯实,虽复涉于物境而恒归于真情,所造和适,故谓之乐。 【释文】"乐也"音洛。注同。

〔九〕【注】信行容体而顺乎自然之节文者,其迹则礼也。 【疏】夫信行显著,容仪轨物而不乖于节文者,其迹则礼也。 【释文】"信行"下孟反。注同。下以行、小行,注行者、行立皆放此。

〔一〇〕【注】以一体之所履,一志之所乐,行之天下,则一方得而万方失也。 【疏】夫不能虚心以应物而执迹以驭世者,则必滞于华藻之礼而溺于荒淫之乐也,是以刍狗再陈而天下乱矣。 【释文】

“徧”音遍。○俞樾曰:郭注曰,以一体之所履,一志之所乐,行之天下,则一方得而万方失也。是徧为一偏之偏,故郭以一体一志说之。释文作徧而音遍,非是。

〔一〕【注】各正性命而自蒙己德,则不以此冒彼也。若以此冒彼,安得不失其性哉! 【疏】蒙,暗也。冒,乱也。彼,谓履正道之圣人也。言人必己冒乱,则物我失其性矣。○家世父曰:德足以正物矣,而抑听物之自然而蒙吾德焉,未尝以德强天下而冒之也。强天下而冒之,则正者我也,非物之自正也,而物之失其性多矣。 【释文】“不冒”莫报反。崔云:覆也。

〔校〕①阙误无知字,引张君房本云,知下重知字,通章知俱作智。②阙误引张君房本忠作中。③阙误作偏,引江南古藏本云偏作徧。

　古之人,在混芒之中,与一世而得澹漠焉〔一〕。当是时也,阴阳和静,鬼神不扰,四时得①节,万物不伤,群生不夭,人虽有知,无所用之〔二〕,此之谓至一。当是时也,莫之为而常自然〔三〕。

〔一〕【疏】谓三皇之前,玄古无名号之君也。其时淳风未散,故处在混沌芒昧之中而与时世为一,冥然无迹,君臣上下不相往来,俱得恬澹寂漠无为之道也。 【释文】“在混”胡本反。“芒”莫刚反。崔云:混混芒芒,未分时也。“澹”徒暂反。

〔二〕【注】任其自然而已。 【疏】当是混沌之时,淳朴之世,举世恬恢,体合无为,遂使阴升阳降,二气和而静泰;鬼幽人显,各守分而不扰。炎凉顺序,四时得节,既无灾眚,万物不伤,群生各尽天年,终无夭折。人虽有心知之术,无为,故无用之也。 【释文】“不扰”而小反。

〔三〕【注】物皆自然,故至一也。　【疏】均彼此于无为,混是非于恬惔,物我不二,故谓之至一也。莫,无也。莫之为而自为,无为也;不知所以然而然,自然也。故当是时也,人怀无为之德,物含自然之道焉。○庆藩案,自然,谓自成也。广雅:然,成也。大戴礼武王践阼篇毋曰胡残,其祸将然,谓祸将成也。楚词远游无滑而魂兮,彼将自然,言彼将自成也。郭云物皆自然,语未晰。

〔校〕①阙误引张君房本得作应。

逮德下衰〔一〕,及燧人伏羲始为天下,是故顺而不一〔二〕。德又下衰,及神农黄帝始为天下,是故安而不顺〔三〕。德又下衰,及唐虞始为天下,兴治化之流,㶏①淳散朴〔四〕,离道以善〔五〕,险德以行〔六〕,然后去性而从于心〔七〕。心与心识〔八〕知而不足以定天下〔九〕,然后附之以文,益之以博。文灭质,博溺心,〔一〇〕然后民始惑乱,无以反其性情而复其初〔一一〕。

〔一〕【注】夫德之所以下衰者,由圣人不继世,则在上者不能无为而羡无为之迹,故致斯弊也。

〔二〕【注】世已失一,惑不可解,故释而不推,顺之而已。　【疏】逮,及也。古者茹毛饮血,与麋鹿同群。及至燧人始变生为熟,伏羲则服牛乘马,创立庖厨,画八卦以制文字,放蜘蛛而造密网。既而智诈萌矣,嗜欲渐焉,浇淳朴之心,散无为之道。德衰而始为天下,此之谓乎!是顺黎庶之心,而不能混同至一也。　【释文】"燧人"音遂。

〔三〕【注】安之于其所安而已。　【疏】夫德化更衰,为弊增甚。故神农有共工之伐,黄帝致蚩尤之战,祅气不息,兵革屡兴。是以诛暴去残,吊民问罪,苟且欲安于天下,未能大顺于群生者也。

〔四〕【注】圣人无心,任世之自成。成之淳薄,皆非圣也。圣能任世
之自得耳,岂能使世得圣哉!故皇王之迹与世俱迁,而圣人之
道未始不全也。 【疏】夫<u>唐尧虞舜</u>,居<u>五帝</u>之末,而兴治行化,
冠<u>三王</u>之始。是以设五典而纲纪五行,置百官而平章百姓,百
姓因此而浇讹,五行自斯而荒殆。枝流分派,迄至于兹,岂非毁
淳素以作浇讹,散朴质以为华伪! 【释文】"兴治"直吏反。
"滜"古尧反。本亦作浇。"醇"本亦作淳,音纯。

〔五〕【注】善者,过于适之称,故有善而道不全。 【疏】夫虚通之道,
善恶两忘。今乃舍己效人,矜名企善,善既乖于理,所以称离
也。 【释文】"之称"尺證反。

〔六〕【注】行者,违性而行之,故行立而德不夷。 【疏】险,危阻也。
不能率性任真,晦其踪迹,乃矫情立行以取声名,实由外行声名
浮伪,故令内德危险,何清夷之有哉!○<u>庆藩</u>案,离道以善,险
德以行,<u>郭</u>注训为有善而道不全,行立而德不夷,望文生义,于
理未顺。善字疑是为字之误,言所为非大道,所行非大德也。<u>淮
南俶真篇</u>杂道以伪,(杂当为离字之误。伪,古为字,为亦行
也。)俭德以行,(俭险,古字通。<u>曾子本孝篇</u>不兴俭行以徼幸,
<u>汉慎令刘修碑</u>动乎俭中,俭并当作险。<u>荀子富国篇</u>俗俭而百姓
不一,<u>杨倞</u>注:俭当为险。)即本于此。

〔七〕【注】以心自役,则性去也。 【疏】离虚通之道,舍淳和之德,然
后去自然之性,从分别之心。

〔八〕【注】彼我之心,竞为先识,无复任性也。 【疏】彼我之心,更相
谋虑,是非臧否,竞为前识者也。 【释文】"心与心识"如字。
众本悉同。<u>向</u>本作职,云:彼我之心,竞为先职矣。<u>郭</u>注既与<u>向</u>

同,则亦当作职也。

〔九〕【注】忘知任性,斯乃定也。 【疏】夫心攀缘于有境,知分别于无崖,六合为之烟尘,八荒为之腾沸,四时所以愆序,三光所以彗(悖)〔字〕。斯乃祸乱之源,何足以定天下也! ○家世父曰:<u>郭象</u>云,彼我之心,竞为先识,无复任性也。诸本皆以心与心识为句。<u>向秀</u>本作职,云,彼我之心,竞为先职矣。疑心与心,非彼我之有异心也,心自异也。本然者一心,然引之而动者又一心。引之而动,一念之觉而有识焉,冬则识寒,夏则识暖是也;因觉生意而有知焉,食则知求甘,衣则知求温是也。佛家以意识分两境。知者,意之发也,故曰不识不知,顺帝之则。识者,内心之炯;知者,外心之通也。知识并生而乱始繁矣,乌足以定天下哉! ○<u>俞樾</u>曰:识知二字连文。<u>诗</u>曰,不识不知,是识知同义,故连言之曰识知也。心与心识知而不足以定天下,明必不识不知而后可言定也。诸家皆断识字为句,非是;<u>向</u>本作职,尤非。

〔一〇〕【注】文博者,心质之饰也。 【疏】前(后)〔既〕使心运知,不足以定天下,故后依附文书以匡时,代增博学而济世。不知质是文之本,文华则隐灭于素质;博是心之末,博学则没溺于心灵。唯当绝学而去文,方会无为之美也。 【释文】"博溺"乃沥反,郭奴学反。

〔一一〕【注】初,谓性命之本。 【疏】文华既〔隐〕②灭于素质,博学又没溺于心灵,于是蠢民成乱始矣,欲反其恬恢之情性,复其自然之初本,其可得乎! 噫,心知文博之过!

〔校〕①<u>世德堂</u>本濩作濩。②隐字依上句疏文补。

由是观之,世丧道矣,道丧世矣。世与道交相丧也,〔一〕道之人何由兴乎世,世亦何由兴乎道哉〔二〕! 道无以兴乎世,世无以兴乎道,虽圣人不在山林之中,其德隐矣〔三〕。

〔一〕【注】夫道以不贵,故能存世。然世存则贵之,贵之,道斯丧矣。道不能使世不贵,而世亦不能不贵于道,故交相丧也。 【疏】丧,废也。由是事迹而观察之,故知时世浇浮,废弃无为之道,亦由无为之道,废变淳和之世。是知世之与道交相丧之也。

【释文】"世丧"息浪反。下及注皆同。○庆藩案,<u>文选</u><u>江文通杂</u><u>体诗</u>注引<u>司马</u>云:世皆异端丧道,道不好世,故曰丧耳。释文阙。

〔二〕【注】若不贵,乃交相兴也。 【疏】故怀道圣人,高蹈尘俗,未肯兴弘以驭世,而浇伪之世,亦何能兴感于圣道也!

〔三〕【注】今所以不隐,由其有情以兴也。何由而兴? 由无贵也。

【疏】浇季之时,不能用道,无为之道,不复行世。假使体道圣人,降迹尘俗,混同群生,无人知者,韬藏圣德,莫能见用,虽居朝市,何异山林矣!

隐,故不自隐〔一〕。古之所谓隐士者,非伏其身而弗见也,非闭其言而不出也,非藏其知而不发也,时命大谬也〔二〕。当时命而大行乎天下〔三〕,则反一无迹〔四〕;不当时命而大穷乎天下〔五〕,则深根宁极而待〔六〕:此存身之道也〔七〕。

〔一〕【注】若夫自隐而用物,则道世交相兴矣,何隐之有哉! 【疏】时逢昏乱,故圣道不行,岂是韬光自隐其德邪!

〔二〕【注】莫知反一以息迹,而逐迹以求一,愈得迹,愈失一,斯大谬矣。虽复起身以明之,开言以出之,显知以发之,何由而交兴哉! 祇所以交丧也。 【疏】谬,伪妄也。非伏匿其身而不见,虽见而不乱群;非闭其言而不出,虽出而不忤物;非藏其知而不发,虽发而不眩曜;但时逢谬妄,命遇迍遭,故随世污隆,全身远害也。　【释文】"弗见"贤遍反。"祇所"音支。

〔三〕【注】此澹漠之时也。

〔四〕【注】反任物性而物性自一,故无迹。　【疏】时逢有道,命属清夷,则播德弘化,大行天下。既而人人反一,物物归根,彼我冥符,故无朕迹。

〔五〕【注】此不能澹漠之时也。

〔六〕【注】虽有事之世,而圣人未始不澹漠也,故深根宁极而待其自为耳,斯道之所以不丧也。　【疏】时遭无道,命值荒淫,德化不行,则大穷天下。既而深固自然之本,保宁至极之性,安排而随变化,处常而待终年,岂有穷通休戚于其间哉!

〔七〕【注】未有身存而世不兴者也。　【疏】在穷塞而常乐,处危险而安宁,任时世之行藏,可谓存身之道也。

古之行①身者,不以辩饰知〔一〕,不以知穷天下〔二〕,不以知穷德〔三〕,危然处其所而反其性已,又何为②哉〔四〕! 道固不小行〔五〕,德固不小识〔六〕。小识伤德,小行伤道〔七〕。故曰,正己而已矣。乐全之谓得志。〔八〕

〔一〕【注】任其真知而已。　【疏】古人轻辩重讷,贱言贵行,是以古人之行任其身者,必不用浮华之言辩,饰分别之小智也。

〔二〕【注】此淡泊之情也。　【疏】穷者,困累之谓也,不纵知毒害以困苦苍生也。　【释文】"淡"大暂反。"泊"音薄。

〔三〕【注】守其自德而已。　【疏】知止其分,不以无涯而累其自得也。

〔四〕【注】危然,独正之貌。　【疏】危,犹独也。言独居乱世之中,处危而所在安乐,动不伤寂,恒反自然之性,率性而动,复何为之哉?言其无为也。 【释文】"危然"如字。<u>郭</u>云:独正貌。<u>司马</u>本作恑,云:独立貌。<u>崔</u>本作垝,音如累块之块。垝然,自持安固貌。

〔五〕【注】游于坦途。 【疏】大道广荡,无不范围,小成隐道,固不小行矣。 【释文】"于坦"敕但反。

〔六〕【注】块然大通。 【疏】上德之人,智周万物,岂留意是非而为识鉴也! 【释文】"块然"苦对反。

〔七〕【疏】小识小知,亏损深玄之盛德;小学小行,伤毁虚通之大道也。

〔八〕【注】自得其志,独夷其心,而无哀乐之情,斯乐之全者也。 【疏】夫己身履于正道,则所作皆虚通也。既而无顺无逆,忘哀忘乐,所造皆适,斯乐(全)之〔全〕③者也。至乐全矣,然后志性得焉。 【释文】"乐全"音洛。注、下皆同。

〔校〕①<u>世德堂</u>本行作存。②<u>阙</u>误引<u>张君房</u>本为下有乎字。③乐之全者,依注文改。

古之所谓得志者,非轩冕之谓也,谓其无以益其乐而已矣〔一〕。今之所谓得志者,轩冕之谓也〔二〕。轩冕在身,非性命①也,物之傥来,寄者也〔三〕。寄之,其来不可圉,其去不可止〔四〕。故不为轩冕肆志〔五〕,不为穷约趋俗〔六〕,其乐彼与此同〔七〕,故无忧而已矣〔八〕。今寄去则不乐,由(之)〔是〕②观之,虽乐,未尝不荒也〔九〕。故曰,丧己于物,失性于俗者,谓之倒置之民〔一〇〕。

〔一〕【注】全其内而足。 【疏】益,加也。轩,车也。冕,冠也。古人淳朴,体道无为,得志在乎恬夷,取乐非关轩冕。乐已足矣,岂待加之也!

〔二〕【疏】今世之人,浇浮者众,贪美荣位,待此适心,是以戴冕乘轩,用为得志也。

〔三〕【疏】傥者,意外忽来者耳。轩冕荣华,身外之物,物之傥来,非我性命,暂寄而已,岂可久长也! 【释文】"傥来"吐黨反。崔本作黨,云:众也。○庆藩案,崔本傥作黨,黨,古傥字。黨者,或然之词也。<u>史记</u>淮阴侯传恐其黨不(敌)〔就〕③,<u>汉书</u>伍被传黨可以侥幸,并与傥同。(淮南臣道)〔<u>荀子天论</u>〕④篇怪星之黨见,<u>杨</u>注训黨为频,<u>王念孙</u>谓于古无据。<u>惠定宇</u>九经古义曰:黨见犹所见也。又训黨为所,则据<u>公羊</u>注义也,亦似未协。<u>崔</u>云,黨,众也,尤非。

〔四〕【注】在外物耳,得失之非我也。 【疏】时属傥来,泛然而取轩冕;命遭寄去,澹尔而舍荣华。既无心于捍御,岂有情于留吝也! 【释文】"可圉"鱼吕反。本又作禦。

〔五〕【注】澹然自若,不觉寄之在身。 【释文】"不为"于伪反。下同。

〔六〕【注】旷然自得,不觉穷之在身。 【疏】肆,申也。趋,竞也。古人体穷通之有命,达荣枯之非己,假使轩冕当涂,亦未足申其志气,或俭约以穷窘,岂趋竞于嚣俗!

〔七〕【注】彼此,谓轩冕与穷约。 【疏】彼,轩冕也。此,穷约也。夫轩冕穷约,俱是傥来,既乐彼轩冕,亦须喜兹穷约,二俱是寄,所以相同也。

〔八〕【注】亦无欣欣之喜也。 【疏】轩冕不乐,穷约不苦,安排去化,所以无忧者也。

496

〔九〕【注】夫寄去则不乐者,寄来则荒矣,斯以外易内也。　【疏】今世之人,识见浮浅,是以物之寄也,欣然而喜,及去也,怅然不乐。岂知彼此事出傥来,而寄去寄来,常忧常喜,故知虽乐而心未始不荒乱也。

〔一〇〕【注】营外亏内,(甚)〔其置〕倒(置)⑤也。　【疏】夫寄去寄来,且忧且喜,以己徇物,非丧如何! 轩冕穷约,事归尘俗,若习俗之常,失于本性,违真背道,实此之由,其所安置,足为颠倒也。

【释文】"倒置之民"崔云:逆其性命而不顺也。向云:以外易内,可谓倒置。

〔校〕①阙误引张君房本命下有之有二字。②是字依世德堂本改。③就字依史记原文改。④荀子天论四字依刘文典补正本改。⑤其置倒三字依世德堂本改。

庄子集释卷六下

外篇秋水第十七〔一〕

〔一〕【释文】借物名篇。

秋水时至,百川灌河,泾流之大,两涘渚崖之间,不辩牛马〔一〕。于是焉河伯欣然自喜,以天下之美为尽在己〔二〕。顺流而东行,至于北海,东面而视,不见水端,于是焉河伯始旋其面目,望洋向若而叹曰:"野语有之曰,'闻道百以为莫己若者',我之谓也〔三〕。且夫我尝闻少仲尼之闻而轻伯夷之义者,始吾弗信;今我睹子之难穷也,吾非至于子之门则殆矣,吾长见笑于大方之家〔四〕。"

〔一〕【注】言其广也。 【疏】河,孟津也。泾,通也。涘,岸也。涯,际也。渚,洲也,水中之可居曰洲也。大水生于春而旺于秋,素秋阴气猛盛,多致霖雨,故秋时而水至也。既而凡百川谷,皆灌注黄河,通流盈满,其水甚大,涯岸旷阔,洲渚迢遥,遂使隔水远看,不辨牛之与马也。 【释文】"秋水"李云:水生于春,壮于

秋。白虎通云:水,准也。"灌河"古乱反。"泾流"音经。司马
云:泾,通也。崔本作径,云:直度曰径。又云:字或作泾。"两
涘"音俟,涯也。"渚"司马云:水中可居曰渚。释名云:渚,遮
也,体高,能遮水使从旁回也。"崖"字又作涯,亦作厓,并同。
"不辩牛马"辩,别也。言广大,故望不分别也。

〔二〕【疏】河伯,河神也,姓冯,名夷,华阴潼堤乡人,得水仙之道。河
既旷大,故欣然欢喜,谓天下荣华盛美,尽在己身。 【释文】
"河伯"姓冯,名夷,一名冰夷,一名冯迟,已见大宗师篇。一云:
姓吕,名公子,冯夷是公子之妻。○庆藩案,〔文选〕枚乘七发注
引许慎曰:冯迟,河伯也。释文云:河伯,姓冯名夷,一名冯迟。
迟夷二字,古通用也。淮南齐俗训冯夷得道以潜大川,许注:冯
夷,河伯也,华阴潼乡隄首里人,服八石,得水仙。诗小雅四牡篇
周道倭迟,韩诗作委夷。颜籀匡(俗)〔谬〕正(谬)〔俗〕云:古迟夷
通,此其证。高注淮南原道篇:冯夷,或曰冯迟,古之得道能御阴
阳者也。"为尽"津忍反。

〔三〕【疏】北海,今莱州是。望洋,不分明也,水日相映,故望洋也。
若,海神也。河伯沿流东行,至于大海,聊复顾盱,不见水之端
涯,方始回旋面目,高视海若,仍慨然发叹,托之野语。而百是
万之一,诚未足以自多,遂(为)〔谓〕无如己者,即河伯之谓也。
此乃鄙俚之谈,未为通论耳。 【释文】"北海"李云:东海之北
是也。"面目盱"莫刚反,又音旁,又音望。本一作望。○卢文
弨曰:今本盱作望。"洋"音羊。司马崔云:盱洋,犹望羊,仰视
貌。"向若"向徐音嚮,许亮反。司马云:若,海神。○庆藩案,
释文引司马崔本作盱洋,云盱洋犹望羊,仰视貌。今案洋羊皆
假借字,其正字当作阳。论衡骨相篇武王望阳,言望视太阳也。

太阳在天,宜仰而观,故训为仰视。"闻道百"李云:万分之一也。○家世父曰:李轨云:闻道百,万分之一也。今案闻字对下(听)〔睹〕字为言。闻道虽多而不知其无穷也,以意度其然而自信其有进焉者,及(昧)〔睹〕①其无穷,乃始爽然自失也。百者,多词也。李注非是。○庆藩案,百,古读若博,与若韵。汉书邹阳传鸷鸟累百,与鹗韵。蔡邕独断蜡祝辞岁取千百,与宅壑作韵。

〔四〕【注】知其小而不能自大,则理分有素,跂尚之情无为乎其间。

【疏】方,犹道也。世人皆以仲尼删定六经为多闻博识,伯夷让国清廉,其义可重。复有通人达士,议论高谈,以伯夷之义为轻,仲尼之闻为寡,即河伯尝闻,窃未之信。今见大海之弘博,浩汗难穷,方觉昔之所闻,谅不虚矣。河伯向不至海若之门,于事大成危殆。既而所见狭劣,则长被(啴)〔嗤〕笑于大道之家。

【释文】"今我睹"旧音觏。案说文,睹今字,觏古字,睹,见也。崔本作今睹我,云:睹,示也。"大方之家"司马云:大道也。"理分"扶问反,后同。

〔校〕①两睹字依下正文改。

北海若曰:"井鼃不可以语于海者,拘于虚①也;夏虫不可以语于冰者,笃于时也;曲士不可以语于道者,束于教也〔一〕。今尔出于崖②涘,观于大海,乃知尔丑,尔将可与语大理矣〔二〕。天下之水,莫大于海,万川归之,不知何时止而不盈;尾闾泄之,不知何时已而不虚;春秋不变,水旱不知。此其过江河之流,不可为量数〔三〕。而吾未尝以此自多者,自以比形于③天地而受气于阴阳,吾在〔于〕④天地之间,犹小石小木之在大山也,方存乎见少,又奚以自多〔四〕！计四海之在天地之间也，不似礨空之在大泽乎？计中国之在海内，不似稊米之在大仓乎？〔五〕号物之数谓之万，人处一焉；人卒九州，谷食之所生，舟车之所通，人处一焉；此其比万物也，不似豪末之在于马体乎？〔六〕五帝之所连⑤，三王之所争，仁人之所忧，任士之所劳，尽此矣〔七〕。伯夷辞之以为名，仲尼语之以为博，此其自多也，不似尔向之自多于水乎〔八〕？"

〔一〕【注】夫物之所生而安者，趣各有极。　【疏】海若知河伯之狭劣，举三物以譬之。夫坎井之鼋，闻大海无风而洪波百尺，必不肯信者，为拘于虚域也。夏生之虫，至秋便死，闻玄冬之时，水结为冰，雨凝成霰，必不肯信者，心厚于夏时也。曲见之士，偏执之人，闻说虚通至道，绝圣弃智，大豪末而小泰山，寿殇子而夭彭祖，而必不信者，为束缚于名教故也。而河伯不至洪川，未逢海若，自矜为大，其义亦然。　【释文】"以语"如字，下同。○王引之曰：鼋，本作鱼，后人改之也。太平御览时序部七、鳞介部七、虫豸部一引此，并云井鱼不可以语于海，则旧本作鱼可知。且释文于此句不出鼋字，直至下文埳井之鼋，始云鼋本又作蛙，户蜗反，引司马注云，鼋，水虫，形似虾蟆，则此句作鱼不作鼋明矣。若作鼋，则户蜗之音，水虫之注，当先见于此，不应至下文始见也。再以二证明之：鸿烈原道篇，夫井鱼不可与语大，拘于隘也。梁张缵文，井鱼之不识巨海，夏虫之不见冬冰，（水经赣水注云：聊记奇闻，以广井鱼之听。）皆用庄子之文，则庄子之作井鱼益明矣。井九三，井谷射鲋，郑注曰：所生鱼无大鱼，但多鲋鱼耳。（见刘逵吴都赋注。）困学纪闻（卷十）引御览所载庄子曰,用意如井鱼者,吾为钩缴以投之,吕氏春秋谕大篇曰,井中之无大鱼也,此皆井鱼之证。后人以此篇有埳井鼀之语,而荀子亦云坎井之鼀不可与语东海之乐,(见正论篇。)遂改井鱼为井鼀,不知井自有鱼,无烦改作鼀也。自有此改,世遂动称井鼀夏虫,不复知有井鱼之喻矣。"于虚"音墟。本亦作墟。风俗通云:墟,虚也。崔云:拘于井中之空也。○王念孙曰:崔注拘于虚曰,拘于井中之空也。案崔训虚为空,非也。虚与墟同,故释文云,虚本亦作墟。广雅曰:墟,凥也。(凥古居字。)文选西征赋注引声类曰:墟,故所居也。凡经传言丘墟者,皆谓故所居之地。言井鱼拘于所居,故不知海之大也。鱼居于井,犹河伯居于涯涘之间,故下文曰,今尔出于涯涘,观于大海,乃知尔丑。"夏虫"户嫁反。○庆藩案,文选孙兴公天台山赋注引司马云:厚信其所见之时也。释文阙。○又案,司马训笃为厚,成疏心厚于夏时,即用司马义。其说迂曲难通。尔雅释诂:笃,固也。论语泰伯篇笃信好学,谓信之固也。礼儒行笃行而不倦,谓行之固也。后汉延笃字叔坚,坚亦固也。凡鄙陋不达谓之固,夏虫为时所蔽而不可语冰,故曰笃于时。笃字正与上下文拘束同义。"曲士"司马云:乡曲之士也。

〔二〕【注】以其知分,故可与言理也。 【疏】河伯驾水乘流,超于崖涘之表,适逢海若,仍于瀚海之中,详观大壑之无穷,方鄙小河之陋劣。既悟所居之有限,故可语大理之虚通也。

〔三〕【疏】尾闾者,泄海水之所也;在碧海之东,其处有石,阔四万里,厚四万里,居百川之下尾而为闾族,故曰尾闾。海水沃著即焦,亦名沃焦也。山海经云,羿射九日,落为沃焦。此言迂诞,今不详载。春雨少而秋雨多,尧遭水而汤遭旱。故海之为物也,万川归之而不盈,<u>沃焦</u>泻之而不虚,春秋不变其多少,水旱不知其增减。论其大也,远过江(海)〔河〕⑥之流,优劣悬殊,岂可语其量数也! 【释文】"尾闾"崔云:海东川名。司马云:泄海水出外者也。"泄之"息列反,又与世反。○庆藩案,<u>文选嵇叔夜养生论注引司马云</u>:尾闾,水之从海外出者也,一名<u>沃焦</u>,在<u>东大海</u>之中。尾者,在百川之下,故称尾。闾者,聚也,水聚族之处,故称闾也。在<u>扶桑</u>之东,有一石,方圆四万里,厚四万里,海水注者无不燋尽,故曰<u>沃燋</u>。较<u>释文</u>所引加详。"量数"音亮。注及下同。

〔四〕【注】穷百川之量而县于河,河县于海,海县于天地,则各有量也。此发辞气者,有似乎观大可以明小,寻其意则不然。夫世之所患者,不夷也,故体大者(快)〔快〕⑦然谓小者为无馀,质小者块然谓大者为至足,是以上下夸跂,俯仰自失,此乃生民之所惑也。惑者求正,正之者莫若先极其差而因其所谓。所谓大者至足也,故秋毫无以累乎天地矣;所谓小者无馀也,故天地无以过乎秋毫矣;然后惑者有由而反,各知其极,物安其分,逍遥者用其本步而游乎自得之场矣。此<u>庄子</u>之所以发德音也。若如惑者之说,转以小大相倾,则相倾者无穷矣。若夫睹大而不安其小,视少而自以为多,将奔驰于胜负之竟而助天民之矜夸,岂达乎<u>庄生</u>之旨哉! 【疏】存,在也。奚,何也。夫覆载万物,莫大于天地;布气生化,莫大于阴阳也。是以<u>海若</u>比形于天地,则无等级之寄,言受气于阴阳,则是阴阳象之一物也。故托诸物以为譬,犹小木小石之在太山乎,而<u>海若</u>于天理在乎寡少,物各有量,亦何足以自多! 【释文】"而县"音玄。下同。"快然"於亮反,又於良反。"之竟"音境。

〔五〕【疏】礨空,蚁穴也。稊,草似稗而米甚细少也。中国,九州也。夫四海在天地之间,九州居四海之内,岂不似蚁孔之居大泽,稊米之在大仓乎,言其大小优劣有如此之悬也。　【释文】"礨"力罪反,向同,崔音垒,李力对反。"空"音孔。垒孔,小穴也。李云:小封也。一云:蚁冢也。○家世父曰:释文引崔云,礨空小穴也。李轨云,小封也。一云蚁冢。今案礨空自具两义,言高下之势也。礨者,突然而高;空者,洼然而下。大泽之中,或坟起,或洿深,高下起伏,自然之势常相因也,故谓之礨空。司马相如上林赋丘墟掘礨,亦同此义。言丘墟之势,或掘而成穴,或垒而成垤也。"稊米"徒兮反。司马云:稊米,小米也。李云:稊草也。案郭注尔雅,稊似稗,稗音蒲卖反。"大仓"音泰。

〔六〕【注】小大之辨,各有阶级,不可相跂。　【疏】号,名号也。卒,众也。夫物之数不止于万,而世间语便,多称万物,人是万数之一物也。中国九州,人众聚集,百谷所生,舟车来往,在其万数,亦处一焉。然以人比之万物,九州方之宇宙,亦无异乎一豪之在马体,曾何足以介怀也!　【释文】"人卒"尊忽反。司马云:众也。崔子恤反,云:尽也。○家世父曰:释文引司马云,卒,众也,崔云,尽也。案人卒九州,言极九州之人数。卒者,尽词也。九州之大,人数之繁,其在天之中,要亦万物之一而已。崔说是。○俞樾曰:人卒二字,未详何义。司马训卒为众,崔训卒为尽,皆不可通。且下云人处一焉,则此不当以人言。人卒疑大率二字之误。人间世篇,率然拊之,释文曰:率或作卒。是率卒形似易误之证。率误为卒,因改大为人以合之。据至乐篇人卒闻之,盗跖篇人卒未有不兴名就利者,是人卒之文,本书所有,然施之于此,不可通矣。大率者,总计之辞。上云计四海之在天地之间也,又云计中国之在海内,计与大率,其义正同。

〔七〕【注】不出乎一域。　【疏】五帝连接而揖让,三王兴师而争夺,仁人殷忧于社稷,任士劬劳于职务,四者虽事业不同,俱理尽于毫末也。　【释文】"五常之所连"司马云:谓连续仁义也。崔云。连,续也。本亦作五帝。○卢文弨曰:今本作五帝。○家世父曰:江南古(庄)〔藏〕本连作运,似从运为妥。"所争"侧耕反。"任士之所劳"李云:任,能也。劳,服也。

〔八〕【注】物有定域,虽至知不能出焉。故起大小之差,将以申明至理之无辩也。　【疏】伯夷让五等以成名,仲尼论六经以为博,用斯轻物,持此自多,亦何异乎向之河伯自多于水! 此通合前喻,并释前事少仲尼〔之〕⑧闻轻伯夷之义也。

〔校〕①赵谏议本作墟。②赵本作涯。③赵本无于字。④于字依世德堂本补。⑤阙误引江南古藏本连作运。⑥河字依正文改。⑦快字依释文及世德堂本改。⑧之字依正文补。

河伯曰:"然则吾大天地而小(毫)〔豪〕末,可乎〔一〕?"

〔一〕【疏】夫形之大者,无过天地,质之小者,莫先毫末;故举大举小,以明禀分有差。河伯呈己所知,询于海若。又解:若以自足为大,吾可大于两仪;若以无馀为小,吾可小于毫末。河伯既其领悟,故物我均齐,所以述己解心,询其可不也。

北海若曰:"否。夫物,量无穷〔一〕,时无止〔二〕,分无常〔三〕,终始无故〔四〕。是故大知观于远近,故小而不寡〔五〕,大而不多〔六〕,知量无穷〔七〕;证曏今故〔八〕,故遥而不闷〔九〕,掇而不跂〔一○〕,知时无止〔一一〕;察乎盈虚,故得而不喜,失而不忧〔一二〕,知分之无常也〔一三〕;明乎坦涂〔一四〕,故生而不说,死而不祸〔一五〕,知终始之不可故也〔一六〕。计人之所知,不若其所不知〔一七〕;其生之时,不若未生之时〔一八〕;以其至小求穷其至大之域,是故迷乱而不能自得也〔一九〕。由此观之,又何以知(毫)〔豪〕①末之足以定至细之倪! 又何以知天地之足以穷至大之域〔二○〕!”

〔一〕【注】物物各有量。 【疏】既领所疑,答曰不可。夫物之器量,禀分不同,随其所受,各得称适,而千差万别,品类无穷,称适之处,无大无小,岂得率其所知,抑以为定!

〔二〕【注】死与生皆时行。 【疏】新新不住。

〔三〕【注】得与失皆分。 【疏】所禀分命,随时变易。

〔四〕【注】日新也。 【疏】虽复终而复始,而未尝不新。

〔五〕【注】各自足也。 【疏】此下释量无穷。以大圣之知,视于远理,察于近事,故毫末虽小,当体自足,无所寡少也。

〔六〕【注】亦无馀也。 【疏】天地虽大,当(离)〔体〕②无馀,故未足以自多也。不多则无夸,不寡则息企也。

〔七〕【注】揽而观之,知远近大小之物各有量。 【疏】以大人之知,知于物之器量,大小虽异,各称其情,升降不同,故无穷也。此结前物量无穷也。

〔八〕【注】暴,明也。今故,犹古今。 【疏】此下释时无止义也。暴,明也。既知小大非小大,则证明古今无古今也。 【释文】“证暴”许亮反。崔云:往也。向郭云:明也。又虚丈反。

〔九〕【注】遥,长也。

〔一○〕【注】掇,犹短也。 【疏】遥,长也。掇,短也。既知古今无古今,则知寿夭无寿夭。是故年命延长,终不厌生而悒闷;禀龄夭促,亦不欣企于遐寿;随变任化,未始非吾。 【释文】“掇”专劣

506 庄子集释

反。郭云:短也。"而不跋"如字。一本作企。下注亦然。○家世父曰:郭象注,遥,长也,掇,犹短也。说文:掇,拾取也。易疏:患至掇也,若手拾掇物然,言近而可掇取也。闷,如老子其政闷闷,不详明。跋者,所以行也。淮南子原道训跋行喙息,马蹄篇蹩躠为仁,踶跋为义,谓烦劳也。知时无止,顺谓行之而已。故者非遥,无漠视也;今者非近,无强致也。郭象注未惬。

〔一〕【注】证明古今,知变化之不止于死生也,故不以长而悒闷,短故为跋也。　【疏】此结前时无止义也。

〔二〕【疏】此下释分无常义也。夫天道既有盈虚,人事宁无得丧!是以视乎盈虚之变,达乎得丧之理,故傥然而得,时也,不足为欣;偶尔而失,命也,不足为戚也。

〔三〕【注】察其一盈一虚,则知分之不常于得也,故能忘其忧喜。　【疏】此结前分无常义也。

〔四〕【注】死生者,日新之正道也。　【疏】此下释终始无故义也。坦,平也。涂,道也。不以死为死,不以生为生,死生无隔故。明乎坦然平等之大道者如此。　【释文】"坦"吐但反。

〔五〕【疏】夫明乎坦然之道者,〔其〕③生也不足以为欣悦,其死也不足以为祸败。达死生之不二,何忧乐之可论乎!　【释文】"不说"音悦。

〔六〕【注】明终始之日新也,则知故之不可执而留矣,是以涉新而不愕,舍故而不惊,死生之化若一。　【疏】此结前终始无故义。　【释文】"不愕"五各反。"舍故"音捨。

〔七〕【注】所知各有限也。　【疏】强知者乖真,不知者会道。以此计之,当故不如也。

〔八〕【注】生时各有年也。　【疏】未生之时,无喜所以无忧;既生之后,有爱所以有憎。

〔一九〕【注】莫若安于所受之分而已。　【疏】至小,智也;至大,境也。夫以有限之小智,求无穷之大境,而无穷之境未周,有限之智已丧,是故终身迷乱,返本无由,丧己企物而不自得也。

〔二〇〕【注】以小求大,理终不得,各安其分,则大小俱足矣。若毫末不求天地之功,则周身之馀,皆为弃物;天地不见大于秋毫,则顾其形象,裁自足耳;将何以知细之定细,大之定大也!　【疏】夫物之禀分,各自不同,大小虽殊而咸得称适。若以小企大,则迷乱失性,各安其分,则逍遥一也。故毫末虽小,性足可以称大;二仪虽大,无馀可以称小。由此视之,至小之倪,何必定在于毫末!至大之域,岂独理穷于天地!　【释文】“之倪”五厓反,徐音诣。郭五米反。下同。

〔校〕①豪字依世德堂本改。②体字依上疏文改。③其字依下句补。

河伯曰:“世之议者皆曰:‘至精无形,至大不可围。’是信情乎〔一〕?”

〔一〕【疏】信,实也。世俗议论,未辩是非,金言至精细者无复形质,至广大者不可围绕。未知此理情智虚实。河伯未达,故有此疑也。

北海若曰:“夫自细视大者不尽,自大视细者不明〔一〕。夫精,小之微也;垺,大之殷也;故异便①〔二〕。此势之有也〔三〕。夫精粗者,期于有形者也〔四〕;无形者,数之所不能分也;不可围者,数之所不能穷也〔五〕。可以言论者,物之粗也;可以意致者,物之精也;言之所不能论,意之所不能察致者,不期精粗焉〔六〕。

庄子集释

508

〔一〕【注】目之所见有常极,不能无穷也,故于大则有所不尽,于细则有所不明,直是目之所不逮耳。精与大皆非无也,庸讵知无形而不可围者哉! 【疏】夫以细小之形视于旷大之物者,必不尽其弘远,故谓之不可围。又以旷大之物观于细小之形者,必不晓了分明,故谓之无形质。此并未出于有境,岂是至无之义哉!

〔二〕【注】大小异,故所便不得同。 【疏】精,微小也。垺,殷大也。欲明小中之小,大中之大,禀气虽异,并不离有(中)〔形〕②,天机自张,各有便宜也。 【释文】"垺"李普回反。徐音孚,谓盛也。郭芳尤反,崔音衰。"之殷"殷,众也。○庆藩案,殷,大也,故疏云大中之大,不当训众。"异便"婢面反。徐扶面反。注皆同。

〔三〕【注】若无形而不可围,则无此异便之势也。 【疏】大小既异,宜便亦殊,故知此势未超于有之也。

〔四〕【注】有精粗矣,故不得无形。 【疏】夫言及精粗者,必期限于形名之域,而未能超于言象之表也。 【释文】"精粗"七胡反。下同。

〔五〕【疏】无形不可围者,道也。至道深玄,绝于心色,故不可以名数分别,亦不可以数量穷尽。 【释文】"能分"如字。

〔六〕【注】唯无而已,何精粗之有哉!夫言意者有也,而所言所意者无也,故求之于言意之表,而入乎无言无意之域,而后至焉。 【疏】夫可以言辨论说者,有物之粗法也;可以心意致得者,有物之精细也;而神口所不能言,圣心〔所〕③不能察者,妙理也。必求之于言意之表,岂期必于精粗之间哉! 【释文】"不能论"本或作谕。

〔校〕①阙误引张君房本便下有耳字。②形字依下正文期于有形句改。③所字依上句补。

是故大人之行，不出乎害人①〔一〕，不多仁恩〔二〕；动不为利〔三〕，不贱门隶〔四〕；货财弗争〔五〕，不多辞让〔六〕；事焉不借人〔七〕，不多食乎力〔八〕，不贱贪污〔九〕；行殊乎俗〔一〇〕，不多辟异〔一一〕；为在从众〔一二〕，不贱佞谄〔一三〕；世之爵禄不足以为劝，戮耻不足以为辱〔一四〕；知是非之不可为分，细大之不可为倪〔一五〕。闻曰：‘道人不闻〔一六〕，至德不得〔一七〕，大人无己〔一八〕。’约分之至也〔一九〕。”

〔一〕【注】大人者，无意而任天行也。举足而投诸吉地，岂出害人之涂哉！　【疏】夫大人应物，譬彼天行，运而无心，故投诸吉地，出言利物，终不害人也。

〔二〕【注】无害而不自多其恩。　【疏】慈泽类乎春阳，而不多遍行恩惠也。

〔三〕【注】应理而动，而理自无害。　【疏】应机而动，不域心以利物。【释文】“为利”于伪反。

〔四〕【注】任其所能而位当于斯耳，非由贱之故措之斯职。　【疏】混荣辱，一穷通，故守门仆隶，不以为贱也。　【释文】“故措”七故反。

〔五〕【注】各使分定。　【疏】寡欲知足，守分不贪，故于彼货财，会无争竞也。

〔六〕【注】适中而已。　【疏】率性谦和，用舍随物，终不矫情，饰辞多让。

〔七〕【注】各使自任。　【疏】愚智率性，工拙袭情，终不假借于人，分外求务。

〔八〕【注】足而已。　【疏】食于分内，充足而已，不多贪求，疲劳心力。

〔九〕【注】理自无欲。　【疏】体达玄道,故无情欲,非关苟贵清廉,贱于贪污。

〔一〇〕【注】己独无可无不可,所以与俗殊。　【疏】和光同尘,无可不可,而在染不染,故行殊乎俗也。　【释文】"行殊"下孟反。下尧桀之行同。

〔一一〕【注】任理而自殊也②。　【疏】居正体道,故不多邪辟,而大顺群生,故曾无乖异也。　【释文】"辟异"匹亦反。

〔一二〕【注】从众之所为也。　【疏】至人无心,未曾专己,故凡厥施为,务在从众也。

〔一三〕【注】自然正直。　【疏】素性忠贞,不履左道,非鄙贱佞谄而后正直也。〇家世父曰:大人之行凡五事:本不害人,非为仁也;无贵贱货利之在其心,何有辞让也;不导人以为利,何有贪污也;行自殊俗,非为异也;顺从乎众,非为谄也。事焉不借人,如许行之云并耕而治,饔餐而食;不多食乎力,如老子之云我无事而民自富,我无(顾)〔为〕③而民自朴;彼贪污者自止,而无事乎贱之矣。郭象注未能分明。

〔一四〕【注】外事不接④于心。　【疏】夫高官重禄,世以为荣;刑戮黜落,世以为耻。既而体荣枯之非我,达通塞之有时,寄来不足以劝励,寄去不足以羞辱也。〇家世父曰:世之爵禄不足以为劝,戮耻不足以为辱,承上,言无为而民自化。仁让无所施,贪谄无所庸,又何以爵禄戮耻为也! 郭象云外事不栖于心,误。

〔一五〕【注】故玄同也。　【疏】各执是非,故是非不可为定分;互为大小,故细大何得有倪限;即天地毫末之谓乎!

〔一六〕【注】任物而物性自通,则功名归物矣,故不闻。　【疏】夫体道圣人,和光韬晦,推功于物,无功名之可闻。寓诸他人,故称闻曰。

〔一七〕【注】得者,生于失也;物各无失,则得名去也。 【疏】得者,不丧之名也。而造极之人,均于得丧,既无所丧,亦无所得。故老经云,上德不德。

〔一八〕【注】任物而已。 【疏】大圣之人,有感斯应,方圆任物,故无己也。 【释文】"无己"音纪。

〔一九〕【注】约之以至其分,故冥也,夫唯极乎无形而不可围者为然。 【疏】约,依也。分,限也。夫大人利物,抑乃多涂,要切而言,莫先依分。若视目所见,听耳所闻,知止所知,而限于分内者,斯德之至者也。

〔校〕①阙误引张君房本人下有之涂也三字。②赵谏议本无而字也字。③为字依老子原文改。④世德堂本作栖,赵本无此句。

河伯曰:"若物之外,若物之内,恶至而倪贵贱?恶至而倪小大〔一〕?"

〔一〕【疏】若物之外,若物之内,谓物性分之内外也。恶,何也。言贵贱之分,小大之倪,为在物性之中,为在性分之外,至何处所而有此耶?河伯未达其源,故致斯请也。 【释文】"恶至"音乌。下同。

北海若曰:"以道观之,物无贵贱〔一〕;以物观之,自贵而相贱〔二〕;以俗观之,贵贱不在己〔三〕。以差观之,因其所大而大之,则万物莫不大;因其所小而小之,则万物莫不小;知天地之为稊米也,知(毫)〔豪〕末之为丘山也,则差数睹矣〔四〕。以功观之,因其所有而有之,则万物莫不有;因

512

其所无而无之,则万物莫不无;知东西之相反而不可以相无,则功分定矣〔五〕。以趣观之,因其所然而然之,则万物莫不然;因其所非而非之,则万物莫不非;知尧桀之自然而相非,则趣操睹矣〔六〕。

〔一〕【注】各自足也。　【疏】道者,虚通之妙理;物者,质碍之粗事。而以粗视妙,故有大小,以妙观粗,故无贵贱。

〔二〕【注】此区区者,乃道之所错综而齐之①也。　【疏】夫物情倒置,迷惑是非,皆欲贵己而贱他,他亦自贵而贱彼,彼此怀惑,故言相也。

〔三〕【注】斯所谓倒置也。　【疏】夫荣华戮耻,事出傥来,而流俗之徒,妄生欣戚。是以寄来为贵,得之所以为宠;寄去为贱,失之所以为辱;斯乃宠辱由乎外物,岂贵贱在乎己哉!

〔四〕【注】所大者,足也;所小者,无馀也。故因其性足以名大,则毫末丘山不得异其名;因其无馀以称小,则天地稊米无所殊其称。若夫观差而不由斯道,则差数相加,几微相倾,不可胜察也。

【疏】差,别也。夫以自足为大,则毫末之与丘山,均其大矣;以无馀为小,则天地之与稊米,均其小矣。是以因毫末〔以〕②为大,则万物莫不大矣;因天地以为小,则万物莫不小矣。故虽千差万际,数量不同,而以此观之,则理可见。○家世父曰:道者,通乎人我者也;物者,心有所据以衡人者也;俗者,徇俗为贵贱者也;差者,万物之等差也;功者,人我两须之事功也;趣者,一心之旨趣也。繁然肴乱,而持之皆有道,故言之皆有本。贵贱大小,辨争反复,而天下纷然多故也。　【释文】"其称"尺證反。"可胜"音升。

〔五〕【注】天下莫不相与为彼我,而彼我皆欲自为,斯东西之相反也。

然彼我相与为唇齿,唇齿者未尝相为,而唇亡则齿寒。故彼之自为,济我之功弘矣,斯相反而不可以相无者也。故因其自为而无其功,则天下之功莫不皆无矣;因其不可相无而有其功,则天下之功莫不皆有矣。若乃忘其自为之功而思夫相为之惠,惠之愈勤而伪薄滋甚,天下失业而情性澜漫矣,故其功分无时可定也。 【疏】夫东西异方,其义相反也,而非东无以立西,斯不可以相无者也。若近取诸身者,眼见耳听,手捉脚行,五藏六腑,四肢百体,各有功能,咸禀定分,岂眼为耳视而脚为手行哉?相为之功,于斯灭矣。此是因其所无而无之,则万物莫不无也。然足不行则四肢为之委顿,目不视则百体为之否塞,而所司各用,无心相为,济彼之功,自然成矣,斯因其所有而有之,则万物莫不有也。以此观之,则功用有矣,分各定矣。若乃忘其自为之功而思夫相为之惠,则彼我失性而是非殽乱也,岂<u>庄生</u>之意哉! 【释文】“自为”于伪反。注内自为相为皆同。徯如字。

〔六〕【注】物皆自然,故无不然;物皆相非,故无不非。无不非,则无然矣;无不然,则无非矣。无然无非者,<u>尧</u>也;有然有非者,<u>桀</u>也。然此二君,各受天素,不能相为,故因<u>尧桀</u>以观天下之趣操,其不能相为也可见矣。 【疏】然,犹是也。夫物皆自是,故无不是;物皆相非,故无不非。无不非,则天下无是矣;无不是,则天下无非矣。故以物情趣而观之,因其自是,则万物莫不是;因其相非,则万物莫不非矣。夫天下之极相反者,<u>尧桀</u>也,故举<u>尧桀</u>之二君以明是非之两义。故<u>尧</u>以无为为是,有欲为非;<u>桀</u>以无为为非,有欲为是;故曰知<u>尧桀</u>之自然相非。因此而言,则天下万物情趣志操,可以见之矣。

〔校〕①<u>世德堂</u>本之下有者字。②以字依下句补。

昔者尧舜让而帝，之哙让而绝〔一〕；汤武争而王，白公争而灭〔二〕。由此观之，争让之礼，尧桀之行，贵贱有时，未可以为常也〔三〕。梁丽可以冲城，而不可以窒穴，言殊器也〔四〕；骐骥骅骝，一日而驰千里，捕鼠不如狸狌，言殊技也〔五〕；鸱鸺夜撮蚤，察毫末，昼出瞋目而不见丘山，言殊性也〔六〕。故曰，盖师是而无非，师治而无乱乎？是未明天地之理，万物之情者也〔七〕。是犹师天而无地，师阴而无阳，其不可行明矣〔八〕。然且语而不舍，非愚则诬也〔九〕。帝王殊禅，三代殊继。差其时，逆其俗者，谓之篡①夫〔一○〕；当其时，顺其俗者，谓之义〔之〕②徒〔一一〕。默默乎河伯！女恶知贵贱之门，小大之家〔一二〕！"

〔一〕【疏】夫帝王异代，争让异时。既而尧知天命有归，故禅于舜；舜知历祚将改，又让于禹。唐虞是五帝之数，故曰让而帝也。（子）之，燕相子之也。哙，燕王名也。子之，即苏秦之女婿也。秦弟苏代，从齐使燕，以尧让许由故事说燕王哙，令让位与子之，子之遂受。国人恨其受让，皆不服子之，三年国乱。齐宣王用苏代计，兴兵伐燕，于是杀燕王哙于郊，斩子之于朝，以绝燕国。岂非效尧舜之陈迹而祸至于此乎！【释文】"之哙"音快，又古迈反，又古会反。之者，燕相子之也。哙，燕王名也。司马云：燕王哙拙于谋，用苏代之说，效尧舜让位与子之，三年而国乱。

〔二〕【注】夫顺天应人而受天下者，其迹则争让之迹也。寻其迹者，失其所以迹矣，故绝灭也。【疏】殷汤伐桀，周武克纣，此之二君，皆受天命，故致六合清泰，万国来朝，是以时继三王，故云争而王也。而时须干戈，应以汤武，时须揖让，应以尧舜。故千变

万化,接物随时,让争之迹,不可执留也。<u>白公</u>名<u>胜</u>,<u>楚平王</u>之
孙,<u>太子建</u>之子也。<u>平王</u>用<u>费无忌</u>之言,纳<u>秦</u>女而疏太子,太子
奔<u>郑</u>,娶<u>郑</u>女而生<u>胜</u>。太傅<u>伍奢</u>被杀,<u>子胥</u>奔<u>吴</u>,<u>胜</u>从奔<u>吴</u>,与
<u>胥</u>耕于野。<u>楚令尹子西</u>迎<u>胜</u>归国,封于<u>白邑</u>,僭号称公。<u>胜</u>以<u>郑</u>
人杀父,请兵报仇,频请不允,遂起兵反,<u>楚</u>遣<u>叶公子高</u>伐而灭
之,故曰<u>白公</u>争而灭。　【释文】"而王"往况反。"白公"名<u>胜</u>,
<u>楚平王</u>之孙,<u>白县</u>尹,僭称公,作乱而死。事见<u>左传哀公</u>十
六年。

〔三〕【疏】争让,文武也。<u>尧桀</u>,是非也。若经纬天地,则贱武而贵
文;若克定祸乱,则贱文而贵武。是以文武之道,贵贱有时,而
是非之行,亦用舍何定! 故争让之礼,于<u>尧舜汤武</u>之时则贵,于
<u>之哙白公</u>之时则贱,不可常也。

〔四〕【疏】梁,屋梁也。丽,屋栋也。冲,击也。窒,塞也。言梁栋大,
可用作攻击城隍,不可用塞于鼠穴,言其器用大小不同也。
【释文】"梁丽"<u>司马李</u>音礼,一音如字。<u>司马</u>云:梁丽,小船也。
<u>崔</u>云:屋栋也。○<u>庆藩</u>案,<u>初学记</u>二十五引<u>司马</u>云:丽,小船也。
与<u>释文</u>小异。○<u>俞樾</u>曰:<u>司马</u>云,梁丽,小船也,<u>崔</u>云,屋栋也。
然小船与屋栋,皆非所以冲城。<u>诗皇矣</u>篇与尔临冲,毛传曰:临,
临车也,冲,冲车也。<u>正义</u>曰:兵书有作临车冲车之法,<u>墨子</u>有备
冲之篇,知临冲俱是车也。然则此云可以冲城,其为是车明矣。
<u>徐无鬼</u>篇君亦必无陈鹤列于丽谯之间,<u>郭</u>注曰:丽谯,高楼也。
<u>司马</u>曰:丽谯,楼观名也。此所云梁丽,疑是车之有楼者,若<u>左</u>
<u>传</u>所称楼车矣。<u>文选辨亡论</u>冲棚息于朔野,<u>李善</u>注曰:字略作
轞,楼也,可为冲车有楼之证。○<u>庆藩</u>案,<u>司马</u>训梁丽为小船,
非也。<u>俞氏</u>以为楼车,亦近附会。考<u>列子汤问</u>篇<u>雍门</u>鬻歌,馀音

绕梁欐,三日不绝。梁欐,即此所云梁丽也。<u>力命篇</u>居则连欐,<u>文选司马长卿上林赋</u>连卷欐佹,〔<u>司马彪</u>〕注:欐佹,支(柱)〔重累〕③也。欐者附著,佹者交午。欐与丽同。<u>广韵</u>:丽,著也。<u>玉篇</u>:丽,偶也。柱偶曰丽,梁栋相附著亦曰丽,正谓橡柱之属。当从<u>崔</u>说为胜。为梁丽必材之大者,故可用以冲城,不当泥视。"窒"珍悉反。<u>尔雅</u>云:塞也。<u>崔李</u>同。<u>说文</u>都节反。

〔五〕【疏】骐骥骅骝,并古之良马也。捕,捉也。狸狌,野猫也。夫良马骏足,日驰千里,而捕捉小鼠,不及狸狌。是技艺不同,不可一概而取者也。　【释文】"骐"音其。"骥"音冀。"骅"户花反。"骝"音留。<u>李</u>云:骐骥骅骝,皆骏马也。"捕"音步。本又作搏。<u>徐</u>音付。"狸"力之反。"狌"音姓,<u>向</u>同。又音生。<u>崔</u>本作鼬,由又反。"殊技"其绮反。

〔六〕【注】就其殊而任之,则万物莫不当也。　【疏】鸱,鸺鹠也,亦名隻狐,是土枭之类也。昼则眼暗,夜则目明,故夜能撮捉蚤虱,密视秋毫之末,昼出瞋张其目,不见丘山之形。是知物性不同,岂直鸱鸺而已!故随其性而安之,则物无不当也。　【释文】"鸱"尺夷反。<u>崔</u>云:鸱,鸺鹠;与委枭同。"夜撮"七括反。<u>崔</u>本作最,音同。"蚤"音早。<u>说文</u>:跳虫啮人者也。<u>淮南子</u>鸱夜聚蚤,察分毫末。<u>许慎</u>云:鸱夜聚食蚤虱不失也。<u>司马</u>本作蚉,音文,云:鸱,鸺鹠,夜取蚉食。今<u>郭</u>本亦有作蚉者。<u>崔</u>本作爪,云:鸺鹠夜聚人爪于巢中也。○<u>王引之</u>曰:鸺字,涉释文内鸱鸺鹠而衍。(<u>埤雅</u>引此已误。)案<u>释文</u>曰,鸱,尺夷反,<u>崔</u>云,鸱鸺鹠,而不为鸺字作音,则正文内本无鸺字明矣。<u>淮南主术篇</u>亦云鸱夜撮蚤。○<u>庆藩</u>案,爪蚤通用,故<u>崔</u>本作爪。蚤蚉字形相近,故<u>司马</u>本作蚉。<u>淮南主术篇高</u>注:鸱,鸱鸺也,谓之老菟,夜鸣人屋上也。夜则目明,合聚人爪以著其巢中,故曰察分秋毫;昼则无所见,故曰形性诡也。许注曰:鸱夜聚食蚤虱不失也。撮蚤之说,许高异义。王引之云,揆之事理,当以许注为雅驯。"瞋"尺夷反,向处辰反。司马云:张也。崔音眩,又师慎反。本或作瞑。○庆藩案,释文,瞋或作瞑。疑作瞑者是也。说文:瞋,怒目也。瞑,合目也。瞑目则无所见矣。隶书眞或作真,冥或作冥,形相似而误。管子小问篇桓公瞋目而视,祝凫已(疵)〔疵〕④,韩子守道篇瞋目切齿倾耳,淮南道应篇瞋目敝然,攘臂拔剑,今本瞋并误瞑,皆其例。

〔七〕【注】夫天地之理,万物之情,以得我为是,失我为非,适性为治,失和为乱。然物无定极,我无常适,殊性异便,是非无主。若以我之所是,则彼不得非,此知我而不见彼者耳。故以道观者,于是非无当也,付之天均,恣之两行,则殊方异类,同焉皆得也。 【疏】盖,不尽之辞也。师,犹师心也。夫物各师其(域)〔成〕心,妄为偏执,将己为是,不知他以为非,将我为治,不知物以为乱;故师心为是,不见己上有非;师心为治,谓言我身无乱。岂知治乱同源,是非无主! 故治乱同源者,天地之理也;是非无主者,万物之情也。暗于斯趣,故言未明也。 【释文】"师是"或云:师,顺也。"师治"直吏反。注皆同。

〔八〕【疏】夫天地阴阳,相对而有。若使有天无地,则万物不成;有阴无阳,则苍生不立。是知师是而无非,师治而无乱者,必不可行明矣。

〔九〕【注】天地阴阳,对生也;是非治乱,互有也;将奚去哉? 【疏】若夫师是而无非,师天而无地,语及于此而不舍于口者,若非至愚之人,则是故为诬罔。 【释文】"不舍"音捨。下同。

〔一〇〕【疏】帝,五帝也。王,三王。三代,夏殷周。禅,授也。继,续也。或宗族相承,或让与他姓,故言殊禅也。或父子相继,或兴兵篡弑,故言殊继也。或迟速差互,不合天时;或氓俗未归,逆于人事。是以之哙慕尧舜以绝嗣,白公效汤武以灭身,如此之流,谓之篡夺也。 【释文】"篡夫"初患反,取也。下如字。

〔一一〕【疏】夫干戈揖让,事迹不同,用舍有时,不可常执。至如汤武兴兵,唐虞揖让,上符天道,下合人心,如此之徒,谓之为义也。

〔一二〕【注】俗之所贵,有时而贱;物之所大,世或小之。故顺物之迹,不得不殊,斯五帝三王之所以不同也。 【疏】河伯未能会理,故海若呵使忘言,默默莫声,幸勿辞费也。夫小大无主,贵贱无门,物情颠倒,妄为臧否。故女于何推逐而知贵贱大小之家门乎?言其不知也。 【释文】"女恶"音汝。后放此。下音乌。

〔校〕①阙误引张君房本篡下有之字。②之字依世德堂本补。③重累二字依文选注改。④疵字依管子改。

河伯曰:"然则我何为乎,何不为乎?吾辞受趣舍,吾终奈何〔一〕?"

〔一〕【疏】奈何,犹如何也。河伯虽领高义,而未达旨归,故更请决疑,迟闻解释。我欲处涉人世,摄卫修道,于何事而可为乎?于何事而不可为乎?及辞让受纳,进趣退舍,众诸物务,其事云何?愿垂告诲,终身奉遵。

北海若曰:"以道观之,何贵何贱,是谓反衍〔一〕;无拘而志,与道大蹇〔二〕。何少何多,是谓谢施〔三〕;无一而行,与道参差〔四〕。严乎若国之有君,其无私德〔五〕;繇繇乎若祭之有社,其无私福〔六〕;泛泛①乎其若四方之无穷,其无所畛域〔七〕。兼怀万物,其孰承翼〔八〕?是谓无方〔九〕。万物一齐,孰短孰长〔一〇〕?道无终始,物有死生〔一一〕,不恃其成〔一二〕;一虚一满,不位乎其形〔一三〕。年不可举〔一四〕,时不可止〔一五〕;消息盈虚,终则有始〔一六〕。是所以语大义之方,论万物之理也〔一七〕。物之生也,若骤若驰〔一八〕,无动而不变,无时而不移〔一九〕。何为乎,何不为乎?夫固将自化〔二〇〕。"

〔一〕【注】贵贱之道,反覆相寻。 【疏】反衍,犹反覆也。夫贵贱者,生乎妄执也。今以虚通之理照之,则贵者反贱而贱者复贵,故谓之反衍也。 【释文】"反衍"如字,又以战反。崔云:无所贵贱,乃反为美也。本亦作畔衍,李云:犹漫衍合为一家。○庆藩案,文选左太冲蜀都赋注引司马作叛衍,云:叛衍,犹漫衍也。释文阙。"反覆"芳服反。

〔二〕【注】自拘执则不夷于道。 【疏】而,汝也。夫修道之人,应须放任,而汝乃拘执心志,矜而持之,故与虚通之理塞而不夷也。 【释文】"与道大蹇"向纪辇反,徐纪偃反。本或作与天道蹇。崔本蹇作浣,云:犹洽也。

〔三〕【注】随其分,故所施无常。 【疏】谢,代也。施,用也。夫物或聚少以成多,或散多以为少,故施用代谢,无常定也。 【释文】"谢施"如字。司马云:谢,代也。施,用也。崔云:不代其德,是谓谢施。

〔四〕【注】不能随变,则不齐于道。 【疏】夫代谢施用,多少适时,随机变化,故能齐物。若执一为行,则与理不冥者也。 【释文】"参"初林反。"差"初宜反。

〔五〕【注】公当而已。 【疏】体道之士,望之俨然,端拱万乘,楷模于物,群彼万国,宗仰一君,亭毒黎元,必无私德也。 【释文】"严乎"鱼检反,又如字。

〔六〕【注】天下之所同求。 【疏】繇繇,赊长之貌也。若众人之祭社稷,而社稷无私福于人也。 【释文】"繇繇"音由。

〔七〕【注】泛泛然无所在。 【疏】泛泛,普遍之貌也。夫至人立志,周普无偏,接济群生,泛爱平等。譬东西南北,旷远无穷,量若虚空,岂有畛界限域也! 【释文】"泛泛"孚剑反。字又作汎。"畛"之忍反。"域"于逼反,旧于目反。

〔八〕【注】掩御群生,反之分内而平往者也,岂扶疏而承翼哉! 【疏】怀,藏也。孰,谁也。言大圣慈悲,兼怀庶品,平往而已,终无偏爱,谁复有心拯救而接承扶翼者也!

〔九〕【注】无方,故能以万物为方。 【疏】譬彼明镜,方兹幽谷,逗机百变,无定一方也。

〔一〇〕【注】莫不皆足。 【疏】万物参差,亭毒唯一,凫鹤长短,分足性齐。

〔一一〕【注】死生者,无穷之②变耳,非终始也。 【疏】虚通之道,无终无始,执滞之物,妄计死生。故老经云,迎不见其首,随不见其后。

〔一二〕【注】成无常处。 【疏】应物无方,超然独化,岂假待对而后生成也!

〔一三〕【注】不以形为位,而守之不变。 【疏】譬彼阴阳,春生秋杀,盈虚变化,荣落顺时,岂执守形骸而拘持名位邪!

〔一四〕【注】欲举之令去而不能。 【释文】"令去"力呈反。

〔一五〕【注】欲止之使停又不可。 【疏】夫年之夭寿,时之赊促,出乎天理,盖不由人。故其来也不可举而令去,其去也不可止而令住,俱当任之,未始非我也。

〔一六〕【注】变化日新,未尝守故。　【疏】夫阴消阳息,夏盈冬虚,气序循环,终而复始;混成之道,变化日新,循理直前,无劳措意也。

〔一七〕【疏】前来所辨海若之谈,正是语大道之义方,论万物之玄理者也。

〔一八〕【注】但当就用耳。　【疏】夫生灭流谢,运运不停,其为迅速,如驰如骤。是(尤)〔犹〕百年倏忽,何足介怀也!

〔一九〕【注】故不可执而守。　【疏】夫流动变化,时代迁移,迅若交臂,骤如过隙,故未有语动而不变化,言时而不迁移也。

〔二○〕【注】若有为不为于其间,则败其自化矣。　【疏】万物纷乱,同禀天然,安而任之,必自变化,何劳措意为与不为!

〔校〕①赵谏议本作汎。②赵本之下有一字。

河伯曰:“然则何贵于道邪〔一〕?”

〔一〕【注】以其自化。　【疏】若使为与不为混一,则凡圣之理均齐。既任变化之自然,又何贵于至道?河伯更起斯问,迟以所疑。

北海若曰:“知道者必达于理,达于理者必明于权,明于权者不以物害己〔一〕。至德者,火弗能热,水弗能溺,寒暑弗能害,禽兽弗能贼〔二〕。非谓其薄之也〔三〕,言察乎安危〔四〕,宁于祸福〔五〕,谨于去就〔六〕,莫之能害也〔七〕。故曰,天在内,人在外〔八〕,德在乎天〔九〕。知天①人之行,本乎天,位乎得〔一○〕;蹢躅而屈伸〔一一〕,反要而语极〔一二〕。”

〔一〕【注】知道者,知其无能也;无能也,则何能生我?我自然而生耳,而四支百体,五藏精神,己不为而自成矣,又何有意乎生成之后哉！达乎斯理者，必能遣过分之知，遗益生之情，而乘变应权，故不以外伤内，不以物害己而常全也。　【疏】夫能知虚通之道者，必达深玄之实理；达深玄之实理者，必明于应物之权智。既明权实之无方，故能安排而去化。死生无变于己，何外物之能害哉！(以)〔此〕答<u>河伯</u>之所疑，次明至道之可贵。　【释文】"五藏"才浪反。

〔二〕【注】夫心之所安，则危不能危；意无不适，故苦不能苦也。
　【疏】至德者，谓得至道之人也。虽复和光混世，处俗同尘，而不为四序所侵，不为三灾所害，既得之于内，故外不能贼。此明解道之可贵也。

〔三〕【注】虽心所安，亦不使犯之。　【疏】薄，轻也。所以水火不侵，禽兽不害者，惟心所安，则伤不能伤也，既不违避，亦不轻犯之也。　【释文】"其薄"如字。<u>崔</u>云：谓以体著之。

〔四〕【注】知其不可逃也。　【疏】所以伤不能伤者，正言审察乎安危，顺之而不可逃，处之而常适也。

〔五〕【注】安乎命之所遇。　【疏】宁，安也。祸，穷塞也。福，通达也。至德之人，唯变所适，体穷通之有命，达祸福之无门，故所乐非穷通，而所遇常安也。

〔六〕【注】审去就之非己。　【疏】谨去就之无定，审取舍之有时，虽复顺物迁移，而恒居至当者。

〔七〕【注】不以害为害，故莫之能害。　【疏】一于安危，冥于祸福，与化俱往，故物莫能伤。此总结以前无害之义。

〔八〕【注】天然在内，而天然之所顺者在外，故<u>大宗师</u>云，知天人之所为者至矣，明内外之分皆非为也。　【疏】天然之性，韫之内心；人事所顺，涉乎外迹；皆非为也。任之自然，故物莫之害矣。

〔九〕【注】恣人任知,则流荡失素也。　【疏】至德之美,在乎天然,若恣人任知,则流荡天性。

〔一○〕【注】此天然之知,自行而不出乎分者也,故虽行于外,而常本乎天而位乎得矣。　【疏】此真知也。位,居处也。运真知而行于世,虽涉于物千变万化,而恒以自然为本,居于虚极而不丧其性,动而寂者也。　【释文】"之行"如字。

〔一一〕【注】与机会相应者,有斯变也。　【疏】蹢躅,进退不定之貌也。至人应世,随物污隆,或屈或伸,曾无定执,趣(人)〔舍〕冥会,以逗机宜。　【释文】"蹢"丈益反,又持革反。"躅"丈绿反,又音浊。"屈伸"音申。

〔一二〕【注】知虽落天地,事虽接万物,而常不失其要极,故天人之道全也。　【疏】虽复混迹人间而心恒凝静,常居枢要而反本还源。所有语言,皆发乎虚极,动不乖寂,语不乖默也。　【释文】"反要"於妙反。

〔校〕①阙误引江南古藏本天作乎。

曰:"何谓天?何谓人〔一〕?"

〔一〕【疏】河伯未达玄妙,更起此疑,问天人之道,庶希后答。

北海若曰:"牛马四足,是谓天;落马首,穿牛鼻,是谓人〔一〕。故曰,无以人灭天〔二〕,无以故灭命〔三〕,无以得殉名〔四〕。谨守而勿失,是谓反其真〔五〕。"

〔一〕【注】人之生也,可不服牛乘马乎?服牛乘马,可不穿落之乎?牛马不辞穿落者,天命之固当也。苟当乎天命,则虽寄之人事,而本在乎天也。　【疏】夫牛马禀于天,自然有四脚,非关人事,故谓之天。羁勒马头,贯穿牛鼻,出自人意,故谓之人。然牛鼻可穿,马首可络,不知其尔,莫辨所由,事虽寄乎人情,理终归乎造物。欲显天人之一道,故托牛马之二兽也。

〔二〕【注】穿落之可也,若乃走作过分,驱步失节,则天理灭矣。

【疏】夫因自然而加人事,则羁络之可也。若乃穿马络牛,乖于
造化,可谓逐人情之矫伪,灭天理之自然。

〔三〕【注】不因其自为而故为之者,命其安在乎！　【疏】夫率性乃
动,动不过分,则千里可致而天命全矣。若乃以驽励骥而驱驰
失节,斯则以人情事故毁灭天理,危亡旦夕,命其安在乎！岂唯
马牛,万物皆尔。

〔四〕【注】所得有常分,殉名则过也。　【疏】夫名之可殉者无涯,性
之所得者有限,若以有限之得殉无涯之名,则天理灭而性命
丧矣。

〔五〕【注】真在性分之内。　【疏】夫愚智夭寿,穷通荣辱,禀之自然,
各有其分。唯当谨固守持,不逐于物,得于分内而不丧于道者,
谓反本还源,复于真性者也。此一句总结前玄妙之理也。

夔怜蚿,蚿怜蛇,蛇怜风,风怜目,目怜心〔一〕。

〔一〕【疏】怜是爱尚之名。夔是一足之兽,其形如（波）〔鼓〕,足似人
脚,而回踵向前也。山海经云,东海之内,有流波之山,其山有
兽,状如牛,苍色,无角,一足而行,声音如雷,名之曰夔。昔黄
帝伐蚩尤,以夔皮冒鼓,声闻五百里也。蚿,百足虫也,夔则以
少企多,故怜蚿;蚿则以有羡无,故怜蛇;蛇则以小企大,故怜
风;风则以暗慕明,故怜目;目则以外慕内,故怜心。欲明天地
万物,皆禀自然,明暗有无,无劳企羡,放而任之,自合玄道。倒
置之徒,妄心希慕,故举夔等之粗事,以明天机之妙理。又解:
怜,哀愍也。夔以一足而跳踯,怜蚿众足之烦劳;蚿以有足而安

行,哀蛇无足而辛苦;蛇有形而适乐,愍风无质而冥昧;风以飘飘而自在,怜目域形而滞著;目以在外而明显,怜心处内而暗塞。欲明物情颠倒,妄起哀怜,故托夔蚿以救其病者也。 【释文】"夔"求龟反,一足兽也。<u>李</u>云:黄帝在位,诸侯于<u>东海流山</u>得奇兽,其状如牛,苍色,无角,一足,能走,出入水即风雨,目光如日月,其音如雷,名曰夔。<u>黄帝</u>杀之,取皮以冒鼓,声闻五百里。"怜"音莲。"蚿"音贤,又音玄。<u>司马</u>云:马蚿虫也。<u>广雅</u>云:蛆渠马蚿。"蚿怜蛇蛇怜风风怜目目怜心"<u>司马</u>云:夔,一足;蚿,多足;蛇,无足;风,无形;目,形缀于此,明流于彼;心则质幽,为神游外。

　　夔谓蚿曰:"吾以一足趻踔而行,予无如矣。今子之使万足,独奈何?〔一〕**"**

〔一〕【疏】趻踔,跳踯也。我以一足跳踯,快乐而行,天下简易,无如我者。今子驱驰万足,岂不劬劳? 如何受生独异于物? 发此疑问,庶显天机也。 【释文】"趻"敕甚反,<u>郭</u>菟减反,一音初禀反。"卓"本亦作踔,同。敕角反。<u>李</u>云:趻卓,行貌。○<u>卢文弨</u>曰:今本卓作踔。○<u>庆藩</u>案,卓,独立也,与踔犝声义同。<u>汉书河间献王传</u>卓尔不群,<u>说苑君道篇</u>踔然独立。(踔,敕角切。)<u>说文</u>:犝,(竹角切。)特止也。<u>徐锴系传</u>:特止,卓立也。通作趠逴。<u>广雅</u>:趠,绝也。<u>李善西都赋</u>注,逴(敕角切。)踔,犹超绝也。义并同。

　　蚿曰:"不然。子不见夫唾者乎? 喷则大者如珠,小者如雾,杂而下者不可胜数也①。**今予动吾天机,而不知其所以然。"**〔一〕

〔一〕【疏】夫唾而喷者,实无心于大小,而大小之质自分,故大者如珠玑,小者如濛雾,散杂而下,其数难举。今蚿之众足,乃是天然机关,运动而行,未知所以,无心自张,有同喷唾。夔以人情起问,蚿以天机直答,必然之理,于此自明也。　【释文】"唾"吐卧反。"喷"普闷反,又芳奔反,又孚问反。"如雾"音务,郭武贡反。"可胜"音升。○庆藩案,<u>文选</u><u>陆士衡</u><u>文赋</u>注引<u>司马</u>云:天机,自然也。<u>释文</u>阙。

〔校〕①<u>赵谏议</u>本无也字。

蚿谓蛇曰:"吾以众足行,而不及子之无足,何也〔一〕**?"**

〔一〕【疏】蚿以众足而迟,蛇以无足而速,然迟速有无,禀之造化。欲明斯理,故发此疑问。

蛇曰:"夫天机之所动,何可易邪? 吾安用足哉〔一〕**!"**

〔一〕【注】物之生也,非知生而生也①,则生之行也,岂知行而行哉! 故②足不知所以行,目不知所以见,心不知所以知,俛然而自得矣。迟速之节,聪明之鉴,或能或否,皆非我也。而惑者因欲有其身而矜其能,所以逆其天机而伤其神器也③。至人知天机之不可易也,故捐聪明,弃知虑,魄然忘其所为而任其自动,故万物无动而不逍遥也。　【疏】天然机关,有此动用,迟速有无,不可改易。无心任运,何用足哉! 　【释文】"俛然"亡本反。

〔校〕①<u>赵谏议</u>本无也字。②<u>赵</u>本无哉故二字。③<u>赵</u>本无也字。

蛇谓风曰:"予动吾脊胁而行,则有似也。今子蓬蓬然起于北海,蓬蓬然入于南海,而似无有,何也?"〔一〕

〔一〕【疏】胁,肋也。蓬蓬,风声也,亦尘动貌也。蛇既无足,故行必动于脊胁也。似,像也。蛇虽无足,而有形像,风无形像,而鼓动无方,自北徂南,击扬溟海,无形有力。窃有所疑,故陈此问,庶闻后答也。　【释文】"蓬蓬"步东反,徐扶公反。李云:风貌。
○家世父曰:玉篇,似,肖也。所以行者,足也;动吾脊胁而行,
无足而犹肖夫足也。有形则有肖,无形则亦无所肖也。

风曰:"然。予蓬蓬然起于北海而入于南海也,然而
指我则胜我,鰌我亦胜我。虽然,夫折大木、蜚大屋者,唯
我能也,故以众小不胜为大胜也。为大胜者,唯圣人能
之。"〔一〕

〔一〕【注】恣其天机,无所与争,斯小不胜者也①。然乘万物御群材
之所为,使群材各自得,万物各自为,则天下莫不②逍遥矣,此
乃③圣人所以为大胜也。　【疏】风虽自北徂南,击扬溟海,然
人以手指扨于风,风即不能折指,以脚蹴踏于风,风亦不能折
脚,此小不胜也。然而飘风卒起,羊角乍腾,则大厦为之飞扬,
栋社以之摧折,此大胜也。譬达观之士,秽迹扬波,混愚智于群
小之间,泯是非于嚣尘之内,此众小不胜也。而亭毒苍生,造化
区宇,同二仪之覆载,等三光之照烛,此大胜也。非下凡之所
解,唯圣人独能之。蹴亦有作鰌字者,鰌,藉(盖)也④。今不用
此解也。　【释文】"鰌"音秋。李云:藉也。藉则削也。本又作
蹴,子六反,又七六反,迫也。○家世父曰:李轨云,鰌,藉也,藉
则削也。本(文)〔又〕作蹴。指者,手向之;鰌者,足蹴之。荀子

强国篇巨楚县吾前,大燕鰌吾后,劲魏钩吾右,杨倞注:鰌,蹴
也,言蹴踏于后也。"折大"之舌反。"蜚大"音飞,又扶贵反。

〔校〕①赵谏议本无者也二字。②赵本无莫不二字。③赵本无乃字。
④盖字依释文删。

孔子游于匡，宋人围之数匝，而弦歌不惙①〔一〕。子路入见，曰："何夫子之娱也〔二〕？"

〔一〕【疏】惙，止也。宋当为卫，字之误也。匡，卫邑也。孔子自鲁适卫，路经匡邑，而阳虎曾侵暴匡人，孔子貌似阳虎。又孔子弟子颜克，与阳虎同暴匡邑，克时复与孔子为御。匡人既见孔子貌似阳虎，复见颜克为御，谓孔子是阳虎重来，所以兴兵围绕。孔子达穷通之命，故弦歌不止也。　【释文】"孔子游于匡宋人围之数"色主反。"匝"子合反。司马云：宋当作卫。匡，卫邑也。卫人误围孔子，以为阳虎。虎尝暴于匡人，又孔子弟子颜克，时与虎俱，后克为孔子御，至匡，匡人共识克，又孔子容貌与虎相似，故匡人共围之。"不惙"本又作辍，同。丁劣反。

〔二〕【疏】娱，乐也。匡人既围，理须忧惧，而弦歌不止，何故如斯？不达圣情，故起此问。本亦有作虞字者，虞，忧也。怪夫子忧虞而弦歌不止。　【释文】"入见"贤遍反。

〔校〕①赵谏议本作辍。

孔子曰："来！吾语女。我讳穷久矣，而不免，命也；求通久矣，而不得①，时也。〔一〕当尧舜②而天下无穷人，非知得也；当桀纣而天下无通人，非知失也；时势适然。〔二〕夫水行不避蛟龙者，渔父之勇也；陆行不避兕虎者，猎夫之勇也；白刃交于前，视死若生者，烈士之勇也；〔三〕知穷之有命，知通之有时，临大难而不惧者，圣人之勇也〔四〕。由处矣，吾命有所制矣〔五〕。"

〔一〕【注】将明时命之固当，故寄之求讳。　【疏】讳，忌也，拒也。穷，否塞也。通，泰达也。夫子命仲由来，语其至理云："我忌于

529

穷困,而不获免者,岂非天命也！求通亦久,而不能得者,不遇明时也。夫时命者,其来不可拒,其去不可留,故安而任之,无往不适也。"夫子欲显明斯理,故寄之穷讳,而实无穷讳也。

【释文】"吾语"鱼據反。

〔二〕【注】无为劳心于穷通之间。 【疏】夫生当尧舜之时,而天下太平,使人如器,恣其分内,故无穷塞。当桀纣之时,而天下暴乱,物皆失性,故无通人。但时属夷险,势使之然,非关运知,有斯得失也。

〔三〕【注】情各有所安。 【疏】情有所安而忘其怖惧。此起譬也。 【释文】"蛟"音交。"渔父"音甫。"咒"徐履反。

〔四〕【注】圣人则无所不安。 【疏】圣人知时命,达穷通,故勇敢于危险之中,而未始不安也。此合喻也。 【释文】"大难"乃旦反。

〔五〕【注】命非己制,故无所用其心也。夫安于命者,无往而非逍遥矣,故虽匡陈羑里,无异于紫极閒堂。 【疏】处,安息也。制,分限也。告救子路,令其安心。"我禀天命,自有涯分,岂由人事所能制哉！" 【释文】"閒堂"音閑。

〔校〕①阙误引江南古藏本作遇。②阙误引张君房本尧舜下有之时二字,下句桀纣下同。

无几何,将甲者进,辞曰："以为阳虎也,故围之。今非也,请辞而退〔一〕。"

〔一〕【疏】无几何,俄顷之时也。既知是宣尼,非关阳虎,故将帅甲士,前进拜辞,逊谢错误,解围而退也。 【释文】"无几"居起反。"将甲"如字。本亦作持甲。

公孙龙问于魏牟曰："龙少学先王之道，长而明仁义之行；合同异，离坚白；然不然，可不可；困百家之知，穷众口之辩；吾自以为至达已。〔一〕今吾闻庄子之言，汒焉异之。不知论之不及与，知之弗若与？今吾无所开吾喙，敢问其方。〔二〕"

〔一〕【疏】姓公孙，名龙，赵人也。魏牟，魏之公子，怀道抱德，厌秽风尘。先王，尧舜禹汤之迹也。仁义，五德之行也，孙龙禀性聪明，率才弘辩，著守白之论，以博辩知名，故能合异为同，离同为异；可为不可，然为不然；难百氏之书皆困，穷众口之辩咸屈。生于衰周，一时独步，弟子孔穿之徒，祖而师之，擅名当世，莫与争者，故曰，矜此学问，达于至妙，忽逢庄子，犹若井蛙也。

【释文】"公孙龙问于魏牟"司马云：龙，赵人。牟，魏之公子。"少学"诗照反。"长而"张丈反。"之行"下孟反。"之知"音智。

〔二〕【疏】喙，口也。方，道也。孙龙虽善于言辩，而未体虚玄，是故闻庄子之言，汒焉怪其奇异，方觉己之学浅，始悟庄子语深。岂直议论不如，抑亦智力不逮。所以自缄其口，更请益于魏牟。

【释文】"汒焉"莫刚反，郭音莽。"论之"力困反。"及与"音余。下助句放此。"所开"如字。本亦作关，两通。本或作阔。"吾喙"许秽反，又昌锐反。

公子牟隐机大息，仰天而笑曰："子独不闻夫埳井之鼃①乎？谓东海之鳖曰：'吾乐与！出跳梁②乎井干之上，入休乎缺甃之崖；赴水则接腋持颐，蹶泥则没足灭跗；还虷蟹与科斗，莫吾能若也。〔一〕且夫擅一壑之水，而跨跱埳井之乐,此亦至矣,夫子奚不时来入观乎[二]！'东海之鳖左足未入,而右膝已絷矣[三]。于是逡巡而却,告之海曰：'夫千里之远,不足以举其大；千仞之高,不足以极其深[四]。禹之时十年九潦,而水弗为加益；汤之时八年七旱,而崖不为加损。夫不为顷久推移,不以多少进退者,此亦东海之大乐也。[五]'于是埳井之鼃闻之,适适然惊,规规然自失也[六]。

〔一〕【疏】公子体道清高,超然物外,识孙龙之浅辩,鉴庄子之深言,故仰天叹息而嗤笑,举蛙鳖之两譬,明二子之胜负。埳井,犹浅井也。蛙,虾蟆也。幹,井栏也。甃,井中累砖也。跗,脚跌也。还,顾视也。虷,井中赤虫也,亦言是到结虫也。蟹,小螃蟹也。科斗,虾蟆子也。腋,臂下也。颐,口下也。东海之鳖,其形弘巨,随波游戏,暂居平陆。而虾蟆小虫,处于浅井,形容既劣,居处不宽,谓自得于井中,见巨鳖而不惧。云："我出则跳踉〔乎〕井栏之上,入则休息乎破砖之涯；游泳则接腋持颐,蹶泥则灭跗没足；顾瞻虾蟹之类,俯视科斗之徒,逍遥快乐,无如我者也。"【释文】"隐机"於靳反。"大息"音泰。"埳井"音坎,郭音陷。"之鼃"本又作蛙,户蜗反。司马云：埳井,坏井也。鼃,水虫,形似虾蟆。○庆藩案,荀子正论篇注引司马云：鼃,虾蟆类也。与释文小异。"之鳖"必灭反。字亦作龞。"吾乐"音洛。下之乐大乐同。"跳"音条。"井幹"古旦反。司马云：井栏也。褚诠之音西京赋作韩音。○庆藩案,文选班孟坚西都赋注引司马云：井幹,井栏也,积木有若栏也。谢玄晖同谢谘议铜雀台诗注引司马云：幹,井栏；然井幹,台之通称也。互有异同,并视释文所引为详。○又案，幹当从木作榦。说文正篆作韓，井垣也。汉书枚乘传单极之統断榦，晋灼曰：榦，井上四交之幹。"甃"侧救反。李云：如阑，以砖为之，著井底阑也。字林壮缪反，云：井壁也。"赴水"如字。司马本作踣，云：赴也。○卢文弨曰：赴疑是仆字。"蹶"其月反，又音厥。"泥则没足灭跗"方于反，郭音附。司马云：灭，没也。跗，足跗也。李云：言踊跃于涂中。"还"音旋。司马云：顾视也。"蚿"音寒，井中赤虫也。一名蜎。尔雅云，蜎，蠉。郭注云：井中小蛣蟩，赤虫也。蜎，音求兖反，蠉，音况兖反。蛣蟩，音吉厥。"蟹"户买反。"科斗"苦禾反。科斗，虾蟆子也。

〔二〕【注】此犹小鸟之自足于蓬蒿。　【疏】擅，专也。跱，安也。蛙呼鳖为夫子，言："我独专一壑之水，而安埳井之乐，天下至足，莫甚于斯。处所虽陋，可以游涉，夫子何不暂时降步，入观下邑乎？"以此自多，矜夸于鳖也。　【释文】"夫擅"市战反，专也。"一壑"火各反。

〔三〕【注】明大之不游于小，非乐然。　【疏】縶，拘也。埳井狭小，海鳖巨大，以小怀大，理不可容，故右膝才下而已遭拘束也。【释文】"已縶"猪立反。司马云：拘也。三苍云：绊也。"非乐"音岳，又五教反。

〔四〕【疏】逡巡，从容也。七尺曰仞。鳖既左足未入，右膝（以）〔已〕拘，于是逡巡却退，告蛙大海之状。夫世人以千里为远者，此未足以语海之宽大；以千仞为高者，亦不足极海之至深。言海之深大，非人所测度，以埳井为至，无乃劣乎！　【释文】"逡"七旬反。

〔五〕【疏】顷，少时也。久，多时也。推移，变改也。尧遭洪水，命禹

533

治之有功,故称禹时也。而<u>尧</u>十年之中,九年遭潦;<u>殷汤</u>八岁之间,七岁遭旱。(而)旱〔而〕崖不加损,潦亦水不加益,是明沧波浩汗,溟溟渤深弘,不为顷久推移,岂由多少进退! 东海之乐,其在兹乎! 【释文】“九潦”音老。“弗为”于伪反。下同。“顷久”<u>司马</u>云:犹早晚也。

〔六〕【注】以小羡大,故自失。 【疏】适适,惊怖之容。规规,自失之貌。蛙擅坍井之美,自言天下无过,忽闻海鳖之谈,茫然丧其所谓,是以适适规规,惊而自失也。而<u>公孙龙</u>学先王之道,笃仁义之行,困百家之知,穷众口之辩,忽闻<u>庄子</u>之言,亦犹井蛙之逢海鳖也。 【释文】“适适”始赤反,又丈革反,<u>郭</u>莌狄反。“规规”如字。又虚役反,<u>李徐</u>纪睡反。适适,规规,皆惊视自失貌。

〔校〕①<u>赵谏议</u>本鼋作蛙。②<u>世德堂</u>本跳上无出字,<u>阙</u>误同,引<u>江南</u>古藏本作出跳,无梁字。

且夫知不知是非之竟,而犹欲观于<u>庄子</u>之言,是犹使蚊负山,商蚷驰河也,必不胜任矣〔一〕。且夫知不知论极妙之言而自适一时之利者,是非坍井之蛙与〔二〕?且彼方跐黄泉而登大皇,无南无北,奭然四解,沦于不测;无东无西,始于玄冥,反于大通〔三〕。子乃规规然而求之以察,索之以辩〔四〕,是直用管窥天,用锥指地也,不亦小乎! 子往矣〔五〕! 且子独不闻夫寿陵馀子之学行于<u>邯郸</u>与?未得国能,又失其故行矣,直匍匐而归耳〔六〕。今子不去,将忘子之故,失子之业〔七〕。”

〔一〕【注】物各有分,不可强相希效①。 【疏】商蚷,马蚿也,亦名商距,亦名且渠。<u>孙龙</u>虽复聪明性识,但是俗知,非真知也。故知未能穷于是非之境,而欲观察庄子至理之言者,亦何异乎使蚊子负于丘山,商蚷驰于河海,而力微负重,智小谋大,故必不胜任也。　【释文】"之竟"音境,后同。"蚊"音文。"商蚷"音渠,郭音巨。司马云:商蚷,虫名,北燕谓之马蚿。一本作蛜,徐市轸反。"不胜"音升。"可强"其丈反。

〔二〕【疏】孙龙所学,心知狭浅,何能议论庄子穷微极妙之言耶？只可辩析是非,适一时之名利耳。以斯为道,岂非(坎)〔坳〕井之蛙乎！此结譬也。

〔三〕【注】言其无不至也。　【疏】跐,逾也,亦极也。大皇,天也。玄冥,妙本也。大通,应迹也。夫庄子之言,穷理性妙,能仰登旻苍之上,俯极黄泉之下,四方八极,奭然无碍。此智隐没,不可测量,始于玄极而其道杳冥,反于域中而大通于物也。　【释文】"方跐"音此。郭时紫反,又侧买反。广雅云:蹋也,蹈也,履也。司马云:测也。"大皇"音泰。"奭然"音释。"四解"户买反。○庆藩案,无东无西,失其韵矣,今本乃后人妄改之也。王念孙曰:无东无西,当作无西无东,与通为韵。(案大雅皇矣篇同尔弟兄,与王方为韵,而今作同尔兄弟。逸周书周祝篇恶姑柔刚,与明阳长为韵,而今作刚柔。管子内业篇能无卜筮而知凶吉乎,与一为韵,而今作吉凶。文选鵩鸟赋或趋西东,与同为韵,而今作东西。答客难外有廪仓,与享为韵,而今作仓廪。皆后人不达古音,任意而妄改之者也。)

〔四〕【注】夫游无穷者,非察辩所得。　【释文】"索之"所白反。

〔五〕【注】非其任者,去之可也。　【疏】规规,经营之貌也。夫以观察求道,言辩率真,虽复规规用心,而去之远矣。譬犹以管窥天,讵知天之阔狭！用锥指地,宁测地之浅深！庄子道合二仪,孙龙德同锥管,智力优劣如此之悬,既其不如,宜其速去矣。

〔六〕【注】以此效彼,两失之。　【疏】寿陵,燕之邑。邯郸,赵之都。弱龄未壮,谓之馀子。赵都之地,其俗能行,故燕国少年,远来学步。既乖本性,未得赵国之能;舍己效人,更失寿陵之故。是以用手据地,匍匐而还也。　【释文】"寿陵馀子"司马云:寿陵,邑名。未应丁夫为馀子。"邯"音寒。"郸"音丹。邯郸,赵国都也。○庆藩案,馀子,民之子弟。周礼小司徒,凡国之大事致民,大故致馀子,郑司农云:馀子,谓羡也,以其羡卒也。盖国之大事则致正卒,大故则并羡卒而致之也。逸周书粜匡篇成年,馀子务艺;年俭,馀子务穑;年(俭)〔饥〕,馀〔子〕倅(务)运②。汉书食货志馀子亦在于序室,苏林曰:未任役为馀子,即司马未应丁夫是也。"匍"音蒲,又音符。"匐"蒲北反,又音服。

〔七〕【疏】庄子道冠重玄,独超方外;孙龙虽言辩弘博,而不离域中;故以孙学庄谈,终无得理。若使心生企尚,踌躇不归,必当失子之学业,忘子之故步。此合喻也。

〔校〕①赵谏议本有也字。②年饥馀子倅运句依逸周书原文改。

公孙龙口呿而不合,舌举而不下,乃逸而走〔一〕。

〔一〕【疏】呿,开也。逸,奔也。前闻庄子之谈,(以)〔已〕过视听之表;复见魏牟之说,更超言象之外。内殊外隔,非孙龙所知,故口开而不能合,舌举而不能下,是以心神恍惚,形体奔驰也。

【释文】"口呿"起据反。司马云:开也。李音袪,又巨劫反。

庄子钓于濮水,楚王使大夫二人往先焉,曰:"愿以境内累矣〔一〕**!"**

〔一〕【疏】濮,水名也,属东郡,今濮州濮阳县是也。楚王,楚威王也。

庄生心处无为,而寄迹纶钓,楚王知庄生贤达,屈为卿辅,是以赍持玉帛,爰发使命,诣于濮水,先述其意,愿以国境之内委托贤人,王事殷繁,不无忧累之也。 【释文】"濮水"音卜,陈地水也。"楚王"司马云:威王也。"先焉"先,谓宣其言也。

庄子持竿不顾,曰:"吾闻楚有神龟,死已三千岁矣,王巾笥而藏之庙堂之上。此龟者,宁其死为留骨而贵乎?宁其生而曳尾于涂中乎?"〔一〕

〔一〕【疏】龟有神异,故刳之而卜,可以决吉凶也。盛之以笥,覆之以巾,藏之庙堂,用占国事,珍贵之也。问:"此龟者,宁全生远害,曳尾于泥涂之中?岂欲刳骨留名,取贵庙堂之上邪?"是以庄生深达斯情,故敖然而不顾之矣。 【释文】"巾笥"息嗣反,或音司。"而藏之"李云:藏之以笥,覆之以巾。

二大夫曰:"宁生而曳尾涂中〔一〕。"

〔一〕【疏】大夫率性以答庄生,适可生而曳尾,不能死而留骨也。

庄子曰:"往矣! 吾将曳尾于涂中〔一〕。"

〔一〕【注】性各有所安也。 【疏】庄子保高尚之遐志,贵山海之逸心,类泽雉之养性,同泥龟之曳尾,是以令使命之速往,庶全我之无为也。

惠子相梁,庄子往见之〔一〕。或谓惠子曰:"庄子来,欲代子相〔二〕。"于是惠子恐,搜于国中三日三夜〔三〕。

〔一〕【疏】姓惠,名施,宋人,为梁惠王之相。惠施博识赡闻,辩名析理,既是庄生之友,故往访之。 【释文】"惠子相"息亮反。下同。"梁"相梁惠王。

〔二〕【疏】梁国之人,或有来者,知庄子才高德大,王必礼之。国相之位,恐有争夺,故谓惠子,欲代之(言)〔相〕①也。

〔三〕【注】扬兵整旅。　【疏】惠施闻国人之言,将为实录,心灵恐怖,虑有阽危,故扬兵整旅,三日三夜,搜索国中,寻访庄子。　【释文】"子恐"丘勇反。"挼"字又作搜,或作廋,所求反,李悉沟反,云:索也。说文云:求也。○卢文弨曰:今本作搜。

〔校〕①相字依正文改。

庄子往见之,曰:"南方有鸟,其名为鹓鶵,子知之乎?夫鹓鶵,发于南海而飞于北海,非梧桐不止,非练实不食,非醴泉不饮。于是鸱得腐鼠,鹓鶵过之,仰而视之曰'吓!'〔一〕今子欲以子之梁国而吓我邪〔二〕?"

〔一〕【疏】鹓鶵,鸾凤之属,亦言凤子也。练实,竹食也。醴泉,泉甘味如醴也。吓,怒而拒物声也。惠施恐庄子夺己,故整旅扬兵,庄子因往见之,为其设譬。夫凤是南方之鸟,来仪应瑞之物,非梧桐不止,非溟海不停,非竹实不食,非醴泉不饮。而凡猥之鸱,偶得臭鼠,自美其味,仰吓凤凰。譬惠施滞溺荣华,心贪国相,岂知庄子清高,无情争夺。　【释文】"鹓"於袁反。"鶵"仕俱反。李云:鹓鶵乃鸾凤之属也。"醴泉"音礼。李云:泉甘如醴。"吓"本亦作呼,同。许嫁反,又许伯反。司马云:吓,怒其声,恐其夺己也。诗笺云:以口拒人曰吓。

538　〔二〕【注】言物嗜好不同,愿各有极。　【疏】鸱以腐鼠为美,仰吓鹓鶵;惠以国相为荣,猜疑庄子。总合前譬也。　【释文】"嗜"时志反。"好"呼报反。

庄子与惠子游于濠梁之上〔一〕。庄子曰:"儵鱼出游从容,是鱼之乐也〔二〕。"

〔一〕【疏】濠是水名,在淮南钟离郡,今见有庄子之墓,亦有庄惠遨游
之所。石绝水为梁,亦言是濠水之桥梁,庄惠清谈在其上也。
【释文】"豪梁"本亦作濠,音同。司马云:濠,水名也。石绝水曰
梁。○卢文弨曰:今本豪作濠。

〔二〕【疏】鯈鱼,白鯈也。从容,放逸之貌也。夫鱼游于水,鸟栖于
陆,各率其性,物皆逍遥。而庄子善达物情所以,故知鱼乐
也。　【释文】"鯈鱼"徐音条。说文直留反。李音由,白鱼也。
尔雅云,鮂,黑鰦。郭注:即白鯈也。一音篠,谓白鯈鱼也。○卢
文弨曰:鯈,当作儵,注同。此书内多混用。又鮂,黑鰦也。旧
鮂为鮋,今据尔雅改正。"从容"七容反。"鱼乐"音洛。注、下
皆同。

惠子曰:"子非鱼,安知鱼之乐〔一〕?"

〔一〕【疏】惠施不体物性,妄起质疑,庄子非鱼,焉知鱼乐?

庄子曰:"子非我,安知我不知鱼之乐〔一〕?"

〔一〕【注】欲以起明相非而不可以相知之义耳。子非我,尚可以知我
之非鱼,则我非鱼,亦可以知鱼之乐也。　【疏】若以我非鱼,不
得知鱼,子既非我,何得知我? 若子非我,尚得知我,我虽非鱼,
何妨知鱼? 反而质之,令其无难也。

惠子曰:"我非子,固不知子矣;子固非鱼也,子之不
知鱼之乐,全矣〔一〕。"

〔一〕【注】舍其本言而给辩以难也。　【疏】惠非庄子,故不知庄子。
庄必非鱼,何得知鱼之乐? 不乐不知之义,于此无亏,舍其本
宗,给辩以难。　【释文】"以难"乃旦反。

庄子曰："请循其本[一]。子①曰'汝安知鱼乐'云者，既已知吾知之而问我，我知之濠上也[二]。"

〔一〕【疏】循，犹寻也。惠施给辩，有言无理，弃初逐末，失其论宗。请寻其源，自当无难。循本之义，列在下文。

〔二〕【注】寻惠子之本言云："非鱼则无缘相知耳。今子非我也，而云汝安知鱼乐者，是知我之非鱼也。苟知我之非鱼，则凡相知者，果可以此知彼，不待是鱼然后知鱼也。故循子安知之云，已知吾之所知矣，而方复问我，我正知之于濠上耳，岂待入水哉！"夫物之所生而安者，天地不能易其处，阴阳不能回其业；故以陆生之所安，知水生之所乐，未足称妙耳。　【疏】子曰者，庄子却称惠之辞也。惠子云子非鱼安知鱼乐者，足明惠子非庄子，而知庄子之不知鱼也。且子既非我而知我，知我而问我，亦何妨我非鱼而知鱼，知鱼而叹鱼？夫物性不同，水陆殊致，而达其理者体其情，(足)〔是〕以濠上彷徨，知鱼之适乐；鉴照群品，岂入水哉！故寄庄惠之二贤，以标议论之大体也。　【释文】"方复"扶又反。"其处"昌虑反。

〔校〕①阙误引张君房本子上有且字。

外篇 至乐第十八 [一]

〔一〕【释文】以义名篇。"乐"音洛。

天下有至乐无有哉？有可以活身者无有哉[一]？今奚为奚据？奚避奚处？奚就奚去？奚乐奚恶[二]？

〔一〕【注】忘欢而后乐足，乐足而后身存。将以为有乐耶？而至乐无

庄子集释

欢;将以为无乐耶？而身以存而无忧。　【疏】此假问之辞也。
至,极也。乐,欢也。言寰宇之中,颇有至极欢乐,可以养活身
命者无有哉？　【释文】"至乐"音洛。篇内不出者皆同。至,极
也。乐,欢也。

〔二〕【注】择此八者,莫足以活身,唯无择而任其所遇①乃全耳。

　　【疏】奚,何也。今欲行至乐之道以活身者,当何所为造,何所依
　　据,何所避讳,何所安处,何所从就,何所舍去,何所欢乐,何所
　　嫌恶,而合至乐之道乎？此假设疑问,下自旷显。　【释文】"奚
　　恶"乌路反。

〔校〕①世德堂本遇下有者字,赵谏议本无。

夫天下之所尊者,富贵寿善也;所乐者,身安厚味美服
好色音声也〔一〕;所下者,贫贱夭恶也〔二〕;所苦者,身不得
安逸,口不得厚味,形不得美服,目不得好色,耳不得音声。
若不得者,则大忧以惧,其为形也亦愚哉!〔三〕

〔一〕【疏】天下所尊重者,无过富足财宝,贵盛荣华,寿命遐长,善名
　　令誉;所欢乐者,滋味爽口,丽服荣身,玄黄悦目,宫商娱耳。若
　　得之者,则为据处就乐。

〔二〕【疏】贫穷卑贱,夭折恶名,世间以为下也。

〔三〕【注】凡此,失之无伤于形而得之有损于性,今反以不得为忧,故
　　愚。　【疏】凡此上事,无益于人,而流俗以不得为苦,既不适
　　情,遂忧愁惧虑。如此修为形体,岂不甚愚痴!

夫富者,苦身疾作,多积财而不得尽用,其为形也亦外
矣〔一〕。夫贵者,夜以继日,思虑善否,其为形也亦疏
矣〔二〕。人之生也,与忧俱生,寿者惛惛,久忧不死,何苦

也！其为形也亦远矣〔三〕。烈士为天下见善矣，未足以活身。吾未知善之诚善邪，诚不善邪？若以为善矣，不足活身；以为不善矣，足以活人。〔四〕故曰："忠谏不听，蹲循勿争〔五〕。"故夫子胥争之以残其形，不争，名亦不成。诚有善无有哉〔六〕？

〔一〕【注】内其形者，知足而已①。　【疏】夫富豪之家，劳神苦思，驰骋身力，多聚钱财，积而不散，用何能尽！内其形者，岂其如斯也！

〔二〕【注】故亲其形者，自得于身中而已。　【疏】夫位高虑远，禄重忧深，是以昼夜思量，献可替否，劳形怵心，无时暂息，其为形也，不亦疏乎！

〔三〕【注】夫遗生然后能忘忧，忘忧而后生可乐，生可乐而后形是我有，富是我物，贵是我荣也。　【疏】夫禀气顽痴，生而忧戚，虽复寿考，而精神惛闇，久忧不死，翻成苦哉。如此为形，岂非疏远，其于至乐，不亦谬乎！　【释文】"惛惛"音昏，又音门。

〔四〕【注】善则适当，故不周济。　【疏】诚，实也。夫忠烈之士，忘身徇节，名传今古，见善世间，然未知此善是（有）〔否〕虚实。善若实也，不足以活身命；善必虚也，不应养活苍生。赖谏诤而太平，此足以活人也；为忠烈而被戮，此不足以活身也。

〔五〕【注】唯中庸之德为然。　【疏】蹲循，犹顺从也。夫为臣之法，君若无道，宜以忠诚之心匡谏；君若不听，即须蹲循休止，若逆鳞强诤，必遭刑戮也。　【释文】"蹲"七旬反。郭音存，又趣允反。"循"音旬，又音唇。"勿争"争斗之争。下同。○家世父曰：外物篇踆于窾水，释文引字林云，踆，古蹲字。史记货殖传下有（踆）〔蹲〕鸱，徐广云：蹲，古作踆。玉篇足部：踆，退也。辵部：

逡,退也。踆逡字同。汉书巡行郡国作循行。蹲循,犹逡巡也。〇庆藩案,蹲循即逡巡。广雅:逡巡,却退也。管子戒篇作逡遁,(汉郑固碑同。)小问篇作遵循,(荀子同。)晏子问篇作逡遁,又作逡循,汉书平(常)〔当〕传赞作逡遁,(万)〔萬〕②章传作逡循,三礼注作逡遁,字异而义实同。

〔六〕【注】故当缘督以为经也。　【疏】吴王夫差,荒淫无道,子胥忠谏,以遭残戮。若不谏净,忠名不成。故谏与不谏,善与不善,诚未可定矣。

〔校〕①赵谏议本此句作厚形知足。②当字萬字均依汉书改。

今俗之所为与其所乐,吾又未知乐之果乐邪,果不乐邪〔一〕?吾观夫俗之所乐,举群趣者,誙誙然如将不得已〔二〕,而皆曰乐者,吾未之乐也,亦未之①不乐也〔三〕。果有乐无有哉?吾以无为诚乐②矣〔四〕,又俗之所大苦也。故曰:"至乐无乐,至誉无誉。〔五〕"

〔一〕【疏】果,未定也。流俗以贪染为心,以色声为乐。未知此乐决定乐耶?而倒置之心,未可谓信也。

〔二〕【注】举群趣其所乐,乃不避死也。　【疏】誙誙,趣死貌也。已,止也。举世之人,群聚趣竞,所欢乐者,无过五尘,贪求至死,未能止息之也。　【释文】"誙誙"户耕反,徐苦耕反,又胡挺反。李云:趣死貌。崔云:以是为非,以非为是。誙誙,本又作胫胫。

〔三〕【注】无怀而恣物耳。　【疏】而世俗之人,皆用色声为上乐,而庄生体道忘淡,故不见其乐,亦不见其不乐也。

〔四〕【注】夫无为之乐,无忧而已。　【疏】以色声为乐者,未知决定有此乐不?若以庄生言之,用虚淡无为为至实之乐。

〔五〕【注】俗以铿鏘为乐,美善为誉。　【疏】俗以富贵荣华铿金鏘玉

为上乐,用美言佞善为令誉,以无为恬淡寂寞虚夷为忧苦。故
知至乐以无乐为乐,至誉以无誉为誉也。 【释文】"铿"苦耕
反。"鎗"七羊反。

〔校〕①阙误引江南古藏本未之俱作未知之,赵谏议本作未知。②阙
误引江南古藏本诚乐作而诚者为乐。

天下是非果未可定也。虽然,无为可以定是非。[一]至
乐活身,唯无为几存[二]。请尝试言之。天无为以之清,地
无为以之宁[三],故两无为相合,万物皆化[四]。芒乎芴乎,
而无从出乎[五]!芴乎芒乎,而无有象乎[六]!万物职职,
皆从无为殖[七]。故曰天地无为也而无不为也[八],人也孰
能得无为哉[九]!

〔一〕【注】我无为而任天下之是非,是非者①各自任则定矣。 【疏】
夫有为执滞,执是竞非,而是非无主,故不可定矣。无为虚淡,
忘是忘非,既无是非而是非定者也。

〔二〕【注】百姓足②则吾身近乎存也。 【疏】几,近也。存,在也。
夫至乐无乐,常适无忧,可以养活身心,终其天命,唯彼无为,近
在其中者矣。 【释文】"近乎"附近之近。

〔三〕【注】皆自清宁耳,非为之所得。

〔四〕【注】不为而自合,故皆化,若有意乎为之,则有时而滞也。
【疏】天无心为清而自然清虚,地无心为宁而自然宁静。故天地
无为,两仪相合,升降灾福而万物化生,若有心为之,即不能已。

〔五〕【注】皆自出耳,未有为而出之也。 【释文】"芒乎"李音荒,又
呼晃反。下同。"芴乎"音忽。下同。

〔六〕【注】无有为之象。 【疏】夫二仪造化,生物无心,恍惚芒昧,参

差难测;寻其从出,莫知所由;视其形容,竟无象貌。覆论芒芴,
互其文耳。○庆藩案,芴芒,即忽荒也。(尔雅太岁在巳曰大荒
落,史(书)〔记〕历书荒作芒。三代世表帝芒,索隐:芒,一作
荒。)淮南原道篇游渊雾,鹜忽怳,高注:忽怳,无形之象。文选
七发李注引淮南正作忽荒。人间篇曰,翱翔乎忽荒之上,贾谊鵩
赋寥廓忽荒兮,与道翱翔。是其证。

〔七〕【注】皆自殖耳。 【疏】职职,繁多貌也。夫春生夏长,庶物繁
多,孰使其然?皆自生耳。寻其源流,从无为种植。既无为种
植,岂有为耶! 【释文】"万(万)〔物〕职职"司马云:职职,犹祝
祝也。李云:繁(植)〔殖〕貌。案尔雅,职,主也。谓各有主而区
别。○卢文弨曰:旧殖讹渲,③今改正。

〔八〕【注】若有为则有不济④也。

〔九〕【注】得无为则无乐而乐至矣。 【疏】孰,谁也。夫天地清宁,
无为虚廓,而升降生化,而无不为也。凡俗之人,心灵暗昧,耽
滞有欲,谁能得此无为哉! 言能之者,乃至务也。若得之者,便
是德合二仪,冥符至乐也。

〔校〕①赵谏议本无者字。②赵本足作定。③世德堂本作殖。④世
德堂本济作齐。

庄子妻死,惠子吊之〔一〕,庄子则方箕踞鼓盆而歌〔二〕。

〔一〕【疏】庄惠二子为淡水素交,既有死亡,理须往吊。

〔二〕【疏】箕踞者,垂两脚如簸箕形也。盆,瓦缶也。庄子知生死之
不二,达哀乐之为一,是以妻亡不哭,鼓盆而歌,垂脚箕踞,敖然
自乐。 【释文】"箕踞"音据。"盆"谓瓦缶也。

惠子曰:"与人居,长子老身,死不哭亦足矣,又鼓盆而歌,不亦甚乎〔一〕!"

〔一〕【疏】共妻居处,长养子孙,妻老死亡,竟不哀哭,乖于人理,足是
　　　无情,加之鼓歌,一何太甚也!　【释文】"长子"丁丈反。

庄子曰:"不然。是其始死也,我独何能无概然!〔一〕察其始而本无生,非徒无生也而本无形,非徒无形也而本无气〔二〕。杂乎芒芴之间,变而有气,气变而有形,形变而有生,今又变而之死①,是相与为春秋冬夏四时行也〔三〕。人且偃然寝于巨室,而我嗷嗷然随而哭之,自以为不通乎命,故止也〔四〕。"

〔一〕【疏】然,犹如是也。世人皆欣生恶死,哀死乐生,故我初闻死之
　　　时,何能独无概然惊叹也!　【释文】"无概"古代反。司马云:
　　　感也。又音骨,哀乱貌。

〔二〕【疏】庄子圣人,妙达根本,故睹察初始本自无生,未生之前亦无
　　　形质,无形质之前亦复无气。从无生有,假合而成,是知此身不
　　　足惜也。

〔三〕【疏】大道在恍惚之内,造化芒昧之中,和杂清浊,变成阴阳二
　　　气;二气凝结,变而有形;形既成就,变而生育。且从无出有,变
　　　而为生,自有还无,变而为死。而生来死往,变化循环,亦犹春
　　　秋冬夏,四时代序。是以达人观察,何哀乐之有哉!

〔四〕【注】未明而概,已达而止,斯所以诲有情者,将令推至理以遣累
　　　也。　【疏】偃然,安息貌也。巨室,谓天地之间也。且夫息我
　　　以死,卧于天地之间,譬彼炎凉,何得随而哀恸!自觉不通天
　　　命,故止哭而鼓盆也。　【释文】"巨室"巨,大也。司马云:以天

地为室也。"嗷嗷"古弔反,又古尧反。"将令"力呈反。

〔校〕①阙误作万物皆化,今又变而之死,云:化下有生字,又作有。

　　支离叔与滑介叔观于冥伯之丘,昆仑之虚,黄帝之所休〔一〕**。俄而柳生其左肘,其意蹷蹷然恶之**〔二〕**。**

〔一〕【疏】支离,谓支体离析,以明忘形也。滑介,犹骨稽也,谓骨稽挺特,以遗忘智也。欲显叔世浇讹,故号为叔也。冥,闇也。伯,长也。昆仑,人身也。言神智杳冥,堪为物长;昆仑玄远,近在人身;丘墟不平,俯同世俗;而黄帝圣君,光临区宇,休心息智,寄在凡庸。是知至道幽玄,其则非远,故托二叔以彰其义也。　　【释文】"支离叔与滑"音骨。崔本作澘。"介"音界。"叔"李云:支离忘形,滑介忘智,言二子乃识化也。"冥伯之丘"李云,丘名,喻杳冥也。"昆仑"力门反。"之虚"音墟。"所休"休,息也。

〔二〕【疏】蹷蹷,惊动貌。柳(生)者,易生之木;木者,棺椁之象;此是将死之征也。二叔游于昆仑,观于变化,俄顷之间,左臂生柳,蹷然惊动,似欲恶之也。　　【释文】"左肘"竹九反。司马本作胕,音跗,云:胕,足上也。○家世父曰:说文:瘤,肿也。玉篇:瘤,瘜肉。广韵:瘤,肉起疾。说文亦以瘜为寄肉。瘤之生于身,假借者也;人之有生,亦假借也:皆尘垢之附物者也。柳瘤字,一声之转。"蹷蹷"纪卫反,动也。"恶之"乌路反。后皆同。

　　支离叔曰:"子恶之乎〔一〕**?"**

〔一〕【疏】相与观化,贵在虚忘。蹷然惊动,似有嫌恶也。

　　滑介叔曰:"亡,予何恶〔一〕**! 生者,假借也;假之而生**

生者，尘垢也〔二〕。死生为昼夜〔三〕。且吾与子观化而化及我，我又何恶焉〔四〕！"

〔一〕【疏】亡，无也。观化之理，理在忘怀，我本无身，何恶之有也！

〔二〕【疏】夫以二气五行、四支百体假合结聚，借而成身。是知生者尘垢秽累，非真物者也。　【释文】"垢也"音苟。

〔三〕【疏】以生为昼，以死为夜，故天不能无昼夜，人焉能无死生！

〔四〕【注】斯皆先示有情，然后寻至理以遣之。若云我本无情，故能无忧，则夫有情者，遂自绝于远旷之域，而迷困于忧乐之竟矣。

【疏】我与子同游，观于变化，化而及我，斯乃(是)〔理〕当待终，有何嫌恶？既冥死生之变，故合至乐也。　【释文】"之竟"音境。

庄子之楚，见空髑髅，髐然有形，撽以马捶，因而问之〔一〕，曰："夫子贪生失理，而为此乎〔二〕？将子有亡国之事，斧钺之诛，而为此乎〔三〕？将子有不善之行，愧遗父母妻子之丑，而为此乎〔四〕？将子有冻馁之患，而为此乎〔五〕？将子之春秋故及此乎〔六〕？"

〔一〕【疏】之，适也。髐然，无润泽也。撽，打击也。马捶，犹马杖也。庄子适楚，遇见髑髅，空骨无肉，朽骸无润，遂以马杖打击，因而问之。欲明死生之理均齐，故寄髑髅寓言答问也。　【释文】"髑"音独。"髅"音楼。"髐"苦尧反，徐又许尧反，李呼交反。司马李云：白骨貌有枯形也。"撽"苦弔反，又古的反。说文作擎，云：旁击也。"马捶"拙蕊反，又之睡反，马杖也。

〔二〕【疏】夫子贪欲资生，失于道理，致使夭折性命，而骸骨为此乎？

〔三〕【疏】为当有亡国征战之事,行陈斧钺之诛,而为此乎?

〔四〕【疏】或行奸盗不善之行,世间共恶,人伦所耻,遗愧父母,羞见妻孥,惭丑而死于此乎? 【释文】"愧遗"唯季反。

〔五〕【疏】馁,饿也。或游学他乡,衣粮乏尽,患于饥冻,死于此乎? 【释文】"冻"丁贡反。"馁"奴罪反。

〔六〕【疏】春秋,犹年纪也。将子有黄发之年,耆艾之寿,终于天命,卒于此乎?

于是语卒,援髑髅,枕而卧〔一〕。夜半,髑髅见梦曰:"子①之谈者似辩士。视子所言,皆生人之累也,死则无此矣。子欲闻死之说乎?〔二〕"

〔一〕【疏】卒,终也。援,引也。初逢枯骨,援马杖而击之,问语既终,引髑髅而高枕也。 【释文】"援"音袁。"枕而"针鸩反。

〔二〕【疏】睹于此,子所言皆是生人之累患,欲论死道,则无此忧虞。子是生人,颇欲闻死人之说乎? 庄子睡中感于此梦也。 【释文】"见梦"贤遍反。

〔校〕①阙误引张君房本子上有向字。

庄子曰:"然〔一〕。"

〔一〕【疏】然,许髑髅,欲〔闻〕①其死说。

〔校〕①闻字依上正文补。

髑髅曰:"死,无君于上,无臣于下;亦无四时之事,从①然以天地为春秋,虽南面王乐,不能过也〔一〕。"

〔一〕【疏】夫死者,魂气升于天,骨肉归乎土。既无四时炎凉之事,宁有君臣上下之累乎! 从容不复死生,故与二仪同其年寿;虽南面称孤,王侯之乐亦不能过也。 【释文】"从然"七容反,从容也。李徐子用反,纵逸也。

〔校〕①阙误引张君房本从作泛。

庄子不信,曰:"吾使司命复生子形,为子骨肉肌肤,反子父母妻子闾里知识,子欲之乎〔一〕?"

〔一〕【疏】庄子不信髑髅之言,更说生人之事。欲使司命之鬼,复骨肉,反妻子,归闾里,颇欲之乎? 【释文】"复生"音服,又扶又反。

髑髅深矉蹙頞曰:"吾安能弃南面王乐而复为人间①之劳乎〔一〕!"

〔一〕【注】旧说云庄子乐死恶生,斯说谬矣! 若然,何谓齐乎? 所谓齐者,生时安生,死时安死,生死之情既齐,则无为当生而忧死耳。此庄子之旨也。 【疏】深矉蹙頞,忧愁之貌也。既闻司命复形,反于乡里,于是(矉)〔忧〕愁矉蹙,不用此言。谁能复为生人之劳而弃南面王之乐耶! 【释文】"深矉"音频。"蹙"本又作顣,又作蹴,同。子六反。"頞"於葛反。李云:矉顣者,愁貌。"而复"扶又反。

〔校〕①阙误引张君房本人间作生人。

颜渊东之齐,孔子有忧色。子贡下席而问曰:"小子敢问,回东之齐,夫子有忧色,何邪?"〔一〕

〔一〕【疏】颜回自西之东,从鲁往于齐国,欲将三皇五帝之道以教齐侯,尼父恐不逗机,故有忧色。于是子贡避席,自称小子,敢问夫子忧色所由。

孔子曰:"善哉汝问! 昔者管子有言,丘甚善之,曰:

'褚小者不可以怀大,绠短者不可以汲深〔一〕。'夫若是者,以为命有所成而形有所适也,夫不可损益〔二〕。吾恐回与齐侯言尧舜黄帝之道,而重以燧人神农之言。彼将内求于己而不得,不得则惑,人惑则死。〔三〕

〔一〕【疏】褚,容受也。怀,包藏也。绠,汲索也。夫容小之器,不可以藏大物;短促之绳,不可以引深井。此言出管子之书,孔丘善之,故引以为譬也。　【释文】"褚小"猪许反。○庆藩案,玉篇:褚,装衣也。字或作袎。一切经音义引通俗文曰:装衣曰袎。说文系传:褚,衣之囊也。集韵:囊也。字或作䊵。说文,䊵,幏也,所以〔载〕①盛米。又曰:幏,载米䊵也。系传曰:䊵〔亦〕②囊也。左成三年传,郑贾人有将置于褚中以出,盖褚可以囊物,亦可以囊人者也。"绠"格猛反,汲索也。"汲"居及反。

〔二〕【注】故当任之而已。　【疏】夫人禀于天命,愚智各有所成;受形造化,情好咸著所适;方之凫鹤不可益损,故任之而无不当也。　【释文】"所适"适,或作通。

〔三〕【注】内求不得,将求于外。舍内求外,非惑如何!　【疏】黄帝尧舜,五帝也。燧人神农,三皇也。恐颜回将三皇五帝之道以说齐侯。既而步骤殊时,浇淳异世,执持圣迹,不逗机缘,齐侯闻此大言,未能领悟,求于己身,不能得解。脱不得解,则心生疑惑,于是忿其胜己,必杀颜回。　【释文】"皇帝"谓三皇五帝也。司马本作黄帝。○卢文弨曰:今本作黄帝。案皇黄古通用,陆氏谓三皇五帝,非。"而重"直用反。"舍内"音捨。

〔校〕①载字依说文补。②亦字依系传补。又䊵字原刻均讹作䊶,今正之。

且女独不闻邪?昔者海鸟止于鲁郊,鲁侯御而觞之于庙,奏九韶以为乐,具太牢以为膳〔一〕。鸟乃眩视忧悲,不敢食一脔,不敢饮一杯,三日而死〔二〕。此以己养养鸟也,非以鸟养养鸟也〔三〕。夫以鸟养养鸟者,宜栖之深林,游之坛陆,浮之江湖,食之鳅鲦,随行列而止,委蛇而处〔四〕。彼唯人言之恶闻,奚以夫譊譊为乎!咸池九韶之乐,张之洞庭之野,鸟闻之而飞,兽闻之而走,鱼闻之而下入,人卒闻之,相与还而观之〔五〕。鱼处水而生,人处水而死,彼必相与异,其好恶故异也①〔六〕。故先圣不一其能,不同其事〔七〕。名止于实,义设于适,是之谓条达而福持〔八〕。"

〔一〕【疏】郭外曰郊。御,迎也。九韶,舜乐名也。太牢,牛羊豕也。昔有海鸟,名曰爰居,形容极大,头高八尺,避风而至,止鲁东郊。实是凡鸟而妄以为瑞,臧文仲祀之,故有不智之名也。于是奏韶乐,设太牢,迎于太庙之中而觞宴之也。此臧文仲用为神鸟,非关鲁侯,但饮鸟于鲁庙之中,故言鲁侯觞之也。 【释文】"且女"音汝。后同。"海鸟"司马云:国语曰爰居也。止鲁东门之外三日,臧文仲使国人祭之;不云鲁侯也。爰居,一名杂县,举头高八尺。樊光注尔雅云:形似凤凰。○庆藩案,文选江文通杂体诗注引司马云:海鸟,爰居也。(太平御览九百二十五引鸟下有即字,爰居作鸡鹛。)不若释文之详。"御而"音讶。"觞"音伤。"于庙"司马云:饮之于庙中也。"九韶"常遥反。舜乐名。

〔二〕【疏】夫韶乐太牢,乃美乃善,而施之爰居,非所餐听,故目眩心悲,数日而死。亦犹三皇五帝,其道高远,施之齐侯,非所闻之也。 【释文】"眩"玄徧反。司马本作玄,音眩。"视"如字。徐市至反。“鬻”里转反。

〔三〕【疏】韶乐牢馔,是养人之具,非养鸟之物也。亦犹颜回以己之
学术以教于齐侯,非所乐也。

〔四〕【疏】坛陆,湖渚也。鳅,泥鳅也。鲦,白鱼子也。逶迤,宽舒自
得也。夫养鸟之法,宜栖茂林,放洲渚,食鱼子,浮江湖,逐群
飞,自闲放,此以鸟养之法养鸟者也。亦犹齐侯率己所行,逍遥
自得,无所企羡也。 【释文】“坛”大丹反。司马本作澶,音但,
云:水沙澶也。“食之”音嗣。“鲦”音条,又音攸②,李徒由反,
一音由。○卢文弨曰:今本作又音篠。“随行”户刚反。“委”於
危反。“蛇”以支反,又如字。

〔五〕【疏】奚,何也。绕,喧聒也。咸池,尧乐也。洞庭之野,谓天地
之间也。还,绕也。咸池九韶,惟人爱好,鱼鸟诸物恶闻其声,
爱好则绕而观之,恶闻则高飞深入。既有欣有恶,八音何用为
乎! 【释文】“譊譊”乃交反。“咸池”尧乐名。“之乐”如字。
“人卒”寸忽反。司马音子忽反,云:众也。“还而”音患,又旋
面反。

〔六〕【疏】鱼好水而恶陆,人好陆而恶水。彼之人鱼,禀性各别,好恶
不同,故死生斯异。岂唯二种,万物皆然也。 【释文】“其好”
呼报反。

〔七〕【注】各随其情。 【疏】先古圣人,因循物性,使人如器,不一其
能,各称其情,不同其事也。是知将三皇之道以说齐侯者,深不
可也。

〔八〕【注】实而适,故条达;性常得,故福持。 【疏】夫因实立名,而
名以召实,故名止于实,不用实外求名。而义者宜也,随宜施
设,适性而已,不用舍己效人。如是之道,可谓条理通达,而福

德扶持者矣。

〔校〕①阙误引江南古藏本故异也三字作好恶异。②世德堂本作筬，此从释文原本。

列子行食于道從，见百岁髑髅，攓蓬而指之曰："唯予与汝知而未尝死，未尝生也〔一〕。若①果养乎？予果欢乎〔二〕？"

〔一〕【注】各以所遇为乐。　【疏】攓，拔也。從，傍也。御寇困于行李，食于道傍，仍见枯朽髑髅，形色似久。言百岁者，举其大数。髑髅隐在蓬草之下，遂拔却蓬草，因而指麾与言。然髑髅以生为死，以死为生，列子则以生为生，以死为死。生死各执一方，未足为定，故未尝死，未尝生也。　【释文】"道從"如字。司马云：從，道旁也。本或作徒。○卢文弨曰：殷敬顺列子天瑞篇释文云：庄子從作徒。司马云：徒，道旁也，本或作從。与此本异。○庆藩案，道從当为道徒之误。從徒形相似，故徒误为從。列子天瑞篇正作食于道徒。"攓"居辇反，徐纪偃反，又起虔反。司马云：拔也。或音厥。"蓬"步东反，徐扶公反。○庆藩案，攓，正字作搴。说文：搴，拔取也。攓为搴之借字，故司马训为拔也。亦通作褰。离骚朝搴阰之木兰。（说文引此正作搴。）尔雅：芼，搴也。樊光曰：搴，犹拔也。释文：搴，九辇反。汉书季布传搴旗者数矣，李奇注亦曰：搴，犹拔也。

〔二〕【注】欢养之实，未有定在。　【疏】"汝欣冥冥，冥冥果有怡养乎？我悦人伦，人伦决可欢乎？"适情所遇，未可定之者也。　【释文】"若果"一本作汝果，元嘉本作汝过。"养"司马本作暮，云：死也。"予果"元嘉本作子过。"欢乎"司马本作嚾，云：呼

庄子集释

声,谓生也。○俞樾曰:养,读为恙。尔雅释诂:恙,忧也。若果
恙乎? 予果欢乎? 恙与欢对,犹忧与乐对也。言若之死非忧,
予之生非乐也。恙与养,古字通。诗二子乘舟篇中心养养,传训
养为忧,即本雅诂矣。司马本养作暮,乃字之误。

〔校〕①赵谏议本若作汝。

种有几①〔一〕? 得水则为㡭〔二〕,得水土之际则为蛙蠙
之衣〔三〕,生于陵屯则为陵舄〔四〕,陵舄得郁栖〔五〕则为乌
足〔六〕,乌足之根为蛴螬,其叶为胡蝶。胡蝶胥也〔七〕化而
为虫,生于灶下,其状若脱,其名为鸲掇〔八〕。鸲掇千日为
鸟,其名为乾馀骨。乾馀骨之沫为斯弥〔九〕,斯弥为食
醯〔一〇〕。颐辂生乎食醯,黄軦生乎九猷〔一一〕,瞀芮生乎腐
蠸〔一二〕。羊奚比乎不箰,久竹〔一三〕生青宁②〔一四〕;青宁生
程〔一五〕,程生马,马生人〔一六〕,人又反入于机。万物皆出于
机,皆入于机〔一七〕。

〔一〕【注】变化种数,不可胜计。 【疏】阴阳造物,转变无穷,论其种
类,不可深计之也。 【释文】"种"章勇反。注同。"有几"居
岂反。"可胜"音升。

〔二〕【疏】润气生物,从无生有,故更相继续也。 【释文】"得水则
为㡭"此古绝字。徐音绝,今读音继。司马本作继,云:万物虽
有兆朕,得水土气乃相继而生也。本或作断,又作续断。○卢
文弨曰:古绝字当作㡭,此㡭乃继字。○家世父曰:释文引司马
本作继,言万物虽有兆朕,得水土乃相继而生也。本或作断,又
作续断。疑作续断者是也。说文:蕢,水鸟也。尔雅,蕢,牛唇,
郭注引毛诗传:水蔫也,如续断,寸寸有节。蕢,续字,即本草之

云续断也。

〔三〕【疏】蛙蠙之衣,青苔也,在水中若张绵,俗谓之虾蟆衣也。

【释文】"得水土之际则为蛙"户娲反。"蠙"步田反,徐扶贤反,郭父因反,又音宾,李婢轸反。"之衣"司马云:言物根在水土际,布在水中,就水上视不见,按之可得,如张绵在水中,楚人谓之蛙蠙之衣。

〔四〕【疏】屯,阜也。陵舄,车前草也。既生于陵阜高陆,即变为车前也。　【释文】"生于陵屯"司马音徒门反,云:阜也。郭音纯。"则为陵舄"音昔。司马云:言物因水成而陆产,生于陵屯,化作车前,改名陵舄也。一名泽舄,随燥湿变也。然不知其祖,言物化无常形也。人之死也,亦或化为草木,草木之精或化为人也。

〔五〕【疏】郁栖,粪壤也。陵舄既老,变为粪土也。

〔六〕【疏】粪壤复化生乌足之草根也。　【释文】"陵舄得郁栖则为乌足"司马云:郁栖,虫名;乌足,草名,生水边也。言郁栖在陵舄之中则化为乌足也。李云:郁栖,粪壤也。言陵舄在粪化为乌足也。○家世父曰:尔雅,芣苢,马舄,郭注:今车前草,江东呼为虾蟆衣。尔雅蕍舄,郭注:今泽蕍,一曰水舄,一曰马舄,一曰泽舄,三者同类,而所生不同。陆机诗疏:蕍,泽舄,叶如车前。图经亦云泽舄生浅水中。则陵舄生于陵屯,当别一物。释文引司马云,物因水成而陆产,生于陵屯,化作车前,改名陵舄。车前生道边,亦(云)不生陵屯也。

〔七〕【疏】蛴螬,(蝎)〔蝎〕③虫也。胥,胡蝶名也。变化无恒,故根为蛴螬而叶为胡蝶也。　【释文】"乌足之根为蛴"音齐。"螬"音曹。司马本作螬蛴,云:蝎也。○庆藩案,太平御览九百四十八引司马云:乌足,草名,生水边。螬蛴,虫也。与释文异。"其叶为胡蝶"音牒。司马云:胡蝶,蛱蝶也。草化为虫,虫化为草,未始有极。"胡蝶胥也"一名胥。○俞樾曰:释文曰,胡蝶胥也,一名胥。此失其义,当属下句读之。本云,胡蝶胥也化而为虫,与下文鸲掇千日为鸟,两文相对。千日为鸟,言其久也;胥也化而为虫,言其速也。列子天瑞篇释文曰:胥,少也,谓少时也。得其义矣。○家世父曰:释文引司马云,胡蝶一名胥也。疑胥也不当为胡蝶之名。尔雅:蚅,乌蝎,郭注:大虫如指,似蚕。毛诗传:蠋,桑虫。说文:蠋,蜀葵中蚕也。广志:藿蠋有五色者,槐蠋有采有角。尔雅所云桑茧、樗茧、棘茧、栾茧、萧茧,皆蠋类也。老而成蛹,则为胡蝶。胡蝶生卵,就火取温,又成蠋。生于灶下者,就温也。埤雅云:茧生蛾,蛾生卵。郭注尔雅:蚕罗,即蚕蛾,疏谓蚕蛹所变,是也。胡蝶与蚕蠋之属互相化。胥也云者,谓互相化也。博雅:原蚕,其蛹蠋蚙。此云鸲,盖蚙之假借字。

〔八〕【疏】鸲掇,虫名也。胥得热气,故作此虫,状如新脱皮毛,形容雅净也。　【释文】"化而为虫生于灶下"司马云:得热气而生也。"其状若脱"它括反。司马音悦,云:新出皮悦好也。○庆藩案,集韵十七薛引司马云:虫新出皮悦好貌。与释文小异。"其名为鸲"其俱反。"掇"丁活反。

〔九〕【疏】乾馀骨,鸟口中之沫,化为斯弥之虫。　【释文】"鸲掇千日为鸟其名为乾馀骨"乾,音干。"乾馀骨之沫"音末。李云:口中汁也。"为斯弥"李云:虫也。

〔一〇〕【疏】酢瓮中蠛蠓,亦为醯鸡也。　【释文】"斯弥为食"如字。司马本作蚀。"醯"许兮反。李音海。司马云:蚀醯,若酒上蠛蠓也。蠛,音眠结反。蠓,音无孔反。○家世父曰:列子天瑞篇斯弥为食醯,颐辂生乎食醯,黄軦生乎九猷,九猷生乎瞀芮,瞀芮生乎腐蠸。是颐辂黄軦数者，皆食醯之类也。方言：蟥蟥，自闽以东谓之蟥蟥，梁益之间谓之蛒。辂当为蛒；軦当为蟥。汉书王褒传蜉蟒出乎阴。皆群飞小虫也。郭注尔雅蠛蠓云：小虫似蚋，喜乱飞。瞀芮当为蚋。荀子醯酸而蚋聚焉，亦食醯之类也。此假言小虫自相化。

〔一〕【疏】軦亦虫名。 【释文】"颐"以之反。"辂生乎食醯"辂，音路，一音洛。"黄軦"音况，徐李休往反。司马云：颐辂、黄軦，皆虫名。"生乎九猷"音由。李云：九宜为久。久，老也。猷，虫名也。○卢文弨曰：案列子作斯弥为食醯颐辂，食醯颐辂生乎食醯黄軦，食醯黄軦生乎九猷，九猷生乎瞀芮。

〔二〕【疏】瞀芮，虫名。腐蠸，萤火虫也，亦言是粉鼠虫。 【释文】"瞀"莫豆反，又莫住反，又亡角反。"芮"如锐反，徐如悦反。"生乎腐"音辅。"蠸"音权，郭音欢。司马云：亦虫名也。尔雅云：一名守瓜，一云蚧鼠也。

〔三〕【疏】并草名也。 【释文】"羊奚比"毗志反。"乎不筍"息尹反。司马云：羊奚，草名，根似芜菁，与久竹比合而为物，皆生于非类也。

〔四〕【疏】羊奚比合于久竹而生青宁之虫也。 【释文】"久竹生青宁"司马云：虫名。○卢文弨曰：殷敬顺云，庄子从羊奚至青宁连为一句。司马之说固如是，郭本乃分之。列子筝作筍。

〔五〕【疏】亦虫名也。 【释文】"青宁生程"李云：未闻。

〔六〕【疏】未详所据。 【释文】"程生马马生人"俗本多误，故具录之。

〔七〕【注】此言一气而万形，有变化而无死生也。 【疏】机者发动，所谓造化也。造化者，无物也。人既从无生有，又反入归无也。

岂唯在人,万物皆尔。或无识变成有识,〔或〕有识变为无识,或无识变为无识,或有识变为有识,千万变化,未始有极也。而出入机变,谓之死生。既知变化无穷,宁复欣生恶死!体斯趣旨,谓之至乐也。○俞樾曰:又当作久,字之误也。久者,老也。上文黄軦生乎九猷,释文引李注曰:九宜为久。久,老也。是其义也。人久反入于机者,言人老复入于机也。列子天瑞篇正作人久入于机。

〔校〕①阙误引刘得一本几字有若蛙为鹑四字。②阙误引张君房本上六句作斯弥为食醯,食醯生乎颐辂,颐辂生乎黄軦,黄軦生乎九猷,九猷生乎瞀芮,瞀芮生乎腐蠸,腐蠸生乎羊奚,羊奚比乎不箰,久竹生青宁。③蝎字依释文原本改。

庄子集释卷七上

外篇达生第十九^{〔一〕}

〔一〕【释文】以义名篇。

达生之情者，不务生之所无以为^{〔一〕}；达命之情者，不务知^①之所无奈何^{〔二〕}。养形必先之以^②物，物有馀而形不养者有之矣^{〔三〕}；有生必先无离形，形不离而生亡者有之矣^{〔四〕}。生之来不能却，其去不能止^{〔五〕}。悲夫！世之人以为养形足以存生^{〔六〕}；而养形果不足以存生^{〔七〕}，则世奚足为哉^{〔八〕}！虽不足为而不可不为者，其为不免矣^{〔九〕}。

〔一〕【注】生之所无以为者，分外物也。　【释文】"达生"达，畅也，通也。广雅云：生，出也。

〔二〕【注】知之所无奈何者，命表事也。　【疏】夫人之生也，各有素分，形之妍丑，命之修短，及贫富贵贱，愚智穷通，一豪已上，无非命也。故达(生)于性命之士，性灵明照，终不贪于分外，为己事务也，一生命之所钟者，皆智虑之所无奈之何也。

〔三〕【注】知止其分,物称其生,生斯足矣,有馀则伤。 【疏】物者,谓资货衣食,且夕所须。夫颐养身形,先须用物;而物有分限,不可无涯。故凡鄙之徒,积聚有馀而养卫不足者,世有之矣。 【释文】"物称"尺證反。

〔四〕【注】守形(太)〔大〕③甚,故生亡也。 【疏】既有此浮生,而不能离形遗智,爱形大甚,亡失全生之道也。如此之类,世有之矣。 【释文】"无离"力智反,下同。"大甚"音泰。

〔五〕【注】非我所制,则无为有怀于其间。 【疏】生死去来,委之造物,妙达斯原,故无所恶。

〔六〕【注】故弥养之而弥失之。 【疏】夫寿夭去来,非己所制。而世俗之人,不悟斯理,贪多资货,厚养其身,妄谓足以存生,深可悲叹。

〔七〕【注】养之弥厚,则死地弥至。 【疏】厚养其形,弥速其死,故决定不足以存生。

〔八〕【注】莫若放而任之。 【疏】夫驰逐物境,本为资生。生既非养所存,故知世间物务,何足为也!

〔九〕【注】性分各自为者,皆在至理中来,故不可免也,是以善养生者,从而任之。 【疏】分外之事,不足为也;分内之事,不可不为也。夫目见耳听足行心知者,禀之性理,虽为无为,故不务免也。

〔校〕①弘明集正诬论引知作命。②世德堂本无以字。③大字依释文及世德堂本改。

夫欲免为形者,莫如弃世。弃世则无累,无累则正平,正平则与彼更生,更生则几矣。〔一〕事奚足弃而生奚足遗?弃事则形不劳,遗生则精不亏〔二〕。夫形全精复,与天为一〔三〕。天地者，万物之父母也〔四〕，合则成体，散则成始〔五〕。形精不亏，是谓能移〔六〕；精而又精，反以相天〔七〕。

〔一〕【注】更生者，日新之谓也。付之日新，则性命尽矣。　【疏】几，尽也。更生，日新也。夫欲有为养形者，无过弃却世间分外之事。弃世则无忧累，无忧累则合于正真平等之道，平正则冥于日新之变，故能尽道之玄妙。　【释文】"则几"徐其依反。

〔二〕【注】所以遗弃之。　【疏】人世虚无，何足捐弃？生涯空幻，何足遗忘？故弃世事则形逸而不劳，遗生涯则神凝而不损也。

〔三〕【注】俱不为也。　【疏】夫形全不扰，故能保完天命；精固不亏，所以复本还原；形神全固，故与玄天之德为一。

〔四〕【注】无所偏为，故能子万物。　【疏】夫二仪无心而生化万物，故与天地合德者，群生之父母。

〔五〕【注】所在皆成，无常处。　【疏】夫阴阳混合，则成体质，气息离散，则反于未生之始。○家世父曰：合者，息之机也，消之渐也；散则复反而归其本，而机又于是息焉，故曰成始。终则有始，天行也，所以能移，不主故常以成其大常也。　【释文】"常处"昌虑反。

〔六〕【注】与化俱也。　【疏】移者，迁转之谓也。夫不劳于形，不亏其精者，故能随变任化而与物俱迁也。

〔七〕【注】还辅其自然也。　【疏】相，助也。夫遣之又遣，乃曰精之又精，是以反本还元，辅于自然之道也。　【释文】"相天"息亮反。

子列子问关尹曰："至人潜行不窒〔一〕，蹈火不热，行乎万物之上而不栗〔二〕。请问何以至于此〔三〕?"

〔一〕【注】其心虚,故能御群实。　【疏】古人称师曰子,亦是有德之
　　嘉名。具斯二义,故曰子列子,即列御寇也。〔关尹〕,姓尹,名
　　喜,字公度,为函谷关令,故曰关令尹真人;是老子弟子,怀道抱
　　德,故御寇询之也。窒,塞也。夫至极圣人,和光匿耀,潜伏行
　　世,混迹同尘,不为物境障碍,故等虚室,空而无塞。本亦作空
　　字。　【释文】"关尹"李云:关令尹喜也。"不窒"珍悉反。

〔二〕【注】至适,故无不可耳,非物往可之。　【疏】冥于寒暑,故火不
　　能灾;一于高卑,故心不恐惧。　【释文】"蹈火"徒报反。

〔三〕【疏】总结前问意也。

　　关尹曰:"是纯气之守也,非知巧果敢之列〔一〕。居,予
语女〔二〕!凡有貌象声色者,皆物也,物与物何以相远〔三〕?
夫奚足以至乎先?是色①而已〔四〕。则物之造乎不形而止
乎无所化〔五〕,夫得是而穷之者,物焉得而止②焉〔六〕!彼将
处乎不淫之度〔七〕,而藏乎无端之纪〔八〕,游乎万物之所终
始〔九〕,壹其性〔一〇〕,养其气〔一一〕,合其德〔一二〕,以通乎物之
所造〔一三〕。夫若是者,其天守全,其神无郤,物奚自入
焉〔一四〕!

〔一〕【疏】夫不为外物侵伤者,乃是保守纯和之气,养于恬淡之心而
　　致之也,非关运役心智,分别巧诈,勇决果敢而得之。　【释文】
　　"非知"音智。"之列"音例。本或作例。

〔二〕【疏】命御寇令复坐,我告女至言也。　【释文】"予语"鱼据反。
　　"女"音汝。后同。

〔三〕【注】唯无心者独远耳。　【释文】"相远"于万反。

〔四〕【注】同是形色之物耳，未足以相先也。　【疏】夫形貌声色，可见闻者，皆为物也。(二)〔而〕彼俱物，何足以远，亦何足以先至乎？俱是声色故也。唯当非色非声，绝视绝听者，故能超貌象之外，在万物之先也。

〔五〕【注】常游于极。　【疏】夫不色不形，故能造形色者也；无变无化，故能变化于万物者也。是以群有从造化而受形，任变化之妙本。

〔六〕【注】夫至极者，非物所制。　【疏】夫得造化之深根，自然之妙本，而穷理尽性者，世间万物，何得止而控驭焉！故当独往独来，出没自在，乘正御辩，于何待焉！　【释文】"焉得"於虔反。

〔七〕【注】止于所受之分。　【疏】彼之得道圣人，方将处心虚淡，其度量弘博，终不滞于世间。

〔八〕【注】冥然与变化日新。　【疏】大道无端无绪，不始不终，即用此混沌而为纪纲，故圣人藏心晦迹于恍惚之乡也。

〔九〕【注】终始者，物之极。　【疏】夫物所始终，谓造化也。言生死始终，皆是造化，物固以终始为造化也。而圣人放任乎自然之境，遨游乎造化之场。

〔一〇〕【注】饰则二矣。　【疏】率性而动，故不二也。

〔一一〕【注】不以心使之。　【疏】吐纳虚夷，故爱养元气。

〔一二〕【注】不以物离性。　【疏】抱一不离，故常与玄德冥合也。

〔一三〕【注】万物皆造于尔。　【疏】物之所造，自然也。既一性合德，与物相应，故能达至道之原，通自然之本。

〔一四〕【疏】是者，指斥以前圣人也。自，从也。若是者，其保守自然之道，全而不亏，其心神凝照，曾无间郤，故世俗事物，何从而入于灵府哉！　【释文】"无郤"去逆反。

夫醉者之坠车,虽疾不死。骨节与人同而犯害与人异,其神全也,乘亦不知也,坠亦不知也,死生惊惧不入乎其胸中,是故遻物而不慑。[一]彼得全于酒而犹若是[二],而况得全于天乎[三]?圣人藏于天,故莫之能伤也[四]。复仇者不折镆干[五],虽有忮心者不怨飘瓦[六],是以天下平均[七]。故无攻战之乱,无杀戮之刑者,由此道也[八]。

〔一〕【疏】自此已下,凡有三譬,以况圣人任独无心。一者醉人,二者利剑,三者飘瓦,此则是初。夫醉人乘车,忽然颠坠,虽复困疾,必当不死。其谓心无缘虑,神照凝全,既而乘坠不知,死生不(人)〔入〕,是故遻于外物而情无慑惧。 【释文】"之坠"字或作队,同。直类反。后皆同。○家世父曰:始守乎气而终养乎神,道家所谓炼气归神也。"乘亦"音绳,又绳證反。"遻"音悟,郭音愕。尔雅云:遻,忤也。郭注云:谓干触。○卢文弨曰:今本作逜。"不慑"之涉反,惧也。李郭音习。

〔二〕【注】醉故失其所知耳,非自然无心者也。

〔三〕【疏】彼之醉人,因于困酒,犹得暂时凝淡,不为物伤,而况德全圣人,冥于自然之道者乎!物莫之伤,故其宜矣。

〔四〕【注】不窥性分之外,故曰藏。 【疏】夫圣人照等三光,智周万物,藏光塞智于自然之境,故物莫之伤矣。

〔五〕【注】夫干将镆铘,虽与仇为用,然报仇者不事折之,以其无心。 【疏】此第二(谕)〔喻〕①也。干将镆铘,并古之良剑。虽用剑杀害,因以结仇,而报仇之人,终不瞋怒此剑而折之也,其为无心,故物莫之害也。 【释文】"镆"音莫。本亦作莫。

"干"李云:镆耶、干将,皆古之利剑名。吴越春秋云:吴王阖闾
使干将造剑,剑有二状,一曰干将,二曰镆耶。镆耶,干将妻
名也。

〔六〕【注】飘落之瓦,虽复中人,人莫之怨者,由其无情。 【疏】飘落
之瓦,偶尔伤人,虽忮逆褊心之夫,终不怨恨,为瓦是无心之物。
此第三(谕)〔喻〕也。 【释文】"忮心"之豉反,郭李音支。害
也。字书云:很也。"飘瓦"匹遥反。郭李云:落也。"虽复"扶
又反。下章同。"中人"丁仲反。

〔七〕【注】凡不平者,由有情。

〔八〕【注】无情之道大矣。 【疏】夫海内清平,遐荒静息,野无攻战
之乱,朝无杀戮之刑者,盖由此无为之道,无心圣人,故致之也。
是知无心之义大矣。

〔校〕①喻谕古字通,但比喻字疏文前皆作喻。

不开人之天①,而开天之天〔一〕,开天者德生〔二〕,开人
者贼生〔三〕。不厌其天,不忽于人〔四〕,民几乎以其真〔五〕!"

〔一〕【注】不虑而知,开天也;知而后感,开人也。然则开天者,性之
动也;开人者,知之用也。 【疏】郭注云:不虑而知,开天者也;
知而后感,开人者也。然则开天者,性之动;开人者,知之用。郭
得之矣,无劳更释。

〔二〕【注】性动者,遇物而当,足则忘馀,斯德生也。

〔三〕【注】知用者,从感而求,勤②而不已,斯贼生也。 【疏】夫率性
而动,动而常寂,故德生也。运智御世,为害极深,故贼生也。老
经云,以智治国国之贼,不以智治国国之德。

〔四〕【注】任其天性而动,则人理亦自全矣。 【疏】常用自然之性,
不厌天者也;任智自照于物,斯不忽人者也。 【释文】"不厌"

李於艳反,徐於瞻反。

〔五〕【注】民之所患,伪之所生,常在于知用,不在于性动也。 【疏】几,尽也。因天任人,性动智用,既而人天无别,知用不殊,是以率土尽真,苍生无伪者也。 【释文】“几乎”音機,或音祈。

〔校〕①阙误引刘得一本天作人。②世德堂本勌作劝。

仲尼适楚,出于林中,见痀偻者承蜩,犹掇之也〔一〕。

〔一〕【疏】痀偻,老人曲腰之貌。承蜩,取蝉也。掇,拾也。孔子聘楚,行出林籟之中,遇老公以竿承蝉,如俯拾地芥,一无遗也。 【释文】“痀”郭於禹反,李徐居具反,又其禹反。“偻”郭音缕,李徐良付反。“承”一本作丞。○庆藩案,承读为拯,(说文作抍。)拯,谓引取之也。艮六二不拯其随,虞翻曰:拯,取也。释文拯作承,(通志堂〔本〕改承为拯。)云音拯救之拯。(复)〔涣〕①初六用拯马壮吉,释文:子夏(拯)作抍。抍,取也。列子黄帝篇使弟子並流而承之,释文承音拯,引方言出溺为承。(今方言作拯。)宣十二年左传曰,目于眢井而拯之,释文拯作承,云音拯。皆引取之义也。“蜩”音条,蝉也。“犹掇”丁活反,拾也。

〔校〕①涣字依易释文改。

仲尼曰:“子巧乎!有道邪?”

曰:“我有道也〔一〕。**五六月累丸二而不坠,则失者锱铢**〔二〕;**累三而不坠,则失者十一**〔三〕;**累五而不坠,犹掇之也**〔四〕。**吾处身也,若厥**①**株拘;吾执臂也,若槁木之枝**〔五〕;**虽天地之大,万物之多,而唯蜩翼之知**〔六〕。**吾不反不侧,不以万物易蜩之翼,何为而不得**〔七〕**!”**

〔一〕【疏】怪其巧妙一至于斯,故问其方。答云有道也。

〔二〕【注】累二丸于竿头,是用手之停审也。故②其承蜩,所失者不过锱铢之间也。 【疏】锱铢,称两之微数也。初学承蜩,时经半岁,运手停审,故所失不多。 【释文】"五六月"司马云:黏蝉时也。"累丸"劣彼反。下同。司马云:谓累之于竿头也。○庆藩案,列子释文引司马云:累垸,谓累丸于竿头也。与释文小异。"者锱"侧其反。"铢"音殊。

〔三〕【注】所失愈(多)〔少〕③。 【疏】时节(犹)〔尤〕久,累丸(征)〔增〕多,所承之蜩十失其一也。

〔四〕【注】停审之至,故乃无所复失。 【疏】累五丸于竿头,一无坠落,停审之意,遂到于斯,是以承蜩蝉犹如俯拾。

〔五〕【注】不动之至。 【疏】拘,谓斫残枯树枝也。执,用也。我安处身心,犹如枯树,用臂执竿,若槁木之枝,凝寂停审,不动之至。斯言有道,此之谓也。 【释文】"若厥"本或作橛,同。其月反。"株"音诛。"拘"其俱反,郭音俱。李云:厥,竖也,竖若株拘也。○卢文弨曰:也字未刻,依宋本补。○家世父曰:列子黄帝篇作若橛株驹,注云:株驹,断木也。山海经海内经,(达)〔建〕④木有九欘,下有九枸。郭璞注:欘,枝回曲也。枸,根盘错也。说文:株,木根也。徐铉曰:在土曰根,在土上曰株。株枸者,近根盘错处;厥者,断木为杌也。身若断株,臂若槁木之枝,皆坚实不动之意。"若槁"苦老反。

〔六〕【疏】二仪极大,万物甚多,而运智用心,唯在蜩翼,蜩翼之外,无他缘虑也。

〔七〕【注】遗彼故得此。 【疏】反侧,犹变动也。外息攀缘,内心凝静,万物虽众,不夺蜩翼之知,是以事同拾芥,何为不得也!

〔校〕①赵谏议本作概。②世德堂本无故字。③少字依世德堂本改。
④建字依山海经原文改。

孔子顾谓弟子曰："用志不分,乃凝于神,其痀偻丈人
之谓乎〔一〕!"

〔一〕【疏】夫运心用志,凝静不离,故累丸乘蜩,妙凝神鬼。而尼父勉
　　　勖门人,故云痀偻丈人之谓也。　【释文】"不分"如字。〇俞樾
　　　曰:凝当作疑。下文梓庆削木为鐻,鐻成,见者惊犹鬼神,即此
　　　所谓乃疑于神也。列子黄帝篇正作疑,张湛注曰:意专则与神相
　　　似者也。可据以订正。

颜渊问仲尼曰："吾尝济乎觞深之渊,津人操舟若
神〔一〕。吾问焉,曰:'操舟可学邪?'曰:'可。善游者数
能〔二〕。若乃夫没人,则未尝见舟而便操之也〔三〕。'吾问焉
而不吾告,敢问何谓也?"

〔一〕【疏】觞深,渊名也。其状似杯,因以为名,在宋国也。津人,谓
　　　津济之人也。操,捉也。颜回尝经行李,济渡斯渊,而津人操舟,
　　　甚有方便,其便辟机巧,妙若神鬼,颜回怪之,故问夫子。　【释
　　　文】"操舟"七曹反。下章同。

〔二〕【注】言物虽有性,亦须数习而后能耳。　【疏】颜回问:"可学
　　　否?"答曰:"好游涉者,数习则能。"夫物虽禀之自然,亦有习以
　　　成性者。　【释文】"数能"音朔。注、下同。

〔三〕【注】没人,谓能鹜没于水底。　【疏】注云,谓鹜没水底。鹜,鸭
　　　子也。谓津人便水,没入水下,犹如鸭鸟没水,因而捉舟。
　　　【释文】"鹜"音木,鸭也。

仲尼曰："善游者数能,忘水也[一]。若乃夫没人之未尝见舟而便操之也,彼视渊若陵,视舟之覆犹其车却也[二]。覆却万方陈乎前而不得入其舍[三],恶往而不暇[四]!以瓦注①者巧,以钩注者惮,以黄金注者殙[五]。其巧一也,而有所矜,则重外也。凡外重者内拙[六]。"

〔一〕【注】习以成性,遂若自然。　【疏】好游于水,数习故能,心无忌惮,忘水者也。

〔二〕【注】视渊若陵,故视舟之覆于渊,犹车之却退于坂也。　【疏】好水数游,习以成性,遂使顾视渊潭,犹如陵陆,假令舟之颠覆,亦如车之却退于坂。　【释文】"之覆"芳服反。注、下同。"犹其车却也"元嘉本无车字。

〔三〕【注】覆却虽多而犹不以经怀,以其性便故也。　【疏】舍,犹心中也。随舟进退,方便万端,陈在目前,不关怀抱。既(不)〔能〕忘水,岂复劳心!○俞樾曰:万下脱物字。此本以覆却万物为句,方陈乎前而不得入其舍为句。方者,并也。方之本义为两舟相并,故方有并义。荀子致仕篇莫不明通方起以尚尽矣,杨倞曰:方起,并起。汉书扬雄传虽方征侨与偓佺兮,师古注曰:方,谓并行也。皆其证也。方陈乎前,谓万物并陈乎前也。今上句脱物字,而以方字属上读,则所谓陈前者,果何指欤?郭注曰:覆却虽多,而犹不以(轻)〔经〕怀,是其所据本有物字。盖正文是万物,故以多言,若如今本作万方,当以广大言,不当以多言也。列子黄帝篇正作覆却万物方陈乎前而不得入其舍,可据以订正。

〔四〕【注】所遇皆闲暇也。　【疏】率性操舟,任真游水,心无矜系,何往不闲!岂唯操舟,学道亦尔,但能忘遣,即是达生。　【释文】

“恶往”音乌。“閒暇”音閑。

〔五〕【注】所要愈重，则其心愈矜也。　【疏】注，射也。用瓦器贱物
而戏赌射者，既心无矜惜，故巧而中也。以钩带赌者，以其物稍
贵，恐不中垛，故心生怖惧而不著也。用黄金赌者，既是极贵之
物，矜而惜之，故心智昏乱而不中也。是以津人以忘遗故若神，
射者以矜物故昏乱。是以矜之则拙，忘之则巧，勖诸学者，幸志
之焉。　【释文】“瓦注”之树反。李云：击也。“惮”徒丹反，又
音丹，又丈旦反。忌恶也。一曰难也。“殙”武典反，又音昏，又
音门。本亦作殙。说文云：殙，瞀也。元嘉本作昏。○卢文弨
曰：今本殙作殙，旧瞀也作矜也，讹。今据本书改正。○庆藩
案，殙，速也。又吕览去尤篇以黄金投者殆。殆，疑也，（见襄四
年公羊传注。）亦迷惑之意。黄金投者之投不别见。吕览高注
亦云无考。列子黄帝篇以瓦抠者巧，淮南说林训以金钰者跂，并
袭庄子而不作投字。“所要”一遥反。

〔六〕【注】夫欲养生全内者，其唯无所矜重也。　【疏】夫射者之心，
巧拙无二，为重于外物，故心有所矜，只为贵重黄金，故内心昏
拙，岂唯在射，万事亦然。

〔校〕①阙误云：吕览注作投，馀同。

田开之见周威公。威公曰：“吾闻祝肾学生〔一〕，吾子与祝肾游，亦何闻焉〔二〕？”

571

〔一〕【注】学生者务中适。　【释文】“田开之”李云：开之，其名也。
“周威公”崔本作周威公灶。○俞樾曰：史记周本纪（孝）〔考〕①
王封其弟于河南，是为桓公。桓公卒，子威公代立。此周威公殆
即其人乎？索隐：按系本，西周桓公名揭，威公之子；东周惠公

名班,而威公之名不传。崔本可补史阙。"祝肾"上之六反,下市轸反。字又作紧,音同。本或作贤。"学生"司马云:学养生之道也。"务中"丁仲反。下章注而中适同。

〔二〕【疏】姓田,名开之,学道之人。姓祝,名肾,怀道者也。周公之胤,莫显其名,食采于周,谥曰威也。素闻祝肾学养生之道,开之既从游学,未知何所闻乎? 有此咨疑,庶禀其术。 【释文】"吾子与祝肾游"司马本以吾子属上句,更云子与祝肾游。

〔校〕①考字依俞楼杂纂改。

田开之曰:"开之操拔篲以侍门庭,亦何闻于夫子〔一〕!"

〔一〕【疏】开之谓祝肾为夫子。拔篲,扫帚也。言我操提扫帚,参侍门户,洒扫庭前而已,亦何敢辄问先生之道乎! 古人事师,皆拥篲以充役也。 【释文】"操"七曹反。"拔"蒲末反,徐甫末反。李云:把也。"篲"似岁反,徐以醉反,郭(矛)〔予〕①税反,李寻恚反,信醉反,或苏忽反。帚也。○卢文弨曰:信醉上脱又字。"亦何闻于夫子"绝句。

〔校〕①予字依释文及世德堂本改。

威公曰:"田子无让,寡人愿闻之〔一〕。"

〔一〕【疏】让,犹谦也。养生之道,寡人愿闻,幸请指陈,不劳谦逊。

开之曰:"闻之夫子曰:'善养生者,若牧羊然,视其后者而鞭之〔一〕。'"

〔一〕【疏】我承祝肾之说,养生譬之牧羊,鞭其后者,令其折中。 【释文】"而鞭"如字。崔本作趋,云:匿也;视其羸瘦在后者,匿著牢中养之也。○家世父曰:崔说非也。鞭其后,则前者于于然行矣,注视其后而前者不劳也,谨持其终者也。郭象注鞭其后者去其不及也,亦误。

威公曰:"何谓也〔一〕?"

〔一〕【疏】未悟田开之言,故更发疑问。

田开之曰:"鲁有单豹者,岩居而水饮,不与民共利,行年七十而犹有婴儿之色;不幸遇饿虎,饿虎杀而食之〔一〕。有张毅者,高①门县薄,无不走也,行年四十而有内热之病以死〔二〕。豹养其内而虎食其外,毅养其外而病攻其内,此二子者,皆不鞭其后者也〔三〕。"

〔一〕【疏】姓单名豹,鲁之隐者也。岩居饮水,不争名利,虽复年齿长老而形色不衰,久处山林,忽遭饿虎所食。　【释文】"单豹"音善。李云:单豹,隐人姓名也。"而水饮"元嘉本作饮水。

〔二〕【疏】姓张名毅,亦鲁人也。高门,富贵之家也。县薄,垂帘也。言张毅是流俗之人,追奔世利,高门甲第,朱户垂帘,莫不驰骤参谒,趋走庆吊,形劳神弱,困而不休,于是内热发背而死。【释文】"县"音玄。"薄"司马云:帘也。"无不走也"司马云:走,至也;言无不至门奉富贵也。李云:走,往也。○俞樾曰:无不走也,语意未明。司马云,走,至也,言无不至门奉富贵也,亦殊迂曲。走乃趣之坏字。文选幽通赋李注引此文曰:有张毅者,高门县薄无不趣义。字正作趣,但衍义字耳。吕览必己篇曰,张毅好恭,门闾帷薄聚居众无不趋,高注曰:过之必趋。淮南人间篇曰,张毅好恭,过宫室廊庙必趋,见门闾聚众必下,斯徒马圉,皆与亢礼,然不终其寿,内热而死。其义更明。庄子文不备,故学者莫得其解。

〔三〕【注】夫守一方之事至于过理者,不及于会通之适也。鞭其后者,去其不及也。　【疏】单豹寡欲清虚,养其内德而虎食其外。张毅交游世贵,养其形骸而病攻其内以死。此二子各滞一边,未为折中,故并不鞭其后也。　【释文】"去其"起吕反。

〔校〕①阙误引刘得一本高上有见字。

仲尼曰:"无入而藏〔一〕,无出而阳〔二〕,柴立其中央〔三〕。三者若得,其名必极〔四〕。夫畏涂者,十杀一人,则父子兄弟相戒也,必盛卒徒而后敢出焉,不亦知乎〔五〕！人之所取①畏者,衽席之上,饮食之间;而不知为之戒者,过也〔六〕。"

〔一〕【注】藏既内矣,而又入之,此过于入也。　【疏】注云,入既入矣,而又藏之。偏滞于处,此单豹也。

〔二〕【注】阳既外矣,而又出之,是过于出也。　【疏】阳,显也。出既出矣,而又显之。偏滞于出,此张毅也。

〔三〕【注】若槁木之无心而中适,是立也。　【疏】柴,木也。不滞于出,不滞于处,出处双遣,如槁木之无情,妙舍二边,而独立于一中之道。

〔四〕【注】名极而实当也。　【疏】夫因名诠理,从理生名。若得已前三句语意者,则理穷而名极者也。亦言:得此三者名为证至极之人也。

〔五〕【疏】涂,道路也。夫路有劫贼,险难可畏,十人同行,一人被杀,则亲情相戒,不敢轻行,强盛卒伍,多结徒伴,斟量平安,然后敢去。岂不知全身远害乎！　【释文】"畏涂"司马云:阻险道可畏惧者也。"卒徒"子忽反。"亦知"音智。

〔六〕【注】十杀一耳,便大畏之;至于色欲之害,动皆之死地而莫不冒之,斯过之甚也。 【疏】衽,衣服也。夫涂路患难,十杀其一,犹相戒慎,不敢轻行。况饮食之间,不能将节,衽席之上,恣其淫荡,动之死地,万无一全。举世皆然,深为罪过。 【释文】"衽"而甚反,徐而鸩反。李云:卧衣也。郑注礼记云:卧席也。"动皆之死地"一本无地字。"不冒"音墨。

〔校〕①阙误引江南古藏本取作最。

祝宗人玄端以临牢筴,说彘〔一〕曰:"汝奚恶死?吾将三月㸆①汝,十日戒,三日齐,藉白茅,加汝肩尻乎雕俎之上,则汝为之乎〔二〕?"为彘谋,曰不如食以糠糟而错之牢筴之中,自为谋,则苟生有轩冕之尊,死得于腞楯之上、聚偻之中则为之。为彘谋则去之,自为谋则取之,所②异彘者何也?〔三〕

〔一〕【疏】祝,祝史也,如今太宰六祝官也。元端,衣冠。筴,圈也。彘,猪也。夫飨祭宗庙,必有祝史,具于元端冠服,执版而祭鬼神。未祭之间,临圈说彘。说彘之文,在于下也。 【释文】"牢筴"初革反。李云:牢,豕室也。筴,木栏也。"说"如字,又始锐反。"彘"直例反。本亦作豕。

575

〔二〕【疏】㸆,养也。俎,盛肉器也,谓雕饰之俎也。说彘曰:"汝何须好生而恶死乎?我将养汝以好食,齐戒以洁清,藉神坐以白茅,置汝身于俎上,如此相待,岂不欲为之乎?" 【释文】"奚恶"乌路反。"㸆"音患。司马云:养也。本亦作牺。"日齐"侧皆反。后章同。"藉"在夜反,又在亦反。"尻"苦羔反。"雕俎"庄吕反。画饰之俎也。

〔三〕【注】欲赡则身亡，理常俱耳，不间③人兽也。　【疏】措，置也。
腞，画饰也；楯，笯车也；谓画輴车也。聚偻，棺椁也。为彘谋
者，不如置之圈内，食之糟糠，不用白茅，无劳雕俎；自为谋，则
苟且生时有乘轩戴冕之尊，死则置于棺中，载于楯车之上，则欲
得为之。为彘谋则去白茅雕俎，自为谋则取于轩冕楯车，而异
彘者何也？此盖颠倒愚痴，非达生之性也。　【释文】"为彘"于
伪反。下自为、为彘同。"食以"音嗣。"糠"音康。"糟"音遭。
"错之"七故反，置也。又如字。本又作措。"腞"音直转反，又
敕转反。"楯"食準反，徐敕荀反，李敕準反。司马云：腞，犹篆
也。楯，犹案也。"聚偻"力主反。司马云：聚偻，器名也，今冢
圹中注为之。一云：聚偻，棺椁也。一云：聚当作蕝，才官反；偻
当作蒌，力久反；谓殡于蕝涂蒌翣之中。○王念孙曰：释文引司
马云，腞犹篆也，楯犹案也，（蒌）〔聚〕偻，器名也，今冢圹中注为
之。一云，（蒌）〔聚〕偻，棺椁也。一云：（蒌）〔聚〕当作蕝，偻当作
蒌，谓殡于蕝涂蒌翣之中。案腞读为輇，谓载柩车也。杂记载以
輲车，郑注曰：輲读为輇。（释文：輇，市专反，又市转反。）士丧
礼记〔下篇〕④注曰：载柩车。周礼谓之蜃车，杂记谓之团，或作
輇，或作樏，声读皆相附耳。其车之舆状如床，中央有辕，前后
出，设前后辂。舆上有四周，下则前后有轴，以輇为轮。许叔重
说，有辐曰轮，无辐曰輇。輇、輲、樏、团，并字异而义同，此作
腞，义亦同也。楯读为輴，亦谓载柩车也。檀弓曰：天子之殡也，
蕝涂龙輴以椁。又曰：天子龙輴而椁帱，诸侯輴而设帱。丧大记
曰：君殡用輴，郑注曰：天子之殡，居棺以龙輴，诸侯輴不画龙，
大夫废輴。士丧礼下篇注曰：輁，状如长床，穿桯，前后著金而关

轴焉,大夫诸侯以上有四周,谓之輴。(此谓朝庙时所用。)輴与楯,古字通。杂记注曰,载枢以楯,是其证也。聚偻,谓枢车饰也。众饰所聚,故曰(娄)〔聚〕偻;亦以其形中高而四下,故言偻也。杂记注曰:将葬,载枢之车饰曰柳。周官缝人,衣翣柳之材,注曰:柳之言聚,(谓)〔诸〕⑤饰之所聚。刘熙释名曰:舆棺之车,其盖曰柳。柳,聚也,众饰所聚,亦其形偻也。檀弓曰:设蒌翣。荀子礼论篇曰:无帾丝歶缕,翣其貌以象菲帷帱尉也。柳,蒌,缕,偻,并字异而义同。吕氏春秋节丧篇偻翣以督之。其字亦作偻。释文所引或说,以偻为蒌翣字,是也。馀说皆失之。○家世父曰:释文引司马云,腞,犹篆也,楯,犹案也,聚偻,器名也,今冢圹中注为之。疑楯与輴同,腞楯,即画輴也,丧大记所谓葬用輴者是也。聚偻,曲簿也,荀子谓之簿器,丧大记所谓熬,(居)〔君〕⑥八筐,大夫六筐,士四筐是也。輴者,所以载枢,故曰腞楯之上;筐筥纳之椁内棺外,故曰聚偻之中;皆大夫以上饰葬之具也。

〔校〕①阙误引张君房本犙作豢。②阙误引张潜夫本所上有其字。③赵谏议本间作问。④下篇二字依下文补,士丧礼下篇即既夕礼。⑤诸字依读书杂志改。⑥君字依丧大记改。

桓公田于泽,管仲御,见鬼焉。公抚管仲之手曰:"仲父何见?"对曰:"臣无所见。"〔一〕

〔一〕【疏】公,即桓公小白也。畋猎于野泽之下,而使管夷吾御车。公因见鬼,心有所怖惧,执管之手问之。答曰:"臣无所见。"此章明凡百病患,多因妄系而成。

公反,诶诒为病,数日不出〔一〕。齐士有皇子告敖者曰："公则自伤，鬼恶能伤公〔二〕！夫忿滀之气，散而不反，则为不足〔三〕；上而不下，则使人善怒；下而不上，则使人善忘；不上不下，中身当心，则为病〔四〕。"

〔一〕【疏】诶诒，是懈怠之容，亦是（数）〔烦〕闷之貌。既见鬼，忧惶而归，遂成病患，所以不出。　【释文】"去反"一本作公反。○卢文弨曰：今本作公反。"诶"於代反，郭音熙。说文云：可恶之辞也。李呼该反，一音哀。"诒"吐代反，郭音怡，李音臺。司马云：懈倦貌。李云：诶诒，失魂魄也。"数日"所主反。司马本作数月。

〔二〕【疏】姓皇子，字告敖，齐之贤人也。既闻公有病，来问之，云："公安系在心，自遭伤病。鬼有何力，而能伤公！"欲以正理遣其邪病也。　【释文】"皇子告敖"如字。司马云：皇，姓；告敖，字；齐之贤士也。○俞樾曰：广韵六止子字注：复姓十一〔氏〕①，庄子有皇子告敖。则以皇子为复姓。列子汤问篇末载锟铻剑火浣布事，云皇子以为无此物，殆即其人也。"鬼恶"音乌。

〔三〕【疏】夫人忿怒则滀聚邪气，于是精魂离散，不归于身，则心虚弊犯神，道不足也。　【释文】"忿"拂粉反，李房粉反。"滀"敕六反。"之气散而不反则为不足"李云：忿，满也。滀，结聚也。精神有逆，则阴阳结于内，魂魄散于外，故曰不足。

〔四〕【疏】夫邪气上而不下，则上攻于头，令人心中怖惧，郁而好怒；下而不上，阳伏阴散，精神恍惚，故好忘也。夫心者，五藏之主，神灵之宅，故气当身心则为病。　【释文】"上"时掌反。下同。"而不下则使人善怒下而不上则使人善忘"亡尚反。李云：阳散阴凝，故怒；阴发阳伏，故忘也。"不上不下中"丁仲反。"身当心则为病"李云：上下不和，则阴阳争而攻心。心，精神主，故病也。

〔校〕①氏字依诸子平议补。

桓公曰:"然则有鬼乎?"

曰:"有〔一〕。沈有履,灶有髻〔二〕。户内之烦壤,雷霆处之〔三〕;东北方之下者,倍阿鲑蠪跃之〔四〕;西北方之下者,则泆阳处之〔五〕。水有(冈)〔罔〕①象〔六〕,丘有峷〔七〕,山有夔〔八〕,野有彷徨,泽有委蛇〔九〕。"

〔一〕【疏】公问所由,答言有鬼。

〔二〕【疏】沈者,水下〔污〕②泥之中,有鬼曰履。灶神,其状如美女,著赤衣,名髻也。　【释文】"沈有履"司马本作沈有漏,云:沈水污泥也。漏,神名。○俞樾曰:司马云:沈,水污泥也。则当与水有冈象等句相次,不当与灶有髻相次也。沈当为煁。煁从甚声,沈从尤声,两音相近。诗荡篇其命匪谌,说文心部引作天命匪忱;常棣篇和乐且湛,礼记中庸篇引作和乐且耽;并其证也。煁之通作沈,犹谌之通作忱,湛之通作耽矣。白华篇卬烘于煁,毛传曰:煁,灶也。是煁灶同类,故以煁有履灶有髻并言之耳。郑裨谌字灶,谌即煁之假字;汉书古今人表作裨湛,湛亦煁之假字。李善注文选邹阳上吴王书曰:湛,今沈字;又注答宾戏曰:湛,古沈字。然则以沈为煁,即以湛为煁也。"灶有髻"音结,徐胡节反,郭音诘,李音吉。司马云:髻,灶神,著赤衣,状如美女。○庆藩案,史记孝武本纪索隐引司马,髻作浩,云:浩,灶神也,如美女,衣赤。

〔三〕【疏】门户内粪壤之中,其间有鬼,名曰雷霆。　【释文】"霆"音庭,又音挺,又徒佞反。

〔四〕【疏】人宅中东北墙下有鬼,名倍阿鲑蠪,跃状如小儿,长一尺四

寸,黑衣赤帻,带剑持戈。　【释文】"倍"音裴,徐扶来反。"阿

鲑"本亦作蛙,户娲反,徐胡佳反。"蠪"音龙,又音聋。"跃之"

司马云:倍阿,神名也。鲑蠪,状如小儿,长一尺四寸,黑衣赤帻

大冠,带剑持戈。

〔五〕【疏】豹头马尾,名曰泆阳。　【释文】"泆阳"音逸。司马云:泆

阳,豹头马尾,一作狗头。一云:神名也。

〔六〕【疏】注云③,状如小儿,黑色,赤衣,大耳,长臂,名曰(冈)〔罔〕①

象。　【释文】"罔象"如字。司马本作无伤,云:状如小儿,赤黑

色,赤爪,大耳,长臂。一云:水神名。

〔七〕【疏】其状如狗,有角,身有文彩。　【释文】"莘"本又作莘。所

巾反,又音臻。司马云:状如狗,有角,文身五采。

〔八〕【疏】大如牛,状如鼓,一足行也。　【释文】"夔"求龟反。司马

云:状如鼓而一足。

〔九〕【疏】其状如蛇,两头,五采。　【释文】"方"音傍。本亦作彷,

同。"皇"本亦作徨,同。司马云:方皇,状如蛇,两头,五采文。

○卢文弨曰:今本作彷徨。

〔校〕①冈字依世德堂本改。②污字依释文补。③今本无此注,注疑

司马之误。

公曰:"请问,委蛇之状何如〔一〕?"

〔一〕【疏】桓公见鬼,本在泽中,既闻委蛇,故问其状。　【释文】

"委"於危反,又如字。

皇子曰:"委蛇,其大如毂,其长如辕,紫衣而朱冠。

其为物也,恶闻雷车之声,则捧其首而立。见之者殆乎

霸。"

桓公輾然而笑曰:"此寡人之所见者也〔一〕。"于是正

衣冠与之坐，不终日而不知病之去也〔二〕。

〔一〕【疏】嗼，喜笑貌也。殆，近也。若见委蛇，近为霸主。桓公闻说，大笑欢(之)〔云〕："我所见正是此也。"【释文】"朱冠"司马本作俞冠，云：俞国之冠也，其制似螺。"恶闻雷"乌路反。"捧"芳勇反。"其首"司马本同。一本作手。"嗼"敕引反，徐敕一反，又敕私反。司马云：笑貌。李云：大笑貌。

〔二〕【注】此章言忧来而累生者，不明也；患去而性得者，达理也。

　　【疏】闻说委蛇，情中畅适，于是整衣冠，共语论，不终日而情抱豁然，不知疾病从何而去也。

纪渻子为王养斗鸡〔一〕。

〔一〕【疏】姓纪，名渻子，亦作消字，随字读之。为齐王养鸡，拟斗也。此章明不必禀生知自然之理，亦有积习以成性者。【释文】"纪渻"所景反，徐所幸反。人姓名也。一本作消。"为"于伪反。"王"司马云：齐王也。○俞樾曰：列子黄帝篇亦载此事，云纪渻子为周宣王养斗鸡，则非齐王也。

十日而问："鸡已乎？"曰："未也，方虚憍而恃气〔一〕。"

〔一〕【疏】养经十日，"堪斗乎？"答曰："始性骄矜，自恃意气，故未堪也。"【释文】"虚憍"居乔反，又巨消反。李云：高也。司马云：高仰头也。

十日又问，曰："未也。犹应嚮景〔一〕。"

〔一〕【疏】见闻他鸡，犹相应和若形声影响也。【释文】"犹应"应对之应。下同。"嚮"许丈反。本亦作响。"景"於领反，又如字。李云：应响鸣，顾景行。

十日又问,曰:"未也。犹疾视而盛气〔一〕。"

〔一〕【疏】顾视速疾,意气强盛,心神尚动,故未堪也。

十日又问,曰:"几矣。鸡虽有鸣者,已无变矣〔一〕,望之似木鸡矣,其德全矣,异鸡无敢应者①,反走矣〔二〕。"

〔一〕【疏】几,尽也。都不骄矜,心神安定,鸡虽有鸣,已无变慑。养鸡之妙,理尽于斯。

〔二〕【注】此章言养之以至于全者,犹无敌于外,况自全乎! 【疏】神识安闲,形容审定,遥望之者,其犹木鸡,不动不惊,其德全具,他人之鸡,见之反走,天下无敌,谁敢应乎!

〔校〕①阙误引文如海、刘得一本者上有见字。

孔子观于吕梁,县水三十仞,流沫四十里,鼋鼍鱼鳖之所不能游也〔一〕。见一丈夫游之,以为有苦而欲死也,使弟子并流而拯之〔二〕。数百步而出,被发行歌而游于塘下〔三〕。

〔一〕【疏】吕梁,水名。解者不同,或言是西河离石有黄河县绝之处,名吕梁也;或言蒲州二百里有龙门,河水所经,瀑布而下,亦名吕梁;或言宋国彭城县之吕梁。八尺曰仞,计高二十四丈而县下也。今者此水,县注名高,盖是寓言,谈过其实耳。鼋者,似鳖而形大;鼍者,类鱼而有脚。此水瀑布既高,流波峻驶,遂使激湍腾沫四十里,至于水族,尚不能游,况在陆生,如何可涉! 【释文】"吕梁"司马云:河水有石绝处也。今西河离石西有此县绝,世谓之黄梁。淮南子曰:古者龙门未凿,河出孟门之上也。○庆藩案,太平御览一百八十三引郡国志转引司马云:

吕梁即龙门也。不若释文之详。"县水"音玄。"三十仞"音刃,
七尺曰仞。"流沫"音末。"鼋"音元。"鼍"徒多反,或音檀。
"鼈"字又作鳖,必灭反。

〔二〕【疏】激湍沸涌,非人所能游,忽见丈夫,谓之遭溺而困苦,故命
弟子随流而拯接之。 【释文】"有苦"如字。司马云:病也。
"拯之"拯救之拯。

〔三〕【疏】塘,岸也。既安于水,故散发而行歌,自得逍遥,遨游岸下。
【释文】"数百"所主反。"被发"皮寄反。"行歌"司马本作行
道。道,常行之道也。

孔子从而问焉,曰:"吾以子为鬼,察子则人也。请
问,蹈水有道乎〔一〕?"

〔一〕【疏】丈夫既不惮流波,行歌自若,尼父怪其如此,从而问之:"我
谓汝为鬼神,审观察乃人也。汝能履深水,颇有道术不乎?"

曰:"亡,吾无道〔一〕。吾始乎故,长乎性,成乎命〔二〕。
与齐俱入,与汨偕出〔三〕,从水之道而不为私焉〔四〕。此吾
所以蹈之也〔五〕。"

〔一〕【疏】答云:"我更无道术,直是久游则巧,习以性成耳。"

〔二〕【疏】"我初始生於陵陆,遂与陵为故旧也。长大游于水中,习而
成性也。既习水成性,心无惧惮,恣情放任,遂同自然天命
也。" 【释文】"长乎"丁丈反。下同。

〔三〕【注】磨翁而旋入者,齐也;回伏而涌出者,汨也。 【疏】湍沸旋
入,如砲心之转者,齐也;回复腾漫而反出者,汨也。既与水相
宜,事符天命,故出入齐汨,曾不介怀。郭注云磨翁而入者,关东
人唤砲为磨,磨翁而入,是砲釭转也。 【释文】"与齐"司马云:
齐,(向)〔回〕①水如磨齐也。郭云:磨翁而旋入者,齐也。○庆

藩案,齐,物之中央也。**吕刑**天齐于民,**马注**:齐,中也。**管子正世篇**治莫贵于得齐,谓得中也。(**王念孙**曰:人脐居腹之中,故谓之脐。脐者,齐也。)**汉书郊祀志**齐所以为齐,以天齐也,**苏林**注:当天中央齐。与**司马**训为回水如磨之义正同。"与汩"胡忽反。**司马**云:涌波也。**郭**云:回伏而涌出者,汩也。

〔四〕【注】任水而不任己。　【疏】随顺于水,委质从流,不使私情辄怀违拒。从水尚尔,何况唯道是从乎!

〔五〕【疏】更无道术,理尽于斯。

〔校〕①回字依释文原本改。

孔子曰:"何谓始乎故,长乎性,成乎命〔一〕?"

〔一〕【疏】未开斯旨,请重释之。

曰:"吾生于陵而安于陵,故也;长于水而安于水,性也;不知吾所以然而然,命也〔一〕。"

〔一〕【注】此章言人有偏能,得其所能而任之,则天下无难矣。用夫无难以涉乎生生之道,何往而不通也!　【疏】此之三义,并释于前,无劳重解也。

梓庆削木为鐻,鐻成,见者惊犹鬼神〔一〕。鲁侯见而问焉,曰:"子何术以为焉〔二〕?"

〔一〕【注】不似人所作也。　【疏】姓梓,名庆,鲁大匠也。亦云:梓者,官号;鐻者,乐器似夹钟。亦言:鐻似虎形,刻木为之。雕削巧妙,不类人工,见者惊疑,谓鬼神所作也。　【释文】"梓"音子。"庆"**李**云:鲁大匠也。梓,官名;庆,其名也。○**俞樾**曰:**春秋襄四年左传**匠庆谓季文子,**杜注**:匠庆,鲁大匠。即此梓庆。

“鐻”音據。司马云:乐器也,似夹钟。

〔二〕【疏】鲁侯见其神妙,怪而问之:“汝何道术为此鐻焉?”

对曰:“臣工人,何术之有! 虽然,有一焉。臣将为鐻,未尝敢以耗气也,必齐以静心。〔一〕齐三日,而不敢怀庆赏爵禄〔二〕;齐五日,不敢怀非誉巧拙〔三〕;齐七日,辄然忘吾有四枝形体也。当是时也,无公朝〔四〕,其巧专而外骨①消〔五〕,然后入山林,观天性,形躯至矣,然后成见鐻,然后加手焉,不然则已〔六〕。则以天合天〔七〕,器之所以疑神者,其②是与〔八〕!”

〔一〕【疏】梓答云:“臣是工巧材人,有何艺术! 虽复如是,亦有一法焉。臣欲为鐻之时,未尝辄有攀缘,损耗神气,必齐戒清洁以静心灵也。” 【释文】“耗”呼报反。司马云:损也。○卢文弨曰:今本作耗,非。“气”李云:气耗则心动,心动则神不专也。

〔二〕【疏】心迹既齐,凡经三日,至于庆吊赏罚,官爵利禄,如斯之事,并不入于情田。

〔三〕【疏】齐日既多,心灵渐静,故能非誉双遣,巧拙两忘。 【释文】“非誉”音馀。

〔四〕【注】视公朝若无,则跂慕之心绝矣。 【疏】辄然,不敢动貌也。齐洁既久,情义清虚,于是百体四肢,一时忘遣,辄然不动,均于枯木。既无意于公私,岂有怀于朝廷哉! 【释文】“辄然”丁协反。辄然,不动貌。“无公朝”直遥反。注同。

〔五〕【注】性外之事去也。 【疏】滑,乱也。专精内巧之心,消除外乱之事。 【释文】“骨消”如字。本亦作滑消。

〔六〕【注】必取材中者也。 【疏】外事既除,内心虚静,于是入山林

达生第十九

585

观看天性好木,形容躯貌至精妙,而成事堪为鐻者,然后就手加工焉。若其不然,则止而不为。 【释文】"成见"贤遍反。"材中"丁仲反。

〔七〕【注】不离其自然也。 【疏】机变虽加人工,木性常因自然,故以合天也。

〔八〕【注】尽因物之妙,故乃③疑是鬼神所作也④。 【疏】所以鐻之微妙疑似鬼神者,只是因于天性,顺其自然,故得如此。此章明顺理则巧若神鬼,性乖则心劳而自拙也。 【释文】"是与"音馀。

〔校〕①赵谏议本骨作滑。②阙误引江南古藏本其下有由字。③赵本无乃字。④世德堂本也作耳,赵本无。

东野稷以御见**庄公**,进退中绳,左右旋中规。**庄公**以为文①弗过也〔一〕,使之钩百而反〔二〕。

〔一〕【疏】姓东野,名稷,古之善御人也,以御事鲁庄公。左右旋转,合规之圆,进退抑扬,中绳之直,庄公以为组绣织文,不能过此之妙也。 【释文】"东野稷"李云:东野,姓;稷,名也。司马云:孙卿作东野毕。"以御见"贤遍反。下同。"庄公"李云:鲁庄公也。或云:内篇曰,颜阖将傅卫灵公太子,问于蘧伯玉,则不与鲁庄同时,当是卫庄公。○俞樾曰:荀子哀公篇载此事,庄公作定公,颜阖作颜渊,则为鲁定公矣。"中绳"丁仲反。下同。"文弗过也"司马云:谓过于织组之文也。

〔二〕【疏】任马旋回,如钩之曲,百度反之,皆复其迹。 【释文】"使之钩百而反"司马云:稷自矜其能,圆而驱之,如钩复迹,百反而不知止。

颜阖遇之，入见曰："稷之马将败。"公密而不应[一]。

〔一〕【疏】姓颜，名阖，鲁之贤人也。入见，庄公初不信，故密不应
　　　焉。　【释文】"颜阖"户腊反。元嘉本作庐。崔同。

少焉，果败而反。公曰："子何以知之[一]？"

〔一〕【疏】少时之顷，马困而败。公问颜生，何以知此？

曰："其马力竭矣，而犹求焉，故曰败[一]。"

〔一〕【注】斯明至当之不可过也。　【疏】答："马力竭尽，而求其过
　　　分之能，故知必败也。"非唯车马，万物皆然。

　　工倕旋而盖规矩，指与物化而不以心稽[一]，故其灵台
一而不桎[二]。忘足，屦之适也；忘要，带之适也[三]；知①忘
是非，心之适也[四]；不内变，不外从，事会之适也[五]。始乎
适而未尝不适者，忘适之适也[六]。

〔一〕【疏】旋，规也。规，圆也。稽，留也。倕是尧时工人，禀性极巧；
　　　盖用规矩，手随物化，因物施巧，不稽留也。　【释文】"工倕"音
　　　垂，又音睡。"旋而盖矩指与物化而不以心稽"音鸡。司马本矩
　　　作瞿，云：工倕，尧工巧人也。旋，圆也。瞿，句也。倕工巧任规，
　　　以见为圆，覆盖其句指，不以施度也。是与物化之，不以心稽
　　　留也。

〔二〕【注】虽工倕之巧，犹任规矩，此言因物之易也。　【疏】任物因
　　　循，忘怀虚淡，故其灵台凝一而不桎梏也。　【释文】"不桎"之
　　　实反。司马云：阂也。"之易"以豉反。

〔三〕【注】百体皆适，则都忘其身也。　【释文】"足屦"九住反。"要

带"一遥反。

〔四〕【注】是非生于不适耳。　【疏】夫有履有带,本为足为要;今既
忘足要,履带理当闲适。亦犹心怀忧戚,为有是非;今则知忘是
非,故心常适乐也。

〔五〕【注】所遇而安,故无所变从也。　【疏】外智凝寂,内心不移,物
境虚空,外不从事,乃契会真道,所在常适。

〔六〕【注】识适者犹未适也。　【疏】始,本也。夫体道虚忘,本性常
适,非由感物而后欢娱,则有时不适。本性常适,故无往不欢
也,斯乃忘适之适,非有心适。

〔校〕①阙误引文如海、张君房本知俱作□。

　　有孙休者〔一〕,踵门而诧子扁庆子曰:"休居乡不见谓
不修,临难不见谓不勇;然而田原不遇岁,事君不遇世,宾
于乡里,逐于州部,则胡罪乎天哉? 休恶遇此命也〔二〕?"

〔一〕【疏】姓孙,名休,鲁人也。

〔二〕【疏】踵,频也。诧,告也,叹也。不能述道而怨迕遭,频来至门
而叹也。姓扁,名子庆,鲁之贤人,孙休之师也。孙休俗人,不达
天命,频诣门而言之:"我居乡里,不见道我不修饰;临于危难,
不见道我无勇武。而营田于平原,逢岁不熟,禾稼不收;处朝廷
以事君,不遇圣明,不糜好爵。遭州部而放逐,被乡间而宾弃,
有何罪于上天,苟遇斯之运命?" 【释文】"踵门"章勇反。司马
云:至也。"而诧"敕驾反,又呼驾反,郭都驾反。司马云:告也。
李本作托,云:属也。"子扁庆子"音篇,又符殄反。李云:扁,
姓;庆子,字也。"临难"乃旦反。"宾于"必刃反。"恶遇"音
乌。下同。

扁子曰:"子独不闻夫至人之自行邪? 忘其肝胆,遗其耳目〔一〕,芒然彷徨乎尘垢之外〔二〕,逍遥乎无事之业〔三〕,是谓为而不恃〔四〕,长而不宰〔五〕。今汝饰知以惊愚,修身以明污,昭昭乎若揭日月而行也〔六〕。汝得全而形躯,具而九窍,无中道夭于聋盲跛蹇而比于人数,亦幸矣,又何暇乎天之怨哉! 子往矣〔七〕!"

〔一〕【注】闇付自然也。 【疏】夫至人立行,虚远清高,故能内忘五藏之肝胆,外遗六根之耳目,荡然空静,无纤介于胸臆。

〔二〕【注】凡非真性,皆尘垢也。 【释文】"芒然"武刚反。"彷徨"元嘉本作房皇,音同。

〔三〕【注】凡自为者,皆无事之业也。 【疏】芒然,无心之貌也。彷徨是纵放之名,逍遥是任适之称。而处染不染,纵放于嚣尘之表;涉事无事,任适于物务之中也。

〔四〕【注】率性自为耳,非恃而为之。

〔五〕【注】任其自长耳,非宰而长之。 【疏】接物施化,不恃藉于我(我)劳;长养黎元,岂断割而从己! 事出老经。 【释文】"长而"丁丈反。注同。

〔六〕【疏】汝光饰心智,惊动愚俗;修营身形,显他污秽;昭昭明白,自炫其能,犹如担揭日月而行于世也,岂是韬光匿耀,以蒙养恬哉! 【释文】"饰知"音智。"明污"音乌。"若揭"其列反,又其谒反。

〔七〕【疏】而,汝也。得躯貌完全,九窍具足,复免中涂夭于聋盲跛蹇,又得预于人伦,偕于人数,庆幸(矣)莫甚于斯,有何容暇怨于天道! 子宜速往,无劳辞费。 【释文】"九窍"苦弔反。"跛"

波我反。○卢文弨曰:旧作彼我反,讹。今改正。"寋"纪辇反,
又纪偃反,徐其偃反。"而比"如字,又毗志反。

孙子出。扁子入,坐有间,仰天而叹〔一〕。弟子问曰:
"先生何为叹乎〔二〕?"

〔一〕【疏】孙休闻道而出,扁子言讫而归。俄顷之间,子庆嗟叹也。

〔二〕【疏】扁子门人问其嗟叹所以。

扁子曰:"向者休来,吾告之以至人之德,吾恐其惊而
遂至于惑也〔一〕。"

〔一〕【疏】孙休频来,踵门而诧,述己居世,坎轲不平,吾遂告以至人
深玄之德,而器小言大,虑有漏机,恐其惊迫,更增其惑,是以呼
叹也。

弟子曰:"不然。孙子之所言是邪?先生之所言非
邪?非固不能惑是。孙子所言非邪?先生所言是邪?彼
固惑而来①矣,又奚罪焉!〔一〕"

〔一〕【疏】若孙子言是,扁子言非,非理之言,必不惑是。若扁子言
是,孙子言非,彼必以非故,来诣斯求是。进退寻责,何罪有乎!
先生之叹,终成虚假。

〔校〕①赵谏议本来下有者字。

扁子曰:"不然。昔者有鸟止于鲁郊,鲁君说之,为具
太牢以飨之,奏九韶以乐之,鸟乃始忧悲眩视,不敢饮食。
此之谓以己养养鸟也。若夫以鸟养养鸟者,宜栖之深林,
浮之江湖,食之以委蛇,则①平陆而已矣。〔一〕今休,款启寡
闻之民也,吾告以至人之德,譬之若载鼷以车马,乐鴳以钟
鼓也。彼又恶能无惊乎哉!〔二〕"

庄子集释

590

〔一〕【注】各有所便也。　【疏】此爰居之鸟，非应瑞之物，鲁侯滥赏，飨以太牢，事显前篇，无劳重解。　【释文】"说之"音悦。"为具"于伪反。"奏九韶"元嘉本作奏韶武。"以乐"音洛。下同。"食之"音嗣。"委"於危反。"蛇"如字。李云：大鸟吞蛇。司马云：委蛇，泥鳅。○俞樾曰：委蛇未详何物。李云大鸟食蛇，然未闻养鸟者必食之以蛇也。司马云委蛇泥鳅。此亦臆说。今案至乐篇云，夫以鸟养养鸟者，宜栖之深林，游之坛陆，浮之江湖，食之鳅鲦，随行列而止，委蛇而处。然则此文宜亦当云食之以鳅鲦，委蛇而处，传写有阙文耳。且云委蛇而处，方与下句则平陆而已矣文气相属；若无而处二字，下句便不贯矣。

〔二〕【注】此章言善养生者各任性分之适而至矣。　【疏】鼷，小鼠也。鹦，雀也。孙休是寡识少闻之人，应须款曲启发其事。今乃告以至人之德，大道玄妙之言，何异乎载小鼠以大车，娱鹦雀以韶乐！既御小而用大，亦何能无惊惧者也！　【释文】"款启"李云：款，空也；启，开也。如空之开，所见小也。"鼷"音奚。"鹦"字又作鷃，音晏。○卢文弨曰：今本作鷃。

〔校〕①阙误引刘得一本则下有安字。

外篇 山木第二十〔一〕

〔一〕【释文】举事以名篇。

庄子行于山中，见大木枝叶盛茂，伐木者止其旁而不取也。问其故，曰："无所可用。"庄子曰："此木以不材得终其天年。"〔一〕

〔一〕【疏】既同曲辕之树，又类商丘之木，不材无用，故终其天年也。

【释文】"山中"释名云：山，产也，产生物也。说文云：山，宣也，谓能宣散气生万物也。"大木"释名云：木，冒也，冒地而生也。字林云：木，众树之总名。白虎通云：木，踊也。

夫子出于山，舍于故人之家〔一〕。故人喜，命竖子杀雁而烹之〔二〕。竖子请曰："其一能鸣，其一不能鸣，请奚杀？"主人曰："杀不能鸣者。"

〔一〕【疏】舍，息也。 【释文】"夫出"如字。夫者，夫子，谓庄子也。本或即作夫子出。○卢文弨曰：今本作夫子出。

〔二〕【疏】门人呼庄子为夫子也。竖子，童仆也。 【释文】"竖"市主反。"烹之"普彭反，煮也。○王念孙曰：愚案此亨读为享。享之，谓享庄子。故人喜庄子之来，故杀雁而享之。享与飨通。吕氏春秋必己篇作令竖子为杀雁飨之，是其证也。古书享字作亨，烹字亦作亨，故释文误读为烹，而今本遂改亨为烹矣。（原文作亨，故释文音普彭反。若作烹，则无须音释。）○庆藩案，雁，鵝也。说文：(鵝,雁)〔鵝,舒鵝〕①也。(雁,鵝也。)尔雅舒雁鵝，注：今江东呼舒。方言：雁，自关而东谓之舒鵝，南楚之外谓之鵝。广雅：舒鵝，雁也。即此所谓雁。

〔校〕①鵝，舒鵝也，依说文原本改。

592 明日，弟子问于庄子曰："昨日山中之木，以不材得终其天年；今主人之雁，以不材死。先生将何处？"

庄子笑曰："周将处乎材与不材之间。材与不材之间①，似之而非也，故未免乎累〔一〕。若夫乘道德而浮游则不然〔二〕。无誉无訾，一龙一蛇〔三〕，与时俱化〔四〕，而无肯专为〔五〕；一上一下，以和为量〔六〕，浮游乎万物之祖〔七〕；物物而不物于物，则胡可得而累邪〔八〕！此神农黄帝之法则也〔九〕。若夫万物之情，人伦之传，则不然〔一〇〕。合则离，成则毁；廉则挫，尊则议〔一一〕，有为则亏，贤则谋〔一二〕，不肖则欺，胡可得而必乎哉〔一三〕！悲夫！弟子志之〔一四〕，其唯道德之乡乎〔一五〕！"

〔一〕【注】设将处此耳，以此未免于累，竟不处。　【疏】言材者有为也，不材者无为也。之间，中道也。虽复离彼二偏，处兹中一，既未遣中，亦犹人不能理于人，雁不能同于雁，故似道而非真道，犹有斯患累也。

〔二〕【疏】夫乘玄道至德而浮游于世者，则不如此也。既遣二偏，又忘中一，则能虚通而浮游于代尔。

〔三〕【疏】訾，毁也。龙，出也。蛇，处也。言道无材与不材，故毁誉之称都失也。　【释文】"无誉"音馀。"无訾"音紫，毁也。（徐）〔徐〕②音疵。

〔四〕【疏】此遣中也。既遣二偏，又忘中一，遣之又遣，玄之又玄。

〔五〕【疏】言既妙遣中一，远超四句，岂复诣情毁誉，惑意龙蛇！故当世浮沉，与时俱化，何肯偏滞而专为一物也！

〔六〕【疏】言至人能随时上下，以和同为度量。　【释文】"一上"如字，又时掌反。"为量"音亮。○俞樾曰：此本作一下一上，以和为量，上与量为韵；今作一上一下，失其韵矣。古书往往倒文以协韵，后人不知而误改者甚多。秋水篇无东无西，始于玄冥，反于大通，亦后人所改。庄子原文本作无西无东，与通为韵也。

〔七〕【疏】以大和而等量，游造物之祖宗。

〔八〕【疏】物不相物,则无忧患。

〔九〕【注】故庄子亦处焉。 【疏】郭注云,故庄子亦处焉。

〔一〇〕【疏】伦,理也。共俗物传习,则不如前也。 【释文】“人伦之传”直专反。司马云:事类可传行也。

〔一一〕【疏】合则离之,成者必毁,清廉则被剉伤,尊贵者又遭议疑。世情险陂,何可必固! 又:廉则伤物,物不堪化,则反挫也。自尊(财)〔贱〕物,物不堪辱,反有议疑也。 【释文】“则剉”子卧反。本亦作挫,同。○卢文弨曰:今本作挫。○庆藩案,挫当为剉,今本作挫,后人误改也。说文:剉,折伤也。吕览必己篇高注:剉,缺伤也。淮南修务篇顿兵挫锐,高注:剉,折辱。(亦后人所改。)剉非挫辱之义。此作挫,非。○俞樾曰:议当读为俄。诗宾之初筵篇侧弁之俄,郑笺云:俄,倾貌。尊则俄,谓崇高必倾侧也。古书俄字,或以义为之,说见王氏经义述闻尚书立政篇。亦或以议为之,管子法禁篇法制不议,则民不相私。议亦俄也,谓法制不倾邪也。又或以仪为之,荀子成相篇君法仪,禁不为。仪亦俄也,谓君法倾邪,则当禁使不为也。

〔一二〕【疏】亏,损也,有为则损也。贤以志高,为人所谋。

〔一三〕【疏】言己上贤与不肖等事何必为也! 必则偏执名中,所以有成亏也。○家世父曰:乘道德而浮游,出世者也;万物之情,人伦之传,则方以身入世。合则离,成则毁,(巧)〔交〕相待也;廉则挫,尊则议,有为则亏,互相因也;贤则谋,不肖则欺,各相炫也。不可必者,莫知祸福生死之所自来也。廉则挫,峣峣者易缺;尊则议,位极者高危;有为则亏,非俊疑杰,固庸态也。旧注失之。

〔一四〕【疏】悲夫,叹声也。志,记也。

〔一五〕【注】不可必,故待之不可以一方也,唯与时俱化者,为能涉变而

常通耳。　【疏】言能用中平之理,其为道德之乡也。　【释文】
"之乡"如字,一音许亮反。

〔校〕①赵谏议本此句不重。②徐字依世德堂本改。

市南宜僚见鲁侯[一],鲁侯有忧色。市南子曰:"君有忧色,何也?"

〔一〕【疏】姓熊,名宜僚,隐于市南也。　【释文】"市南宜僚"了萧反,徐力遥反。司马云:熊宜僚也,居市南,因为号也。李云:姓熊,名宜僚。案左传云市南有熊宜僚,楚人也。○俞樾曰:高注淮南主术篇云:宜辽,姓也,名熊。疑名姓字互误。

鲁侯曰:"吾学先王之道,修先君之业;吾敬鬼尊贤[一],亲而行之,无须臾离居[二];然不免于患,吾是以忧。"

〔一〕【疏】先王,谓王季文王;先君,谓周公伯禽也。

〔二〕【疏】离,散也。居,安居也。　【释文】"无须臾离"力智反。绝句。崔本无离字。"居然"崔读以居字连上句①。○俞樾曰:崔譔本无离字,而以居字连上句读,当从之。吕览慎人篇胼胝不居,高诱训居为止。无须臾居者,无须臾止也,正与上句行字相对成义。学者不达居字之旨,而习于中庸不可须臾离之文,遂妄加离字,而居字属下读,失之矣。下文居得行而不名处,亦以居与行对言。郭注曰然自得此行,非是。

〔校〕①原误移下节,今改正。

市南子曰:"君之除患之术浅矣[一]!夫丰狐文豹[二],栖于山林,伏于岩穴,静也;夜行昼居,戒也;虽饥渴隐约,

犹且①胥疏②于江湖之上而求食焉〔三〕,定也;然且不免于罔罗机辟之患。是何罪之有哉? 其皮为之灾也〔四〕。今鲁国独非君之皮邪? 吾愿君刳形去皮,洒心去欲,而游于无人之野〔五〕。南越有邑焉,名为建德之国〔六〕。其民愚而朴,少私而寡欲;知作而不知藏〔七〕,与而不求其报;不知义之所适,不知礼之所将〔八〕;猖狂妄行〔九〕,乃蹈乎大方〔一〇〕;其生可乐,其死可葬〔一一〕。吾愿君去国捐俗,与道相辅而行〔一二〕。"

〔一〕【注】有其身而矜其国,故虽忧怀万端,尊贤尚行,而患虑愈深矣。 【疏】言敬鬼尊贤之法,其(法)〔患〕未除也。 【释文】"尚行"下孟反。

〔二〕【疏】丰,大也。以文章丰美,毛衣悦泽,故为人利也。 【释文】"丰狐"司马云:丰,大也。

〔三〕【疏】戒,慎也。隐约,犹斟酌也。旦,明也。胥,皆也。言虽饥渴,犹斟酌明旦无人之时,相命于江湖之上,扶疏草木而求食也。 【释文】"胥疏"如字。司马云:胥,须也。疏,菜也。李云:胥,相也,谓相望疏草也。○家世父曰:释文引司马云,胥,须也,疏,菜也,李云,胥,相也,谓相望疏草也。今案江湖之上,舟车之所辖,廛闬之所都也。丰狐文豹,未尝求食江湖之上,故曰定。胥疏,疏也,言足迹之所未经也。旧注似皆失之。○庆藩案,胥疏二字,古通用,胥即疏也。宣十四年左传车及于蒲胥之市,吕氏春秋行论篇作蒲疏;史记苏秦传东有淮、颖、煮枣、无胥,魏策作无疏。是其证。

〔四〕【疏】机辟,置罥也。言斟酌定计如此,犹不免置罥之患者,更无徐罪,直是皮色之患也。　【释文】"机辟"婢亦反。

〔五〕【注】欲令无其身,忘其国,而任其自化也。　【疏】刳形,忘身
也。去皮,忘国也。洒心,忘智也。去欲,息贪也。无人之野,
谓道德之乡也。郭注云,欲令无其身,忘其国,而任其自化。

　　【释文】"刳形"音枯。广雅云:屠也。"去皮"起吕反。下去欲
去君同。"洒心"先典反。本亦作洗,音同。"去欲"如字。徐音
慾。"欲令"力呈反。章末同。

〔六〕【注】寄之南越,取其去鲁之远也。　【疏】言去鲁既遥,名建立
无为之道德也。

〔七〕【疏】作,谓耕作也。藏,谓藏贮也。君既怀道,民亦还淳。

〔八〕【疏】义,宜也。将,行也。

〔九〕【疏】猖狂,无心也。妄行,混迹也。

〔一〇〕【注】各恣其本步,而人人自蹈其方,则万方得矣,不亦大乎!

　　【疏】〔方〕,道(方)也。猖狂恣任,混迹妄行,乃能蹈大方之道。

〔一一〕【注】言可终始处之。　【疏】郭注云,言可以终始处之也。

　　【释文】"可乐"音洛。

〔一二〕【注】所谓去国捐俗,谓荡除其胸中也。　【疏】捐,弃也。言弃
俗,与无为至道相辅导而行也。

〔校〕①世德堂本作且。②唐写本疏下有草字。

　　君曰:"彼其道远而险,又有江山,我无舟车,奈
何〔一〕?"

〔一〕【注】真谓欲使之南越。　【疏】迷悟性殊,故致鲁越之隔也。

　　市南子曰:"君无形倨〔一〕,无留居〔二〕,以为君车〔三〕。"

〔一〕【注】形倨,踬碍之谓。　【疏】勿恃高尊,形容倨傲。　【释文】
　　"无形倨"音据。司马云:无倨傲其形。"踬"之实反,又知吏反。

“碍”五代反。

〔二〕【注】留居,滞守之谓。　【疏】随物任运,无滞荣观。　【释文】
　　“无留居”司马云:无留安其居。

〔三〕【注】形与物夷,心与物化,斯寄物以自载也。

　君曰:“彼其道幽远而无人,吾谁与为邻? 吾无粮,我
无食,安得而至焉〔一〕?”

〔一〕【疏】未体独化,不能忘物也。　【释文】“我无食”一本我作饿。

　市南子曰:“少君之费,寡君之欲,虽无粮而乃足〔一〕。
君其涉于江而浮于海〔二〕,望之而不见其崖,愈往而不知其
所穷〔三〕。送君者皆自崖而反〔四〕,君自此远矣〔五〕! 故有
人者累〔六〕,见有于人者忧〔七〕。故尧非有人,非见有于人
也〔八〕。吾愿去君之累,除君之忧,而独与道游于大莫之
国〔一〇〕。方舟而济于河〔一〇〕,有虚船来触舟,虽有偏①心之
人不怒〔一一〕;有一人在其上,则呼张歙之;一呼而不闻,再
呼而不闻,于是三呼邪,则必以恶声随之。〔一二〕向也不怒而
今也怒,向也虚而今也实。人能虚己以游世,其孰能害
之!〔一三〕”

〔一〕【注】所谓知足则无所不足也。　【疏】言道不资物成,而但恬
　　淡耳。

〔二〕【疏】江,谓智也;海,谓道也。涉上善之江,游大道之海。

〔三〕【注】绝情欲之远也。　【疏】宁知穷极哉!

〔四〕【注】君欲绝,则民各反守其分。　【疏】送君行迈,至于道德之
　　乡,民反真自守素分。崖,分也。

〔五〕【注】超然独立于万物之上也。　【疏】自,从也。君从此情高,

道德玄远也。

〔六〕【注】有人者,有之以为己私也。 【疏】君临鲁邦,富赡人物,为我己有,深成病累也。

〔七〕【注】见有于人者,为人所役用也。 【疏】言未能忘鲁,见有于人,是以敬鬼尊贤,矜人恤众,为民驱役,宁非忧患!

〔八〕【注】虽有天下,皆寄之百官,委之万物而不与焉,斯非有人也;因民任物而不役己,斯非见有于人也。 【疏】郭注云,虽有天下,皆寄之百官,委之万物而不与焉,斯非有人也;因民任物而不役己,斯非见有于人也。 【释文】"不与"音预。

〔九〕【注】欲令荡然无有国之怀。 【疏】大莫,犹大无也,言天下无能杂之。 【释文】"大莫"莫,无也。

〔一〇〕【疏】两舟相并曰方舟。 【释文】"方舟"司马云:方,并也。

〔一一〕【疏】褊,狭急也。不怒者,缘舟虚故也。 【释文】"惼心"必善反。尔雅云:急也。

〔一二〕【疏】恶声,骂辱也。 【释文】"则呼"火故反。下同。"张歙"许及反,徐许辄反,郭疏猎反。张,开也。歙,敛也。

〔一三〕【注】世虽变,其于虚己以免害,一也。 【疏】虚己,无心也。

〔校〕①赵谏议本惼作褊。

北宫奢〔一〕为卫灵公赋敛以为钟,为坛乎郭门之外〔二〕,三月而成上下之县〔三〕。

〔一〕【疏】姓北宫,名奢。居北宫,因以为姓。卫之大夫也。 【释文】"北宫奢"李云:卫大夫,居北宫,因以为号。奢,其名也。

〔二〕【疏】钟,乐器名也。言为钟先须设祭,所以为坛也。 【释文】"为卫"于伪反。"赋敛"力艳反。"为坛"但丹反。李云:祭也;

祷之,故为坛也。

〔三〕【疏】上下调,八音备,故曰县。　【释文】"上下之县"音玄。司马云:八音备为县而声高下。

王子庆忌见而问焉,曰:"子何术之设[一]**?"**

〔一〕【疏】庆忌,周王之子,周之大夫。言见钟坛极妙,怪而问焉。

【释文】"王子庆忌"李云:王族也。庆忌,周大夫也。怪其简速,故问之。○俞樾曰:论语皇疏,王孙贾,周灵王之孙,名贾,是时仕卫为大夫。然则此王子庆忌,疑亦周之王子而仕卫者。齐亦有王子成父,见文十一年左传。

奢曰:"一之闲,无敢设也[一]**。奢闻之:'既雕既琢,复归于朴**[二]**。'侗乎其无识**[三]**,傥乎其怠疑**[四]**;萃乎芒乎,其送往而迎来**[五]**;来者勿禁,往者勿止**[六]**;从其强梁**[七]**,随其曲(传)〔傅〕**①[八]**,因其自穷**[九]**,故朝夕赋敛而毫**②**毛不挫**[一〇]**,而况有大涂者乎**[一一]**!"**

〔一〕【注】泊然抱一耳,非敢假设以益事也。　【疏】郭注云:泊然抱一耳,非敢假设以益事也。　【释文】"泊然"步各反。

〔二〕【注】还用其本性也。　【疏】郭注云,还用本性。

〔三〕【注】任其纯朴而已。　【疏】侗乎,无情之貌。任其淳朴而已。　【释文】"侗乎"吐功、敕动二反,无知貌。字林云:大貌。一音恸。

〔四〕【注】无所趣也。　【疏】傥,无虑也。怠,退也。言狐疑思虑之事,并已去矣。　【释文】"傥"敕荡反。

〔五〕【注】无所忻说。　【疏】萃,聚也。言物之萃聚,芒然不知,物之去来,亦不迎送,此下各任物也。又:芒昧恍忽,心无的当,随其迎送,任物往来。　【释文】"萃乎"在醉反。"芒乎"莫郎反。"忻说"音悦。

〔六〕【注】任彼也。　【疏】百姓怀来者未防禁,而去者亦无情留止也。

〔七〕【注】顺乎(梁)〔众〕③也。　【释文】"强梁"多力也。

〔八〕【注】无所系也。　【疏】传,张恋反。刚强难赋者,从而任之;人情曲传者,随而顺之。　【释文】"曲傅"音附。司马云:谓曲附己者随之也。本或作传,张恋反。

〔九〕【注】用其不得不尔。　【疏】因任百姓,各穷于其所情④也。○家世父曰:赋敛以为钟,犹左传昭公二十九年遂赋晋国一鼓铁以铸刑鼎,名为赋敛而听民之自致,故曰因其自穷。说文:穷,极也。言殚竭所有以输纳之也。惟不敢设术以求,而纯任自然,民亦以自然应之。今之赋敛,任术多矣,而固无如民巧遁于术何也!故曰,既雕既琢,复归于朴。

〔一〇〕【注】当故无损。　【疏】虽设赋敛,而未尝抑度,各率其性,是故略无挫损者也。　【释文】"不挫"子卧反。

〔一一〕【注】泰然无执,用天下之自为,斯大通之涂也,故曰经之营之,不日成之。　【疏】涂,道也。直致任物,己无挫损,况资大道,神化无为,三月而成,何怪之有!

〔校〕①傅字依释文及世德堂本改。②赵谏议本毫作豪。③众字依世德堂本改。④情字疑当作穷。

孔子围于陈蔡之间,七日不火食〔一〕。

〔一〕【疏】楚昭王召孔子,孔子自鲁聘楚,涂经陈蔡二国之间。尼父徒众既多,陈蔡之人谓孔子是阳虎,所以起兵围之。门人饥馁,七日不起火食,窘迫困苦也。

大公任往吊之曰:"子几死乎?"曰:"然。"

"子恶死乎?"曰:"然①〔一〕。"

〔一〕【注】自同于好恶耳,圣人无好恶也。 【疏】太公,老者称也。
任,名也。几,近也。然,犹如是也。尼父既遭围绕,太公吊而问
之曰:"子近死乎?"答云:"如是。"曰:"子嫌恶乎?"答云:"如是
也。" 【释文】"大"音泰。"公任"如字。李云:大公,大夫称。
任,其名。○俞樾曰:广韵一东公字注:世本有大公頹叔。然则
大公乃复姓,非大夫之称。"子几"音祈,又音機。"子恶"乌路
反。注及下同。"于好"呼报反。章内同。

〔校〕①赵谏议本无子恶死乎曰然六字。

任曰:"予尝言不死之道。东海有鸟焉,其①名曰意
怠。其为鸟也,翂翂翐翐,而似无能;引援而飞,迫胁而
栖;〔一〕进不敢为前,退不敢为后〔二〕;食不敢先尝,必取其
绪〔三〕。是故其行列不斥〔四〕,而外人卒不得害,是以免于
患〔五〕。直木先伐,甘井先竭〔六〕。子其意者饰知以惊愚,
修身以明污,昭昭乎如揭日月而行,故不免也〔七〕。昔吾闻
之大成之人曰:'自伐者无功,功成者堕,名成者亏〔八〕,'
孰能去功与名而还与众人〔九〕! 道流而不明〔一〇〕,居得行
而不名处〔一一〕;纯纯常常,乃比于狂〔一二〕;削迹捐势,不为
功名〔一三〕;是故无责于人,人亦无责焉〔一四〕。至人不闻,子
何喜哉〔一五〕?"

〔一〕【注】既弘大舒缓,又心无常系。 【疏】试言长生之道,举海鸟
而譬之。翂翂翐翐,是舒迟不能高飞之貌也。飞必援引徒侣,

不敢先起;栖必戢其胁翼,迫引于群。　【释文】"翂翂"音纷。
字或作汾。"翐翐"音秩,徐音族。字或作浃。司马云:翂翂翐
翐,舒迟貌。一云:飞不高貌。李云:羽翼声。"迫胁而栖"李
云:不敢独栖,迫胁在众鸟中,才足容身而宿,辟害之至也。

〔二〕【注】常从容处中。　【释文】"从容"七容反。

〔三〕【注】其于随物而已。　【疏】夫进退处中,远害之至,饮啄随行,
必依次叙。　【释文】"其绪"绪,次绪也。○王念孙曰:释文曰:
绪,次绪也。案陆说非也。绪者,馀也,言食不敢先尝,而但取
其馀也。让王篇其绪馀以为国家,司马彪曰:绪者,残也,谓残馀
也。楚词九章歒秋冬之绪风,王注曰:绪,馀也。管子弟子职篇
奉碗以为绪,尹知章曰:绪,然烛烬也。烬亦馀也。(见方言、
广雅。)

〔四〕【注】与群俱也。　【释文】"行列"户刚反。下乱行同。"不斥"
音尺。

〔五〕【注】患害生于役知以奔竞。　【疏】为其谦柔,不与物竞,故众
鸟行列,不独斥弃也,而外人造次不得害之,是以免于人间之祸
患。　【释文】"卒不"子恤反,终也。又七忽反。

〔六〕【注】才之害也。　【疏】直木有材,先遭斫伐;甘井来饮,其流先
竭。人炫才智,其义亦然。

〔七〕【注】夫察焉小异,则与众为连矣;混然大同,则无独异于世矣。
故夫昭昭者,乃冥冥之迹也。将寄言以遗迹,故因陈蔡以托(患)
〔意〕②。　【疏】谓仲尼意在装饰才智,惊异愚俗;修莹身心,显
他污染;昭昭明察,炫耀己能;犹如揭日月而行,故不免于祸患
也。　【释文】"饰知"音智。"明污"音乌。"揭"其列、其谒二
反。○庆藩案,文选沈休文齐安陆昭王碑注引司马云:揭,担

也。释文阙。"为近"五故反。

〔八〕【注】恃功名以为已成者,未之尝全。 【疏】大成之人,即老子也。言圣德弘博,生成庶品,故谓之大成。伐,取也。堕,败也。夫自取其能者无功绩,而功成不退者必堕败,名声彰显者不韬光必毁辱。 【释文】"者堕"许规反。

〔九〕【注】功自众成,故还之。 【疏】夫能立大功,建鸿名,而功成弗居,推功于物者,谁能如是?其唯圣人乎! 【释文】"去功"起吕反。

〔一〇〕【注】昧然而自行耳。 【疏】道德流行,遍满天下,而韬光匿耀,故云不明。

〔一一〕【注】彼皆居然自得此行耳,非由名而后处之。 【疏】身有道德,盛行于世,而藏名晦迹,故不处其名。 【释文】"居得行"如字,又下孟反。注同。○家世父曰:得,犹德也。集韵:德,行之得也。言其道周流乎天下,而不显然以居之,其德之行,亦不藉之为名而以自处。郭象居然自得此行,非名而后处之,以居得行断句,恐误。

〔一二〕【注】无心而动故也。 【疏】纯纯者材素,常常者混物,既不矜饰,更类于狂人也。

〔一三〕【注】功自彼成,故势不在我,而名迹皆去。 【疏】削除圣迹,捐弃权势,岂存情于功绩,以留意于名誉!

〔一四〕【注】恣情任彼,故彼各自当其责也。 【疏】为是义故无名誉,我既不谴于人,故人亦无责于我。

〔一五〕【注】寂泊无怀,乃至人也。 【疏】夫至德之人,不显于世,子既圣哲,何为喜好声名者邪? 【释文】"泊"步各反。

〔校〕①世德堂本无其字。②意字依明中立四子本改。

孔子曰："善哉!"辞其交游,去其弟子,逃于大泽;衣裘褐,食杼栗〔一〕;入兽不乱群,入鸟不乱行〔二〕。鸟兽不恶,而况人乎〔三〕!

〔一〕【注】取于弃人间之好也。　【疏】孔子既承教戒,善其所言,于是辞退交游,舍去弟子,离析徒众,独逃山泽之中,损缝掖而服絺裘,弃甘肥而食杼栗。　【释文】"衣裘"於既反。"褐"户割反。"杼"食汝反,又音序。

〔二〕【注】若草木之无心,故为鸟兽所不畏。

〔三〕【注】盖寄言以极推至诚之信,任乎物而无受害之地也。　【疏】同死灰之寂泊,类草木之无情,群鸟兽而不惊,况人伦而有恶邪!

孔子问子桑雽①曰："吾再逐于鲁,伐树于宋,削迹于卫,穷于商周,围于陈蔡之间。吾犯此数患,亲交益疏,徒友益散,何与?〔一〕"

〔一〕【疏】姓桑,名雽,隐者也。孔子为鲁司寇,齐人闻之,遂选女乐文马而遗鲁君,间构鲁君,因而被逐。宋是殷后。孔子在宋及周,遂不被用,故偶穷也。遇此忧患,亲戚交情,益甚疏远,门徒朋友,益甚离散,何为如此邪?　【释文】"子桑雽"音户。本又作雽,音于。李云:桑,姓;雽,其名;隐人也。或云:姓桑雽,名隐。○俞樾曰:疑即大宗师之子桑户。雽音户,则固与子桑户同矣。其或作雽,即雽字。说文,雽,或作雩。愚以为古今人表之采桑羽,即子桑户,说在大宗师篇。羽或雩之坏字乎。"伐树于卫"一本作伐树于宋,削迹于卫。○卢文弨曰:今本卫作宋,陆氏(与)〔谓〕下句宋卫当互易。“此数”所主反。“何与”音馀。
下放此。

〔校〕①赵谏议本雩作雽，世德堂本作虖。

　　子桑雩曰：“子独不闻假人之亡与？林回弃千金之
璧，负赤子而趋。或曰：‘为其布与？赤子之布寡矣；〔一〕为
其累与？赤子之累多矣；弃千金之璧，负赤子而趋，何
也？〔二〕’林回曰：‘彼以利合，此以天属也。’夫以利合者，
迫穷祸患害相弃也；以天属者，迫穷祸患害相收也。夫相
收之与相弃亦远矣。〔三〕且君子之交淡若水，小人之交甘若
醴；君子淡以亲〔四〕，小人甘以绝〔五〕。彼无故以合者，则无
故以离〔六〕。”

〔一〕【注】布，谓财帛也。　【释文】“假”古雅反。李云：国名。○
　　庆藩案，文选王仲宝褚渊碑文注引司马云：假，国名也。释文阙。
　　“林回”司马云：殷之逃民之姓名。○庆藩案，文选刘孝标广绝
　　交论注引司马云：林回，人姓名也。与释文小异。○俞樾曰：上
　　文假人之亡，李注：假，国名。然则林回当是假之逃民。盖假亡
　　而其民逃，故林回负赤子而趋也。殷乃假字之误。“为其”如
　　字。下同。又皆于伪反。“布与”布，谓货财也。

〔二〕【疏】假，国名，晋下邑也。姓林，名回，假之贤人也。布，财货
　　也。假遭晋灭，百姓逃亡，林回弃掷宝璧，负子而走。或人问之，
　　谓为财布，然亦以为财则少财，以为累(重)则多累。轻少负多，
　　不知何也？

〔三〕【疏】宝璧，利合也。赤子，亲属也。亲属，急迫犹相收；利合，穷
　　祸则相弃。弃收之情，相去远耳。○庆藩案，文选王仲宝褚渊

碑文注引司马云:属,连也。释文阙。

〔四〕【注】无利故淡,道合故亲。 【释文】"淡"如字,又徒暂反。

〔五〕【注】饰利故甘,利不可常,故有时而绝也。 【疏】无利故淡,道
　　合故亲,有利故甘,利尽故绝。

〔六〕【注】夫无故而自合者,天属也,合不由故,则故不足以离之也。
　　然则有故而合,必有故而离矣。 【疏】不由事故而合者,谓父
　　子天属也,故无由而离之。孔子说先王陈迹,亲于朋友,非天属
　　也,皆为求名利而来,(此)则是有故而合也;见削迹伐树而去,是
　　则有故而离也。非是天属,无故自亲,无故自离。

孔子曰:"敬闻命矣!"徐行翔佯而归,绝学捐书,弟子
无挹于前,其爱①益加进〔一〕。

〔一〕【注】去饰任素故也。 【疏】的闻高命,徐步而归,翔翔闲放,逍
　　遥自得,绝有为之学,弃圣迹之书,不行华藻之教,故无揖让之
　　礼,徒有敬爱,日加进益焉。 【释文】"无挹"音揖。李云:无所
　　执持也。"去饰"起吕反。

〔校〕①敦煌本爱作受。

异日,桑雽又曰:"舜之将死,真泠禹曰:'汝戒之哉!
形莫若缘,情莫若率〔一〕。缘则不离,率则不劳〔二〕;不离不
劳,则不求文以待形〔三〕;不求文以待形,固不待物〔四〕。'"

〔一〕【注】因形率情,不矫之以利也。 【疏】缘,顺也。形必顺物,情
　　必率中。昔虞舜将终,用此真教命大禹,令其戒慎,依语遵行,
　　故桑雽引来以告孔子。亦有作泠字者,泠,晓也,舜将真言晓示
　　大禹也。 【释文】"真"司马本作直。"泠"音零。"禹"司马
　　云:泠,晓也,谓以真道晓语禹也。泠,或为命,又作令。命,犹
　　教也。○王引之曰:释文曰:真,司马本作直,泠,音零。司马云,

山木第二十

607

泠,晓也,谓以直道晓语禹也。泠,或为命,又作令,命,犹教也。案直当为卤。卤,籀文乃字,隶书作迺。卤形似直,((释)〔峄〕①山碑乃今皇帝,乃字作卤,形似直字。)故讹作直,又讹作真。命与令,古字通,(周官司仪则令为坛三成,觐礼注引此令作命。僖九年左传令不及鲁,令本又作命。庄子田子方篇先君之令,令本或作命。周官大卜注以命龟也,命亦作令。)作命作令者是也。卤令禹者,乃命禹也。

〔二〕【注】形不假,故常全;情不矫,故常逸。　【疏】形顺则常合于物,性率则用而无弊。

〔三〕【注】任朴而直前也。　【疏】率性而动,任朴直前,岂复求假文迹而待用饰其形性哉!

〔四〕【注】朴素而足。　【疏】既不求文(籍)〔迹〕②以饰形,故知当分各足,不待于外物也。

〔校〕①峄字依读书杂志改。②迹字依上文改。

庄子衣大布而补之,正緳系履而过魏王。魏王曰:"何先生之惫邪〔一〕?"

〔一〕【疏】大布,犹粗布也。庄子家贫,以粗布为服而补之。緳,履带也,亦言腰带也。履穿故以绳系之。魏王,魏惠王也。惫,病也。衣粗布而著破履,正腰带见魏王。王见其憔悴,故问言:"先生何贫病如此耶?"　【释文】"庄子衣"於既反。"大布"司马云:粗布也。"正緳"贤节反,又苦结反。司马云:带也。"系履"李云:履穿,故系。○家世父曰:释文引司马:緳,带也。带之名緳,别无证据,正带系履,亦不得为惫也。说文:絜,麻一耑也。〔絜〕与緳字通,言整齐麻之一端,以纳束其履而系之。履无绚,系之以麻，故曰惫。"而过"古禾反。"魏王"司马云：惠王也。
"惫"皮拜反，又薄计反。司马本作病。

庄子曰："贫也，非惫也。士有道德不能行，惫也；衣
弊履穿，贫也，非惫也；此所谓非遭时也。王独不见夫腾[①]
猿乎？其得楠梓豫章也，揽蔓其枝而王长其间，虽羿、蓬蒙
不能眄睨也。[一]及其得柘棘枳枸之间也，危行侧视，振动
悼栗，此筋骨非有加急而不柔也，处势不便，未足以逞其能
也。[二]今处昏上乱相之间，而欲无惫，奚可得邪？此比干
之见剖心征也夫！[三]"

〔一〕【注】遭时得地，则申其长技，故虽古之善射，莫之能害。　【疏】
　　楠梓豫章，皆端直好木也。揽蔓，犹把捉也。王长，犹自得也。
　　羿，古之善射人。逢蒙，羿之弟子也。眄睨，犹斜视。字亦有作
　　眄字者，随字读之。言善士贤人，遭时得地，犹如猿得直木，则
　　跳踉自在，虽有善射之人，不敢举目侧视，何况弯弓乎！　【释
　　文】"腾"音腾。本亦作腾。○卢文弨曰：今本作腾。"楠"音南，
　　木名。"揽"旧歷敢反。"蔓"音萬。郭武半反。"而王"往况
　　反。司马本作往。"长"丁亮反。本又作张，音同。司马直良
　　反，云：两枝相去长远也。○俞樾曰：郭注曰，遭时得地，则申其
　　长技，是读长为长短之长，然于本文之义殊为未合。司马云，两
　　枝相去长远也，则就树木言，义更非矣。此当就猿而言，谓猿得
　　楠梓豫章，则率其属居其上而自为君长也，故曰王长其间。释
　　文：王，往况反；长，丁亮反。颇得其读。"羿"音诣，或户係反。
　　"蓬蒙"符恭反，徐扶公反。司马云：羿，古之善射者。蓬蒙，羿
　　之弟子。"眄"莫练反，旧莫显反。本或作睥，普计反。"睨"音

诣,<u>郭</u>五米反。<u>李</u>云:邪视(反)〔也〕②。"长技"其绮反。

〔二〕【疏】柘棘枸枳,并有刺之恶木也。夫猿得有刺之木,不能逞其
捷巧,是以心中悲悼而战栗,形貌危行而侧视,非谓筋骨有异于
前,而势不便也。士逢乱世,亦须如然。 【释文】"柘棘"章夜
反。"枳"吉氏反,又音纸。"枸"音矩。"悼"如字,又直弔反。
○<u>庆藩</u>案,<u>说文</u>:悼,惧也,<u>陈楚</u>谓惧曰悼。<u>吕览</u>论威篇敌人悼惧
惮恐,即此振动悼栗之意。"不便"婢面反。注同。○<u>王念孙</u>
曰,古者谓所居之地曰处势,<u>史记蔡泽传</u>翠鹄犀象,其处势非不
远死也。或曰势居,<u>逸周书周祝篇</u>曰,势居小者不能为大;<u>贾子
过秦篇</u>至于<u>秦</u>王二十馀君,常为诸侯雄,其势居然也;<u>淮南原道
篇</u>形性不可易,势居不可移也。或言处势,或言势居,其义皆
同。<u>汉书陈汤传</u>曰:故陵因天性,据真土,处(执)〔執〕③高敞。

〔三〕【注】势不便而强为之,则受戮矣。 【疏】此合谕也。当时<u>周</u>室
微弱,<u>六国</u>兴盛,于是主昏于上,臣乱于下。<u>庄生</u>怀道抱德,莫能
见用,晦迹远害,故发此言。昔<u>殷纣</u>无道,<u>比干</u>忠谏,剖心而死,
岂非征验! 引古证今,异日明镜。 【释文】"乱相"息亮反。
"见心"贤遍反。○<u>卢文弨</u>曰:今本作见剖心。"强为"其丈反。

〔校〕①<u>赵谏议</u>本腾作膡。②也字依<u>释文</u>原本及<u>世德堂</u>本改。③執
字依<u>读书杂志</u>及<u>汉书</u>改。

610

孔子穷于<u>陈蔡</u>之间,七日不火食,左据槁木,右击槁
枝,而歌<u>焱氏</u>之风,有其具而无其数,有其声而无宫角,木
声与人声,犁然有当于人之心〔一〕。

〔一〕【疏】<u>焱氏</u>,神农也。<u>孔子</u>圣人,安于穷通,虽遭<u>陈蔡</u>之困,不废
无为,故左手击槁木,右手凭枯枝,恬然自得,歌<u>焱氏</u>之淳风。

木乃八音,虽击而无曲;无声惟打木,宁有于宫商! 然歌声木声,犁然清淡而乐正,心故有应,当于人心者也。 【释文】"槁木"苦老反。下同。"焱氏"必遥反。古之无为帝王也。"犁然"力兮反,又力之反。司马云:犁然,犹栗然。"有当"丁浪反。

颜回端拱还目而窥之。仲尼恐其广己而造大也,爱己而造哀也[一],曰:"回,无受天损易[二],无受人益难[三]。无始而非卒也[四],人与天一也[五]。夫今之歌者其谁乎[六]?"

〔一〕【疏】颜生既见仲尼击木而歌,于是正身回目而视。仲尼恐其未悟,妄生虞度,谓言仲尼广己道德而规造大位之心,爱惜己身遭穷而〔规〕造哀叹之曲。虑其如是,故召而诲之。 【释文】"还目"音旋。"而窥"徐起规反。"造大"司马云:造,适也。

〔二〕【注】唯安之故易。 【释文】"损易"以豉反。注、下同。

〔三〕【注】物之傥来,不可禁御。 【疏】夫自然之理,有穷塞之损,达于时命,安之则易。人伦之道,有〔爵〕①禄之益,傥来而寄,推之即难。此明仲尼虽击木而歌,无心哀怨。

〔四〕【注】于今为始者,于昨为卒,则所谓始者即是卒矣。言变化之无穷。 【疏】卒,终也。于今为始者,于昨为终也。欲明无始无终,无生无死。既无死无生,何穷塞之有哀乎!

〔五〕【注】皆自然。 【疏】所谓天损人益者,犹是教迹之言也。若至凝理处,皆是自然,故不二也。

〔六〕【注】任其自尔,则歌者非我也。 【疏】夫大圣虚忘,物我兼丧。我既非我,歌是谁歌! 我乃无身,歌将安寄也!

〔校〕①爵字依下正文爵禄并至补。

回曰:"敢问无受天损易。"

仲尼曰:"饥渴寒暑,穷桎不行,天地之行也,运物①之泄也〔一〕,言与之偕逝之谓也〔二〕。为人臣者,不敢去之。执臣之道犹若是,而况乎所以待天乎〔三〕!"

〔一〕【注】不可逃也。　【疏】前略标名,此下解义。桎,塞也。夫命终穷塞,道德不行,此犹天地虚盈,四时转变,运动万物,发泄气候也。　【释文】"穷桎"之实反。○家世父曰:穷桎不行,言饥渴寒暑足以桎桎人,而使不自适。然而饥渴以驱之,寒暑以运之,不能抗而不受也,与之俱逝而已矣。"运物"司马云:运,动也。"之泄"息列反。司马云:发也。徐以世反。

〔二〕【注】所谓不识不知而顺帝之则也。　【疏】偕,俱也。逝,往也。既体运物之无常,故与变化而俱往,而无欣恶于其间也。　【释文】"言与之"言,我也。

〔三〕【注】所在皆安,不以损为损,斯待天而不受其损也。　【疏】夫为人臣者,不敢逃去君命。执持臣道,(由)〔犹〕自如斯,而况为变化穷通,必待自然之理,岂可违距者哉!

〔校〕①阙误引江南古藏本物作化。

"何谓无受人益难?"

仲尼曰:"始用四达〔一〕,爵禄并至而不穷〔二〕,物之所利,乃非己也〔三〕,吾命其在外者也〔四〕。君子不为盗,贤人不为窃。吾若取之,何哉!〔五〕故曰,鸟莫知于鷾鸸,目之所不宜处,不给视,虽落其实,弃之而走〔六〕。其畏人也,而袭诸人间〔七〕,社稷存焉尔〔八〕。"

〔一〕【注】感应旁通为四达。

〔二〕【注】旁通,故可以御高大也。

〔三〕【注】非己求而取之。 【疏】始,本也。乃,宜也。妙本虚寂,迹用赴机,傍通四方,凝照九表,既靡好爵,财德无穷,万物利求,是其宜也。

〔四〕【注】人之生,必外有接物之命,非如瓦石,止于形质而已。【疏】孔子圣人,挺于天命,运兹外德,救彼苍生,非瓦石形质也。

〔五〕【注】盗窃者,私取之谓也。今贤人君子之致爵禄,非私取也,受之而已。 【疏】夫贤人君子尚不为盗窃,况孔丘大圣,宁肯违天乖理而私取于爵禄乎?傥来而寄,受之而已矣,盖无心也。

〔六〕【注】避祸之速。 【疏】鷾鸸,燕也。实,食也。智能远害全身,鸟中无过燕子。飞入人舍,欲作窠巢,目略处所不是宜便,不待周给看(咏)〔视〕,即远飞出。假令衔食落地,急弃而走,必不复收,避祸之速也。 【释文】"莫知"音智。"鷾"音意。"鸸"音而。或云:鷾鸸,燕也。"目之所不宜处"昌吕反。言不可止处,目已罗络知之,故弃之。

〔七〕【注】未有自疏外于人而人存之者也。畏人而入于人舍,此鸟之所以称知也。 【疏】袭,入也。燕子畏惧于人而依附人住,入人舍宅,寄作窠巢,是故人爱而狎之,故得免害。亦(由)〔犹〕圣人和光在世,混迹人间,戒慎灾危,不溺尘境,苍生乐推而不厌,故得久视长(全)〔生〕①。

〔八〕【注】况之至人,则玄同天下,故天下乐推而不厌,相与社而稷之,斯无受人益之所以为难也。 【疏】圣德遐被,群品乐推,社稷之存,故其宜矣。所谓人益,此之谓乎!○家世父曰:有土而因有社,有田而因有稷。社者,所以居也;稷者,所以养也。鸟亦有其居,鸟亦有其养,鷾鸸之袭诸人间,不假人以居而因自为居,不假人以养而因自为养也。

〔校〕①生字依老子改。

　　"何谓无始而非卒?"

　　仲尼曰:"化其万物而不知其禅之者〔一〕,焉知其所终?
焉知其所始? 正而待之而已耳〔二〕。"

〔一〕【注】莫觉其变。　【疏】禅,代也。夫道通生万物,变化群方,运
　　　转不停,新新变易,日用不知,故莫觉其代谢者也。既(无)日新
　　　而变,何始卒之有耶!　【释文】"其禅"市战反。司马云:授
　　　予也。

〔二〕【注】日夜相代,未始有极,故正而待之,无所为怀也。　【疏】夫
　　　终则是始,始则是终,故何能定终始! 既其无终与始,则无死与
　　　生,是以随变任化,所遇皆适,抱守正真,待于造物而已矣。
　　　【释文】"焉知"於虔反。下同。

　　"何谓人与天一邪?"

　　仲尼曰:"有人,天也;有天,亦天也〔一〕。人之不能有
天,性也〔二〕,圣人晏然体逝而终矣〔三〕!"

〔一〕【注】凡所谓天,皆明不为而自然。　【疏】夫人伦万物,莫不自
　　　然;爱及自然也,是以人天不二,万物混同。

〔二〕【注】言自然则自然矣,人安能故有此自然哉? 自然耳,故曰
　　　性。　【疏】夫自然者,不知所以然而然,自然耳,不为也,岂是
　　　能有之哉! 若谓所有,则非自然也。故知自然者性也,非人有
　　　之矣。此解前有天之义也。

〔三〕【注】晏然无矜,而体与变俱也。　【疏】晏然,安也。逝,往也。
　　　夫圣人通始终之不二,达死生之为一,故能安然解体,随化而
　　　往,泛乎无始,任变而终。○家世父曰:孟子,口之于味也,目之

于色也,耳之于声也,鼻之于臭也,四肢之于安佚也,性也,有命焉。庄子之云人之不能有天,即孟子所谓性焉有命者也。庄子以其有物有欲者为人而自然为天,于是断声色,去臭味,离天与人而二之。其曰人与天一,犹之去人以就天也。圣人尽性以知天,其功不越日用饮食。性也有命,而固不谓之性,命也有性,而固不谓之命,是之谓天与人一。

庄周游于雕陵之樊,睹一异鹊自南方来者,翼广七尺,目大运寸,感周之颡而集于栗林〔一〕。庄周曰:"此何鸟哉,翼殷不逝,目大不睹?"蹇①裳躩步,执弹而留之〔二〕。睹一蝉,方得美荫而忘其身;螳螂执翳而搏之,见得而忘其形〔三〕;异鹊从而利之,见利而忘其真〔四〕。庄周怵然曰:"噫!物固相累〔五〕,二类相召也〔六〕!"捐弹而反走,虞人逐而谇之〔七〕。

〔一〕【疏】雕陵,栗园名也。樊,藩也,谓游于栗园藩篱之内也。运,员也。感,触也。颡,额也。异常之鹊,从南方来,翅长七尺,眼圆一寸,突著庄生之额,仍栖栗林之中。 【释文】"雕"徐音彫。本亦作彫。"陵之樊"音烦。司马云:雕陵,陵名,樊,藩也,谓游栗园藩篱之内也。樊,或作埜。埜,古野字。"翼广"光浪反。"运寸"司马云:可回一寸也。○王念孙曰:司马彪曰,运寸,可回一寸也。案司马以运为转运之运,非也。运寸与广七尺相对为文,广为横则运为从也。目大运寸,犹言目大径寸耳。越语,句践之地广运百里,韦注曰:东西为广,南北为运。是运为从也。西山经曰,是山也广员百里。员与运同。周官大司徒,周知

九州之地域广轮之数；士丧礼记，广尺，轮二尺；郑注并曰：轮，

从也。轮与运，声近而义同，广轮即广运也。"感周之颡"息荡

反。李云：感，触也。

〔二〕【疏】殷，大也。逝，往也。躩步，犹疾行也。留，伺候也。翅大

不能远飞，目大不能远视。庄生怪其如此，仍即起意规求，既而

举步疾行，把弹弓而伺候。　【释文】"翼殷不逝目大不睹"司马

云：殷，大也，曲折曰逝。李云：翼大逝难，目大视希，故不见人。

"寨"起虔反。"躩"李驱碧反，徐九缚反。司马云：疾行也。案

即论语云足躩如也。"执弹"徒旦反。"留之"力救反。司马云：

宿留伺其便也。

〔三〕【注】执木叶以自翳于蝉，而忘其形之见乎异鹊也。　【释文】

"螳"音堂。"螂"音郎。"执翳"於计反。司马云：执草以自翳

也。"搏之"郭音博，徐音付。"之见乎"贤遍反。

〔四〕【注】目能睹，翼能逝，此鸟之真性也，今见利，故忘之。　【疏】

搏，捕也。真，性命也。庄生执弹未放，中间忽见一蝉，隐于树

叶，美兹荫庇，不觉有身；有螳螂执木叶以自翳，意在捕蝉，不觉

形见异鹊；异鹊从螳螂之后，利其捕蝉之便，意在取利，不觉性

命之危，所谓忘真矣。　【释文】"其真"司马云：真，身也。

〔五〕【注】相为利者，恒相②为累。　【疏】既睹蝉鹊徇利忘身，于是

怵然惊惕，仍（言）〔发〕噫叹之声。故知物相利者，必有累忧。

【释文】"怵然"肇律反。

〔六〕【注】夫有欲于物者，物亦有欲之。　【疏】夫有欲于物者，物亦

欲之也。是以蝉鹊俱世物之徒，利害相召，必其然也。

〔七〕【注】谇，问之也。　【疏】捐，弃也。虞人，掌栗园之虞候也。

谇，问也。既觉利害相随，弃弹弓而反走，虞人谓其盗栗，故逐

而问之。　【释文】"谇之"本又作讯，音信，问也。司马云：以周
为盗栗也。

〔校〕①阙误作襄，云：张本作寋。②赵谏议本相作常。

　　庄周反入①，三月不庭。蔺且从而问之："夫子何为顷
间甚不庭乎〔一〕？"

〔一〕【疏】庄周见鹊忘身，被疑盗栗，归家愧耻，不出门庭。姓蔺名
　　且，庄子弟子，怪师顷来闭户，所以从而问之。　【释文】"三月
　　不庭"一本作三日。司马云：不出坐庭中三月。○王念孙曰：释
　　文曰，三月不庭，一本作三日。司马云：不出坐庭中三月。案如
　　司马说，则庭上须加出字而其义始明。下文云，夫子何为顷间
　　甚不庭乎，若以甚不庭为甚不出庭，则尤不成语。今案庭当读
　　为逞。不逞，不快也；甚不逞，甚不快也。忘吾身，忘吾真，而为
　　虞人所辱，是以不快也。方言曰：逞，晓，快也。自关而东，或曰
　　晓，或曰逞；江淮陈楚之间曰逞。桓六年左传今民馁而君逞欲，
　　周语虢公动匮百姓以逞其违，韦杜注并曰：逞，快也。逞字古读
　　若呈，声与庭相近，故通作庭。（张衡思玄赋怨素意之不逞，与
　　情名声营平峥祯鸣荣宁为韵。说文：逞，从辵，呈声。僖二十三
　　年左传淫刑以逞，释文逞作呈。方言：逞，解也。广雅作呈。）三
　　月不庭，一本作三日，是也。下文言夫子顷间甚不庭，若三月之
　　久，不得言顷间矣。"蔺"力信反。一本作茼。"且"子馀反。司
　　马云：蔺且，庄子弟子。○庆藩案，文选郭景纯江赋注引司马
　　云：顷，久也。谢灵运入华子洞是麻源第三谷诗注引司马云：顷，
　　常久也。释文阙。

〔校〕①阙误引江南古藏本入下有宫字。

　　庄周曰："吾守形而忘身〔一〕，观于浊水而迷于清

渊〔二〕。且吾闻诸夫子曰：'入其俗，从其(俗)〔令〕①〔三〕，'今吾游于雕陵而忘吾身，异鹊感吾颡，游于栗林而忘真，栗林②虞人以吾为戮，吾所以不庭也〔四〕。"

〔一〕【注】夫身在人间，世有夷险，若推夷易之形于此世而不度此世之所宜，斯守形而忘身者也。　【释文】"夷易"以豉反。"不度"直落反。

〔二〕【注】见彼而不明，即因彼以自见，几忘反鉴之道也。　【疏】我见利徇物，爱守其形，而利害相召，忘身者也。既睹鹊蝉，归家不出门庭，疑亦自责，所谓因观浊水，所以迷于清泉，虽非本情合真，犹存反照之道。　【释文】"自见"贤遍反。

〔三〕【注】不违其禁令也。　【疏】庄周师老聃，故称老子为夫子也。夫达者同尘入俗，俗有禁令，从而行之。今既游彼雕陵，被疑盗栗，轻犯宪纲。悔责之辞。

〔四〕【注】以见问为戮。夫庄子推平于天下，故每寄言以出③意，乃毁仲尼，贱老聃，上掊击乎三皇，下痛病其一身也。　【疏】意在异鹊，遂忘栗林之禁令，斯忘身也。字亦作真字者，随字读之。虞人谓我偷栗，是成身〔之〕耻(之)辱如此，是故不庭。夫庄子大人，隐身卑位，遨游(末)〔宋〕国，养性漆园，岂迷目于清渊，留意于利害者耶！盖欲评品群性，毁残其身耳。　【释文】"上掊"普口反。

618

〔校〕①令字依阙误引成玄瑛本改，郭注亦作令。②阙误引文如海、张君房本栗林俱作□□。③赵谏议本无言以出三字。

阳子之宋，宿于逆旅。逆旅人①有妾二人，其一人美，其一人恶，恶者贵而美者贱。阳子问其故，逆旅小子对曰：

"其美者自美,吾不知其美也;其恶者自恶,吾不知其恶也。"〔一〕

〔一〕【疏】姓阳,名朱,字子居,秦人也。逆旅,店也。往于宋国,宿于中地逆旅。美者恃其美,故人忘其美而不知也;恶者谦下自恶,故人忘其恶而不知也。　【释文】"阳子"司马云:阳朱也。

〔校〕①阙误引刘得一本人作之。

阳子曰:"弟子记之! 行贤而去自贤之行,安往而不爱哉〔一〕!"

〔一〕【注】言自贤之道,无时而可①。　【疏】夫种德立行而去自贤轻物之心者,何往而不得爱重哉! 故命门人记之云耳。　【释文】"而去"起吕反。"之行"下孟反。

〔校〕①赵谏议本可下有也字。

庄子集释卷七下

外篇 田子方第二十一〔一〕

〔一〕【释文】以人名篇。

田子方侍坐于魏文侯,数称谿工〔一〕。

〔一〕【疏】姓田,名无择,字子方,魏之贤人也,文侯师也。文侯是毕
万七世孙,武侯之父也。姓谿,名工,亦魏之贤人。 【释文】
"田子方"李云:魏文侯师也,名无择。○庆藩案,释文引李云,
田子方,名无择。无择当作无斁。斁择皆从睪声,古通用字。诗
大雅思齐古之人无斁,郑笺作无择。说文:斁,厌也,一曰终也。
无厌则有常,故字曰子方。(礼檀弓郑注云:方,常也。)"数称"
双角反,又所主反。下同。"谿"音溪,又音兮。司马本作雞。
"工"李云:谿工,贤人也。

文侯曰:"谿工,子之师邪?"

子方曰:"非也,无择之里人也;称道数当,故无择称
之。〔一〕"

〔一〕【疏】谿工是子方乡里人也，称说言道，频当于理，故无择称之，不是师。

> 文侯曰："然则子无师邪？"

> 子方曰："有。"

> 曰："子之师谁邪？"

> 子方曰："东郭顺子。"

> 文侯曰："然则夫子何故未尝称之〔一〕？"

〔一〕【疏】居在郭东，因以为氏，名顺子，子方之师也。既是先生之师，何故不称说之？

> 子方曰："其为人也真〔一〕，人貌而天〔二〕，虚缘而葆真〔三〕，清而容物〔四〕。物无道，正容以悟之，使人之意也消〔五〕。无择何足以称之〔六〕！"

〔一〕【注】无假也。　【疏】所谓真道人也。

〔二〕【注】虽貌与人同，而独任自然。　【疏】虽复貌同人理，而心契自然也。

〔三〕【注】虚而顺物，故真不失。　【疏】缘，顺也。虚心顺物，而恒守真宗，动而常寂。　【释文】"葆真"音保。本亦作保。

〔四〕【注】夫清者患于大洁，今清而容物，与天同也。　【疏】郭注云，清者患于大絜，今清而容物，与天同也。　【释文】"大絜"音泰。○俞樾曰：郭注以人貌而天四字为句，殆失其读也。此当以人貌而天虚为句。人貌天虚，相对成义。缘而保真为句，与清而容物相对成义。虚者，孔窍也。淮南子氾论篇若循虚而出入，高注曰：虚，孔窍也。训孔窍，故亦训心。儵真篇虚室生白，注曰：虚，心也。太玄断初一曰断心灭斧，失初一曰刺虚灭刃。灭刃与灭斧同,刺虚与断心同,故毅初一曰怀威满虚,犹言满心也。说详太玄经。此云人貌而天虚即人貌而天心,言其貌则人,其心则天也。学者不达虚字之义,误属下读,则人貌而天句文义不完。下两句本相俪者,亦参差不齐矣。养生主篇缘督以为经,释文引李云:缘,顺也。缘而葆真者,顺而葆真也。上缀虚字亦为无义。

〔五〕【注】旷然清虚,正己而已,而物邪自消。　【疏】世间无道之物,斜僻之人,东郭自正容仪,令其晓悟,使惑乱之意自然消除也。【释文】"物邪"似嗟反。

〔六〕【疏】师之盛德,深玄若是,无择庸鄙,何足称扬也!

子方出,文侯傥然终日不言,召前立臣而语之曰:"远矣,全德之君子〔一〕!始吾以圣知之言仁义之行为至矣,吾闻子方之师,吾形解而不欲动,口钳而不欲言〔二〕。吾所学者直土梗耳〔三〕,夫魏真为我累耳〔四〕!"

〔一〕【疏】傥然,自失之貌。闻谈顺子之德,傥然靡据,自然失所谓,故终日不言。于是召前立侍之臣,与之语话,叹东郭子之道深远难知,谅全德之人,可以君子万物也。　【释文】"傥然"敕荡反。司马云:失志貌。"而语"鱼据反。

〔二〕【注】自觉其近。　【释文】"圣知"音智。"之行"下孟反。"形解"户买反。"口钳"其炎反,(徐)〔徐〕①其严反。

〔三〕【注】非真物也。　【疏】我初昔修学,用先王圣智之言,周孔仁义之行,为穷理至极;今闻说子方之师,其道弘博,遂使吾形解散,不能动止,口舌钳困,无可言语,自觉所学,土人而已,逢雨则坏,并非真物。土梗者,土人也。　【释文】"直"如字。本亦作真,下句同。元嘉本此作真,下句作直。〇卢文弨曰:今本作

真。"土梗"更猛反。司马云:土梗,土人也,遭雨则坏。○庆藩

案,文选刘孝标广绝交论注引司马云:梗,土之榛梗也。一切经

音义二十引司马云:土梗,土之木梗,亦木人也;土木相偶,谓以

物像人形,皆曰偶耳。与释文异。

〔四〕【注】知至贵者,以人爵为累也。　【疏】既闻真道,隳体坐忘,故

　　　知爵位坛土,适为忧累耳。

〔校〕①徐字依世德堂本改。

温伯雪子适齐,舍于鲁。鲁人有请见之者,温伯雪子
曰:"不可。吾闻中国之君子,明乎礼义而陋于知人心,吾
不欲见也。"〔一〕

〔一〕【疏】姓温,名伯,字雪子,楚之怀道人也。中国,鲁国也。陋,拙

　　　也。自楚往齐,途经于鲁,止于主人之舍。鲁人是孔子门人,闻

　　　温伯雪贤人,请欲相见。温伯不许,云:"我闻中国之人,明于礼

　　　义圣迹,而拙于知人心,是故不欲见也。"　【释文】"温伯雪子"

　　　李云:南国贤人也。

至于齐,反舍于鲁,是人也又请见〔一〕。温伯雪子曰:
"往也蕲见我,今也又蕲见我,是必有以振我也〔二〕。"

〔一〕【疏】温伯至齐,反还舍鲁,是前之人,复欲请见。

〔二〕【疏】蕲,求也。振,动也。昔我往齐,求见于我,我今还鲁,复来

　　　求见,必当别有所以,故欲感动我来。　【释文】"蕲"音祈。

出而见客,入而叹。明日见客,又入而叹。其仆曰:
"每见之客也,必入而叹,何耶?"〔一〕

〔一〕【疏】前后见客,频自嗟叹,温伯仆隶,怪而问之。

曰："吾固告子矣：'中国之民，明乎礼义而陋乎知人心。'昔之见我者，进退一成规，一成矩，从容一若龙，一若虎〔一〕，其谏我也似子，其道①我也似父〔二〕，是以叹也〔三〕。

〔一〕【注】槃辟其步，逶蛇其迹。　【疏】擎跪揖让，前却方圆，逶迤若龙，槃辟如虎。　【释文】"从容"七容反。"槃辟"婢亦反。"遗"如字。本又作逶，於危反。○卢文弨曰：今本遗作逶。"蛇"以支反。

〔二〕【注】礼义之弊，有斯饰也。　【释文】"其道"音导。

〔三〕【疏】匡谏我也，如子之事父；训导我也，似父之教子。夫远近尊卑，自有情义，既非天性，何事殷勤！是知圣迹之弊，遂有斯矫，是以叹之也。

〔校〕①阙误引江南古藏本道作导。

仲尼见之而不言〔一〕。子路曰："吾子欲见温伯雪子久矣，见之而不言，何邪〔二〕？"

〔一〕【注】已知其心矣。

〔二〕【疏】二人得意，所以忘言。仲由怪之，是故起问。

仲尼曰："若夫人者，目击而道存矣，亦不可以容声矣〔一〕。"

〔一〕【注】目裁往，意已达，无所容其德音也。　【疏】击，动也。夫体悟之人，忘言得理，目裁运动而玄道存焉，无劳更事辞费，容其声说也。　【释文】"夫人"音符。"目击而道存矣"司马云：见其目动而神实已著也。击，动也。郭云：目裁往，意已达。

颜渊问于仲尼曰："夫子步亦步，夫子趋亦趋，夫子驰亦驰;夫子奔逸绝尘,而回瞠若乎后矣!"

夫子曰:"回,何谓邪?"

曰:"夫子步,亦步也;夫子言,亦言也;夫子趋,亦趋也;夫子辩,亦辩也;夫子驰,亦驰也;夫子言道,回亦言道也;及奔逸绝尘而回瞠若乎后者,夫子不言而信,不比而周,无器而民滔乎前,而不知所以然而已矣。"〔一〕

〔一〕【疏】奔逸绝尘,急走也。瞠,直目貌也。灭尘迅速,不可追趁,故直视而在后也。器,爵位也。夫子不言而为人所信,未曾亲比而与物周旋,实无人君之位而民足蹈乎前而众聚也。不知所然而然,直置而已矣,所谓奔逸绝尘也。 【释文】"奔逸"司马〔本〕又(本)①作彻。"瞠"敕庚反,又(尹)〔丑〕郎反。字林云:直视貌。一音杜哽反,又敕孟反。○庆藩案,后汉书逸民传注、文选范蔚宗逸民传论注,并引司马云:言不可及也。释文阙。"不比而周"毗志反。"滔乎前"吐刀反。谓无人君之器,滔聚其前也。又杜高反。

〔校〕①本又及丑字依世德堂本改。

仲尼曰:"恶!可不察与!夫哀莫大于心死,而人死亦次之〔一〕。日出东方而入于西极,万物莫不比方〔二〕,有目有趾者,待是而后成功〔三〕,是出则存,是入则亡〔四〕。万物亦然,有待也而死,有待也而生〔五〕。吾一受其成形,而不化以待尽〔六〕,效物而动〔七〕,日夜无隙〔八〕,而不知其所终〔九〕;薰然其成形〔一〇〕,知命不能规乎其前,丘以是日徂〔一一〕。

〔一〕【注】夫心以死为死,乃更速其死;其死之速,由哀以自丧也。无哀则已,有哀则心死者,乃哀之大也。 【疏】夫不比而周,不言而信,盖由虚心顺物,岂徒然哉!何可不忘怀鉴照,夷心审察耶!夫情之累者,莫过心之变易,变易生灭,深可哀伤,而以生死,哀之次也。 【释文】"恶可"音乌。"察与"音馀。下哀与同。"自丧"息浪反。下章同。

〔二〕【注】皆可见也。 【疏】夫夜暗昼明,东出西入,亦(由)〔犹〕人入幽出显,死去生来。故知人之死生,譬天之昼夜,以斯寓比,亦何惜哉!○家世父曰:日之出也,乘之以动焉,其入也,人斯息焉,惟其明。物之待明而动者,莫能外也;待明而动,待气而生,顺之而已矣。不能御气而为生,则亦不能强致其明而为动。昔日之明,(独)〔犹〕今日之明也,而固不能执今日之明,一一以规合夫昔。执今之明以规合夫昔,是交臂而失之也。彼有彼之步趋,此有此之步趋。肖者,步趋也,所以肖者,非步趋也,两相忘于步趋之中,而后与道大适。惟能忘也,而后所以不忘者于是乎存。于人之步趋无所待焉,是乘日之明而不知动者也,谓之人死;于人之步趋强致以求(活)〔合〕焉,是忘今日之明而求之昔也,是之谓心死。死者,袭焉而不化,执焉而不移者也。庄子语妙,惟当以神悟之。

〔三〕【注】目成见功,足成行功也。 【疏】趾,足也。夫人百体,禀自阴阳,目见足行,资乎造化,若不待此,何以成功!故知死生非关人也。

〔四〕【注】直以不见为亡耳,竟不亡。 【疏】见日出谓之存,睹日入谓之亡,此盖凡情之浪执,非通圣人之达观。

〔五〕【注】待隐谓之死,待显谓之生,竟无死生也。 【疏】夫物之隐显,皆待造化,隐谓之死,显谓之生。日出入既无存亡,物隐显岂有生死耶!

〔六〕【注】夫有不得变而为无,故一受成形,则化尽无期也。 【疏】夫我之形性,禀之造化,明闇妍丑,崖分已成,一定已后,更无变化,唯常端然待尽,以此终年。妍丑既不自由,生死理亦当任也。

〔七〕【注】自无心也。 【疏】夫至圣虚凝,感来斯应,物动而动,自无心者也。

〔八〕【注】恒化新也。 【疏】变化日新,泯然而无间隙。

〔九〕【注】不以死为死也。 【疏】随之不见其后。

〔一〇〕【注】薰然自成,又奚为哉! 【疏】薰然,自动之貌。薰然禀气成形,无物使之然也。 【释文】"薰然"许云反。

〔一一〕【注】不系于前,与变俱往,故曰徂。 【疏】徂,往也。达于时变,不能预作规模,体于日新,是故与化俱往也。 【释文】"日徂"如字。司马本作疽,云:病也。

吾终身与汝交一臂而失之,可不哀与〔一〕! 女殆著乎吾所以著也。彼已尽矣,而女求之以为有,是求马于唐肆也〔二〕。吾服女也甚忘〔三〕,女服吾也亦甚忘〔四〕。虽然,女奚患焉! 虽忘乎故①吾,吾有不忘者存〔五〕。"

〔一〕【注】夫变化不可执而留也。故虽执臂②相守而不能令停,若哀死者,则此亦可哀也。今人未尝以此为哀,奚独哀死耶!

【疏】孔丘颜子,贤圣二人,共修一身,各如交臂;而变化日新,迁流迅速,牢执固守,不能暂停,把臂之间,欻然已谢,新既行矣,故以失焉。若以失故而悲,此深可哀也。 【释文】"能令"力呈反。下章注同。

〔二〕【注】唐肆,非停马处也,言求向者之有,不可复得也。人之生,若马之过肆耳,恒无驻须臾,新故之相续,不舍昼夜也。著,见也,言汝殆见吾所以见者耳。吾所以见者,日新也,故已尽矣,汝安得有之!【疏】殆,近也。著,见也。唐,道;肆,市也。吾所见者,变故日新者也。<u>颜回孔子</u>,对面清谈,向者之言,其则非远,故言殆著也。彼之故事,于今已灭,汝仍求向时之有,谓在于今者耳,〔所〕谓求马于唐肆也。唐肆非停马之处也,向者见马,市道而行,今时覆寻,马已过去。亦犹向者之迹已灭于前,求之于今,物已变矣。故知新新不住,运运迁移耳。【释文】"女"音汝。"殆著乎吾所以著也"郭著音张虑反。注同。又一音张略反。<u>司马</u>云:吾所以著者外化也,汝殆庶于此耳。吾一不化者,则非汝所及也。"是求马于唐肆也"<u>郭</u>云:唐肆非停马处也。<u>李</u>同。又云:唐,亭也。<u>司马</u>本作广肆,云:广庭也,求马于市肆广庭,非其所也。"马处"昌虑反。"可复"扶又反。"不舍"音捨。

〔三〕【注】服者,思存之谓也。甚忘,谓过去之速也。言汝去忽然,思之恒欲不及。【疏】复③者,寻思之谓也。向者之汝,于今已谢,吾复思之,亦竟忘失。

〔四〕【注】俱尔耳,不问贤之与圣,未有得停者。【疏】变化日新,不简贤圣。岂唯于汝,抑亦在吾。汝之思吾,故事亦灭。

〔五〕【注】不忘者存,谓继之以日新也。虽忘故吾而新吾已至,未始非吾,吾何患焉!故能离俗绝尘而与物无不冥也。【疏】夫变化之道,无时暂停,虽失故吾而新吾尚在,斯有不忘者存也,故未始非吾,汝何患也!【释文】"离俗"力智反。下章文同。

〔校〕①<u>唐</u>写本无故字。②<u>王叔岷</u>云:执臂当作交臂。③<u>刘文典</u>云:复当依正文作服。

孔子见老聃，老聃新沐，方将被发而乾，慹然似非人〔一〕。孔子便而待之〔二〕，少焉见，曰："丘也眩与，其信然与？向者先生形体掘若槁木，似遗物离人而立于独也〔三〕。"

〔一〕【注】寂泊之至。　【释文】"被发"皮寄反。"而干"本或作乾。〇卢文弨曰：今本作乾。"慹"乃牒反，又丁立反。司马云：不动貌。说文云：怖也。"泊"步各反。

〔二〕【疏】既新沐发，曝之令乾，凝神寂泊，慹然不动，(摇)〔掘〕①若槁木，故似非人。孔子见之，不敢往触，遂便徙所，消息待之。　【释文】"便而待"待或作侍。

〔三〕【注】无其心身，而后外物去也。　【疏】俄顷之间，入见老子，云："丘见先生，眼为眩耀，忘遗形智，信是圣人；既而离异于人，遗弃万物，亡于不测而冥于独化也。"　【释文】"见曰"贤遍反。"眩"玄遍反。"与"音馀。下同。"掘若"徐音屈。"槁木"苦老反。

〔校〕①掘字依正文改。

　　老聃曰："吾游心于物之初〔一〕。"

〔一〕【注】初未有而歘有，故游于物初，然后明有物之不为而自有也。　【疏】初，本也。夫道通生万物，故名道为物之初也。游心物初，则是凝神妙本，所以形同槁木，心若死灰也。　【释文】"而歘"训弗反。

　　孔子曰："何谓邪〔一〕？"

〔一〕【疏】虽闻圣言，未识意谓。

　　曰："心困焉而不能知，口辟焉而不能言〔一〕，尝为汝议乎其将[二]。至阴肃肃,至阳赫赫;肃肃出乎天,赫赫发乎地[三];两者交通成和而物生焉,或为之纪而莫见其形[四]。消息满虚,一晦一明,日改月化,日有所为[五],而莫见其功[六]。生有所乎萌[七],死有所乎归[八],始终相反乎无端而莫知乎其所穷[九]。非是也,且孰为之宗[一〇]!"

〔一〕【注】欲令仲尼必求于言意之表也。　【疏】辟者,口开不合也。夫圣心非不能知,为其无法可知;口非不能辩,为其无法可辩。辩之则乖其体,知之则丧其真,是知至道深玄,超言意之表,故困焉辟焉。　【释文】"口辟"必亦反。司马云:辟,卷不开也。又婢亦反,徐敷赤反。

〔二〕【注】试议阴阳以拟向之无形耳,未之敢必。　【疏】夫至理玄妙,非言意能详。试为汝议论阴阳,将拟议大道,虽即仿象,未即是真矣。　【释文】"尝为"于伪反。

〔三〕【注】言其交也。　【疏】肃肃,阴气寒也;赫赫,阳气热也;近阴中之阳,阳中之阴,言其交泰也。

〔四〕【注】莫见为纪之形,明其自尔。　【疏】阳气下降,阴气上升,二气交通,遂成和合,因此和气而物生焉。虽复四序炎凉,纪纲庶物,而各自化,故莫见纲纪之形。

〔五〕【注】未尝守故。　【疏】阴消阳息,夏满冬虚,夜晦昼明,日迁月徙,新新不住,故日有所为也。

〔六〕【注】自尔故无功。　【疏】玄功冥济,故莫见为之者也。

〔七〕【注】萌于未聚也。　【疏】萌于无物。

〔八〕【注】归于散也。　【疏】归于未生。

〔九〕【注】所谓迎之不见其首,随之不见其后。　【疏】死生终始,反覆往来,既无端绪,谁知穷极! 故至人体达,任其变也。

〔一〇〕【疏】若非是虚通生化之道,谁为万物之宗本乎! 夫物云云,必资于道也。 【释文】"且孰"如字。旧子馀反。

孔子曰:"请问游是〔一〕。"

〔一〕【疏】请问:"游心是道,其术如何? 必得游是,复有何功力也?"

老聃曰:"夫得是,至美至乐也,得至美而游乎至乐,谓之至人〔一〕。"

〔一〕【注】至美无美,至乐无乐故也。 【疏】夫证于玄道,美而欢畅,既得无美之美而游心无乐之乐者,可谓至极之人也。 【释文】"至乐"音洛。下及注同。

孔子曰:"愿闻其方〔一〕。"

〔一〕【疏】方,犹道也。请说至美至乐之道。

曰:"草食之兽不疾易薮,水生之虫不疾易水,行小变而不失其大常也〔一〕,喜怒哀乐不入于胸次〔二〕。夫天下也者,万物之所一也。得其所一而同焉,则四支百体将为尘垢,而死生终始将为昼夜,而莫之能滑,而况得丧祸福之所介乎!〔三〕弃隶者若弃泥涂,知身贵于隶也〔四〕,贵在于我而不失于变〔五〕。且万化而未始有极也,夫孰足以患心! 已为道者解乎此〔六〕。"

〔一〕【注】死生亦小变也。 【疏】疾,患也。易,移也。夫食草之兽,不患移易薮泽;水生之虫,不患改易池沼;但有草有水,则不失大常,从东从西,盖小变耳。亦犹人处于大道之中,随变任化,未始非我,此则不失大常,生死之变,盖亦小耳。 【释文】"行小"下孟反,又如字。

〔二〕【注】知其小变而不失大常(故)〔也〕①。 【疏】喜顺,怒逆,乐生,哀死,夫四者生崖之事也。而死生无变于己,喜怒岂入于怀中也! 【释文】"胸次"李云:次,中也。

〔三〕【注】愈不足患。 【疏】夫天地万物,其体不二,达斯趣者,故能混同。是以物我皆空,百体将为尘垢;死生虚幻,终始均乎昼夜。死生不能滑乱,而况得丧祸福生崖之事乎! 愈不足以介怀也。 【释文】"能滑"古没反。"所介"音界。

〔四〕【注】知身之贵于隶,故弃之若遗土耳。苟知死生之变所在皆我,则贵者常在也。

〔五〕【注】所贵者我也,而我与变俱,故无失也。 【疏】夫舍弃仆隶,事等泥涂,故知贵在于我,不在外物,我将变俱,故无所丧也。

〔六〕【注】所谓县解。 【疏】夫世物迁流,未尝有极,而随变任化,谁复累心! 唯当修道达人,方能解此。 【释文】"解乎"户买反。注同。

〔校〕①也字依赵谏议本改。

孔子曰:"夫子德配天地,而犹假至言以修心,古之君子,孰能脱焉〔一〕?"

〔一〕【疏】配,合也。脱,免也。老子德合二仪,明齐三景,故应忘言归理,圣智自然。今乃盛谈至言以修心术,然则古之君子,谁能遣于言说而免于修为者乎?

老聃曰:"不然。夫水之于汋也,无为而才自然矣。至人之于德也,不修而物不能离焉,若天之自高,地之自厚,日月之自明,夫何修焉!"〔一〕

〔一〕【注】不修不为而自得也。 【疏】汋,水(也)澄湛也。言水之澄湛,其性自然,汲取利润,非由修学。至人玄德,其义亦然,端拱岩廊而物不能离,泽被群品,日用不知。若天高地厚,日月照明,夫何修为? 自然而已矣。 【释文】"汋"音灼,又上若反。
李以略反。李云:取也。〇家世父曰:说(水)〔文〕汋,激水声也;
井一有水,一无水,谓之瀱汋。所引尔雅释水文。郭璞注尔雅,
引山海经天井夏有水冬无水,即此类。汋者,水自然涌出,非若
泉之有源,而溪涧之交汇以流行也。说文:激,水碍袠疾波也。
谓有所碍而袠出疾行,故有声。水之涌出,亦若激而有声。无
为而才自然,言无有疏导之者。释文引李云,汋,取也。误。

孔子出,以告颜回曰:"丘之于道也,其犹醯鸡与〔一〕**!
微夫子之发吾覆也,吾不知天地之大全也**〔二〕**。"**

〔一〕【注】醯鸡者,瓮中之蠛蠓。 【释文】"醯鸡"许西反,郭云:醯
　　鸡,瓮中之蠛蠓也。司马云:若酒上蠛蠓也。〇庆藩案,太平御
　　览三百九十五引司马云:醯鸡,酒上飞蚋。与释文小异。"瓮
　　中"乌弄反。"蠛"亡结反。"蠓"无孔反。

〔二〕【注】比吾全于老聃,犹瓮中之与天地矣。 【疏】醯鸡,醋瓮中
　　之蠛蠓,每遭物盖瓮头,故不见二仪也。亦犹仲尼遭圣迹蔽覆,
　　不见事理,若无老子为发覆盖,则终身不知天地之大全,虚通之
　　妙道也。

**庄子见鲁哀公。哀公曰:"鲁多儒士,少为先生方
者**〔一〕**。"**

〔一〕【疏】方,术也。庄子是六国时人,与魏惠王、齐威王同时,去鲁
　　哀公一百二十年,如此言见鲁哀公者,盖寓言耳。然鲁则是周
　　公之后,应是衣冠之国。又孔子生于鲁,盛行五德之教,是以门
　　徒三千,服膺儒服,长裾广袖,鲁地必多,无为之学,其人鲜
　　矣。 【释文】"庄子见"贤遍反,亦如字。"鲁哀公"司马云:庄

子与魏惠王、齐威王同时,在哀公后百二十年。

庄子曰:"鲁少儒[一]。"

〔一〕【疏】夫服以象德,不易其人,庄子体知,故讥儒少。

哀公曰:"举鲁国而儒服,何谓少乎[一]?"

〔一〕【疏】哀公庸暗,不察其道,直据衣冠,谬称多儒。

庄子曰:"周闻之,儒者冠圜冠者,知天时;履句屦者,知地形;缓佩玦者,事至而断。君子有其道者,未必为其服也;为其服者,未必知其道也。[一]公固以为不然,何不号于国中曰:'无此道而为此服者,其罪死!'"

〔一〕【疏】句,方也。缓者,五色绦绳,穿玉玦以饰佩也。玦,决也。本亦有作绥字者。夫天员地方,服以象德。故戴圆冠以象天者,则知三象之吉凶;履方屦以法地者,则知九州之水陆;曳绥佩玦者,事到而决断。是以怀道之人,不必为服,为服之者,不必怀道。彼己之子,今古有之,是故庄生寓言辩说也。　【释文】"冠"古乱反。"圜冠"音圆。"履句"音矩,徐其俱反。李云:方也。"屦"徐居具反。"缓"户管反。司马本作绥。"佩玦"古穴反。○庆藩案,说文緛绰二字互训,缓者,宽绰之意。晋书缓带轻裘,缓带,犹博带也。缓佩玦,言所佩者玦,而系之带间,宽绰有馀也。释文引司马本作绥,误。"而断"丁乱反。

于是哀公号之五日,而鲁国无敢儒服者[一],独有一丈夫儒服而立乎公门。公即召而问以国事,千转万变而不穷。

〔一〕【疏】有服无道,罪合极刑,法令既严,不敢犯者,号经五日,无复一儒也。　【释文】"号于国"号,号令也。

庄子曰："以鲁国而儒者一人耳,可谓多乎〔一〕?"

〔一〕【注】德充于内者,不修饰于外。　【疏】一人,谓<u>孔子</u>。<u>孔子</u>圣
　　人,观机吐智,若镜之照,转变无穷,举国一人,未足多也。

<u>百里奚</u>爵禄不入于心,故饭牛而牛肥,使<u>秦穆公</u>忘其
贱,与之政也〔一〕。<u>有虞氏</u>死生不入于心,故足以动
人〔二〕。

〔一〕【疏】姓<u>孟</u>,字<u>百里奚</u>,<u>秦</u>之贤人也。本是<u>虞</u>人,<u>虞</u>被(秦)〔晋〕
　　亡,遂入<u>秦</u>国。初未遭用,贫贱饭牛。安于饭牛,身甚肥悦,忘
　　于富贵,故爵禄不入于心。后<u>穆公</u>知其贤,委以国事,都不猜
　　疑,故云忘其贱矣。　【释文】"故饭"烦晚反。"忘其贱与之政
　　也"谓忘其饭牛之贱也。

〔二〕【注】内自得者,外事全也。　【疏】<u>有虞</u>,<u>舜</u>也,姓<u>妫氏</u>,字<u>重华</u>。
　　遭后母之难,频被颠顿,而不以死生经心,至孝有闻,感动天地,
　　于是<u>尧</u>妻以二女,委以万乘,故足以动人也。

<u>宋元君</u>将画图,众史皆至,受揖而立;舐笔和墨,在外
者半〔一〕。有一史后至者,儃儃然不趋,受揖不立,因之舍。
公使人视之,则解衣般①礴裸。君曰:"可矣,是真画者
也。〔二〕"

〔一〕【疏】<u>宋国</u>之君,欲画国中山川地土图样,而画师并至,受君令
　　命,拜揖而立,调朱和墨,争竞功能。除其受揖,在外者半,言其
　　趋竞者多。　【释文】"受揖而立"<u>司马</u>云:受命揖而立也。
　　"舐"本或作䑛②,食纸反。

〔二〕【注】内足者,神闲而意定。　【疏】儃儃,宽闲之貌也。内既自

得,故外不矜持,徐行不趋,受命不立,直入就舍,解衣箕坐,裸露赤身,曾无惧惮。元君见其神彩,可谓真画者也。　【释文】"僵僵"吐祖反,徐音但。李云:舒闲之貌。"般"字又作槃。"礴"傍各反,徐敷各反。司马云:般礴,谓箕坐也。"裸"本又作赢,同。力果反。司马云:将画,故解衣见形。"神閒"音閑。

〔校〕①赵谏议本般作槃。②释文原本作䑛。字当作舐。说文作𦧝,云:以舌取食也。从舌,易声。神旨切。或从也。

庄子集释

文王观于臧,见一丈夫钓,而其钓莫钓[一];非持其钓有钓者也[二],常钓也[三]。

〔一〕【注】聊以卒岁。　【疏】臧者,近渭水地名也。丈夫者,寓言于太公也。吕望未遭文王之前,纶钓于臧地,无心施饵,聊自寄此逍遥。　【释文】"文王观于臧"李云:臧,地名也。司马本作文王微服而观于臧。"丈夫"本或作丈人。

〔二〕【注】竟无所求。

〔三〕【注】不以得失经意,其于假钓而已。　【疏】非执持其钓,有意羡鱼,常游渭滨,卒岁而已。

文王欲举而授之政,而恐大臣父兄之弗安也;欲终而释之,而不忍百姓之无天也[一]。于是旦而属之大夫曰:"昔者寡人梦见良人,黑色而頯,乘驳马而偏朱蹄,号曰:'寓而政于臧丈人,庶几乎民有瘳乎[二]!'"

〔一〕【疏】文王既见贤人,欲委之国政,复恐皇亲宰辅猜而忌之;既欲舍而释之,不忍苍生失于覆荫,故言无天也。

〔二〕【疏】既欲任贤,故托诸梦想,乃属语臣佐云:"我昨夜梦见贤良之人，黑色而有須鬐，乘駁馬而蹄偏赤，號令我云：‘寄汝國政于藏丈人，慕賢進隱，則民之荒亂病必瘳差矣。’”駁，亦有作駁字者，隨字讀之也。　【釋文】“旦而屬”音燭。“之夫夫①”皆方于反。司馬云：夫夫，大夫也。一云：夫夫，古讀為大夫。○慶藩案，昔者，夜者也。古謂夜為昔。或為昔者（晏子春秋雜下篇有梟昔者鳴，說苑辨物篇亦作昔者。王念孫云：古謂夜為昔。），或為夜者（晏子春秋外篇寡人夜者聞西方有男子哭。夜曰夜者，故晝亦曰晝者。晏子春秋雜上篇晝者進膳是也。），或曰夕者（晏子春秋下篇夕者觱與二日斗。），皆其證。“頧”而占反，郭李而兼反，又而銜反。“駁馬”邦角反。“偏朱蹄”李云：一蹄偏赤也。“瘳乎”敕留反。

〔校〕①夫夫，今書作大夫。

諸大夫蹴然曰：“先君王也〔一〕。”

〔一〕【疏】文王之父季歷生存之日，黑色多鬐，好乘駁馬，駁馬蹄偏赤。王之所夢，乃是先君教令于王，是以蹴然驚懼也。　【釋文】“蹴然”子六反。本或作愀，在久、七小二反。“先君王也”司馬云：言先君王靈神之所致。○俞樾曰：先君下疑奪命字。此本作先君命王也，故下文曰先君之命王其無他。

文王曰：“然則卜之。”

諸大夫曰：“先君之命，王其無它，又何卜焉〔一〕！”

〔一〕【疏】此是先君令命，決定無疑。卜以決疑，不疑何卜也！　【釋文】“之令”本或作命。○盧文弨曰：今本作命。“王其無它”司馬云：無違令。

遂迎藏丈人而授之政。典法無更，偏令無出。〔一〕三年，文王觀于國，則列士壞植散群，長官者不成德，（鞭）

〔斔〕斛不敢入于四竟〔二〕。列士坏植散群,则尚同也〔三〕;长官者不成德,则同务也〔四〕;斔斛不敢入于四竟,则诸侯无二心也〔五〕。

〔一〕【疏】君臣契协,遂迎丈人,拜为卿辅,授其国政。于是典宪刑法,一施无改,偏曲敕令,无复出行也。

〔二〕【疏】植,行列也,亦言境界列舍以受谏书也,亦言是谏士之馆也。斔,六斗四升也。为政三年,移风易俗,君臣履道,无可箴规,散却列士之爵,打破谏书之馆,上下咸亨,长官不显其德,遐迩同轨,度量不入四境。 【释文】"列士坏"音怪。下同。"植"音直。"散群"司马云:植,行列也。散群,言不养徒众也。一云:植者,疆界头造群屋以待谏者也。○俞樾曰:司马两说并未得植字之义。宣二年左传华元为植,杜注曰:植,将主也。列士必先有主而后得有徒众,故欲散其群,必先坏其植也。"长"丁丈反。下同。"官者不成德"司马云:不利功名也。"斔斛"音庾。李云:六斛四斗曰斔。司马本作鍾斞,云:鍾读曰钟,斞读曰臾。"四竟"音境。下同。

〔三〕【注】所谓和其光,同其尘。

〔四〕【注】絜然自成,则与众务异也。

〔五〕【注】天下相信,故能同律度量衡也。 【疏】天下大同,不竞忠谏,事无隔异,则德不彰,五等守分,则四方宁谧也。

文王于是焉以为大师,北面而问曰:"政可以及天下乎?"臧丈人昧然而不应,泛然而辞,朝令而夜遁,终身无闻〔一〕。

〔一〕【注】为功者非己,故功成而身不得不退,事遂而名不得不去,名

去身退,乃可以及天下也①。　【疏】俄顷之间,拜为师傅,北面
事之,问其政术。无心荣宠,故泛然而辞;(其)〔冥〕意消声,故昧
然不应。由名成身退,推功于物,不欲及于天下,故逃遁无闻。
然吕佐周室,受封于齐,检于史传,竟无逃迹,而云夜遁者,盖庄
生之寓言也。　【释文】“大师”音泰。“昧然”音妹。“泛然”徐
敷剑反。“夜遁”(徐)〔徒〕困反。

〔校〕①赵谏议本无也字。

颜渊问于**仲尼**曰:“**文王**其犹未邪? 又何以梦为
乎[一]?”

〔一〕【疏】**颜子**疑于**文王**未极至人之德,真人不梦,何以梦乎?

仲尼曰:“默,汝无言! 夫**文王**尽之也[一],而又何论刺
焉! 彼直以循斯须也[二]。”

〔一〕【注】任诸大夫而不自任,斯尽之也。

〔二〕【注】斯须者,百姓之情,当悟未悟之顷,故**文王**循而发之,以合
　　其大情也。　【疏】斯须(由)〔犹〕须臾也。循,顺也。夫**文王**圣
　　人,尽于妙理,汝宜寝默,不劳讥刺。彼直随任物性,顺苍生之
　　望,欲悟未悟之顷,进退须臾之间,故托梦以发其性耳,未足怪
　　也。　【释文】“刺焉”七赐反。

列御寇为**伯昏无人**射,引之盈贯[一],措杯水其肘
上[二],发之,适矢复沓[三],方矢复寓[四]。当是时,犹象人
也[五]。

〔一〕【注】盈贯,谓溢镝也。　【释文】“为伯昏”于伪反。“盈贯”古
　　乱反。**司马**云:镝也。“镝”丁歴反。

〔二〕【注】左手如拒石,右手如附枝,右手放发而左手不知,故可措之杯水也。　【疏】御寇无人,内篇具释。盈贯,满镞也。措,置也。御寇风仙,(鲁)〔郑〕之善射,右手引弦,如附枝而满镝,左手如拒石,置杯水于肘上,言其停审敏捷之至也。　【释文】"措"七故反。"其肘"竹九反。"如拒"音矩。本亦作矩字。

〔三〕【注】矢去也。箭适去,复猷沓也。　【释文】"适矢"丁歴反。"复杳"扶又反。注及下同。"猷"色洽反,又初洽反。

〔四〕【注】箭方去未至的也,复寄杯于肘上,言其敏捷之妙也。【疏】适,往也。沓,重也。寓,寄也。弦发矢往,复重沓前箭,所谓擘括而入者。箭方适垛,未至于的,复寄杯水,言其敏捷。寓字亦作隅者,言圆镝重沓,破方全,插孔复于隅角也。

〔五〕【注】不动之至。　【疏】象人,木偶土梗人也。言御寇当射之时,掘然不动,犹土木之人也。○家世父曰:适矢复沓,状矢之发;方矢复寓,状矢之彀。说文:多言沓沓,如水之流。言一矢适发,一矢复涌出也。寓,寄也,言一矢方释,一矢复在彀也。象人,犹郑康成之云相人偶。

　　伯昏无人曰:"是射之射,非不射之射也〔一〕。尝与汝登高山,履危石,临百仞之渊,若能射乎〔二〕?"

〔一〕【疏】言汝虽巧,仍是有心之射,非忘怀无心,不射之射也。

〔二〕【疏】七尺曰仞,深七百尺也。若,汝也。此是不射之射也。

　　于是无人遂登高山,履危石,临百仞之渊,背逡巡,足二分垂在外,揖御寇而进之。御寇伏地,汗流至踵〔一〕。

〔一〕【疏】前略陈射意,此直欲弯弓。逡巡,犹却行也。进,让也。登峻耸高山,履危悬之石,临极险之渊,仍背渊却行,足垂二分在外空里。控弦自若,揖御寇而让之。御寇怖惧,不能举头,于是冥目伏地,汗流至脚也。　【释文】"逡巡"七旬反。"汗流"户旦反。

伯昏无人曰:"夫至人者,上窥青天,下潜黄泉,挥斥八极,神气不变[一]。今汝怵然有恂目之志,尔于中也殆矣夫[二]!"

〔一〕【注】挥斥,犹纵放也。夫德充于内,则神满于外,无远近幽深,所在皆明,故审安危之机而泊然自得也①。○庆藩案,潜与窥对文。潜,测也,与窥之意相近。古训潜为测,见尔雅。　【释文】"挥"音辉。"斥"音尺,李音託。郭云:挥斥,犹放纵。

〔二〕【注】不能明至分,故有惧,有惧而所丧多矣,岂唯射乎!　【疏】挥斥,犹纵放也。恂,惧也。夫至德之人,与大空等量,故能上窥青天,下隐黄泉,譬彼神龙,升沉无定,纵放八方,精神不改,临彼万仞,何足介怀! 今我观汝有怵惕之心,眼目眩惑,怀恂惧之志,汝于射(之)〔中〕②危殆矣夫!　【释文】"怵然"敕律反。"有恂"李又作眴,音荀。尔雅云:恂,栗也。"目之志"恂,谓眩也,欲以眩悦人之目,故怵也。"于中"丁仲反,又如字。中,精神也。"所丧"息浪反。后章同。

〔校〕①赵谏议本无也字。②中字依正文改。

肩吾问于孙叔敖曰:"子三为令尹而不荣华,三去之而无忧色。吾始也疑子,今视子之鼻间栩栩然,子之用心独奈何?"[一]

〔一〕【疏】肩吾,隐者也。叔敖,楚之贤人也。栩栩,欢畅之貌也。夫达者毁誉不动,宠辱莫惊,故孙敖三仕而不荣华,三黜而无忧色。肩吾始闻其言,犹怀疑惑,复察其貌,栩栩自欢,若为用心,独得如此也? 【释文】"栩栩"况甫反。

孙叔敖曰:"吾何以过人哉! 吾以其来不可却也,其去不可止也,吾以为得失之非我也,而无忧色而已矣。我何以过人哉〔一〕! 且不知其在彼乎,其在我乎? 其在彼邪? 亡乎我;在我邪? 亡乎彼〔二〕。方将踌躇,方将四顾,何暇至乎人贵人贱哉〔三〕!"

〔一〕【疏】夫轩冕荣华,物来傥寄耳,故其来不可遣却,其去不可禁止。穷通得丧,岂由我哉! 达此去来,故无忧色,何有艺术能过人耶!

〔二〕【注】旷然无系,玄同彼我,则在彼非独亡,在我非独存也。
【疏】亡,失也。且不知荣华定在彼人,定在我己? 若在彼邪? 则于我为失;若在我邪? 则于彼为失。而彼我既其玄同,得丧於乎自泯也。○庆藩案,彼我皆亡,言不在我,不在彼也。淮南诠言篇亡乎万物之中,高注曰:不在万物之中也。即此义。

〔三〕【注】踌躇四顾,谓无可无不可。 【疏】踌躇是逸豫自得,四顾是高视八方。方将磅礴万物,挥斥宇宙,有何容暇至于人世,留心贵贱之间乎! 故去之而无忧色也。 【释文】"踌"直留反。"躇"直於反。

642 仲尼闻之曰:"古之真人,知者不得说,美人不得滥,盗人不得劫,伏戏黄帝不得友〔一〕。死生亦大矣,而无变乎己,况爵禄乎〔二〕! 若然者,其神经乎大山而无介,入乎渊泉而不濡,处卑细而不惫,充满天地,既以与人,己愈有〔三〕。"

〔一〕【注】<u>伏戏黄帝</u>者,功号耳,非所以功者也。故况功号于所以功,相去远矣,故其名不足以友其①人也。　【疏】<u>仲尼</u>闻<u>孙叔敖</u>之言而美其德,故引远古以证斯人。古之真人,穷微极妙,纵有智言之人,不得辩说,美色之姿,不得淫滥,盗贼之徒,何能劫剥,<u>三皇五帝</u>,未足交友也。　【释文】"得劫"居业反。<u>元嘉</u>本作却。"伏戏"音義。

〔二〕【疏】人虽日新,死生大矣,而不变于己;况于爵禄,岂复栖心!

〔三〕【注】割肌肤以为天下者,彼我俱失也;使人人自得而已者,与人而不损于己也。其神明充满天地,故所在皆可,所在皆可,故不损己为物而放于自得之地也。　【疏】介,碍也。既,尽也。夫真人入火不热,入水不濡,经乎大山而神无障碍,屈处卑贱,其道不亏,德合二仪,故充满天地,不损己为物,故愈有也。　【释文】"大山"音泰。"无介"音界。"不恋"皮拜反。"以为"于伪反。下同。

〔校〕①其字,<u>元纂图互注</u>本、<u>明世德堂</u>本及<u>道藏焦竑</u>本并作于,<u>宋</u>本作其。<u>王叔岷</u>云:当作于。

<u>楚王</u>与<u>凡君</u>坐,少焉,<u>楚王</u>左右曰<u>凡</u>亡者三〔一〕。<u>凡君</u>曰:"<u>凡</u>之亡也,不足以丧吾存〔二〕。夫'<u>凡</u>之亡不足以丧吾存',则<u>楚</u>之存不足以存存〔三〕。由是观之,则<u>凡</u>未始亡而<u>楚</u>未始存也〔四〕。"

643

〔一〕【注】言有三亡征也。　【疏】<u>楚文王</u>共<u>凡僖侯</u>同坐,论合从会盟之事。<u>凡</u>是国名,<u>周公</u>之后,国在<u>汲郡</u>界,今有<u>凡城</u>是也。三者,(为)〔谓〕不敬鬼、尊贤、养民也。而<u>楚</u>大<u>凡</u>小,<u>楚</u>有吞夷之意,故使从者以言感也。○<u>俞樾</u>曰:<u>楚王</u>左右言<u>凡</u>亡者三人也。<u>郭</u>注曰言有三亡征也,非是。　【释文】"凡君"如字。司马云:凡,国名,在汲郡共县。案左传,凡,周公之后也。隐七年,天王使凡伯来聘。俗本此后有孔子穷于陈蔡及孔子谓颜回二章,与让王篇同,众家并于让王篇音之。检此二章无郭注,似如重出。古本皆无,谓无者是也。

〔二〕【注】遗凡故也。　【疏】自得造化,怡然不惧,可谓周公之后,世不乏贤也。

〔三〕【注】夫遗之者不以亡为亡,则存亦不足以为存矣。旷然无矜,乃常存也。

〔四〕【注】存亡更在于心之所(惜)〔措〕①耳,天下竟无存亡。　【疏】夫存亡者,有心之得丧也;既冥于得丧,故亡者未必亡而亡者更存,存者不独存而存者更亡也。

〔校〕①措字依明世德堂本改。

外篇知北游第二十二〔一〕

〔一〕【释文】以义名篇。

　　知北游于玄水之上,登隐弅之丘,而适遭无为谓焉〔一〕。知谓无为谓曰:"予欲有问乎若〔二〕:何思何虑则知道? 何处何服则安道? 何从何道则得道?"〔三〕三问而无为谓不答也,非不答,不知答也〔四〕。

〔一〕【疏】此章并假立姓名,寓言明理。北是幽冥之域,水又幽昧之方,隐则深远难知,弅则郁然可见。欲明至道玄绝,显晦无常,故寄此言以彰其义也。　【释文】"知北游"音智,又如字。"于

玄水之上"李云：玄〔水〕，水名。司马崔本上作北。○卢文弨

曰：今本作玄水水名。以下白水例之，重者是。"隐弅"符云反，

又音纷，又符纷反。李云：隐出弅起，丘貌。

〔二〕【疏】若，汝也。此明运知极心问道，假设宾主，谓之无为。

〔三〕【疏】此假设言方，运知问道。若为寻思，何所念虑，则知至道？

若为服勤，于何处所，则安心契道？何所依从，何所道说，则得

其道也？

〔四〕【疏】知，分别也。设此三问，竟无一答，非无为谓惜情不答，直

是理无分别，故不知所以答也。

知不得问，反于白水之南，登狐阕之上，而睹狂屈焉。

知以之言也问乎狂屈。〔一〕狂屈曰："唉！予知之，将语

若。"中欲言而忘其所欲言〔二〕。

〔一〕【疏】白是洁素之色，南是显明之方，狐者疑似夷犹，阕者空静无

物。问不得决，反照于白水之南，舍有反无，狐疑未能穷理，既

而猖狂妄行，掘若槁木，欲表斯义，故曰狂屈焉。　【释文】"白

水"水名。"狐阕"苦穴反。司马李云：狐阕，丘名。"而睹"丁古

反。"狂屈"求勿反，徐又其述反。司马向崔本作诎。李云：狂

屈，俋张，似人而非也。○庆藩案，释文引李云，狂屈，俋张，似

人而非也。文选甘泉赋捎夔魖，扶僑狂。狂屈即僑狂也。司马

与崔作诎，失之。"以之言"司马云：之，是也。

〔二〕【疏】唉，应声也。初欲言语，中途忘之，斯忘之术，反照之道。

【释文】"唉"哀在反。徐乌来反。李音熙，云：应声。"语若"鱼

據反。

知不得问，反于帝宫，见黄帝而问焉。黄帝曰："无思

无虑始知道，无处无服始安道，无从无道始得道〔一〕。"

〔一〕【疏】轩辕体道,妙达玄言,故以一无(无)〔答〕于三问。

知问黄帝曰:"我与若知之,彼与彼不知也,其孰是邪?"

黄帝曰:"彼无为谓真是也,狂屈似之;我与汝终不近也。夫知者不言,言者不知,故圣人行不言之教。〔一〕道不可致〔二〕,德不可至〔三〕。仁可为也〔四〕,义可亏也〔五〕,礼相伪也〔六〕。故曰:'失道而后德,失德而后仁,失仁而后义,失义而后礼。礼者,道之华而乱之首也〔七〕。'故曰:'为道者日损〔八〕,损之又损之以至于无为,无为而不无为也〔九〕。'今已为物也〔一〇〕,欲复归根,不亦难乎!其易也,其唯大人乎〔一一〕!

〔一〕【注】任其自行,斯不言之教也。　【疏】真者不知也,似者中忘也,不近者以其知之也。行不言之教,引老子经为证也。　【释文】"不近"附近之近。

〔二〕【注】道在自然,非可言致者也。　【疏】致,得也。夫玄道不可以言得,言得非道也。

〔三〕【注】不失德故称德,称德而不至也。　【疏】夫上德不德,若为德者,非至德也。

〔四〕【疏】夫至仁无亲,而今行偏爱之仁者,适可有为而已矣。

〔五〕【疏】夫裁非①断割,适可亏残,非大全也。大全者,生之而已矣。

〔六〕【疏】夫礼尚往来,更相浮伪,华藻乱德,非真实也。

〔七〕【注】礼有常则,故矫效②之所由生也。　【疏】弃本逐末,散朴为浇,道丧淳漓,遂于行礼,故引老经证成其义也。

〔八〕【注】损华伪也。

〔九〕【注】华去而朴全,则虽为而非为也。 【疏】夫修道之夫,日损华伪,既而前损有,后损无,有无双遣,以至于非有非无之无为也,寂而不动,无为故无不为也。此引<u>老经</u>重明其旨。

〔一〇〕【注】物失其所,故有为物。

〔一一〕【注】其归根之易者,唯大人耳。大人体合变化,故化物不难。【疏】倒置之类,浮伪居心,徇末忘本,以道为物,纵欲归根复命,其可得乎! 今量反本不难,唯在大圣人耳。〇<u>家世父</u>曰:人所受以生者,气也。既得之以为生,则气日流行大化之中,而吾块然受其成形,无由反气而合诸漠。道之华为礼,与气之流行而为人,皆非其所固然者也。通死生为徒,一听其气之聚散而吾无与焉,则无为矣。道至于无为,而仁义(理)〔礼〕之名可以不立,是之谓归根。【释文】"其易"以豉反。注同。

〔校〕①裁非疑裁制之误。②<u>赵谏议</u>本效作放。

生也死之徒^{〔一〕},死也生之始,孰知其纪^{〔二〕}! 人之生,气之聚也。聚则为生,散则为死^{〔三〕}。若死生为徒,吾又何患^{〔四〕}! 故万物一也^{〔五〕},是其所美者为神奇,其所恶者为臭腐;臭腐复^①化为神奇,神奇复化为臭腐。故曰'通天下^②一气耳^{〔六〕}',圣人故贵一^{〔七〕}。"

〔一〕【注】知变化之道者,不以〔死生〕^③为异。

〔二〕【注】更相为始,则未知孰死孰生也。 【疏】气聚而生,犹是死之徒类;气散而死,犹是生之本始,生死终始,谁知纪纲乎! 聚散往来,变化无定。 【释文】"更相"音庚。

〔三〕【注】俱是聚也,俱是散也。

〔四〕【注】患生于异。 【疏】夫气聚为生,气散为死,聚散虽异,为气则同。(今)④斯则死生聚散,可为徒伴,既无其别,有何忧色!

〔五〕【疏】生死既其不二,万物理当归一。

〔六〕【注】各以所美为神奇,所恶为臭腐耳。然彼之所美,我之所恶也;我之所美,彼或恶之。故通共神奇,通共臭腐耳,死生彼我岂殊哉!　【疏】夫物无美恶而情有向背,故情之所美者则谓为神妙奇特,情之所恶者则谓为腥臭腐败,而颠倒本末,一至于斯。然物性不同,所好各异;彼之所美,此则恶之;此之所恶,彼又为美。故毛嫱丽姬,人之所美,鱼见深入,鸟见高飞,斯则臭腐神奇,神奇臭腐,而是非美恶,何有定焉!是知天下万物,同一和气耳。　【释文】“所恶”乌路反。注同。“复化”扶又反。下同。

〔七〕【疏】夫体道圣人,智周万化,故贵此真一,而冥同万境。

〔校〕①敦煌本无复字。②阙误引刘得一本天下作天之。③死生二字依王叔岷说补。④今字依刘文典补正本删。

知谓黄帝曰:“吾问无为谓,无为谓不应我,非不我应,不知应我也。吾问狂屈,狂屈中欲告我而不我告,非不我告,中欲告而忘之也。今予问乎若,若知之,奚故不近?”

黄帝曰:“彼其真是也,以其不知也;此其似之也,以其忘之也;予与若终不近也,以其知之也。”

狂屈闻之,以黄帝为知言。〔一〕

〔一〕【注】明夫自然者,非言知之所得,故当昧乎无言之地。是以先举不言之标,而后寄明于黄帝,则夫自然之冥物,概乎可得而见也。　【疏】彼无为谓妙体无知,故真是道也。此狂屈反照遣言,中忘其告,似道非真也。<u>知</u>与<u>黄帝</u>二人,运智以诠理,故不近真道也。<u>狂屈</u>(逿)〔逖〕听,闻此格量,谓<u>黄帝</u>虽未近真,适可知玄言而已矣。 【释文】"之标"必遥反。

天地有大美而不言,四时有明法而不议,万物有成理而不说〔一〕。圣人者,原天地之美而达万物之理,是故至人无为〔二〕,大圣不作〔三〕,观于天地之谓也〔四〕。

〔一〕【注】此<u>孔子</u>之所以云予欲无言。 【疏】夫二仪覆载,其功最美;四时代叙,各有明法;万物生成,咸资道理;竟不言说,曾无议论也。 【释文】"大美"谓覆载之美也。

〔二〕【注】任其自为而已。 【疏】夫圣人者,合两仪之覆载,同万物之生成,是故口无所言,心无所作。

〔三〕【注】唯因任也。

〔四〕【注】观其形容,象其物宜,与天地不异。 【疏】夫大圣至人,无为无作,观天地之覆载,法至道之生成,无为无言,斯之谓也。

今①彼神明至精,与彼百化〔一〕,物已死生方圆,莫知其根也〔二〕,扁然而万物自古以固存〔三〕。六合为巨,未离其内〔四〕;秋豪为小,待之成体〔五〕。天下莫不沉浮,终身不故〔六〕;阴阳四时运行,各得其序〔七〕。惛然若亡而存〔八〕,油然不形而神〔九〕,万物畜而不知。此之谓本根〔一〇〕,可以观于天矣〔一一〕。

〔一〕【注】百化自化而神明不夺。 【疏】彼神圣明灵,至精极妙,与物和混,变化随流,或聚或散,曾无欣戚。今言百千万者,并举其大纲数尔。

〔二〕【注】夫死者已自死而生者已自生,圆者已自圆而方者已自方,未有为其根者,故莫知。　【疏】夫物或生或死,乍方乍圆,变化自然,莫知根绪。

〔三〕【注】岂待为之而后存哉!　【疏】扁然,遍生之貌也。言万物翩然,随时生育,从古以来,必固自有,岂由措意而后有之!　【释文】"扁"音篇,又音幡。

〔四〕【注】计六合在无极之中则陋矣。　【释文】"未离"力智反。"其内"谓不能出自化也。

〔五〕【注】秋豪虽小,非无亦无以容其质②。　【疏】六合,天地四方也。兽逢秋景,毛端生豪,豪极微细,谓秋豪也。巨,大也。六合虽大,犹居至道之中,豪毛虽小,资道以成体质也。

〔六〕【注】日新也。　【疏】世间庶物,莫不浮沉,升降生死,往来不住,运之不停,新新相续,未尝守故也。

〔七〕【注】不待为之。　【疏】夫二气氤氲,四时运转,春秋寒暑,次叙天然,岂待为之而后行之!

〔八〕【注】(照)〔昭〕③然若存则亡矣。　【疏】惛然如昧,似无而有。　【释文】"惛然"音昏,又音泯。

〔九〕【注】絜然有形则不神。　【疏】神者,妙万物而为言也。油然无系,不见形象,而神用无方。　【释文】"油然"音由,谓无所给惜也。

〔一〇〕【注】畜之而不得其本性之根,故不知其所以畜也。　【疏】亭毒群生,畜养万物,而玄功潜被,日用不知,此之真力,是至道一根本也。　【释文】"物畜"本亦作滀,同,敕六反。注同。

〔一一〕【注】与天同观。　【疏】观,见也。天,自然也。夫能达理通玄,识根知本者,可谓观自然之至道也。

　　啮缺问道乎被衣，被衣曰："若正汝形，一汝视，天和
将至〔一〕；摄汝知，一汝度，神将来舍〔二〕。德将为汝美，道
将为汝居〔三〕，汝瞳焉如新生之犊而无求其故〔四〕！"

〔一〕【疏】啮缺，王倪弟子；被衣，王倪之师也。汝形容端雅，勿为邪
　　　僻，视听纯一，勿多取境，自然和理归至汝身。　【释文】"被衣"
　　　音披，本亦作披。

〔二〕【疏】收摄私心，令其平等，专一志度，令无放逸，汝之精神自来
　　　舍止。○俞樾曰：一汝度当作正汝度。盖此四句变文以成辞，
　　　其实一义也。摄汝知，即一汝视之意，所视者专一，故所知者收
　　　摄矣。正汝度，即正汝形之意，度，犹形也。淮南子道应篇、文子
　　　道原篇并作正汝度，可据以订正。

〔三〕【疏】深玄上德，盛美于汝，无极大道，居汝心中。

〔四〕【疏】瞳焉，无知直视之貌。故，事也。心既虚夷，视亦平直，故
　　　如新生之犊，于事无求也。　【释文】"瞳"敕红反，郭苋绛反。
　　　李云：未有知貌。

　　言未卒，啮缺睡寐。被衣大说，行歌而去之，〔一〕曰：
"形若槁骸，心若死灰，真其实知，不以故自持〔二〕。媒媒晦
晦，无心而不可与谋。彼何人哉〔三〕！"

〔一〕【疏】谈玄未终，斯人已悟，坐忘契道，事等睡瞑。于是被衣喜
　　　跃，赞其敏速，行于大道，歌而去之。　【释文】"啮缺睡寐"体向
　　　所说，畏其视听以寐耳。受道速，故被衣喜也。"大说"音悦。

〔二〕【注】与变俱也。　【疏】形同槁木之骸，心类死灰之土，无情直任纯实之真知，不自矜持于事故也。　【释文】"若槁"苦老反。

〔三〕【注】独化者也。　【疏】媒媒晦晦，息照遣明，忘心忘知，不可谋议。非凡所识，故云彼何人哉。自形若槁骸以下，并被衣歌辞也。　【释文】"媒媒"音妹，又武朋反。"晦晦"音诲。李云：媒媒，晦貌。

舜问乎丞曰："道可得而有乎〔一〕？"

〔一〕【疏】丞，古之得道人，舜师也。而至道虚通，生成动植，未知己身之内，得有此道不乎？既逢师傅，故有咨请。　【释文】"丞"如字。李云：舜师也。一云：古有四辅，前疑后丞，盖官名。

曰："汝身非汝有也，汝何得有夫道〔一〕？"

〔一〕【注】夫身者非汝所能有也，块然而自有耳。身非汝所有，而况(无)〔道〕哉！　【疏】道者，四句所不能得，百非所不能诠。汝身尚不能自有，何得有于道耶？　【释文】"有夫"音符。"块然"苦对反。

舜曰："吾身非吾有也，孰有之哉〔一〕？"

〔一〕【疏】未悟生因自然，形由造物，故云身非我有，孰有之哉？

曰："是天地之委形也；生非汝有，是天地之委和也；性命非汝有，是天地之委顺也〔一〕；孙子①非汝有，是天地之委蜕也〔二〕。故行不知所往，处不知所持，食不知所味〔三〕。天地之强阳气也，又胡可得而有邪〔四〕！"

〔一〕【注】若身是汝有者，则美恶死生，当制之由汝。今气聚而生，汝不能禁也；气散而死，汝不能止也。明其委结而自成耳，非汝有也。 【疏】委,结聚也。夫天地阴阳,结聚刚柔和顺之气,成汝身形性命者也。故聚则为生,散则为死。死生聚散,既不由汝,是知汝身岂汝有邪? 【释文】"委形"司马云:委,积也。○俞樾曰:司马云,委,积也。于义未合。国策齐策愿委之于子,高注曰:委,付也。成二年左传王使委于三吏,杜注曰:委,属也。天地之委形,谓天地所付属之形也。下三委字并同。

〔二〕【注】气自委结而蝉蜕也。 【疏】阴阳结聚,故有子孙,独化而成,犹如蝉蜕也。 【释文】"委蜕"吐卧反,又音悦,又敕外反,又始锐反,又始劣反。

〔三〕【注】皆在自尔中来,故不知也。 【疏】夫行住食味,皆率自然,推寻根由,莫知其所。故行者谁行,住者谁住,食者谁食,味者谁味乎?皆不知所由而悉自尔也。○家世父曰:日见其有行而终不知所往,日见其有处而终莫能自持,日见其有食而终莫知所为味。然则其往也,非我能自主也;其相持数十年之久也,非我能自留也;其食而知味也,非我能自辨也;天地阴阳之气运掉之使然也,皆不得而有也。

〔四〕【注】强阳,犹运动耳。明斯道也,庶可以遗身而忘生也。 【疏】强阳,运动也。胡,何也。夫形性子孙者,并是天地阴阳运动之气聚结而成者也,复何得自有此身也! 【释文】"天地之强阳气也"郭云:强阳,犹运动耳。案言天地尚运动,况气聚之生,何可得执而留也!

〔校〕①阙误引张君房本孙子作子孙。

孔子问于老聃曰:"今日晏閒,敢问至道〔一〕。"

〔一〕【疏】晏,安也。孔子师于老子,故承安居闲暇而询问玄道也。 【释文】"晏"於谏反,徐於显反,又於见反。"閒"音閑。

老聃曰:"汝齐①戒,疏瀹而心,澡雪而精神,掊击而知! 夫道,窅然难言哉! 将为汝言其崖略。〔一〕

〔一〕【疏】疏瀹,犹洒濯也。澡雪,犹精洁也。而,汝也。掊击,打破也。崖,分也。汝欲问道,先须斋汝心迹,戒慎专诚,洒濯身心,清净神识,打破圣智,涤荡虚夷。然玄道窅冥,难可言辩,将为汝举其崖分,粗略言之。 【释文】"齐戒"侧皆反。"瀹"音药。或云:渍也。"掊"普口反,徐方垢反。"而知"音智。"窅然"乌了反。"将为"于伪反。

〔校〕①赵谏议本作斋。

夫昭昭生于冥冥,有伦生于无形,精神生于道〔一〕,形本生于精〔二〕,而万物以形相生,故九窍者胎生,八窍者卵生〔三〕。其来无迹,其往无崖,无门无房,四达之皇皇也〔四〕。邀于此者,四肢①强,思虑恂达,耳目聪明,其用心不劳,其应物无方〔五〕。天不得不高,地不得不广,日月不得不行,万物不得不昌,此其道与〔六〕!

〔一〕【注】皆所以明其独生而无所资借。 【释文】"无形"谓太初也。

〔二〕【注】皆由精以至粗。 【疏】伦,理也。夫昭明显著之物,生于窅冥之中;人伦有为之事,生于无形之内;精智神识之心,生于重玄之道;有形质气之类,根本生于精微。 【释文】"形本生于精"谓常道也。

〔三〕【注】言万物虽以形相生,亦皆自然耳,故胎卵不能易种而生,明神气之不可为也。 【疏】夫无形之道,能生有形之物,有形之

654

物,则以形质气类而相生也。故人兽九窍而胎生,禽鱼八窍而卵生,禀之自然,不可相易。　【释文】"九窍"苦弔反。"卵生"力管反。"易种"章勇反。

〔四〕【注】夫率自然之性,游无迹之涂者,放形骸于天地之间,寄精神于八方之表;是以无门无房,四达皇皇,逍遥六合,与化偕行也。【疏】皇,大也。夫以不来为来者,虽来而无踪迹;不往为往者,虽往亦无崖际。是以出入无门户,来往无边傍,故能弘达四方,大通万物也。

〔五〕【注】人生而遇此道,则天性全而精神定。　【疏】邀,遇也。恂,通也。遇于道而会于真理者,则百体安康,四肢强健,思虑通达,视听聪明,无心之心,用而不劳,不应之应,应无方所也。【释文】"邀于"古尧反。○俞樾曰:说文无邀字,彳部:徼,循也。即今邀字也。又曰:循,行顺也。然则邀亦顺也,邀于此者,犹言顺于此者。郭注曰人生而遇此道,是以遇训邀,义既迂曲,且于古训无征,殆失之矣。"思虑"息嗣反。"恂达"音荀。

〔六〕【注】言此皆不得不然而自然耳,非道能使然也。　【疏】二仪赖虚通而高广,三光资玄道以运行,庶物得之以昌盛,斯大道之功用也。故老经云,天得一以清,地得一以宁,万物得一以生,是之谓也。　【释文】"天不得不高"谓不得一道,不能为高也。"道与"音馀。下皆同。

〔校〕①世德堂本作枝。

且夫博之不必知,辩之不必慧,圣人以断之矣〔一〕。若夫益之而不加益,损之而不加损者,圣人之所保也〔二〕。渊渊乎其若海〔三〕,(魏魏)〔魏魏〕①乎其终则复始也〔四〕,运量万物而不匮②〔五〕,则君子之道,彼其外与〔六〕!万物皆往资

焉而不匮,此其道与^{〔七〕}!

〔一〕【注】断弃知慧而付之自然也。　【疏】夫博读经典,不必知真;弘辩饰词,不必慧照。故老经云,善者不辩,辩者不善;知者不博,博者不知。斯则圣人断弃之矣。　【释文】"博之不必知"观异书为博。"以断"端管反。注同。

〔二〕【注】使各保其正分而已,故无用知慧为也。　【疏】博知辩慧,不益其明;沉默面墙,不加其损;所谓不增不减,无损无益,圣人妙体,故保而爱之也。

〔三〕【注】容姿无量。　【疏】尾闾泄之而不耗,百川注之而不增,渊澄深大,故譬玄道。

〔四〕【注】与化俱者,乃积无穷之纪,可谓魏魏。　【疏】魏魏,高大貌也。夫道,远超太一,近迈两仪,囊括无穷,故以叹魏魏也。终则复始,此明无终无始,变化日新,随迎不得。　【释文】"魏魏"鱼威反。"则复"扶又反。

〔五〕【注】用物而不役己,故不匮也。　【释文】"运量"音亮。"万物而不匮"求位反。谓任物自动运,物物各足量也。

〔六〕【注】各取于身而足。　【疏】夫运载万物,器量群生,潜被无穷而不匮乏者,圣人君子之道。此而非远,近在内心,既不藉禀,岂其外也!

〔七〕【注】还用〔万〕^③物,故我不匮。此明道之赡物,在于不赡,不赡而物自得,故曰此其道与。言至道之无功,无功乃足称道也。　【疏】有识无情,皆禀此玄(之)道;而玄功冥被,终不匮乏。然道物不一不异,而离道无物,故曰此其道与。　【释文】"之赡"涉艳反。下同。

〔校〕①魏魏依世德堂本改,注及释文亦作魏。②阙误引文如海刘得一本匮字俱作遗。③万字依刘文典说补。

　　中国有人焉，非阴非阳〔一〕，处于天地之间，直且为人〔二〕，将反于宗〔三〕。自本观之，生者，暗醷物也〔四〕。虽有寿夭，相去几何？须臾之说也。奚足以为尧桀之是非〔五〕！果蓏有理〔六〕，人伦虽难，所以相齿〔七〕。圣人遭之而不违〔八〕，过之而不守〔九〕。调而应之，德也；偶而应之，道也〔一〇〕；帝之所兴，王之所起也〔一一〕。

〔一〕【注】无所偏名。

〔二〕【注】敖然自放，所遇而安，了无功名。　【疏】中国，九州也。言人所禀之道，非阴非阳，非柔非刚，非短非长，故绝四句，离百非也。处在天地之间，直置为人，而无偏执。本亦作值字者，言处乎宇内，遇值为人，曾无所系也。　【释文】"直且"如字。旧子馀反。

〔三〕【注】不逐末也。　【疏】既无偏执，任置为人，故能反本还原，归于宗极。

〔四〕【注】直聚气也。　【疏】本，道也。暗噫，气聚也。从道理而观之，故知生者聚气之物也，奚足以惜之哉！　【释文】"暗"音荫，郭音闇，李音饮，一音於感反。"醷"於界反，郭於感反，李音意，一音他感反。李郭皆云：暗醷，聚气貌。

〔五〕【注】死生犹未足殊，况寿夭之间哉！　【疏】一生之内，百年之中，假令寿夭，赊促讵几！俄顷之间，须臾之说耳，何足以是尧非桀而分别于其间哉！　【释文】"几何"居岂反。

〔六〕【注】物无不理，但当顺之。　【释文】"果蓏"徐力果反。

〔七〕【注】人伦有智慧之变，故难也。然其智慧自相齿耳，但当从而任之。　【疏】在树曰果,在地曰蓏。桃李之属,瓜瓠之徒,木生藤生,皆有其理。人之处世,险阻艰难,而贵贱尊卑,更相齿次,但当任之,自合夫道,譬彼果蓏,有理存焉。

〔八〕【注】顺所遇也。

〔九〕【注】宜过而过。　【疏】遭遇轩冕,从而不违,既以过焉,亦不留舍。

〔一〇〕【注】调偶,和合之谓也。　【疏】调和庶物,顺而应之,上德也;偶对前境,逗机应物,圣道也。

〔一一〕【注】如斯而已。　【疏】夫帝王兴起,俯应群生,莫过调偶随时,逗机接物。

人生天地之间,若白驹之过郤,忽然而已〔一〕。注然勃然,莫不出焉;油然漻然,莫不入焉〔二〕。已化而生,又化而死〔三〕,生物哀之〔四〕,人类悲之〔五〕。解其天弢,堕其天袭〔六〕,纷乎宛乎〔七〕,魂魄将往,乃身从之,乃大归乎〔八〕!不形之形,形之不形〔九〕,是人之所同知也〔一〇〕,非将至之所务也〔一一〕,此众人之所同论也〔一二〕。彼至则不论〔一三〕,论则不至〔一四〕。明见无值〔一五〕,辩不若默。道不可闻,闻不若塞。此之谓大得。〔一六〕"

〔一〕【注】乃不足惜。　【疏】白驹,骏马也,亦言日也。隙,孔也。夫人处世,俄顷之间,其为迫促,如驰骏驹之过孔隙,欻忽而已,何曾足云也!　【释文】"白驹"或云:日也。"过郤"去逆反。本亦作隙。隙,孔也。

〔二〕【注】出入者,变化之谓耳,言天下未有不变也。　【疏】注勃是生出之容,油漻是入死之状。言世间万物,相与无恒,莫不从变而生,顺化而死。　【释文】"勃然"步忽反。"油然"音由。"滪然"音流,李音砾。

〔三〕【注】俱是化也。

〔四〕【注】死物不哀。

〔五〕【注】死类不悲。　【疏】夫生死往来,皆变化耳,委之造物,何足系哉!故其死也,生物人类,共悲哀之务,非类非生,故不悲不哀也。○家世父曰:生物哀之,所以知哀,惟其生也,而不知生之同归于尽也。人类悲之,所以知悲,惟人之有知也,而不知人之知之亦同归于尽也。

〔六〕【注】独脱也。　【疏】弢,囊藏也。袠,束囊也。言人执是竞非,欣生恶死,故为生死束缚也。今既一于是非,忘于生死,故堕解天然之弢袠也。　【释文】"天弢"敕刀反。字林云:弓衣也。"堕其"许规反。"天袠"陈笔反。

〔七〕【注】变化烟煴。　【释文】"宛乎"於阮反。"絪"音因。本亦作烟,音因。"缊"於云反。本亦作煴,音同。○卢文弨曰:今本作烟煴。

〔八〕【注】无为用心于其间也。　【疏】纷纶宛转,并适散之貌也。魂魄往天,骨肉归土,神气离散,纷宛任从,自有还无,乃大归也。

〔九〕【注】不形,形乃成;若形之,(形)①则败其形矣。　【疏】夫人之未生也,本不有其形,故从无形;气聚而有其形,气散而归于无形也。　【释文】"则败"补迈反。

〔一○〕【注】虽知之,然不能任其自形而反形之,所以多败。

〔一一〕【注】务则不至。　【疏】夫从无形生形,从有形复无形质,是人之所同知也。斯乃人间近事,非诣理至人之达务也。

〔一二〕【注】虽论之,然故不能不务,所以不至也。　【疏】形质有无,生死来往,众人凡类,同共乎论。

〔一三〕【注】恍然不觉乃至。 【释文】"恍然"亡本反。

〔一四〕【疏】彼至圣之人,忘言得理,故无所论说;若论说之,则不至
于道。

〔一五〕【注】闇至乃值。 【疏】值,会遇也。夫能闭智塞聪,〔故〕冥契
玄理,若显明闻见,则不会真也。

〔一六〕【注】默而塞之,则无所奔逐,故大得。 【疏】夫大辩饰词,去真
远矣;忘言静默,玄道近焉。故道不可以多闻求,多闻求不如于
闇塞。若能妙知于此意,可谓深得于大理矣。○家世父曰:道
无形也,见之而以为道,遂若巧相值焉,而固无值也。说文:值,
措也。不能举而措之,则此所见一道,彼所见又一道,而有不胜
其辩者矣,(固)〔故〕曰辩不若默。

〔校〕①形字依世德堂本删。

东郭子问于庄子曰:"所谓道,恶乎在〔一〕?"

〔一〕【疏】居在东郭,故号东郭子,则无择之师东郭顺子也。问庄子
曰:"所谓虚通至道,于何处在乎?" 【释文】"东郭子"李云:居
东郭也。"恶乎"音乌。

庄子曰:"无所不在〔一〕。"

〔一〕【疏】道无不遍,在处有之。

660

东郭子曰:"期而后可〔一〕。"

〔一〕【注】欲令庄子指名所在。 【疏】郭注云:欲令庄子指名所在
也。 【释文】"欲令"力呈反。

庄子曰:"在蝼蚁。"

曰:"何其下邪?"

曰:"在稊稗。"

曰:"何其愈下邪?"

曰:"在瓦甓。"

曰:"何其愈甚邪?"

曰:"在屎溺。"

东郭子不应〔一〕。庄子曰:"夫子之问也,固不及质〔二〕。正获之问于监市履狶也,每下愈况〔三〕。汝唯莫必①,无乎逃物〔四〕。至道若是,大言亦然〔五〕。周徧咸三者,异名同实,其指一也〔六〕。

〔一〕【疏】大道无不在,而所在皆无,故处处有之,不简秽贱。东郭未达斯趣,谓道卓尔清高,在瓦甓已嫌卑甚,又闻屎溺,故瞋而不应也。　【释文】"蝼"力侯反。"蚁"鱼绮反。"在稊"大西反。本又作稊。"薜"步计反。本又作稗,蒲卖反。李云:稊薜,二草名。○卢文弨曰:今本作稊稗。"瓦甓"本又作甓,步歷反。"屎"尸旨反,旧诗旨反。本或作矢。"溺"乃弔反。

〔二〕【注】举其标质,言无所不在,而方复怪此,斯不及质也。　【疏】质,实也。言道无不在,岂唯稊稗!固答子之问,犹未逮真也。

〔三〕【注】狶,大豕也。夫监市之履豕以知其肥瘦者,愈履其难肥之处,愈知豕肥之要。今问道之所在,而每况之于下贱,则明道之不逃于物也必矣。　【疏】正,官号也,则今之市令也。获,名也。监,市之魁也,则今屠卒也。狶,猪也。凡今问于屠人买猪之法,云:履践豕之股脚之间,难肥之处,愈知豕之肥瘦之意况也。何者?近下难肥之处有肉,足知易肥之处足脂。亦犹屎溺卑下之处有道,则明清虚之地皆遍也。　【释文】"正获之问于监"古衔反。"市履狶"虚岂反。"每下愈况"李云：正，亭卒也；
获，其名也。监市，市魁也。狶，大豕也。履，践也。夫市魁履
豕，履其股脚，狶难肥处，故知豕肥耳。问道亦况下贱则知道
也。"瘦"色救反。"之处"昌虑反。

〔四〕【注】若必谓无之逃物，则道不周矣，道而不周，则未足以为道。
【疏】无者，无为道也。夫大道旷荡，无不制围。汝唯莫言至道
逃弃于物。必其逃物，何为周遍乎！

〔五〕【注】明道不逃物。　【疏】至道，理也；大言，教也。理既不逃于
物，教亦普遍无偏也。

〔六〕【疏】周悉普遍，咸皆有道。此重明至道不逃于物，虽有三名之
异，其实理旨归则同一也。　【释文】"周徧"音遍。

〔校〕①阙误引张君房、成玄瑛本必下有谓字。

尝相与游乎无何有之宫，同合而论，无所终穷乎〔一〕！
尝相与无为乎！澹而静乎！漠而清乎！调而闲乎〔二〕！寥
已吾志〔三〕，无往焉而不知其所至〔四〕。去而来而不知其所
止〔五〕，吾已往来焉而不知其所终〔六〕；彷徨乎冯闳，大知入
焉而不知其所穷〔七〕。物物者与物无际〔八〕，而物有际者，所
谓物际者也〔九〕；不际之际，际之不际者也〔一○〕。谓盈虚衰
杀，彼为盈虚非盈虚，彼为衰杀非衰杀，彼为本末非本末，
彼为积散非积散也〔一一〕。"

〔一〕【注】若游有，则不能周遍咸也。故同合而论之，然后知道之无
不在，知道之无不在，然后能旷然无怀而游彼无穷也。　【疏】
无何有之宫，谓玄道处所也；无一物可有，故曰无何有也。而周
遍咸三者，相与遨游乎至道之乡，实旨既一，同合而论，冥符玄

理,故无终始穷极耳。

〔二〕【注】此皆无为故也。 【疏】此总叹周遍咸三功能盛德也。既
游至道之乡,又处无为之域,故能恬淡安静,寂寞清虚,柔顺调
和,宽闲逸豫。 【释文】"澹而"徒暂反。○庆藩案,漠而清,漠
亦清也,古人自有复语耳。尔雅,漠,察,清也,樊注:漠然,清貌。
漠亦通作莫,昭二十八年左传德正应和曰莫,杜注:莫然清静
也。"而閒"音閑。

〔三〕【注】寥然空虚。 【疏】得道玄圣,契理冥真,性志虚夷,寂寥而
已。 【释文】"寥"音辽。

〔四〕【注】志苟寥然,则无所往矣;无往焉,故往而不知其所至;有往
矣,则理未动而志已(至)〔惊〕①矣。 【释文】"已惊"如字。本
亦作骛,音务。○庆藩案,郭注,有往焉,则理未动而志已惊矣,
惊字颇费解,义当从释文作骛是也。骛与驰同义,注言未动而
志已先驰也,志不得云惊。惊字形相近,因误。(淮南驰(聘)
〔骋〕若惊,惊又讹为骛。)

〔五〕【注】斯顺之也。 【疏】(语)〔志〕②既寂寥,故与无还往。假令
不往而往,不来而来,竟无至所,亦无止住。

〔六〕【注】但往来不由于知耳,不为不往来也。往来者,自然之常理
也,其有终乎! 【疏】假令往还造物,来去死生,随变任化,亦
不知终始也。

〔七〕【注】冯闳者,虚廓之谓也。大知(由)〔游〕③乎寥廓,恣变化之所
如,故不知也。 【疏】彷徨是放任之名,冯闳是虚旷之貌,谓入
契会也。言大圣知之人,能会于寂寥虚旷之理,是以逍遥自得,
放任无穷。 【释文】"彷"音旁。本亦作徬。"徨"音皇。"冯"
皮冰反,又普耕反,又步耕反。"闳"音宏。李云:冯宏,皆大也。

郭云:虚廓之谓也。

〔八〕【注】明物物者,无物而物自物耳。物自物耳,故冥也。 【疏】际,崖畔也。夫能物于物者,圣人也。圣人冥同万境,故与物无彼我之际畔。

〔九〕【注】物有际,故每相与不能冥然,真所谓际者也。 【疏】物情分别,取舍万端,故有物我之交际也。

〔一〇〕【注】不际者,虽有物物之名,直明物之自物耳。物物者,竟无物也,际其安在乎! 【疏】际之不际者,圣人之达观也;不际之际者,凡鄙之滞情也。

〔一一〕【注】既明物物者无物,又明物之不能自物,则为之者谁乎哉?皆忽然而自尔也。 【疏】富贵为盈,贫贱为虚;老病为衰杀,终始为本末;生来为积,死去为散。夫物物者非物,而生物谁乎?此明能物所物皆非物也。物既非物,何盈虚衰杀之可语耶! 是知所谓盈虚皆非盈虚。故西升经云,君能明之,所是反非也。 【释文】"衰杀"色界反,徐所例反。下同。

〔校〕①惊字依释文、世德堂本及郭庆藩按语改,惟覆宋本作至。②志字依正文改。③游字依世德堂本改。

　　妸荷甘与神农同学于老龙吉〔一〕。神农隐几阖户昼瞑,妸荷甘日中奓户而入曰:"老龙死矣〔二〕!"神农隐几拥杖而起,㜀然放杖而笑〔三〕,曰:"天知予僻陋慢訑,故弃予而死。已矣夫子! 无所发予之狂言而死矣夫〔四〕!"

〔一〕【疏】姓妸,字荷甘。神农者,非三皇之神农也,则后之人物耳。二人同学于老龙吉。老龙吉亦是号也。 【释文】"妸"於河反。"荷甘"音河。本或作苛。"老龙吉"李云:怀道人也。

〔二〕【疏】隐,凭也。阖,合也。㢝,开也,亦排也。学道之人,心神凝静,闭门隐几,守默而瞑。荷甘既闻师亡,所以排户而告。

【释文】"隐机"於靳反。下同。○卢文弨曰:今本作几。"阖户"户腊反。"昼瞑"音眠。"㢝"郭处野反,又音奢,徐都嫁反,又处夜反。司马云:开也。

〔三〕【注】起而悟夫死之不足惊,故还放杖而笑也。　【疏】㬥然,放杖声也。神农闻吉死,是以拥杖而惊;覆思死不足哀,故还放杖而笑。○俞樾曰:既言拥杖而起,不当言隐几。疑隐几字涉上文神农隐几阖户昼瞑而衍。　【释文】"㬥然"音剥,又孚邈反,又孚貌反。李曰:放杖声也。"投杖"本亦作放杖。○卢文弨曰:今本作放杖。

〔四〕【注】自肩吾已下,皆以至言为狂而不信也。故非老龙连叔之徒,莫足与言也。　【疏】夫子,老龙吉也。言其有自然之德,故呼之曰天也。狂言,犹至言也,非世人之所解,故名至言为狂也。而师知我偏僻鄙陋,慢訑不专,故弃背吾徒,止息而死。哲人云亡,至言斯绝,无复谈玄垂训,开发我心。　【释文】"僻陋"匹亦反。"慢"武半反,徐无见反,郭如字。"訑"徒旦反,徐徒见反,郭音但。"已矣夫"音符。

弇堈弔闻之,曰:"夫体道者,天下之君子所系焉〔一〕。今于道,秋豪之端万分未得处一焉〔二〕,而犹知藏其狂言而死,又况夫体道者乎〔三〕!视之无形,听之无声,于人之论者,谓之冥冥,所以论道,而非道也〔四〕。"

〔一〕【注】言体道者,人之宗主也。　【释文】"弇"音奄。"堈"音刚。"弔"李云:弇刚,体道人;弔,其名。"系焉"谓为物所归投也。

〔二〕【注】秋豪之端细矣,又未得其万分之一。

〔三〕【注】明夫至道非言之所得也,唯在乎自得耳。　【疏】姓弇,名堈,隐者也。系,属也。闻龙吉之亡,傍为议论云:"体道之人,世间共重,贤人君子,系属归依。今老龙之于玄道,犹豪端万分之未一,尚知藏其狂简,处顺而亡,况乎妙悟之人,曾肯露其言说!"是知体道深玄,忘言契理者之至稀也。

〔四〕【注】冥冥而犹复非道,明道之无名也。　【疏】夫玄道虚漠,妙体希夷,非色非声,绝视绝听。故于学人论者,论曰冥冥而谓之冥冥,犹非真道也。　【释文】"犹复"扶又反。

于是泰清问乎无穷曰:"子知道乎?"

无穷曰:"吾不知〔一〕。"

〔一〕【疏】泰,大也。夫至道弘旷,恬淡清虚,囊括无穷,故以泰清无穷为名也。既而泰清以知问道,无穷答以不知,欲明道离形声,亦不可以言知求也。

又问乎无为。无为曰:"吾知道。"

曰:"子之知道,亦有数乎?"

曰:"有。"

曰:"其数若何〔一〕?"

〔一〕【疏】子既知道,颇有名数不乎? 其数如何,请为略述。

无为曰:"吾知道之可以贵,可以贱,可以约,可以散,此吾所以知道之数也〔一〕。"

〔一〕【疏】贵为帝王,贱为仆隶,约聚为生,分散为死,数乃无极。此略言之,欲明非名而名,非数而数也。

泰清以之言也问乎无始曰:"若是,则无穷之弗知与无为之知,孰是而孰非乎〔一〕?"

〔一〕【疏】至道玄通,寂寞无为,随迎不测,无终无始,故寄无穷无始
　　为其名焉。无穷无为,弗知与知,谁是谁非,请定臧否。　【释
　　文】"与无为之知"并如字。

　　无始曰:"不知深矣,知之浅矣;弗知内矣,知之外
矣〔一〕。"

〔一〕【疏】不知合理,故深玄而处内;知之乖道,故粗浅而疏外。

　　于是泰清中而叹曰:"弗知乃知乎! 知乃不知乎! 孰
知不知之知〔一〕?"

〔一〕【注】凡得之不由于知,乃冥也。　【疏】泰清得中道而嗟叹,悟
　　不知乃真知。谁知不知之知,明真知之至希也。　【释文】"中
　　而叹"崔本中作卬。

　　无始曰:"道不可闻,闻而非也;道不可见,见而非也;
道不可言,言而非也。〔一〕知形形之不形乎〔二〕! 道不当
名〔三〕。"

〔一〕【注】故默成乎不闻不见①之域而后至焉。　【疏】道无声,不可
　　以耳闻,耳闻非道也;道无色,不可以眼见,眼见非道也;道无
　　名,不可以言说,言说非道也。

〔二〕【注】形自形耳,形形者竟无物也。　【疏】夫能形色万物者,固
　　非形色也,乃曰形形不形也。

〔三〕【注】有道名而竟无物,故名之不能当也。　【疏】名无得道之
　　功,道无当名之实,所以名道而非。

〔校〕①王叔岷刘文典均谓不见下当有不言二字。

　　无始曰:"有问道而应之者,不知道也。虽问道者,亦

未闻道。[一]道无问,问无应[二]。无问问之,是问穷也[三];无应应之,是无内也[四]。以无内待问穷,若是者,外不观乎宇宙,内不知乎大初[五],是以不过乎昆仑,不游乎太虚[六]。"

[一]【注】不知故问,问之而应,则非道也。不应则非问者所得,故虽问之,亦终不闻也。　【疏】夫道绝名言,不可问答,故问道应道,悉皆不知。

[二]【注】绝学去教,而归于自然之意也。　【疏】体道离言,有何问应! 凡言此者,覆释前文。　【释文】"去教"起吕反。

[三]【注】所谓责空。　【疏】穷,空也。理无可问而强问之,是责空也。

[四]【注】实无而假有以应者外矣。　【疏】理无可应而强应之,乃成殊外。○家世父曰:道无问,意揣夫道而问之,是先自穷也,故曰问穷。道无〔应,意揣夫道而〕应之,是徇外也,故曰无内。

[五]【疏】天地四方曰宇,往古来今曰宙。大初,道本也。若以理外之心待空内之智者,可谓外不识乎六合宇宙,内不知乎己身妙本者也。　【释文】"大初"音泰。

[六]【注】若夫娄落天地,游虚涉①远,以入乎冥冥者,不应而已矣。　【疏】昆仑是高远之山,太虚是深玄之理。苟其滞著名言,犹存问应者,是知未能经过高远,游涉深玄者矣。　【释文】"娄落"力含反。

[校]①赵谏议本涉作步。

光曜问乎无有曰:"夫子有乎? 其无有乎?[一]"

〔一〕【疏】光曜者,是能视之智也。无有者,所观之境也,智能照察,故假名光曜;境体空寂,故假名无有也。而智有明暗,境无深浅,故以智问境,有乎无乎?

光曜不得问,而孰视其状貌,窅然空然,终日视之而不见,听之而不闻,搏之而不得也〔一〕。

〔一〕【疏】夫妙境希夷,视听断绝,故审状貌,唯寂唯空也。○俞樾曰:淮南子道应篇光曜不得问上有无有弗应也五字,当从之。惟无有弗应,故光曜不得问也。此脱五字,则义不备。 【释文】"窅然"乌了反。"搏之"音博。

光曜曰:"至矣!其孰能至此乎!予能有无矣,而未能无无也;及为无有矣,何从至此哉〔一〕**!"**

〔一〕【注】此皆绝学之意也。于道绝之,则夫学者乃在根本中来矣。故学之善者,其唯不学乎! 【疏】光明照曜,其智尚浅,唯能得无丧有,未能双遣有无,故叹无有至深,谁能如此玄妙!而言无有者,非直无有,亦乃无无,四句百非,悉皆无有。以无之一字,无所不无,言约理广,故称无也。而言何从至此者,但无有之境,穷理尽性,自非玄德上士,孰能体之!是以浅学小智,无从而至也。

大马之捶钩者,年八十矣,而不失豪①**芒**〔一〕**。大马曰:"子巧与? 有道与**〔二〕**?"**

〔一〕【注】(拈)〔玷〕②捶钩之轻重,而无豪芒之差也。 【疏】大马,官号,楚之大司马也。捶,打锻也。钩,腰带也。大司马家有工人,少而善锻钩,行年八十,而捶钩弥巧,专性凝虑,故无豪芒之差失也。钩,称钩权也,谓能拈捶钩权,知斤两之轻重,无豪芒之差失也。　【释文】"大马之捶钩者年八十矣而不失豪芒"捶,郭音丁果反,徐之累反,李之睡反。大马,司马也。(司马)郭云:捶者,玷捶钩之轻重而不失豪芒也。或说云:江东三魏之间人皆谓锻为捶,音字亦同,郭失之。今不从此说也。○卢文弨曰:玷捶钩,旧本作玷捶铁,今依宋本改正③。别本同。"玷"丁恬反。"捶"丁果反。

〔二〕【疏】司马怪其年老而捶锻愈精,谓其工巧别有道术也。　【释文】"巧与"音馀。下同。

〔校〕①唐写本豪作钩。②玷字依释文及世德堂本改。③世德堂本作钩。

曰:"臣有守也。臣之年二十而好捶钩,于物无视也,非钩无察也〔一〕。是用之者,假不用者也以长得其用,而况乎无不用者乎! 物孰不资焉〔二〕!"

〔一〕【疏】更无别术,有所守持。少年已来,专精好此,捶钩之外,无所观察,习以成性,遂至于斯也。○王念孙曰:守即道字。达生篇仲尼曰:子巧乎! 有道耶? 曰:我有道也。是其证。道字古读若守,故与守通。(九经中用韵之文,道字皆读若守,楚辞及老庄诸子并同。秦会稽刻石文追道高明,史记秦始皇纪道作首,首与守同音。说文:道,从辵,首声。今本无声字者,二徐不晓古音而削〔之〕①也。)　【释文】"而好"呼报反。

〔二〕【注】都无怀,则物来皆应。　【疏】所以至老而长得其捶钩之用者,假赖于不用心视察他物故也。夫假不用为用,尚得终年,况乎体道圣人,无用无不用,故能成大用,万物资禀,不亦宜乎! 　【释文】"以长"丁丈反。

<u>冉求</u>问于<u>仲尼</u>曰："未有天地可知邪？"

<u>仲尼</u>曰："可。古犹今也〔一〕。"

〔一〕【注】言天地常存，乃无未有之时。　【疏】姓<u>冉</u>，名<u>求</u>，<u>仲尼</u>弟
　　　子。师资发起，询问两仪未有之时可知已否。夫变化日新，则
　　　无今无古，古犹今也，故答云可知也。

<u>冉求</u>失问而退，明日复见，曰："昔者吾问'未有天地
可知乎？'夫子曰：'可。古犹今也。〔一〕'昔日吾昭然，今日
吾昧然，敢问何谓也〔二〕？"

〔一〕【疏】失其问意，遂退而归。既遵应问，还用应答。　【释文】
　　　"明日复"扶又反。"见"贤遍反。

〔二〕【疏】昔日初咨，心中昭然明察；今时后闲，情虑昧然暗晦。敢问
　　　前明后暗，意谓如何？

<u>仲尼</u>曰："昔之昭然也，神者先受之〔一〕；今之昧然也，
且又为不神者求邪〔二〕？无古无今，无始无终〔三〕。未有子
孙而有子孙，可乎〔四〕？"

〔一〕【注】虚心以待命，斯神受也。

〔二〕【注】思求更致不了。　【疏】先来未悟，锐彼精神，用心求受，故
　　　昭然明白也。后时领解，不复运用精神，直置任真，无所求请，
　　　故昧然闇塞也。求邪者，言不求也。　【释文】"又为"于伪反。

〔三〕【注】非唯无不得化而为有也，有亦不得化而为无矣。是以（无）
　　　〔夫〕①有之为物，虽千变万化，而不得一为无也。不得一为无，
　　　故自古无未有之时而常存也。　【疏】日新而变，故无始无终，

无今无古,故知无未有天地之时者也。

〔四〕【注】言世世无极。　【疏】言子孙相生,世世无极,天地人物,悉皆无原无有之时也,可乎,言不可也。　【释文】"未有子孙而有孙子"言其要有由,不得无故而有;传世故有子孙,不得无子而有孙也。如是,天地不得先无而今有也。○卢文弨曰:今本孙子亦作子孙。○家世父曰:天地运行而不息,子孙代嬗而不穷。浸假而有子孙矣,求之未有子孙之前,是先自惑也。天地大化之运行,无始无终,未有天地,于何求之! 故曰古犹今也,相与为无穷之词也。

〔校〕①夫字依世德堂本改。

冉求未对。仲尼曰:"已矣,未应矣! 不以生生死[一]**,不以死死生**[二]**。死生有待邪**[三]**? 皆有所一体**[四]**。有先天地生者物**①**邪? 物物者非物。物出不得先物也,犹其有物也。犹其有物也**②**,无已**[五]**。圣人之爱人也终无已者,亦乃取于是者也**[六]**。"**

〔一〕【注】夫死者独化而死耳,非夫生者生此死也。

〔二〕【注】生者亦独化而生耳。　【疏】已,止也。未,无也。夫聚散死生,皆独化日新,未尝假赖,岂相因待! 故不用生生此死,不用死死此生。冉求未对之间,仲尼止令无应,理尽于此,更何所言也?

〔三〕【注】独化而足。

〔四〕【注】死与生各自成体。　【疏】死,独化也,岂更成一物哉! 死既不待于生,故知生亦不待于死。死生聚散,各自成一体耳,故无所因待也。

〔五〕【注】谁得先物者乎哉? 吾以阴阳为先物,而阴阳者即所谓物耳。谁又先阴阳者乎？吾以自然为先之，而自然即物之自尔耳。吾以至道为先之矣，而至道者乃至无也。既以无矣，又奚为先？然则先物者谁乎哉？而犹有物，无已，明物之自然，非有使然也。　【疏】夫能物于物者，非物也。故非物则无先后，物出则是物，复不得有先于此物者。何以知其然耶？谓其犹是物故也。以此推量，竟无先物者也。然则先物者谁乎哉？明物之自然耳，自然则无穷已之时也。是知天地万物，自古以固存，无未有之时也。　【释文】"有先"悉荐反。下及注同。○家世父曰：先天地者道也。既谓之生矣，是道亦物也。既谓之物矣，是其先物者又何自而生耶？物与物相嬗而不已，而推求物之始，以得其先物而生者，是物岂有已耶？有已，则或开而先之；无已，孰开而先之？是以谓之物出不得先物也。

〔六〕【注】取于自尔，故恩流百代而不废也。　【疏】夫得道圣人，慈爱覆育，恩流百代而无穷止者，良由德合天地，妙体自然，故能虚己于彼，忘怀亭毒，不仁万物，刍狗苍生，盖取斯义而然也。

〔校〕①唐写本者下无物字。②犹其有物也句，刘得一本不重。

颜渊问乎仲尼曰："回尝闻诸夫子曰：'无有所将，无有所迎。'回敢问其游〔一〕。"

〔一〕【疏】请夫子言。将，送也。夫圣人如镜，不送不迎，颜回闻之日，未晓其理，故询诸尼父，问其所由。

仲尼曰："古之人，外化而内不化〔一〕，今之人，内化而外不化〔二〕。与物化者，一不化者也〔三〕。安化安不化〔四〕，安与之相靡〔五〕，必与之莫多〔六〕。狶韦氏之囿，黄帝之圃，有虞氏之宫,汤武之室〔七〕。君子之人,若儒墨者师,故以是非相䪿也,而况今之人乎〔八〕!圣人处物不伤物〔九〕。不伤物者,物亦不能伤也〔一〇〕。唯无所伤者,为能与人①相将迎〔一一〕。山林与!皋壤与!使②我欣欣然而乐与〔一二〕!乐未毕也,哀又继之〔一三〕。哀乐之来,吾不能御,其去弗能止。悲夫,世人直为物逆旅耳!〔一四〕夫知遇而不知所不遇〔一五〕,知③能能而不能所不能〔一六〕。无知无能者,固人之所不免也〔一七〕。夫务免乎人之所不免者,岂不亦悲哉〔一八〕!至言去言,至为去为〔一九〕。齐知之所知,则浅矣〔二〇〕。"

〔一〕【注】以心顺形而形自化。　【疏】古人纯朴,合道者多,故能外形随物,内心凝静。

〔二〕【注】以心使形。　【疏】内以缘通,变化无明,外形乖误,不能顺物。○家世父曰:外化者物与同,内化者心与适。心与适则与物俱化而莫得其所化。与物俱化,相靡而已矣,莫得其所化而与为将迎,有多于物者矣。豨韦之囿,皇帝之圃,有虞氏之宫,汤武之室,其中愈深,其外愈閟。说文:苑,囿有垣也。种菜曰圃。释名,宫,穹也,屋见垣上穹隆然也。说文:室,实也。踵而为之饰事,将迎日纷,是非日淆,于是儒墨并兴,各以其是非相和也;而相与学一先生之言,奉之为师,取其所谓是非者,将而非之,迎而拒之,是以谓之内化而外不化也。

〔三〕【注】常无心,故一不化;一不化,乃能与物化耳。

〔四〕【注】化与不化,皆任彼耳,斯无心也。　【疏】安,任也。夫圣人无心,随物流转,故化与不化,斯安任之,既无分别,曾不概意也。

〔五〕【注】直无心而恣其自化耳,非将迎而靡顺之。 【疏】靡,顺也。
所以化与不化悉安任者,为不忤苍生,更相靡顺。

〔六〕【注】不将不迎,则足而止。 【疏】虽复与物相顺,而亦不多仁
恩,各止于分,彼我无损。

〔七〕【注】言夫无心而任化,乃群圣之所游处。 【疏】狶韦、轩辕、虞
舜、殷汤、周武,并是圣明王也。言无心顺物之道,乃是狶韦彷
徨之苑囿,轩辕遨游之园圃,虞舜养德之宫闱,汤武怡神之虚
室,斯乃群圣之所游而处之也。 【释文】“之囿”音又。“之
圃”布五反,又音布。

〔八〕【注】鳌,和也。夫儒墨之师,天下之难和者,而无心者犹故和
之,而况其凡乎! 【疏】鳌,和也。夫儒墨之师,更相是非,天
下之难和者也,而圣人君子,犹能顺而和之。况乎今世之人,非
儒墨之师者也,随而化之,不亦宜乎! 【释文】“相鳌”子兮反,
和也。

〔九〕【注】至顺也。 【疏】处俗和光,利而不害,故不伤之也。

〔一〇〕【注】在我而已。 【疏】虚舟飘瓦,大顺群生,群生乐推,故处
不害。

〔一一〕【注】无心故至顺,至顺故能无所将迎而义冠于将迎也。 【疏】
夫唯安任群品,彼我无伤者,故能与物交际而明不迎而迎者
也。 【释文】“义冠”古乱反。

〔一二〕【注】山林皋壤,未善于我,而我便乐之,此为无故而乐也。
【释文】“山林与”音馀。下同。“而乐”音洛。注、下皆同。

〔一三〕【注】夫无故而乐,亦无故而哀也。则凡所乐不足乐,凡所哀不
足哀也。 【疏】凡情滞执,妄生欣恶,忽睹高山茂林,神皋奥

壤,则欣然钦慕,以为快乐;而乐情未几,哀又继之,情随事迁,
哀乐斯变。此乃无故而乐,无故而哀,是知世之哀乐,不足
计也。

〔一四〕【注】不能坐忘自得,而为哀乐所寄也。 【疏】逆旅,客舍也。
穷达之来,不能御捍,哀乐之去,不能禁止。而凡俗之人,不闲
斯趣,譬彼客舍,为物所停,以妄为真,深可悲叹也。 【释文】
"能御"鱼吕反。

〔一五〕【注】知之所遇者即知之,知之所不遇者即不知也。

〔一六〕【注】所不能者,不能强能也。由此观之,知与不知,能与不能,
制不(出)〔由〕④我也,当付之自然耳。 【疏】夫智有明闇,能有
工拙,各禀素分,不可强为。故分之所遇,知则知之,不遇者不
能知也;分之所能,能则能之,性之不能,不可能也。譬鸟飞鱼
泳,蛛网蜣丸,率之自然,宁非性也! ○家世父曰:各有所知,各
有所能,无相强也;各有所不知,各有所不能,无相胜也。强其
所知以通其所不知,强其所能以通其所不能,而据之以为知,据
之以为能,强天下而齐之,是非相乘,哀乐滋繁。是故忘其所
知,而知乃自适也;忘其所能,而能乃自适也。至言去言,至为
去为,己且忘之,奚暇齐天下焉! 齐知之所知者,据所知以强通
之天下者也。 【释文】"强"其丈反。

〔一七〕【注】受生各有分也。 【疏】既非圣人,未能智周万物,故知与
不知,能与不能,禀生不同,机关各异,而流俗之人,必固其所不
免也。

〔一八〕【疏】人之所不免者,分外智能之事也。而凡鄙之流不能安分,
故锐意惑清,务在独免,愚惑之甚,深可悲伤。

〔一九〕【注】皆自得也。 【疏】至理之言,无言可言,故去言也。至理

之为,无为可为,故去为也。

〔二〇〕【注】夫由知而后得者,假学者耳,故浅也。 【疏】见贤思齐,舍己效物,假学求理,运知访道,此乃浅近,岂曰深知矣! 【释文】"齐知之"才细反,又如字。

〔校〕①敦煌本人作之。②阙误引江南古藏本使上有与我无亲四字。③敦煌本无知字。④由字依世德堂本改。

杂篇庚桑楚第二十三〔一〕

〔一〕【释文】以人名篇。本或作庚桑楚。○卢文弨曰:今书有楚字。

老聃之役有庚桑楚者,偏得老聃之道〔一〕,以北居畏垒之山,其臣之画然知者去之,其妾之挈然仁者远之〔二〕;拥肿之与居〔三〕,鞅掌之为使〔四〕。居三年,畏垒大壤。畏垒之民相与言曰:"庚桑子之始来,吾洒然异之〔五〕。今吾日计之而不足,岁计之而有馀〔六〕。庶几其圣人乎! 子胡不相与尸而祝之,社而稷之乎?〔七〕"

〔一〕【疏】姓庚桑,名楚,老君之弟子,盖隐者也。役,门人之称;古人事师,供其驱使,不惮艰危,故称役也。而老君大圣,弟子极多,门人之中,庚桑楚最胜,故称偏得也。 【释文】"老聃之役"司马云:役,学徒弟子也。广雅云:役,使也。"庚桑楚"司马云:楚,名;庚桑,姓也。太史公书作亢桑。○庆藩案,史记老庄列传索隐引司马云:庚桑楚,人姓名。与释文小异。○俞樾曰:列子

678

仲尼篇老聃之弟子有亢仓子者，张湛注音庚桑。贾逵姓氏英览
云：吴郡有庚桑姓，称为七族。然则庚桑子吴人欤？"偏得"向
音篇。

〔二〕【注】画然，饰知；挈然，矜仁。　【疏】畏垒，山名，在鲁国。臣，
仆隶；妾，接也；言人以仁智为臣妾，庚桑子悉弃仁智以接事君
子也。楚既幽人，寄居山薮，情敦素朴，心鄙浮华；山旁士女，竞
为臣妾，故画然(舒)〔饰〕①智自明炫者，斥而去之；(絜)〔挈〕然
矜仁苟异于物者，令其疏远。　【释文】"畏"本或作嵬，又作猥，
同。乌罪反，向於鬼反。"垒"崔本作累，同。力罪反，向良裴
反。李云：畏垒，山名也。或云在鲁，又云在梁州。"画然"音
获。"知者"音智。注同。"挈然"本又作契，同。苦计反。向
云：知也。又苦结反。广雅云：提也。"远之"于万反。司马云：
言人以仁智为臣妾，庚桑悉弃仁智也。

〔三〕【注】拥肿，朴也。　【释文】"拥"於勇反。"肿"章勇反。本亦
作踵。

〔四〕【注】鞅掌，自得。　【疏】拥肿鞅掌，皆淳朴自得之貌也。斥弃
仁智，淡然归实，故淳素之(亡)〔士〕②与其同居，率性之人供其
驱使。　【释文】"鞅掌"於丈反。郭云：拥肿，朴也；鞅掌，自得
也。崔云：拥肿，无知貌；鞅掌，不仁意。向云：二句，朴累之谓。
司马云：皆丑貌也。

〔五〕【注】异其弃知而任愚。　【释文】"大壤"而掌反。本亦作穰。
崔本同。又如羊反。广雅云：丰也。○卢文弨曰：案列子天瑞篇
亦以壤同穰。"洒然"素殄反，又悉礼反。崔李云：惊貌。向苏
(俱)〔很〕③反。

〔六〕【注】夫与四时俱者无近功。　【疏】大穰，丰也。洒，微惊貌也。

居住三年,山中大熟,<u>畏垒</u>百姓佥共私道云:<u>庚桑子</u>初来,我微惊异。今我日计,利益不足称;以岁计(至)〔之〕,功其有馀。盖贤圣之人,与四时合度,无近功,故(目)〔日〕计不足,有远德,故岁计有馀。三岁一闰,天道小成,故居三年而<u>畏垒</u>大穰。 【释文】"日计之而不足"向云:无旦夕小利也。"岁计之而有馀"向云:顺时而大穰也。

〔七〕【疏】庶,慕也。几,近也。尸,主也。<u>庚桑</u>大贤之士,慕近圣人之德,何不相与尊而为君,主南面之事,为立社稷,建其宗庙,祝祭依礼,岂不善邪!

〔校〕①饰字依注文改。②士字依<u>刘文典</u>补<u>正</u>本改。③很字依<u>韵会</u>改,<u>世德堂</u>本误很。

<u>庚桑子</u>闻之,南面而不释然。弟子异之〔一〕。<u>庚桑子</u>曰:"弟子何异于予? 夫春气发而百草生,正得秋而万宝成。夫春与秋,岂无得而然哉? 天道已行矣。〔二〕吾闻至人,尸居环堵之室,而百姓猖狂不知所如往〔三〕。今以<u>畏垒</u>之细民而窃窃焉欲俎豆予于贤人之间,我其杓之人邪〔四〕! 吾是以不释于<u>老聃</u>之言〔五〕。"

〔一〕【疏】忽闻<u>畏垒</u>之人立为南面之主,既乖无为之道,故释然不悦。门人未明斯趣,是以怪而异之也。

〔二〕【注】夫春秋生(气)〔成〕①,皆得自然之道,故不为也。 【疏】夫春生秋实,阴阳之恒;夏长冬藏,物之常事。故春秋岂有心施于万实,而天然之道已自行焉,故忘其生有之德也。实亦有作宝字者,言二仪以万物为宝,故逢秋而成就也。 【释文】"正得秋而万宝成"天地以万物为宝,至秋而成也。<u>元嘉</u>本作万实。

○俞樾曰:得字疑衍,原文盖作正秋而万宝成。**易说卦**,兑正秋

也。万物之所说也。<u>疏</u>:正秋而万物皆说成也。即本此文,是其

证。得字盖涉下句夫春与秋岂无得而然哉,因而误衍。春气发

而百草生,正秋而万宝成,文义已足,不必加得字与上句相俪

偶。“大道已行矣”本或作天道②。

〔三〕【注】直自往耳,非由知也。 【疏】四面环各一堵,谓之环堵也,

所谓方丈室也。如死尸之寂泊,故言尸居。 【释文】“环”如

字。<u>广雅</u>云:圆也。“堵”丁鲁反。<u>司马</u>云:一丈曰堵。环堵者,

面各一丈,言小也。

〔四〕【注】不欲为物标杓。 【疏】窃窃,平章偶语也。俎,切肉之几;

豆,盛脯之具;皆礼器也。夫群龙无首,先圣格言;蒙德养恬,后

贤轨辙。今细碎百姓,偶语平章,方欲礼我为贤,尊我为主,便

是物之标杓,岂曰栖隐者乎! 【释文】“俎豆”侧吕反。<u>崔</u>云:

俎豆,食我于众人间。“杓”<u>郭</u>音的,又匹么反,又音弔。<u>广雅</u>

云:树末也。<u>郭</u>云:为物之标杓也。<u>王</u>云:斯由己为人准的也。

<u>向</u>云:<u>马氏</u>作<u>的</u>,音的。“标”必遥反,一音必小反。

〔五〕【注】<u>聃</u>云,功成事遂,而百姓皆谓我自尔,今<u>畏垒</u>反此,故不释

然。 【疏】<u>老君</u>云:功成弗居,长而不宰。<u>楚</u>既虔禀师训,<u>畏垒</u>

反此,故不释然。

〔校〕①成字依<u>世德堂</u>本改。②今本作天道。

弟子曰:“不然。夫寻常之沟,巨鱼无所还其体,而鲵

鳅为之制;步仞之丘陵,巨兽无所隐其躯,而孽狐为之

祥〔一〕。且夫尊贤授能,先善与利,自古<u>尧舜</u>以然,而况<u>畏</u>

<u>垒</u>之民乎! 夫子亦听矣〔二〕!”

〔一〕【注】弟子谓大人必有丰禄也。 【疏】八尺曰寻,倍寻曰常。六

尺曰步,七尺曰仞。鲵,小鱼而有脚,此非鲵大鱼也。制,擅也。夫寻常小渎,岂鲲鲸之所周旋!而鲵鳅小鱼,反以为美;步仞丘陵,非大兽之所藏隐,而妖孽之狐,用之为吉祥。故知巨兽必隐深山,大人应须厚禄也。 【释文】"寻常之沟"八尺曰寻,倍寻曰常。寻常之沟,则周礼洫浍之广深也。洫广深八尺;浍广二寻,深二仞也。"所还"音旋,回也。崔本作逮。"鲵"五分反。"鳅"音秋。"为之制"广雅云:制,折也。谓小鱼得曲折也。王云:制,谓擅之也,鲵鳅专制于小沟也。○庆藩案,释文云,制,折也。小鱼得曲折也。折与制,本古通用字。书吕刑制以刑,墨子引作折则刑;论语颜渊篇片言可以折狱者,鲁论语作制狱;即其证也。"步仞之丘陵"六尺为步,七尺曰仞,广一步,高一仞也。孔安国云:八尺曰仞。小尔雅云:四尺曰仞。○家世父曰:水者,鱼之所归也;丘陵者,兽之所归也。寻常之沟,步仞之丘陵,亦必有归之者,为有所庇赖也。德愈大,则归之者愈众。郭象引巨鱼巨兽为喻,而云大人必有丰禄,误。"孽"鱼竭反。"狐为之祥"李云:祥,怪也。狐狸喜为妖孽。言各有宜,宜不失则大人有丰禄也。王云:野狐依之作妖祥也。崔云:蛊狐以小丘为善也。祥,善也。

〔二〕【疏】尊贵贤人,擢授能者,有善先用,与其利禄。尧舜圣人,尚且如是,况畏垒百姓,敢异前修!夫子通人,幸听从也!

庚桑子曰:"小子来!夫函车之兽,介而离山,则不免于罔罟之患;吞舟之鱼,砀而失水,则蚁能苦之。故鸟兽不厌高,鱼鳖不厌深。〔一〕夫全其形生之人,藏其身也,不厌深眇而已矣〔二〕。

〔一〕【注】去利远害乃全。 【疏】其兽极大,口能含车,孤介离山,则不免网罗为其患害。吞舟之鱼,其质不小,波荡失水,蚁能害之。故鸟兽高山,鱼鳖深水,岂好异哉?盖全身远害,鱼鸟尚尔,而况人乎! 【释文】"函"音含。"车之兽"李云:兽大如车也。一云:大容车。"介而"音戒。广雅云:独也。又古黠反。一本作分,谓分张也。元嘉本同。○俞樾曰:方言:兽无偶曰介。一本作分,非。○庆藩案,介,释文〔一本〕①作分。分与离相属为义,则作分者是也。古书介本作分,分俗作分,二形相似,故传写多讹。穀梁庄三十年传,燕周子分子,释文:分,本或作介。周礼大宗伯注雉取其首介而死,释文:介,或作分。春秋繁露立元神篇介障险阻,介讹作分。淮南谬称篇祸之生也分分,王念孙以为介介。则介又误为分,皆其证也。"离山"力智反。下、注同。"吞舟"敕恩反,又音天。"砀而失水"徒浪反,谓砀溢而失水也。崔本作去水陆居也。"则蚁"鱼绮反。"苦之"如字。向云,马氏作最,又作穷。

〔二〕【注】若婴身于利禄,则粗而浅。 【疏】眇,远也。夫栖遁之人,全形养生者,故当远迹尘俗,深就山泉,若婴于利禄,则粗而浅也。 【释文】"深眇"弥小反。"则粗"七奴反。后皆同。

〔校〕①一本二字依释文补。

　　且夫二子者,又何足以称扬哉〔一〕!是其于辩也,将妄凿垣墙而殖蓬蒿也〔二〕。简发而栉,数米而炊〔三〕,窃窃乎又何足以济世哉〔四〕!举贤则民相轧〔五〕,任知则民相盗〔六〕。之数物者,不足以厚民。民之于利甚勤,子有杀父,臣有杀君,正昼为盗,日中穴阫〔七〕。吾语女,大乱之本,必生于尧舜之间,其末存乎千世之后。千世之后,其必

683

有人与人相食者也〔八〕！"

〔一〕【注】二子,谓尧舜。 【疏】二子,谓尧舜也。唐虞圣迹,乱人之本,故何足称邪！ 【释文】"二子者"向崔郭皆云:尧舜也。

〔二〕【注】将令后世妄行穿凿而殖秽乱也。 【疏】将令后世妄行穿凿而殖秽乱。辩,别也。物性之外,别立尧舜之风,以教迹令人仿效者,犹如凿破好垣墙,种殖蓬蒿之草以为蕃屏者也。 【释文】"蓬"蒲空反。"将令"力呈反。

〔三〕【注】理锥刀之末也。 【疏】譬如择简毛发,梳以为髻,格量米数,炊以供餐,利益盖微,为损更甚。 【释文】"而扴"庄笔反。又作枡,亦作柳,皆同。郭音节,徐侧冀反。○卢文弨曰:今书作枡。○王引之曰:释文扴,庄笔反,又作枡,亦作柳,皆同。郭音节,徐侧冀反。按玉篇:扴,苦敢切,打扴也。不得音庄笔反,又音节。扴当为扴,即玉篇挲字,隶书转写手旁于左耳。玉篇:挲,七咨切,挲也。此借为枡发之枡,故音庄笔反,又音节。凡从次声之字,可读为即,又可读为节。说文:坙,以土增大道上,从土,次声;〔坙〕①,古文坙,从土,即声。引虞书朕坙谗说殄行。玉篇音才资、才即二切。说文:榕,構枦也,从木咨声。(咨,从口,次声),即是山节藻棁之节。康诰勿庸以次女封,荀子致士篇引此,次作即。皆其例也。扴为枡发之枡,当读入声,而其字以次为声,则亦可读去声,故徐邈音侧冀反。"数米"色主反。"而炊"昌垂反。向云:理于小利也。

〔四〕【注】混然一之,无所治为乃济。 【疏】祖述尧舜,私议窃窃,此盖小道,何足救世！ 【释文】"窃窃"如字。司马云:细语也。一云:计校之貌。崔本作察察。

〔五〕【注】将戾拂其性以待其所尚。 【释文】"轧"乌黠反,向音乙。

"戾拂"符弗反。

〔六〕【注】真不足而以知继之,则伪矣,伪以求生,非盗如何! 【疏】轧,伤也。夫举贤授能,任知先善,则争为欺侮,盗诈百端,趋竞路开,故更相害也。 【释文】"任知"音智。注同。

〔七〕【注】无所复顾。 【疏】数物者,谓举贤任知等也。此教浮薄,不足令百姓淳厚也。而苍生贪利之心,甚自殷勤,私情怨忿,遂生篡弑,谋危社稷,正昼为盗,攻城穿壁,日中穴阫也。 【释文】"有杀"音试。本又作弑。下同。"穴阫"普回反。向音裴,云:阫,墙也。言无所畏忌。○庆藩案,阫与培同。淮南子齐俗篇凿培而遁之,高诱注曰:培,屋后墙也(齐俗篇则必有穿窬拊楗抽箕逾备之(女)〔姦〕②。备亦与培同,故高注曰:备,后垣也)。吕氏春秋听言篇亦作培,汉书杨雄传作坏,音稍异而义同。

〔八〕【注】尧舜遗其迹,饰伪播其后,以致斯弊。 【疏】唐虞揖让之风,会成篡逆之乱。乱之根本,起自尧舜,千载之后,其弊不绝,黄巾赤眉,则是相食也。 【释文】"吾语"鱼據反。"女"音汝。后皆放此。

〔校〕①聖字依说文补。②姦字依淮南子原文改。

南荣趎蹴然正坐曰:"若趎之年者已长矣,将恶乎托业以及此言邪〔一〕?"

〔一〕【疏】姓南荣,名趎,庚桑弟子也。蹴然,惊悚貌。南荣既闻斯义,心生慕仰,于是惊惧正容,勤诚请益云:"趎年老,精神暗昧,凭托何学,方逮斯言?" 【释文】"南荣趎"昌于反,向音畴,一音绍俱反,徐直俱反,又敕俱反,又处由反。李云:庚桑弟子也。汉书古今人表作南荣畴。或作俦,又作寿。淮南作南荣峙,云:

軟蹀跌步,百舍不休。亦作疇。○卢文弨曰:案今淮南修务训
作疇。旧軟蹀讹軟蟜,今据本书改正。高诱注:軟,犹箸。蹀,
履;跌,趣也。軟,所角切。蹀,其略切。跌音决。箸即著,直略
切。趣,犹趋。今淮南或无步,字脱也。"蹴然"子六反。"已
长"丁丈反。"将恶"音乌。

庚桑子曰:"全汝形[一],抱汝生[二],无使汝思虑营营。
若此三年,则可以及此言矣[三]。"

〔一〕【注】守其分也。　【释文】"其分"扶问反。后以意求之。

〔二〕【注】无揽乎其生之外也。○俞樾曰:释名释姿容曰:抱,保也,
　　相亲保也。是抱与保义通。抱汝生,即保汝生。郭注曰无揽乎
　　其生之外也,犹泥抱字为说,未达假借之旨。

〔三〕【疏】不逐物境,全形者也;守其分内,抱生者也。既正分全生,
　　神凝形逸,故不复役知思虑,营营狥生也。三年虚静,方可及乎
　　斯言。此庚桑教南荣之词也。　【释文】"思虑"息吏反。下同。

南荣趎曰:"目之与形,吾不知其异也,而盲者不能自
见;耳之与形,吾不知其异也,而聋者不能自闻;心之与形,
吾不知其异也,而狂者不能自得。[一]形之与形亦辟矣[二],
而物或间之邪,欲相求而不能相得[三]? 今谓趎曰:'全汝
形,抱汝生,勿使汝思虑营营。'趎勉闻道达耳矣[四]!"

〔一〕【注】目与目,耳与耳,心与心,其形相似而所能不同,苟有不同,
　　则不可强相法效也。　【疏】夫盲聋之士,与凡常之人耳目无
　　异,而盲者不见色,聋者不闻声;风狂之人,与不狂之者形貌相
　　似,而狂人失性,不能自得。南荣举此三(谕)〔喻〕以况一身,不
　　解至道之言与彼盲聋何别,故内篇云,非唯形骸有聋盲,夫智亦

庄子集释

有之也。 【释文】"可强"其丈反。下章可强同。

〔二〕【注】未有闭之。 【释文】"亦辟"婢亦反，开也。崔云：相著也。音必亦反。○家世父曰：郭象注形之与形亦辟矣，未有闭之。释文：辟，婢亦反，开也。是假辟为闢。郑康成礼记大学注：辟，犹喻也。说文言部：譬，喻也。坊记辟则防与，中庸辟如行远，辟如登高，辟〔譬〕皆相通。辟，譬喻也，言形之与形亦易喻也。郭象注误。汉书鲍永传言之者足戒，闻之者未譬，章怀太子注：譬，犹晓也。晓然于形与形之同。晓亦喻也。

〔三〕【注】两形虽开，而不能相得，将有间也。 【疏】辟，开也。间，别也。夫盲与不盲，二形孔窍俱开；见与不见，于物遂有间别。而盲聋求于闻见，终不可得也，亦犹南荣求于解悟，无由致之。 【释文】"或间"间厕之间。注同。

〔四〕【注】早闻形隔，故难化也。 【疏】全形抱生，已如前释。重述所(闲)〔闻〕，以彰问旨。 【释文】"勉闻道"崔向云：勉，强也。本或作晚。"达耳矣"崔向云：仅达于耳，未彻入于心也。

庚桑子曰："辞尽矣。曰①奔蜂不能化藿蠋，越鸡不能伏鹄卵，鲁鸡固能矣〔一〕。鸡之与鸡，其德非不同也，有能与不能者，其才固有巨小也。今吾才小，不足以化子。子胡不南见老子！〔二〕"

〔一〕【疏】奔蜂，细腰土蜂也。藿，豆也。蠋者，豆中大青虫。越鸡，荆鸡也。鲁鸡，今之蜀鸡也。奔蜂细腰，能化桑虫为己子，而不能化藿蠋。越鸡小，不能伏鹄卵；蜀鸡大，必能之也。言我才劣，未能化大，所说辞情，理尽于此也。 【释文】"奔蜂"孚恭反。司马云：奔蜂，小蜂也。一云土蜂。"藿蠋"音蜀。司马云：豆藿中大青虫也。"越鸡"司马向云，小鸡也。或云：荆鸡也。"能

伏"扶又反。"鹄"本亦作鹤,同。户各反,一音户沃反。"卵"力
管反。"鲁鸡"向云:大鸡也,今蜀鸡也。○庆藩案,太平御览九
百十八引司马云:越鸡,小鸡也。鲁鸡,大鸡也,今蜀鸡也。视释文
所引微异。

〔二〕【疏】夫鸡有五德:头戴冠,礼也;足有距,义也;得食相呼,仁也;
知时,智也;见敌能距,勇也。而鲁越虽异,五德则同,所以有能
与不能者,才有大小也。我类越鸡,才小不能化子,子何不南行
往师,以谒老君!

〔校〕①阙误引江南古藏本及李张二本曰字俱作□。

南荣趎赢粮,七日七夜至老子之所〔一〕。

〔一〕【疏】赢,裹也,担也。慕圣情殷,昼夜不息,终乎七日,方见老君
也。 【释文】"赢粮"音盈。案方言:赢,儋也,齐楚陈宋之间谓
之赢。一音果。○卢文弨曰:音果字或有作赢者。

老子曰:"子自楚之所来乎?"南荣趎曰:"唯〔一〕。**"**

〔一〕【疏】自,从也。问云:汝从桑楚处来?南荣趎曰:唯,直敬应之
声也。答云如是。 【释文】"曰唯"惟癸反。

老子曰:"子何与人偕来之众也〔一〕**?"南荣趎惧然顾
其后**〔二〕。

〔一〕【注】挟三言而来故。 【疏】偕,俱也。老子圣人,照机如镜,未
忘仁义,故刺以偕来。理挟三言,故讥之言众也。 【释文】"挟
三"音协。

〔二〕【疏】惧然,惊貌也。未达老子之言,忽闻众来之说,顾眄其后,
恐有多人也。 【释文】"惧然"向纪俱反。本又作懼,音同,又
况缚反。○庆藩案,惧然,即瞿然也,盖惊貌。其正字作䀠。说
文:䀠(九遇切),举目惊䀠然也。䀠正字,瞿惧皆借字。礼檀弓惧

然失席,作瞿。<u>史记</u>孟子传王公大人初见其术,惧然顾化,<u>汉书</u>惠纪赞闻<u>叔孙通</u>之谏则惧然,皆其证。

老子曰:“子不知吾所谓乎〔一〕?”

〔一〕【疏】谓者,言意也。我言偕来,讥汝挟三言而来。汝视其后,是不知吾谓也。

<u>南荣趎</u>俯而惭,仰而叹曰:“今者吾忘吾答,因失吾问。”〔一〕

〔一〕【疏】俯,低头也。自知暗昧,不达圣言,于是俯首羞惭,仰天叹息,神魂恍惚,情彩章惶。岂直丧其形容,亦乃失其咨问。

【释文】“因失吾问”<u>元嘉</u>本问作闻。○<u>庆藩</u>案,问,犹闻也。问闻古通用。<u>论语公冶长</u>篇闻一知十,〔<u>释文:</u>〕①闻,本或作问。<u>荀子尧问</u>篇不闻即物少至,<u>杨倞</u>曰:闻,或作问。

〔校〕①释文二字依文义补。

老子曰:“何谓也〔一〕?”

〔一〕【疏】问其所言有何意谓。

<u>南荣趎</u>曰:“不知乎? 人谓我朱愚。知乎? 反愁我躯。〔一〕不仁则害人,仁则反愁我身;不义则伤彼,义则反愁我己。我安逃此而可? 此三言者,<u>趎</u>之所患也,愿因<u>楚</u>而问之。〔二〕”

〔一〕【疏】朱愚,犹专愚,无知之貌也。若使混沌尘俗,则有愚痴之名;若(也)〔使〕①运智人间,更致危身之祸。祸败在己,故云愁躯也。○<u>家世父</u>曰:<u>左传襄公</u>四年朱儒,<u>杜预</u>注:短小曰朱儒。朱愚者,智术短小之谓。

〔二〕【疏】仁者,兼爱之迹;义者,成物之功;并是先圣蘧庐,非所以全身远害者也。故不仁不义，则伤物害人；行义行仁，则乖真背道。未知若为处心，免兹患害。寄此三言，因<u>桑楚</u>以为媒，愿留听于下问。

〔校〕①使字依上句改。

<u>老子</u>曰："向吾见若眉睫之间，吾因以得汝矣，今汝又言而信之〔一〕。若规规然若丧父母，揭竿而求诸海也。女亡人哉，惘惘乎！〔二〕汝欲反汝情性而无由入，可怜哉〔三〕！"

〔一〕【疏】吾昔观汝形貌，已得汝心。今子所陈，(毕)〔果〕挟三术。以子之言，于是信验。　【释文】"向吾"本又作鬻，同。"眉睫"音接。释名云：目毛也。

〔二〕【疏】规规，细碎之谓也。汝用心细碎，怀兹三术，犹如童稚小儿，丧失父母也；似儋揭竿木，寻求大海，欲测深底，其可得乎！汝是亡真失道之人，亦是溺丧逃亡之子，芒昧何所归依也！
　　【释文】"规规"李云：失神貌。一云：细小貌。"若丧"息浪反。注同。"揭"其列、其谒二反。"竿"音干。"而求诸海也"向云：言以短小之物，欲测深大之域也。"女亡人哉"崔云：丧亡性情之人也。

〔三〕【疏】<u>荣赺</u>践于圣迹，溺于仁义，纵欲还原反本，复归于实(生)〔性〕真情，疮疣已成，无由可入，大圣运慈，深可哀(慼)〔憨〕也。

<u>南荣赺</u>请入就舍，召其所好，去其所恶，十日自愁，复见<u>老子</u>〔一〕。

〔一〕【疏】既失所问，情识芒然，于是退就家中，思惟旬日，征求所好之道德，除遣所恶之仁义。未能契道，是以悲愁，庶其请益，仍见<u>老子</u>。　【释文】"所好"呼报反。"去其"起吕反。"所恶"乌路反。注同。"复见"扶又反。

老子曰:"汝自洒濯,熟①哉郁郁乎! 然而其中津津乎犹有恶也〔一〕。夫外韄者不可繁而捉,将内揵;内韄者不可缪而捉,将外揵〔二〕。外内韄者,道德不能持,而况放道而行者乎〔三〕!"

〔一〕【疏】归家一句,遣除五德,涤荡秽累精熟。以吾观汝气,郁郁乎平,虽复加功,津津尚漏,以此而验,恶犹未尽也。 【释文】"洒濯"大角反。"郁郁"崔云:孰洒貌。"津津"如字。崔本作律律,云恶貌。"犹有恶也"李云:恶计未尽也。

〔二〕【注】揵,关揵也。耳目,外也;心术,内也。夫全形抱生,莫若忘其心术,遗其耳目。若乃声色韄于外,则心术塞于内;欲恶韄于内,则耳目丧于外;固必无得无失而后为通也。 【疏】韄者,系缚之名。揵者,关闭之目。繁者,急也。缪者,殷勤也。言人外用耳目而为声色(也)所韄者,则心神闭塞于内也;若内用心智而为欲恶所牵者,则耳目闭塞于外也;此内外相感,必然之符。假令用心禁制,急手捉持,殷勤绸缪,亦无由得也。夫唯精神定于内,耳目静于外者,方合全生之道。 【释文】"外韄"向音霍。崔云:恢廓也。又如字。本亦作韄,音获,又乙虢反,又乌邈反,又音羁。李云:缚也。三苍云:佩刀靶韦也。○卢文弨曰:今书作韄。"而捉"徐侧角反。崔作促,云:迫促也。"内揵"郭其挈反,徐其偃反。关也。向云:闭也。又音塞。下同。"缪"莫侯反,又音稠,结也。崔向云,绸缪也。○俞樾曰:郭于此无注,而注下文曰,虽繁手以执之,绸缪以持之,弗能止也。则训繁为繁手,殆不可通矣。繁疑繁字之误。繁,俗作缴。汉书司马相如传名家苛察缴绕,如淳曰:缴绕,犹缠绕也。此以繁而捉缪而捉并言,繁,谓繁绕,缪,谓绸缪。广雅释诂繁与绸缪并训缠,是其义一也。繁繁形似,因而致误耳。〇家世父曰:说文:鞶,佩刀丝也。徐锴曰:丝,其繫系也。三苍云:佩刀靶韦。是鞶者,缚系之意。外鞶者,制其耳目;耳目之司,纷纭繁变,不可捉搤,则内揵其心以息耳目之机。内鞶者,制其心;而心缪绕百出,亦不可捉搤也,则外揵其耳目以绝心之缘。内外俱鞶,冥冥焉相与两忘,无有倚著,道德不能入而为主,又何津津有恶之存哉!郭象云,声〔色〕②鞶于外,则心术塞于内;欲恶鞶于内,则耳目丧于外;偏鞶且不可,况内外俱鞶乎!似非庄子本意。

〔三〕【注】偏鞶(由)〔犹〕不可,况外内俱鞶乎!将耳目眩惑于外,而心术流荡于内,虽繁手以执之,绸缪以持之,弗能止也。 【疏】偏执滞边,已乖生分,况内外鞶溺,为惑更深。纵有怀道抱德之士,尚不能扶持,况放散玄道而专行此惑,欲希禁止可得乎!

【释文】"放道"如字。向方往反,云:依也。

〔校〕①世德堂本作埶。②色字依注文补。

南荣趎曰:"里人有病,里人问之,病者能言其病,然其病①,病者犹未病也〔一〕。若趎之闻大道,譬犹饮药以加病也〔二〕,趎愿闻卫生之经而已矣〔三〕。"

〔一〕【疏】闾里有病,邻里问之,病人能自说其病状者,此人虽病,犹未困重而可疗也。亦犹南荣虽愚,能自陈过状,庶可教也。

〔二〕【疏】夫药以疗疾,疾愈而药消;教以机悟,机悟而教息。苟其本不病,药复不消,教资不忘,机又不悟,不(谓)〔犹〕②饮药以加其病! 【释文】"加病"如字。元嘉本作知病。崔本作驾,云:加也。

〔三〕【疏】经,常也。已,止也。夫圣教多端,学门匪一,今〔之〕所(谓)〔请〕,卫(请)〔护〕全生,心之所存,止在于此,如蒙指诲,辄奉为常。　【释文】"卫生"李云：防卫其生，令合道也。

　　老子曰："卫生之经，能抱一乎〔一〕？能勿失乎〔二〕？能无卜筮而知吉凶乎〔三〕？能止乎〔四〕？能已乎〔五〕？能舍诸人而求诸己乎〔六〕？能翛然乎〔七〕？能侗然乎〔八〕？能儿子乎〔九〕？儿子终日嗥而嗌不嗄，和之至也〔一○〕；终日握而手不掜，共其德也〔一一〕；终日视而目不瞚，偏不在外也〔一二〕。行不知所之〔一三〕，居不知所为〔一四〕，与物委蛇〔一五〕，而同其波〔一六〕。是卫生之经已〔一七〕。"

〔一〕【注】不离其性。　【疏】守真不二也。

〔二〕【注】还自得也。　【疏】自得其性也。

〔三〕【注】当则吉，过则凶，无所卜也。　【疏】履道则吉，徇物则凶，斯理必然，岂用卜筮！○王念孙曰：吉凶当为凶吉。一失吉为韵，止已已为韵。管子心术篇能专乎？能一乎？能无卜筮而知凶吉乎？是其证。（内业篇凶吉亦误为吉凶，唯心术篇不误。）

　　【释文】"当则"丁浪反。后放此。

〔四〕【注】止于分也。　【疏】不逐分外。

〔五〕【注】无追故迹。　【疏】已过不追。

〔六〕【注】全我而不效彼。　【疏】诸，于也。舍弃效彼之心，追求己身之道。　【释文】"能舍"音捨。下同。

〔七〕【注】无停迹也。　【疏】往来无系止。　【释文】"翛"音萧。徐始六反，又音育。崔本作随，云：顺也。

〔八〕【注】无节碍也。　【疏】顺物无心也。　【释文】"侗"本又作侚，大董反，又音恸。向敕动反，云：直而无累之谓。三苍云：

（壳）〔㲉〕直貌。崔同。字林云：大也。○卢文弨曰：今书作侗。"碍也"五代反。

〔九〕【疏】同于赤子也。

〔一〇〕【注】任声之自出，不由于喜怒。　【疏】嗌，喉塞也。嗄，声破。任气出声，心无喜怒，故终日啼号，不破不塞，淳和之守，遂至于斯。　【释文】"嗥"户羔反。本又作号，音同。"而嗌"音益。崔云：喉也。司马云：咽也。李音厄，谓噎也。一本作而不嗌。案如李音，有不字。"不嗄"於迈反。本又作嚘，徐音忧。司马云：楚人谓啼极无声为嗄。崔本作喝，云：哑也。○俞樾曰：释文，嗄本作嚘，徐音忧，当从之。老子终日号而不嗄，傅奕本作嗀，即嚘之异文也。扬子太玄经夷次三日柔，婴儿於号，三日不嚘，二宋陆王本皆如是。盖以嚘与柔为韵，可知扬子所见老庄皆作嚘也。

〔一一〕【注】任手之自握，非独得也。　【疏】捑，拘寄，〔而不〕劳倦者，为其淳和与玄道至德同也。　【释文】"终日握"李云：卷手曰握。"不捑"五礼反，向音艺。崔云：寄也。广雅云：捉也。○俞樾曰：说文无捑字。角部：觬，角觬曲也。疑即此捑字。以角言则从角，以手言则从手，变觬为捑，字之所以孳乳浸多也。终日握而手不捑，谓手不拳曲也。崔云：捑，寄也。殊非其义。○家世父曰：释文引崔云，捑，寄也。广雅云：捑，捉也。今案扬雄太玄玄捑云：玄之赞词，或以气，或以类，或以事之觥卒。捑，拟也。雄意假捑为拟。说文：拟，度也。言无有准拟揣度。说文：共，同也。授之物握之，夺之物亦握之，不待准量以为握也，其德同也。"共其"如字。崔云：壹也。

〔一二〕【注】任目之自见，非系于色也。　【疏】瞋，动也。任眼之视，视不动目,不偏滞于外尘也。　【释文】"不瞑"字又作瞚,同。音舜,动也。本或作眠,莫经反。"偏不"徐音篇。

〔一三〕【注】任足之自行,无所趣。　【疏】之,往也。泛若不系之舟,故虽行而无所的诣也。

〔一四〕【注】纵体而自任也。　【疏】恬惔无为,寂寞之至。

〔一五〕【注】斯顺之也。　【疏】接物无心,委曲随顺。　【释文】"委"於危反。"蛇"以支反。

〔一六〕【注】物波亦波。　【疏】和光混迹,同其波流。

〔一七〕【疏】总指已前,结成〔其〕义也。

南荣趎曰:"然则是至人之德已乎〔一〕?"

〔一〕【注】若①能自改而用此言,便欲自谓至人之德。　【疏】如前所说卫生之经,依而行之,合于玄道。至人之德,止此可乎?

〔校〕①赵谏议本无若字及便欲自三字。

曰:"非也。是乃所谓冰解冻释者,能乎?〔一〕夫至人者,相与交食乎地而交乐乎天〔二〕,不以人物利害相撄,不相与为怪,不相与为谋,不相与为事〔三〕,翛然而往,侗然而来。是谓卫生之经已。〔四〕"

〔一〕【注】能乎,明非自尔。　【疏】南荣拘束仁义,其日固久,今闻圣教,方解卫生。譬彼冬冰,逢兹春日,执滞之心,于斯释散。此因学致悟,非率自然。能乎,明非真也。此则老子答趎之辞也。　【释文】"冰解"音蟹。

〔二〕【注】自无其心,皆与物共。　【疏】夫至人无情,随物兴感,故能同苍生之食地,共群品而乐天。交,共也。　【释文】"交食"崔云:交,俱也。李云:共也。"交乐"音洛。○俞樾曰:郭注曰,自〔无〕其(无)①心,皆与物共。释文引崔云,交,俱也。李云,共也。是皆未解交字之义。徐无鬼篇曰,吾与之邀乐于天,吾与之邀食于地。与此文异义同。交即邀也,古字只作徼。文二年左传寡君愿徼福于周公鲁公。此云邀食乎地,邀乐乎天,语意正相似。作邀者后出字,作交者假借字。诗桑扈篇彼交匪傲,汉书五行志作匪傲匪傲,即其例矣。

〔三〕【疏】攖,扰乱也。夫至人虚心顺世,与物同波,故能息怪异于群生,绝谋谟于黎首。既不以事为事,何利害之能扰乎! 【释文】"相攖"於营反,徐又音婴。广雅云:乱也。崔云:犹贯也。

〔四〕【疏】重举前文,结成其义。

〔校〕①无其二字依正文改。

曰:"然则是至乎〔一〕?"

〔一〕【注】谓己便可得此言而至耶。 【疏】谓闻此言,可以造极。南荣不敏,重问老君。

曰:"未也。吾固告汝曰:'能儿子乎?〔一〕'儿子动不知所为,行不知所之,身若槁木之枝而心若死灰〔二〕。若是者,祸亦不至,福亦不来。祸福无有,恶有人灾也!〔三〕"

〔一〕【注】非以此言为不至也,但能闻而学者,非自至耳。苟不自至,则虽闻至言,适可以为经,胡可得至哉! 故学者不至,至者不学也。 【疏】夫云能者,奖劝之辞也。此言虽至,犹是筌蹄,既曰告汝,则因禀学。然学者不至,至者不学,在筌异鱼,故曰未也。此是老子重答南荣。

〔二〕【疏】虚冲凝淡,寂寞无情,同槁木而不荣,类死灰而忘照。身心既其双遣,何行动之可知乎! 卫生之要也。 【释文】"若槁"苦老反。

〔三〕【注】祸福生于失得,人灾由于爱恶。今槁木死灰,无情之至,则爱恶失得无自而来。　【疏】夫祸福生乎得丧,人灾起乎美恶。今既形同槁木,心若死灰,得丧两忘,美恶双遣,尚无冥昧之责,何人灾之有乎!　【释文】"恶有"音乌。"爱恶"乌路反。下同。

宇泰定者,发乎天光〔一〕。发乎天光者,人见其人〔二〕,〔物见其物。〕①人有修者,乃今有恒〔三〕;有恒者,人舍之,天助之〔四〕。人之所舍,谓之天民;天之所助,谓之天子〔五〕。

〔一〕【注】夫德宇泰然而定,则其所发者天光耳,非人耀。　【疏】夫身者神之舍,故以至人为道德之器宇也。且德宇安泰而静定者,其发心照物,由乎自然之智光。　【释文】"宇泰定"王云:宇,器宇也,谓器宇闲泰则静定也。〇家世父曰:虚室生白,吉祥止止,人心自兆其端倪而天光发焉,自然而不可掩也,修其自然而机应之。人各自修也,各自见也,故曰人见其人。

〔二〕【注】天光自发,则人见其人,物见其物。物各自见而不见彼,所以泰然而定也。　【疏】凡庸之人,不能测圣,但见群于众庶,不知天光遐照也。

〔三〕【注】人而修人,则自得矣,所以常泰。　【疏】恒,常也。理虽绝学,道亦资求,故有真修之人,能会凝常之道也。

〔四〕【注】常泰,故能反居我宅而自然②获助也。　【疏】体常之人,动以吉会,为苍生之所舍止,皇天之所福助,不亦宜乎!

〔五〕【注】出则天子,处则天民,此二者俱以泰然而自得之,非为而得之也。　【疏】出则君后,处则逸人,皆以临道体常,故致斯功者也。

　　　　自然二字。

　　学者,学其所不能学也;行者,行其所不能行也;辩者,
辩其所不能辩也[一]。知止乎其所不能知,至矣[二];若有
不即是者,天钧败之[三]。

〔一〕【注】凡所能者,虽行非为,虽习非学,虽言非辩。　【疏】夫为于
　　　分内者,虽为也不为,故虽学不学,虽行不行,虽辩不辩,岂复为
　　　于分外,学所不能耶!　【释文】"学者学其所不能学也"言人皆
　　　欲学其所不能知,凡所能者,故是能于所能。夫能于所能者,则
　　　虽习非习也。

〔二〕【注】所不能知,不可强知,故止斯至①。　【疏】率其所能,止于
　　　分内,所不能者,不强知之,此临学之至妙。

〔三〕【注】意虽欲为,为者必败,理终不能。　【疏】若有心分外,即不
　　　以分内为是者,斯败自然之性者也。　【释文】"败之"补迈反。
　　　或作则。元嘉本作则。

〔校〕①世德堂本有也字。

　　备物以将形[一],藏不虞以生心[二],敬中以达彼[三],
若是而万恶至者,皆天也[四],而非人也[五],不足以滑
成[六],不可内于灵台[七]。灵台者有持[八],而不知其所
持[九],而不可持者也[一○]。

〔一〕【注】因其自备而顺其成形。　【疏】将,顺也。夫造化洪炉,物
　　　皆备足,但顺成形,于理问学。　【释文】"备物以将形"备,具
　　　也。将,顺也。

〔二〕【注】心自生耳,非虞而出之。虞者,亿度之谓。　【疏】夫至人

无情,物感斯应,包藏圣智,遇物生心,终不预谋所为虞度者

也。　【释文】"亿度"待洛反。

〔三〕【注】理自达彼耳,非慢中而敬外。　【疏】中,内智也。彼,外境

也。敬重神智,不敢轻染,智既凝寂,境自虚通。

〔四〕【注】天理自有穷通。

〔五〕【注】有为而致恶者乃是人。　【疏】若<u>文王</u>之拘<u>羑里</u>,<u>孔子</u>之困

<u>匡</u>人,智非不明也,人非不圣也,而遭斯万恶穷否者,盖由天时

运命耳,岂人之所为哉!

〔六〕【注】安之若命,故其成不滑。　【疏】滑,乱也。体道会真,安时

达命,纵遭万恶,不足以乱于大成之心。　【释文】"以滑"音骨。

〔七〕【注】灵台者,心也,清畅,故忧患不能入。　【疏】内,入也。灵

台,心也。妙体空静,故世物不能入其灵台也。　【释文】"灵

台"<u>郭</u>云:心也。案谓心有灵智能住持也。<u>许慎</u>云:人心以上,

气所往来也。○<u>俞樾</u>曰:不可上当有万恶二字。上文若是而万

恶至者,皆天也,而非人也,不足以滑成,其文已足。万恶不可

内于灵台,则又起下意。下文云,灵台者有持,而不知其所持而

不可持者也,皆承此言之。读者不详文义,误谓不可内于灵台

与不足以滑成两句相属,故删万恶二字耳。<u>文选广绝交论李善</u>

注引此文,正作万恶不可内于灵台。

〔八〕【注】有持者,谓不动于物耳,其实非持。　【疏】惟贵能持之心,

竟不知所以也。

〔九〕【注】若知其所持则持之。

〔一〇〕【注】持则失也。　【疏】若有心执持,则失之远矣,故不可也。

　　不见其诚己而发〔一〕,每发而不当〔二〕,业入而不

舍〔三〕,每①更为失〔四〕。为不善乎显明之中者,人得而诛

之;为不善乎幽閒②之中者,鬼得而诛之。〔五〕明乎人,明乎鬼者,然后能独行〔六〕。

〔一〕【注】此妄发作。　【释文】"不见其诚己而发"谓不自照其内而外驰也。

〔二〕【注】发而不由己诚,何由而当!　【疏】以前显得道之士智照光明,此下明丧真之人妄心乖理。诚,实也。未曾反照实智而辄妄发迷心,心既不真,故每乖实当也。　【释文】"每发而不当"丁浪反。尔雅云:每,虽也。谓虽有发动不中当。

〔三〕【注】事不居其分内。　【疏】业,事也。世事撄扰,每入心中,不达违从,故不能舍止。

〔四〕【注】发由己诚,乃为得也。　【疏】每妄发心,缘逐前境,自谓为得,翻更丧真。

〔五〕【疏】夫人鬼幽显,乃曰殊涂,至于推诚履信,道理无隔。若彼乖分失真,必招报应,仇怨相感,所以遭诛,则杜伯彭生之类是也。　【释文】"幽閒"音闲。

〔六〕【注】幽显无愧于心,则独行而不惧。　【疏】幽显二涂,分明无谴,不犯于物,故独行不惧也。

〔校〕①阙误引刘得一本每下有妄字。②高山寺本閒作冥。

券内者,行乎无名〔一〕;券外者,志乎期费〔二〕。行乎无名者,唯庸有光〔三〕;志乎期费者,唯贾人也〔四〕,人见其跂,犹之魁然〔五〕。与物穷者,物入焉〔六〕;与物且者,其身之不能容,焉能容人〔七〕!不能容人者无亲,无亲者尽人〔八〕。兵莫憯于志,镆鋣为下〔九〕;寇莫大于阴阳,无所逃于天地之间〔一〇〕。非阴阳贼之,心则使之也〔一一〕。

〔一〕【注】券,分也。夫游于分内者,行不由于名。　【疏】券,分也。无名,道也。履道而为于分内者,虽行而无名迹也。　【释文】"券内"字又作卷。徐音劝。"券分"符问反。下同。崔云:券,分明也。则宜方云反。

〔二〕【注】有益无益,期欲损己以为物也。　【疏】期,卒也。立志矜矫,游心分外,终无成益,卒有费损也。　【释文】"期费"芳贵反。下同。广雅云:期,卒也。费,耗也。言若存分外而不止者,卒有所费耗也。○俞樾曰:案郭象注既言志,又言期,于义复矣。释文于义亦不可通。今案荀子书每用綦字为穷极之义。王霸篇目欲綦色,耳欲綦声,杨注曰,綦,极也。亦或作期,议兵篇曰,已期三年,然后民可信也;宥座篇曰,綦三年而百姓往矣。是期与綦通。期费者,极费也。费,谓财用也。吕览安死篇非爱其费也,高曰:费,财也。期费之义,与綦色綦声相近,彼谓穷极其声色,此谓穷极其财用也。故下文曰志乎期费者惟贾人也。"以为"于伪反。

〔三〕【注】本有斯光,因而用之。　【疏】庸,用也。游心无名之道者,其所用智,日有光明也。

〔四〕【注】虽己所无,犹借彼而贩卖也。　【疏】志求之分外,要期声名而贪损神智者,意唯名利,犹高价贩卖之人。　【释文】"贾人"音古。

〔五〕【注】夫期费者,人已见其跂矣,而犹自以为安。　【疏】企,危也。魁,安也,锐情贪取,分外企求,他人见其危乎,犹自以为安稳,愚之至也。　【释文】"人见其跂犹之魁"苦回反,安也。一云:主也。"然"谓众人已见其跂求分外而犹自安,可羞愧之甚也。○家世父曰:说文:券,劳也。人劳则倦。券内者反观,券

外者徇外。徇外则测量之意多而营度之用广。测量营度,贾人
之术也。说文:期,会也。费,散财用也。玉篇:费,用也。期费
者,约会施用之意。魁然自大,人见其踶跂以行而不自知。释
文:魁,安也,一曰主也。似未惬。郭象注且谓券外而踶者。穷
者诚己而发者也,苟且则苟且相与而已。志乎期会之谓且,行
乎无名,斯能穷尽其意也。

〔六〕【注】穷,谓终始。 【疏】舍止之谓也。物我冥符而穷理尽性
者,故为外物之所归依(之)也。

〔七〕【注】且,谓券外而踶者。踶者不立,焉能自容! 不能自容,焉能
容人! 人不获容则去也。 【疏】聊与人涉,苟且于浮华,贪利
求名,身尚矜企,心灵躁竞,不能自容,何能容物耶! 【释文】
"物且"且,始也。○俞樾曰:且即苟且之且。诗东门之枌篇谷
旦于差,韩诗旦作且,云:苟且也。是重言为苟且,单言为且也。
上文与物穷者,郭注穷谓终始,是穷为穷极之义。苟且与穷极,
义正相反也。释文曰:且,始也。非是。"焉"於虔反。注同。

〔八〕【注】身且不能容,则虽己非己,况能有亲乎! 故尽是他人。
【疏】褊狭不容,则无亲爱;既无亲爱,则尽是他人。逆忤既多,
仇敌非少,欲求安泰,其可得乎!

〔九〕【注】夫志之所撄,燋火(疑水)〔凝冰〕①,故其为兵甚于剑戟也。
【疏】兵戈,锋刃之徒。镆铘,良剑也。夫憯毒伤害,莫甚乎心。
心志所缘,不疾而速,故其为损害甚于镆铘。以此校量,剑戟为
下。 【释文】"莫憯"七坎反。广雅云:痛也。元嘉本作潜。○
庆藩案,憯与惨同。说文:惨,毒也。字或作憯。方言:憯,杀也。
与训毒义相近。"镆"音莫。"铘"也嗟反。镆铘,良剑名。

〔一○〕【疏】寇,敌也。域心得丧,喜怒战于胸中,其寒凝冰,其热燋火,

此阴阳之慝也。夫勍敌巨寇，犹可逃之，而兵起内心，如何避邪！

〔一〕【注】心使气，则阴阳征结于五藏而所在皆阴阳也，故不可逃。【疏】此非阴阳能贼害于人，但由心有躁竞，故使之然也。　【释文】"五藏"才浪反。后皆放此。

〔校〕①凝冰二字依宋本及下疏文改。

道通，其分也①，其成也毁也〔一〕。所恶乎分者，其分也以备〔二〕；所以恶乎备者，其有以备〔三〕。故出而不反，见其鬼〔四〕；出而得，是谓得死〔五〕。灭而有实，鬼之一也〔六〕。以有形者象无形者而定矣〔七〕。

〔一〕【注】成毁无常分而道皆通。　【疏】夫物之受气，各有崖限，妍丑善恶，禀分毁成。而此谓之成，彼谓之毁，道以通之，无不备足。　【释文】"其分"符问反。注及下皆同。一音方云反。

〔二〕【注】不守其分而求备焉，所以恶分也。　【疏】夫荣辱寿夭，禀自天然，素分之中，反己备足。分外驰者而求备焉，游心是非之境，恶其所受之分也。　【释文】"所恶"乌路反。下及注皆同。

〔三〕【注】本分不备而有以求备，所以恶备也。若其本分素备，岂恶之哉！　【疏】造物已备而嫌恶之，岂知自然先已备矣。

〔四〕【注】不反守其分内，则其死不久。　【疏】夫出愚惑，妄逐是非之境而不能反本还原者，动之死地，故见为鬼也。　【释文】"故出而不反"谓情识外驰而不反观于内也。"见其鬼"王云：永沦危殆，资死之术，己行及之，故曰见鬼也。

〔五〕【注】不出而无得，乃得生。　【疏】其出心逐物，遂其欲情而有所获者，此可谓得死灭之本。　【释文】"出而得是谓得死"若情识外驰以为得者,是曰得死耳,非理也。

〔六〕【注】已灭其性矣,虽有斯生,何异于鬼! 【疏】迷灭本性,谓身实有,生死不殊,故与鬼为一也。 【释文】"灭而有实鬼之一也"广雅云:灭,珍也,尽也。实,塞也。既珍塞纯朴之道而外驰浇薄之境,虽复行尸于世,与鬼何别! 故云鬼一也。

〔七〕【注】虽有斯形,苟能旷然无怀,则生全而形定也。 【疏】象,似也。虽有斯形,似如无者,即形非有故也。旷然忘我,故心灵和光而止定也。

〔校〕①高山寺本其分也下有成也二字。

出无本〔一〕,入无窍〔二〕。有实而无乎处,有长而无乎本剽〔三〕,有所出而无窍者有实〔四〕。有实而无乎处者,宇也〔五〕。有长而无本剽者,宙也〔六〕。有乎生,有乎死,有乎出,有乎入,入出①而无见其形〔七〕,是谓天门〔八〕。天门者,无有也,万物出乎无有〔九〕。有不能以有为有〔一〇〕,必出乎无有〔一一〕,而无有一无有〔一二〕。圣人藏乎是〔一三〕。

〔一〕【注】欻然自生,非有本。

〔二〕【注】欻然自死,非有根。 【疏】出,生也。入,死也。从无出有,有无根原,自有还无,无乃无窍穴也。 【释文】"出无本入无窍"苦弔反。出,生也。入,死也。本,始也。窍,孔也。所以知有形累于无形者,以其出入无本窍故也。○家世父曰:郭象以出入为生死。出入非生死也,以象乎生死者也。形者,实也,无所处乎其形,故有出;无形之形,所以长也,而更无始终本末之可言,故有入;出入无窍者,而固有实。天地六合曰宇,宇以言乎其广也;古往今来曰宙,宙以言乎其长也。出入宇宙之中而无见其形,斯之谓定。"欻然"训勿反。

〔三〕【疏】剽,末也,亦原也。本亦作摽字,今随字读之。言从无出有,实有此身,推索因由,(意)〔竟〕②无处所,自古至今,甚为长远,寻求今古,竟无本末。 【释文】"乎处"昌据反。下注同。"有长"丁丈反,增也。又如字。下注同。"本剽"本亦作摽,同。甫小反。崔云:末也。李怖遥反,徐又敷遥反。下同。○卢文弨曰:摽当作标。

〔四〕【注】言出者自有实耳,其所出无根窍以出之。 【疏】有所出而无窍穴者,以凡观之,谓其有实,其实不有也。 【释文】"有所出"夫生必有所出也。"而无"此明所出是无也。既是无矣,何能有所出耶!"窍者有实"既言有窍,窍必有实;求实不得,窍亦无也。

〔五〕【注】宇者,有四方上下,而四方上下未有穷处。 【疏】宇者,四方上下也。方物之生,谓其有实,寻责宇中,竟无来处。宇既非矣,处岂有邪! 【释文】"有实而无乎处者宇也"三苍云:四方上下为宇。宇虽有实,而无定处可求也。

〔六〕【注】宙者,有古今之长,而古今之长无极。 【疏】宙者,往古来今也。时节赊长,谓之今古,推求代序,竟无本末。宙既无矣,本岂有耶! 【释文】"有长而无本剽者宙也"三苍云:往古来今曰宙。说文曰:舟舆所极覆为宙。长,犹增也。本,始也。宙虽有增长,亦不知其始末所至者也。

〔七〕【注】死生出入,皆欻然自尔,无所由,故无所见其形。 【疏】出入,(由)〔犹〕生死也。谓其出入生死,故有出入之名,推穷性理,竟无出入处所之形而可见也。

〔八〕【注】天门者,万物之都名也。谓之天门,犹云众妙之门也。

【疏】天者,自然之谓也;自然者,以无所由为义。言万有皆无所从,莫测所以,自然为造物之门户也。

〔九〕【注】死生出入,皆欻然自尔,未有为之者也。然有聚散隐显,故有出入之名;徒有名耳,竟无出入,门其安在乎?故以无为门。以无为门,则无门也。　【疏】夫天然之理,造化之门,徒有其名,竟无其实,而一切万物,从此门生,故郭注云以无为门。以无为门,则无门矣。

〔一〇〕【注】夫有之未生,以何为生乎?故必自有耳,岂有之所能有乎!　【疏】有既有矣,焉能有有?有之未生,谁生其有?推求斯有,竟无有也。

〔一一〕【注】此所以明有之不能为有而自有耳,非谓无能为有也。若无能为有,何谓无乎!　【疏】夫已生未生,二俱无有,此有之出乎无有,非谓此无能生有。无若生有,何谓无乎!

〔一二〕【注】一无有则遂无矣。无者遂无,则有自欻生明矣。　【疏】不问百非四句,一切皆无,故谓一无有。

〔一三〕【注】任其自生而不生生。　【疏】玄德圣人,冥真契理,藏神隐智,其在兹乎!

〔校〕①阙误引张君房本入出作出入。②竟字依下句改。

古之人,其知有所至矣〔一〕。恶乎至〔二〕?有以为未始有物者,至矣,尽矣,弗可以加矣〔三〕。其次以为有物矣〔四〕,将以生为丧也〔五〕,以死为反也〔六〕,是以分已〔七〕。其次曰始无有,既而有生,生俄而死;以无有为首,以生为体,以死为尻;孰知有无死生之一守①者,吾与之为友〔八〕。是三者虽异,公族也〔九〕,昭景也,著戴也,甲氏也,著封也,非一也〔一○〕。

〔一〕【疏】玄古圣人,得道之士,知与境合,故称为至。

〔二〕【疏】问至所由,(有)〔用〕何为至? 【释文】"恶乎"音乌。

〔三〕【疏】此显至之体状也。知既造极,观中皆空,故能用诸有法,未
曾有一物者也,可谓精微至极,穷理尽性,虚妙之甚,不复可
加矣。

〔四〕【疏】其次以下,未达真空,而诸万境,用为有物也。

〔五〕【注】丧其散而之乎聚也。 【释文】"为丧"息浪反。注同。

〔六〕【注】还融液也。 【疏】丧,失也。流俗之人,以生为得,以死为
丧。今欲反于迷情,故以生为丧,以其无也;以死为反,反于空
寂;虽未尽于至妙,犹齐于死生。 【释文】"融液"音亦。

〔七〕【注】虽欲均之,然已分也。 【疏】虽齐死生,犹见死生之异,故
从非有而起分别也。 【释文】"以分"方云反。注同。

〔八〕【疏】其次以下,心知稍闇,而始本无有,从无有生,俄顷之间,此
生彼灭。故用无为其头,以生为其形体,以死为其尻。谁能知
有无生死之不二而以此修守者,<u>庄生</u>狎而友朋,斯人犹难得
也。 【释文】"为尻"苦羔反。

〔九〕【注】或有而无之,或有而一之,或分而齐之,故谓三也。此三
者,虽有尽与不尽,然俱能无是非于胸中,故谓之公族。 【疏】
三者,谓以无为首,以生为体,以死为尻是也。于一体之中而起
此三异,犹如<u>楚</u>家于一姓之上分为三族。

〔一○〕【注】此四者虽公族,然已非一,则向之三者已复差之。 【疏】
<u>昭屈景</u>,<u>楚</u>之公族三姓。昔<u>屈原</u>为三闾大夫,掌三族三姓,即斯
是也。此中文略,故直言<u>昭景</u>。王孙公子,长大加冠,故著衣而
戴冠也。各有品秩,咸莅职官,因官赐姓,故甲第氏族也。功绩

既著,封之茅土,枝派分流,故非一也。犹如一道之中,分为有无生死,种类不同,名实各有异,故引其族以譬也。　【释文】"昭景也著"丁略反,又张虑反。"戴"本亦作载。"也甲氏也著"张虑反,久也。又丁略反。"封也非一也"一说云:昭景甲三者,皆楚同宗也。著戴者,谓著冠,世世处楚朝,为众人所戴仰也。著封者,谓世世处封邑,而光著久也。昭景甲三姓虽异,论本则同也。崔云:昭景二姓,楚之所显戴,皆甲姓显封,虽非一姓,同出公族,喻死生同也。此两说与注不同,聊出之耳。○家世父曰:郭注四者公族,似谓昭景甲氏皆族。释文一说云,昭景甲三者,皆楚同宗。又引崔云,昭景二姓,楚之所显戴,皆甲姓显封。疑崔说是也。王逸楚辞注:三闾掌王族三姓,曰昭屈景。无以甲为氏者。说文:首,戴也。尔雅释地:途出其前戴邱。著戴者,昭景相承为氏也;甲者,日之始也,言始得氏以受封,而后相承为氏也。同为公族,而所从来固非一矣。"已复"扶又反。

〔校〕①阙误引文如海本守作宗。

有生,黬也〔一〕,披然曰移是〔二〕。尝言移是,非所言也〔三〕。虽然,不可知者也〔四〕。腊者之有膍胲,可散而不可散也〔五〕;观室者周于寝庙,又适其偃①焉〔六〕,为是举移是〔七〕。

〔一〕【注】直聚气也。　【疏】黬,疵也。无有此形质而谓之生者,直是聚气成疵黬,非所贵者也。　【释文】"有生黬"徐於减反。司马(云)乌簟反,云:黬,有疵也,有疵者,欲披除之。李乌感反。字林云:釜底黑也。

〔二〕【注】既披然而有分,则各是其所是矣②。是无常在,故曰移。　【疏】披,分散也。夫道无彼我而物有是非。是非不定,故分散移徙而不常也。其移是之状，列在下文。　【释文】"披"
普皮反。"然曰移是"或云：翍然聚而生，披然散而死也。

〔三〕【注】所是之移，已著于言前矣。　【疏】理形是非，故试言耳。
然是非之移，非所言也。

〔四〕【注】不言其移，则其移不可知，故试言也。　【疏】虽复是非不
由于言，而非言无以知是非，故试言是非，一遣于是非。名不寄
言，则不知是非之无是非也。

〔五〕【注】物各有用。　【疏】腊者，大祭也。膍，牛百叶也。胲，备
也，亦言是牛蹄也。腊祭之时，牲牢甚备，至于四肢五藏，并皆
陈设。祭事既讫，方复散之，则以散为是；若其祭未了，则不合
散，则以散为不是。是知是与不是，移是无常。　【释文】"腊"
力阖反。"者之有膍"音毗。司马云：牛百叶也。本或作肶，音
毗，獐也。"胲"古来反，足大指也。崔云：备也。案腊者大祭备
物，而肴有膍胲。此虽从散，礼应具不可散弃也。

〔六〕【注】偃，谓屏厕。　【疏】偃，屏厕也。祭事既竟，斋宫与饮，施
设馀胙于屋室之中，观看周旋于寝庙之内。饮食既久，应须便
僻，故往圊圂而便尿也。饮食则以寝庙为是，便尿则以圊圂为
是，是非无常，竟何定乎？腊者明聚散无恒，观室显处所不定，
俱无是非也。　【释文】"其偃"於晚反。司马郭皆云：屏厕也。
又於建反。○庆藩案，郭与司马云，偃，屏厕也。桂馥云：屏当为
屏，偃当为晏。急就篇屏厕清圊粪土壤，颜注：屏，僻偃之名也。
今案桂氏谓屏当为屏，是矣；偃当为晏，颇无所据。愚谓偃当为
匽。周礼宫人为其井（井疑屏之误字）匽，郑司农云：匽，路厕
也。燕策宋王铸诸侯之象使侍屏（屏亦屏之讹也）匽。屏匽者，
屏厕也。开元占经引甘氏云：天溷七星在外屏，淮南注：天溷，厕

也,屏,所以障天翳也。"屏厕"步定反,又必领反。下同。

〔七〕【注】寝庙则以飨燕,屏厕则以偃溲;当其偃溲,则寝庙之是移于
屏厕矣。故是非之移,一彼一此,谁能常之!故至人因而乘之
则均耳。 【释文】"为是"于伪反。○家世父曰:有生,尘也;飘
者,尘之积而留焉者也;则将以死易生,披然曰移是乎?虽然,
既有生矣,如胲胲之相附,散之则死,而固不可散也;有生者有
死,如寝庙之有偃,相须而成者也;而是曰移是,是以生为扰,以
死为归,自见为累者也。齐生死者,更无是非名实之可言也。
以生为累,固必有己之见存,而乘之以为是非名实,而知愚荣辱
之争纷然起矣。移是者,终有不能移者也,有生之所以为飘也。
"溲"所留反。

〔校〕①阙误引江南古藏本及李张二本偃下有溲字。②世德堂本矣
作也。

请常言移是。是以生为本〔一〕**,以知为师**〔二〕**,因以乘
是非**〔三〕**;果有名实**〔四〕**,因以己为质**〔五〕**;使人以为己节**〔六〕**,
因以死偿节**〔七〕**。若然者,以用为知,以不用为愚,以彻为
名,以穷为辱**〔八〕**。移是,今①之人也**〔九〕**,是蜩与学鸠同于
同也**〔一〇〕**。

〔一〕【注】物之变化,无时非生,生则所在皆本也。 【疏】夫能忘生
死者,则无是无非者也,只为滞生,所以执是也。必能遣生,是
将安寄?故知移是以生为本。

〔二〕【注】所知虽异,而各师其知。

〔三〕【注】乘是非者,无是非也。 【疏】因其师知之心,心乘是非之
用,岂知师知者颠倒是非(者)无是非乎!

〔四〕【注】物之名实,果各自有。 【疏】夫物云云,悉皆虚幻,刍狗万

象,名实何施! 倒置之徒,谓决定有此名实也。

〔五〕【注】质,主也。物各谓己是,足②以为是非之主。 【疏】质,主也。妄执名实,遂用己为名实之主而竞是非也。

〔六〕【注】人皆谓己是,故莫通。 【疏】节者,至操也。既迷名实,又滞是非,遂使无识之人,坚执虚名以为节操也。

〔七〕【注】当其所守,非真脱也。 【疏】守是非以成志操,(悫)〔确〕乎不拔,期死执之也。 【释文】“因以死偿节”常亮反。广雅云:偿,报也,复也。案谓杀身以成名,节成而身死,故曰以死偿节也。

〔八〕【注】不能随所遇而安之。 【疏】以炫耀为智,晦迹为愚,通彻为荣名,穷塞为耻辱,若然者,岂能一穷通荣辱乎! 【释文】“为知”音智。

〔九〕【注】玄古之人,无是无非,何移之有! 【疏】夫固执名实,移滞是非,浇季浮伪,今世之人也,岂上古淳和质朴之士乎!

〔一〇〕【注】同共是其所同。 【疏】蜩鸴二虫,以蓬蒿为是。二虫同是,未为通见,移是之人,斯以类也。蜩同于鸠,鸠同于蜩,故曰同于同也。 【释文】“蜩”音条。“学鸴”本或作莺,音同。

〔校〕①阙误引江南古藏本及李张二本今上俱有非字。②赵谏议本足作是。

蹑市人之足,则辞以放骜〔一〕,兄则以妪〔二〕,大亲则已矣〔三〕。故曰,至礼有不人〔四〕,至义不物〔五〕,至知不谋〔六〕,至仁无亲〔七〕,至信辟金〔八〕。

〔一〕【注】称己脱误以谢之。 【疏】蹑,蹋也,履也。履蹋市廛之人不相识者之(节)〔足〕脚,则谢云,己傲慢放纵错(杂)误而然,非故为也者。【释文】"蹍"女展反。司马李云:蹈也。广雅云:履也。○庆藩案,文选马季长长笛赋注引司马云:蹍,女展切。释文漏。"骜"五报反。广雅云:妄也。

〔二〕【注】言妪诩之,无所辞谢。　【疏】蹍著兄弟之足,则妪诩而怜之,不以言愧。　【释文】"妪"於禹反。注同。"诩"况甫反。

〔三〕【注】明恕素足。　【疏】若父蹍子足,则(敏)〔默〕然而已,不复辞费。故知言辞往来,(者)〔虚〕伪不实。

〔四〕【注】不人者,视人若己。视人若己则不相辞谢,斯乃礼之至也。　【疏】自彼两忘,视人若己,不(允)〔见〕人(者)己〔内〕外,何辞谢之有乎! 斯至礼也。

〔五〕【注】各得其宜,则物皆我也。　【疏】物我双遣,妙得其宜,不(却)〔知〕我外有物,何(裁)〔是〕非之有! 斯至义〔也〕①。

〔六〕【注】谋而后知,非自然知。　【疏】率性而照,非谋谟而(智)〔知〕,斯至智也。

〔七〕【注】譬之五藏,未曾相亲,而仁已至矣。　【疏】方之手足,更相御用,无心相为,而相济之功成矣,岂有亲爱于其间哉! 　【释文】"未曾"才能反。

〔八〕【注】金玉者,小信之质耳,至信则除矣。　【疏】辟,除也。金玉者,〔小〕信之质耳,至信则弃除之矣。　【释文】"辟金"必领反。除也。又婢亦反。

〔校〕①也字依上下文补。

彻志之勃,解心之谬,去德之累,达道之塞〔一〕。贵富显严名利六者,勃志也〔二〕。容动色理气意六者,(缪)〔谬〕①心也〔三〕。恶欲喜怒哀乐六者,累德也〔四〕。去就取与知能六者,塞道也〔五〕。此四六者不盪胸中则正,正则静,静则明,明则虚,虚则无为而无不为也[六]。道者,德之钦也[七];生者,德之光也[八];性者,生之质也[九]。性之动,谓之为[一〇];为之伪,谓之失[一一]。知者,接也;知者,谟也[一二];知者之所不知,犹睨也[一三]。动以不得已之谓德[一四],动无非我之谓治[一五],名相反而实相顺也[一六]。

〔一〕【疏】彻,毁也。勃,乱也。(谬)〔缪〕,系缚也。此略标名,下具显释也。　【释文】“之勃”本又作悖,同。必妹反。“之谬”如字。一本作缪,亡侯反,亦音谬。“去德”起吕反。

〔二〕【疏】荣贵、富赡、高显、尊严、声名、利禄,六者,乱情志之具也。

〔三〕【疏】容貌、变动、颜色、辞理、气调、情意,六者,绸缪系缚心灵者也。本亦有作谬字者,解心之谬妄也。

〔四〕【疏】憎恶、爱欲、欣喜、恚怒、悲哀、欢乐,六者德(家)之患累也。【释文】“恶欲”乌路反。“哀乐”音洛。“累德”劣伪反。后注同。

〔五〕【疏】去舍、从就、贪取、施与、知虑、伎能,六者蔽真道也。　【释文】“知能”音智。

〔六〕【注】盪,动也。　【疏】四六之病,不动荡于胸中,则心神平正,正则安静,静则照明,明则虚通,虚则恬淡无为,应物而无穷也。【释文】“不盪”本亦作荡,徒黨反。郭云:动也。又徒浪反,又吐浪反。

713

〔七〕【疏】道是所修之法,德是临人之法。重人轻法,故钦仰于道。○俞樾曰:说文广部:厥,陈舆服于庭也。小尔雅广诂:厥,陈也。此钦字即厥之假字。盖所以生者为德而陈列之即为道,故曰德之厥也。汉书哀帝纪注引李斐曰:陈,道也。是其义矣。

〔八〕【疏】天地之大德曰生,故生化万物者,盛德之光华也。　【释文】"德之光"一本光字作先。

〔九〕【疏】质,本也。自然之性者,是禀生之本也。

〔一〇〕【注】以性自动,故称为耳;此乃真为,非有为也。　【疏】率性而动,分内而为,为而无为,非有为也。

〔一一〕【疏】感物而动,性之欲〔也。矫性〕伪情,分外有为,谓之丧道也。

〔一二〕【疏】夫交接前物,谋谟情事,故谓之知也。

〔一三〕【注】夫目之能视,非知视而视也;不知视而视,不知知而知耳,所以为自然。若知而后为,则知伪也。　【疏】睨,视也。夫目之张视也,不知所以视而视,〔而〕②视有明暗。心之能知,不知所以知而知,而知有深浅。(而)目不能视而不可强视,心不能知而不可强知,若有分限,犹如睨也。　【释文】"睨也"鱼计反,又五礼反,视也。

〔一四〕【注】若得已而动,则为强动者,所以失也。　【疏】夫迫而后动,和而不唱,不得已用之,可谓盛德也。○家世父曰:与物相接而知生焉,因而为之(谨)谋〔谟〕③而知名焉。其所不知,犹将睨视而揣得之,知之所由成也,道之所由毁也。动于不得已而一任我之自然,奚以知为哉!

〔一五〕【注】动而效彼则乱。　【疏】率性而动,不舍我效物,合于正理,故不乱。　【释文】"谓治"直吏反。

714

〔一六〕【注】有彼我之名,故反;(各)〔名〕④得其实,则顺。　【疏】有彼我是非之名,故名相反;无彼我是非之实,故实相顺也。

〔校〕①谬字依上文及世德堂本改。②而字依下句补。③谋谟二字依上疏文改。④名字依世德堂本改。

羿<u>工</u>乎中微而拙乎使人无己誉〔一〕。圣人工乎天而拙乎人〔二〕。夫工乎天而俍乎人者，唯全人能之〔三〕。唯虫能虫，唯虫能天〔四〕。全人恶天？恶人之天〔五〕？而况吾天乎人乎〔六〕！

〔一〕【注】善中则善取誉矣，理常俱〔也〕①。　【疏】羿，古之善射人。工，巧也。羿弯弓放矢，工中前物，尽射家之微妙。既有斯伎，则擅斯名，使己无令誉，不可得也。　【释文】"羿"五计反。徐又户计反。"中微"丁仲反。注同。"己誉"音馀。后章同。

〔二〕【注】任其自然，天也；有心为之，人也。　【疏】前起譬，此合(谕)〔喻〕也。圣人妙契自然，功侔造化，使群品日用不知，不显其迹，此诚难也。故上文云使天下兼忘我难。

〔三〕【注】工于天，即俍于人矣，谓之全人，全人则圣人也。　【疏】俍，善也。全人，神人也。夫巧合天然，善能晦迹，泽及万世而日用不知者，其神人之谓乎！神人无功，故能之耳。　【释文】"而俍"音良。崔云：良工也。又音浪。

〔四〕【注】能还守虫，即是能天。　【疏】鸟飞兽走，能虫也；蛛网蜣丸，能天也。皆禀之造物，岂仿效之所致哉！　【释文】"唯虫"一本唯作虽，下句亦尔。言虫自能为虫者，天也。○家世父曰：能天者，不知所谓天。若知有天，则非天矣。(令)〔全〕②人恶知天？恶知人之天？天(也)〔者〕吾心自适之趣，全人初未尝辨而知之，岂吾心所能自喻乎！恶当为汪胡切，与乌同，释文乌路反者误。○庆藩案，两唯字当从释文作虽。唯，古或借作虽。诗大雅抑篇女虽湛乐从，言女唯湛乐之从也。(书无逸惟耽乐之从。)管子君臣篇虽有明君能决之，又能塞之，言唯有明君能之也。

〔五〕【疏】夫全德之人,神功不测,岂嫌己之素分而恶人之所禀哉？盖不然〔乎〕,率顺其天然而已矣。 【释文】"恶天"乌路反。下同。

〔六〕【注】都不知而任之,斯(而)〔所〕③谓工乎天。 【疏】天乎人乎,不见人天之异,都任之也。前自遣天人美恶,犹有天人。此句混一天人,不见天人之异也。吾者,论主假自称也。

〔校〕①也字依王叔岷说补。②全字依正文改。③所字依王叔岷说改。

　　一雀适羿,羿必得之,威也〔一〕;以天下为之笼,则雀无所逃〔二〕。是故汤以胞①人笼伊尹,秦穆公以五羊之皮笼百里奚〔三〕。是故非以其所好笼之而可得者,无有也〔四〕。

〔一〕【注】威以取物,物必逃之。 【疏】假有一雀,羿善射,射必得之。此以威猛,(猛)非由德慧,故所获者少,所逃者多。以威御世,其义亦尔。 【释文】"威也"崔本作或也。

〔二〕【注】天下之物,各有所好,所好各得,则逃将安(在)〔往〕! 【疏】大道旷荡,无不制围,故以天地为笼,则雀无逃处。是知以威取物,深乖大造。 【释文】"之笼"力东反。"所好"呼报反,下及注文同。

〔三〕【疏】伊尹,有莘氏之媵臣,能调鼎,负玉鼎以干汤。汤知其贤也,又顺其性,故以庖厨而笼之。百里奚没狄,狄人爱羊皮,秦穆公以五色羊皮而赎之。又云:百里奚好著五色羊皮裘,号曰五羖大夫。而汤圣穆贤,俱能好士,故得此二人,用为良(佑)〔佐〕,皆顺其本性,所以笼之。 【释文】"汤以胞"本又作庖,白交反。○卢文弨曰:案胞与庖通。礼记祭统辉胞翟阍注:胞者,肉吏之贱者也。“人笼伊尹”伊尹好厨，故汤用为庖人也。“秦穆公以五羊之皮笼百里奚”百里奚好秦而拘于宛，故秦穆公以五羊皮赎之于楚也。或云：百里好五色皮裘，故因其所好也。

〔四〕【疏】顺其所好，则天下无难；逆其本性而牢笼得者，未之有也。

〔校〕①赵谏议本胞作庖。

介者拸画，外非誉也〔一〕；胥靡登高而不惧，遗死生也〔二〕。夫复謉不馈而忘人〔三〕，忘人，因以为天人矣〔四〕。故敬之而不喜，侮之而不怒者，唯同乎天和者为然〔五〕。出怒不怒，则怒出于不怒矣；出为无为，则为出于无为矣〔六〕。欲静则平气，欲神则顺心，有为也。欲当则缘于不得已，不得已之类，圣人之道。〔七〕

〔一〕【注】画，所以饰容貌也。刖者之貌既以亏残，则不复以好丑在怀，故拸而弃之。　【疏】介，刖也。拸，去也。画，装也。装严服饰，本为容仪。残刖之人，形貌残损，至于非誉荣辱，无复在怀，故拸而弃之。　【释文】“介”音界。郭云：刖也。又古黠反。广雅云：独也。崔本作兀。“拸画”敕纸反，又音他，又与纸反。本亦作移。司马云：画，饰容之具；无足，故不复爱之。一云：移，离也。崔云：移画，不拘法度也。○俞樾曰：郭注曰，画，所以饰容貌也，刖者之貌既以亏残，则不复以好丑在怀，故拸而弃之。然云外非誉，似不当以容貌言。崔云，拸画，不拘法度也。当从之。汉书司马相如传疼以陆离，师古注曰：疼，自放纵也。即此拸字之义。桓六年穀梁传以其画我，公羊传作化我，何休注曰：行过无礼谓之化。即此画字之义。盖人既刖足，不自顾惜，非誉皆所不计，故不拘法度也。“不复”扶又反。

〔二〕【注】无赖于生,故不畏死。 【疏】胥靡,徒役之人也。千金之子固贵其身,仆隶之人不重其命,既不矜惜,故登危而不怖惧也。 【释文】"胥靡"司马云:刑徒人也。一云:癞人也。崔云:腐刑也。

〔三〕【注】不识人之所惜。 【疏】馈,本亦有作愧字者,随字读之。夫复于本性,胥以成之,既不舍己效人,遂弃忘于愧谢,斯忘于人伦之道也。譬之手足,方诸服用,更相御用,岂谢赖于其间哉! 【释文】"夫复"音服,徐扶又反。"謵"音习。"不馈"其愧反。广雅云:遗也。一音愧。元嘉本作愧。"而忘人"复者,温复之谓也。謵,翫也。夫人翫习者,虽复小事,皆所至惜。今温复人之所习,既得之矣,而不还归以馈遗之,此至愚不获人之所习者也。无复相为之情,故曰忘人。○家世父曰:非誉,通作毁誉言。此言毁其陋也。外非誉,遗死生,忘己者也;复謵不馈,忘人者也。说文:嗜,失气言。謵,言〔謵〕嗜(謵)①也。复謵,谓人语言慑伏以下我而我报之。郑康成士虞礼注:馈,犹归也,以物与神及人皆言馈。以物与人曰馈,以言语饷人亦曰馈。复謵不馈,忘贵贱也。忘人忘己,则同乎天和矣。释文谓音习,翫也,误。

〔四〕【注】无人之情,则自然为天人。 【疏】率其天道之性,忘于人道之情,因合于自然之理也。

〔五〕【注】彼形残胥靡而犹同乎天和,况天和之自然乎! 【疏】同乎天和,忘于逆顺,故恭敬之而不喜,侮慢之而不怒也。 【释文】"侮之"亡甫反。

〔六〕【注】此故是无不能生有、有不能为生之意也。 【疏】夫能出怒出为者,不为不怒者也,是以从不怒不为出。故知为本无为,怒本不怒,能体斯趣,故侮之而不怒也。

〔七〕【注】平气则静,理足顺心则神功至,缘于不得已则所为皆当。故圣人以斯为道,岂求无为于恍惚之外哉! 【疏】缘,顺也。夫欲静攀援,必须调乎志气,神功变化,莫先委顺心灵;和混有为之中而欲当于理者,又须顺于不得止。不得止者,感而后应,分内之事也。如斯之例,圣人所以用为正道也。

〔校〕①謟誃二字原误倒,依说文改。

庄子集释卷八中

杂篇徐无鬼第二十四〔一〕

〔一〕【释文】以人名篇。

　　徐无鬼因女商见魏武侯〔一〕,武侯劳之曰:"先生病矣!
苦于山林之劳,故乃肯见于寡人〔二〕。"

〔一〕【疏】姓徐,字无鬼,隐者也。姓女,名商,魏之宰臣。武侯,文侯
　　　之子,毕万十世孙也。无鬼欲箴规武侯,故假宰臣以见之。
　　　【释文】"徐无鬼"缗山人,魏之隐士也。司马本作缗山人徐无
　　　鬼。"女商"人名也。李云:无鬼女商,并魏幸臣。"魏武侯"名
　　　击,文侯之子,治安邑。

〔二〕【疏】久处山林,勤苦贫病,忽能降志,混迹俗中,中心欣悦,有慰
　　　劳也。　　【释文】"武侯劳之"力报反。唯山林之劳一字如字,馀
　　　并下章并力报反。

　　　徐无鬼曰:"我则劳于君,君有何劳于我!君将盈耆
欲,长好恶,则性命之情病矣;君将黜耆欲,掔好恶,则耳目

病矣[一]。我将劳君,君有何劳于我![二]"武侯超然不
对[三]。

〔一〕【注】嗜欲好恶,内外无可。　【疏】黜,废退也。擎,
　　引却也。君若嗜欲盈满,好恶长进,则性命精灵困病也;
　　君屏黜嗜欲,擎去好恶,既不称适,故耳目病矣。是故我
　　将慰劳于君,君有何暇能劳于我也!　【释文】"盈眷"
　　时志反。下、注同。"长"丁丈反。"好"呼报反。下注、下
　　章同。"恶"乌路反。下注、下章同。"黜"敕律反,退也。
　　本又作出,音同。司马本作咄。"擎"苦田反,又口闲反。
　　尔雅云:固也。崔云:引去也。司马云:牵也。

〔二〕【疏】此重结前义。

〔三〕【注】不说其言。　【疏】超,怅也。既不称情,故怅然不答。
　　【释文】"超然"司马云:犹怅然也。"不说"音悦。下文大说同。

少焉,徐无鬼曰:"尝语君,吾相狗也[一]。下之质执饱
而止,是狸德也[二];中之质若视日[三],上之质若亡其
一[四]。吾相狗,又不若吾相马也[五]。吾相马,直者中
绳[六],曲者中钩[七],方者中矩[八],圆者中规[九],是国马
也[一〇],而未若天下马也。天下马有成材[一一],若卹若失,
若丧其一[一二],若是者,超轶绝尘,不知其所[一三]。"武侯大
悦而笑[一四]。

〔一〕【疏】既觉武侯怅然不悦,试语狗马,庶惬其心。　【释文】"语
　　君"鱼据反。"吾相"息亮反。下皆同。

〔二〕【疏】执守情志,唯贪饱食,此之形质,德比狐狸,下品之狗。
　　【释文】"下之质"一本无质字。"执饱而止"司马以执字绝句,
　　云:放下之能执禽也。"是狸德也"谓贪如狐狸也。○俞樾曰:

广雅释兽:狸,猫也。猫之捕鼠,饱而止矣,故曰是狸德也。秋水篇曰,骐骥骅骝,一日而驰千里,捕鼠不如狸狌。此本书以狸为猫之证。御览引尸子曰:使牛捕鼠,不如猫狌之捷。庄子言狸狌,尸子言猫狌,一也。释文曰,狸德,谓贪如狐狸也,未得其义。

〔三〕【疏】意气高远,望如视日,体质如斯,中品狗也。　【释文】"示日"音视。司马本作视,云:视日,瞻远也。○卢文弨曰:今书作视日。旧音视,仍讹作示,今改正。

〔四〕【疏】一,身也。神气定审,若丧其身,上品之狗也。　【释文】"若亡其一"一,身也;谓精神不动,若无其身也。

〔五〕【疏】狗有三品,马有数阶,而相狗之能,不若相马。武侯庸鄙,故以此逗机,冀其欢悦,庶几归正。

〔六〕【疏】谓马前齿。

〔七〕【疏】谓马项也。

〔八〕【疏】谓马头也。

〔九〕【疏】谓马眼也。　【释文】"直者中绳"丁仲反。下皆同。司马云:直,谓马齿;曲,谓背上;方,谓头;圆,谓目。

〔一○〕【疏】合上之相,是谓诸侯之国上品马也。

〔一一〕【疏】材德素成,不待于习,斯乃宇内上马,天王所驭也。　【释文】"成材"字亦作才。言自然已足,不须教习也。

〔一二〕【疏】眼自顾视,既似忧虞,蹄足缓疏,又如奔佚,观其神彩,若忘己身,如此之材,天子马也。　【释文】"若卹"音恤。"若失"音逸。司马本作佚。李云:卹失,皆惊悚若飞也。"若丧"息浪反。下章注同。"其一"言丧其耦也。

〔一三〕【疏】轶,过也。驰走迅速,超过群马,疾若迅风,尘埃远隔,既非教习,故不知所由也。　【释文】"超轶"李音逸,徐徒列反。崔云:彻也。广雅云:过也。

〔一四〕【注】夫真人之言何逊哉？唯物所好之可也。 【疏】语当其机，
故笑而欢悦。

徐无鬼出，女商曰："先生独何以说吾君乎〔一〕？吾所
以说吾君者，横说之则以诗书礼乐，从说之则以金板六
弢〔二〕，奉事而大有功者不可为数，而吾君未尝启齿〔三〕。
今先生何以说吾君，使吾君说若此乎〔四〕？"

〔一〕【疏】议事已了，辞而出。女商怪君欢笑，是以咨问无鬼也。
【释文】"以说"如字，又始锐反。下皆同。司马作悦。

〔二〕【疏】诗书礼乐，六经。金版六弢，周书篇名也，或言秘谶也。本
有作韬字者，随字读之，云是太公兵法，谓文武虎豹龙犬六弢
也。横，远也；从，近也。武侯好武而恶文，故以兵法为从，六经
为横也。 【释文】"从说"子容反。"金版"本又作板，薄版反，
又如字。○卢文弨曰：今书作板。"六弢"吐刀反。司马崔云：
金版六弢，皆周书篇名。或曰：秘(识)〔谶〕①也。本又作六韬，
谓太公六韬，文武虎豹龙犬也。

〔三〕【注】是直乐鷃以钟鼓耳，故愁。○庆藩案，文选郭景纯游仙诗
注引司马云：启齿，笑也。释文阙。 【释文】"乐"音洛。章末
同。"鷃"一谏反。

〔四〕【疏】奉事武侯，尽于忠节，或献替可否，功绩克彰，如此之徒，不
可称数，而我君未尝开口而微笑。今子有何术，遂使吾君欢说
如此耶？ 【释文】"吾君说"音悦。

〔校〕①谶字依释文原本改。

徐无鬼曰："吾直告之吾相狗马耳〔一〕。"

〔一〕【疏】夫药无贵贱，愈疾则良，故直告犬马，更无佗说。

女商曰:"若是乎〔一〕?"

〔一〕【疏】直(置)如是告狗马乎?怪其术浅,故有斯问。

曰:"子不闻夫越之流人乎?去国数日,见其所知而喜〔一〕;去国旬月,见所尝见于国中者喜〔二〕;及期年也,见似人者而喜矣;不亦去人滋久,思人滋深乎〔三〕?夫逃虚空者,藜藿柱乎①鼪鼬之迳,踉位其空,闻人足音跫然而喜矣,又②况乎昆弟亲戚之謦欬其侧者乎〔四〕!久矣夫莫以真人之言謦欬吾君之侧乎〔五〕!"

〔一〕【注】各思其本性之所好。 【疏】去国迢递,有被流放之人,或犯宪纲,或遭苛政。辞乡甫尔,始经数日,忽逢知识,喜慰何疑!此起譬也。 【释文】"越之流人"越,远也。司马云,流人,有罪见流徙者也。"数日"所主反。

〔二〕【疏】日月稍久,思乡渐深,虽非相识,而国中曾见故人,见之而欢也。

〔三〕【注】各得其所好则无思,无思则忘其所以喜也。 【疏】去国周年,所适渐远,故见似乡里人而欢喜矣。岂非离家渐远而思恋滋深乎?以况武侯性好犬马,久不闻政事,等离乡之人忽闻谈笑。 【释文】"及期"音基。

〔四〕【注】得所至乐,则大悦也。 【疏】柱,塞也。踉,良人也。跫,行声也。夫时遭暴乱,运属饥荒,逃避波流,於虚园宅,唯有藜藿野草,柱塞门庭,狙猿鼪鼬,蹊径斯在,若于堂宇人位,虚广闲然。当尔之际,思乡滋甚,忽闻佗人行声,犹自欣悦,况乎兄弟亲眷謦欬言笑者乎!此重起譬也。 【释文】"夫逃"司马本作巡也。"虚空者"司马云:故坏家处为空虚也。"藜"力西反。

"藋"徒弔反。本或作藋,同。"柱"诛矩反。<u>司马</u>云:塞也。"乎
雔"音生,又音姓。"鼬"由救反。"之迳"本亦作径。<u>司马</u>云:
径,道也。本又作迸。<u>元嘉</u>本作迸,<u>徐</u>音逸。<u>崔</u>云:迸,迹。○<u>庆
藩</u>案,藜,蒿也。藋即今所谓灰藋也。<u>尔雅</u>拜商藋,<u>郭</u>注:商藋,
似藜。案藜藋皆生于不治之地,其高过人,必排之而后得进,故
<u>史记仲尼弟子传</u>曰排藜藋。此言柱乎雔鼬之迳,亦极谓其高
也。"良位其空"<u>司马</u>云:良,良人,谓巡虚者也,位其空,谓处虚
空之间也。良,或作踉,音同。○<u>卢文弨</u>曰:今书良作踉。○<u>家
世父</u>曰:释文良位其空,<u>司马</u>云,良人,谓巡虚者也。良或作踉。
据秋水篇跳梁乎井干之上,一本作跳踉。<u>潘安仁射雉赋</u>已踉蹡
而徐来。<u>玉篇</u>:踉蹡,疾行。此云藜藋雔鼬之迳,有空隙焉,跄踉
处乎其中。<u>说文</u>:跄,动貌。舒〔言〕之(言)曰跄踉,急〔言〕之
(言)曰踉。<u>释文</u>误。"跫然"<u>郭</u>巨恭反,<u>李</u>曲恭反,又曲勇反,悚
也。<u>徐</u>苦江反,又祛扃反。<u>司马</u>云:喜貌。<u>崔</u>云:行人之声。"而
喜矣"<u>李</u>云:喻<u>武侯</u>之无人君之德而处在防卫之间,虽临朝矫
厉,愈非其意,及得其所思,犹逃窜之闻人音,安能不跫然改貌,
释然而喜也!"謦"苦顶反,又音磬。"欬"苦爱反,一音器。<u>李</u>
云:謦欬,喻言笑也。但呼闻所好犹大悦,况骨肉之情,欢之
至也。

〔五〕【注】所以未尝启齿也。夫真人之言所以得吾君,性也;始得之
而喜,久得之则忘。　　【疏】<u>武侯</u>思闻犬马,其日固久,譬彼流
人,方(滋)〔兹〕逃客,羁(弊)〔旅〕既淹,实怀乡眷。今乃以真人
<u>六经</u>之说,<u>太公兵法</u>之谈,謦欬其侧,非其宜也。此合前(谕)
〔喻〕也。　　【释文】"久矣夫"音扶。后放此。

〔校〕①阙误引文如海张君房本乎俱作于。②世德堂本又作而。

　　徐无鬼见**武侯**,**武侯**曰:"先生居山林,食芋栗,厌葱韭,以宾寡人,久矣夫! 今老邪? 其欲干酒肉之味邪? 其寡人亦有社稷之福邪〔一〕?"

〔一〕【疏】干,求也。久处山林,飧食蔬果,年事衰老,劳苦厌倦,岂不欲求于滋味以养颓龄乎? 庶禀德以谋固宗庙。　【释文】"食芋"音序,又食汝反。本亦作芧栗。○庆藩案,说文:橡,栎实。又曰:栩,柔也(柔与芧同。),其实草。(今借用(早)〔草〕字,俗作皂。)一曰样。又曰:草斗,栎实,一曰样斗。高注吕氏春秋:橡,(早)〔皂〕①斗也(恃君篇),其状如栗。汉书司马相如传应劭注曰:栎,采木也。合观诸说,栎,一名栩,一名柔,一名采;其实谓之皂,亦谓之样。是样者,采实也。司马此注柔橡子也,则采亦谓之样矣。说文样字,今书传皆作橡。(案山木篇柜栗,徐无鬼篇作芋栗,是芋柔柜三字皆通。淮南本经菱柜紾抱,高注:柜,采实也。王引之曰:柜,水草也。柜读为芋,字亦作苧。汉书司马相如传上林赋蒋芋青薠,张揖曰:芋,三棱也。文选芋作苧。作苧者或字,作柜者借(之)〔字〕也。)"韭"音久。或艹下作者,非也。○卢文弨曰:艹,即草字头,艹下作,乃俗韭字。旧艹作卝,讹,今改正。"以宾"必刃反。本或作摈。司马云:摈,弃也。又必人反。李云:宾客也。"欲干"李云:干,求也。"社稷之福邪"李云:谓善言嘉谋,可以利社稷也。

〔校〕①皂字依吕氏春秋高注改。

　　徐无鬼曰:"**无鬼**生于贫贱,未尝敢饮食君之酒肉,将来劳君也。〔一〕"

〔一〕【疏】生涯贫贱,安于山薮,岂欲贪于饮食以自养哉? 盖不然乎! 将劳君也。

君曰:"奚哉,奚劳寡人〔一〕?"

〔一〕【疏】奚,何也。问其所以也。

曰:"劳君之神与形〔一〕。"

〔一〕【疏】食欲无厌,形劳神倦,故慰之耳。

武侯曰:"何谓邪〔一〕?"

〔一〕【疏】问其所言,有何意谓。

徐无鬼曰:"天地之养也一〔一〕,登高不可以为长,居下不可以为短。君独为万乘之主,以苦一国之民,以养耳目鼻口,〔二〕夫神者不自许也〔三〕。夫神者,好和而恶奸〔四〕;夫奸,病也,故劳之。唯君所病之,何也?〔五〕"

〔一〕【注】不以为君而恣之无极。 【疏】夫天地两仪,亭毒群品,物于资养,周普无偏,不以为君恣其奢侈。此并是无鬼劳君之辞。

〔二〕【注】如此,违天地之平也。 【疏】登高位为君子,不可乐之以为长;居卑下为百姓,不可苦之以为短。而独夸万乘之威,苦此一国黎庶,贪色声香味,以恣耳目鼻口,既违天地之意,窃为公不取焉。 【释文】"万乘"绳證反。

〔三〕【注】物与之耳。 【疏】许,与也。夫圣主神人,物我平等,必不多贪滋味而自与焉。 【释文】"不自许"司马云:许,与也。

〔四〕【注】与物共者,和也;私自许者,奸也。 【疏】夫神圣之人,好与物和同而恶奸私者。

〔五〕【疏】夫奸者私通,于理为病。君独有斯病,其困如何? 【释文】"夫奸病"王云:奸者,以正从邪也,谓病也。"所病之何也"李云:服而无对也。或云:养违天地之平,独恣其欲,自许不损于神而以奸为病,故不知所以。以此为病,何为乎?

武侯曰："欲见先生久矣。吾欲爱民而为义偃兵，其可乎〔一〕？"

〔一〕【疏】欲行爱养之仁而为裁非之义，修于文教，偃息兵戈，如斯治
　　国，未知可不也？　【释文】"偃兵"偃，息也。

徐无鬼曰："不可。爱民，害民之始也〔一〕；为义偃兵，
造兵之本也〔二〕；君自此为之，则殆不成〔三〕。凡成美，恶器
也〔四〕；君虽为仁义，几且伪哉〔五〕！形固造形〔六〕，成固有
伐〔七〕，变固外战〔八〕。君亦必无盛鹤列于丽谯之间〔九〕，无
徒骥于锱坛之宫〔一〇〕，无藏逆于得〔一一〕，无以巧胜人〔一二〕，
无以谋胜人〔一三〕，无以战胜人〔一四〕。夫杀人之士民，兼人
之土地，以养吾私与吾神者，其战不知孰善？胜之恶乎
在？〔一五〕君若勿已矣，修胸中之诚，以应天地之情而勿
撄〔一六〕。夫民死已脱矣，君将恶乎用夫偃兵哉〔一七〕！"

〔一〕【注】爱民之迹，为民所尚。尚之为爱，爱已伪也。

〔二〕【注】为义则名彰，名彰则竞兴，竞兴则丧其真矣。父子君臣，怀
　　情相欺，虽欲偃兵，其可得乎！　【疏】夫偏爱之仁，裁非之义，
　　偃武之功，修文之事，迹既彰矣，物斯徇焉，害民造兵，自此
　　始也。

〔三〕【注】从无为为之乃成耳。　【疏】自，从也。殆，近也。从此以
　　为，必殆隳败无为之本，故近不成也。

〔四〕【注】美成于前，则伪生于后，故成美者乃恶器也。　【疏】夫善
　　善之事，成之于前，美迹既彰，物则趋竞，故为恶之器具也。

〔五〕【注】民将以伪继之耳，未肯为真也。　【疏】几，近也。仁义迹
　　显，物皆丧真，故近伪本也。

〔六〕【注】仁义有形,固伪形必作。　【疏】仁义二涂,并有形迹,故前迹既依,后形必造。

〔七〕【注】成则显也。　【疏】夫功名成者,必招争竞,故有征伐。

〔八〕【注】失其常然。　【疏】夫造作刑法而变更易常者,物必害之,故致外敌,事多争战。　【释文】"成固有伐变固外战"王云:成功在己,亦众所不与,欲无有伐,其可得乎! 夫伪生形造,又伐焉,非本所图,势之变也。既有伪伐,得无战乎! ○家世父曰:假仁义为名,将日悬仁义之形于胸中,而凡依于仁义之形,皆可意造之,成乎仁义之名则自多。小尔雅:伐,美也。谓自多其功美。仁(意)〔义〕可以意造之而固非安之,必有中变者矣。变则耳目手足皆失其常,喜怒哀乐亦违其节,是外战也。凡有意为之者,皆殆也。

〔九〕【注】鹤列,陈兵也。丽谯,高楼也。　【释文】"鹤列"李云:谓兵如鹤之列行。司马云:鹤列,钟鼓也。"丽"如字,又力智反,力支反。"谯"本亦作嶕,在逍反。司马郭李皆云:丽谯,楼观名也。案谓华丽而嶕峣。

〔一○〕【注】步兵曰徒。但不当为义爱民耳,亦无为盛兵走马。　【疏】鹤列,陈兵也,言陈设兵马,如鹤之行列也。丽谯,高楼也。言其华丽嶕峣也。锱坛,宫名也。君但勿起心偃兵为义,亦无劳盛陈兵卒于高楼之下,(徒)〔走〕①骥马宫苑之间。　【释文】"无徒"司马云:徒,步也。"锱坛"徐侧其反。锱坛,坛名。○家世父曰:史记陈涉世家战谯门中,颜师古注:门上为高楼以望远,楼一名谯。说文:封土曰坛。锱坛之宫,谓军垒也。丽谯,城楼。盛鹤列者,守兵。徒骥,犹徒御也,谓行兵。

〔一一〕【注】得中有逆则失耳。　【疏】莫包藏逆心而苟于得。　【释文】“无藏”一本作臧，司马本同。“逆于得”司马本作德。李云：
凡非理而贪，贪得而居之，此藏逆于德内者也。孰有贪得而可
以德不失哉？固宜无藏而舍之。又云：谓有贪则逆道也。

〔一二〕【注】守其朴而朴各有所能则平。　【疏】大巧若拙，各敦朴素，
莫以机心争胜于人。

〔一三〕【注】率其真知而知各有所长则均。　【疏】忘心遣虑，率其真
知，勿以谋谟胜捷于物。

〔一四〕【注】以道应物，物服而无胜名。　【疏】先为清淡，以道服人，勿
以兵战取胜于物。

〔一五〕【注】不知以何为善，则虽克非己胜。　【疏】夫应天顺人，而或
灭凶殄逆者，虽亡国戮人而不失百姓之欢心也。若使诛杀人
民，兼土并地，而意在贪取，私养其身及悦其心者，虽复战克前
敌，善胜于人，不知此胜于何处在，善且在谁边也。　【释文】
“恶乎”音乌。下同。

〔一六〕【注】若未能已，则莫若修己之诚。　【疏】诚，实也。撄，扰也。
事不得止，应须治国，若修心中之实，应二仪之生杀，无劳作法
撄扰黎民。　【释文】“勿撄”一营反，又一盈反。

〔一七〕【注】甲兵无所陈，非偃也。　【疏】(夫)〔大〕顺天地，施化无心，
民以胜残，免脱伤死，何劳措意作法偃兵耶！　【释文】“已脱”
音夺。

〔校〕①走字依注文改。

黄帝将见大隗乎具茨之山〔一〕，方明为御，昌寓骖乘，
张若謵朋前马，昆阍滑稽后车〔二〕；至于襄城之野，七圣皆
迷，无所问涂〔三〕。

〔一〕【疏】黄帝，轩辕也。大隗，大道广大而隗然空寂也。亦言：大隗，古之至人也。具茨，山名也。在(荥)荥阳密县界，亦名泰隗山。黄帝圣人，久冥至理，方欲寄寻玄道，故托迹具茨。【释文】"大隗"五罪反。司马崔本作泰隗。或云：大隗，神名也。一云：大道也。"具茨"一本作次，同。祀咨反，又音资。司马本作疾。山名也。司马云，在荥阳密县东，今名泰隗山。

〔二〕【疏】方明滑稽等，皆是人名。在右为骖，在左为御。前马，马前为导也。后车，车后为从也。【释文】"昌寓"音禹。"骖乘"绳證反。骖乘，车右也。"謵"音习。元嘉本作谓。崔同。"朋"舒氏反。崔本作庨，本亦作朋，蒲登反。徐扶恒反。○卢文弨曰：今书作謵朋。○庆藩案，朋，崔本作朋，盖多朋字常相混。古文多字作㚈，形与朋相似而误。史记五帝纪鬼神山川，封禅与为多焉，徐广曰：多，亦作朋。汉书霍去病传校尉仆多有功，师古曰：功臣侯表作仆朋。皆传写之误也。(周策公仲侈，韩子十过篇、汉书古今人表皆作公仲朋，亦其(误)〔证〕。)"前马"司马云：二人先马导也。"昆阍"音昏。"滑"音骨。"稽"音鸡。"后车"司马云：二人从车后。

〔三〕【注】圣者名也；名生而物迷矣，虽欲之乎大隗，其可得乎！

【疏】涂，道也。今汝州有襄城县，在泰隗山南，即黄帝访道之所也。自黄帝已上至于滑稽，总有七圣也。注云，圣者名也，名生而物迷矣，虽欲之乎大隗，其可得乎！此注得之，今不重释也。【释文】"襄成之野"李云：地名。"七圣"黄帝一，方明二，昌寓三，张若四，謵朋五，昆阍六，滑稽七也。

适遇牧马童子，问涂焉〔一〕，曰："若知具茨之山乎？"曰："然。"〔二〕

〔一〕【疏】牧马童子,得道人也。牧马曰牧。适尔而值牧童,因问道
之所在。

〔二〕【疏】若,汝也。然,犹是也。问山之所在,答云我知。

"若知大隗之所存乎?"曰:"然。"〔一〕

〔一〕【疏】存,在也。又问道之所在,答云知处。

<u>黄帝</u>曰:"异哉小童!非徒知<u>具茨</u>之山,又知大隗之
所存。请问为天下。"〔一〕

〔一〕【疏】帝惊异牧童知道所在,因问缉理区宇,其法如何。

小童曰:"夫为天下者,亦若此而已矣,又奚事焉〔一〕!
予少而自游于六合之内,予适有瞀病,有长者教予曰:'若
乘日之车而游于<u>襄城</u>之野〔二〕。'今予病少痊,予又且复游
于六合之外。夫为天下亦若此而已。予又奚事焉!〔三〕"

〔一〕【注】各自若则无事矣,无事乃可以为天下也。 【疏】奚,何也。
若,如也。夫欲修为天下,亦如治理其身,身既无为,物有何事!
故<u>老经</u>云,我无为而民自化。

〔二〕【注】日出而游,日入而息。 【疏】六合之内,谓嚣尘之里也。
瞀病,谓风眩冒乱也。言我少游至道之境,栖心尘垢之外,而有
眩病,未能体真。幸圣人教我修道,昼作夜息,乘日遨游,以此
安居而逍遥处世。本有作专字者,谓乘日新以变化。 【释文】
"予少"诗召反。"瞀"莫豆反,<u>郭</u>音务。<u>李</u>云:风眩貌。<u>司马</u>云:
瞀,读曰瞀,谓眩瞀也。"长者"丁丈反。"乘日之车"<u>司马</u>云:以
日为车也。<u>元嘉</u>本车作居。

〔三〕【注】夫为天下,莫过自放任,自放任矣,物亦奚撄焉!故我无为
而民自化。 【疏】痊,除也。虚妄之病,久已痊除,任染而游心

物外,治身治国,岂有异乎! 物我混同,故无事也。 【释文】
"少痊"七全反。李云:除也。〇庆藩案,文选潘安仁闲居赋注
引司马云:痊,除也。释文阙。"且复"扶又反。

黄帝曰:"夫为天下者,则诚非吾子之事〔一〕。虽然,请
问为天下〔二〕。"小童辞〔三〕。

〔一〕【注】事由民作。

〔二〕【注】令民自得,必有道也。 【疏】夫牧养苍生,实非圣人务。
理虽如此,犹请示以要言。

〔三〕【疏】无所说也。

黄帝又问〔一〕。小童曰:"夫为天下者,亦奚以异乎牧
马者哉! 亦去其害马者而已矣〔二〕!"

〔一〕【疏】殷勤请小童也。

〔二〕【注】马以过分为害。 【疏】害马者,谓分外之事也。夫治身莫
先守分,故牧马之术,可以养民。问既殷勤,聊为此答。 【释
文】"去其"起吕反。下、注同。

黄帝再拜稽首,称天师而退〔一〕。

〔一〕【注】师夫天然而去其过分,则大隗至也。 【疏】顿悟圣言,故
身心爱敬,退其分外,至乎大隗,合乎天然之道,其在吾师乎!

知士无思虑之变则不乐〔一〕,辩士无谈说之序则不
乐〔二〕,察士无凌谇之事①则不乐〔三〕,皆囿于物者也〔四〕。

〔一〕【疏】世属艰危,时逢祸变,知谋之士,思而虑之,如其不然,则不
乐也。 【释文】"知士"音智。"不乐"音洛。下不乐及注同。

〔二〕【疏】辩类县河,辞同炙輠,无谈说端(叙)〔绪〕,则不欢乐。

〔三〕【疏】机警之士,明察之人,若不容主客问讯,辞锋凌轹,则不乐

也。　【释文】"察士"李云:察,识也。〇俞樾曰:礼记乡饮酒篇
愁以时察,郑注曰:察,犹察察,严杀之貌也。老子俗人察察,河
上公注曰:察察,急且疾也。然则察有严急之意,故以凌谇为
乐。李云:察,识也,则与上文知士复矣。"凌"李云:谓相凌轹。
"谇"音信。广雅云:问也。又音崇,又音峻。一本作说。

〔四〕【注】不能自得于内而乐物于外,故可囿也②。故各以所乐囿
　　　之,则万物不召而自来,非强之也。　【疏】此数人者,各有偏
　　　滞,未达大方,并囿域于物也。　【释文】"皆囿"音又。"非强"
　　　其丈反。

〔校〕①阙误引文成张三本事俱作辞。②赵谏议本无故可囿也四字。

招世之士兴朝〔一〕,中民之士荣官〔二〕,筋力之士矜
难〔三〕,勇敢之士奋患〔四〕,兵革之士乐战〔五〕,枯槁之士宿
名〔六〕,法律之士广治〔七〕,礼教①之士敬容〔八〕,仁义之士贵
际〔九〕。农夫无草莱之事则不比,商贾无市井之事则不
比〔一〇〕。庶人有旦暮之业则劝〔一一〕,百工有器械之巧则
壮〔一二〕。钱财不积则贪者忧〔一三〕,权势不尤则夸者
悲〔一四〕。势物之徒乐变〔一五〕。遭时有所用,不能无为
也〔一六〕。此皆顺比于岁,不物于易者也〔一七〕,驰其形性,潜
之万物,终身不反,悲夫〔一八〕!

〔一〕【疏】推荐忠良,招致人物之士,可以兴于朝廷也。　【释文】
　　　"兴朝"直遥反。

〔二〕【疏】治理四民,甚能折中,斯人精干局分,可以荣官。　【释文】
　　　"中民"李云:善治民也。

〔三〕【疏】英髦壮士,有力如虎,时逢厄难,务于济世也。　【释文】

"矜难"乃旦反。

〔四〕【疏】武勇之士，果决之人，奋发雄豪，涤除祸患。

〔五〕【疏】情好干戈，志存锋刃，如此之士，乐于征战。

〔六〕【疏】食杼衣褐，形容憔悴，留心寝宿，唯在声名也。　【释文】"枯槁"苦老反。后章同。"宿名"宿，积久也。王云：枯槁一生以为娱，其所寝宿，唯名而已。○俞樾曰：宿读为缩。国语楚语缩于财用则匮，战国秦策缩剑将自诛，韦昭高诱注并曰：缩，取也。枯槁之士缩名，犹言取名也。释文曰，宿，积久也，于义未安。又引王云其所寝宿唯名而已，更为迂曲。由不知宿为缩之假字耳。

〔七〕【疏】刑法之士，留情格条，惩恶劝善，其治(方)〔广〕②也。【释文】"广治"直吏反。

〔八〕【疏】节文之礼，矜敬容貌。

〔九〕【注】士之不同若此，故当之者不可易其方。　【疏】世有迍邅，时逢际会，则施行仁义以著名勖际会也。　【释文】"贵际"谓盟会事。○家世父曰：贵际，谓相与交际，仁义之用行乎交际之间者也。郑康成礼记中庸注：人也，读如相人偶之人，以人意相存问之言。故人与人比而仁见焉，仁义之士所以贵际也。释文，贵际，谓盟会事。误。

〔一〇〕【注】能同则事同，所以〔相〕③比。　【疏】比，和乐。古者因井为市，故谓之市井也。若乖本务，情必不和也。　【释文】"不比"毗志反，下同。○俞樾曰：比，通作庀。周官遂师疏云：周礼之内云比者，先郑皆为庀。是也。国语鲁语子将庀季氏之政焉，又曰，夜庀其家事，韦注并曰：庀，治也。农夫惟治草莱之事，故无草莱之事则不庀，商贾惟治市井之事，故无市井之事则不庀也。郭注曰,能同则事同,所以比。是以本字读之,非是。"商贾"音古。

〔一〕【注】业得其志故劝。　【疏】众庶之人各有事,旦暮称情,故自勉励。

〔二〕【注】事非其巧则惰。　【疏】壮,盛也。百工功巧,各有器械,能顺其情,事斯盛矣。　【释文】"则壮"李云:壮,犹疾也。"则惰"徒卧反。

〔三〕【注】物得所耆而乐也。　【释文】"所耆"时志反。"而乐"音洛。

〔四〕【疏】尤,甚也。夫贪竞之人,必聚财以适性;矜夸之士,假权势以娱心;事苟乖情,则忧悲斯生矣。○庆藩案,文选贾长沙(鹏)〔鵩〕鸟赋注、阮嗣宗咏怀诗注并引司马云:夸,虚名也。释文阙。

〔五〕【注】权势生于事变。　【疏】夫祸起则权势尤,故以势陵物之徒乐祸变也。

〔六〕【注】凡此诸士,用各有时,时用则不能自已也。苟不遭时,则虽欲自用,其可得乎! 故贵贱无常也。　【疏】以前诸士,遭遇时命,情随事迁,故不能无为也。

〔七〕【注】士之所能,各有其极,若四时之不可易耳。故当其时物,顺其伦次,则各有用矣。是以顺岁则时序,易性则不物,物而不物,非毁如何! 　【疏】(此)〔比〕④,次第也。夫士之所行,能有长短,用舍随时,(成)〔咸〕有次第,方之岁序炎凉,不易于物。不物,犹不易于物者也。

〔八〕【注】不守一家之能,而之夫万方以要时利,故有匍匐而归者,所以悲也。　【疏】驰骛身心,潜伏前境,至乎没命,不知反归,顽

愚若此,深可悲叹也已矣!○家世父曰:囿于物者,致用之器
也,发之自内者也;时有所用,待用之资也,应之自外者也。性
有所倚,才有所偏,内外相须以成能,形性交驰而不反矣。

【释文】"以要"一遥反。"匍"音扶,又音蒲。"匐"音服,又蒲
北反。

庄子曰:"射者非前期而中,谓之善射,天下皆羿也,
可乎〔一〕?"

〔一〕【注】不期而中,谓误中者也,非善射也。若谓谬中为善射,是则
天下皆可谓之羿,可乎? 言不可也。 【疏】期,谓准的也。夫
射无期准而误中一物,即谓之善射者,若以此为善射,可乎?
【释文】"而中"丁仲反,注同。

惠子曰:"可〔一〕。"

〔一〕【疏】谓宇内皆羿也。

庄子曰:"天下非有公是也,而各是其所是,天下皆尧
也,可乎〔一〕?"

〔一〕【注】若谓谬中者羿也,则私自是者亦可谓尧矣。庄子以此明妄
中者非羿而自是者非尧。 【疏】各私其是,故无公是也。而唐
尧圣人,对桀为是。若各是其所是,则皆圣人,可乎? 言不可。

737

惠子曰:"可〔一〕。"

〔一〕【疏】言各是其是,天下尽尧,有斯理,而惠施滞辨,有言无实。

庄子曰:"然则儒墨杨秉四,与夫子为五,果孰是

邪〔一〕？或者若鲁遽者邪？其弟子曰：'我得夫子之道矣，吾能冬爨鼎而夏造冰矣〔二〕。'鲁遽曰：'是直以阳召阳，以阴召阴，非吾所谓道也〔三〕。吾示子乎吾道。'于是为之调瑟，废一于堂，废一于室，鼓宫宫动，鼓角角动，音律同矣〔四〕。夫或改调一弦，于五音无当也〔五〕，鼓之，二十五弦皆动〔六〕，未始异于声，而音之君已〔七〕。且若是者邪〔八〕？"

〔一〕【注】若皆尧也，则五子何为复①相非乎？ 【疏】儒，姓郑，名缓。墨，名翟也。杨，名朱。秉者，公孙龙字也。此四子者，并聪名过物，盖世雄辨，添惠施为五，各相是非，未知决定用谁为是。若天下皆尧，何为五复相非乎？ 【释文】"复相"扶又反。

〔二〕【疏】姓鲁，名遽，周初人。云冬取千年燥灰以拥火，须臾出火，可以爨鼎；盛夏以瓦瓶盛水，汤中煮之，县瓶井中，须臾成冰也。而迷惑之俗，自是非他，与鲁无异也。 【释文】"鲁遽"音渠，又其据反。李云：鲁遽，人姓名也。一云：周初时人。"爨"七乱反，又七端反。

〔三〕【疏】千年灰阳也，火又阳也，此是以阳召阳；井中阴也，水又阴也，此是以阴召阴。鲁遽此言非其弟子也。

〔四〕【注】俱亦以阳召阳而横自以为是。 【疏】废，置也。置一瑟于堂中，置一瑟于室内，鼓堂中宫角，室内弦应而动，斯乃五音六律声同故也，犹是以阳召阳也。 【释文】"为之"于伪反。"废一"废，置也。

〔五〕【注】随调而改。 【疏】堂中改调一弦，则室内音无复应动，当为律不同故也。 【释文】"改调"徒弔反。注皆同。"无当"丁浪反，合也。

〔六〕【注】无声则无以相动,有声则非同不应。今改此一弦而二十五
　　　弦皆改,其以急缓为调也。　　【疏】应唯宫角而已密,二十五弦
　　　俱动,声律同者悉应动也。

〔七〕【注】鲁遽以此夸其弟子,然亦以同应同耳,未为②独能其事也。
　　　【疏】声律之外,〔何〕曾更有异术! 虽复应动不同,总以五音为
　　　其君主而已。既无佗术,何足以自夸!

〔八〕【注】五子各私所见而是其所是,然亦无异于鲁遽之夸其弟子,
　　　未能相出也。　　【疏】惠子之言,各私其是,务夸陵物,不异鲁
　　　遽,故云若是。

〔校〕①赵谏议本无复字。②为字世德堂本在独能下,赵谏议本在亦
　　　以下。

惠子曰:"今夫儒墨杨秉,且方与我以辩,相拂①以辞,
相镇以声,而未始吾非也,则奚若矣〔一〕?"

〔一〕【注】未始吾非者,各自是也。惠子便欲以此为至。　　【释文】
　　　"相拂"扶弗反。

〔校〕①世德堂本拂作排。

庄子曰:"齐人蹢子于宋者,其命阍也不以完〔一〕,其求
钘钟也以束缚〔二〕,其求唐子也而未始出域,有遗类矣〔三〕!
夫楚人寄而蹢阍者〔四〕,夜半于无人之时而与舟人斗,未始
离于岑而足以造于怨也〔五〕。"

〔一〕【注】投之异国,使门者守之,出便与(手)〔子〕①不保其全。此齐
　　　人之不慈也,然亦自以为是,故为之。　　【疏】阍,守门人也。齐
　　　之人弃蹢其子于宋,仍命以此,不亦我是?　　【释文】"蹢"呈亦
　　　反,投也。司马云:齐人憎其子,蹢之于宋,使门者守之,令形不

全,自以为是。

〔二〕【注】乃反以爱钟器为是,束缚,恐其破伤。　【释文】"钘钟"音刑,徐户挺反。又字林云:钘似小钟而长颈。又云:似壶而大。"以束缚"郭云:恐其破伤也。案此言贱子贵钘,自以为是也。

〔三〕【注】唐,失也。失亡其子,而不能远索,遗其气类,而亦未始自非。人之自是,有斯谬矣。　【疏】钘,小钟也。唐,亡失也。求觅亡子,不出境域;束缚钘钟,恐其损坏;贱子贵器为不慈,遗其气类,亦言我是。○俞樾曰:有遗类矣,当连下夫字为句。有遗类矣夫,与襄二十四年左传有令德也夫、有令名也夫句法相似。类,谓种类也。诗裳裳者华序弃贤者之类,正义曰:类,谓种类。是也。求亡子而不出域,则其亡子不可得,必无遗类矣,故曰有遗类矣夫,反言以明之也。郭注失其读,所说未得。　【释文】"唐子"谓失亡子也。"遗类"遗,亡也,亡其种类故也。惠施畔道而好辩,犹齐人远子而爱钟也。"远索"所百反。

〔四〕【注】俱寄止而不能自投于高地也。

〔五〕【注】岑,岸也。夜半独上人船,未离岸已共人斗。言齐楚二人所行若此,而未尝自以为非,今五子自是,岂异斯哉!　【疏】楚鄙之人,因子客寄,近于江滨之侧,投蹢守门之家。夜半无人之时,辄入他人舟上,而船未离岑,已共舟人斗打,不怀恩德,更造怨辞,愚猥如斯,亦云我是。惠子之徒,此之类也。岑,岸也。○俞樾曰:案夫楚人寄而蹢阍者句,夫字当属上有遗类矣为句。蹢当读谪。扬雄方言:谪,怒也。张揖广雅释诂:谪,责也。楚人寄而谪阍者,谓寄居人家,而怒责其阍者也。与下文夜半于无人之时而与舟人斗,均此楚人之事,皆喻其自以为是也。郭注曰,俱寄止而不能自投于高地,于义殊不可通。　【释文】"而与

舟人斗"司马云:夜上人船,人必挤己于水也。挤,排也。○家
世父曰:说文:蹢,住足也。易羸豕孚蹢躅,戴记三年问蹢躅焉,
释〔文〕:蹢躅,不行也。阍者守门,蹢躅不良于行,故可以命阍。
跀钟,当为跀踵,天道篇百舍重跀而不敢息。说文:踵,追也,一
曰往来貌。束缚,谓行縢也。言命阍则足不必完,钘踵急行则
于足也又加之束缚。尔雅释宫:庙中路谓之唐,堂途谓之陈。毛
诗陈风传:唐,堂途也。田子方篇犹求马于唐肆也,司马亦云:唐
肆,广庭也。唐子,犹周礼门子,谓给使令者。未始出域而有遗
类,言其多也。阍者称其材,走者极其量,堂途给事,人皆能之,
各据为是而自足,岂必殊尤卓绝哉!其相非也,又各不察其情
而以意求胜。寄而蹢阍,所司阍耳。说文:阍,常以昏闭门隶也。
何由夜半于无人之境而与舟人斗?意以为夜半无人之境,则竟
无人矣;意以为与舟人斗,则竟斗矣,造怨者无穷而身固未离于
岑也。齐人之于宋,楚人之寄,本非族类,不相习也,无因而造怨,
则亦可夜半与舟人斗矣。是者之是,莫得其所以是;非者之非,莫
知其所以非。旧注失之太远。"未始离"力智反。注同。"于岑"
七金反,徐在林反,又语审反,谓崖岸也。"独上"时掌反。

〔校〕①子字依世德堂本改。

庄子送葬,过惠子之墓,顾谓从者曰:"郢人垩慢①其
鼻端若蝇翼,使匠石斫之。匠石运斤成风,听而斫之②,〔一〕
尽垩而鼻不伤,郢人立不失容。宋元君闻之,召匠石曰:
'尝试为寡人为之。'〔二〕匠石曰:'臣则尝能斫之。虽然,
臣之质死久矣。'自夫子之死也,吾无以为质矣,吾无与言

之矣。〔三〕"

〔一〕【注】瞑目恣手。　【疏】郢，楚都也。汉书扬雄传作獿，乃回反。郢人，谓泥画之人也，垩者，白善土也。漫，污也。庄生送亲知之葬，过惠子之墓，缅怀畴昔，仍起斯譬。瞑目恣手，听声而斫，运斤之妙，遂成风声。若蝇翼者，言其神妙也。　【释文】"从者"才用反。"郢人"以井反，楚都也。汉书音义作獿人。服虔云：獿人，古之善涂墍者，施广领大袖以仰涂而领袖不污，有小飞泥误著其鼻，因令匠石挥斤而斫之。獿，音铙，韦昭乃回反。○卢文弨曰：獿人，旧讹作忧人。案汉书扬雄解嘲云：獿人亡则匠石辍斤，今据改正，下同。又音铙，旧讹音混，别本音温，亦讹，俱改正。"垩"乌路反。"慢"本亦作漫。郭莫干反，徐莫但反。李云：犹涂也。○庆藩案，慢当作𤲬。说文：𤲬，㙢地（说文，㙢，涂地也，涂与塗同。）以擤之，从巾，㬎声，（㬎籀文婚字，今本㬎讹为㝠。）读若水温㬎。（㬎字注：安㬎温也。玉篇：奴旦切。）徐铉依唐韵乃昆切，玉篇奴回、奴昆二切，广韵〔切〕〔乃〕③回、乃案二切。广雅曰：㙢、墍、𤲬，涂也。（今本亦讹作𤲬。）𤲬字，曹宪音奴回〔切〕，盐铁论散不足篇富者垩𤲬（今本讹作忧。）壁饰。案𤲬人，古之善涂墍者，施广领大袖以仰涂而领袖不污，有小飞泥误著鼻，因令匠石而斫，知石之善斫，故敢使斫之也。（见汉书扬雄传服虔注。）

742

〔二〕【疏】去垩慢而鼻无伤损，郢人立傍，容貌不失。元君闻其神妙，尝试召而为之。　【释文】"为寡人"于伪反。

〔三〕【注】非夫不动之质，忘言之对，则虽至言妙斫而无所用之。【疏】质，对也。匠石虽巧，必须不动之质；庄子虽贤，犹藉忘言之对。盖知惠子之亡，庄子丧偶，故匠人辍成风之妙响，庄子息濠上之微言。

〔校〕①赵谏议本作漫。②阙误引江南古藏本及李本之下有瞑目恣手四字。又云：一云四字是郭注。③乃字依广韵改。

管仲有病，桓公问之，曰："仲父之病病矣，可不（谓）〔讳〕①云，至于大病，则寡人恶乎属国而可〔一〕？"

〔一〕【疏】管仲，姓管，名仲，字夷吾，齐相也，是鲍叔牙之友人。桓公尊之，号曰仲父。桓公，即小白也，一匡天下，九合诸侯而为霸主者，管仲之力也。病病者，言是病极重也，大病者，至死也。既将属纩，故临问之，仲父死后，属付国政，与谁为可也。　【释文】"大病"谓死也。"恶乎"音乌。"属国"音烛。

〔校〕①讳字依江南古藏本及李氏本改。

管仲曰："公谁欲与？"

公曰："鲍叔牙〔一〕。"

〔一〕【疏】问：国政欲与谁？答曰：与鲍叔也。　【释文】"欲与"如字。又音馀。

曰："不可。其为人絜廉善士也，其于不己若者不比之，又一闻人之过，终身不忘。使之治国，上且钩乎君，下且逆乎民。其得罪于君也，将弗久矣！"〔一〕

〔一〕【疏】姓鲍，字叔牙，贞廉清絜善人也。而庸猥之人，不如己者，不比数之，一闻人之过，至死不忘。率性廉直，不堪宰辅，上以忠直钩束于君，下以清明逆忤百姓，不能和混，故君必罪之。管仲贤人，通鉴于物，恐危社稷，虑害叔牙，故不举之也。　【释文】"且钩"钩，反也。亦作拘，音同。又音俱。

公曰:"然则孰可?"

对曰:"勿已,则隰朋可。其为人也,上忘而下畔^{〔一〕},愧不若黄帝而哀不已若者^{〔二〕}。以德分人谓之圣,以财分人谓之贤^{〔三〕}。以贤临人,未有得人者也;以贤下人,未有不得人者也。其于国有不闻也,其于家有不见也。勿已,则隰朋可^{〔四〕}。"

〔一〕【注】高而不亢。　【疏】姓隰,名朋,齐贤人也。畔,犹望也。混高卑,一荣辱,故己为卿辅,能遗富贵之尊;下抚黎元,须忘皂隶之贱。事不得止,用之可也。　【释文】"上忘而下畔"言在上不自高,于下无背者也。

〔二〕【注】故无弃人。　【疏】不及己者,但怀哀悲,辅弼齐侯,期于淳朴,心之所愧,不逮轩辕也。

〔三〕【疏】圣人以道德拯物,贤人以财货济人也。

〔四〕【注】若皆闻见,则事钟于己而群下无所措手足,故遗之可也。未能尽遗,故仅可也。　【疏】运智明察,临于百姓,逆忤物情。叔牙治国则不问物之小瑕,治家则不见人之过。勿已则隰朋可,总结以前义。　【释文】"下人"遐嫁反。"所措"七故反。"故仅"其靳反。

744

吴王浮于江,登乎狙之山。众狙见之,恂然弃而走,逃于深蓁。有一狙焉,委蛇攫搔^①,见巧乎王。王射之,敏给^{〔一〕}搏捷矢^{〔二〕}。王命相者趋射之,狙执死^{〔三〕}。

〔一〕【注】敏,疾也。给,续括也。　【疏】狙,狝猴也。山多狝猴,故谓之狙山也。恂,怖惧也。蓁,棘丛也。委蛇,从容也。攫搔,腾掷也。敏给,犹速也。吴王浮江,遨游眺望,众狙恂惧,走避深棘。独一老狙,恃便敖王,王既怪怒,急速射之。 【释文】"狙"七徐反。"恂然"音舜,徐音苟,又思俊反。司马云:遽也。"深蓁"徐仕巾反,一音侧巾反。"委"於危反。"蛇"馀支反。"攫"俱缚反,徐居碧反。三苍云:搏也。郭又七(段)〔叚〕^②反。司马本作攫。○卢文弨曰:攫不应与上同,或是玃字之误。"搔"本又作搔,素报反。徐本作採,七活反。司马本作条。"见"贤遍反。"巧"如字,或苦孝反。崔本作攻。"王射"食亦反。下同。

〔二〕【注】捷,速也。矢往虽速而狙犹〔能〕搏^③(之)。 【疏】搏,接也。捷,速也。矢,箭也。箭往虽速,狙皆接之,其敏捷也如此。 【释文】"搏"音博。○俞樾曰:郭于敏给下出注曰:敏,疾也;给,续括也。是以敏给属王言,殆非也。敏给二字同义,后汉书郦炎传言论给捷,李贤注曰:给,敏也。是其证也。故国语晋语曰,知羊舌职之聪敏肃给也,使佐之。荀子性恶篇曰,齐给便敏而无类。并以敏给对言。然则郭以给为续括,非古义矣。敏给当以狙言,谓狙性敏给,能搏捷矢也。捷读为接。尔雅释诂:接,捷也。是捷与接声近义通。庄十二年左氏经文宋万弒其君捷,僖三十二年郑伯捷卒,文十六年晋人纳捷菑于邾,公羊捷并作接。人间世篇必将乘人而斗其捷,释文曰:捷,本作接。此捷接通用见于本书者。搏捷矢,即搏接矢,谓以手搏而接其矢也。郭注曰:捷,速也。夫矢自无不速,又何必言捷乎!

〔三〕【疏】命,召也。相,助也,谓王之左右也。王既自射不中,乃召左右乱趋射之,于是狙抱树而死。 【释文】"相者"息亮反。司马云:佐王猎者也。"趋射"音促,急也。"执死"司马云:见执而死也。

〔校〕①世德堂本作抓。②叚字依世德堂本改。③能搏依世德堂
本改。

王顾谓其友颜不疑曰:"之狙也,伐其巧恃其便以敖
予,以至此殛也! 戒之哉! 嗟乎,无以汝色骄人哉〔一〕!"颜
不疑归而师董梧以助①其色,去乐辞显,三年而国人称
之〔二〕。

〔一〕【疏】姓颜,字不疑,王之友也。殛,死也。予,我也。狙矜伐劲
　　巧,恃赖方便,傲慢于王,遂遭死殛。嗟此狡兽,可以戒人,勿淫
　　声色,骄豪于世。　【释文】"之狙也"之,犹是也。本或作是。
　　"其便"婢面反。"以敖"司马本作悖,云:很也。

〔二〕【注】称其忘巧遗色而任夫素朴。　【疏】姓董,名梧,吴之贤人
　　也。锄,除去也。既奉王教,于是退归,悔过自新,师于有道,除
　　其美色,去其声乐,重素朴,辞荣华,修德三年,国人称其贤善。
　　【释文】"董梧"有道者也。师其德以锄色。"以助"士居反。本
　　亦作锄。"去乐"起吕反。

〔校〕①赵谏议本作锄。

南伯子綦隐几而坐,仰天而嘘〔一〕。颜成子入见曰:
"夫子,物之尤也。形固可使若槁骸,心固可使若死灰
乎〔二〕?"

〔一〕【疏】犹是齐物中南郭子綦也。其隐几等义,并具解内篇。○庆
　　藩案,南伯子綦,齐物论作南郭子綦。伯郭古声相近,故字亦通
　　用。唐韵正:伯,古读若博。周礼司几筵其柏席用萑,亦借柏为
　　樿。(郑注以柏为樿字磨灭之馀,非也。说见经义述闻。)　【释

文】"隐"於靳反。"嘘"音虚。

〔二〕【疏】<u>颜成</u>，<u>子綦</u>门人也。尤，甚也。每仰叹先生志物之甚，必固形同槁骸，心若死灰。慕德殷勤，有此嗟咏也。　【释文】"入见"贤遍反。"夫物之尤也"音符。一本作夫子，则如字。○<u>卢文弨</u>曰：今书夫下有子字。

曰："吾尝居山穴之中①矣。当是时也，<u>田禾</u>一睹我，而<u>齐国</u>之众三贺之〔一〕。我必先之，彼故知之；我必卖之，彼故鬻之〔二〕。若我而不有之，彼恶得而知之？若我而不卖之，彼恶得而鬻之〔三〕？嗟乎！我悲人之自丧者〔四〕，吾又悲夫悲人者〔五〕，吾又悲夫悲人之悲者，其后而日远矣〔六〕。"

〔一〕【注】以得见<u>子綦</u>为荣。　【疏】山穴，<u>齐</u>南山也。<u>田禾</u>，<u>齐</u>王姓名。<u>子綦</u>隐居山穴，德音遐振，<u>齐</u>王暂睹，以见为荣，所以一国之人三度庆贺也。　【释文】"山穴之中"<u>司马</u>本同。<u>李</u>云：<u>齐</u>南山穴也。一本作之口。"田禾"<u>齐</u>君也。尊德，故国人庆之。○<u>卢文弨</u>曰：即<u>齐太公和</u>。

〔二〕【疏】我声名在先，故使物知我；我便是卖于名声，故<u>田禾</u>见而贩之。　【释文】"鬻之"羊六反。

〔三〕【疏】若我韬光晦迹，不有声名，彼之世人何得知我？我若名价不贵，彼何得见而贩之？只为不能灭迹匿端，故为物之所卖鬻也。　【释文】"彼恶"音乌。下同。

〔四〕【疏】丧，犹亡失也。<u>子綦</u>悲叹世人，舍己慕佗，丧失其道。　【释文】"自丧"息浪反。

〔五〕【疏】夫道无得丧而物有悲乐，故悲人之自丧者亦可悲也。

〔六〕【注】子綦知夫为之不足以救彼而适足以伤我,故以不悲悲之,则其悲稍去,而泊然无心,枯槁其形,所以为日远矣。　【疏】夫玄道冲虚,无丧无乐,是以悲人自丧及悲者,虽复前后悲深浅称异,咸未偕道,故亦可悲。悲而又悲,遣之又遣,教既彰矣,玄玄之理斯著,与众妙相符,故日加深远矣。　【释文】"而泊"步各反。

〔校〕①赵谏议本中作口。

仲尼之楚,楚王觞之,孙叔敖执爵而立,市南宜僚受酒而祭曰:"古之人乎! 于此言已〔一〕。"

〔一〕【注】古之言者,必于会同。　【疏】觞,酒器之总名,谓以酒燕之也。爵亦酒器,受一升。(大)〔古〕人欲饮,必(先)祭其〔先〕,宜僚沥酒祭,故祝圣人,愿与孔子于此言论也。　【释文】"觞之"音商。李云:酒器之总名也。"孙叔敖执爵"案左传,孙叔敖是楚庄王相,孔子未生。哀公十六年,仲尼卒后,白公为乱。宜僚未尝仕楚。又宣十二年传,楚有熊相宜僚,则与叔敖同时,去孔子甚远。盖寄言也。

曰:"丘也闻不言之言矣,未之尝言〔一〕,于此乎言之〔二〕。市南宜僚弄丸而两家之难解,孙叔敖甘寝秉羽而郢人投兵〔三〕。丘愿有喙三尺〔四〕。"

〔一〕【注】圣人无言,其所言者,百姓之言耳,故曰不言之言。苟以言为不言,则虽言出于口,故为未之尝言。

〔二〕【注】今将于此言于无言。　【疏】夫理而教不言矣,教而理未之尝言也。是以圣人妙体斯趣,故终日言而未尝言也。孔子应宜僚之请,故于此亦言于无言矣。

〔三〕【注】此二子息讼以默,澹泊自若,而兵难自解。 【疏】姓熊,字宜僚,楚之贤人,亦是勇士沉(没)〔默〕者也。居于市南,因号曰市南子焉。楚白公胜欲因作乱,将杀令尹子西。司马子綦言熊宜勇士也,若得,敌五百人,遂遣使屈之。宜僚正上下弄丸而戏,不与使者言。使因以剑乘之,宜僚曾不惊惧,既不从命,亦不言佗。白公不得宜僚,反事不成,故曰两家难解。姓孙,字叔敖,楚之令尹,甚有贤德者也。郢,楚都也。投,息也。叔敖蕴藉实知,高枕而逍遥,会理忘言,执羽扇而自得,遂使敌国不侵,折冲千里之外,楚人无事,修文德,息其武略。彰二子有此功能,故可与仲尼晤言,赞扬玄道也。 【释文】“两家之难”乃旦反。注同。“解”音蟹,注同。司马云,宜僚,楚之勇士也,善弄丸。楚白公胜将作乱,杀令尹子西。子期石乞曰:“市南有熊宜僚者,若得之,可以当五百人。”乃往告之,不许也。承之以剑,不动,弄丸如故,曰:“吾亦不泄子。”白公遂杀子西。子期叹息,两家(而)〔难〕已,宜僚不预其患。○庆藩案,太平御览二百七十九引司马云:宜僚善弄丸,白公胁之,弄丸如故。视释文较略[①]。“甘寝秉羽”如字,又音翿。司马本作翼,云:读曰翿。或作翅,雩舞者之所执。崔本作翼。“郢人投兵”司马云:言叔敖愿安寝恬卧,以养德于庙堂之上,折冲于千里之外,敌国不敢犯,郢人投兵,无所攻伐也。郢,楚都也。○庆藩案,太平御览二百七十九引司马云:孙叔敖秉羽之舞,郢人无所攻,故投兵。视释文较略。○藩又案,孙叔敖甘寝秉羽而郢人投兵,淮南主术篇所谓昔孙叔敖恬卧而郢人无所害其锋同意。投兵,谓无所用也。高注曰:但恬卧养德,折冲千里之外,敌国不敢犯。即司马注所

本。(<u>王念孙</u>曰:害其锋三字,义不相属。害当为用之误,谓无
所用其锋也。隶书害作害,其上半与用相似。案<u>淮南</u>多本<u>庄
子</u>,此云投兵,亦谓无所用之也。)<u>王</u>氏正害字义颇精。

〔四〕【注】苟所言非己,则虽终身言,故为未尝言耳。是以有喙三尺,
　　　未足称长,凡人闭口,未是不言。　【疏】喙,口也。苟其言当,
　　　即此无言。假余喙长三尺,与闭口何异,故愿有之也。　【释
　　　文】"喙"许秽反,又丁豆反,或昌锐反。"三尺"三尺,言长也。
　　　<u>司马</u>云:喙,息也。<u>宜僚</u>弄丸而弭难,<u>叔敖</u>除备以折冲,<u>丘</u>亦愿
　　　有,叹息其三尺。三尺,匕首剑。

〔校〕①<u>庆藩</u>案下三十四字原误入疏文下。

　　彼之谓不道之道〔一〕,此之谓不言之辩〔二〕,故德总乎
道之所一〔三〕,而言休乎知之所不知,至矣〔四〕。道之所一
者,德不能同也〔五〕;知之所不能知者,辩不能举也〔六〕;名
若<u>儒墨</u>而凶矣〔七〕。故海不辞东流,大之至也〔八〕;圣人并
包天地,泽及天下,而不知其谁氏〔九〕。是故生无爵〔一○〕,
死无谥〔一一〕,实不聚〔一二〕,名不立〔一三〕,此之谓大人〔一四〕。
狗不以善吠为良,人不以善言为贤〔一五〕,而况为大乎〔一六〕!
夫为大不足以为大,而况为德乎〔一七〕!夫大备矣,莫若天
地;然奚求焉,而大备矣〔一八〕。知大备者,无求,无失,无
弃,不以物易己也〔一九〕。反己而不穷〔二○〕,循古而不
摩〔二一〕,大人之诚〔二二〕。

〔一〕【注】彼,谓二子。　【疏】彼,谓所诠之理。不道而道,言非道非
　　　不道也。

〔二〕【注】此,谓<u>仲尼</u>。　【疏】此,谓能诠之教。不言而言,非言非不

750

言也。<u>子玄</u>乃云此谓<u>仲尼</u>,斯注粗浅,失之远矣。夫不道不言,斯乃探微索隐,穷理尽性,岂二子之所能耶!若以甘寝弄丸而称息讼以默者,此则默语悬隔,<u>丘</u>何得有喙三尺乎?故不可也。又此一章,盛谈玄极,观其文势,不关<u>孙熊</u>明矣。 【释文】"彼之谓此之谓"<u>郭</u>云:彼,谓二子;此,谓<u>仲尼</u>也。<u>司马</u>云:彼,谓甘寝;此,谓弄丸。

〔三〕【注】道之所容者虽无方,然总其大归,莫过于自得,故一也。

　　【释文】"总"音揔。

〔四〕【注】言止其分,非至如何! 【疏】夫至道之境,重玄之域,圣心所不能知,神口所不能辩,若以言知索真,失之远矣。故德之所总,言之所默息者,在于至妙之一道也。

〔五〕【注】各自得耳,非相同也,而道一也。 【疏】夫一道虚玄,曾无涯量,而德有上下,(谁)不能周备也。本有作同字者,言德有优劣,未能同道也。此解前道之所一也。 【释文】"不能同"一本作相同。

〔六〕【注】非其分,故不能举。 【疏】夫知者玄道,所谓妙绝名言,故非辩说所能胜举也。此解前知之所不知也。

〔七〕【注】夫<u>儒墨</u>欲同所不能同,举所不能举,故凶①。 【疏】夫执是竞非,而名同<u>儒墨</u>者,凶祸斯及矣。○<u>家世父</u>曰:<u>儒墨</u>之所以凶,以有<u>儒墨</u>之名也。悬<u>儒墨</u>之名以召争,德不能同者,强道以一之;辩不能举者,强知以通之,各是其是,而道与知之所及亦小矣。生无爵,死无谥,实且不以自居,名何有哉!

〔八〕【注】明受之无所辞,所以成大。 【疏】百川竞注,东流不息,而巨海容纳,曾不辞惮。此据东海为言,亦弘博之至也已。

〔九〕【注】泛然都任。 【疏】前举海为(谕)〔喻〕,此下合譬也。圣人德合二仪,故并包天地;仁覃无外,故泽及天下;成而不处,故不知谁为;推功于人,故莫识其氏族矣。

〔一〇〕【注】有而无之。

〔一一〕【注】谥所以名功,功不在己,故虽谥而非己有。 【疏】夫人处世,生有名位,死定谥号,所以表其实也。圣人生既以功推物,故死亦无可谥也。

〔一二〕【注】令万物各知足。 【疏】纵有财德,悉分散于人也。

〔一三〕【注】功非己为,故名归于物。 【疏】夫名以召实,实既不聚,故名将安寄也。

〔一四〕【注】若为而有之,则小矣。 【疏】总结以前。忘于名谥之士,可谓大德之人。

〔一五〕【注】贤出于性,非言所为。 【疏】善,喜好也。夫犬不必吠,贤人岂复多言! 【释文】"善吠"伐废反。司马云:不别客主而吠不止。"善言"司马云:失本逐末而言不止也。

〔一六〕【注】夫大愈不可为而得。 【疏】夫好言为贤,犹自不可,况惑心取舍于大乎!

〔一七〕【注】唯自然乃德耳。 【疏】爱心弘博谓之大,冥符玄道谓之德。夫有心求大,于理尚乖,况有情为德,固不可也。

〔一八〕【注】天地大备,非求之也。 【疏】备,具足也。夫二仪覆载,亭毒无心,四叙周行,生成庶品,盖何术焉,而万物必备。

〔一九〕【注】知其自备者,不舍己而求物,故无求无失无弃也。 【疏】夫体弘自然之理而万物素备者,故能于物我之际淡然忘怀,是以无取无舍,无失无丧,无证无得,而不以物境易夺己心也。 【释文】"不舍"音捨。

〔二〇〕【注】反守我理,我理自通。 【疏】只为弘备,故契于至理。既而反本还原,会己身之妙极而无穷竟者也。

〔二一〕【注】顺常性而自至耳,非摩拭。 【疏】循,顺也。顺于物性,无
心改作,岂复摩饰而矜之! 【释文】"循古而不摩"一本作磨。
郭云:摩,拭也。王云:摩,消灭也。虽常通物而不失及己,虽理
于今,常循于古之道焉,自古及今,其名不摩灭也。"摩拭"
音式。

〔二二〕【注】不为而自得,故曰诚。 【疏】诚,实也。夫反本还原,因循
万物者,斯乃大圣之人自实之德也。

〔校〕①赵谏议本凶下有也字。

**子綦有八子,陈诸前,召九方歅曰:"为我相吾子,孰
为祥**〔一〕**?"**

〔一〕【疏】子綦,楚司马子綦也。陈,行列也。诸,于也。〔九〕方,姓
也;歅,名也。孰,谁也。祥,善也。九方歅,善相者也。陈列诸
子于庭前,命方歅令相之,八子之中,谁为吉善。 【释文】"九
方歅"音因,李乌鸡反,又音煙,善相马人。淮南子作九方皋。
"为我"于伪反。"相吾子"息亮反。

九方歅曰:"梱也为祥〔一〕**。"**

〔一〕【疏】梱,子名也。言八子之中,梱最祥善也。 【释文】"梱"音
困,又口本反,子綦子名。

子綦瞿然喜曰:"奚若〔一〕**?"曰:"梱也将与国君同食
以终其身。"**

〔一〕【疏】瞿然,惊喜貌。闻子吉祥,故容貌惊喜,问其祥善貌相如
何。 【释文】"瞿然"纪具反。司马云:喜貌。本亦作戄,吁缚

反。字林云:大视貌。李云:惊视貌。○庆藩案,此瞿然与庚桑楚篇惧然,皆惊骇之貌。瞿,说文作𥌓,云:举目惊𥌓然也。汉书吴王濞传胶西王瞿然骇,师古注:瞿然,无守之貌。又邹阳传长君惧然曰将为奈何,师古注:惧读为瞿,瞿然,无守之貌。东方朔传于是吴王惧然易容,师古注:惧然,失守之貌。案师古训瞿惧为失守貌、为无守貌者,本齐风东方未明篇狂夫瞿瞿毛传也。不知传以下不能辰夜二语,故以瞿瞿为无守,与瞿然不同。瞿然当从李颐此训为正。

子綦索然出涕曰:"吾子何为以至于是极也〔一〕!"

〔一〕【疏】索然,涕出貌。方歂识见浅近,以食肉为祥,子綦鉴深玄妙,知其非吉,故悯其凶极,悲而出涕。 【释文】"索然"悉各反,又色白反。司马云:涕下貌。

九方歂曰:"夫与国君同食,泽及三族,而况①父母乎!今夫子闻之而泣,是御福也。子则祥矣,父则不祥。"〔一〕

〔一〕【疏】三族,谓父母族也,妻族也。御,拒扞也。夫共国君食,尊荣富贵,恩被三族,何但二亲!子享吉祥,父翻涕泣,斯乃御福德也。 【释文】"御福"鱼吕反,距也,逆也。

〔校〕①世德堂本况下有于字。

子綦曰:"歂,汝何足以识之,而梱祥邪?尽于酒肉,入于鼻口矣,而何足以知其所自来〔一〕?吾未尝为牧而牂生于奥,未尝好田而鹑生于宎,若勿怪,何邪〔二〕?吾所与吾子游者,游于天地①〔三〕。吾与之邀乐于天,吾与之邀食于地〔四〕;吾不与之为事,不与之为谋,不与之为怪〔五〕;吾与之乘天地之诚而不以物与之相撄〔六〕,吾与之一委蛇而

不与之为事所宜〔七〕。今也然有世俗之偿焉〔八〕！凡有怪征者，必有怪行，殆乎，非我与吾子之罪，几天与之也〔九〕！吾是以泣也〔一〇〕"

〔一〕【疏】自，从也。方歂小巫，识鉴不远，相梱祥者，不过酒肉味入于鼻口。方歂道术，理尽于斯，讵知酒肉由来，从何而至。

〔二〕【注】夫所以怪，出于不意故也。　【疏】牂，羊也。奥，西南隅未地，羊位也；宎，东南隅辰地也，辰为鹑位；故言牂鹑生也。夫羊须牧养，鹑因田猎，若禄藉功著，然后可致富贵。今梱（而）功行未闻，而与国君同食，何异乎无牧而忽有羊也，不田而获鹑也！非牧非田，怪如何也！　【释文】"未尝"如字。本或作曾，才能反。"而牂"子郎反。尔雅云：牝羊也。"于奥"乌报反。西南隅未地也。一曰：豕牢也。"好田"呼报反。"于宎"字又作宎，乌弔反，徐乌了反。司马云：东北隅也。一云：东南隅鹑火地，生鹑也。一云：窟也。郭徒忽反，字则穴下犬。○卢文弨曰：案尔雅释宫：东南隅谓之窔②。其东北隅乃宧也。又案说文：宧，户枢声，室之东南隅。窔但训深。○家世父曰：牂所从出，牧也；鹑所从来，田也。不牧而牂生，不田而鹑生，傥然而来，倏然而至，谓之不祥。祥者，怪征也；乘天地之诚而有世俗之偿，是亦怪征也。

〔三〕【注】不有所为。　【释文】"游于天地"司马本地作汩，云：乱也。崔本同。

〔四〕【注】随所遇于天地耳。邀，遇也。　【疏】邀，遇也。天地，无心也。子綦体道，虚忘顺物，自足于性分之内，敖游乎天地之间，所造皆适，不待欢娱，所遇斯食，岂资厚味耶！　【释文】"邀"古尧反，遇也。"乐"音洛。

〔五〕【注】恠,异也。循常任性,脱然自尔。　【疏】忘物,故不为事;忘智,故不为谋;循常,故不为恠。

〔六〕【注】斯不为也。　【疏】诚,实也。乘二仪之实道,顺万物以逍遥,故不与物更相撄扰。

〔七〕【注】斯顺耳,无择也。　【疏】委蛇,犹纵任也。心境不二,从容任物,事既非事,何宜便之可为乎!

〔八〕【注】夫有功于物,物乃报之。吾不为功而偿之,何也?　【疏】夫报功(赏)〔偿〕德者,世俗务也。苟体道任物,不立功名,何须功之偿哉!　【释文】"之偿"时亮反,又音赏。

〔九〕【注】今无恠行而有恠征,故知其天命也。　【疏】殆,危也。几,近也。夫有怪异之行者,必〔有〕怪异之征祥也。今吾子未有恠行而有恠征,必遭殆者,斯乃近是天降之灾,非吾子之罪。【释文】"恠行"下孟反。注同。

〔一○〕【注】夫为而然者,勿为则已矣。不为而自至,则不可奈何也,故泣之。　【疏】罪若由人,庶其修改,既关天命,是以泣也。

〔校〕①阙误引江南古藏本地下有也字。②尔雅释文作交,云:又作交,同。说文作宦。

无几何而使梱之于燕,盗得之于道,全而鬻之则难,不若刖之则易〔一〕,于是乎刖而鬻之于齐,适当渠公之街,然身食肉而终〔二〕。

〔一〕【注】全恐其逃,故不如刖之易售也。　【疏】无几何,谓俄顷间也。楚使梱聘燕,途道之上,为贼所得,略梱为奴。而全形卖之,恐其逃窜,故难防御,则刖足,不虑其逃,故易售。　【释文】"无几"居岂反。"于燕"音烟。"全而鬻之"音育,绝句。一本作鬻之难。"刖"音月,又五刮反。"易"以豉反。注同。"售也"受又反。

〔二〕【疏】渠公,齐之富人,为街正。梱(之)既遭刖足,卖与齐国富商之家,代主当街,终身肉食也。字又作術者,云:渠公,屠人也。卖梱在屠家,共主行宰杀之术,终身食肉也。　【释文】"渠公"或云:渠公,齐之富室,为街正,买梱自代,终身食肉至死。一云:渠公屠者,与梱君臣同食肉也。"之街"音佳。一本作術。"然身食肉终"本或作身肉食者误。○卢文弨曰:今书终上有而字。

啮缺遇许由,曰:"子将奚之〔一〕?"

〔一〕【疏】啮缺逢遇许由,仍问欲何之适。

曰:"将逃尧〔一〕。"

〔一〕【疏】答曰:将欲逃避帝尧。

曰:"奚谓邪〔一〕?"

〔一〕【疏】问其何意。

曰:"夫尧,畜畜然仁,吾恐其为天下笑。后世其人与人相食与〔一〕！夫民,不难聚也;爱之则亲,利之则至,誉之则劝,致其所恶则散〔二〕。爱利出乎仁义,捐仁义者寡,利仁义者众。夫仁义之行,唯且无诚〔三〕,且假乎①禽贪者器〔四〕。是以一人之断制利天下〔五〕,譬之犹一覕也〔六〕。夫尧知贤人之利天下也,而不知其贼天下也,夫唯外乎贤者知之矣〔七〕。"

〔一〕【注】仁者争尚之原故也。　【疏】畜畜,盛行貌也。盛行偏爱之仁,乖于淳和之德,恐宇内丧道之士犹甚浇季,将来逐迹,百姓饥荒,仓廪既虚,民必相食,是以逃也。　【释文】"畜畜"许六反,郭他六反。李云:行仁貌。王云:恤爱勤劳之貌。"其人与"如字。"人相食与"音馀。言将驰走于仁义,不复营农,饥则相食。

〔二〕【疏】夫民,抚爱则亲,利益则至来,誉赞则相劝勉,与所恶则众离散,故黔首聚散,盖不难也。　【释文】"誉之"音馀。"所恶"乌路反。

〔三〕【注】仁义既行,将伪以为之②。　【疏】夫利益苍生,爱育群品,立功聚众,莫先仁义。而履仁蹈义,捐率于中者少,托于圣迹以规名利者多,是故行仁义者,矫性伪情,无诚实者也。　【释文】"之行"下孟反。

〔四〕【注】仁义可见,则夫贪者将假斯器以获其志。　【疏】器,圣迹也。且贪于名利,险于禽兽者,必假夫仁义为其器者也。　【释文】"且假夫禽贪者器"司马云:禽之贪者杀害无极,仁义贪者伤害无穷。

〔五〕【注】若夫仁义各出其情,则其断制不止乎一人。　【疏】荣利之徒,负于仁义,恣其鸩毒,断制天下。向无圣迹,岂得然乎!

〔六〕【注】觌,割也。万物万形,而以一剂割之,则有伤也。　【疏】觌,割也。若以一人制服天下,譬犹一刀割于万物,其于损伤彼此多矣。　【释文】"觌"郭薄结反,云:割也。向芳舌反。司马云:暂见貌。又甫苍反,又普结反,又初栗反。"剂"子随反。

〔七〕【注】外贤则贤不伪。　【疏】夫贤圣之迹,为利一时,万代之后,必生贼害,唯能忘外贤圣者知之也。

〔校〕①世德堂本作夫。②赵谏议本之下有也字。

有暖姝者,有濡需者,有卷娄者〔一〕。

〔一〕【疏】此略标,下解释。　【释文】"暖"吁爱反,又吁晚反,柔貌。
　　"姝"昌朱反,妖貌。"濡"音儒,又音如,安也。"需"音须。濡
　　需,谓偷安须臾之顷。"卷"音权。"娄"音缕。卷娄,犹拘挛也。

所谓暖姝者,学一先生之言,则暖暖姝姝而私自说也,
自以为足矣,而未知未始有物也〔一〕,是以谓暖姝者也。

〔一〕【注】意尽形教,岂知我之独化于玄冥之竟哉!　【疏】暖姝,自
　　许之貌也。小见之人,学问寡薄,自悦〔自〕①足,谓穷微极妙,
　　岂知所学未有一物可称也,是以谓暖姝者,此言结前也。　【释
　　文】"自说"音悦。"之竟"音境。

〔校〕①自字依正文补。

濡需者,豕虱是也,择疏鬣①自以为广宫大囿,奎蹄曲
隈,乳间股脚,自以为安室利处,不知屠者之一旦鼓臂布草
操烟火,而己与豕俱焦也〔一〕。此以域进,此以域退〔二〕,此
其所谓濡需者也〔三〕。

〔一〕【疏】濡需,矜夸之貌也。豕,猪也。言虱寄猪体上,择疏长之毛
　　鬣,将为广大宫室苑囿。蹄脚奎隈之所,股脚乳旁之间,(蹄)用
　　为温暖利便。岂知屠人忽操汤火,攘臂布草而杀之乎!即己与
　　豕俱焦烂者也。(谕)〔喻〕流俗寡识之人,耽好情欲,与豕虱濡需
　　喜欢无异也。　【释文】"虱"音瑟。"奎"苦圭反。本亦作睽。
　　"曲隈"乌回反。向云:股间也。○庆藩案,曲隈,胯内也。凡言
　　隈者,皆在内之名。淮南览冥篇渔者不争隈,高注:隈,曲深处,
　　鱼所聚也。列子黄帝篇何曲之淫隈,殷敬顺曰:隈,水曲也。僖
　　二十五年左传秦人过析隈,杜注:隈,隐蔽之处。故知言隈者,

皆在内曲深之谓。向秀曰，隈，股间也，疑误。"暖室"奴缓反，
又虚袁反。一本作安室。○卢文弨曰：今书作安室。"操"七
曹反。

〔二〕【疏】域，境界也。虱则逐豕而有亡，人则随境而荣乐，故谓之域
　　进退也。

〔三〕【注】非夫通变邈世之才而偷安乎一时之利者，皆豕虱者也。
　　【疏】此结也。○家世父曰：以域进，以域退，言逐众人之好恶而
　　与之为进退。暖姝者，囿于知识者也；濡需者，滞于形迹者也；
　　卷娄者，罢于因应者也。三者同蔽，庄生所以逃而去之。

〔校〕①阙误引张君房本鬣下有长毛二字。

卷娄者，舜也。羊肉不慕蚁，蚁慕羊肉，羊肉膻也。舜
有膻行，百姓悦之，〔一〕故三徙成都，至邓之虚①而十有万
家〔二〕。尧闻舜之贤，举之童土之地，曰冀得其来之泽〔三〕。
舜举乎童土之地，年齿长矣，聪明衰矣，而不得休归，所谓
卷娄者也〔四〕。

〔一〕【疏】卷娄者，谓背项俯曲，向前拳卷而伛偻也。夫羊肉膻腥，无
　　心慕蚁，蚁闻而归之。舜有仁行，不慕百姓，百姓悦之。故羊肉
　　比舜，蚁况百姓。　【释文】"羊肉不慕蚁"鱼绮反。李云：年长
　　心劳，无忧乐之志，是犹羊肉不慕蚁也。"膻也"设然反。"膻
　　行"下孟反。

〔二〕【疏】舜避丹朱，又不愿众聚，故三度逃走，移徙避之，百姓慕德，
　　从者十万，所居之处，自成都邑。至邓虚，地名也。　【释文】
　　"至邓"向云：邑名。"之虚"音墟。本又作墟。

〔三〕【疏】地无草木曰童土。尧闻舜有贤圣之德，妻以娥皇女英，举
　　以自代，让其天下。居不毛土，历试艰难，望邻境承仪，苍生蒙

泽。　【释文】"童土"如字,又音杜。向云:童土,地无草木也。

〔四〕【注】圣人之形,不异凡人,故耳目之用衰也,至于精神,则始终常全耳②。若少则未成,及长而衰,则圣人之圣曾不崇朝,可乎?　【疏】既登九五,威跨万乘,(慜)〔愍〕念苍生,忧怜凡庶,于是年齿长老,耳目衰竭,无由休息,岂得归宁!伛偻挛卷,形劳神倦,所谓卷娄者也。　【释文】"齿长"丁丈反。注同。○庆藩案,华严经音义引司马云:齿,数也。释文阙。"若少"诗召反。

〔校〕①赵谏议本作墟。②赵本无耳字。

　　是以神人恶众至〔一〕,众至则不比,不比则不利也〔二〕。故无所甚亲,无所甚疏,抱德炀和以顺天下,此谓真人〔三〕。于蚁弃知,于鱼得计,于羊弃意〔四〕。

〔一〕【注】众自至耳,非好而致也①。　【疏】三徙远之,以恶也。
　　【释文】"恶众"乌路反。"非好"呼报反。

〔二〕【注】明舜之所以有天下,盖于不得已耳,岂比而利之!　【疏】比,和也。夫众聚则不和,不和则不利于我也。　【释文】"不比"毗志反。下注同。

〔三〕【疏】炀,温也。夫不测神人,亲疏一观,抱守温和,可谓真圣。
　　【释文】"炀"郭音羊,徐馀亮反。"和"李云:炀,炙也,为和气所炙。

〔四〕【注】于民则蒙泽,于舜则形劳。　【疏】不慕羊肉之仁,故于蚁弃智也;不为膻行教物,故于羊弃意也;既遣仁义,合乎至道,不伤濡沫,相忘于江湖,故于鱼得计。此斥虞舜膻行,故及斯言也。　【释文】"于蚁弃知"音智。"于鱼得计于羊弃意"司马云:蚁得水则死,鱼得水则生,羊得水则病。一说云:真人无膻,

徐无鬼第二十四

761

故不致蚁，是蚁弃知也；共处相忘之大道，无沾濡之德，是鱼得计也；羊无膻行而不致蚁，是羊弃意也。○家世父曰：所恶乎众至者，恶其比也。所以比者，歆其利也。神人众至不比，正惟不以利歆之。蚁之附膻也，有利而趋之也，即其知也；羊之膻也，与以可歆之利也，即其意也。蚁无知而有知，羊无意而有意，惟膻之(惟)利也。鱼相忘于江湖，人相忘于道术，何膻之可慕哉！故曰于鱼得计。

〔校〕①世德堂本也作之，<u>赵谏议</u>本无。

以目视目，以耳听耳，以心复心〔一〕。若然者，其平也绳〔二〕，其变也循〔三〕。古之真人，以天待(之)〔人〕①〔四〕，不以人入天〔五〕。古之真人，得之也生，失之也死；得之也死，失之也生〔六〕。

〔一〕【注】此三者，未能无其耳目心意也。 【疏】夫视目之所见，听耳之所闻，复心之所知，不逐物于分外而知止其分内者，其真人之道也。

〔二〕【注】未能去绳而自平。 【疏】绳无心而正物，圣忘怀而平等。【释文】"能去"起吕反。

〔三〕【注】未能绝迹而玄会。 【疏】循，顺也。处世和光，千变万化，大顺苍生，曾不逆寡。

〔四〕【注】居无事以待事，事斯得。 【疏】如上所解，即是玄古真人，用自然之道，虚其心以待物。

〔五〕【注】以有事求无事，事愈荒。 【疏】不用人事取舍乱于天然之智。

〔六〕【注】死生得失，各随其所居耳，于生为得，于死或复为失，未始有常也。 【疏】夫处生而言，即以生为得；若据死而语，便以生为丧。死生既其无定,得失的在谁边？噫,未可知也！是以混死生,一得丧,故谓之真人矣。○家世父曰：形气之相须也,得之生,失之死,有比而合之者也；自然之待化也,得之死,失之生,有委而听之者也。得之生,故有为而无为；得之死,故无为而无不为。 【释文】"或复"扶又反。

〔校〕①人字依阙误引**张君房**本改。

药也其实,堇也,桔梗也,鸡𦼮也,豕零也,是时为帝者也,何可胜言〔一〕！

〔一〕【注】当其所须则无贱,非其时则无贵,贵贱有时,谁能常也！ 【疏】堇,乌头也,治风痹。桔梗治心腹血。鸡壅即鸡头草也,服延年。豕零,猪苓根也,似猪卵,治渴病。此并贱药也。帝,君主也。夫药无贵贱,愈病则良,药病相当,故便为君主。乃至目视耳听,手捉心知,用有行藏,时有兴废。故时之所贤者为君,才不应世者为臣,此事必然,故何可言尽也。 【释文】"堇"音谨,<u>郭</u>音觐,<u>徐</u>音靳。<u>司马</u>云：乌头也,治风冷痹。"桔"音结。本亦作结。"梗"古猛反。<u>司马</u>云：桔梗治心腹血瘀瘕痹。"鸡𦼮"<u>徐</u>於容反。本或作壅,音同。<u>司马</u>云：即鸡头也。一名芡,与藕子合为散,服之延年。"豕零"<u>司马</u>本作豕囊,云：一名猪苓,根似猪卵,可以治渴。案四者皆药草名。"是时为帝者也"<u>司马</u>云：药草有时迭相为帝,谓其王相休废,各得所用也。○<u>庆藩</u>案,时者,更也；帝者,主也；言堇、桔梗、鸡𦼮、豕零,更相为主也。方言曰：莳,更也。(莳,郭音侍。古无莳字,借时字为之。)尔雅曰：帝,君也。淮南正论篇时举而代御。齐俗篇此代为帝者也。(帝,今本误作常。)太平御览引冯衍邓禹笺：此更为(通)〔適〕者也。(適读若嫡。广雅：嫡,君也。)或言时,或言代,或言更,其义一也。(方言:更,代也。说文:代,更也。)"胜言"音升。

句践也以甲楯三千栖于会稽〔一〕。唯种也能知亡之所以存,唯种也不知其身之所以愁〔二〕。故曰,鸥目有所适,鹤胫有所节,解之也悲〔三〕。

〔一〕【疏】句践,越王也。会稽,山名也。越为吴军所残,窘迫退走,栖息于会稽山上也。　【释文】"句践"音钩。"甲楯"纯尹反,徐音尹。"栖于"音西。李云:登山曰栖。"会"古外反。"稽"音鸡。

〔二〕【疏】种,越大夫名。其时句践大败,兵唯三千,走上会稽山,亡灭非远,而种密谋深智,亡时可(在)〔存〕,当时矫与吴和,后二十二年而灭吴矣。夫狡兔死,良狗烹,敌国灭,忠臣亡,数其然也。平吴之后,范蠡去越而游乎江海,变名易姓,韬光晦迹,即陶朱公是也。大夫种不去,为句践所诛,但知国亡而可以存,不知愁身之必死也。字亦有作种者,随字读之。　【释文】"种"章勇反,越大夫名也。吴越春秋云:姓文,字少禽。"所以存"本又作可以存,言知越虽亡可以存也。

〔三〕【注】各适一时之用,不能靡所不可,则有时而失,有时而失,故有时而悲矣。解,去也。　【疏】鸥目昼闇而夜开,则适夜不适昼;鹤胫禀分而长,则能长不能短。枝节如此,故解去则悲,亦犹种闇于谋身,长于存国也。　【释文】"鸥"尺夷反。"胫"刑定反。"解之"佳买反。司马云:去也。一音懈。

故曰,风之过河也有损焉,日之过河也有损焉〔一〕。请只风与日相与守河,而河以为未始其撄也〔二〕,恃源而往者也〔三〕。故水之守土也审,影之守人也审,物之守物也审〔四〕。

〔一〕【注】有形者自然相与为累,唯外乎^①形者磨之而不磷。 【疏】风日是气,河有形质。凡有形气者,未能无累也。而风吹日累,必有损伤,恃源而往,所以不觉。亦犹吴得越之后,谋臣必恃(谓)其功勋,〔谓〕以(无)后〔无〕虑遭戮。是知物相利者必相为害也。 【释文】"有损"有形自然相累,世能累物,物能累人,故大夫种所以不免也。"不磷"邻刃反。

〔二〕【注】实已损矣而不自觉。

〔三〕【注】所以不觉,非不损也,恃源往也。 【疏】恃,赖也。撄,损也。风之与日,相与守河,于河撄损而不知觉,恃其源流。 【释文】"恃"本亦作持。"源而往者也"水由源往,虽遇风日,不能损也;道成其性,虽在于世,不能移也。

〔四〕【注】无意则止于分,所以为审。 【疏】审,安定也。夫水非土则不安,影无人则不见,物无造物则不立,故三者相守而自以为固。而新故不住,存亡不停,昨日之物,于今已化,山舟替遁,昧者不知,斯之义也。

〔校〕①世德堂本乎作夫。

　　故目之于明也殆,耳之于聪也殆,心之于殉也殆〔一〕。凡能其于府也殆,殆之成也不给改〔二〕。祸之长也兹萃〔三〕,其反也缘功〔四〕,其果也待久〔五〕。而人以为己宝,不亦悲乎〔六〕! 故有亡国戮民无已〔七〕,不知问是也〔八〕。

〔一〕【注】有意则无崖,故殆。 【疏】殉,逐也。夫视目所见,听耳所闻,任心所逐,若目求离朱之明,耳索师旷之聪,心逐无崖之知,欲不危殆,其可得乎! ○家世父曰:水之守土,二物也,相比而相须也;影之守人,一物而为二物也,自生而自化也;物之守物,物还而自证也,抱一者也。所以谓之审者,无外驰也。目驰而明生焉,耳驰而聪出焉,心驰而所殉见焉。凡能于其府者,皆外驰也。(及)〔反〕其所自持,而缘之以为功,致果以求之,积久而不知所归,役耳目心思之用以与万物为撄,故可悲也。

〔二〕【注】所以贵其无能而任其天然。 【疏】夫运分别之智,出于藏府而自伐能者,必致危亡也。故虽有成功,不还周给而改悔矣。

〔三〕【注】萃,聚也。苟不能忘知,则祸之长也多端矣。 【疏】滋,多也。萃,聚也。役于藏府,自显其能,故凶灾祸患,增长而多聚之也。 【释文】“之长”丁丈反。注同。“兹萃”所巾反。郭云:聚也。李云:多也。本又作萃①。

〔四〕【注】反守其性,则其功不作而成。 【疏】自伐己能而反招祸败者,缘于功成不退故也。

〔五〕【注】欲速则不果。 【疏】夫诚意成功,决定矜伐。有待之心,其日固久。

〔六〕【注】己宝,谓有其知能。 【疏】流(徒)〔徙〕之人,心处愚暗,宝贵己能,成功而处,执滞如是,甚可悲伤。

〔七〕【注】皆有其身之祸。 【疏】贪土地为己有大宝,取之无道,国破家亡,残害黎元无数,无穷已也。

〔八〕【注】不知问祸之所由,由乎有心,而修心以救祸也。 【疏】世有明人,是为龟镜。不知问祸败所由,唯恶贫贱,愚之至也。

〔校〕①今本作萃。

故足之于地也践,虽践,恃其所不蹍而后善博也〔一〕;人之于知也少,虽少,恃其所不知而后知天之所谓也〔二〕。知大一,知大阴,知大目,知大均,知大方,知大信,知大定,至矣〔三〕。大一通之〔四〕,大阴解之〔五〕,大目视之〔六〕,大均缘之〔七〕,大方体之〔八〕,大信稽之〔九〕,大定持之〔一○〕。

〔一〕【疏】践,蹍,俱履蹈也。夫足之能行,必履于地,仍赖不践之土
而后得行,若无馀地,则无由安善而致博远也。此举譬也。
【释文】"恃其所不蹍"女展反。李云:一足常不往,故能行广远
也。○俞樾曰:两践字并当作浅,或字之误,或古通用也。足之
于地,止取容足而已,故曰足之于地也浅。然容足之外,虽皆无
用之地而不可废也,故曰虽浅恃其所不蹍而后善博也。外物篇曰,
夫地非不广且大也,人之所用容足耳。然则厕足而垫之致黄泉,人
尚有用乎? 即此义也。下文曰,人之知也少,虽少,恃其所不知而后
知天之所谓也。少与浅,文义相近。若作践则不可通矣。

〔二〕【注】夫忘天地,遗万物,然后蜩翼可得而知也,况欲知天之所
谓,而可以不无其心哉! 【疏】知有明暗,能有少多,各止其
分,则物逍遥。是以地藉不践而得行,心赖不知而能照。所以
处寂养恬,天然之理,故老经云,有之以为利,无之以为用。此
合(谕)〔喻〕也。

〔三〕【疏】此略标能知七大之名,可谓造极。自此以下历解义。

〔四〕【注】道也。 【疏】一是阳数。大一,天也,能通生万物,故
曰通。

〔五〕【注】用其分内,则万事无滞也。 【疏】大阴,地也,无心运载而
无分解,物形之也。 【释文】"解之"音蟹。下同。又佳买反。

〔六〕【注】用万物之自见,亦大目也。 【疏】各视其所见(谓)〔为〕
大目。

〔七〕【注】因其本性,令各自得,则大均也。 【疏】缘,顺也。大顺则
物物各性足均平。 【释文】"令各"力呈反。下同。

〔八〕【注】体之使各得其分,则万方俱得,所以为大方也。 【疏】万

物之形,各有方术,蜘蛛结网之类,斯体达之。

〔九〕【注】命之所期,无令越逸,斯大信也。 【疏】信,实也。稽,至
也。循而任之,各至其实,斯大信也。

〔一〇〕【注】真不挠则自定,故持之以大定,斯不持也。 【疏】物各信
空,持而用之,其理空矣。 【释文】"不挠"乃孝反。

尽有天〔一〕,循有照〔二〕,冥有枢〔三〕,始有彼〔四〕。则其
解之也似不解之者〔五〕,其知之也似不知之也〔六〕,不知而
后知之〔七〕。其问之也,不可以有崖〔八〕,而不可以无
崖〔九〕。颉滑有实〔一〇〕,古今不代〔一一〕,而不可以亏〔一二〕,
则可不谓有大扬榷乎〔一三〕!阖不亦①问是已,奚惑然
为〔一四〕!以不惑解惑,复于不惑,是尚大不惑②〔一五〕。

〔一〕【注】夫物未有无自然者也。 【疏】上来七大,未有不由其自然
者也。

〔二〕【注】循之则明,无所作也。 【疏】循,顺也。但顺其天然,智自
明照。

〔三〕【注】至理有极,但当冥之,则得其枢要也。 【疏】窈冥之理,自
有枢机,而用之无劳措意也。 【释文】"枢"尺朱反。

〔四〕【注】始有之者彼也,故我述而不作。 【疏】郭注云,始有之者
彼也,故我述而不作也。

〔五〕【注】夫解任彼,则彼自解;解之无功,故似不解。 【疏】体从彼
学而解也,戒(小)〔不〕成性,故(不)似〔不〕解。

〔六〕【注】明彼知也。 【疏】能忘其知,故似不知也。

〔七〕【注】我不知则彼知自用,彼知自用,则天下莫不皆知也。
【疏】不知而知,知而不知,非知而知;故不知而后知,此是真知。

〔八〕【注】应物宜而无方。

〔九〕【注】各以其分。

〔一〇〕【注】万物虽颉滑不同,而物物各自有实也。 【疏】颉滑,不同也。万物纷扰,颉滑不同,统而治之,咸资实道。 【释文】"颉"徐下结反。"滑"乎八反。向云:颉滑,谓错乱也。

〔一一〕【注】各自有故,不可相代。 【疏】古自在古,不从古以来今;今自存今,亦不从今以生古;物各有性,新故不相代换也。

〔一二〕【注】宜各尽其分也。 【疏】时不往来,法无迁贸,岂赖古以为今耶!

〔一三〕【注】摧而扬之,有大限也。 【疏】如上所问,其道广大,岂不谓显扬妙理而摧实论之乎! 【释文】"扬摧"音角,又苦学反。三苍云:摧,敌也。许慎云:扬摧,粗略法度。王云:摧略而扬显之。○庆藩案,释文引三苍云,摧,敌也。敌当作敲。说文:摧,敲击也。汉书五行志摧其眼,师古注云:摧,谓敲击去其精也。敌敲二文以形近而误。

〔一四〕【注】若问其大摧,则物有至分,故忘己任物之理可得而知也,奚为而惑若此也! 【疏】阖,何不也。奚,何。无识之类若夜游,何不询问圣人! 及其弱丧而迷惑困苦,如是何为也!

〔一五〕【注】夫惑不可解,故尚大不惑,愚之至也,是以圣人从而任之,所以皇王殊迹,随世为名也。 【疏】不惑圣智,惑于凡情也。以圣智之言辨于凡惑,忘得反本,复乎真根,而不能得意忘言而执乎圣迹,贵重明言,以不惑为大,此乃钦尚不惑,岂能除惑哉! 斯又遣于不惑也。 【释文】"惑解"佳买反。注同。"复于"音服,又扶又反。

〔校〕①赵谏议本不亦作亦不。②唐写本惑下有也字。

庄子集释卷八下

杂篇则阳第二十五〔一〕

〔一〕【(音义)〔释文〕】以人名篇。

则阳游于楚〔一〕,夷节言之于王,王未之见,夷节归〔二〕。

〔一〕【疏】姓彭,名阳,字则阳,鲁人。游事诸侯,后入楚,欲事楚文王。 【释文】"则阳"司马云:名则阳,字彭阳也。一云:姓彭,名则阳,周初人也。

〔二〕【疏】夷姓,名节,楚臣也。则阳欲事于楚,故因夷节称言于王,王既贵重,故犹未之见也。夷节所进未遂,故罢朝而归家。 【释文】"夷节"楚臣。

彭阳见王果曰:"夫子何不谭我于王〔一〕?"

〔一〕【疏】王果,楚之贤大夫也。谭,犹称说也,本亦有作言谈字者。前因夷节,未得见王,后说王果,冀其谈荐也。 【释文】"王果"司马云:楚贤人。"谭"音谈。本亦作谈。李云:说也。郭徒堪

770

反,徐徒暗反。

王果曰:"我不若公阅休〔一〕。"

〔一〕【疏】若,如也。公阅休,隐者之号也。王果贤人,嫌彭阳贪荣情速,故盛称隐者,以抑其进趋之心也。 【释文】"公阅休"隐士也。阅,音悦。

彭阳曰:"公阅休奚为者邪〔一〕?"

〔一〕【疏】奚,何也。既称公阅休,言己不如,故问何为,庶闻所以。

曰:"冬则擉鳖于江,夏则休乎山樊。有过而问者,曰:'此予宅也。'〔一〕夫夷节已不能,而况我乎!吾又不若夷节。夫夷节之为人也,无德而有知,不自许,以之神其交固,颠冥乎富贵之地,〔二〕非相助以德,相助消也〔三〕。夫冻者假衣于春,暍者反冬乎冷风〔四〕。夫楚王之为人也,形尊而严;其于罪也,无赦如虎;非夫佞人正德,其孰能桡焉〔五〕!

〔一〕【注】言此者,以抑彭阳之进趋。 【疏】擉,刺也。樊,傍也,亦茂林也。隆冬刺鳖,于江渚以逍遥;盛夏归休,偃茂林而取适;既无环庑,故指山傍而为舍。此略陈阅休之事迹也。 【释文】"擉"初角反,又敕角反。司马云:刺也。郭音触,徐丁绿反,一音捉。○卢文弨曰:旧捉作促,讹。今改正。○庆藩案,广韵引司马云:擉鳖,刺鳖也。与释文小异。"樊"音烦。李云:傍也。司马云:阴也。广雅云:边也。"予宅"司马云:以隐居山阴自显也。

〔二〕【注】言己不若夷节之好富贵,能交结,意尽形名,任知以干上也。 【疏】颠冥,犹迷没也。言夷节交游坚固,意在荣华;颠倒迷惑,情贪富贵;实无真德,而有俗知;不能虚淡以从神,而好任知以干上。数数如此,犹自不能,况我守愚,若为堪荐! 此是王果谦逊之辞也。 【释文】"有知"音智。注同。"颠冥"音眠。司马云:颠冥,犹迷惑也。言其交结人主,情驰富贵。

〔三〕【注】苟进,故德薄而名消。 【疏】消,毁损也。言则阳凭我谈己于王者,此适可败坏名行,必不益于盛德也。

〔四〕【注】言已顺四时之施,不能赴彭阳之急。 【疏】夫遭冻之人,得衣则暖;被喝之(者)〔人〕,遇水便活。乃待阳和以解冻,须寒风以救喝,虽乖人事,实顺天时。履道达人,体无近惠,不进彭阳,其义亦尔。 【释文】"喝"音谒。字林云:伤暑也。"之施"始豉反。下同。

〔五〕【疏】仪形有南面之尊,威严据千乘之贵,赫怒行毒,犹如暴虎,戮辱苍生,必无赦宥。自非大佞之人,不堪任使。若履正怀德之士,谁能屈挠心志而事之乎! 【释文】"能桡"乃孝反,又呼毛反。王云:惟正德以至道服之,佞人以才辩夺之,故能泥桡之也。

故圣人,其穷也使家人忘其贫〔一〕,其达也使王公忘爵禄而化卑〔二〕。其于物也,与之为娱矣〔三〕;其于人也,乐物之通而保己焉〔四〕;故或不言而饮人以和〔五〕,与人并立而使人化〔六〕。父子之宜,彼其乎归居〔七〕,而一閒其所施〔八〕。其于人心者若是其远也〔九〕。故曰待公阅休〔一〇〕。"

〔一〕【注】淡然无欲,乐足于所遇,不以侈靡为贵,而以道德为荣,故其家人不识贫之可苦。 【疏】(御)〔禦〕寇居郑,老莱在楚,妻挈穷窭而乐在其内。贤士尚然,况乎真圣,斯忘贫也。 【释文】"淡然"徒暂反。

〔二〕【注】轻爵禄而重道德,超然坐忘,不觉荣之在身,故使王公失其所以为高。 【疏】韬光为穷,显迹为达。哀公德友于尼父,轩辕膝步于广成,斯皆道任则尊,不拘品命,故能使万乘之王,五等之君,化其高贵之心而为卑下之行也。 【释文】"而化卑"居高而以卑为本也。本或作而化卑于人也。

〔三〕【注】不以为物自苦。 【疏】同尘涉事,与物无私,所造皆适,故未尝不乐也。

〔四〕【注】通彼(人)〔而〕①不丧我。 【疏】混迹人间而无滞塞,虽复通物而不丧我,动不伤寂而常守于其真。 【释文】"不丧"息浪反。

〔五〕【注】人各自得,斯饮和矣,岂待言哉! 【疏】荫芘群生,冥同苍昊,中和之道,各得其心,满腹而归,岂劳言教! 【释文】"而饮"於鸩反。

〔六〕【注】望其风而靡之。 【疏】和光同尘,斯并立也;各反其真,斯人化也。

〔七〕【注】使彼父父子子各归其所。 【疏】虽复混同贵贱,而伦叙无亏,故父子君臣,各居其位,无相参冒,不亦宜乎!

〔八〕【注】其所施同天地之德,故闲静而不二。 【疏】所有施惠,与四时合叙,未尝不闲暇从容,动静不二。 【释文】"一閒"音闲。

〔九〕【疏】圣人之用心,(其)〔具〕如上说,是以知其清高深远也。○家世父曰:父子之宜,承上家人忘其贫。子,养父者也;父,待养于子者也,所谓宜也。归居,即据上文冬擉鳖夏休乎山樊言之。释(文)〔名〕:閒,(蔄)〔简〕也。谓别异其所施以求自足也,(以)

〔非〕使家人忘其贫,自忘而已矣。此其远于人心者也。

〔一〇〕【注】欲其释楚王而从阅休,将以静泰之风镇其动心也。　【疏】此总结也。

　　圣人达绸缪〔一〕,周尽一体矣〔二〕,而不知其然,性也〔三〕。复命摇作而以天为师〔四〕,人则从而命之也〔五〕。忧乎知而所行恒无几时,其有止也若之何〔六〕!

〔一〕【注】所谓玄通。　【疏】绸缪,结缚也。夫达道圣人,超然县解,体知物境空幻,岂为尘网所羁! 阅休虽未极乎道,故但托而说之也。　【释文】“绸”直周反。“缪”亡侯反。绸缪,犹缠绵也。又云:深奥也。

〔二〕【注】无外内①而皆同照。　【疏】夫智周万物,穷理尽性,物我不二,故混同一体也。　【释文】“周尽一体”所鉴绸缪,精粗洞尽,故言周尽一体。一体,天也。

〔三〕【注】不知其然而自然者,非性如何!　【疏】能所相应,境智冥合,不知所以,莫辨其然,故与真性符会。

〔四〕【注】摇者自摇,作者自作,莫不复命而师其天然也。　【疏】反乎真根,复于本命,虽复摇动,顺物而作,动静无心,合于天地,故师于二仪也。　【释文】“复命摇作”摇,动也。万物动作生长,各有天然,则是复其命也。

〔五〕【注】此非赴名而高其迹。(师)〔帅〕②性而动,其迹自高,故人不能下其名也。　【疏】命,名也。合道圣人,本无名字,为有清尘可慕,故人从后而名之。　【释文】“命之也”命,名也。

〔六〕【注】任知(其)〔而〕③行,则忧患相继。　【疏】任知为物,忧患斯生,心灵易夺,所行无几,攀缘念虑,宁有住时! 假令神禹,无奈之何! 【释文】"忧乎知"音智。"而所行恒无几"居岂反。"时其有止也若之何"王云:忧乎智,谓有为者以形智不至为忧也。不知用智必丧,丧而更以不智为忧,及其智之所行有弊无济,故其忧患相接,无须臾停息,故曰恒无几时。其有止也,不能遗智去忧,非可忧如何!

〔校〕①世德堂本作内外。②帅字依世德堂本改。③而字依赵谏议本改。

生而美者,人与之鉴,不告则不知其美于人也〔一〕。若知之,若不知之,若闻之,若不闻之,其可喜也终无已〔二〕,人之好之亦无已,性也〔三〕。圣人之爱人也,人与之名,不告则不知其爱人也〔四〕。若知之,若不知之,若闻之,若不闻之,其爱人也终无已〔五〕,人之安之亦无已,性也〔六〕。

〔一〕【注】鉴,镜也,鉴物无私,故人美之。今夫鉴者,岂知鉴而鉴耶? 生而可鉴,则人谓之鉴耳,若人不相告,则莫知其美于人,譬之圣人,人与之名。 【疏】鉴,镜也。告,语也。(夫)〔天〕生明照,照物无私,人爱慕之,故名为镜。若人不相告语,明镜本亦无名。此起譬也。 【释文】"则不知其美于人"生便有见物之美而为无心,人与作名言镜耳,故人美之。若不相告,即莫知其美于人。

〔二〕【注】夫鉴之可喜,由其无情,不问知与不知,闻与不闻,来即鉴之,故终无已。若鉴由闻知,则有时而废也。 【疏】已,止也。夫镜之照物,义在无情,不问怨亲,照恒平等。若不闻而不知,镜亦不照,既有闻知,镜能照之,斯则事涉间夺,有时休废矣,焉能久照乎! 只为凝照无穷,故为人之所喜好也。○庆藩案,王

〔三〕【注】若性所不好,岂能久照! 【疏】镜之能照,出自天然,人之喜好,率乎造物,既非矫性,所以无穷。 【释文】"好之"呼报反。注同。

〔四〕【注】圣人无爱若镜耳。然而事济于物,故人与之名,若人不相告,则莫知其爱人也。 【疏】圣人泽被苍生,恩流万代,物荷其德,人与之名,更相告语,嘉号斯起。不若然者,岂有圣名乎!

〔五〕【注】荡然以百姓为刍狗,而道合于爱人,故能无已。若爱之由乎闻知,则有时而衰也。 【疏】夫圣德遐旷,接物无私,亭毒群生,刍狗百姓,岂待知闻而后爱之哉! 只为慈救无偏,故德无穷已。此合(谕)〔喻〕也。

〔六〕【注】性之所安,故能久。 【疏】安,定也。夫静而与阴同德,动而与阳同波,故无心于动静也。故能疾雷破山而恒定,大风振海而不惊,斯率其真性者也。若矫性伪情,则有时而动矣。故王弼云,不性其情,焉能久行其企!

旧国旧都,望之畅然〔一〕;虽使丘陵草木之缗〔二〕,入之者十九,犹之畅然。况见见闻闻者也〔三〕,以十仞之台县众閒者也〔四〕!

〔一〕【注】得旧犹畅然,况得性乎! 【疏】国都,(谕)〔喻〕其真性也。夫少失本邦,流离他邑,归望桑梓,畅然喜欢。况丧道日淹,逐末来久,今既还原反本,故曰畅然。 【释文】"畅然"喜悦貌。

〔二〕【注】缗,合也。 【释文】"之缗"民忍反,徐音昏。郭云:合也。司马云:盛也。

〔三〕【注】见所尝见,闻所尝闻,而犹畅然,况体其体用其性也! 【疏】缗,合也。旧国旧都,荒废日久,丘陵险陋,草木丛生;入中相访，十人识九，见所曾见，闻所曾闻，怀生之情，畅然欢乐。况丧道日久，流没生死，忽然反本，会彼真原，归其重玄之乡，见其至道之境，其为乐也，岂易言乎！　【释文】"十九"谓见十识九也。"见见闻闻"见所见，闻所闻。○俞樾曰：缗字，释文引司马云盛也，郭注云合也，于义俱通。入之者十九，释文曰谓见十识九也，此未得其义。入者，谓入于丘陵草木所掩蔽之中也。入之者十九，则其出于外而可望见者止十之一耳，而犹觉畅然喜悦，故继之曰况见见闻闻者也。郭注曰，见所尝见，闻所尝闻，而犹畅然，则于况见见闻闻句不复可通，遂增益之曰况体其体用其性也，于庄子本义不合矣。

〔四〕【注】众之所习，虽危犹闲，况圣人之无危！　【疏】七尺曰仞。台高七丈，可谓危县，人众数登，遂不怖惧。习以性成，尚自宽闲，而况得真，何往不安者也！　【释文】"台县"音玄。"众闲"音闲。注同。元嘉本作闲。○俞樾曰：此承见见闻闻而言。以十仞之台而县于众人耳目之间，此人所共见共闻者，非犹夫丘陵草木之缗入之者十九也，其为畅然可知矣。郭注曰，众之所习，虽危犹闲。此误读闲为闲，于义殊不可通。盖由不解上文，故于此亦失其旨。○家世父曰：说文：閒，隙也。周礼匠人井間、成閒、同閒，凡空处谓之閒，屋空处亦曰閒。十仞之台，县之众閒，杰然独出，见见闻闻不能掩也。得其环中以随成，不以之见于外而自得之于中，乃可以应无穷。

冉相氏得其环中以随成〔一〕，与物无终无始，无几无时〔二〕。日与物化者，一不化者也〔三〕，阖尝舍之〔四〕！夫师天而不得师天〔五〕，与物皆殉，其以为事也若之何〔六〕？夫圣人未始有天，未始有人，未始有始，未始有物〔七〕，与世偕行而不替,所行之备而不洫,其合之也若之何〔八〕? 汤得其司御门尹登恒为之傅之〔九〕,从师而不囿〔一〇〕;得其随成,为之司其名〔一一〕;之名嬴法,得其两见〔一二〕。仲尼之尽虑,为之傅之〔一三〕。容成氏曰:"除日无岁〔一四〕,无内无外〔一五〕。"

〔一〕【注】冉相氏,古之圣王也。居空以随物,物自成。 【疏】冉相氏,三皇以前无为皇帝也。环,中之空也。言古之圣王,得真空之道,体环中之妙,故道顺群生,混成庶品。 【释文】"冉相"息亮反。注同。郭云:冉相氏,古圣王。○俞樾曰:路史循蜚纪有冉相氏。

〔二〕【注】忽然与之俱往。 【疏】无始,无过去;无终,无未来也;无几无时,无见在也。体化合变,与物俱往,故无三时也。

〔三〕【注】日与物化,故常无我,常无我,故常不化也。 【疏】顺于日新,与物俱化者,动而常寂,故凝寂一道,嶷然不化。

〔四〕【注】言夫为者,何不试舍其所为(之)①乎? 【疏】阖,何也。言体空之人,冥于造物,千变万化而与化俱往,曷尝暂相舍离也! 【释文】"尝舍"音捨。注同。

〔五〕【注】唯无所师,乃得师天。 【疏】师者,仿效之名;天者,自然之谓。夫大块造物,率性而动,若有心师学,则乖于自然,故不得也。

〔六〕【注】虽师天犹未免于殉,奚足事哉! 师天犹不足称事,况又不师耶! 【疏】殉者,逐也,求也。夫有心仿效造化而与物俱往者,此不率其本性也,奚足以为修其事业乎! 尚有所求,故是殉也。夫师犹有称殉,况(拾)〔舍〕已逐物,其如之何! 【释文】"皆殉"辞俊反。○家世父曰:其有止也,通乎命者也;其以为

庄子集释

事,应乎物者也;其舍之也,尽性复命,浑人己而化之也。云若之何者,如是之为道也。

〔七〕【疏】夫得中圣人,达于至理,故能人天双遣,物我两忘。既曰无终,何尝有始! 率性合道,不复师天。

〔八〕【注】都无,乃冥合。 【疏】替,废也,埋塞也。混同人事,与世并行,接物随时,曾无废阙。然人间否泰,备经之矣,而未尝埋塞,所遇斯通,无心师学,自然合道,如何仿效,方欲契真? 固不可也。 【释文】"所行之备而不洫"音溢。郭许的反,李虚域反,滥也。王云:坏败也。无心偕行,何往而不至,故曰皆殉也。所行行备而物我无伤,故无坏败也。

〔九〕【注】委之百官而不与焉。 【疏】姓门,名尹。(且)〔亦〕言:门尹,官号也,姓登,名恒。殷汤圣人,忘怀顺物,故得良臣御事,既为师傅,玄默端拱而不为也。 【释文】"门尹登恒"向云:门尹,官名,登恒,人名。"为之"于伪反。下同。"傅之"音付。下同。"不与"音预。

〔一〇〕【注】任其自聚,非囿之也;纵其自散,非解之也。 【疏】从,任也。囿,聚也。虚淡无为,委任师傅,终不积聚而为己功。

〔一一〕【注】司御之属,亦能随物之自然也,而汤得之,所以名寄于物而功不在己。 【疏】良臣受委,随物而成,推功司御,名不在己。

〔一二〕【注】名法者,已过之迹耳②,非适足也。故曰,嬴然无心者,寄治于群司,则其名迹并见于彼。 【疏】嬴然,无心也。见,显也。成物之名,圣迹之法,并是师傅而不与焉。故名法二事,俱显于彼,嬴然闲放,功成弗居也。 【释文】"之名嬴"音盈。"法得其两见"贤遍反。注同。得其随成之道以司其名,名实法立,故得两见,犹人鉴之相得也。○家世父曰:随成者,浑成者也;两见者,对待者也。说文:傅,相也。即辅相之义。随成,可以为相矣。仲尼之尽虑,亦辅相也,是亦对待也。司者,察也。名之赢,法之绌也。尔雅释诂:法,常也。老子名可名,非常名。察其名迹之所至而可知其成,故曰两见。"寄治"直吏反。

〔一三〕【注】仲尼曰:天下何思何虑! 虑已尽矣,若有纤芥之虑,岂得寂然不动,应感无穷,以辅万物之自然也! 【疏】傅,辅也。尽,绝也。孔丘圣人,忘怀绝虑,故能开化群品,辅禀自然。若蕴纤芥有心,岂能坐忘应感!

〔一四〕【注】今所以有岁而存日者,为有死生故也。若无死无生,则岁日之计除。 【疏】容成,古之圣王也。岁日者,时叙之名耳。为计于时日,故有生死,生死无矣,故岁日除焉。 【释文】"容成"老子师也。〇俞樾曰:汉书艺文志阴阳家有容成子十四篇,房中家又有容成阴道二十六卷,此即老子之师也。列子汤问篇黄帝与容成子居空峒之上,同斋三月。当是别一人。淮南本经篇昔容成氏之时,道路雁行列处,托婴儿于巢上,置馀粮于亩首,虎豹可尾,虺蛇可蹍,而不知其所由然。此则当为上古之君,即庄子胠箧之容成氏,与大庭、伯皇、中央、栗陆诸氏并称者也。而高诱注乃云,容成氏,黄帝时造历日者,则以为黄帝之臣矣。此以说列子汤问篇与黄帝同居空峒之容成氏,乃为得之,非此容成也。合诸说观之,容成氏有三:黄帝之君,一也;黄帝之臣,二也;老子之师,三也。然老子生年究不可考,其师或即黄帝之臣,未可知也。

〔一五〕【注】无彼我则无内外也。 【疏】内,我也。外,物也。为计死生,故有内外。岁日既遣,物我何施!

〔校〕①之字依覆宋本及王叔岷说删。②世德堂本耳作而。

魏莹与田侯牟约，田侯牟背之。魏莹怒，将使人刺之[一]。

〔一〕【疏】莹，魏惠王名也。田侯，即齐威王也，名牟，桓公之子，田恒之后，故曰田侯。齐魏二国，约誓立盟，不相征伐。盟后未几，威王背之，故魏侯瞋怒，将使人刺而杀之。其盟在齐威二十六年，魏惠八年。　【释文】"魏莹"郭本作罃，音莹磨之莹。今本多作莹。乙耕反。司马云：魏惠王也。○卢文弨曰：旧作罃与作莹互易，文颇不顺。且今书实多作莹字，今改正。史表梁惠王之名作罃。"与田侯"一本作田侯牟。司马云：田侯，齐威王也，名牟，桓公子。案史记，威王名因，不名牟。○卢文弨曰：案今书有牟字。史记威王名因齐，战国策亦同。○俞樾曰：史记威王名因齐。田齐诸君无名牟者，惟桓公名午，与牟字相似。牟或午之讹。然齐桓公午与梁惠王又不相值也。"背之"音佩。"刺之"七赐反。

犀首〔公孙衍〕①闻而耻之曰："君为万乘之君也，而以匹夫从仇[一]！衍请受甲二十万，为君攻之，虏其人民，系其牛马[二]，使其君内热发于背，然后拔其国。忌也出走，然后抶其背，折其脊。[三]"

〔一〕【疏】犀首，官号也，如今虎贲之类。公家之孙名衍为此官也。诸侯之国，革车万乘，故谓之君也。匹夫者，谓无官职夫妻相匹偶也。从仇，犹报仇也。夫君人者，一怒则伏尸流血，今乃令匹夫行刺，单使报仇，非万乘之事，故可羞。　【释文】"犀首"魏官名也。司马云：若今虎牙将军，公孙衍为此官。元嘉本作齿首。○庆藩案，战国策三鲍注引司马云：犀首，魏〔官〕②，若今虎牙

781

〔二〕【疏】将军孙衍,请专命受钺,率领甲卒二十万人,攻其齐城,必
　　当获胜。于是掳掠百姓,羁系牛马,(绪)〔叙〕勋酬赏,分布军人
　　也。　【释文】"为君"于伪反。下请为君同。

〔三〕【疏】姓田,名忌,齐将也。抶、折,击也。国破人亡而怀恚怒,故
　　热气蕴于心,痈疽发于背也。国既倾拔,获其主将,于是击抶其
　　背,打折腰脊,旋师献凯。不亦快乎!　【释文】"忌也出走"忌
　　畏而走。或言围之也。元嘉本忌作亡。"抶"敕一反。三苍云:
　　击也。郭云:秩,又猪栗反。○卢文弨曰:旧秩仍作抶,讹。今书
　　内所载音义作秩,姑从之。或疑是秩,亦不训击。"折其"之
　　舌反。

〔校〕①公孙衍三字依疏文及赵谏议本补。②官字依国策鲍注补。

季子闻而耻之曰:"筑十仞之城,城者既十仞矣,则又
坏之,此胥靡之所苦也〔一〕。今兵不起七年矣,此王之基也。
衍乱人,不可听也。〔二〕"

〔一〕【疏】季,姓也;子,(者)〔有〕德之称;魏之贤臣也。胥靡,徒役人
　　也。季子怀道,不用征伐,闻犀首请兵,羞而进谏。夫七丈之城,
　　用功非少,城就成矣,无事坏之,此乃徒役之人滥遭辛苦。此起
　　譬也。　【释文】"季子"魏臣。○俞樾曰:下十字,疑七字之误。
　　城者既七仞,则虽未十仞而去十仞不远矣,故坏之为可惜。若
　　既十仞,则直谓之已成可耳,不当言既十仞也。下文曰,今兵不
　　起七年矣,此王之基也,明是以七仞喻七年,其为字误无疑。
　　"又坏"音怪。

〔二〕【疏】干戈静息,已经七年,偃武修文,王者洪基,犀首方为祸乱,
　　不可听从。

华子闻而丑之曰："善言伐齐者，乱人也；善言勿伐者，亦乱人也；谓伐之与不伐乱人也者，又乱人也。"〔一〕

〔一〕【疏】华，姓；子，有德〔之〕称；亦魏之贤臣也。善巧言伐齐者，谓兴动干戈，故是祸乱之人，此公孙衍也。善言勿伐者，意在王之洪基，胜于敌国，有所解望，故是乱人，斯季子也。谓伐与不伐乱人者，未能忘言行道，犹以是非为心，故亦未免为乱人，此华子自道之辞也。　【释文】"华子"亦魏臣也。

君曰："然则若何〔一〕？"

〔一〕【疏】华子遣荡既深，王不测其所以，故问言旨，意趣如何。

曰："君求其道而已矣〔一〕！"

〔一〕【疏】夫道清虚淡漠，物我兼忘，故劝求之，庶其寡欲，必能履道，争夺自消。

惠子闻之而见戴晋人〔一〕。戴晋人曰："有所谓蜗者，君知之乎？"

〔一〕【疏】戴晋人，梁之贤者也。姓戴，字晋人。惠施闻华子之清言，犹恐魏王之未悟，故引戴晋，庶解所疑。　【释文】"惠子"惠施也。"而见"贤遍反。下同。"戴晋人"梁国贤人，惠施荐之于魏王。

曰："然〔一〕。"

〔一〕【注】蜗至微，而有两角。　【疏】蜗者，虫名，有类小螺也；俗谓之黄犊，亦谓之蜗牛，有四角。君知之不？曰然，魏王答云："我识之矣。"　【释文】"蜗"音瓜，郭音戈。李云：蜗虫有两角，俗谓之蜗牛。三苍云：小牛螺也。一云：俗名黄犊。

"有国于蜗之左角者曰触氏，有国于蜗之右角者曰蛮氏,时相与争地而战,伏尸数万,逐北旬有五日而后反〔一〕。"

〔一〕【注】诚知所争者若此之细也,则天下无争矣。 【疏】蜗之两角,二国存焉。蛮氏〔触氏〕,频相战争,杀伤既其不少,进退亦复淹时。此起譬也。 【释文】"数万"色主反。"逐北"如字,又音佩。军走曰北。

　　君曰:"噫! 其虚言与〔一〕?"

〔一〕【疏】所言奇谲,不近人情,故发噫叹,疑其不实也。 【释文】"曰噫"於其反。"言与"音馀。

　　曰:"臣请为君实之〔一〕。君以意在四方上下有穷乎〔二〕?"

〔一〕【疏】必谓虚言,请陈实录。

〔二〕【疏】君以意测四方上下有极不? 因斯理物,又质魏侯。

　　君曰:"无穷〔一〕。"

〔一〕【疏】魏侯答云:"上下四方,竟无穷已。"

　　曰:"知游心于无穷,而反在通达之国〔一〕,若存若亡乎〔二〕?"

〔一〕【注】人迹所及为通达,谓今四海之内也。

〔二〕【疏】人迹所接为通达也。存,有也。亡,无也。游心无极之中,又比九州之内,语其大小,可谓如有如无也。

　　君曰:"然〔一〕。"

〔一〕【注】今自以四海为大,然计在无穷之中,若有若无也。 【疏】然,犹如此也。谓所陈之语不虚也。

　　曰:"通达之中有魏〔一〕,于魏中有梁〔二〕,于梁中有王。

王与蛮氏,有辩乎^{〔三〕}?"

〔一〕【注】谓魏国在四海之中。

〔二〕【疏】昔在河东,国号为魏,魏为强秦所逼,徙都于梁。梁从魏而
有,故曰魏中有梁也。

〔三〕【疏】辩,别也。王之一国,处于六合,欲论大小,如有如无。与
彼蛮氏,有何差异?此合譬也。

君曰:"无辩^{〔一〕}。"

〔一〕【注】王与蛮氏,俱有限之物耳①。有限,则不问大小,俱不得与
无穷者计也,虽复天地共在无穷之中,皆蔑如也。况魏中之梁,
梁中之王,而足争哉! 【疏】自悟己之所争与蜗角无别也。
【释文】"虽复"扶又反。

〔校〕①赵谏议本无耳字。

客出而君惝然若有亡也^{〔一〕}。

〔一〕【注】自悼所争者细。 【疏】惝然,怅恨貌也。晋人言毕,辞出
而行。君觉己非,惝然怅恨;心之悼矣,恍然如失。 【释文】
"惝"音敞。字林云:惘也。又吐荡反。

客出,惠子见。君曰:"客,大人也,圣人不足以当
之^{〔一〕}。"

〔一〕【疏】圣人,谓尧舜也。晋人所谈,其理弘博,尧舜之行不足
以当。

惠子曰:"夫吹筦也,犹有嗃也;吹剑首者,吷而已矣。
尧舜,人之所誉也;道尧舜于戴晋人之前,譬犹一吷
也。^{〔一〕}"

〔一〕【注】曾不足闻。 【疏】嗃,大声;吷,小声也。夫吹竹管,声犹

高大;吹剑环,声则微小。唐尧俗中所誉,若于晋人之前盛谈斯道者,亦何异乎吹剑首声,曾无足可闻也!【释文】"箫"音管。本亦作管。"嚆"许交反,管声也。玉篇呼洛反,又呼教反。广雅云:鸣也。"剑首"司马云:谓剑环头小孔也。"吷"音血,又呼悦反。司马云:吷然如风过。"所誉"音馀。

孔子之楚,舍于蚁丘之浆〔一〕。其邻有夫妻臣妾登极者,子路曰:"是稷稷何为者邪〔二〕?"

〔一〕【疏】蚁丘,丘名也。浆,卖浆水之家也。仲尼适楚而为聘使,路旁舍息于卖浆水之家,其家住在丘下,故以丘为名也。【释文】"蚁丘"鱼绮反。李云:蚁丘,山名。"之浆"李云:卖浆家。司马云:谓逆旅舍以菰蒋草覆之也。

〔二〕【疏】极,高也。总总,众聚也。孔丘应聘,门徒甚多,车马威仪,惊异常俗,故浆家邻舍男女群聚,共登卖浆,观视仲尼。子路不识,是以怪问。【释文】"登极"司马云:极,屋栋也。升之以观也。一云:极,平头屋也。"稷稷"音总,字亦作总。李云:聚貌。本又作稷。一本作稷,初力反。○卢文弨曰:两稷字疑有一讹。

仲尼曰:"是圣人仆也〔一〕。是自埋于民〔二〕,自藏于畔〔三〕。其声销〔四〕,其志无穷〔五〕,其口虽言,其心未尝言〔六〕,方且与世违而心不屑与之俱〔七〕。是陆沉者也〔八〕,是其市南宜僚邪〔九〕?"

786

〔一〕【疏】古者淑人君子,均号圣人,故孔子名宜僚为圣人也。言臣妾登极聚众多者,是市南宜僚之仆隶也。【释文】"圣人仆"谓怀圣德而隐仆隶也。司马本仆作朴,谓圣人坏朴也。

〔二〕【注】与民同。

〔三〕【注】进不荣华,退不枯槁。 【疏】混迹泥滓,同尘氓俗,不显其德,故自埋于民也;进不荣华,退不枯槁,隐显出处之际,故自藏于畦也。 【释文】"藏于畦"王云:修田农之业,是隐藏于垄畦。

〔四〕【注】损①其名也。 【释文】"销"音消。司马云:小也。"捐其"本亦作损。○卢文弨曰:今书捐作损。

〔五〕【注】规是②生也。 【疏】声,名也。消,灭也。一荣辱,故毁灭其名;冥至道,故其心无极。

〔六〕【注】所言者皆世言。 【疏】口应人间,心恒凝寂,故不言而言,言未尝言。

〔七〕【注】心与世异。 【疏】道与俗反,固违于世,虚心无累,不与物同,此心迹俱异也。 【释文】"不屑"屑,絜也,不絜世也。本或作肯。

〔八〕【注】人中隐者,譬无水而沉也。 【疏】寂寥虚淡,譬无水而沉,谓陆沉也。 【释文】"陆沉"司马云:当显而反隐,如无水而沉也。

〔九〕【疏】姓熊,字宜僚,居于市南,故谓之市南宜僚也。

〔校〕①赵谏议本损作捐。②赵本规是作视长。

子路请往召之〔一〕。

〔一〕【疏】由闻宜僚陆沉贤士,请往就舍召之。

孔子曰:"已矣〔一〕!彼知丘之著于己也〔二〕,知丘之适楚也,以丘为必使楚王之召己也,彼且以丘为佞人也〔三〕。夫若然者,其于佞人也羞闻其言,而况亲见其身乎〔四〕!而何以为存〔五〕?"

〔一〕【疏】已,止也。彼必不来,幸止勿唤。

〔二〕【注】著,明也。

〔三〕【疏】彼,宜僚也。著,明也。知丘明识宜僚是陆沉贤士,又知适楚必向楚王荐召之,如是则用丘为谄佞之人也。

〔四〕【疏】陆沉之人,率性诚直,其于邪佞,耻闻其言,况自视其形,良非所愿。

〔五〕【注】不如舍之以从其志。 【疏】而,汝也。存,在也。匿影销声,久当逃避,汝何为请召,谓其犹在?

子路往视之,其室虚矣〔一〕。

〔一〕【注】果逃去也。 【疏】仲由无鉴,不用师言,遂往其家,庶观盛德。而辞聘情切,宜僚已逃,其屋虚矣。

长梧封人问子牢曰:"君为政焉勿卤莽,治民焉勿灭裂〔一〕**。昔予为禾,耕而卤莽之,则其实亦卤莽而报予;芸而灭裂之,其实亦灭裂而报予**〔二〕**。予来年变齐,深其耕而熟耰之**〔三〕**,其禾蘩以滋,予终年厌飧**〔四〕**。"**

〔一〕【注】卤莽灭裂,轻脱末略,不尽其分。 【疏】长梧,地名,其地有长树之梧,因以名焉。封人,(也)即此地守疆之人。子牢,孔子弟子,姓琴,宋(乡)〔卿〕也。为政,行化也。治民,宰割也。卤莽,不用心也。灭裂,轻薄也。夫民为邦本,本固则邦宁,唯当用意养人,亦不可轻尔搔扰。封人有道。故戒子牢。 【释文】"长梧封人"长梧,地名。封人,守封疆之人。"子牢"司马云:即琴牢,孔子弟字。○庆藩案,琴张,孔子弟子,经传中无作琴牢子牢者,惟孔子家语弟子有琴张。一名牢,字子开,亦字张,卫人也。是琴〔张〕始见于家语,其书乃王子雍所伪撰,不足为据。

贾逵郑众注左传,以琴张为颛孙师。服虔驳之云:子张少孔子四十馀岁,孔子是时四十,知未有子张。赵岐注孟子,亦以琴张为子张,云:子张善鼓琴,号曰琴张。(盖又据礼记子张既除丧数语而附会者也。)尤为不经。琴张子牢,本非一人也,司马此说非。汉书古今人表作琴牢,亦浅学者据家语改之也。如汉书有琴牢,则贾郑服各注早据之以释牢曰琴张矣。论语郑注、孟子赵岐注及左传同。"卤"音鲁。"莽"莫古反,又如字。"灭裂"犹短草也。李云:谓不熟也。郭云:卤莽灭裂,轻脱末略,不尽其分也。司马云:卤莽,犹麤粗也,谓浅耕稀种也。灭裂,断其草也。○卢文弨曰:案麤,千奴反;粗,才古反;二字古多连用。如春秋繁露俞(予)〔序〕①篇云:始于麤粗,终于精微。论衡正说篇云:略正题目麤粗之说,以照篇中微妙之文。其他以麤觕连用者亦多。犹麤粗也,有欲改为粗疏者,故正之。

〔二〕【疏】为禾,犹种禾也。芸,拔草也。耕地不深,锄治不熟,至秋收时,嘉实不多,皆由疏略,故致斯报也。 【释文】"芸"音云,除草也。

〔三〕【注】功尽其分,无为之至②。 【释文】"变齐"才细反。司马如字,云:变更也,谓变更所法也。齐,同也。"耰"音忧。司马云:锄也。广雅云:推也。字林云:摩田器也。

〔四〕【疏】变,改也。耕,治也。耰,芸也。去岁为田,亟遭饥馁,今年艺植,故改法深耕。耕垦既深,锄耰又熟,于是禾苗繁茂,子实滋荣,宽岁足飨,故其宜矣。 【释文】"厌飧"音孙。本又作飧③。

〔校〕①序字依繁露改。②世德堂本作无所不至,赵谏议本所作为。③今本作飧。

789

庄子闻之曰："今人之治其形,理其心,多有似封人之所谓〔一〕,遁其天,离其性,灭其情,亡其神,以众为〔二〕。故卤莽其性者,欲恶之孽,为性萑苇〔三〕蒹葭,始萌以扶吾形〔四〕,寻擢吾性〔五〕;并溃漏发,不择所出,漂疽疥痈,内热溲膏是也〔六〕。"

〔一〕【疏】今世之人,浇浮轻薄,驰情欲境,倦而不休,至于治理心形,例如封人所谓。庄周闻此,因而论之。

〔二〕【注】夫遁离灭亡,以众为之所致①也。若各至②其极,则何患也。　【疏】逃自然之理,散淳和之性,灭真实之情,失养神之道者,皆以徇逐分外,多滞有为故也。　【释文】"离其"力智反。下同。"以众为"如字。王云:凡事所可为者也。遁离灭亡,皆由众为。众为,所谓卤莽也。司马本作为伪。

〔三〕【注】萑苇害黍稷,欲恶伤正性。　【疏】萑苇,芦也。夫欲恶之心,多为妖孽。萑苇害黍稷,欲恶伤真性,皆由卤莽浮伪,故致其然也。　【释文】"欲恶"乌路反。注并同。"之孽"鱼列反。"萑"音丸,苇类。"苇"于鬼反,芦也。

〔四〕【注】形扶疏则神气伤。　【疏】蒹葭,亦芦也。夫秽草初萌,尚易除蓺,及扶疏盛茂,必害黍稷。亦犹欲心初萌,尚易止息,及其昏溺,戒之在微。故老子云,其未兆易谋也。　【释文】"蒹"古恬反,薕也。"葭"音加,亦芦也。○俞樾曰:为性萑苇蒹葭,六字为句。郭于萑苇下出注云,萑苇害禾稷,欲恶伤正性。此失其读也。始萌以扶吾形,寻擢吾性,寻与始相对为义,寻之言寝寻也。汉书郊祀志寝寻于泰山矣,晋灼曰:寻,遂往之意也。始萌以扶吾形,言其始若足以扶助吾形;寻擢吾性,言寝寻既久则拔擢吾性也。郭解扶吾形曰,形扶疏则神气伤,亦为失之。

〔五〕【注】以欲恶引性,不止于当。 【疏】寻,引也。擢,拔也。以欲恶之事诱引其心,遂使拔擢真性,不止于当也。

〔六〕【注】此卤莽之报也。故治性者,安可以不齐其至分! 【疏】溃漏,人冷疮也。漂疽,热毒肿也。痈,亦疽之类也。溲膏,溺精也。耽滞物境,没溺声色,故致精神昏乱,形气虚羸,众病发动,不择处所也。 【释文】"并溃"回内反。"漏发"李云:谓精气散泄,上溃下漏,不择所出也。"漂"本亦作瘭。徐敷妙反,又匹招反,一音必招反。"疽"七馀反。瘭疽,谓病疮脓出也。"疥"音界。"溲"本或作廋,所求反。"膏"司马云:谓虚劳人尿上生肥白沫也。皆为利欲感动,失其正气,不如深耕熟耰之有实。"不齐"才细反,又如字。

〔校〕①世德堂本致作至。②赵谏议本至作致。

柏矩学于老聃,曰:"请之天下游〔一〕。"

〔一〕【疏】柏,姓;矩,名。怀道之士,老子门人也。请游行宇内,观风化,察物情也。 【释文】"柏矩"有道之人。

老聃曰:"已矣! 天下犹是也〔一〕。"

〔一〕【疏】老子止之,不许其往,言天下物情,与此处无别也。

又请之,老聃曰:"汝将何始〔一〕?"

〔一〕【疏】郑重殷勤,所请不已,方问行李欲先往何邦。

曰:"始于齐〔一〕。"

〔一〕【疏】柏矩鲁人,与齐相近,齐人无道,欲先行也。

至齐,见辜人焉,推而强之,解朝服而幕之〔一〕,号天而哭之,曰:"子乎子乎! 天下有大菑,子独先离之,曰莫为盗！莫为杀人〔二〕！荣辱立，然后睹所病〔三〕；货财聚，然后睹所争〔四〕。今立人之所病，聚人之所争，穷困人之身使无休时，欲无至此，得乎〔五〕！

〔一〕【疏】游行<u>至齐</u>，以观风化，忽见罪人，刑戮而死。于是推而强之，令其正卧，解取朝服，幕而覆之。　【释文】"辜"辜，罪也。<u>李</u>云：谓应死人也。<u>元嘉</u>本作幸人。○<u>卢文弨</u>曰：幸或是罪之误。○<u>俞樾</u>曰：<u>释文</u>，辜，罪也。<u>李</u>云，谓应死人也，此失其义。辜，谓辜磔也。<u>周官</u>掌戮杀王之亲者辜之，<u>郑</u>注：辜之言枯也，谓磔之。是其义。<u>汉景帝纪</u>改磔曰弃市，<u>颜</u>注：磔，谓张其尸也。是古之辜磔人者，必张其尸于市，故<u>柏矩</u>推而强之，解朝服而幕之也。"强之"其良反。字亦作彊。"朝服"直遥反。"幕"音莫。<u>司马</u>云：覆也。

〔二〕【注】杀人大菑，谓自此以下事。大菑既有，则虽戒以莫为，其可得已乎！　【疏】离，罹也。菑，祸也。号叫上天，哀而大哭，愍其枉滥，故重曰子乎。为盗杀人，世间大祸，子独何罪，先此遭罹！大菑之条，具列于下。又解：所谓辜人，则朝士是也。言其强相推让以被朝服，重为罗网以继黎元，故告天哭之，明菑由斯起。预张之网，列在下文。○<u>俞樾</u>曰：子乎子乎，乃叹辞也。诗绸缪子兮子兮，<u>毛</u>传：子兮者，嗟兹也。<u>管子小称篇</u>嗟兹乎，圣人之言长乎哉！<u>说苑贵德篇</u>曰，嗟兹乎，我穷必矣！并以嗟兹为叹辞。说详<u>经义述闻</u>。此云子乎子乎，正与子兮子兮同义。子当读为嗞。<u>释文</u>子字不作音，盖失其义久矣。　【释文】"号天"户刀反。"大菑"音哉。"离之"离，著也。

〔三〕【注】各自得则无荣辱，得失纷纭，故荣辱立，荣辱立则夸其所谓辱而跂其所谓荣矣。奔驰乎夸跂之间，非病如何！　【疏】轩冕为荣,戮耻为辱,奔驰取舍,非病如何!

〔四〕【注】若以知足为富,将何争乎! 【疏】珍宝弥积,驰竞斯起。

〔五〕【注】上有所好,则下不能安其本分。 【疏】赏之以轩冕,玩之以珠玑,遂使群品奔驰,困而不止,欲令各安本分,其可得乎! 【释文】"所好"呼报反。

古之君人者,以得为在民,以失为在己〔一〕;以正为在民,以枉为在己〔二〕;故一形有失其形者,退而自责〔三〕。今则不然〔四〕。匿为物而愚不识〔五〕,大为难而罪不敢〔六〕,重为任而罚不胜〔七〕,远其涂而诛不至〔八〕。民知力竭,则以伪继之〔九〕,日出多伪,士民安取不伪〔一○〕! 夫力不足则伪,知不足则欺,财不足则盗。盗窃之行,于谁责而可乎?〔一一〕"

〔一〕【注】君莫之失,则民自得矣。 【疏】推功于物,故以得在民;受国不祥,故以失在己。

〔二〕【注】君莫之枉,则民自正。 【疏】无为任物,正在民也;引过责躬,枉在己也。

〔三〕【注】夫物之形性何为而失哉? 皆由人君挠之以至斯患耳,故自责①。 【疏】夫人受气不同,禀分斯异,令各任其能,则物皆自得。若有一物失所,亏其形性者,则引过归己,退而责躬。昔殷汤自翦,千里来霖,是也。

〔四〕【疏】步骤殊时,浇淳异世,故今之驭物者则不复如此也。

〔五〕【注】反其性,匿也;用其性,显也;故为物所显则皆识。 【疏】所作宪章,皆反物性,藏匿罪名,愚妄不识,故罪名者众也。 【释文】"匿"女力反。"为物而愚"一本作遇。○俞樾曰:下文大为难而罪不敢,重为任而罚不胜,远其涂而诛不至,曰罪,曰罚,曰诛,皆谓加之以刑也。此曰愚,则与下文不一律矣。<u>释文</u>曰:愚,一本作遇。遇疑过字之误。<u>广雅释诂</u>曰:过,责也。因其不识而责之,是谓过不识。<u>吕览适威篇</u>曰:烦为教而过不识,数为令而非不从,巨为危而罪不敢,重为任而罚不胜。与此文义相似,而正作过不识。<u>高诱</u>注训过为责,可据以订此文之误。过误为遇,又臆改为愚耳。○<u>庆藩</u>案,愚与遇古通。<u>晏子春秋外篇</u>盛为声乐以淫愚民,<u>墨子非儒篇</u>愚作遇。<u>韩子南面篇</u>愚赣窳惰之民,<u>宋乾道</u>本愚作遇,<u>秦策</u>愚惑与罪人同心,<u>姚</u>本愚作遇。曩谓当从<u>释文</u>作遇之义为长,今案<u>俞氏</u>以为过字之误,其说更精。过遇二字,古多互讹。本书<u>渔父篇</u>今者<u>丘</u>得过也,<u>释文</u>:过或作遇。<u>让王篇</u>君过而遗先生食,<u>释文</u>:过,本亦作遇。是二字形似互误之证。"不识"反物性而强令识之。

〔六〕【注】为物所易则皆敢。 【疏】法既难定,行之不易,故决定违者,斯罪之也。 【释文】"大为难而罪不敢"<u>王</u>云:凡所施为者,皆用物之所能,则莫不易而敢矣。而故大为艰难,令出不能,物有不敢者,则因罪之。"所易"以豉反。

〔七〕【注】轻其所任则皆胜。 【释文】"不胜"音升。注同。

〔八〕【注】适其足力则皆至。 【疏】力微事重而责其不胜,路远期促而罚其后至,皆不可也。

〔九〕【注】将以避诛罚也。 【疏】智力竭尽,不免诛罚,惧罚情急,故继之以伪。 【释文】"民知"音智。下同。

〔一〇〕【注】主日兴伪,士民何以得其真乎! 【疏】谲伪之风,日日而出,伪众如草,于何得真!

〔一一〕【注】当责上也。 【疏】夫知力穷竭,谲伪必生;赋敛益急,贪盗斯起;皆由主上无德,法令滋彰。夫能忘爱释私,不贵珍宝,当责在上,岂罪下民乎!

〔校〕①赵谏议本责下有也字。

蘧伯玉行年六十而六十化^{〔一〕},未尝不始于是之而卒诎之以非也^{〔二〕},未知今之所谓是之非五十九非也^{〔三〕}。万物有乎生而莫见其根,有乎出而莫见其门^{〔四〕}。人皆尊其知之所知而莫知恃其知之所不知而后知,可不谓大疑乎^{〔五〕}!已乎已乎!且无所逃^{〔六〕}。此①所谓然与,然乎^{〔七〕}?

〔一〕【注】亦能顺世而不系于彼我故也。 【疏】姓蘧,名瑗,字伯玉,卫之贤大夫也。盛德高明,照达空理,故能与日俱新,随年变化。 【释文】"蘧"其居反。

〔二〕【注】顺物而畅物情之变然也。 【疏】初履之年,谓之为是,年既终谢,谓之为非,一岁之中而是非常出,故始时之是,终诎为非也。 【释文】"诎"起勿反。广雅云:曲也。郭音黜。

〔三〕【注】物情之变,未始有极。 【疏】故变为新,以新为是;故已谢矣,以故为非。然则去年之非,于今成是;今年之是,来岁为非。是知执是执非,滞新执故者,倒置之流也。故容成氏曰,除日无岁,蘧瑗达之,故随物化也。

〔四〕【注】无根无门,忽尔自然,故莫见也。唯无其生亡其出者,为能睹其门而测其根也。 【疏】随变而生,生无根原;任化而出,出无门户。既曰无根无门,故知无生无出。生出无门,理其如此,何年岁之可像乎!

〔五〕【注】我所不知,物有知之者矣。故用物之知,则无所不知;独任我知,知甚②寡矣。今不恃物以知,而自尊〔其〕③知,则物不告我,非大疑如何! 【疏】所知者,俗知也;所不知者,真知也。流俗之人,皆尊重分别之知,锐情取舍,而莫能赖其(分别)〔不知〕④之知以照真原,可谓大疑惑之人也。

〔六〕【注】不能用彼,则寄身无地。 【疏】已,止也。夫锐情取舍,不(如)〔知〕休止,必遭祸患,无处逃形。

〔七〕【注】自谓然者,天下未之然也。 【疏】各然其所然,各可其所可,彼我相对,孰是孰非乎? 【释文】“然与”音馀,又如字。“然乎”言未然。

〔校〕①此下世德堂本有则字。②世德堂本甚作其。③其字依世德堂本补。④不知依正文改。

仲尼问于大史大弢、伯常骞、狶韦〔一〕曰:“夫卫灵公饮酒湛乐,不听国家之政;田猎毕弋,不应诸侯之际。其所以为灵公者何邪〔二〕?”

〔一〕【疏】太史,官号也。下三人,皆史官之姓名也。所问之事,次列下文。 【释文】“大史”音太。“大弢”吐刀反,人名。“伯常骞”起虔反,人名。“狶”本亦作豨,同。虚岂反。又音希,郭音郗,李音熙。“韦”李云:狶韦者,太史官名。

〔二〕【疏】毕,大网也。弋,绳系箭而射也。庸猥之君,淫声嗜酒,捕猎禽兽,不听国政,会盟交际,不赴诸侯。汝等史官,应须定谥,无道如此,何为谥灵? 【释文】“湛”丁南反,乐之久也。李常淫反。“乐”音洛。“不应”应对之应。“诸侯之际”司马云:盟会之事。

大弢曰："是因是也〔一〕。"

〔一〕【注】灵即是无道之谥也。　【疏】依周公谥法：乱而不损曰灵。
　　　灵即无道之谥也。此是因其无道，谥之曰灵，故曰是因是也。

伯常骞曰："夫灵公有妻三人，同滥①而浴〔一〕。史鰌
奉御而进所，搏币而扶翼〔二〕。其慢若彼之甚也，见贤人若
此其肃也，是其所以为灵公也〔三〕。"

〔一〕【注】男女同浴，此无礼也。　【释文】"同滥"徐胡暂反，或力暂
　　　反，浴器也。

〔二〕【注】以鰌为贤，而奉御之劳，故搏币而扶翼之，使其不得终礼，
　　　此其所以为肃贤也。币者，奉御之物。　【疏】滥，浴器也。姓
　　　史，字鱼，卫之贤大夫也。币，帛也。又谥法：德之精明曰灵。
　　　男女同浴，使贤人进御。公见史鱼良臣，深怀愧悚，假遣人搏捉
　　　币帛，令扶将羽翼，慰而送之，使不终其礼。敬贤如此，便是明
　　　君，故谥为灵，灵则有道之谥。　【释文】"史鰌"音秋。司马云：
　　　史鱼也。"所搏"音博。"弊"郭作币，帛也。徐扶世反。司马音
　　　蔽，云：引衣裳自蔽。○卢文弨曰：今书作币。"而扶翼"司马
　　　云，谓公及浴女相扶翼自隐也。此殊郭义。

〔三〕【注】欲以肃贤补其私慢。灵有二义，(不)〔亦〕②可谓善，故仲尼
　　　问焉。　【疏】男女同浴，娇慢之甚，忽见贤人，顿怀肃敬，用为
　　　有道，故谥灵也。

〔校〕①阙误引张君房本滥作槛。②亦字依覆宋本及王叔岷说改。

狶韦曰："夫灵公也死，卜葬于故墓不吉，卜葬于沙丘
而吉。掘之数仞，得石椁焉，洗而视之，有铭焉，曰：'不冯
其子，灵公夺而里①之。'夫灵公之为灵也久矣〔一〕，之二人

何足以识之〔二〕！"

〔一〕【注】子,谓蒯瞶也。言不冯其子,灵公将夺女处也。夫物皆先有其命,故来事可知也。是以凡所为者,不得不为;凡所不为者,不可得为;而愚者以为之在己,不亦妄乎！　【释文】"故墓"一本作大墓。"沙丘"地名。"掘之"其月反,又其勿反。"数仞"所主反。"洗而"西礼反。"不冯"音凭。"其子灵公"郭读绝句。司马以其子字绝句,云:言子孙不足可凭,故使公得此处为冢也。○家世父曰:郭象注,子谓蒯瞶,非也。石椁有铭,古之葬者谓子孙无能凭依以保其墓,灵公得而夺之。释文一本作夺而埋之,是也。"夺而里"而,汝也。里,居处也。一本作夺而埋之。"蒯"起怪反。"瞶"五怪反,蒯瞶,卫庄公名。"女处"音汝,下昌虑反。

〔二〕【注】徒识已然之见事耳,未知已然之出于自然也。　【疏】沙丘,地名也,在盟津河北。子,蒯瞶也。欲明人之名谥皆定于未兆,非关物情而有升降,故沙丘石椁先有其铭。岂冯蒯瞶,方能夺葬！(史)〔弢〕与常骞,讵能识邪！　【释文】"之见"贤遍反。

〔校〕①赵谏议本作埋。

少知问于大①公调〔一〕曰:"何谓丘里之言〔二〕？"

〔一〕【疏】智照狭劣,谓之少知。太,大也。公,正也。道德广大,公正无私,复能调顺群物,故谓之太公调。假设二人,以论道理。　【释文】"大公"音泰。下同。

〔二〕【疏】古者十家为丘,二十家为里。乡闾丘里,风俗不同,故假问答以辩之也。　【释文】"丘里之言"李云:四井为邑,四邑为丘,五家为邻,五邻为里。古者邻里井邑,士风不同,犹今乡曲各自有方俗,而物不齐同。○卢文弨曰:旧士作土,今书内音义作士字,从之。

〔校〕①赵谏议本作太。下同。

大公调曰:"丘里者,合十姓百名而以为风俗也〔一〕,合异以为同,散同以为异。今指马之百体而不得马,而马系于前者,立其百体而谓之马也。〔二〕是故丘山积卑而为高,江河合水而为大,大人合并而为公〔三〕。是以自外入者,有主而不执〔四〕;由中出者,有正而不距〔五〕。四时殊气,天不赐,故岁成〔六〕;五官殊职,君不私,故国治〔七〕;文武大人不赐,故德备〔八〕;万物殊理,道不私,故无名〔九〕。无名故无为,无为而无不为〔一〇〕。时有终始,世有变化〔一一〕。祸福淳淳〔一二〕,至有所拂者而有所宜〔一三〕;自殉殊面〔一四〕,有所正者有所差〔一五〕。比于(太)〔大〕①泽,百材皆度〔一六〕;观于大山,木石同坛〔一七〕。此之谓丘里之言〔一八〕。"

〔一〕【疏】采其十姓,取其百名,合而论之,以为风俗也。 【释文】"十姓百名"一姓为十人,十姓为百名,则有异有同,故合散以定之。

〔二〕【疏】如采丘里之言以为风俗,斯合异以为同也;一人设教,随方顺物,斯散同以为异也。亦犹指马百体,头尾腰脊,无复是马,此散同以为异也;而系于前见有马,此合异以为同也。

〔三〕【注】无私于天下,则天下之风一也。 【疏】积土石以成丘山,聚细流以成江海,亦犹圣人无心,随物施教,故能并合八方,均一天下,华夷共履,遐迩无私。 【释文】"积卑"如字,又音婢。"合水"一本作合流。○俞樾曰:水乃小字之误。卑高小大,相对为文。"合并而为公"合群小之称以为至公之一也。

〔四〕【疏】自,从也。谓圣人之教,从外以入,从中而出,随顺物情,故居主竟无所执也。

〔五〕【注】自外入者,大人之化也;由中出者,民物之性也。性各得正,故民无违心;化必至公,故主无所执。所以能合丘里而并天下,一万物而夷群异也。 【疏】由,亦从也。谓万物黔黎,各有正性,率心而出,禀受皇风,既合物情,故顺而不距。

〔六〕【注】殊气自有,故能常有,若本无之而由天赐,则有时而废。 【疏】赐,与也。夫春暄夏暑,秋凉冬寒,禀之自然,故岁叙成立,若由天与之,则有时而废矣。 【释文】"天不赐"赐,与也。

〔七〕【注】殊职自有其才,故任之耳,非私而与之。 【疏】五官,谓古者法五行置官也。春官秋官,各有司职,君王玄默,委任无私,故致宇内清夷,国家宁泰也。 【释文】"国治"直吏反。

〔八〕【注】文者自文,武者自武,非大人所赐也,若由赐而能,则有时而阙矣。岂唯文武,凡性皆然。 【疏】文相武将,量才授职,各任其能,非圣与也。无私于物,故道德圆备。

〔九〕【疏】夫群物不同,率性差异,或巢居穴处,走地飞空,而亭之毒之,咸能自济,物各得理,故无功也。

〔一○〕【注】名止于实,故无为;实各自为,故无不为。 【疏】功归于物,故为无为,不执此(无)〔为〕而无不为。

〔一一〕【注】故无心者斯顺。 【疏】时,谓四叙,递代循环。世,谓人事,迁贸不定。

〔一二〕【注】流行反覆。 【疏】淳淳,流行貌。夫天时寒暑,流谢不常,人情祸福,何能久定! 故老经云,祸兮福所倚,福兮祸所伏也。 【释文】"淳淳"如字。王云:流动流貌。○卢文弨曰:两流字疑衍其一。"反覆"芳服反。

〔一三〕【注】于此为戾,于彼或以为宜。 【疏】拂,戾也。夫物情向背,
盖无定准,故于此乖戾者,或于彼为宜,是以达道之人不执逆顺
也。 【释文】"所拂"扶弗反,戾也。又音弗,又音弼。

〔一四〕【注】各自信其所是,不能离也。 【疏】殉,逐也。面,向也。夫
彼此是非,纷然固执,故各逐己见而所向不同也。 【释文】"自
殉殊面"<u>广雅</u>云:面,向也。谓心各不同而自殉焉。殊向自殉,
是非天隔,故有所正者亦有所差。"离也"力智反。

〔一五〕【注】正于此者,或差于彼。 【疏】于此为正定者,或于彼〔为〕
差(耶)〔邪〕,此明物情颠倒,殊向而然也。○<u>家世父</u>曰:祸祸淳
淳,任之以无心,虽有拂于人而自得所宜。自殉殊面,强之以异
趣,名为正之,而实已两差矣。

〔一六〕【注】无弃材也。 【疏】比,譬也。度,量也。夫广大皋泽,林籁
极多,随材量用,必无弃掷。大人取物,其义亦然。 【释文】
"比于大泽"本亦作宅。○<u>卢文弨</u>曰:今书于作於。"百材皆度"
度,居也。虽别区异所,〔同以〕②大泽为居;虽木石异端,同以
大山为坛。此可以当丘里之言也。

〔一七〕【注】合异以为同也。 【疏】坛,基也。石有巨小,木有粗细,共
聚大山而为基本,此合异以为同也。

〔一八〕【注】言于丘里,则天下可知。 【疏】总结前义也。

〔校〕①大字依<u>世德堂</u>本改。②同以二字依下句补。

    <u>少知</u>曰:"然则谓之道,足乎〔一〕?"

〔一〕【疏】以道为名,名道于理,谓不足乎? 欲明至道无名,故发
斯问。

    <u>大公调</u>曰:"不然。今计物之数,不止于万,而期曰万

物者,以数之多者号而读之也〔一〕。是故天地者,形之大者也;阴阳者,气之大①者也;道者为之公〔二〕。因其大以号而读之则可也〔三〕,已有之矣,乃将得比哉〔四〕!则若以斯辩,譬犹狗马,其不及远矣〔五〕。"

〔一〕【注】夫有数之物,犹不止于万,况无数之数,谓道而足耶!

【疏】期,限也。号,语也。夫有形之物,物乃无穷,今世人语之,限曰万物者,此举其大经为言也。亦犹虚道妙理,本自无名,据其功用,强名为道,名于理未足也。 【释文】"而读"李云:读,犹语也。

〔二〕【注】物得以通,通物无私,而强字之曰道。 【疏】天覆地载,阴阳生育,故形气之中最大者也。天道能通万物,亭毒苍生,施化无私,故谓之公也。 【释文】"强字"巨丈反。

〔三〕【注】所谓道可道也。 【疏】大通有物,生化群品,语其始本,实曰无名,因其功用,读亦可也。

〔四〕【注】名已有矣,故乃将无可得而比耶! 【疏】因其功用,已有道名,不得将此有名比于无名之理。以斯比拟,去之迢递。

〔五〕【注】今名之辩无,不及远矣,故谓道犹未足也;必在乎无名无言之域而后至焉,虽有名,故莫之比也。 【疏】夫独以狗马二兽语而相比者,非直大小有殊,亦乃贵贱斯别也。今以有名之道比无名之理者,非直粗妙不同,亦深浅斯异,故不及远也。

〔校〕①阙误引刘得一本大作广。

少知曰:"四方之内,六合之里,万物之所生恶起〔一〕?"

〔一〕【注】问此者,或谓道能生之。 【疏】六合之内,天地之间,万物动植,从何生起?少知发问,欲辩其原。　【释文】"恶起"音乌。

大公调曰:"阴阳相照相盖相治,四时相代相生相杀[一],欲恶去就于是桥起,雌雄片合于是庸有[二]。安危相易,祸福相生,缓急相摩,聚散以成[三]。此名实之可纪,精微之可志也[四]。随序之相理,桥运之相使,穷则反,终则始。此物之所有[五],言之所尽,知之所至,极物而已[六]。睹道之人,不随其所废,不原其所起[七],此议之所止[八]。"

〔一〕【注】言此皆其自尔,非无所生。　【疏】夫三光相照,二仪相盖,风雨相治,炎凉相代,春夏相生,秋冬相杀,岂关情虑,物理自然也。○俞樾曰:盖当读为害。<u>尔雅释言</u>:盖,割裂也。<u>释文</u>曰:盖,<u>舍人</u>本作害。是盖害古字通。阴阳或相害,或相治,犹下句云四时相代相生相杀也。

〔二〕【注】凡此事故云为趋舍,近起于阴阳之相照,四时之相代也。　【疏】矫,起貌也。庸,常也。顺则就而欲,逆则恶而去。言物在阴阳造化之中,蕴斯情虑,开杜交合,以此为常也。【释文】"欲恶"乌路反。"桥起"居表反。下同。又音羔。<u>王</u>云:高劲,言所起之劲疾也。"片合"音判,又如字。

〔三〕【疏】夫逢泰则安,遇否则危,危则为祸,安则为福,缓者为寿,急者为夭,散则为死,聚则为生。凡此数事,出乎造物相摩而成,其犹四叙变易迁贸,岂关情虑哉!

〔四〕【注】过此以往,至于自然。自然之故,谁知所以也!　【疏】志,记也。夫阴阳之内,天地之间,为实有名,故可纲可纪。假令精微,犹可言记,至于重玄妙理,超绝形名,故不可以言象求也。

〔五〕【注】皆物之所有,自然而然耳,非无能有之也。 【疏】夫四序循环,更相治理,五行运动,递相驱役,物极则反,终而复始。物之所有,理尽于斯。 【释文】"随序"谓变化相随,有次序也。序,或作原,一本作享。"桥运之相使"桥运,谓相桥代顿至。次序以相通理,桥运以相制使也。

〔六〕【注】物表无所复有,故言知不过极物也。 【疏】夫真理玄妙,绝于言知。若以言诠辩,运知思虑,适可极于有物而已,固未能造于玄玄之境。 【释文】"所复"扶又反。

〔七〕【注】废起皆自尔,无所原随也。

〔八〕【注】极于自尔,故无所议。 【疏】睹,见也。随,逐也。夫见道之人,玄悟之士,凝神物表,寂照环中,体万境皆玄,四生非有,岂复留情物物而推逐废起之所由乎! 所谓(之)言语道断,议论休止者也。

少知曰:"季真之莫为,接子之或使,二家之议,孰正于其情,孰偏于其理〔一〕?"

〔一〕【注】季真曰,道莫为也。接子曰,道或使。或使者,有使物之功也。 【疏】季真接子,并齐之贤人,俱游稷下,故托二贤明于理。莫,无也。使,为也。季真以无为为道,接子谓道有(为)使物之功,各执一家,未为通论。今少知问此以定臧否,于素情妙理谁正谁偏者也。 【释文】"季真接子"李云:二贤人。○俞樾曰:尚书微子篇殷其或乱正四方,多士篇时予乃或言,枚传并曰:或,有也。礼记祭义篇庶或飨之,孟子公孙丑篇夫既或治之,郑赵注并曰:或,有也。此云季真之莫为,接子之或使,或与莫为对文。莫,无也;或,有也。周易益上九,莫益之,或击之,亦以莫或相对。○庆藩案,接子,汉书古今人表作捷子。接捷字异而义同。尔雅接捷也,郭璞曰:捷,谓相接续也。(公羊春秋庄十二年宋万弑其君接,僖三十年郑伯接卒,左穀皆作捷。)又案史记孟子荀卿列传索隐云:接子,古箸书者之名号。"孰徧"音徧,徐音篇。

大公调曰:"鸡鸣狗吠,是人之所知;虽有大知,不能以言读其所自化,又不能以意其所将为〔一〕。斯而析之,精至于无伦,大至于不可围〔二〕,或之使,莫之为,未免于物而终以为过〔三〕。或使则实〔四〕,莫为则虚〔五〕。有名有实,是物之居〔六〕;无名无实,在物之虚〔七〕。可言可意,言而愈疏〔八〕。未生不可忌〔九〕,已死不可徂①〔一○〕。死生非远也,理不可睹〔一一〕。或之使,莫之为,疑之所假〔一二〕。吾观之本,其往无穷;吾求之末,其来无止。无穷无止,言之无也,与物同理〔一三〕;或使莫为,言之本也,与物终始〔一四〕。道不可有,有不可无〔一五〕。道之为名,所假而行〔一六〕。或使莫为,在物一曲,夫胡为于大方〔一七〕?言而足,则终日言而尽道〔一八〕;言而不足,则终日言而尽物〔一九〕。道物之极,言默不足以载〔二○〕;非言非默,议有所②极〔二一〕。"

〔一〕【注】物有自然,非为之所能也。由斯而观,季真之言当也。

【疏】夫目见耳闻,鸡鸣狗吠,出乎造化,愚智同知。故虽大圣至知,不能用意测其所为,不能用言道其所以,自然鸣吠,岂道使之然!是知接子之言,于理未当。 【释文】"吠"符废反。"大知"音智。

〔二〕【注】皆不为而自尔。 【疏】假令精微之物无有伦绪,粗大之物不可围量,用此道理推而析之,未有一法非自然独化者也。

〔三〕【注】物有相使,亦皆自尔,故莫之为者,未为非物也。凡物云云,皆由莫为而过去③。　【疏】不合于道,故未免于物;各滞一边,故卒为过患也。

〔四〕【注】实自使之。　【疏】滞有(为)〔故〕也。

〔五〕【注】无使之也。　【疏】溺无故也。

〔六〕【注】指名实之所在。

〔七〕【注】物之所在,其实至虚。　【疏】夫情苟滞于有,则所在皆物也;情苟尚无,则所在皆虚也;是知有无在心,不在乎境。

〔八〕【注】故求之于言意之表而后至焉。　【疏】夫可以言诠,可以意察者,去道弥疏远也。故当求之于言意之表而后至焉。

〔九〕【注】突然自生,制不由我,我不能禁。

〔一〇〕【注】忽然自死,吾不能违。　【疏】忌,禁也。阻,碍也。突然而生,不可禁忌,忽然而死,有何碍阻! 唯当随变任化,所在而安。字亦有作沮者,怨也。处顺而死,故不怨丧也。　【释文】"不可沮"一本作阻。

〔一一〕【注】近在身中,犹莫见其自尔而欲忧之。　【疏】劳息聚散,近在一身,其理窈冥,愚人不见。

〔一二〕【注】此二者,世所至疑也。　【疏】有无二执,非达者之心,疑惑之人情偏,乃为议论之也。

〔一三〕【注】物理无穷,故知言无穷,然后与物同理也。　【疏】本,过去也。末,未来也。过去已往,生化无穷,莫测根原,焉可意致! 假令盛谈无有,既其偏滞,未免于物,故与物同一理也。

〔一四〕【注】恒不为而自使然也。　【疏】本,犹始。各执一边以为根本者,犹未免于本末也,故与有物同于始,斯离于物也。

〔一五〕【注】道故不能使有,而有者常自然也。　【疏】夫至道不绝,非有非无,故执有执无,二俱不可也。

〔一六〕【注】物所由而行,故假名之曰道。　【疏】道大无名,强名曰道,假此名教,(动)〔勤〕而行之也。

〔一七〕【注】举一隅便可知。　【疏】胡,何也。方,道也。或使莫为,未阶虚妙,斯乃俗中一物,偏曲之人,何足以造重玄,语乎大道?

〔一八〕【注】求道于言意之表则足。

〔一九〕【注】不能忘言而存意则不足。　【疏】足,圆遍也。不足,偏滞也。苟能忘言会理,故曰言未尝言,尽合玄道也。如其执言不能契理,既乖虚通之道,故尽是滞碍之物也。

〔二〇〕【注】夫道物之极,常莫为而自尔,不在言与不言。　【疏】道物极处,非道非物,故言默不能尽载之。

〔二一〕【注】极于自尔,非言默而议(之)④也。　【疏】默非默,议非议,唯当索之于四句之外,而后造于众妙之门也。

〔校〕①赵谏议本徂作阻。②世德堂本有所作其有。③赵本去下有所字。④之字依世德堂本删。

庄子集释卷九上

杂篇**外物第二十六**〔一〕

〔一〕【释文】以义名篇。

外物不可必〔一〕，故龙逢诛，比干戮，箕子狂，恶来死，桀纣亡〔二〕。人主莫不欲其臣之忠，而忠未必信，故伍员流于江，苌弘死于蜀，藏其血三年而化为碧〔三〕。人亲莫不欲其子之孝，而孝未必爱，故孝己忧而曾参悲〔四〕。木与木相摩则然，金与火相守则流〔五〕。阴阳错行，则天地大絯，于是乎有雷有霆，水中有火，乃焚大槐〔六〕。有甚忧两陷而无所逃〔七〕，螴蜳不得成〔八〕，心若县于天地之间〔九〕，慰暋①沉屯〔一〇〕，利害相摩，生火甚多〔一一〕，众人焚和〔一二〕，月固不胜火〔一三〕，于是乎有僓然而道尽〔一四〕。

〔一〕【疏】域心执固，谓必然也。夫人间事物，参差万绪，惟安大顺，则所在虚通，若其逆物执情，必遭祸害。　【释文】"外物"王云：

808

夫忘怀于我者,固无对于天下,然后外物无所用必焉。若乃有所执为者,谅亦无时而妙矣。○卢文弨曰:宋本必作心。○庆藩案,文选嵇叔夜养生论注引司马云:物,事也。忠孝,内也,外事咸不信受也。释文阙。

〔二〕【注】善恶之所致,俱不可必也。　【疏】龙逢比干,外篇已解。箕子,殷纣之庶叔也,忠谏不从,惧纣之害,所以佯狂,亦终不免杀戮。恶来,纣之佞臣,毕志从纣,所以俱亡。

〔三〕【注】精诚之至。　【疏】碧,玉也。子胥苌弘,外篇已释。而言流江者,忠谏夫差,夫差杀之,取马皮作袋,为鸱鸟之形,盛伍员尸,浮之江水,故云流于江。苌弘遭谮,被放归蜀,自恨忠而遭谮,遂刳肠而死。蜀人感之,以匮盛其血,三年而化为碧玉,乃精诚之至也。　【释文】"而化为碧"吕氏春秋藏其血三年,化为碧玉。○庆藩案,太平御览八百九引司马云:苌弘忠而流,故其血不朽而化为碧。释文阙。

〔四〕【注】是以至人无心而应物,唯变所适。　【疏】孝己,殷高宗之子也。遭后母之难,忧苦而死。而曾参至孝,而父母憎之,常遭父母打,邻乎死地,故悲泣也。夫父子天性,君臣义重,而至忠至孝,尚有不爱不知,况乎世事万涂,而可必固者!唯当忘怀物我,适可全身远害。　【释文】"孝己"李云:殷高宗之太子。"曾参"李云:曾参至孝,为父所憎,尝见绝粮而后苏。

〔五〕【疏】夫木生火,火克金,五行之气,自然之理,故木摩木则火生,火守金则金烁。是以诚心执固而必于外物者,烁灭之败。○俞樾曰:淮南子原道篇亦云两木相摩而然。然两木相摩,未见其然。下句云金与火相守则流,疑此句亦当作木与火。下文云,水中有火,乃焚大槐,又云,利害相摩,生火甚多,众人焚和,月固不胜火。是此章多言火,益知此文之当为木与火矣。盖木金二物皆畏火,故举以为言,见火之为害大也。

〔六〕【注】所谓错行。　【疏】水中有火,电也。乃焚大槐,霹雳也。阴阳错乱,不顺五行,故雷霆击怒,惊骇万物。人乖和气,败损亦然。　【释文】"大絃"音骇,又音该,又胡待反。"水中有火乃焚大槐"司马云:水中有火,谓电也。焚,谓霹雳时烧大树也。○家世父曰:天地之大用,水火而已矣。水,阳也,而用阴;火,阴也,而用阳。人生阴阳之用,喜怒忧乐,爱恶生死,相争相靡,犹水火也。两陷者,水火之横溢者也。蠏当作蝀。尔雅释天:蝃蝀,虹也。蠏蝀,犹言虹蜺。淮南说山训天二气则成虹。二气者,阴阳之相薄者也。相薄而两相争胜,则虹蜺亦不得成。人心水火之争,阳常舒而徐进,阴常惨而暴施。凡不平于心,皆阴气之发也,故曰生火甚多。坎为月,月者,水气之(积)〔精〕也,体阳而用阴也。火生而水不能胜之,所以两陷而无所逃也。

〔七〕【注】苟不能忘形,则随形所遭而陷于忧乐,左右无宜也。　【疏】不能虚志而忘形,域心执固,是以驰情于荣辱二境,陷溺于忧乐二边,无处逃形。　【释文】"两陷"司马云:两,谓心与胆也。陷,破也。畏雷霆甚忧,心胆破陷也。"忧乐"音洛。

〔八〕【注】矜之愈重,则所在为难,莫知②所守,故不得成。　【疏】蠏蝀,犹怵惕也。不能忘情,(忘)〔妄〕怀矜惜,故虽劳形怵虑而卒无所成。　【释文】"蠏"郭音陈,又楮允反,徐敕尽反。"蝀"郭音惇,又柱允反,徐敕转反,李馀準反。司马云:蠏蝀,读曰冲融,言怖畏之气,冲融两溢,不安定也。

〔九〕【注】所希跂者高而阔也。　【疏】心徇有为,高而且远,驰情逐物,通乎宇宙。　【释文】"若县"音玄。

810

〔一〇〕【注】非清夷平畅也。　【疏】遂心则慰喜,乖意则昏闷,遇境则沉溺,触物则屯遭,既非清夷,岂是平畅!　【释文】“慰暋”武巾反。李音昏,又音泯。慰,郁也。暋,闷也。“沉屯”张伦反。司马云,沉,深也。屯,难也。

〔一一〕【注】内热故也。　【疏】夫利者必有害,蝉鹊是也。缨缠于利害之间,内心恒热,故生火多矣。

〔一二〕【注】众人而遗利则和,若利害存怀,则其和焚也。　【疏】焚,烧也。众人,犹俗人也,不能守分无为,而每驰心利害,内热如火,故烧焰中和之性。

〔一三〕【注】大而闇则多累,小而明则知分。　【疏】月虽大而光圆,火虽小而明照。(谕)〔喻〕志大而多贪,不如小心守分。

〔一四〕【注】唯儃然无矜,遗形自得,道乃尽也。　【疏】儃然,放任不矜之貌。忘情利害,淡尔不矜,虚玄道理,乃尽于此也。　【释文】“儃”音颓,又呼怀反。郭云:顺也。

〔校〕①暋原误暋,依世德堂本改。下释文同。②世德堂本知作之。

　　庄周家贫,故往贷粟于监河侯〔一〕。监河侯曰:“诺。我将得邑金,将贷子三百金,可乎?”〔二〕

〔一〕【疏】监河侯,魏文侯也。庄子高素,不事有为,家业既贫,故来贷粟。　【释文】“贷粟”音特,或一音他得反。“监河侯”古衔反。说苑作魏文侯。

〔二〕【疏】诺,许也。铜铁之类,皆名为金,此非黄金也。待我岁终,得百姓租赋封邑之物乃贷子。　【释文】“将贷”他代反。

　　庄周忿然作色曰:“周昨来,有中道而呼者。周顾视车辙中,有鲋鱼焉。周问之曰:‘鲋鱼来!子何为者邪?’对曰:

‘我，东海之波臣也。君岂有斗升之水而活我哉？’〔一〕周曰：
‘诺。我且南游①吴越之王，激西江之水而迎子，可乎？’〔二〕
鲋鱼忿然作色曰：‘吾失我常与，我无所处。吾得斗升之水
然活耳，君乃言此，曾不如早索我于枯鱼之肆！〔三〕’”

〔一〕【疏】波浪小臣，困于车辙，君颇有水以相救乎？　【释文】“而
　　　呼”火故反。“鲋”音附。广雅云：鳠也。鳠，音迹。“波臣”司马
　　　云：谓波荡之臣。

〔二〕【疏】西江，蜀江也。江水至多，北流者众，惟蜀江从西来，故谓
　　　之西江是也。　【释文】“激西”古狄反。

〔三〕【注】此言当理无小，苟其不当，虽大何益。　【疏】索，求。肆，
　　　市。常行海水鲋鱼，波浪失于常处，升斗之水，可以全生，乃激
　　　西江，非所宜也。既其不救斯须，不如求我于干鱼之肆。此言
　　　事无大小，时有机宜，苟不逗机，虽大无益也。　【释文】“早索”
　　　所白反。“枯鱼”李云：犹干鱼也。

〔校〕①阙误引张君房本游下有说字。

　　任公子为大钩巨缁，五十犗以为饵〔一〕，蹲乎会稽，投
竿东海〔二〕，旦旦而钓，期年不得鱼。已而大鱼食之，牵巨
钩，鎁没而下，(鹜)〔骛〕①扬而奋鬐，白波若山，海水震荡，
声侔鬼神，惮赫千里。〔三〕任公子得若鱼，离而腊之，自制河
以东，苍梧已北，莫不厌若鱼者〔四〕。已而后世辁才讽说之
徒，皆惊而相告也〔五〕。夫揭竿累，趣②灌渎，守鲵鲋，其于
得大鱼难矣〔六〕，饰小说以干县令，其于大达亦远矣〔七〕，是
以未尝闻任氏之风俗，其不可与经于世亦远矣〔八〕。

812

〔一〕【疏】任,国名,任国之公子。巨,大也。缁,黑绳也。犗,犍牛也。饵,钩头肉。既为巨钩,故用大绳,悬五十头牛以为饵。

【释文】"任公子"如字,下同。李云:任,国名。"大钩"本亦作钓。○卢文弨曰:钓,旧讹约,宋本同,今改正。"巨缁"司马云:大黑纶也。"犗"郭古迈反,云:犍牛也。徐音界。说文云:騬牛也。司马云:牺牛也。騬,音绳。犍,纪言反。○卢文弨曰:旧无牛字,据说文增。"为饵"音二。

〔二〕【疏】号为巨钩,期年不得鱼。蹲,踞也;踞,坐也。踞其山。

【释文】"蹲"音存。"会"古外反。"稽"古兮反。会稽,山名,今为郡也。

〔三〕【疏】期年之外有大鱼吞钩,于是牵钩陷没,驰(惊)〔骛〕而下,扬其头尾,奋其鳞鬐,遂使白浪如山,洪波际日。 【释文】"期年"本亦作朞,同。音基。言必久其事,后乃能感也。"铭没"音陷。字林:犹陷字也。"骛扬"徐音务,一本作惊。"鬐"徐(来)〔求〕③夷反。李音须。"惮"〔徒〕丹(末)反。○庆藩案,惮,古皆训为畏难。(见论语学而篇朱注,秦策高注。)此言惮赫,惮者,盛威之名也。贾子解县篇陛下威惮大信,(信与伸同。)亦此惮字之义。盛威为惮,盛怒亦为惮。大雅桑柔篇逢天僤怒是也。僤与惮同。(见王氏读书杂志。)"赫"火百反。"千里"言千里皆惧。

813

〔四〕【疏】若鱼,海神也。浙,浙江也。苍梧,山名,在岭南,舜葬之所。海神肉多,分为脯腊,自五岭已北,三湘已东,皆厌之。

【释文】"若鱼"司马云:大鱼名若,海神也。或云:若鱼,犹言此鱼。"而腊"音昔。"制河"诸设反。依字应作浙。汉书音义音逝。河亦江也,北人名水皆曰河。浙江,今在馀杭郡,后汉以为吴会分界。司马云:浙江,今在会稽钱塘。○庆藩案,制河之制,释文诸设反,字当作浙,谓浙水以东也。古制声与浙同。论语颜渊篇片言可以折狱者,郑注曰:鲁读折为制。书吕刑制以刑,墨子尚同篇制作折。

〔五〕【疏】末代季叶,才智轻浮,讽诵词说,不敦玄道,闻得大鱼,惊而相语。轻字有作𬬻字者,𬬻,量也。　【释文】"𬬻"七全反,又(视)〔砚〕专反,又音权。李云:𬬻,量人也,本或作𬬻。𬬻,小也。本又或作轻。"讽说"方凤反。

〔六〕【疏】累,细绳也。鲵鲋,小鱼也。担揭细小之竿绳,趋走溉灌之沟渎,适得鲵鲋,难获大鱼也。　【释文】"揭"其列、其谒二反。"竿累"劣彼反,谓次足不得并足也。本亦作𦅸。司马(云)力追反,云:纶也。"趣"本又作趋,同。七须反。"灌渎"司马云:溉灌之渎。"守鲵"五兮反。"鲋"音附,又音蒲。本亦作蒲。李云:鲵鲋,皆小鱼也。

〔七〕【疏】干,求也。县,高也。夫修饰小行,矜持言说,以求高名令(问)〔闻〕者,必不能大通于至道。字作县(字)〔者〕,古悬字多不著心。

〔八〕【注】此言志趣不同,故经世之宜,小大各有所适也。　【疏】人间世道,夷险不常,自非怀豁虚通,未可以治乱,若矜名饰行,去之远矣。

〔校〕①骛字依世德堂本改。赵谏议本作惊。②赵本趣作趋。③求字依世德堂本改。下徒末二字及砚字同。

儒以诗礼发冢。大儒胪传曰:"东方作矣,事之何若?"〔一〕

〔一〕【疏】大儒,硕儒,谓大博士。从上传语告下曰胪。胪,传也。东方作,谓天曙日光起。儒弟子发冢为盗,恐天时曙,故催告之,问其如何将事。　【释文】"胪"力於反,一音卢。苏林注汉书云:上传语告下曰胪。胪,犹行也。"传"治恋反,又丈专反。向云:从上语下曰胪传。一音张恋反,遽也。"东方作矣"司马云:谓日出也。

小儒曰:"未解裙襦,口中有珠〔一〕。诗固有之曰:'青青之麦,生于陵陂。生不布施,死何含珠为〔二〕!'接其鬓,压①其顪,儒以金椎控其颐,徐别其颊,无伤口中珠〔三〕!"

〔一〕【疏】小儒,弟子也。死人裙衣犹未解脱,扪其口中,知其有宝珠。　【释文】"襦"而朱反。

〔二〕【疏】此是逸诗,久遭删削。凡贵人葬者,口多含珠,故诵青青之诗刺之。　【释文】"青青之麦"司马云:此逸诗,刺死人也。"陵陂"彼宜反。"布施"始豉反。

〔三〕【注】诗礼者,先王之陈迹也,苟非其人,道不虚行,故夫儒者乃有用之为奸,则迹不足恃②也。　【疏】接,撮也。压,按也。顪,口也。控,打也。撮其鬓,按其口,铁锥打,仍恐损珠,故安徐分别之。是以田恒资仁义以窃齐,儒生诵诗礼以发冢,由是观之,圣迹不足赖。　【释文】"压"本亦作压,同。乃协反。郭於琰反,又敕颊反。字林云:压,一指按也。"其顪"本亦作哕,许秽反。司马云:颐下毛也。"金椎"直追反。○王念孙曰:儒以金椎控其颐,艺文类聚宝玉部引此,儒作而,是也。而,汝也。自未解裙襦以下,皆小儒答大儒之词。言汝以金椎控其颐,徐别其颊,无伤其口中之珠也。而儒声相近,上文又多儒字,故而误作儒。"控"苦江反。"徐别"彼列反。

〔校〕①赵谏议本压作屪。②世德堂本恃作持。

老莱子之弟子出①薪,遇仲尼,反以告〔一〕,曰:"有人于彼,修上而趋下〔二〕,末偻而后耳〔三〕,视若营四海〔四〕,不知其谁氏之子〔五〕。"

〔一〕【疏】老莱子,楚之贤人,隐者也,常隐蒙山,楚王知其贤,遣使召为相。其妻采樵归,见门前有车马迹。妻问其故,老莱曰:"楚王召我为相。"妻曰:"受人有者,必为人所制,而之不能为人制也。"妻遂舍而去。老莱随之,夫负妻戴,逃于江南,莫知所之。出取薪者,采樵也。既见孔子,归告其师。　【释文】"老莱子"楚人也。"出薪"出采薪也。

〔二〕【注】长上而促下也。　【释文】"趋下"音促。李云:下短也。

〔三〕【注】耳却近后而上偻。　【释文】"末偻"李云:末上,谓头前也,又谓背膂也。"后耳"司马云:耳却后。"却近"附近之近。

〔四〕【注】视之偏然,似营他人事者。　【释文】"视若营四海"夫劳形役智以应世务,失其自然者也。故尧有亢龙之喻,舜有卷偻之谈,周公类之走狼,仲尼比之逸狗,岂不或信哉!"儑"律悲反,旧鱼鬼反,又鱼威反。

〔五〕【疏】修,长也。趋,短〔也〕。末,肩背也。所见之士,下短上长,肩背伛偻,耳却近后,瞻视高远,所作匆匆,观其仪容,似营天下,未知(子)之〔子〕族姓是谁。怪其异常,故发斯问。

〔校〕①阙误引张君房本出下有拾字。

老莱子曰:"是丘也。召而来〔一〕。"

〔一〕【疏】鲁人孔丘,汝宜唤取。

仲尼至。曰："丘！去汝躬矜与汝容知，斯为君子矣〔一〕。"

〔一〕【注】谓仲尼能遗形去知，故以为君子。　【疏】躬，身也。孔丘既至，老莱(未)〔谓〕语，宜遣汝身之躬饰，忘尔容貌心知，如此之时，可为君子。　【释文】"去"起吕反。注同。"而"本又作女。○卢文弨曰：今书而作汝。"躬矜"躬矜，(为)〔谓〕身矜修善行。"容知"音智。容智，谓饰智为容好。

仲尼揖而退〔一〕，蹙然改容而问曰："业可得进乎〔二〕？"

〔一〕【注】受其言也。　【疏】敬受其言，揖让而退。

〔二〕【注】设问之，令老莱明其不可进。　【疏】蹙然，惊恐貌。谓仲尼所学圣迹业行，可得修进，为世用(可)不？　【释文】"蹙然"子六反。"业可得进乎"问可行仁义于世乎。"令老"力成反。

老莱子曰："夫不忍一世之伤而骜万世之患〔一〕，抑固窭邪〔二〕，亡其略弗及邪〔三〕？惠以欢为骜，终身之丑〔四〕，中民之行①进焉耳〔五〕，相引以名，相结以隐〔六〕。与其誉尧而非桀，不如两忘而闭其所誉〔七〕。反无非伤也，动无非邪也〔八〕。圣人踌躇以兴事，以每成功〔九〕。奈何哉其载焉终矜②尔〔一〇〕！"

〔一〕【注】一世为之，则其迹万世为患，故不可轻也。　【疏】夫圣智仁义，救一时之伤；后执为奸，成万世之祸。恃圣迹而骄骜，则陈恒之徒是也。亦有作骜(音)者，云使万代驱骜不息，亦是奔驰之义也。　【释文】"而骜"本亦作敖，同，五报反。下同。下或作骜。

〔二〕【疏】固执圣迹，抑扬从己，失于本性，故穷窭。　【释文】"窭"

其矩反。

〔三〕【注】直任之,则民性不窫而皆自有,略无弗及之事也。　【疏】亡失本性,忽略生崖,故不及于真道。○家世父曰:不忍一世之伤而贻万世之患,自以为能经营天下也,而不知其心无所蓄备也。夫无所蓄备之谓窫矣,其智略又弗及也。郭象云,直任之则民性不窫而皆自有,略无弗及之事,似失庄子本意。○庆藩案,亡读如无。亡其,转语也。史记范雎蔡泽列传:亡其言臣者贱不可用乎?（索隐:亡,犹轻蔑也,义不可通。）吕氏春秋爱类篇亡其不得宋且不义犹攻之乎?韩策又亡其行子之术而废子之谒乎?是凡言亡其,皆转语词也。

〔四〕【注】惠之而欢者,无惠则丑矣。然惠不可长,故一惠终身丑也。　【疏】夫以施惠为欢者,惠不可遍,故螫慢者多矣。是以用惠取人,适为怨府,故终身丑辱。

〔五〕【注】言其易进,则不可妄惠之。　【释文】"之行"下孟反。"其易"以豉反。

〔六〕【注】隐,括;进③之谓也。　【疏】夫上智下愚,其性难改,中庸之人,易为进退。故闻尧之美,相引慕以利名,闻桀之恶,则结之以隐匿。　【释文】"相结以隐"郭云:隐,括也。李云:隐,病患也。虽相引以名声,是相结以病患。○俞樾曰:李云:隐,病患也。然病患非所以相结。郭注曰,隐,括;进之谓也。然隐括所以正曲木,亦非所以相结也。隐当训为私。吕氏春秋圜道篇分定则下不相隐,高注曰:隐,私也。文选赭白马赋恩隐周渥,李善引国语注曰:隐,私也。相结以隐,谓相结以恩私。旧说皆非。

〔七〕【注】闭者,闭塞。　【疏】赞誉尧之善道,非毁桀之恶迹,以此奔驰,失性多矣,故不如善恶两忘,闭塞毁誉,则物性全矣。 【释文】"誉尧"音馀。"而闭"一本文注并作门。

〔八〕【注】顺之则全,静之则正。 【疏】夫反于物性,无不伤损,扰动心灵,皆非正法。 【释文】"反无非伤也"反,逆于理。"动无非邪也"似嗟反。动,矜于是也。

〔九〕【注】事不远本,故其功每成。 【疏】踌躇从容,圣人无心,应机而动,兴起事业,恒自从容,不逆物情,故其功每就。 【释文】"圣人踌"音畴。"躇"直居反。"以兴事以每成功"每者,每有成功也。踌躇者,从容也。从容兴事,虽有成功,圣人不存,犹致弊迹,流毒百世。况动矜善行而载之不已哉!"不远"于萬反。

〔一〇〕【注】矜不可载,故遗而弗有也。 【疏】奈何,犹如何也。如何执仁义之迹,扰挠物心,运载矜庄,终身不替! 此是老莱诋诃夫子之词也。○家世父曰:反,犹拨乱世而反之正。有所反则必有伤,有所动则必为邪。其反也,矜心之挟以争也;其动也,矜心之载以出也。听其自化,则无伤矣;无为而无不为,则非邪矣。

〔校〕①阙误引张成二本行下俱有易字。②唐写本矜上无终字。③赵谏议本括进作恬退。

宋元君夜半而梦人被发窥阿门〔一〕,曰:"予自宰路之渊,予为清江使河伯之所,渔者余且得予〔二〕。"

〔一〕【疏】宋国君,谥曰元,即宋元君也。阿,曲也,谓阿旁曲室之门。 【释文】"宋元君"李云:元公也。案元公名佐,平(之)公〔之〕子。"阿门"司马云:阿,屋曲檐也。

〔二〕【疏】自,从也。宰路,江畔渊名。姓余,名且,捕鱼之人也。

【释文】"宰路"李云:渊名,龟所居。"予为"如字,又于伪反。"使河"所吏反。"渔者"音鱼。"余"音预。"且"子馀反。姓余,名且也。○俞樾曰:史记龟策传作豫且。○庆藩案,豫预字同。

元君觉,使人占之,曰:"此神龟也。"

君曰:"渔者有余且乎?"

左右曰:"有。"

君曰:"令余且会朝〔一〕。"

〔一〕【疏】命,召也。召令赴朝,问其所得。 【释文】"觉"古孝反。"令"力成反。"会朝"直遥反。下同。

明日,余且朝。君曰:"渔何得?"

对曰:"且之网得白龟焉,其圆五尺。"

君曰:"献若之龟。"

龟至,君再欲杀之,再欲活之,心疑,卜之,曰:"杀龟以卜吉〔一〕。"乃刳龟,七十二钻而无遗筴〔二〕。

〔一〕【疏】心疑犹预,杀活再三,乃杀吉,遂刳龟也卜之。

〔二〕【疏】算计前后,钻之凡经七十二,算计吉凶,曾不失中。 【释文】"刳"口孤反。"钻"左端反,又左乱反。○庆藩案,文选郭景纯江赋注引司马云:钻,命卜,以所卜事而灼之。〔释文阙〕。"遗筴"初革反。

仲尼曰:"神龟能见梦于元君,而不能避余且之网;知能七十二钻而无遗筴,不能避刳肠之患。如是,则知有所困,神有所不及也。〔一〕虽有至知,万人谋之〔二〕。鱼不畏网而畏鹈鹕〔三〕。去小知而大知明〔四〕，去善而自善矣〔五〕。婴儿生无石师而能言，与能言者处也〔六〕。"

〔一〕【注】神知之不足恃也如是，夫唯静然居其所能而不营于外者为全。　【疏】夫神智不足恃也。是故至人之处世，忘形神智虑，与枯木同其不华，将死灰均其寂(魄)〔泊〕，任物冥于造化，是以孔丘大圣，因而议之。　【释文】"见梦"贤遍反。"知能"音智，下及注同。"知有所困"一本作知有所不同。

〔二〕【注】不用其知而用众谋。　【释文】"至知"音智。下、注皆同。

〔三〕【注】网无情，故得鱼。　【疏】网无情而得鱼，(谕)〔喻〕圣人无心，故天下归之。　【释文】"鹈"徒兮反。"鹕"鹈鹕，水鸟也，一名淘河。

〔四〕【注】小知自私，大知任物。　【疏】小知取舍于心，大知无分别。遣间夺之情，故无分别，则大知光明也。　【释文】"去小"起吕反。下、注同。

〔五〕【注】去善则善无所慕，善无所慕，则善者不矫而自善也。　【疏】遣矜尚之小心，合自然之大善，故前文云，离道以善，险德以行，又老经云，天下皆知善之为善，斯不善已。　【释文】"不矫"居表反。

〔六〕【注】泛然无习而自能者，非跂而学彼也。　【疏】夫婴儿之性，其不假师匠，年渐长大而自然能言者，非有心学之，与父母同处，率其本性，自然能言。是知世间万物，非由运知，学而成之也。　【释文】"石师"石者，匠名也。谓无人为师匠教之者也。一本作所师，又作硕师。

惠子谓庄子曰："子言无用〔一〕。"

〔一〕【疏】庄子，通人也。空有并照，其言弘博，不契俗心，是以惠施讥为无用。

庄子曰："知无用而始可与言用矣〔一〕。天地非不广且大也，人之所用容足耳。然则厕足而垫之致黄泉，人尚有用乎?"惠子曰："无用。"〔二〕

〔一〕【疏】夫有用则同于夭折，无用则全其〔生〕崖，故知无用始可语其用。

〔二〕【疏】垫，掘也。夫六合之内，广大无最于地，人之所用，不过容足，若使侧足之外，掘至黄泉，人则战栗不得行动。是知有用之物，假无用成功。　【释文】"厕足"音侧，又音测。"垫"丁念反。司马崔云:下也。本又作堑，七念反，掘也。"致黄泉"致，至也。本亦作至。

庄子曰："然则无用之为用也亦明矣〔一〕。"

〔一〕【注】圣应其内，当事而发;己言其外，以畅事情。情畅则事通，外明则内用，相须之理然也。　【疏】直置容足，不可得行，必借馀地，方能运用脚足，无用之理分明，故(取)老子云，有之以为利，无之以为用。

庄子曰："人有能游，且得不游乎? 人而不能游，且得游乎〔一〕? 夫流遁之志，决绝之行，噫，其非至知厚德之任与〔二〕! 覆坠而不反，火驰而不顾〔三〕，虽相与为君臣，时也，易世而无以相贱〔四〕。故曰①至人不留行焉〔五〕。

〔一〕【注】性之所能，不得不为也;性所不能，不得强为;故圣人唯莫之制，则同焉皆得而不知所以得也。　【疏】夫人禀性不同，所用各异,自有闻言如影响,自有智昏菽麦。故性之能者,不得不由性;性之无者,不可强涉;各守其分,则物皆不丧。 【释文】"得强"其丈反。

〔二〕【注】非至厚则②莫能任其志行而信其殊能也。 【疏】流荡逐物,逃遁不反,果决绝灭,因而不移,此之志行,极愚极鄙,岂是至妙真知深厚道德之所任用!庄子之意,谓其如此。 【释文】"之行"下孟反。注同。"任与"音馀。

〔三〕【注】人之所好,不避是非,死生以之。 【疏】愚迷之类,执志(悫)〔确〕然,虽复家被覆没,身遭颠坠,亦不知悔反,驰逐物情,急如烟火,而不知回顾,流遁决绝,遂至于斯耳。 【释文】"覆坠"直类反。"所好"呼报反。

〔四〕【注】所以为大齐同③。 【疏】夫时所贤者为君,才不应世者为臣,如舜禹应时相代为君臣也。故世遭革易,不可以为臣为君而相贱轻。流遁之徒,不知此事。

〔五〕【注】唯所遇而因之,故能与化俱。 【疏】夫世有兴废,随而行之,是故达人曾无留滞。

〔校〕①唐写本无曰字。②赵谏议本无则字。③世德堂本作所以为人齐同。赵本作所以为人齐。齐,同也。

夫尊古而卑今,学者之流也〔一〕。且以狶韦氏之流观今之世,夫孰能不波〔二〕,唯至人乃①能游于世而不僻〔三〕,顺人而不失己〔四〕。彼教不学〔五〕,承意不彼〔六〕。

〔一〕【注】古无所尊,今无所卑,而学者尊古而卑今,失其原矣。 【疏】夫步骤殊时,浇淳异世,古今情事,变化不同,而乃贵古贱今,深乖远鉴,适滋为学小见,岂曰清通!

〔二〕【注】随时因物,乃平泯也。 【疏】狶韦,三皇已前帝号也。以玄古之风御于今代,浇淳既章,谁能不波荡而不失其性乎! 斯由尊古卑今之弊也。 【释文】"狶"虚岂反。"不波"波,高下貌。

〔三〕【注】当时应务,所在为正②。 【释文】"不僻"匹亦反。

〔四〕【注】本无我,我何失焉!

〔五〕【注】教因彼性,故非学也。

〔六〕【注】彼意自然,故承而用之,则夫万物各全其我。 【疏】独有至德之人,顺时而化彼,非学心而本性具足,不由学致也。承意不彼者,禀承教意以导性,而真道素圆,不彼教也。

〔校〕①唐写本无乃字。②赵谏议本正作政。

目彻为明,耳彻为聪,鼻彻为颤,口彻为甘,心彻为知,知彻为德〔一〕。凡道不欲壅,壅则哽,哽而不止则跈〔二〕,跈则众害生〔三〕。物之有知者恃息〔四〕,其不殷,非天之罪〔五〕。天之穿之,日夜无降〔六〕,人则顾塞其窦〔七〕。胞有重阆〔八〕,心有天游〔九〕。室无空虚,则妇姑勃磎〔一〇〕;心无天游,则六凿相攘〔一一〕。大林①丘山之善于人也,亦神者不胜②〔一二〕。

〔一〕【疏】彻,通也。颤者,辛臭之事也。夫六根无壅,故彻;聪明不荡于外,故为德也。 【释文】"颤"舒延反。

〔二〕【注】当通而塞,则理有不泄而相腾践也。 【释文】"哽"庚猛反,塞也。"跈"女展反。郭云:践也。广雅云:履也,止也。本或作踂,同。○王念孙曰:郭注,当通而塞,则理有不泄而相腾践也。释文,跈,女展反。广雅云:履也,止也。本或作踂,同。案践履与壅塞,二义不相比附。郭云理有不泄而相腾践,所谓曲

说者也;本或作蹑,亦非也。今案跈读为抮。抮,戾也。言哽塞
而不止,则相乖戾,相乖戾则众害生也。广雅曰:抮、鳌也。(鳌
与戾同。)方言曰:轸,戾也。郭璞曰:相了戾也。孟子告子篇紾
兄之臂而夺之食,赵岐曰:紾,戾也。此云哽而不止则跈,义并
与抮同。

〔三〕【注】生,起也。

〔四〕【注】凡根生者无知,亦不恃息也。 【疏】天生六根,废一不可。
耳闻眼见,鼻臭心知,为于分内,虽用无咎。若乃目滞桑中之
色,耳淫濮上之声,鼻滋兰麝之香,心用无穷之境,则天理灭矣,
岂谓彻哉! 故六根穷彻,则气息通而生理全。

〔五〕【注】殷,当也。夫息不由知,由知然后失当,失当而后不通,故
知恃息,息不恃知也。然知欲之用,制之由人,非不得已之符
也。 【疏】殷,当也。或纵恣六根,驰逐前境;或窍穴哽塞,以
害生崖;通蹑二徒,皆不当理。斯并人情之罪也,非天然之
辜。 【释文】“不殷”如字,一音於靳反。

〔六〕【注】通理有常运。 【疏】降,止也。自然之理,穿通万物,自昼
及夜,未尝止息。○家世父曰:物之有知恃息,息者气也,而气
有厚薄纯杂,天不能强而同之。尔雅释言:殷,齐,中也。齐一则
中矣,其不能齐,天之无如何者也。而天既授之以百骸九窍而
使之自运焉,授之以心思而使之自化焉,务开通而已。说文:穿,
通也。恢恢乎有馀地以自存则通矣。玉篇:降,伏也。言积气之
运无停伏也。郭象注,殷,当也。误。○俞樾曰:降,当作瘁,即
瘳之籀文。素问宣明五气篇膀胱不利为瘁,又五常政大论篇其
病瘁闷。日夜无瘳,谓不瘳闷也。

〔七〕【注】无情任天,窦乃开。 【疏】窦,孔也。流俗之人,反于天

理,壅塞根窍,滞溺不通。　【释文】"其窦"音豆。

〔八〕【注】阆,空旷也。　【疏】阆,空也。言人腹内空虚,故容藏胃,藏胃空虚,故通气液。　【释文】"胞"普交反,腹中胎。"有重"直龙反。"阆"音浪。郭云:空旷也。

〔九〕【注】游,不系也。　【疏】虚空,故自然之道游其中。

〔一〇〕【注】争处也。　【疏】勃谿,争斗也。屋室不空,则不容受,故妇姑争处,无复尊卑。　【释文】"勃谿"音奚。勃,争也。谿,空也。司马云:勃谿,反戾也。无虚空以容其私,则反戾共斗争也。

〔一一〕【注】攘,逆。　【疏】凿,孔也。攘,(则)逆也。自然之道,不游其心,则六根逆,不顺于理。　【释文】"六凿"在报反。"相攘"如羊反。郭云:逆也。司马云:谓六情攘夺。○庆藩案,荀子哀公篇注引司马云:六情相攘夺。较释文多一相字。

〔一二〕【注】自然之理,有寄物而通也。　【疏】自然之理,有寄物而通者也。○家世父曰:大林丘山之善于人,言所以乐乎大林丘山,为广大容万物之生也。说文:神,天神引出万物者也。徐锴曰:申即引也。神者不胜,言发生万物,不可胜穷也。

〔校〕①阙误引张文二本林俱作棻。②唐写本胜下有也字。

德溢乎名〔一〕,名溢乎暴〔二〕,谋稽乎誸〔三〕,知出乎争〔四〕,柴生乎守〔五〕,官事果乎众宜〔六〕。春雨日时,草木怒生,铫鎒于是乎始修〔七〕,草木之到植者过半而不知其然〔八〕。

〔一〕【注】夫名高则利深,故修德者过其当。　【疏】溢,深也。仁义五德,所以行之过多者,为尚名好胜故也。

〔二〕【注】夫禁暴则名美于德。　【疏】暴,残害也。夫名者争之器,名既过者,必更相贼害。内篇云:名者相轧者也。○家世父曰:

说文:暴,晞也。孟子暴之于民而民受之,荀子富国篇声名足以暴炙之,皆表暴之意。德溢乎名,言德所以洋溢,名为之也;名溢乎暴,言名所以洋溢,表暴以成之也。五句并同一意。郭象云,禁暴则名美于德,恐误。

〔三〕【注】諴,急也,急而后考其谋。　【疏】稽,考也。諴,急也。急难之事,然后校谋计。　【释文】"諴"音贤。郭音玄,急也。向本作弦,云:坚正也。

〔四〕【注】平往则无用知。　【疏】夫运心知以出境,则争斗斯至。

〔五〕【注】柴,塞也。　【疏】柴,塞也。守,执也。域情执固而所造不通。　【释文】"柴"柴,积也。郭云:塞也。

〔六〕【注】众之所宜者不一,故官事立也。　【疏】夫置官府,设事条者,须顺于众人之宜便,若求逆之,则祸乱生。○俞樾曰:论语子路篇行必果,皇侃义疏曰:果,成也。众有所宜而后官事以成,故曰官事果乎众宜。

〔七〕【注】夫事物之生皆有由。　【疏】铫,耜之类也。鎒,锄也。青春时节,时雨之日,凡百草木,萌动而生,于是农具方始修理。此明顺时而动,不逆物情也。　【释文】"铫"七遥反,削也。能有所穿削也。又他尧反。"鎒"乃豆反。似锄,田具也。

〔八〕【注】夫事由理发,故不觉①。　【疏】植,生也。铫鎒既修,芸除萑苇,幸逢春日,锄罢到生,良由时节使然,不可以人情均度。是知制法立教,必须顺时。　【释文】"到植"时力反,又音值,立也。本亦作置。司马云:锄拔反之更生者曰到植。○卢文弨曰:到,古倒字。

〔校〕①赵谏议本觉作齐。

静然可以补病〔一〕,眦媙可以休①老〔二〕,宁可以止

827

遽^[三]。虽然,若是,劳者之务也,非佚者之所未尝过而问焉^[四]。圣人之所以駴天下,神人未尝过而问焉^[五];贤人所以駴世,圣人未尝过而问焉^[六];君子所以駴国,贤人未尝过而问焉^[七];小人所以合时,君子未尝过而问焉^[八]。演门有亲死者,以善毁爵为官师,其党人毁而死者半^[九]。尧与许由天下,许由逃之;汤与务光,务光怒之,^[一〇]纪他闻之,帅弟子而踆于窾水,诸侯吊之,三年,申徒狄因以踣河^[一一]。荃^②者所以在鱼,得鱼而忘荃;蹄者所以在兔,得兔而忘蹄^[一二];言者所以在意,得意而忘言^[一三]。吾安得夫忘言之人而与之言哉^[一四]!"

〔一〕【注】非不病也。　【疏】适有烦躁之病者,简静可以疗之。

〔二〕【注】非不老也。　【疏】翦齐发鬓,灭^③状貌也。衰老之容,以此而沐浴。　【释文】"眦"子斯反,徐子智反。亦作揃,子浅反。三苍云:揃,犹翦也。玉篇云:灭也。○庆藩案,萧该汉书音义引司马云:眦,视也。释文阙。"搣"本亦作搣,音灭。又武齐反。字林云:批也。批,音千米反。○卢文弨曰:旧米作未,今从宋本。○家世父曰:释文眦搣可以休老,搣,本亦作搣。广韵:搣,按也,摩也。似谓以两手按摩目眦,然与上下二句文义不类。眦搣,当谓左右眦不能流盼,可以闭目养神,故曰休老。又案搣与搣通,眦,目崖也,眦搣,犹云目陷。

〔三〕【注】非不遽也。　【疏】遽,疾速也。夫心性匆迫者,安静可以止之。

〔四〕【注】若是犹有劳,故佚者超然不顾。　【疏】夫止遽以宁,疗躁以静者,^(以)对治之术,斯乃小学之人,劳役神智之事务也,岂是

体道之士,闲逸之人,不劳不病之心乎! 风采清高,故未尝暂过
而顾问焉。 【释文】"非佚"音逸。

〔五〕【注】神人即圣人也,圣言其外,神言其内。 【疏】骇,惊也。神
者,不测之号;圣者,显迹之名;为其垂教动人,故不过问。
【释文】"以骇"户楷反。王云:谓改百姓之视听也。徐音戒,谓
上不问下也。

〔六〕【疏】证空为贤,并照为圣,从深望浅,故不问之。

〔七〕【疏】何以人物君子故骇动诸侯之国,贤人舍有,故不问。

〔八〕【注】趋步各有分,高下各有等。 【疏】夫趋世小人,苟合一时,
如田恒之徒,无足可贵,故淑人君子鄙而不顾也。

〔九〕【注】慕赏而孝,去真远矣,斯尚贤之过也。 【疏】〔演门〕,东
门也。亦有作寅者,随字读之。东门之孝,出自内心,形容外
毁,惟宋君嘉其至孝,遂加爵而命为卿。乡党之人,闻其因孝而
贵,于是强哭诈毁,矫性伪情,因而死者,其数半矣。 【释文】
"演门"以善反。宋城门名。

〔一〇〕【疏】尧知由贤,禅以九五,洒耳辞退,逃避箕山。汤与务光,务
光不受,诃骂瞋怒,远之林籁。斯皆率其本性,腥臊荣禄,非关
矫伪以慕声名。

〔一一〕【注】其波荡伤性,遂至于此。 【疏】姓申徒,名狄;姓纪,名佗;
并隐者。闻汤让务光,恐其及己,与弟子蹲踞水旁。诸侯闻之,
重其廉素,时往吊慰,恐其沉没。狄闻斯事,慕其高名,遂赴长
河,自溺而死。波荡失性,遂至于斯矣。 【释文】"纪他"徒何
反。"而踆"音存。字林云:古蹲字。徐七旬反,又音尊。"窾
水"音款,又音科。司马云:水名。"吊之"司马云:恐其自沉,故
吊之。"踣"徐芳附反,普豆反。字林云:僵也。李云:顿也。郭

薄杯反。○卢文弨曰：二音之间，当有又字。下似此者不尽出。

〔一二〕【疏】筌，鱼笱也，以竹为之，故字从竹。亦有从草者，(意)苏(筌)〔荃〕也，香草也，可以饵鱼，置香于柴木芦苇之中以取鱼也。蹄，兔罝也，亦兔(强)〔弶〕④也，以繫系兔脚，故谓之蹄。此二事，譬也。　【释文】"荃"七全反，崔音孙，香草也，可以饵鱼。或云：积柴水中，使鱼依而食焉。一云：鱼笱也。○卢文弨曰：案如或所云，是潜也。见诗周颂。"蹄"大兮反，兔罝也。又云：兔弶也，系其脚，故曰蹄。罝，音古县反。弶，音巨亮反。

〔一三〕【疏】此合(谕)〔喻〕也。意，妙理也。夫得鱼兔本因筌蹄，而筌蹄实异鱼兔，亦(由)〔犹〕玄理假于言说，言说实非玄理。鱼兔得而筌蹄忘，玄理明而名言绝。

〔一四〕【注】至于两圣无意，乃都无所言也。　【疏】夫忘言得理，目击道存，其人实稀，故有斯难也。　【释文】"得夫"音符。

〔校〕①阙误引张君房本休作沐，高山寺本同。②赵谏议本作筌，下同。③刘文典补正云：当作搣。④弶字依释文改。

杂篇寓言第二十七〔一〕

〔一〕【释文】以义名篇。

寓言十九〔一〕，重言十七〔二〕，卮言日出，和以天倪〔三〕。

〔一〕【注】寄之他人，则十言而九见信。　【疏】寓，寄也。世人愚迷，妄为猜忌，闻道己说，则起嫌疑，寄之他人，则十言而信九矣。故鸿蒙、云将、肩吾、连叔之类，皆寓言耳。　【释文】"寓言十九"寓，寄也。以人不信己，故托之他人，十言而九见信也。

〔二〕【注】世之所重，则十言而七见信。　【疏】重言，长老乡间尊重者也。老人之言,犹十信其七也。 【释文】"重言"谓为人所重者之言也。○家世父曰:重,当为直容切。<u>广韵</u>:重,复也。<u>庄生</u>之文,注焉而不穷,引焉而不竭者是也。<u>郭</u>云世之所重,作柱用切者,误。

〔三〕【注】夫卮,满则倾,空则仰,非持故也。况之于言,因物随变,唯彼之从,故曰日出。日出,谓日新也,日新则尽其自然之分,自然之分尽则和也。 【疏】卮,酒器也。日出,犹日新也。天倪,自然之分也。和,合也。夫卮满则倾,卮空则仰,空满任物,倾仰随人。无心之言,即卮言也,是以不言,言而无系倾仰,乃合于自然之分也。又解:卮,支也。支离其言,言无的当,故谓之卮言耳。 【释文】"卮言"字又作巵,音支。字略云:卮,圆酒器也。<u>李</u>起宜反。<u>王</u>云:夫卮器,满即倾,空则仰,随物而变,非执一守故者也;施之于言,而随人从变,己无常主者也。<u>司马</u>云:谓支离无首尾言也。○<u>卢文弨</u>曰:卮,旧作巵。案说文作卮,下从卪,今多省作卮。若作巵,则不必云又作矣。"天倪"音宜,<u>徐</u>音诣。

寓言十九,藉外论之〔一〕。亲父不为其子媒。亲父誉之,不若非其父者也〔二〕;非吾罪也,人之罪也〔三〕。与己同则应,不与己同则反〔四〕;同于己为是之,异于己为非之〔五〕。

〔一〕【注】言出于己,俗多不受,故借外耳。<u>肩吾连叔</u>之类,皆所借者①也。 【疏】藉,假也,所以寄之(也)〔他〕人。十言九信者,为假托外人论说之也。 【释文】"藉"<u>郭</u>云:藉,借也。<u>李</u>云:因也。

〔二〕【注】父之誉子,诚多不信,然时有信者,辄以常嫌见疑,故借外

论也。　【疏】媒，媾合也。父谈其子，人多不信，别人誉之，信
　　者多矣。　【释文】"誉之"音馀。注同。

〔三〕【注】己虽信，而怀常疑者犹不受，寄之彼人则信之，人之听有斯
　　累也。　【疏】吾，父也。非父谈子不实，而听者妄起嫌疑，致不
　　信之过也。

〔四〕【注】互相非也。　【疏】夫俗人颠倒，妄为(藏)〔臧〕否，与己同
　　见则应而为是，与己不同则反而非之。

〔五〕【注】三异同处，而二异讼其所取，是必于不讼者俱异耳，而独信
　　其所是，非借外如何！　【疏】夫迷执同异，妄见是非，同异既
　　空，是非灭矣。

〔校〕①世德堂本借下无者字。

重言十七，所以已言也，是为耆艾〔一〕。年先矣，而无
经纬本末以期年耆^①者，是非先也〔二〕。人而无以先人，无
人道也；人而无人道，是之谓陈人〔三〕。

〔一〕【注】以其耆艾，故俗共重之，虽使言不借外，犹十信其七。
　　【疏】耆艾，寿考者之称也。已自言之，不藉于外，为是长老，故
　　重而信之，流俗之人，有斯迷妄也。　【释文】"耆艾"五盖反。

〔二〕【注】年在物先耳，其馀本末，无以待人，则非所以先也。期，待
　　也。　【疏】期，待也。上下为经，傍通曰纬。言此人直(置)
　　〔是〕以年老居先，亦无本末之智，故待以耆宿之礼，非关道德可
　　先也。○家世父曰：已言者，已前言之而复言也。尔雅释诂：耆
　　艾，长也。艾，历也。郭璞注：长者多更历。释名：六十曰耆；耆，
　　指也，指事使人也。是耆艾而先人之义。经纬本末，所以先人，
　　人亦以是期之。重言之不倦，提撕警惕，人道(如)〔于〕是乎存。

〔三〕【注】直是陈久之人耳，而俗便共信之，此俗之所以为安故而习

常也。　【疏】无礼义以先人，无人伦之道也，直是陈久之人，故重之耳。世俗无识，一至于斯。

〔校〕①高山寺本年耆二字作来。

巵言日出，和以天倪，因以曼衍，所以穷年〔一〕。不言则齐〔二〕，齐与言不齐〔三〕，言与齐不齐也〔四〕，故曰①无言〔五〕。言无言，终身言，未尝不言〔六〕；终身不言，未尝不言〔七〕。有自也而可，有自也而不可；有自也而然，有自也而不然〔八〕。恶乎然？然于然。恶乎不然？不然于不然。恶乎可？可于可。恶乎不可？不可于不可。〔九〕物固有所然，物固有所可〔一〇〕，无物不然，无物不可〔一一〕。非巵言日出，和以天倪，孰得其久〔一二〕！万物皆种也，以不同形相禅〔一三〕，始卒若环〔一四〕，莫得其伦〔一五〕，是谓天均。天均者天倪也〔一六〕。

〔一〕【注】夫自然有分而是非无主，无主则曼衍矣，谁能定之哉！故旷然无怀，因而任之，所以各终其天年。　【疏】曼衍，无心也。随日新之变转，合天然之倪分，故能因循万有，接物无心；所以穷造化之天年，极生涯之遐寿也。　【释文】"曼衍"以战反。

〔二〕【疏】夫理处无言，言则乖当，故直置不言而物自均等也。○家世父曰：不言则齐，谓与为巵言，曼衍以穷年，犹之不言也。巵言之言，随乎言而言之，随乎不言而言之；有言而固无言，无言而固非无言，是之谓天倪。

〔三〕【疏】齐，不言也。不言与言，既其不一，故不齐也。

〔四〕【注】付之于物而就用其言，则彼此是非，居然自齐。若不能因彼而立言以齐之，则我与万物复不齐耳。　【释文】"复不"扶又反。下同。

〔五〕【注】言彼所言,故虽有言而我竟不言也。　【疏】夫以言遣言,言则无尽,纵加百非,亦未偕妙。唯当凝照圣人,智冥动寂,出处默语,其致一焉,故能无言则言,言则无言也,岂有言与不言之别,齐与不齐之异乎！故曰言无言也。

〔六〕【注】虽出吾口,皆彼言耳。

〔七〕【注】据出我口。　【疏】此复解前言无言义。

〔八〕【疏】夫各执自见,故有可有然。自他既空,然可斯泯。

〔九〕【注】自,由也。由彼我之情偏,故有可不可。　【疏】恶乎,犹于何也。自他并空,物我俱幻,于何处而有可不可？于何处〔而〕②有然不然？以此推穷,然可自息。斯复解前有自而然可义也。　【释文】"恶乎"音乌。下同。

〔一〇〕【注】各自然,各自可。

〔一一〕【注】统而言之,则无可无不可,无可无不可而至也。　【疏】夫俗中之物,倒置之徒,于无然而固然,于不可而执可也。

〔一二〕【注】夫唯言随物制而任其天然之分者,能无夭落。　【疏】自非随日新之变,达天然之理者,谁能证长生久视之道乎！言得之者之至也。

〔一三〕【注】虽变化相代,原其气则一。　【疏】禅,代也。夫物云云,禀之造化,受气一种而形质不同,运运迁流而更相代谢。　【释文】"皆种"章勇反。

〔一四〕【注】于今为始者,于昨已复为卒也。　【疏】物之迁贸,譬彼循环,死去生来,终而复始。此出禅代之状也。

〔一五〕【注】理自尔,故莫得。　【疏】伦,理也。寻索变化之道,竟无理之可致也。

〔一六〕【注】夫均齐者岂妄哉？皆天然之分。　【疏】均，齐也。此总结以前一章之(是)〔义〕，谓天然齐等之道，即(以)〔此〕齐均之道，亦名自然之分也。○家世父曰：言相生犹万物之相禅也。万物有种，生发至于无穷，而不能执一形以相禅。言有种而推衍至于无穷，不能执一言以为始。始卒无有端倪，是之(为)〔谓〕天均。

〔校〕①高山寺本曰下有言字。②而字依上句补。

庄子谓惠子曰："孔子行年六十而六十化〔一〕，始时所是，卒而非之〔二〕，未知今之所谓是之非五十九非也〔三〕。"

〔一〕【注】与时俱也①。　【疏】夫运运不停，新新流谢，是以行年六十而与年俱变者也。然庄惠相逢，好谈玄道，故远称尼父以显变化之方。

〔二〕【注】时变则俗情亦变，乘物以游心者，岂异于俗哉！

〔三〕【注】变者不停，是不可常。　【疏】夫人之寿命，依年而数，年既不定，数岂有耶！是以去年之是，于今非矣。故知今年之是，还是去岁之非；今岁之非，即是来年之是。故容成氏曰，除日无岁也。

〔校〕①赵谏议本也作化。

惠子曰："孔子勤志服知也〔一〕。"

〔一〕【注】谓孔子勤志服膺而后知，非能任其自化也。此明惠子不及圣人之韵远矣。　【疏】服，用也。惠施未达，抑度孔子，谓其励志勤行，用心学道，故至斯智，非自然任化者也。

庄子曰："孔子谢之矣，而其未之尝言〔一〕。孔子云：

'夫受才乎大本,复灵以生〔二〕。'鸣而当律,言而当法〔三〕,利义陈乎前,而好恶是非直服人之口而已矣〔四〕。使人乃以心服,而不敢蘁立,定天下之定〔五〕。已乎已乎!吾且不得及彼乎〔六〕!"

〔一〕【注】谢变化之自尔,非知力之所为,故随时任物而不造言也。

【疏】谢,代也。而,汝也。未,无也。言尼父于勤服之心久已代谢,汝宜复灵,无复浪言也。

〔二〕【注】若役其才知而不复其本灵,则生亡矣。 【疏】夫人禀受才智于大道妙本,复于灵命以尽生涯,岂得勤志役心,乖于造物!此是庄子述孔丘之语诃抵惠施也。 【释文】"才知"音智。

〔三〕【注】鸣者,律之所生;言者,法之所出;而法律者,众之所为,圣人就用之耳,故无不当,而未之尝言,未之尝为也。 【疏】鸣,声也。当,中也。尼父圣人,与阴阳合德,故风韵中于钟律,言教考于模范也哉!

〔四〕【注】服,用也。我无言也,我之所言,直用人之口耳,好恶是非利义之陈,未始出吾口也。 【疏】仁义利害,好恶是非,逗彼前机,应时陈说,虽复言出于口而随前人,即是用众人之口矣。

【释文】"而好"呼报反。注同。"恶"乌路反。注同。

〔五〕【注】口所以宣心,既用众人之口,则众人之心用矣,我顺众心,则众心信矣,谁敢逆立哉!吾因天下之自定而定之,又何为乎! 【疏】随众所宜,用其心智,教既随物,物以顺之,如草从风,不敢逆立,因其本静,随性定之,故定天下之定也。 【释文】"蘁"音悟,又五各反,逆也。

〔六〕【注】因而乘之,故无不及。 【疏】已,止也。彼,孔子也。重勖惠子,止而勿言,吾徒庸浅,不能逮及。此是庄子叹美宣尼之言。

曾子再仕而心再化〔一〕,曰:"吾及亲仕,三釜而心乐;后仕,三千钟而①不洎,吾心悲〔二〕。"

〔一〕【疏】姓曾,名参,孔子弟子。再仕之义,列在下文。

〔二〕【注】洎,及也。 【疏】六斗四升曰釜,六斛四斗曰钟。洎,及也。曾参至孝,求禄养亲,故前仕亲在,禄虽少而欢乐;后仕亲没,禄虽多而悲悼;所谓再化,以悲乐易心,为不及养亲故也。 【释文】"三釜"小尔雅云:六斗四升曰釜。"心乐"音洛。下注同。"不洎"其器反。

〔校〕①世德堂本无而字。

弟子问于仲尼曰:"若参者,可谓无所县其罪乎〔一〕?"

〔一〕【注】县,系也。谓参仕以为亲,无系禄之罪也。 【疏】县,系也。门人之中,无的姓讳,当是四科十哲之流也。曾参仁孝,为亲求禄,虽复悲乐,应无系罪。门人疑此,咨问仲尼也。 【释文】"参"所金反。"无所县"音玄。下同。"其罪乎"县,系也。心再化于禄,所存者亲也。虽系禄而无系于罪也。"以为"于伪反。

曰:"既已县矣〔一〕。夫无所县者,可以有哀乎〔二〕? 彼视三釜三千钟,如观①雀蚊虻相过乎前也〔三〕。"

〔一〕【注】系于禄以养也。 【释文】"以养"羊尚反。下同。

〔二〕【注】夫养亲以适,不问其具。若能无系,则不以贵贱经怀,而平和怡畅,尽色养之宜矣。 【疏】夫孝子事亲,务在于适,无论禄之厚薄,尽于色养而已,故有庸赁而称孝子,三仕犹为不孝。参既心存哀乐,得无系禄之罪乎！夫唯无系者,故当无哀乐也。

〔三〕【注】彼,谓无系也。夫无系者,视荣禄若蚊虻鸟雀之在前而过去耳,岂有哀乐于其间哉！　【疏】彼,谓无系之人也。鸟雀大,以谕千钟,蚊虻小,以比三釜。达道之人,无心系禄,千钟三釜,不觉少多。犹如鸟雀蚊虻相与飞过于前矣,决然而已,岂系之哉！　【释文】"如鹳"本亦作观,同。古乱反。○卢文弨曰:今书作观。"蚊"音文。"虻"孟庚反。司马云:观雀飞疾,与蚊相过,忽然不觉也。王云:鹳蚊取大小相县,以喻三釜三千钟之多少。元嘉本作如鹳蚊,无虻字。○俞樾曰:雀字衍文也。释文云,元嘉本作如鹳蚊,无虻字。则陆氏所据本尚未衍雀字,故元嘉本作鹳蚊。陆氏但言其无虻字,不言其无雀字也。惟鹳与蚊虻,一鸟一虫,取喻不伦。王云,谓取大小相县,以喻三釜三千钟之多少。此不然也。夫至人之视物,一映而已,岂屑屑于三釜三千钟之多寡,而必分别其为鹳为蚊乎！今案释文云,鹳本作观。疑是古本如此。其文盖曰,彼视三釜三千钟,如观蚊虻相过乎前也。淮南子俶真篇毁誉之于己,犹蚊虻之一过也。义与此同。因观误作鹳,则鹳蚊虻三字不伦,乃有删一虻字,使蚊与鹳两文相称者,元嘉本是也;又有增一雀字,使鹳雀与蚊虻两文相称者,今本是也。皆非庄子之旧矣。

〔校〕①赵谏议本观作鹳。阙误同,引张君房本云:鹳雀作观鸟雀。

颜成子游谓东郭子綦曰:"自吾闻子之言,一年而野〔一〕,二年而从〔二〕,三年而通〔三〕,四年而物〔四〕,五年而来〔五〕,六年而鬼入〔六〕,七年而天成〔七〕,八年而不知死,不知生〔八〕,九年而大妙〔九〕。

〔一〕【注】外权利也。　【疏】居在郭东,号曰东郭,犹是齐物篇中南郭子綦也。子游,子綦弟子也。野,质朴也。闻道一年,学心未熟,稍能朴素,去浮华耳。　【释文】"子綦"音其。

〔二〕【注】不自专也。　【疏】顺于俗也。

〔三〕【注】通彼我也。　【疏】不滞境也。

〔四〕【注】与物同也。　【疏】与物同也。

〔五〕【注】自得也。　【疏】为众归也。

〔六〕【注】外形骸也。　【疏】神会理物。

〔七〕【注】无所复为。　【疏】合自然成。　【释文】"所复"扶又反。

〔八〕【注】所遇皆适而安。　【疏】智冥造物,神合自然,故不觉死生聚散之异也。

〔九〕【注】妙,善也。善恶同,故无往而不冥。此言久闻道,知天籁之自然,将忽然自忘,则秒累日去以至于尽耳。　【疏】妙,精微也。闻道日久,学心渐著,故能超四句,绝百非,义极重玄,理穷众妙,知照弘博,故称大也。　【释文】"天籁"力带反。

生有为,死也〔一〕。劝公,以其①死也,有自也〔二〕;而生阳也,无自也〔三〕。而果然乎〔四〕？恶乎其所适？恶乎其所不适〔五〕？天有历数,地有人据,吾恶乎求之〔六〕？莫知其所终,若之何其无命也〔七〕？莫知其所始,若之何其有命也〔八〕？有以相应也,若之何其无鬼邪〔九〕？无以相应也,若之何其有鬼邪〔一〇〕？"

〔一〕【注】生而有为则丧其生。　【疏】处生人道,沉溺有为,适归死灭也。　【释文】"则丧"息浪反。

〔二〕【注】自,由也。由有为,故死;由私其生,故有为。今所以劝公

者,以其死之由私耳。　【疏】公,平也。自,由也。所以人生
(也)〔而〕动之死地者,(犹)〔由〕私爱其生,不能公正,故劝导也。

〔三〕【注】夫生之阳,遂以其绝迹无为而忽然独尔,非有由也。
　【疏】感于阳气而有此生,既无所由从,故不足私也。

〔四〕【疏】果,决定也。阳气生物,决定如此。

〔五〕【注】然而果然,故无适无不适而后皆适,皆适而至也。　【疏】
夫气聚为生,生不足乐;气散为死,死不足哀;生死既齐,哀乐斯
泯。故于何处而可适,于何处而不可适乎? 所在皆适耳。
【释文】"恶乎"音乌。下同。

〔六〕【注】皆已自足。　【疏】夫星历度数,玄象丽天;九州四极,人物
依据;造化之中,悉皆具足,吾于何处分外求之也?　【释文】
"天有历"一本作天有历数。

〔七〕【注】理必自终,不由于知,非命如何?　【疏】夫天地昼夜,人物
死生,寻其根由,莫知终始。时来运去,非命如何! 其无命者,
言有命也。

〔八〕【注】不知其所以然而然,谓之命,似若有意也,故又遣命之名以
明其自尔,而后命理全也。　【疏】夫死去生来,犹春秋冬夏,既
无终始,岂其命乎? 其有命者,言无命也。此又遣(其)〔有〕
命也。

〔九〕【注】理必有应,若有神灵以致之也。　【疏】鬼,神识也。夫耳
眼应于声色,心智应于物境,义同影响,岂无灵乎? 其无鬼者,
言其有之也。

〔一〇〕【注】理自相应,相应不由于故也,则虽相应而无灵也。　【疏】
夫人睡中,则不知外物,虽有眼耳,则不应色声。若其有灵,如
何不应? 其有鬼者,言其无也。此又遣其有也。

〔校〕①阙误引张君房本其下有私字。

众罔两问于景①曰："若向也俯而今也仰,向也括〔撮〕②而今也被发,向也坐而今也起,向也行而今也止,何也〔一〕?"

〔一〕【疏】罔两,影外微阴也。斯寓言者也。若,汝也。俯,低头也。撮,束发也。汝坐起行止,唯形是从,以此测量,必因形乃有。言不待,厥理未详。设此问答,以彰独化耳。 【释文】"景"音影,又如字。本或作影。○卢文弨曰:影字系陶弘景所撰,非古字。"也括"古活反。司马云:谓括发也。"被发"皮寄反。

〔校〕①赵谏议本景作影,下同。②撮字依成疏及阙误引张君房本补。

景曰:"搜搜①也,奚稍问也〔一〕!予有而不知其所以〔二〕。予,蜩甲也,蛇蜕也,似之而非也〔三〕。火与日,吾屯也;阴与夜,吾代也〔四〕。彼吾所以有待邪〔五〕?而况乎以〔无〕②有待者乎〔六〕!彼来则我与之来,彼往则我与之往,彼强阳则我与之强阳。强阳者又何以有问乎〔七〕!"

〔一〕【注】运动自尔,无所稍问。 【疏】叟叟,无心运动之貌也。奚,何也。景答云:我运动无心,萧条自得,无所可待,独化而生,汝无所知,何劳见问也? 【释文】"搜搜"本又作叟,同。素口反,又素刀反,又音萧。向云:动貌。

〔二〕【注】自尔,故不知所以。 【疏】予,我也。我所有行止,率乎造物,皆不知所以,悉莫辩其然尔,岂有待哉!

〔三〕【注】影似形而非形。 【疏】蜩甲,蝉壳也。蛇蜕,皮也。夫蜻蜣变化而为蝉,蛇从皮内而蜕出者,皆不自觉知也。而蛴蜣灭于前,蝉自生于后,非因蛴蜣而有蝉,蝉亦不待蛴蜣而生也。蛇皮之义,亦复如之。是知一切万有,无相因待,悉皆独化,金曰自然。故影云:我之因待,同蛇蜕蜩甲,似形有而实非待形者也。 【释文】"蜩甲"音条。司马云:蜩甲,蝉蜕皮也。"蛇蜕"音帨,又吐卧反,又始锐反。

〔四〕【疏】屯,聚也。代,谢也。有火有日,影即屯聚,逢夜逢阴,影便代谢。若其(同)〔因〕形有影,故当不待火日。阴夜有形而无影,将知影必不待形,而独化之理彰也。 【释文】"吾屯"徒门反,聚也。○庆藩案,文选谢灵运游南亭诗注引司马云:屯,聚也。火日明而影见,故曰吾聚也;阴闇则影不见,故曰吾代也。夜代,谓使得休息也。释文阙。

〔五〕【疏】吾所以有待者,火日也。必其不形,火日亦不能生影也,故影亦不待于火日也。

〔六〕【注】推而极之,则今之(所谓)③有待者(率)〔卒〕④(至)于无待,而独化之理彰(矣)⑤。 【疏】况乎有待者形也,必无火日,形亦不能生影,不待形也。夫形之生也,不用火日,影之生也,岂待形乎!故以火日况之,则知影不待形明矣。形影尚不相待,而况他物乎!是知一切万法,悉皆独化也。○家世父曰:火日出而景生焉,阴夜而景潜焉。屯(向)〔者〕,草木之始生也;代者,更也,替也,有相替者而吾固休也。景之与形相待也,又待火日而动,待阴夜而休。彼吾所以相待,又有待也。有待,故不为物先,待焉而即应,故亦与物〔无〕忤。景之随形,各肖其人之情态,虚而与之委蛇,此庄生应世之大旨也。

〔七〕【注】直自强阳运动,相随往来耳,无意,不可问也。 【疏】彼者,形也。强阳,运动之貌也。夫往来运动,形影共时,既无因待,咸资独化。独化之理,妙绝名言,名言问答,其其之矣。

〔校〕①赵谏议本搜作叟。②无字依郭注及阙误引张君房本补。③所谓二字依赵本删。④卒字依赵本改。⑤至字矣字依赵本删。

阳子居南之沛,老聃西游于秦,邀于郊,至于梁而遇老子〔一〕。老子中道仰天而叹曰:"始以汝为可教,今不可也〔二〕。"

〔一〕【疏】姓杨,名朱,字子居。之,往也。沛,彭城,今徐州是也。邀,遇也。梁国,今汴州也。杨朱南迈,老子西游,邂逅逢于梁宋之地,适于郊野而与之言。 【释文】"阳子居"姓杨,名朱,字子居。"之沛"音贝。"邀"古尧反,要也,遇也。玉篇云:求也,抄也,遮也。

〔二〕【疏】昔逢杨子,谓有道心;今见矜夸,知其难教。嫌其异俗,是以伤嗟也。

阳子居不答〔一〕。至舍,进盥漱巾栉,脱屦户外,膝行而前〔二〕曰:"向者弟子欲请夫子,夫子行不闲,是以不敢。今闲矣,请问其过。〔三〕"

〔一〕【疏】自觉己非,默然悚愧。

〔二〕【疏】盥,洒也。栉,梳也。届逆旅之舍,至止息之所,于是进水漱洒,执持巾栉,肘行膝步,尽礼虔恭,殷勤请益,庶蒙针艾也。 【释文】"盥"音管。小尔雅云:澡也,洒也。"漱"所又反。"巾栉"庄乙反。

〔三〕【疏】向被抵诃,欲请其过,正逢行李,未有闲庸。今至主人,清

843

闲无事,庶闻责旨,以助将来也。 【释文】"不閒"音閑。下同。
一音如字。

老子曰:"而睢睢盱盱,而谁与居〔一〕?大白若辱,盛德
若不足〔二〕。"

〔一〕【注】睢睢盱盱,跋扈之貌。人将畏难而疏远。 【疏】睢盱,躁
急威权之貌也。而,汝也。跋扈威势,矜庄耀物,物皆哀悼,谁
将汝居处乎? 【释文】"睢睢"郭呼维反,徐许圭反。"盱盱"
香于反,又许吴反,又音虚。广雅云:睢睢盱盱,元气也。而,汝
也。言汝与元气合德,去其矜骄,谁复能同此心?解异郭义。
"跋"步末反。"畏难"乃旦反。"疏远"于萬反。

〔二〕【疏】夫人廉洁贞清者,犹如污辱也;盛德圆满者,犹如不足也。
此是老子引道德经以戒子居也。

阳子居蹴然变容曰:"敬闻命矣〔一〕!"

〔一〕【疏】蹵然,惭悚也。既承教旨,惊惧更深,稽首虔恭,敬奉尊命
也。 【释文】"蹴"子六反。

其往也,舍者迎将,其家公执席,妻执巾栉,舍者避席,
炀者避灶〔一〕。其反也,舍者与之争席矣〔二〕。

〔一〕【注】尊形自异,故惮而避之也。 【疏】将,送也。家公,主人公
也。炀,然火也。杨朱往沛,正事威容,舍息逆旅,主人迎送,夫
执毡席,妻捉梳巾,先坐之人避席而走,然火之者不敢当灶,威
势动物,一至于斯矣。 【释文】"家公"李云:主人公也。一读
舍者迎将其家为句。"炀"羊尚反,又音羊向反,炊也。

〔二〕【注】去其夸矜故也。 【疏】从沛反归,已蒙教戒,除其容饰,遣
其矜夸,混迹同尘,和光顺俗,于是舍息之人与争席而坐矣。
【释文】"去其"起吕反。

庄子集释卷九下

杂篇 **让王第二十八**〔一〕

〔一〕【释文】以事名篇。

尧以天下让许由，许由不受。又让于子州支父，子州支父曰："以我为天子，犹之可也。虽然，我适有幽忧之病，方且治之，未暇治天下也。"〔一〕夫天下至重也，而不以害其生，又况他物乎〔二〕！唯无以天下为者，可以托天下也〔三〕。

〔一〕【疏】尧许事迹，具载内篇。姓子，名州，字支父，怀道之人，隐者也。尧知其贤，让以帝位。以我为帝，亦当能以为事，故言犹之可也。幽，深也。忧，劳也。言我滞竟幽深，固心忧劳，且欲修身，庶令合道，未有闲暇缉理万机也。 【释文】"子州支父"音甫。李云：支父，字也，即支伯也。"幽忧之病"王云：谓其病深固也。

〔二〕【疏】夫位登九五，威跨万乘，人伦尊重，莫甚于此，尚不以斯荣贵损害生涯,况乎他外事物,何能介意也!

〔三〕【疏】夫忘天下者,无以天下为也,唯此之人,可以委托于天
下也。

舜让天下于子州支伯。子州支伯曰:"予适有幽忧之
病,方且治之,未暇治天下也〔一〕。"故天下大器也,而不以
易生,此有道者之所以异乎俗者也〔二〕。

〔一〕【疏】舜之事迹,具在内篇。支伯,犹支父也。○俞樾曰:汉书古
今人表有子州支父,无支伯,则支父支伯是一人也。

〔二〕【疏】夫帝王之位,重大之器也,而不以此贵易夺其生,自非有
道,孰能如是! 故异于流俗之行也。

舜以天下让善卷,善卷曰:"余立于宇宙之中,冬日衣
皮毛,夏日衣葛絺;春耕种,形足以劳动;秋收敛,身足以休
食;日出而作,日入而息,逍遥于天地之间而心意自得。吾
何以天下为哉〔一〕! 悲夫,子之不知余也!"遂不受。于是
去而入深山,莫知其处。〔二〕

〔一〕【疏】姓善,名卷,隐者也。处于六合,顺于四时,自得天地之间,
逍遥尘垢之外,道在其中,故不用天下。 【释文】"善卷"卷勉
反,居阮反,又音眷。李云,姓善,名卷。○俞樾曰:吕览下贤篇
作善绻。"衣皮"於既反。下同。

〔二〕【疏】古人淳朴,唤帝为子。恨舜不识野情,所以悲叹。 【释
文】"其处"昌虑反。

舜以天下让其友石户之农,石户之农曰:"卷卷乎后
之为人,葆力之士也〔一〕!"以舜之德为未至也,于是夫负妻
戴,携子以入于海,终身不反也〔二〕。

〔一〕【疏】户字亦有作后者,随字读之。石户,地名也。农,人也,今江南唤人作农。此则舜之友人也。葆,牢固也。言舜心志坚固,〔筋〕力勤苦,腰背卷卷,不得归休,以此勤劳,翻来见让,故不受也。　【释文】"石户"本亦作后。"之农"李云:石户,地名。农,农人也。"卷卷"音权,郭音眷,用力貌。"葆力"音保,字亦作保。

〔二〕【疏】古人荷物,多用头戴,如今高丽犹有此风。以舜德化,未为至极,故携妻子,不践其土,入于大海州岛之中,往而不返也。【释文】"以入于海"司马云:凡言入者,皆居其海岛之上与其曲隈中也。

大王亶父居邠,狄人攻之〔一〕。事之以皮帛而不受,事之以犬马而不受,事之以珠玉而不受。狄人之所求者,土地也。大王亶父曰:"与人之兄居而杀其弟,与人之父居而杀其子,吾不忍也。子皆勉居矣! 为吾臣与为狄人臣奚以异!〔二〕且吾闻之,不以所用养害所养。"因杖筴而去之。民相连而从之,遂成国于岐山之下。〔三〕夫大王亶父,可谓能尊生矣。能尊生者,虽贵富不以养伤身,虽贫贱不以利累形。今世之人居高官尊爵者,皆重失之,见利轻亡其身,岂不惑哉!〔四〕

〔一〕【疏】亶父,王季之父,文王之祖也。邠,地名。狄人,猃狁也。国邻戎虏,故为狄人攻伐。　【释文】"大王"音太。下同。"亶"丁但反。"父"音甫。下同。"邠"笔贫反,徐甫巾反。

〔二〕【疏】事,奉也。勉,励也。奚,何。狄人贪残,意在土地,我不忍伤杀,汝勉力居之。

〔三〕【疏】用养,土地也。所养,百姓也。本用地以养人,今杀人以存地,故不可也。因拄杖而去,民相连续,遂有国于岐阳。　【释文】"不以所用养害所养"地,所以养人也。今争以杀人,是以地害人也。人为地养,故不以地故害人也。"因杖"直亮反。"筴"初革反。"相连"力展反。司马云:连,读曰辇。"岐山"其宜反,或祁支反。

〔四〕【疏】夫乱世浇伪,人心浮浅,徇于轩冕以丧其身,逐于财利以殒其命,不知轻重,深成迷惑也。　【释文】"不以养伤身不以利累形"王云:富贵有养,而不以(眛)〔眛〕①养伤身,贫贱无利,而不以求利累形也。

〔校〕①眛字依释文原本改。

越人三世弑其君,王子搜患之,逃乎丹穴。而越国无君,求王子搜不得,从之丹穴。王子搜不肯出,越人薰之以艾。乘以王①舆〔一〕。王子搜援绥登车,仰天而呼曰:"君乎君乎! 独不可以舍我乎!"王子搜非恶为君也,恶为君之患也。若王子搜者,可谓不以国伤生矣,此固越人之所欲得为君也〔二〕。

〔一〕【疏】搜,王子名也。丹穴,南山洞也。玉舆,君之车辇也。亦有作王字者,随字读之,所谓玉辂也。越国之人,频杀君主,王子怖惧,逃之洞穴,呼召不出,以艾薰之。既请为君,故乘以玉辂。　【释文】"弑其"音试。"王子搜"素羔反,又悉遭反,又邀遭②反。李云:王子名。淮南子作翳。○俞樾曰:释文云:搜,淮南子作翳。然翳之前无三世弑君之事。史记越世家索隐以搜为翳之子无颛。据竹书纪年,翳为其子所弑,越人杀其子,立无余,又见弑而立无颛。是无颛以前三君皆不善终,则王子搜是无颛之异名无疑矣。淮南子盖传闻之误,当据索隐订正。"丹穴"尔雅云:南戴日为丹穴。"以艾"五盖反。"王舆"一本作玉舆。

〔二〕【疏】援,引也。绥,车上绳也。辞不获免,长叹登车,非恶为君,恐为祸患。以其重生轻位,故可屈而为君也。 【释文】"援"音爱。"而呼"火故反。本或作叹。"以舍"音捨。"非恶"乌路反。下及下章真恶同。

〔校〕①赵谏议本王作玉。②邀遘疑悉邀之误。

韩魏相与争侵地。子华子见昭僖侯,昭僖侯有忧色[一]。**子华子曰:"今使天下书铭于君之前,书之言曰:'左手攫之则右手废,右手攫之则左手废,然而攫之者必有天下。'君能**①**攫之乎**[二]**?"**

〔一〕【疏】僖侯,韩国之君也。华子,魏之贤人也。韩魏相邻,争侵境土,干戈既动,胜负未知,怵惕居怀,故有忧色。 【释文】"子华子"司马云:魏人也。○俞樾曰:吕览贵生篇引子华子曰:全生为上,亏生次之,死次之,迫生为下。又诬徒篇引子华子曰:王者乐其所以王,亡者乐其所以亡。高注并云:子华子,古体道人。知度、审为两篇注同。"昭僖侯"司马云:韩侯。○俞樾曰:韩有昭侯,有僖王,无昭僖侯。

849

〔二〕【疏】铭,书记也。攫,捉取也。废,斩去之也。假且书一铭记投之于前,左手取铭则斩去右手,右手取铭则斩去左手,然取铭者必得天下,君取之不?(以)取〔以〕譬(谕)〔喻〕,借问韩侯也。

【释文】"攫"俱碧、俱缚二反,又史虢反。李云:取也。○卢文弨曰:旧作俱碧反,俱缚反,或又史虢反。讹。今皆从宋本改正。"废"李云:弃也。司马云:病也。一云:攫者,援书铭;废者,斩右手。

〔校〕①高山寺本君下无能字。

昭僖侯曰:"寡人不攫也〔一〕。"

〔一〕【疏】答云:不能斩两臂而取六合也。

子华子曰:"甚善〔一〕!自是观之,两臂重于天下也,身亦重于两臂。韩之轻于天下亦远矣〔二〕,今之所争者,其轻于韩又远。君固愁身伤生以忧戚不得也〔三〕!"

〔一〕【疏】叹君之言,甚当于理。

〔二〕【疏】自,从也。于此言而观察之,则一身重于两臂,两臂重于天下,天下又重于韩,韩之与天下,轻重(之)〔亦〕①远矣。

〔三〕【疏】所争者疆畔之间,故于韩轻重远矣,而必固忧愁,伤形损性,恐其不得,岂不惑哉! 【释文】"其轻于韩又远"绝句。

〔校〕①亦字依正文改。

僖侯曰:"善哉!教寡人者众矣,未尝得闻此言也。"子华子可谓知轻重矣〔一〕。

〔一〕【疏】顿悟其言,叹之奇妙也。

鲁君闻颜阖得道之人也,使人以币先焉〔一〕。颜阖守陋闾,苴布之衣而自饭牛〔二〕。鲁君之使者至,颜阖自对之。使者曰:"此颜阖之家与?"颜阖对曰:"此阖之家也。"使者致币,颜阖对曰:"恐听者①谬而遗使者罪,不若审之。"使者还,反审之,复来求之,则不得已。^{〔三〕}故若颜阖者,真恶富贵也。

〔一〕【疏】鲁侯,鲁哀公,或云,鲁定公也。姓颜,名阖,鲁人,隐者也。币,帛也。闻颜阖得清廉之道,欲召之为相,故遣使人赍持币帛,先通其意。 【释文】"鲁君"一本作鲁侯。李云:哀公也。

〔二〕【疏】苴布,子麻布也。饭,饲也。居疏陋之间巷,著粗恶之布衣,身自饭牛,足明贫俭。 【释文】"苴"音麤。徐七馀反。李云:有子麻也。本或作麤,非也。"饭牛"符晚反。

〔三〕【疏】遗,与也。不欲(授)〔受〕币,致此矫词以欺使者。○俞樾曰:上者字衍文。恐听谬而遗使者罪,恐其以误听得罪也。听即使者听之,非听者一人,使者一人也。吕氏春秋贵生篇正作恐听缪而遗使者罪。 【释文】"之使"所吏反。下及下章同。"家与"音馀。"而遗"唯季反。下皆同。"复来"音服,或音扶又反。下章皆同。

〔校〕①阖误引张君房本者作□。

故曰,道之真以治身,其绪馀以为国家,其土苴以治天下。由此观之,帝王之功,圣人之馀事也,非所以完身养生也^{〔一〕}。今世俗之君子,多危身弃生以殉物,岂不悲哉!凡圣人之动作也,必察其所以之与其所以为^{〔二〕}。今且^①有人于此,以随侯之珠弹千仞之雀,世必笑之。是何也?则其所用者重而所要者轻也。夫生者,岂特随侯之重哉!^{〔三〕}

851

〔一〕【疏】绪,残也。土,粪也。苴,草也。夫用真道以持身者,必以国家为残馀之事,将天下同于草土者也。 【释文】"绪馀"并如字。徐上音奢,下以嗟反。司马李云:绪者,残也,谓残馀也。○

庆藩案,文选司马子长报任少卿书注引司马云:绪,馀也。视释
文较略。"土"敕雅反,又片贾、行贾二反,又音如字。"苴"侧雅
反,又知雅反。司马云:土苴,如粪草也。李云:土苴,糟魄也,皆
不真物也。一云:土苴,无心之貌。

〔二〕【疏】殉,逐也。察世人之所适往,观黎庶之所云为,然后动作而
应之也。　【释文】"必察其所以之"王云,圣人真以持身,馀以
为国,故其动作必察之焉。所以之者,谓德所加之方也。所为
者,谓所以待物也。动作如此,不必察也。

〔三〕【疏】随国近濮水,濮水出宝珠,即是灵蛇所衔以报恩,随侯所得
者,故谓之随侯之珠也。夫雀高千仞,以珠弹之,所求者轻,所
用者重,伤生殉物,其义亦然也。　【释文】"所要"一遥反。○
俞樾曰:随侯下当有珠字。若无珠字,文义不足。吕氏春秋贵生
篇作夫生岂特随侯珠之重也哉,当据补。

〔校〕①高山寺本今下无且字。

子列子穷,容貌有饥色。客有言之于郑子阳者曰:
"列御寇,盖有道之士也,居君之国而穷,君无乃为不好士
乎?"〔一〕郑子阳即令官遗之粟。子列子见使者,再拜而
辞〔二〕。

〔一〕【疏】子阳,郑相也。御寇,郑人也,有道而穷。子阳不好贤士,
远游之客讥刺子阳。　【释文】"子阳"郑相。"不好"呼报反。

〔二〕【疏】命召主仓之官,令与之粟。御寇清高,辞谢不受也。　【释
文】"即令"力呈反。

使者去,子列子入,其妻望之而拊心曰:"妾闻为有道

者之妻子,皆得伕乐,今有饥色。君过而遗先生食,先生不受,岂不命邪①![一]"

〔一〕【疏】与粟不受,天命贫穷,嗟惋拊心,责夫罪过。故知黔娄之妻,不及老莱之妇远矣。 【释文】"拊心"徐音抚。"得伕"音逸。"乐"音洛。"君过"古卧反。本亦作遇。

〔校〕①高山寺本岂不命邪作岂非命也哉。

子列子笑谓之曰:"君非自知我也。以人之言而遗我粟,至其罪我也又且以人之言,此吾所以不受也。"其卒,民果作难而杀子阳[一]。

〔一〕【疏】子阳严酷,人多怒之。左右有误折子阳弓者,恐必得罪,因国人逐猏狗,遂杀子阳也。 【释文】"作难"乃旦反。下章同。"杀子阳"子阳严酷,罪者无赦。舍人折弓,畏子阳怒责,因国人逐猏狗而杀子阳。○俞樾曰:子阳事见吕览适威篇、淮南氾论训。至史记郑世家则云,繻公二十五年,郑公杀其相子阳。二十七年,子阳之党共弑繻公骀,又与诸书不同。

楚昭王失国,屠羊说走而从于昭王[一]。昭王反国,将赏从者,及屠羊说。屠羊说曰:"大王失国,说失屠羊;大王反国,说亦反屠羊。臣之爵禄已复矣,又何赏之有!"

〔一〕【疏】昭王,名轸,平王之子也。伍奢伍尚遭平王诛戮,子胥奔吴而耕于野,后至吴王阖闾之世,请兵伐楚,遂破楚入郢以雪父之仇。其时昭王窘急,弃走奔随,又奔于郑。有屠羊贱人名说,从王奔走。奔走之由,置在下文。 【释文】"楚昭王"名轸,平王子。"屠羊说"音悦,或如字。

王曰:"强之!"

屠羊说曰:"大王失国,非臣之罪,故不敢伏其诛;大王反国,非臣之功,故不敢当其赏。"

王曰:"见之!"

屠羊说曰:"楚国之法,必有重赏大功而后得见,今臣之知不足以存国而勇不足以死寇。吴军入郢,说畏难而避寇,非故随大王也。今大王欲废法毁约而见说,此非臣之所以闻于天下也。"

王谓司马子綦曰:"屠羊说居处卑贱而陈义甚高,子綦为我延之以三旌之位[一]。"

〔一〕【疏】三旌,三公也。亦有作珪字者,谓三卿皆执珪,故谓三卿为珪也。○俞樾曰:子綦为我延之以三旌之位句,此昭王自与司马子綦言,当称子,不当称子綦。綦字衍文。 【释文】"从者"才用反。"强之"其丈反。"见之"贤遍反,下同。"之知"音智。"入郢"以井反。"毁约"如字。徐於妙反。"而见"如字,亦贤遍反。"为我"于伪反。"三旌"三公位也。司马本作三珪,云:谓诸侯之三卿皆执圭也。○庆藩案,白帖、御览二百二十八,并引司马本三旌作三珪,云:诸侯三卿,皆执三珪。与释文小异。

屠羊说曰:"夫三旌之位,吾知其贵于屠羊之肆也;万钟之禄,吾知其富于屠羊之利也;然岂可以贪爵禄而使吾君有妄施之名乎[一]!说不敢当,愿复反吾屠羊之肆。"遂不受也。

〔一〕【释文】"妄施"如字,又始豉反。

原宪居鲁，环堵之室，茨以生草；蓬户不完，桑以为枢；而瓮牖二室，褐以为塞；上漏下湿，匡坐而弦①〔一〕。

〔一〕【疏】原宪，孔子弟子，姓原，名思，字宪也。周环各一堵，谓之环堵，犹方丈之室也。以草盖屋，谓之茨也。褐，粗衣也。匡，正也。原宪家贫，室唯环堵，仍以草覆舍，桑条为枢，蓬作门扉，破瓮为牖，夫妻二人各居一室，逢雨湿而弦歌自娱，知命安贫，所以然也。　【释文】"茨"徐疾私反。李云：盖屋也。○庆藩案，生草，新序节士篇作生蒿，蒿亦草也。生者，谓新生未干之草，即牵萝补屋之意也。"蓬户"织蓬为户。"桑以为枢"尺朱反。司马云：屈桑条为户枢也。"瓮牖"音酉。司马云：破瓮为牖。"二室"司马云：夫妻各一室。"褐"下葛反，郭音葛，字或作(褐)〔襦〕②。"为塞"悉代反。司马云：以褐衣塞牖也。"匡坐而弦"司马云：匡，正也。案弦谓弦歌。

〔校〕①阙误引张君房本弦下有歌字。②襦字依释文原本及世德堂本改。

子贡乘大马，中绀而表素，轩车不容巷，往见原宪〔一〕。原宪华冠縰履，杖藜而应门〔二〕。

〔一〕【疏】子贡，孔子弟子，名赐，能言语，好荣华。其轩盖是白素，(裹)〔里〕为绀色，车马高大，故巷道不容也。　【释文】"中绀"古暗反。李云：绀为中衣，加素为表。

〔二〕【疏】縰，蹑也。以华皮为冠，用藜藿为杖，贫无仆使，故自应门也。　【释文】"华冠"胡化反。以华木皮为冠。○庆藩案，华，(桦)〔樗〕①也。说文：(桦)〔樗〕木也，以其皮裹松脂，读若华。或作檴。玉篇：檴(桦)〔樗〕，并胡霸、胡郭二切。字通作华。司马相如上林赋华枫枰栌，张揖曰：华皮可以为索。"縰履"所倚

反,或所买反。本或作縰。并下曳縰同。三苍解诂作躧,云:蹑
也。声类或作屣。韦昭苏寄反。通俗文云:履不著跟曰屣。司
马本作跣。李云:縰履,谓履无跟也。王云:体之能蹑举而曳之
也。履,或作屦。"杖藜"以藜为杖也。司马本作扶杖也。"应
门"自对门也。

〔校〕①樺字依段氏说文改。

子贡曰:"嘻! 先生何病?"

原宪应之曰:"宪闻之,无财谓之贫,学而不能行谓之
病。今宪,贫也,非病也。"子贡逡巡而有愧色[一]。

〔一〕【疏】嘻,笑声也。逡巡,却退貌也。以俭系奢,故怀惭愧之色。
【释文】"嘻"许其反。"逡巡"七旬反。

原宪笑曰:"夫希世而行,比周而友,学以为人,教以
为己,仁义之慝,舆马之饰,宪不忍为也[一]。"

〔一〕【疏】慝,奸恶也。饰,庄严也。夫趋世候时,希望富贵,周旋亲
比,以结朋党,自求名誉,学以为人,多觅束修,教以为己,托仁
义以为奸慝,饰车马以炫矜夸,君子耻之,不忍为之也。 【释
文】"希世而行"司马云:希,望也。所行常顾世誉而动,故曰希
世而行。"比周"毗志反。"为人"于伪反。下为己同。"教以为
己"学当为己,教当为人,今反不然也。"仁义之慝"吐得反,恶
也。司马云:谓依托仁义为奸恶。

曾子居卫,缊袍无表,颜色肿哙,手足胼胝[一]。三日
不举火,十年不制衣,正冠而缨绝,捉衿而肘见,纳屦而踵
决[二]。曳縰而歌商颂,声满天地,若出金石。天子不得

臣,诸侯不得友〔三〕。故养志者忘形,养形者忘利,致道者忘心矣〔四〕。

〔一〕【疏】以麻缊袍絮,复无表里也。肿哙,犹剥错也。每自力作,故生胼胝。 【释文】"缊袍"纤纷反。司马云:谓麻缊为絮,论语云衣敝缊袍是也。"种"本亦作肿,章勇反。○卢文弨曰:今书作肿。"哙"古外反,徐古活反。司马云:种哙,剥错也。王云:盈虚不常之貌。○庆藩案,释文引司马云,种哙,剥错也。王云,盈虚不常之貌。据说文:哙,咽也;一曰馋,哙也。疑字当为癏,病甚也。通作殨,肿决曰殨。说文:瘣,病也,一曰肿旁出。哙殨瘣,并一声之转。"胼"薄田反。"胝"竹尼反。

〔二〕【疏】守分清虚,家业穷窭,三日不营熟食,十年不制新衣,绳烂正冠而缨断,袖破捉衿而肘见,履败纳之而(根)〔跟〕后决也。 【释文】"肘"竹久反。"见"贤遍反。

〔三〕【疏】〔响〕歌商颂(响),韵叶宫商,察其词理,雅符天地,声气清虚,又谐金石,风调高素,超绝人伦,故不与天子为臣,不与诸侯为友也。

〔四〕【疏】夫君子贤人,不以形挫志;摄卫之士,不以利伤生;得道之人,(志)〔忘〕心知之术也。

孔子谓颜回曰:"回,来!家贫居卑,胡不仕乎?"

颜回对曰:"不愿仕。回有郭外之田五十亩,足以给飦粥;郭内之田十亩,足以为丝麻;鼓琴足以自娱,所学夫子之道者足以自乐也。回不愿仕。"

孔子愀然变容曰:"善哉回之意!丘闻之:'知足者不

以利^①自累也,审自得者失之而不惧,行修于内者无位而不怍。'丘诵之久矣,今于回而后见之,是丘之得也。"〔一〕

〔一〕【疏】飪,糜也。怍,羞也。夫自得之士,不以得丧骇心;内修之人,岂复羞惭无位!孔子诵之,其来已久,今劝回仕,岂非失言!因回反照,故言丘得之矣。　【释文】"飪"之然反。字或作饐。广雅云:糜也。一云:纪言反。家语云:厚粥。一音干,谓干飪。○卢文弨曰:飪,旧讹饼,今改正。"粥"之六反,又音育。"自乐"音洛。"愀"七小反,徐在九反,又七了、子了二反,又资西反。李音秋,又七遥反。一本作欣。○卢文弨曰:旧作七了反,子了反,今改正。下七遥反,旧脱七字,亦补正。"行修"下孟反。"不怍"在洛反。尔雅云:惭也。又音昨。

〔校〕①阙误引江南李氏本利作羡。

中山公子牟谓瞻子曰:"身在江海之上,心居乎魏阙之下,奈何〔一〕?"

〔一〕【疏】瞻子,魏之贤人也。魏公子名牟,封中山,故曰中山公子牟也。公子有嘉遁之情而无高蹈之德,故身在江海上而隐遁,心思魏阙下之荣华,既见贤人,借问其术也。　【释文】"公子牟"司马云:魏之公子,封中山,名牟。"瞻子"贤人也。淮南作詹。"魏阙"淮南作魏。司马本同,云:魏,读曰魏。象魏观阙,人君门也,言心存荣贵。许慎云:天子两观也。○卢文弨曰:案今淮南亦作魏。

瞻子曰:"重生。重生则利轻〔一〕。"

〔一〕【疏】重于生道,则轻于荣利,荣利既轻,则不思魏阙。　【释文】

"重生"李云:重存生之道者,则名利轻,轻则易绝矣。此人身居
江海,心贪荣利,故以此戒之。

中山公子牟曰:"虽知之,未能自①胜也〔一〕。"

〔一〕【疏】虽知重于生道,未能胜于情欲。 【释文】"能胜"音升。
下同。

〔校〕①世德堂本无自字。

瞻子曰:"不能自胜则从,神无恶乎〔一〕？不能自胜而
强不从者,此之谓重伤。重伤①之人,无寿类矣。〔二〕"

〔一〕【疏】若不胜于情欲,则宜从顺心神,亦不劳妄生嫌恶也。 【释
文】"不能自胜则从"绝句。一读至神字绝句。○俞樾曰:释文
曰,不能自胜则从绝句,此读是也。又曰:一读至神字绝句,则
失之。吕氏春秋审为篇亦载此事,作不能自胜则纵之,神无恶
乎？文子下德篇、淮南子道应篇并叠从之二字,作从之从之,则
从神之不当连读明矣。又案从,吕氏春秋作纵,则当读子用反,
而释文无音,亦失之。"无恶"如字。又乌路反。"乎"绝句。一
读连下不能自胜为句。

〔二〕【疏】情既不胜,强生抑挫,情欲已损,抑又乖心,故名重伤也。
如此之人,自然夭折,故不得与寿考者为侪类也。 【释文】"重
伤"直用反。下同。○俞樾曰:重伤,犹再伤也。不能自胜,则
已伤矣;又强制之而不使纵,是再伤也。故曰此之谓重伤。吕氏
春秋审为篇高诱注曰:重读复重之重。是也。释文音直用反,
非是。

〔校〕①赵谏议本无此重伤二字。

魏牟,万乘之公子也,其隐岩穴也,难为于布衣之士;
虽未至乎道,可谓有其意矣〔一〕。

〔一〕【疏】夫大国王孙,生而荣贵,遂能岩栖谷隐,身履艰辛,虽未阶
乎玄道,而有清高之志,足以激贪励俗也。 【释文】"万乘"绳
證反。

孔子穷于陈蔡之间,七日不火食,藜羹不糁,颜色甚
惫,而弦歌于室〔一〕。颜回择①菜,子路子贡相与言曰:"夫
子再逐于鲁,削迹于卫,伐树于宋,穷于商周,围于陈蔡,杀
夫子者无罪,藉夫子者无禁。弦歌鼓琴,未尝绝音,君子之
无耻也若此乎?〔二〕"

〔一〕【疏】陈蔡之事,外篇已解。既遭饥馁,营无火食,藜菜之羹,不
加米糁,颜色衰惫而歌乐自娱,达道圣人,不以为事也。 【释
文】"不火食"元嘉本无火字。"不糁"素感反。"甚惫"皮拜反。

〔二〕【疏】仕于鲁而被放,游于卫而削迹,讲于宋树下而司马桓魋欲
杀夫子,憎其坐处,遂伐其树。故欲杀夫子,当无罪咎,凌藉之
者,应无禁忌。由赐未达,故发斯言。 【释文】"伐树于宋"孔
子之宋,与弟子习礼大树下,宋司马桓魋欲杀孔子,伐其树,孔
子遂行。"藉"藉,毁也。又云:凌藉也。一云:凿也。或云:
系也。

〔校〕①赵谏议本择作释。

颜回无以应,入告孔子。孔子推琴喟然而叹曰:"由
与赐,细人也。召而来,吾语之。"

子路子贡入。子路曰:"如此者可谓穷矣!"〔一〕

〔一〕【疏】喟然,嗟叹貌。由与赐,细碎之人也。命召将来,告之善
道。如斯困苦,岂不穷乎! 【释文】"喟"去愧反,又苦怪反。

“语之”鱼據反。

孔子曰："是何言也! 君子通于道之谓通,穷于道之谓穷。今丘抱仁义之道以遭乱世之患,其何穷之为! 故内省而不穷于道,临难而不失其德,天寒既至,霜雪^①既降,吾是以知松柏之茂也^②。陈蔡之隘,于丘其幸乎!"〔一〕

〔一〕【疏】夫岁寒别木,处穷知士,因难显德,可谓幸矣。○庆藩案,何穷之为,为,犹谓也。古谓为二字义通。吕氏春秋慎人篇作何穷之谓。吕氏春秋精谕篇胡为不可,淮南原道、道应篇作胡谓不可。汉书高帝纪郦食其为里监门,史记为作谓,皆其证。(案左传一之谓甚,韩诗外传王欲用何谓辞之,新序杂事篇何谓至于此也,谓字并与为同义。) 【释文】"临难"乃旦反。○俞樾曰:天乃大字之误。国语鲁语大寒降,韦昭注曰:谓季冬建丑之月,大寒之后也。若作天寒既至,失其义矣。吕氏春秋慎人篇亦载此事,正作大寒。"之隘"音厄,又於懈反。

〔校〕①赵谏议本雪作露。②阙误引江南古藏本茂也下有桓公得之莒,文公得之曹,越王得之会稽十六字。

孔子削然反琴而弦歌,子路扢然执干而舞〔一〕。子贡曰:"吾不知天之高也,地之下也。"

〔一〕【疏】削然,取琴声也。扢然,奋勇貌也。既师资领悟,彼此欢娱也。 【释文】"削然"如字。李云:反琴声。亦作梢,音消。○卢文弨曰:宋本梢作俏。"扢"许讫反,又巨乙反,鱼乙反。李云:奋舞貌。司马云:喜貌。"执干"干,楯也。

古之得道者,穷亦乐,通亦乐。所乐非穷通也,道德^①于此,则穷通为寒暑风雨之序矣。〔一〕故许由娱^②于颍阳而共伯得乎共首③〔二〕。

〔一〕【疏】夫阴阳天地有四序寒温,人处其中,何能无穷通否泰耶!故得道之人,处穷通而常乐,譬之风雨,何足介怀乎! 【释文】"亦乐"音洛,下同。○俞樾曰:德当作得。吕览慎人篇作道得于此,则穷达一也,为寒暑风雨之序矣。疑此文穷通下,亦当有一也二字,而今夺之。

〔二〕【疏】共伯,名和,周王之孙也,怀道抱德,食封于共。厉王之难,天子旷绝,诸侯知共伯贤,请立为王,共伯不听,辞不获免,遂即王位。一十四年,天下大旱,舍屋生火,卜曰:厉王为祟。遂废共伯而立宣王。共伯退归,还食本邑,立之不喜,废之不怨,逍遥于丘首之山。丘首山,今在河内。颍阳,地名,在襄阳,未为定地名也。故许由娱乐于颍水,共伯得志于首山也。 【释文】"虞于颍阳"广雅云:虞,安也。安于颍阳。一本作娱④。娱,乐也。"共伯"音恭,下同。"得乎共首"司马云:共伯名和,修其行,好贤人,诸侯皆以为贤。周厉王之难,天子旷绝,诸侯皆请以为天子,共伯不听,即干王位。十四年,大旱屋焚,卜于太阳,兆曰:厉王为祟。召公乃立宣王。共伯复归于宗,逍遥得意共山之首。共丘山,今在河内共县西。鲁连子云:共伯后归于国,得意共山之首。纪年云:共伯和即干王位。孟康注汉书古今人表,以为入为三公。本或作丘首。○卢文弨曰:案今蜀书作摄行天子事。○庆藩案,路史发挥二注引司马云:共伯和修行而好贤。厉王之难,天子旷绝,诸侯知共伯贤,立为天子。共伯不听,弗获免,遂即王位。一十四年,天下大旱,舍屋焚,卜于太阳,兆曰:厉王为祟。召公乃立宣王。共伯还归于宗,逍遥得意于共丘山之首。与释文小异。○藩又案,释文引司马云,共伯逍遥得意于共山

之首,而不详共山属某所,疑共首即共头也。荀子儒效篇至共头
而山隧,杨倞注:共,河内县名,共头盖共县之山名。卢云:共头
即庄子之共首。吕氏春秋诚廉篇亦作共头。此首字亦当为头之
误。(头从页,页即首字也。古头首字通用。)

〔校〕①高山寺本德作得。②阙误引江南古藏本娱作虞。③阙误引
江南古藏本得乎共首作得志乎丘首。赵谏议本共作丘。④今本
作娱。

舜以天下让其友北人无择,北人无择曰:"异哉后之
为人也,居于畎畆之中而游尧之门! 不若是而已,又欲以
其辱行漫我。吾羞见之。"因自投清泠之渊^{〔一〕}。

〔一〕【注】孔子曰:士志于仁者,有杀身以成仁,无求生以害仁。夫志
尚清遐,高风邈世,与夫贪利没命者,故有天地之降也。 【疏】
北方之人,名曰无择,舜之友人也。后,君也。垄上曰亩,下曰
畎。清泠渊,在南阳西崿县界。舜耕于历山,长于垄亩,游尧门
阙,受尧禅让,其事迹岂不如是乎? 又欲将耻辱之行污漫于我。
以此羞惭,遂投清泠也。○俞樾曰:广韵二十五德北字注:古有
北人无择。则北人是复姓。汉书古今人表作北人亡择。 【释
文】"畎"古犬反。"畆"司马云:垄上曰畆,垄中曰畎。○卢文
弨曰:畆字俗,说文作畮,亦作畆为正。"辱行"下孟反。下章
同。"漫我"武谏反,徐武畔反。下章同。"清泠"音零。"之
渊"山海经云:在江南。一云:在南阳郡西崿山下。

汤将伐桀,因卞随而谋,卞随曰:"非吾事也。"

汤曰:"孰可?"

曰:"吾不知也。"

汤又因瞀^①光而谋,瞀光曰:"非吾事也。"

〔校〕①赵谏议本作务,下同。

汤曰:"孰可?"

曰:"吾不知也。"

汤曰:"伊尹何如?"

曰:"强力忍垢,吾不知其他也。"〔一〕

〔一〕【疏】姓卞,名随,姓务,名光,并怀道之人,隐者也。汤知其贤,因之谋议。既非隐者之务,故答以不知。姓伊,名尹,字贽,佐世之贤人也。忍,耐也。垢,耻辱也。既欲阻兵,应须强力之士;方将弑主,亦藉耐羞之人;他外之能,吾不知也。 【释文】"瞀光"音务,又莫豆反。本或作务。"强力"李云:阻兵须力。○卢文弨曰:旧阻讹徂,今改正。"忍垢"司马云:垢,辱也。李云:弑君须忍垢也。

汤遂与伊尹谋伐桀,克之,以让卞随。卞随辞曰:"后之伐桀也谋乎我,必以我为贼也;胜桀而让我,必〔以〕^①我为贪也。吾生乎乱世,而无道之人再来漫我以其辱行,吾不忍数闻也。"乃自投(稠)〔椆〕^②水而死。〔一〕

〔一〕【疏】漫。污也。椆水,在颍川郡界。字又作桐。 【释文】"数闻"音朔。"(稠)〔椆〕水"直留反。本又作桐水。徐音同,又徒董反,又音封。本又作稠。司马本作洞,云:洞水在颍川。一云:在范阳郡界。

〔校〕①以字依世德堂本补。②椆字依世德堂本及释文原本改。下

864

汤又让瞀光曰："知者谋之,武者遂之,仁者居之,古之道也。吾子胡不立乎？"

瞀光辞曰："废上,非义也；杀民,非仁也；人犯其难,我享其利,非廉也〔一〕。吾闻之曰,非其义者,不受其禄,无道之世,不践其土。况尊我乎！吾不忍久见也。"乃负石而自沉于庐水〔二〕。

〔一〕【疏】享,受也。废上,谓放桀也。杀民,谓征战也。〔人〕①犯其难,谓遭诛戮也。我享其利,谓受禄也。【释文】"知者"音智。"其难"乃旦反。

〔二〕【注】旧说曰:如卞随务光者,其视天下也若六合之外,人所不能察也。斯则谬矣。夫轻天下者,不得有所重也,苟无所重,则无死地矣。以天下为六合之外,故当付之尧舜汤武耳。淡然无系,故(汛)〔汎〕②然从众,得失无概于怀,何自投之为哉！若二子者,可以为殉名慕高矣,未可谓外天下也③。【疏】庐水,在辽西北平郡界也。【释文】"庐水"音闾。司马本作卢水,在辽东西界。一云在北平郡界。"淡然"徒暂反。"无概"古代反。

〔校〕①人字依正文补。②汎字依世德堂本改。③赵谏议本无也字。

昔周之兴,有士二人处于孤竹,曰伯夷叔齐。二人相谓曰："吾闻西方有人,似有道者,试往观焉〔一〕。"至于岐阳,武王闻之,使叔旦往见之,与①盟曰："加富二等,就官列。"血牲而埋之〔二〕。

〔一〕【疏】孤竹,国名,在辽西。伯夷叔齐,兄弟让位,闻文王有道,故往观之。夷齐事迹,外篇已解矣。 【释文】"孤竹"司马云:孤竹国,在辽东令支县界。伯夷叔齐,其君之二子也。令,音郎定反。支,音巨移反。

〔二〕【疏】岐阳是岐山之阳,文王所都之地,今扶风是也。周公名旦,是武王之弟,故曰叔旦也。其时文王已崩,武王登极,将欲伐纣,招慰贤良,故令周公与其盟誓,加禄二级,授官一列,仍牲血衅其盟书,埋之坛下也。 【释文】"血牲"一本作杀牲。司马本作血之以牲。

〔校〕①世德堂本与下有之字。

二人相视而笑曰:"嘻,异哉! 此非吾所谓道也。昔者神农之有天下也,时祀尽敬而不祈喜①;其于人也,忠信尽治而无求焉〔一〕。乐与政为政,乐与治为治,不以人之坏自成也,不以人之卑自高也,不以遭时自利也〔二〕。今周见殷之乱而遽为政,上谋而下②行货,阻兵而保威,割牲而盟以为信,扬行以说众,杀伐以要利,是推乱以易暴也〔三〕。吾闻古之士,遭治世不避其任,遇乱世不为苟存。今天下闇,(周)〔殷〕③德衰,其并乎周以涂吾身也,不如避之以絜吾行。"二子北至于首阳之山,遂饿而死焉。若伯夷叔齐者,其于富贵也,苟可得已,则必不赖。高节戾行,独乐其志,不事于世,此二士之节也。〔四〕

〔一〕【疏】祈,求也。喜,福也。神农之世,淳朴未残,四时祭祀,尽于恭敬,其百姓忠诚信实,缉理而已,无所求焉。 【释文】"嘻"许其反,一音於其反。"祈喜"如字。徐许记反。○俞樾曰:喜当作禧。尔雅释诂:禧,福也。不祈禧者,不祈福也。吕氏春秋诚廉篇作时祀尽敬而不祈福也，与此字异义同。"尽治"直吏反。

〔二〕【疏】为政顺事，百姓缉理，从于物情，终不幸人之灾以为己福，愿人之险以为己利也。

〔三〕【疏】遄，速也。速为治政，彰纠之虐，谋谟行货以保兵威，显物行说以化黎庶，可谓推周之乱以易殷之暴也。○王念孙曰：上谋而下行货，下字后人所加也。上与尚同。上谋而行货，阻兵而保威，句法正相对。后人误读上为上下之上，故加下字耳。吕氏春秋诚廉篇正作上谋而行货，阻兵而保威。【释文】"扬行"下孟反。下吾行、戾行同。"以说"音悦。"以要"一遥反。

〔四〕【注】论语曰：伯夷叔齐饿于首阳之下，不言其死也。而此云死焉，亦欲明其守饿以终，未必饿死也。此篇大意，以起高让远退之风。故被其风者，虽贪冒之人，乘天衢，入紫庭，犹时慨然中路而叹，况其凡乎！故夷许之徒，足以当稷契，对伊吕矣。夫居山谷而弘天下者，虽不俱为圣佐，不犹高于蒙埃尘者乎！其事虽难为，然其风少弊，故可遗也。曰：夷许之弊安在？曰：许由之弊，使人饰让以求进，遂至乎之哙也；伯夷之风，使暴虐之君得肆其毒而莫之敢亢也；伊吕之弊，使天下贪冒之雄敢行篡逆；唯圣人无迹，故无弊也。若以伊吕为圣人之迹，则伯夷叔齐亦圣人之迹也；若以伯夷叔齐非圣人之迹邪？则伊吕之事亦非圣〔人〕④矣。夫圣人因物之自行，故无迹。然则所谓圣者，我本无迹，故物得其迹，迹得而强名圣，则圣者乃无迹之名也。

【疏】涂，污也。若与周并存，恐污吾行，不如逃避，饿死于首山。首山在蒲州城南近河是也。【释文】"故被"皮义反。"贪冒"亡北反，或亡报反。下同。"稷契"息列反。"之哙"音快。"篡"初患反。唐云：或曰：让王之篇，其章多重生，而务光二三子自投于水,何也? 答曰:庄书之兴,存乎反本,反本之由,先于去荣;是以明让王之一篇,标傲世之逸志,旨在不降以屈俗,无厚身以全生。所以时有重生之辞者,亦归弃荣之意耳,深于尘务之为弊也。其次者,虽复被褐啜粥,保身而已。其全道尚高而超俗自逸,宁投身于清泠,终不屈于世累也。此旧集音有,聊复录之,于义无当也。

〔校〕①高山寺本作熹。②高山寺本无下字。③殷字依高山寺本及阙误引江南古藏本李氏本改。④人字依赵谏议本补。

杂篇 盗跖第二十九 〔一〕

〔一〕【释文】以人名篇。

孔子与柳下季为友,柳下季之弟,名曰盗跖。盗跖从卒九千人,横行天下,侵暴诸侯,穴室枢①户,驱人牛马,取人妇女,贪得忘亲,不顾父母兄弟,不祭先祖。所过之邑,大国守城,小国入保,万民苦之。〔一〕

〔一〕【疏】姓展,名禽,字季,食采柳下,故谓之柳下季。亦言居柳树之下,故以为号。展禽是鲁庄公时,孔子相去百余岁,而言友者,盖寓言也。跖者,禽之弟名也,常为巨盗,故名盗跖。穿穴屋室,解脱门枢,而取人牛马也。亦有作空字、驱字者。保,小城也。为害既巨,故百姓困之。 【释文】“孔子与柳下季为友”柳下惠姓展,名获,字季禽。一云:字子禽,居柳下而施德惠。一云:惠,谥也。一云:柳下,邑名。案左传云,展禽是鲁僖公时人,至孔子生八十余年,若至子路之死百五六十岁,不得为友,是寄言也。"盗跖"之石反。李奇注汉书云：跖，秦之大盗也。〇俞樾曰：史记伯夷传正义又云，蹻者，黄帝时大盗之名。是跖之为何时人，竟无定说。孔子与柳下惠不同时，柳下惠与盗跖亦不同时，读者勿以寓言为实也。"从"才用反。"卒"尊忽反。下同。"枢户"尺朱反，徐苦沟反。司马云：破人户枢而取物也。"入保"郑注礼记曰：小城曰保。

〔校〕①阙误引刘得一本枢作抠。

孔子谓柳下季曰："夫为人父者，必能诏其子；为人兄者，必能教其弟。若父不能诏其子，兄不能教其弟，则无贵父子兄弟之亲矣。今先生，世之才士也，弟为盗跖，为天下害，而弗能教也，丘窃为先生羞之。丘请为先生往说之。"

柳下季曰："先生言为人父者必能诏其子，为人兄者必能教其弟，若子不听父之诏，弟不受兄之教，虽今先生之辩，将奈之何哉！且跖之为人也，心如涌泉，意如飘风，强足以距①敌，辩足以饰非，顺其心则喜，逆其心则怒，易辱人以言。先生必无往。"

孔子不听，颜回为驭，子贡为右，往见盗跖。盗跖乃方休卒徒②大③山之阳，脍人肝而餔之〔一〕。孔子下车而前，见谒者曰："鲁人孔丘，闻将军高义，敬再拜谒者。"

〔一〕【疏】餔，食也。子贡骖乘，在车之右也。　【释文】"能诏"如字，教也。"窃为"于伪反。下请为、为我、窃为、使为皆同。"说之"始锐反。"飘风"婢遥反，徐扶遥反。"易辱"以豉反。"大山"音太。"脍"古外反。"餔"布吴反，徐甫吴反。字林云：日申时食也。

〔校〕①世德堂本距作拒。②阙误引江南古藏本徒下有于字。③赵谏议本大作太,阙误同。

　　谒者入通,盗跖闻之大怒,目如明星,发上指冠,曰:"此夫鲁国之巧伪人孔丘非邪? 为我告之:'尔作言造语,妄称文武〔一〕,冠枝木之冠,带死牛之胁〔二〕,多辞缪说,不耕而食,不织而衣,摇唇鼓舌,擅生是非,以迷天下之主,使天下学士不反其本,妄作孝弟①而傲幸于封侯富贵者也〔三〕。子之罪大极重,疾走归! 不然,我将以子肝益昼餔②之膳!'"

〔一〕【疏】言孔子宪章文武,祖述尧舜,刊定礼乐,遗迹将来也。
　　【释文】"发上"时掌反。"此夫"音符,又如字。

〔二〕【疏】胁,肋也。言尼父所戴冕,浮华雕饰,华叶繁茂,有类树枝。又将牛皮用为革带,既阔且坚,又如牛肋也。　　【释文】"冠"古乱反。"枝木之冠"如字。司马云:冠多华饰,如木之枝繁。"带死牛之胁"许劫反。司马云:取牛皮为大革带。

〔三〕【疏】傲幸,冀望也。夫作孝弟,序人伦,意在乎富贵封侯者也。故历聘不已,接舆有凤兮之讥;弃本滞迹,师金致刍狗之诮也。【释文】"缪说"音谬。"孝弟"音悌。本亦作悌。"而傲"古尧反。○俞樾曰:极当作殛。尔雅释言:殛,诛也。言罪大而诛重也。极殛古字通。书洪范篇鲧则殛死,多士篇大罚殛之,僖二十八年左传明神殛之,昭七年传昔尧殛鲧于羽山,释文并曰:殛,本作极。

〔校〕①赵谏议本弟作悌。②赵本餔作脯。

　　孔子复通曰:"丘得幸①于季,愿望履幕下〔一〕。"

〔一〕【疏】言丘幸其得与贤兄朋友,不敢正睹仪容,愿履帐幕之下。亦有作綦字者。綦,履迹也。愿履綦迹,犹看足下。 【释文】"复通"扶又反,下同。"愿望履幕下"司马本幕作綦,云:言视不敢望跖面,望履结而还也。

〔校〕①赵谏议本幸下有然字。

谒者复通,盗跖曰:"使来前!"

孔子趋而进,避席反走,再拜盗跖。盗跖大怒,两展其足,案剑瞋目,声如乳虎,曰:"丘来前! 若所言,顺吾意则生,逆吾心则死。"〔一〕

〔一〕【疏】趋,疾行也。反走,却退。两展其足,伸两脚也。 【释文】"反走"小却行也。〇庆藩案,文选谢灵运〔从〕斤(行)〔竹〕涧越岭溪行注引司马云:展,申也。释文阙。"瞋"赤真反,徐赤夷反。广雅云:张也。"如乳"如树反。

孔子曰:"丘闻之,凡天下①**有三德:生而长大,美好无双,少长贵贱见而皆说之,此上德也;知维天地,能辩诸物,此中德也;勇悍果敢,聚众率兵,此下德也。凡人有此一德者,足以南面称孤矣。今将军兼此三者,身长八尺二寸,面目有光,唇如激丹,齿如齐贝,音中黄钟,而名曰盗跖,丘窃为将军耻不取焉**〔一〕**。将军有意听臣,臣请南使吴越,北使齐鲁,东使宋卫,西使晋楚,使为将军造大城数百里,立数十万户之邑,尊将军为诸侯,与天下更始,罢兵休卒,收养昆弟,共祭先祖。此圣人才士之行,而天下之愿也。"**

〔一〕【疏】激,明也。贝,珠也。黄钟,六律声也。 【释文】"少长"诗召反,下丁丈反。"皆说"音悦。下同。"知维"音智。"勇

悍"户旦反。"激丹"古歷反。司馬云:明也。"齐贝"一本作含
贝。"音中"丁仲反。"南使"所吏反。下三字同。"数百"所主
反。下同。"罢兵"如字。徐扶彼反。"共祭"音恭。"之行"下
孟反。下同。

〔校〕①张君房本有人字。

盗跖大怒曰:"丘来前! 夫可规以利而可谏以言者,
皆愚陋恒民之谓耳。今长大美好,人见而悦之者,此吾父
母之遗德也。丘虽不吾誉,吾独不自知邪?

且吾闻之,好面誉人者,亦好背而毁之。今丘告我以
大城众民,是欲规我以利而恒民畜我也,安可久长也〔一〕!
城之大者,莫大乎天下矣。尧舜有天下,子孙无置锥之
地〔二〕;汤武立为天子,而后世绝灭;非以其利大故邪〔三〕?

〔一〕【疏】言大城众民,不可长久也。 【释文】"恒民"一本作顺民。
后亦尔。"吾誉"音馀。下同。"好面"呼报反。下同。"背"音
佩。下同。

〔二〕【疏】尧让舜,不授丹朱,舜让禹而商均不嗣,故无置锥之地也。

〔三〕【疏】殷汤周武,总统万机,后世子孙,咸遭篡弑,岂非四海利重
所以致之!

且吾闻之,古者禽兽多而人少,于是民皆巢居以避之,
昼拾橡栗,暮栖木上,故命之曰有巢氏之民。古者民不知
衣服,夏多积薪,冬则炀之,故命之曰知生之民。神农之
世,卧则居居,起则于于〔一〕,民知其母,不知其父,与麋鹿
共处,耕而食,织而衣,无有相害之心,此至德之隆也。然
而黄帝不能致德,与蚩尤战于涿鹿之野,流血百里〔二〕。尧

舜作,立群臣[三],汤放其主[四],武王杀纣[五]。自是之后,以强陵弱,以众暴寡。汤武以来,皆乱人之徒也[六]。

[一]【疏】居居,安静之容。于于,自得之貌。　【释文】"橡"音象。"炀"羊亮反。○庆藩案,于于,广大之意也。方言:于,大也。礼文王世子于其身以善其君,郑注曰:于读为迂。迂,犹广也,大也。檀弓于则于,正义亦训于为广大。于于,重言也。

[二]【疏】至,致也。蚩尤,诸侯也。涿鹿,地名,今幽州涿郡是也。蚩尤造五兵,与黄帝战,故流血百里也。　【释文】"蚩尤"神农时诸侯,始造兵者也。神农之后,第八帝曰榆罔。世蚩尤氏强,与榆罔争王,逐榆罔。榆罔与黄帝合谋,击杀蚩尤。汉书音义云:蚩尤,古之天子。一曰庶人贪者。"涿鹿"音卓。本又作浊。司马云:涿鹿,地名,故城今在上谷郡西南八十里。

[三]【疏】置百官也。

[四]【疏】放桀于南巢也。

[五]【疏】朝歌之战。　【释文】"武王杀"音试。下同。

[六]【疏】征伐篡弑,汤武最甚。

今子修文武之道,掌天下之辩,以教后世[一],缝衣浅带,矫言伪行,以迷惑天下之主,而欲求富贵焉,盗莫大于子。天下何故不谓子为盗丘,而乃谓我为盗跖?[二]

[一]【疏】孔子宪章文武,辩说仁义,为后世之教也。

[二]【疏】制缝掖之衣,浅薄之带,矫饰言行,诳惑诸侯,其为贼害,甚于盗跖。　【释文】"撻衣"本又作缝,扶恭反,徐扶公反,又音冯。○卢文弨曰:今书作缝衣。○庆藩案,撻衣浅带,向秀注曰:儒服宽而长大。(见列子黄帝篇注。)释文撻,又作缝。缝衣,大衣也。或作逢,书洪范子孙其逢吉,马注曰:逢,大也。礼

儒行逢掖之衣,郑注:逢,犹大也。荀子非十二子篇其衣逢,儒效篇逢衣浅带,杨注并曰:逢,大也。亦省作绛,墨子公孟篇:绛衣博袍。绛博,皆大也。(集韵:缝,或省作绛。汉丹阳太守郭旻碑弥绛袅口,绛即缝字。)"浅带"缝带使浅狭。"矫言"纪表反。

子以甘辞说子路而使从之,使子路去其危冠,解其长剑,而受教于子,天下皆曰孔丘能止暴禁非〔一〕。其卒之也,子路欲杀卫君而事不成,身菹于卫东门之上,是子教之不至也〔二〕。

〔一〕【疏】高危之冠,长大之剑,勇者之服也。既伏膺孔氏,故解去之。 【释文】"说子路"始锐反,又如字。"去其"起吕反。"危冠"李云:危,高也。子路好勇,冠似雄鸡形,背负豭〔牛〕〔豚〕①,用表己强也。○卢文弨曰:今书音义作豭豚,案史记作佩豭豚。

〔二〕【疏】仲由疾恶情深,杀卫君蒯聩,事既不逮,身遭菹醢,盗跖故以此相讥也。 【释文】"其卒"子恤反。"身菹"庄居反。

〔校〕①豚字依世德堂本及释文考证改。

子自谓才士圣人邪?则再逐于鲁,削迹于卫,穷于齐,围于陈蔡,不容身于天下。子教子路菹此患,上无以为身,下无以为人,子之道岂足贵邪?

世之所高,莫若黄帝,黄帝尚不能全德,而战涿鹿之野,流血百里。尧不慈〔一〕,舜不孝〔二〕,禹偏枯〔三〕,汤放其主,武王伐纣,文王拘羑里〔四〕。此六①子者,世之所高也,孰论之,皆以利惑其真而强反其情性,其行乃甚可羞也〔五〕。

〔一〕【疏】谓不与丹朱天下。 【释文】"以为"于伪反,下同。"尧不慈"不授子也。

〔二〕【疏】为父所疾也。

〔三〕【疏】治水勤劳,风栉雨沐,致偏枯之疾,半身不遂也。

〔四〕【疏】羑里,殷狱名。文王遭纣之难,厄于囹圄,凡经七年,方得
免脱。 【释文】"文王拘羑里"纣之二十年,囚文王。

〔五〕【疏】六子者,谓黄帝尧舜禹汤文王也。皆以利于万乘,是以迷
于真道而不反于自然,故可耻也。 【释文】"而强"其丈反。
"可羞"如字。本又作恶,乌路反。

〔校〕①阙误引江南古藏本六作七。

世之所谓贤士,伯夷叔齐。伯夷叔齐^①辞孤竹之君而
饿死于首阳之山,骨肉不葬。鲍焦饰行非世,抱木而
死^{〔一〕}申徒狄谏而不听,负石自投于河,为鱼鳖所食^{〔二〕}。
介子推至忠也,自割其股以食文公,文公后背之,子推怒而
去,抱木而燔死^{〔三〕}。尾生与女子期于梁下,女子不来,水
至不去,抱梁柱而死。此六^②子者,无异于磔犬流豕操瓢
而乞者,皆离^③名轻死,不念本养寿命者也^{〔四〕}。

〔一〕【疏】二人穷死首山,复无子胤收葬也。姓鲍,名焦,周时隐者
也。饰行非世,廉洁自守,荷担采樵,拾橡充食,故无子胤,不臣
天子,不友诸侯。子贡遇之,谓之曰:"吾闻非其政者不履其地,
污其君者不受其利。今子履其地,食其利,其可乎?"鲍焦曰:
"吾闻廉士重进而轻退,贤人易愧而轻死。"遂抱木立枯焉。

〔二〕【疏】申徒自沉,前篇已释。谏而不听,未详所据。崔嘉虽解,无
的谏辞。 【释文】"负石自投于河"申徒狄将投于河,崔嘉止之
曰:"吾闻圣人仁士民父母,若濡足故,不救溺人,可乎?"申徒狄

曰:"不然。昔桀杀龙逄,纣杀比干,而亡天下;吴杀子胥,陈杀泄治,而灭其国。非圣人不仁,不用故也。"遂沉河而死。

〔三〕【疏】晋文公重耳也,遭骊姬之难,出奔他国,在路困乏,推割股肉以饴之。公后还三日,封于从者,遂忘子推。子推作龙蛇之歌,书其营门,怒而逃。公后惭谢,追子推于介山。子推隐避,公因放火烧山,庶其走出。火至,子推遂抱树而焚死焉。　【释文】"以食"音嗣。"燔死"音烦,烧也。○庆藩案,左传:介之推不言禄,禄亦弗及。又曰:晋侯求之不得,以绵上为之田,曰:"以志吾过,且旌善人。"吕览曰:介推负釜盖簦,终身不见。史记曰:使人召之则亡。闻其入绵上山中,于是环绵上之山中而封之,以为介推田,号曰介山。遍查经传,并无介推燔死之事。自屈子为立枯之说,(楚词九章惜往日:介子推而立枯兮。)庄生有燔死之文,(容斋三笔云始自新序,非也。)而东方朔七谏、汉书丙吉传皆承其误。今当以左传吕览正之。

〔四〕【疏】六子者,谓伯夷叔齐鲍焦申徒介推尾生。言此六人,不合玄道,矫情饰行,苟异俗中,用此声名,传之后世。亦何异乎张磔死狗,流在水中,贫病之人,操瓢乞告! 此间人物,不许见闻,六子之行,事同于此,皆为重名轻死,不念归本养生,寿尽天命者也。豕字有作死字者,乞字有作走字者,随字读之。豕,猪也。　【释文】"尾生"一本作微生。战国策作尾生高,高诱以为鲁人。"磔"竹客反。广雅云:张也。"操"七曹反。"瓢"婢遥反。"而乞者"李云:言上四人不得其死,犹猪狗乞儿流转沟中者也。乞,或作走。"离名"力智反。"念本"本,或作卒。

〔校〕①世德堂本伯夷叔齐四字不重。②阙误六作四,引江南古藏本云:四作六。③阙误引张君房本离作利。

世之所谓忠臣者,莫若王子比干伍子胥。子胥沉江,比干剖心,此二子者,世谓忠臣也,然卒为天下笑。〔一〕自上观之,至于子胥比干,皆不足贵也。

〔一〕【疏】为达道者之所嗤也。　【释文】"剖心"普口反。

丘之所以说我者,若告我以鬼事,则我不能知也;若告我以人事者,不过此矣,皆吾所闻知也。

今吾告子以人之情,目欲视色,耳欲听声,口欲察味,志气欲盈〔一〕。人上寿百岁,中寿八十,下寿六十,除病瘦死丧忧患,其中开口而笑者,一月之中不过四五日而已矣。天与地无穷,人死者有时,操有时之具而托于无穷之间,忽然无异骐骥之驰过隙也〔二〕。不能说其志意,养其寿命者,皆非通道者也。

丘之所言,皆吾之所弃也,亟去走归,无复言之! 子之道,狂狂汲汲①,诈巧虚伪事也,非可以全真也,奚足论哉〔三〕!"

〔一〕【疏】夫目视耳听,口察志盈,率性而动,禀之造物,岂矫情而为之哉?分内为之,道在其中矣。　【释文】"以说"如字,又始锐反。

〔二〕【疏】夫天长地久,穷境稍赊,人之死生,时限迫促。以有限之身,寄无穷之境,何异乎骐骥驰走过隙穴也!　【释文】"上寿"音受,又如字。下同。"瘦"色又反。○王念孙曰:释文,瘦,色又反。案瘦当为瘠,字之误也。瘠,亦病也。病瘠为一类,死丧为一类,忧患为一类。瘠字本作瘯。尔雅曰:瘯,病也。小雅正月篇胡俾我瘯,毛传与尔雅同。汉书宣帝纪今系者或以掠辜若饥寒癄死狱中，<u>苏林</u>曰：癄，病也，囚徒病，律名为癄。<u>师古</u>曰：癄，音庚，字或作瘕。<u>王子侯表</u>曰：<u>富侯龙</u>下狱(庚)〔癄〕②死。

〔三〕【疏】亟，急也。狂狂，失性也。伋伋，不足也。夫圣迹之道，仁义之行，譬彼蒉庐，方兹刍狗，执而不遣，惟增其弊。狂狂失真，伋伋不足，虚伪之事，何足论哉！　【释文】"能说"音悦。"亟去"纪力反，急也。本或作极。"无复"扶又反。"狂狂"如字，又九况反。"汲汲"本亦作伋，音急，又音及。"诈巧"苦孝反，又如字。

〔校〕①<u>赵谏议</u>本作伋伋。②癄字依<u>汉书</u>改。

<u>孔子</u>再拜趋走，出门上车，执辔三失，目芒然无见，色若死灰，据轼低头，不能出气。归到<u>鲁</u>东门外，适遇<u>柳下季</u>。<u>柳下季</u>曰："今者阙然数日不见，车马有行色，得微往见<u>跖</u>邪？"〔一〕

〔一〕【疏】轼，车前横木，凭之而坐者也。<u>盗跖</u>英雄，盛谈物理，<u>孔子</u>慑惧，遂至于斯。微，无也。　【释文】"上车"时掌反。"三失"息暂反，又如字。"芒然"莫刚反。"有行"如字。

<u>孔子</u>仰天而叹曰："然〔一〕。"

〔一〕【疏】然，如此也。

<u>柳下季</u>曰："<u>跖</u>得无逆汝意若前乎？"

<u>孔子</u>曰："然〔一〕。丘所谓无病而自灸也，疾走料虎头，编虎须，几不免虎口哉〔二〕！"

〔一〕【疏】若前乎者，则是篇首<u>柳下</u>云："逆其心则怒，无乃逆汝意如我前言乎？"<u>孔子</u>答云："实如所言也。"

〔二〕【注】此篇寄明因众之所欲亡而亡之，虽<u>王纣</u>可去也；不因众而

独用己,虽盗跖不可御也。　【疏】几,近也。夫料触虎头而编
虎须者,近遭于虎食之也,今仲尼往说盗跖,履其危险,不异于
斯也。而言此章大意,排摈圣迹,嗤鄙名利,是以排圣迹则诃责
尧舜,鄙名利则轻忽夷齐,故寄孔跖以摸之意也。即郭注意,失
之远矣。　【释文】“自灸”久又反。“疾走料”音聊。“扁虎”音
鞭,又蒲显反,徐扶显反。本或作编,音同。“頯”一本作料头编
虎须。○卢文弨曰:今书作编虎须。旧亦作须,今从宋本作頯。
“几不”音祈。“可去”起吕反。

子张问于满苟得曰:“盍不为行〔一〕?无行则不信,不
信则不任,不任则不利。故观之名,计之利,而义真是
也。〔二〕若弃名利,反之于心,则夫士之为行,不可一日不为
乎〔三〕!”

〔一〕【疏】子张,孔子弟子也,姓颛孙,名师,字子张,行圣迹之人也。
　　姓满,名苟得,假托为姓名,曰苟且贪得以满其心,求利之人也。
　　盍,何不也。何不为仁义之行乎? 劝其舍求名利也。　【释文】
　　“满苟得”人姓名。“盍”胡腊反。“为行”下孟反。下、注同。
　　盍,何不也。劝何不为德行。

〔二〕【疏】若不行仁义之行则不被信用,不被信用则无职任,无职任
　　则无利禄。故有行则有名,有名则有利,观察计当,仁义真是好
　　事,宜行之也。

〔三〕【疏】反,乖逆也。若弃名利,则乖逆我心,故士之立身,不可一
　　日不行仁义。

满苟得曰:“无耻者富,多信者显。夫名利之大者,几

在无耻而信。故观之名,计之利,而信真是也。〔一〕若弃名利,反之于心,则夫士之为行,抱其天乎〔二〕!"

〔一〕【疏】多信,犹多言也。夫识廉知让则贫,无耻贪残则富;谦柔静退则沉,多言夸伐则显。故观名计利,而莫先于多言,多言则是名利之本也。

〔二〕【疏】抱,守也。天,自然也。夫修道之士,立身为行,弃掷名利,乃乖俗心,抱守天真,翻合虚玄之道也。

子张曰:"昔者桀纣贵为天子,富有天下,今谓臧聚曰,汝行如桀纣,则有怍色①,有不服之心者,小人所贱也。仲尼墨翟,穷为匹夫,今谓宰相曰,子行如仲尼墨翟,则变容易色称不足者,士诚贵也。〔一〕故势为天子,未必贵也;穷为匹夫,未必贱也;贵贱之分,在行之美恶〔二〕。"

〔一〕【疏】桀纣孔墨,并释于前。臧,谓臧获也。聚,谓揽窃,即盗贼小人也。以臧获比(夫)〔天〕子,则惭怍而不服;以宰相比匹夫,则变容而欢慰;故知所贵在行,不在乎位。 【释文】"臧聚"司马云:谓臧获盗滥窃聚之人。"有怍"音昨。"宰相"息亮反。下相而同。

〔二〕【疏】此复释前义也。

〔校〕①高山寺本作则作色,阙误引张君房本作则有作色。

满苟得曰:"小盗者拘,大盗者为诸侯,诸侯之门,义士存焉。昔者桓公小白杀兄入嫂而管仲为臣,田成子常杀君窃国而孔子受币。论则贱之,行则下之,则是言行之情悖战于胸中也,不亦拂乎!〔一〕故书曰:'孰恶孰美?成者为首,不成者为尾。'〔二〕"

〔一〕【疏】悖，逆也。拂，戾也。齐桓公名小白，杀其兄子纠，纳其嫂焉。管仲贤人，臣而辅之，卒能九合诸侯，一匡天下。田成子常杀齐简公，孔子沐浴而朝，受其币帛。夫杀兄入嫂，弑君窃国，人伦之恶莫甚于斯，而夷吾为臣，尼父受币。言议则以为鄙贱，情行则下而事之，岂非战争于心胸，言行相反戾耶？【释文】"入嫂"先早反。司马云：以嫂为室家。"为臣"臣，或作相。"杀君"申志反。"论则"力顿反。"悖战"布内反。"亦拂"扶弗反。

〔二〕【疏】成者为首，君而事之；不成者为尾，非而毁之。以此而言，只论成与不成，岂关行(以)〔与〕无行，故不知美恶的在谁也。所引之书，并遭烧灭，今并无本也。

子张曰："子不为行，即将疏戚无伦，贵贱无义，长幼无序；五纪六位，将何以为别乎〔一〕？"

〔一〕【疏】戚，亲也。伦，理也。五纪，祖父也，身子孙也，亦言金木水火土五行也，仁义礼智信五德也。六位，君臣父子夫妇也，亦言父母兄弟夫妻。子张云："若不行仁义之行，则亲疏无理，贵贱无义，长幼无次叙，五纪六位无可分别也。"【释文】"长幼"丁丈反。"五纪"司马云：岁、日、月、星辰、历数。"六位"君、臣、父、子、夫、妇。○俞樾曰：五纪，司马云岁日月星辰历数，然与疏戚贵贱长幼之义不相应，殆非也。今案五纪即五伦也，六位即六纪也。白虎通三纲六纪篇曰：六纪者，谓诸父、兄弟、族人、诸舅、师长、朋友也。此皆所以为疏戚贵贱长幼之别。不曰五伦而曰五纪，不曰六纪而曰六位，古人之语异耳。家语入官篇群仆之伦也，王肃注曰：伦，纪也。然则伦纪得通称矣。"为别"彼列反。下同。

满苟得曰："尧杀长子，舜流母弟，疏戚有伦乎〔一〕？汤放桀,<u>武王</u>杀<u>纣</u>,贵贱有义乎〔二〕? <u>王季</u>为適,<u>周公</u>杀兄,长幼有序乎〔三〕? 儒者伪辞,<u>墨</u>者兼爱,五纪六位将有别乎〔四〕?

〔一〕【疏】<u>尧</u>废长子<u>丹朱</u>,不与天位,(又)〔故〕①言杀也。<u>舜</u>封同母弟<u>象</u>于<u>有庳</u>之国,令天下吏治其国,收纳贡税,故言流放也。废子流弟,何有亲疏之理乎? 【释文】"<u>尧</u>杀长子"<u>崔</u>云:<u>尧</u>杀长子<u>考监明</u>。"<u>舜</u>流母弟"弟,谓<u>象</u>也。流,放也。<u>孟子</u>云:<u>舜</u>封<u>象</u>于<u>有庳</u>,不得有为于其国,天子使吏治其国,而(封)纳〔其〕②贡税焉。故谓之放也。

〔二〕【疏】<u>殷汤</u>放<u>夏桀</u>于<u>南巢</u>,<u>周武</u>杀<u>殷纣</u>于<u>汲郡</u>,君臣贵贱,其义安在?

〔三〕【疏】<u>王季</u>,<u>周大王</u>之庶子<u>季历</u>,即<u>文王</u>之父也。<u>太伯仲雍</u>让位不立,故以小儿<u>季历</u>为適。<u>管蔡</u>,<u>周公</u>之兄,泣而诛之,故云杀(之)〔兄〕③。废適立庶,弟杀其兄,尊卑长幼,有次序乎? 【释文】"为適"丁歷反。

〔四〕【疏】夫儒者多言,强为名位;<u>墨</u>者兼爱,周普无私;五纪六位,有何分别?

〔校〕①故字依下文改。②纳其依<u>孟子</u>及<u>世德堂</u>本改。③兄字依正文改。

且子正为名,我正为利。名利之实,不顺于理,不监于道。〔一〕吾日①与子讼于无约曰:'小人殉财,君子殉名。其所以变其情,易其性,则异矣;乃至于弃其所为而殉其所不为,则一也。〔二〕'故曰,无为小人,反殉而天;无为君子,从天之理〔三〕。若枉若直,相而天极;面观四方,与时消息〔四〕。若是若非，执而圆机；独成而意，与道徘徊〔五〕。无转而行，无成而义，将失而所为〔六〕。无赴而富，无殉而成，将弃而天〔七〕。

〔一〕【疏】监，明也，见也。子张心之所为，正在于名；苟得心之所为，正在于利。且名利二途，皆非真实，既乖至理，岂明见于玄道！【释文】"且子正为名"假设之辞也。为，音于伪反。下为利同。"不监"本亦作鉴，同。

〔二〕【疏】讼，谓论说也。约，谓契誓也。弃其所为，舍己；殉其所不为，逐物也。夫殉利谓之小人，殉名谓之君子，名利不同，所殉一也。子张苟得，皆共谈玄言于无为之理，敦于莫逆之契也。【释文】"吾日"人实反。"无约"如字。徐於妙反。

〔三〕【疏】而，尔也。既不逐利，又不殉名，故能率性归根，合于自然之道也。

〔四〕【疏】相，助也。无问枉直，顺自然之道，观照四方，随四时而消息。

〔五〕【疏】徘徊，犹转变意也。圆机，犹环中也。执于环中之道以应是非，用于独化之心以成其意，故能冥其虚通之理，转变无穷者也。

〔六〕【疏】所为，真性也。无转汝志，为圣迹之行；无成尔心，学仁义之道；舍己效他，将丧尔真性也。○王念孙曰：无转而行，转读为专。山木篇云，一龙一蛇，与时俱化，而无肯专为。即此所谓无专而行也。此承上文与时消息，与道徘徊而言，言当随时顺道而不可专行仁义。若专而行，成而义，则将失其所为矣。故下文云，正其言，必其行，故服其殃，离其患也。必其行，即此所谓专而行也。秋水篇无一而行，与道参差。一亦专也。无专而

行,犹言无一而行也。专与抟,古字通。又通作挦。史记吴王濞
传燕王挦胡众入萧关,索隐曰:挦,音专,谓专统领胡兵也。汉书
挦作抟。

〔七〕【疏】莫奔赴于富贵,无殉逐于成功。必赴必殉,则背于天然之
性也。

〔校〕①阙误引张君房本日作昔。

比干剖心,子胥抉眼,忠之祸也〔一〕;直躬证父,尾生溺
死,信之患也〔二〕;鲍子立乾,申①子不自理,廉之害也〔三〕;
孔子不见母,匡子不见父,义之失也〔四〕。此上世之所传,
下世之所语,以为士者正其言,必其行,故服其殃,离其患
也〔五〕。”

〔一〕【疏】比干忠谏于纣,纣云,闻圣人之心有九窍,遂剖其心而视
之。子胥忠谏夫差,夫差杀之,子胥曰:“吾死后,抉眼县于吴门
东以观越之灭吴也。”斯皆至忠而遭其祸也。 【释文】“抉眼”
乌穴反。

〔二〕【疏】躬父盗羊,而子证之。尾生以女子为期,抱梁而死。此皆
守信而致其患也。

〔三〕【疏】鲍焦廉贞,遭子贡讥之,抱树立乾而死。申子,晋献公太子
申生也,遭丽姬之难,枉被谗谤,不自申理,自缢而死矣。 【释
文】“鲍子立乾”司马云:鲍子,名焦,周末人,污时君不仕,采蔬
而食。子贡见之,谓曰:“何为不仕食禄?”答曰:“无可仕者。”子
贡曰:“污时君不食其禄,恶其政不践其土。今子恶其君,处其
土,食其蔬,何志行之相违乎?”鲍焦遂弃其蔬而饿死。韩诗外
传同。又云:槁洛水之上也。“胜子②自理”一本理作俚。本又
作申子自埋。或云:谓申徒狄抱瓮之河也。一本作申子不自

理,谓申生也。

〔四〕【疏】孔子滞耽圣迹,历国应聘,其母临终,孔子不见。姓匡,名章,齐人也,谏诤其父,其父不从,被父憎嫌,遂游他邑,亦耽仁义,学读忘归,其父临终而章不见。此皆滞溺仁义,有斯过矣。【释文】"孔子不见母"李云:未闻。"匡子不见父"司马云:匡子,名章,齐人,谏其父,为父所逐,终身不见父。案此事见孟子。○卢文弨曰:疑父母二字当互易。

〔五〕【注】此章言尚③行则行矫,贵士则士伪,故蔑行贱士以全其内,然后行高而士贵耳。【疏】自比干已下,匡子已上,皆为忠信廉贞而遭其祸,斯皆古昔相传,下世语之也。是以忠诚之士,廉信之人,正其言以谏君,必其行以事主,莫不遭罹其患,服从其殃,为道之人深宜戒慎也。【释文】"所传"丈专反。

〔校〕①世德堂本申作胜,释文亦作胜。②世德堂本子下有不字。③赵本尚作上。

无足问于知和曰:"人卒未有不兴名就利者。彼富则人归之,归则下之,下则贵之。夫见下贵者,所以长生安体乐意之道也。今子独无意焉,知不足邪,意知而力不能行邪,故推正不忘邪?"〔一〕

〔一〕【疏】无足,谓贪婪之人,不止足者也。知和,谓体知中和之道,守分清廉之人也。假设二人以明贪廉之祸福也。无足云:"世人卒竟未有不兴起名誉而从就利禄者。若财富则人归凑之,归凑则谦下而尊贵之。夫得人谦下尊贵者,则说其情,适其性,体质安而长寿矣。子独无贪富贵之意乎? 为运知〔不〕足不求邪? 为心意能知,力不能行,故推于正理,志念不忘,以遣贪求之心而不取邪?"【释文】"无足"一本作无知。"则下"遐嫁反。下同。"乐意"音洛。下同。"知不"音智。下知谋同。○庆藩案,意,语词也,读若抑。抑意古字通。论语学而篇抑与之与,汉石经抑作意。墨子明鬼篇岂女为之与,意鲍为之与。皆其证。"故推正不忘邪"(疏)忘,或作妄,言君臣但推寻正道不忘,故不用富贵邪?为智力不足,故不用邪?

知和曰:"今夫此人以为与己同时而生,同乡而处者,以为夫绝俗过世之士焉;是专无主正,所以览古今之时,是非之分也,与俗化〔一〕。世去至重,弃至尊,以为其所为也;此其所以论长生安体乐意之道,不亦远乎〔二〕!惨怛之疾,恬愉之安,不监于体;怵惕之恐,欣欢之喜,不监于心〔三〕;知为为而不知所以为,是以贵为天子,富有天下,而不免于患也〔四〕。"

〔一〕【疏】此人,谓富贵之人也。俗人,谓无知,贪利情切,与贵人同时而生,共富人同乡而住者,犹将己为超绝流俗,过越世人;况己之自享于富贵乎!斯乃专愚之人,内心无主,不履正道,不觉古今之时代,不察是非之涯分,而与尘俗纷竞,随末而迁化者也,岂能识祸福之归趣者哉!【释文】"过世之士焉"言人心易动,但人与贤人俱生,便自谓过于世人,况亲自为富贵者乎!

〔二〕【疏】至重,生也。至尊,道也。流俗之人,捐生背道,其所为每事如斯,其于长生之道,去之远矣。

〔三〕【疏】惨怛,悲也。恬愉,乐也。夫悲乐喜惧者,并身外之事也,故不能监明于圣质,照入于心灵,而愚者妄为之也。【释文】"惨"七感反。"怛"丹曷反。"之恐"丘勇反。

庄子集释

〔四〕【疏】为为者，有为也；所以为者，无为也。但知为于有为，不知为之所以出自无为也。如斯之人，虽贵总万机，富赡四海，而不免于怵惕等患也。

　　无足曰："夫富之于人，无所不利，穷美究埶，至人之所不得逮，贤^①人之所不能及〔一〕，侠人之勇力而以为威强，秉人之知谋以为明察，因人之德以为贤良，非享国而严若君父〔二〕。且夫声色滋味权势之于人，心不待学而乐之，体不待象而安之〔三〕。夫欲恶避就，固不待师，此人之性也。天下虽非我，孰能辞之！〔四〕"

〔一〕【疏】穷，尽也。夫能穷天下善美，尽人间威势者，其惟富贵乎！故至德之人，贤哲之士，亦不能远及也。　【释文】"穷美"穷，犹尽也。"究埶"音势。本亦作势。一音艺，究竟也。

〔二〕【疏】夫富贵之人，人多依附，故勇者为之捍，智者为之谋，德者为之助，虽不临享邦国，而威严有同君父焉，斯皆财利致其然矣。　【释文】"侠人"音协。

〔三〕【疏】夫耳悦于声，眼爱于色，口嘛于味，威权形势以适其情者，不待教学而心悦乐，岂服法象而身安乎？盖性之然耳。

〔四〕【疏】夫欲之则就，恶之则避，斯乃人物之常情，不待师教而后为之(哉)〔者〕，故天下虽非无足，谁独辩辞于此事者也！　【释文】"欲恶"乌路反。

〔校〕①世德堂本贤作圣。

　　知和曰："知者之为，故动以百姓，不违其度，是以足而不争，无以为故不求〔一〕。不足故求之，争四处而不自以为贪；有馀故辞之，弃天下而不自以为廉〔二〕。廉贪之实，非以迫外也,反监之度^{〔三〕}。势为天子而不以贵骄人,富有天下而不以财戏人。计其患,虑其反,以为害于性,故辞而不受也,非以要名誉也。^{〔四〕}尧舜为帝而雍,非仁天下也,不以美害生也;善卷许由得帝而不受,非虚辞让也,不以事害己。此皆就其利,辞其害,而天下称贤焉,则可以有之,彼非以兴名誉也。^{〔五〕}"

〔一〕【疏】夫知慧之人,虚怀应物,故能施为举动,以百姓心为心,百姓顺之,亦不违其法度也。内心至之,所以不争,无用无为,故不求不觉也。

〔二〕【疏】四处,犹四方也。夫凡圣区分,贪廉斯隔。是以争贪四方,驰骋八极,不自觉其贪婪,弃舍万乘,辞于九五,而不自觉其廉俭。

〔三〕【疏】监,照也。夫廉贪实性,非过迫于外物也,而反照于内心,各禀度量不同也。

〔四〕【疏】夫不以高贵为骄矜,不以钱财为娱玩者,计其灾患,忧虑伤害于真性故也。是以辞大宝而不受,非谓要求名誉者也。

【释文】"要名"一遥反。

〔五〕【疏】雍,和也。夫唐虞之化,宇内和平者,非有情于仁惠,不以美丽害生也;善卷许由被禅而不受,非是矫情于辞让,不以世事害己也。斯皆就其长生之利,辞其篡弑之害,故天下称其贤能,则可谓有此避害之心,实无彼兴名之意。

无足曰:"必持其名,苦体绝甘,约养以持生,则亦^①久病长阨而不死者也^{〔一〕}。"

〔一〕【疏】必固将欲修进名誉,苦其形体,绝其甘美,穷约摄养,矜持其生者,亦何异乎久病固疾,长阨不死,虽生之日,犹死之年!此无足之辞,以难知和也。【释文】"长阨"音厄,又乌卖反。

〔校〕①阙误引江南古藏本亦下有犹字。

知和曰:"平为福,有馀为害者,物莫不然,而财其甚者也〔一〕。今富人,耳营钟鼓筦①籥之声,口嗛于刍豢醪醴之味,以感其意,遗忘其业,可谓乱矣〔二〕;佚溺于冯气,若负重行而上(也)〔阪〕②,可谓苦矣〔三〕;贪财而取慰③,贪权而取竭,静居则溺,体泽则冯,可谓疾矣〔四〕;为欲富就利,故满若堵耳而不知避,且冯而不舍,可谓辱矣〔五〕;财积而无用,服膺而不舍,满心戚醮,求益而不止,可谓忧矣〔六〕;内则疑劫请之贼,外则畏寇盗之害,内周楼疏,外不敢独行,可谓畏矣〔七〕。此六者,天下之至害也,皆遗忘而不知察,及其患至,求尽性竭财,单以反一日之无故而不可得也〔八〕。故观之名则不见,求之利则不得,缭意体而争此,不亦惑乎〔九〕!"

〔一〕【疏】夫平等被其福善,有馀招其祸害者,天理自然也。物皆如是,而财最甚也。

〔二〕【疏】嗛,称适也。管籥,箫笛之流也。夫富室之人,恣情淫勃,口爽醪醴,耳聆宫商,取舍滑心,触类感动。性之昏爽,事业忘焉,无所觉知,岂非乱也!【释文】"筦"音管。本亦作管。"籥"音藥。一本筦籥作埙篪。"口嗛"苦簟反。○庆藩案,嗛,快也。说文:嗛,口有所(快与)〔衔也〕④。赵策膳啖之嗛于魏,齐桓公夜半不嗛易牙,高注并曰:嗛,快也。荀子荣辱篇彼臭之而无嗛于鼻,杨倞读嗛为慊,云厌也。失之。"醪"力刀反。

〔三〕【疏】冯气,犹愤懑也。夫贪欲既多,劳役困弊,心中佅塞,沉溺愤懑,犹如负重上阪而行。此之委顿,岂非苦困也哉! 【释文】"佅溺"徐音碍,五代反,又户该反。饮食至咽为佅。一云:遍也。○家世父曰:释文饮食至咽为佅,未免强以意通之。说文:奇佅,非常也。扬子方言:非常曰佅事。佅溺,犹言沉溺之深也。"于冯气"冯,音愤。愤,满也。下同。言愤畜不通之气也。○王念孙曰:释文曰,冯气,冯音愤。愤,满也。言愤畜不通之气也。案冯气,盛气也。昭五年左传今君奋焉震电冯怒,杜注曰:冯,盛也。楚词离骚冯不厌乎求索,王注曰:冯,满也,楚人名满曰冯。是冯为盛满之义,无烦改读为愤也。"而上"时掌反。

〔四〕【疏】贪取财宝以慰其心,诱诏威权以竭情虑,安静闲居则其体沉溺,体气悦泽则愤懑斯生,动静困苦,岂非疾也! 【释文】"取慰"慰亦作畏。○庆藩案,慰当与蔚通。淮南俶真篇五藏无蔚气,高注曰:蔚,病也。缪称篇㑃儒瞽师,人之困慰者也,高注曰:慰,病也。是蔚慰二字,古训通用。

〔五〕【疏】堵,墙也。夫欲富就利,情同壑壁,譬彼堵墙,版筑满盈,心中愤懑,贪婪不舍,不知避害,岂非耻辱耶! 【释文】"不舍"音捨。下同。

〔六〕【疏】戚醮,烦恼也。夫积而不散,冯而不舍,贪求无足,烦恼盈怀,(悫)〔榷〕而论之,岂非忧患! ○庆藩案,服膺而不舍,即上文冯而不舍之义。服膺即凭也。文选汉高祖功臣颂有冯膺而尚缺。(文选膺误作应。李善注误以为凭依瑞应,失之。古应与膺同声通用。康诰应保殷民,周诰膺保民德,诗閟宫篇戎狄是膺,史〔记〕建元以来侯者年表膺作应。孟子滕文公篇戎狄是膺,音义曰:丁本膺作应。)服膺之为凭膺,犹伏轼之为凭轼,(史

记郦生传伏轼下齐七十馀城,汉书作冯轼。)伏琴〔之〕为凭琴,
(史记魏世家中期凭琴,索隐曰:春秋后语作伏琴。)茵伏〔之〕为
茵凭也。(史记酷吏传未尝敢均茵伏,汉书作茵冯。)【释文】
"戚醮"在遥反。李云,憔悴也。又音子妙反。

〔七〕【疏】疑,恐也。请,求也。匹夫无罪,怀璧其罪,故在家则恐求
财盗贼之灾,外行则畏寇盗滥窃之害。是以舍院周回,起疏窗
楼,敞出内外,来往怖惧,不敢独行。如此艰辛,岂非畏哉!
【释文】"疑劫"许业反,又曲业反。"内周楼疏"李云:重楼内
匝,疏轩外通,谓设备守具。

〔八〕【疏】六者,谓乱苦疾辱忧畏也。殚,尽也。天下至害,遗忘不
察,及其巨盗忽至,性命慞然,平生贪求,一朝顿尽,所有财宝,
当时并罄,欲反一日贫素,其可得之乎! 【释文】"财单"音丹。
本或作蕲,音祁。○家世父曰:释文单本作蕲,音祁,今案释文
非也。单当作(为)亶。史记历书单阏,崔骃注:单阏,一作亶安。
单亶字通。汉书但字多作亶。贾谊传非亶倒悬而已,扬雄传亶
费精神于此。说文:但,裼也。是但自为袒而僤为但。单以反一
日之无故,犹言但以反一日之无故。玉篇:单,一也。一,犹单独
也,与但字义亦近。

〔九〕【注】此章言知足者常足。 【疏】缭,缠绕也。巨盗既至,身非
己有,当尔之际,岂见有名利耶! 而流俗之夫,倒置之甚,情缠
绕于名利,心决绝于争求,以此而言,岂非大惑之甚也! 【释
文】"缭"音了,又鱼弔反。理也。

〔校〕①赵谏议本筦作管。②阪字依成疏改。阙误引张君房本作坂,
与阪同。③张君房本慰作辱。④衔也二字依国策高注改。

庄子集释卷十上

杂篇说剑第三十 〔一〕

〔一〕【释文】以事名篇。

昔赵文王喜剑,剑士夹门而客三千馀人,日夜相击于前,死伤者岁百馀人,好之不厌。如是三年,国衰,诸侯谋之。〔一〕

〔一〕【疏】赵惠王,名何,赵武灵王之子也。好击剑之士,养客三千,好无厌足。其国衰敝,故诸侯知其无道,共相谋议,欲将伐之也。 【释文】"赵文王"司马云:惠文王也,名何,武灵王子,后庄子三百五十年。洞纪云:周赧王十七年,赵惠文王之元年。一云:案长历推惠文王与庄子相值,恐彪之言误。"喜剑"许纪反。下同。"夹门"郭李音协,又古洽反。"好之"呼报反。下同。"无厌"於盐反,又於艳反。○卢文弨曰:今书作不厌。

太子悝患之,募左右曰:"孰能说王之意止剑士者,赐之千金。"左右曰:"庄子当能。"〔一〕

〔一〕【疏】悝，赵太子名也。厌患其父喜好干戈，故欲千金以募说士。庄子大贤，当能止剑也。　【释文】"悝"苦回反，太子名。○俞樾曰：惠文王之后为孝成王丹，则此太子盖不立。"募"音慕，又音务。"说王"如字，解也。又音悦。

太子乃使人以千金奉庄子。庄子弗受，与使者俱，往见太子曰："太子何以教周，赐周千金？"

太子曰："闻夫子明圣，谨奉千金以币从者。夫子弗受，悝尚^①何敢言！"〔一〕

〔一〕【疏】欲教我何事，乃赐千金？既见金多，故问。太子曰："闻（庄）〔夫〕子贤哲圣明故，所以赠（于）〔千〕金以充从（车）〔者〕之币帛也。"　【释文】"与使"所吏反。"以币从"才用反。一本作以币从者。○卢文弨曰：旧者讹军，今改正。今书有者字。

〔校〕①阙误引张君房本尚作当。

庄子曰："闻太子所欲用周者，欲绝王之喜好也。使臣上说大王而逆王意，下不当太子，则身刑而死，周尚安所事金乎？使臣上说大王，下当太子，赵国何求而不得也！"太子曰："然。吾王所见，唯剑士也。"

庄子曰："诺。周善为剑。"

太子曰："然吾王所见剑士，皆蓬头突鬓垂冠，曼胡之缨，短后之衣，瞋目而语难，王乃说之。今夫子必儒服而见王，事必大逆。〔一〕"

〔一〕【疏】发乱如蓬，鬓毛突出，铁为冠，垂下露面。曼胡之缨，谓屯项抹额也。短后之衣，便于武事。瞋目怒眼，勇者之容，愤然置胸，故语声难涩。斯剑士之形服也。　【释文】"上说"如字，又

始锐反。下同。"蓬"步公反。本或作縫，同。"头"蓬头，谓著
兜鍪也。有毛，故如蓬。"突鬓"必刃反。司马本作宾，云：宾读
为鬓。"垂冠"将欲斗，故冠低倾也。"曼胡"莫干反。司马云：
曼胡之缨，谓粗缨无文理也。"短后之衣"为便于事也。"瞋目"
赤夷、赤真二反。"语难"如字，艰难也，勇士愤气积于心胸，言
不流利也。又乃旦反，既怒而语，为人所畏难。司马云：说相击
也。"乃说"音悦。下大说同。

<u>庄子</u>曰："请治剑服。"治剑服三日，乃见太子。太子
乃与见王，王脱白刃待之。<u>庄子</u>入殿门不趋，见王不
拜。〔一〕王曰："子欲何以教寡人，使太子先〔二〕？"

〔一〕【疏】夫自得者，内无惧心，故不趋走也。　【释文】"与见"贤遍
反。下剑见同。又如字。"王脱"一本作说，同。土活反。

〔二〕【疏】汝欲用何术以教谏于我，而使太子先言于我乎？

曰："臣闻大王喜剑，故以剑见王。"

王曰："子之剑何能禁制？"

曰："臣之剑，十步一人，千里不留行。"王大悦之，曰：
"天下无敌矣！"〔一〕

〔一〕【疏】其剑十步杀一人，一去千里，行不留住，锐快如是，宁有敌
乎！　【释文】"千里不留行"司马云：十步与一人相击，辄杀之，
故千里不留于行也。○俞樾曰：十步之内，辄杀一人，则历千里
之远，所杀多矣，而剑锋不缺，所当无挠者，是谓十步一人，千里
不留行，极言其剑之利也。行以剑言，非以人言，下文所谓行以
秋冬是也。司马云，十步与一人相击辄杀之，故千里不留于行
也。未得其义。

庄子曰:"夫为剑者,示之以虚,开之以利,后之以发,先之以至。愿得试之〔一〕。"

〔一〕【疏】夫为剑者道也,是以忘己虚心,开通利物,感而后应,机照物先,庄子之用剑也。

王曰:"夫子休就舍,待命令①设戏请夫子〔一〕。"

〔一〕【疏】词旨清远,感动王心,故令休息,屈就馆舍,待设剑戏,然后邀延也。

〔校〕①张君房本无令字。

王乃校剑士七日,死伤者六十馀人,得五六人,使奉剑于殿下,乃召庄子。王曰:"今日试使士敦剑〔一〕。"

〔一〕【疏】敦,断也。试陈剑士,使考校敦断以定胜劣。　【释文】"乃校"司马云:考校取其胜者也。校,本或作教。"士敦"如字。司马云:敦,断也,试使用剑相击断截也。一音丁回反。○家世父曰:释文引司马云,敦,断也,试使用剑相击截断也。邶风诗笺王事敦我,敦,犹投掷也。鲁颂诗笺敦商之旅,敦,治也。敦剑即治剑之意。说文:敦,怒也,一曰谁何也。谁何,犹言莫我何,亦即两相比较之意。两相比较,故怒也。

庄子曰:"望之久矣〔一〕。"

〔一〕【疏】企望日久,请早试之。

王曰:"夫子所御杖,长短何如?"

曰:"臣之所奉皆可。〔一〕然臣有三剑,唯王所用,请先言而后试。"

〔一〕【疏】御,用也。谓庄实可击剑,故问之。　【释文】"御杖"直亮反。"所奉"司马本作所奏。

王曰:"愿闻三剑。"

曰:"有天子剑,有诸侯剑,有庶人剑①。"

〔校〕①高山寺本三剑字上均有之字。

王曰:"天子之剑何如?"

曰:"天子之剑,以燕谿石城为锋,齐岱为锷〔一〕,晋魏①为脊,周宋为镡〔二〕,韩魏②为夹〔三〕;包以四夷,裹以四时〔四〕;绕以渤海,带以常山〔五〕;制以五行,论以刑德〔六〕;开以阴阳,持以春夏,行以秋冬〔七〕。此剑,直之无前,举之无上,案之无下,运之无旁,上决浮云,下绝地纪。此剑一用,匡诸侯,天下服矣〔八〕。此天子之剑也。"

〔一〕【疏】锋,剑端也。锷,刃也。燕谿,在燕国;石城,塞外山;此地居北,以为剑锋。齐国岱岳在东,为剑刃也。 【释文】"燕"音煙。"谿"燕谿,地名,在燕国。"石城"在塞外。"锷"五各反。司马云:剑刃也。一云:剑棱也。

〔二〕【疏】镡,环也。晋魏二国近乎赵地,故以为脊也。周宋二国近南,故以为环也。 【释文】"镡"音淫。三苍云:徒感反,剑口也。徐徒南反,又徒各反,谓剑镮也。司马云:剑珥也。

〔三〕【疏】铗,把也。韩魏二国在赵之西,故以为把也。 【释文】"为夹"古协反。司马云:把也。一本作铗,同。一云:镡,从棱向背;铗,从棱向刃也。

〔四〕【疏】怀四夷以道德,顺四时以生化。 【释文】"裹以"音果。

〔五〕【疏】渤海,沧洲也。常山,北岳也。造化之中,以山海镇其地也。

〔六〕【疏】五行,金木水火土。刑,刑罚;德,德化也。以此五行,匡制

庄子集释

寰宇,论其刑德,以御群生。

〔七〕【疏】夫阴阳开辟,春夏维持,秋冬肃杀,自然之道也。　【释文】"行以秋冬"随天道以行止也。

〔八〕【疏】夫以道为剑,则无所不包,故上下旁通,莫能碍者;浮云地纪,岂足言哉!既以造化为功,故无不服也。

〔校〕①②高山寺本魏作卫。

文王芒然自失〔一〕,曰:"诸侯之剑何如?"

〔一〕【疏】夫才小闻大,不相承领,故芒然若涉海,失其所谓,类魏惠王之闻韶乐也。　【释文】"芒然"莫刚反。

曰:"诸侯之剑,以知勇士为锋,以清廉士为锷,以贤良士为脊,以忠圣士为镡,以豪桀士为夹①。此剑,直之亦无前,举之亦无上,案之亦无下,运之亦无旁;上法圆天以顺三光,下法方地以顺四时,中和民意以安四乡〔一〕。此剑一用,如雷霆之震也,四封之内,无不宾服而听从君命者矣。此诸侯之剑也〔二〕。"

〔一〕【疏】四乡,犹四方也。夫能法象天地而知万物之情,谓诸侯所以为异也。但能依用此剑而御于邦国,亦宇内无敌。

〔二〕【疏】易以震卦为诸侯,故雷霆为诸侯之剑也。

〔校〕①赵谏议本贤良作贤圣,世德堂本及赵本忠圣作忠胜,世德堂本豪桀作豪杰。

王曰:"庶人之剑何如?"

曰:"庶人之剑,蓬头突鬓垂冠,曼胡之缨,短后之衣,瞋目而语难。相击于前,上斩颈领,下决肝肺。此庶人之剑,无异于斗鸡,一旦命已绝矣,无所用于国事。今大王有

天子之位而好庶人之剑,臣窃为大王薄之。"〔一〕

〔一〕【疏】庄子雄辩,冠绝古今,故能说化赵王,去其所好,而结会旨
　　　归,在于此矣。　【释文】"肝肺"芳废反。"窃为"于伪反。

　　王乃牵而上殿,宰人上食,王三环之〔一〕。庄子曰:"大
王安坐定气,剑事已毕奏矣。"

〔一〕【疏】环,绕也。王觉己非,深怀惭恶,命庄子上殿以展愧情,绕
　　　食三周,不能安坐,气急心懹,岂复能餐乎!　【释文】"而上"时
　　　掌反。下同。"三环"如字。又音患,绕也。闻义而愧,绕(饶)
　　　〔馈〕①三周,不能坐食。

〔校〕①馈字依世德堂本改。

　　于是文王不出宫三月,剑士皆服毙其处也①〔一〕。

〔一〕【疏】不复受赏,故恨而致死也。　【释文】"服毙"婢世反。司
　　　马云:忿不见礼,皆自杀也。

〔校〕①高山寺本及卷子本服毙其处也并作伏毙其处矣。

杂篇渔父第三十一〔一〕

〔一〕【释文】以人名篇。

　　孔子游乎缁帷之林,休坐乎杏坛之上。弟子读书,孔
子弦歌鼓琴,奏曲未半〔一〕。

〔一〕【疏】缁,黑也。尼父游行天下,读讲诗书,时于江滨,休息林籁。
　　　其林郁茂,蔽日阴沉,布叶垂条,又如帷幕,故谓之缁帷之林也。
　　　坛,泽中之高处也。其处多杏,谓之杏坛也。琴者,和也,可以
　　　和心养性,故奏之。　【释文】"缁帷"司马云:黑林名也。本或

作惟。"杏坛"司马云:泽中高处也。李云:坛名。

有渔父者,下船而来,须①眉交②白,被发揄袂,行原以上,距陆而止,左手据膝,右手持颐以听。曲终而招子贡子路,二人俱对〔一〕。

〔一〕【疏】渔父,越相范蠡也;辅佐越王句践,平吴事讫,乃乘扁舟,游三江五湖,变易姓名,号曰渔父,即屈原所逢者也。既而泛海至齐,号曰鸱夷子;至鲁,号曰白珪先生;至陶,号曰朱公。晦迹韬光,随时变化,仍遗大夫种书云。揄,挥也。袂,袖也。原,高平也。距,至也。鬓眉交白,寿者之容;散发无冠,野人之貌。于是遥望平原,以手挥袂,至于高陆,维舟而止,(拓)〔托〕颐抱膝,以听琴歌也。 【释文】"有渔父者"音甫,取鱼父也。一云是范蠡。元嘉本作有渔者父,则如字。"须眉"本亦作鬓眉。"交白"如字。李云:俱也。一本作皎。"揄"音遥,又音俞,又褚由反,谓垂手衣内而行也。李音投,投,挥也。又士由反。"袂"面世反,李音芮。"以上"时掌反。"距陆"李云:距,至也。

〔校〕①赵谏议本须作鬓。②阙误引张君房本交作皎。

客指孔子曰:"彼何为者也〔一〕?"

〔一〕【疏】询问仲尼是何爵命之人。

子路对曰:"鲁之君子也〔一〕。"

〔一〕【疏】答云是鲁国贤人君子也。

客问其族。子路对曰:"族孔氏〔一〕。"

〔一〕【疏】问其氏族,答云姓孔。

客曰:"孔氏者何治也〔一〕?"

〔一〕【疏】又问孔氏以何法术修理其身。

899

子路未应,子贡对曰:"孔氏者,性服忠信,身行仁义,饰礼乐,选人伦,上以忠于世主,下以化于齐民,将以利天下。此孔氏之所治也。〔一〕"

〔一〕【疏】率姓谦和,服行圣迹,修饰礼乐,简选人伦,忠诚事君,化物齐等,将欲利群品,此孔氏之心乎! 【释文】"饰礼"如字。本又作饬,音敕。"下以化齐民"李云:齐,等也。许慎云:齐等之民也。如淳云:齐民,犹平民。元嘉本作化于齐民后。(句如)〔向本〕①无于字。

〔校〕①世德堂本句作向,如应为本字之误。

又问曰:"有土之君与?"

子贡曰:"非也。"

"侯王之佐与?"

子贡曰:"非也。"〔一〕

〔一〕【疏】为是有茅土五等之君? 为是王侯辅佐卿相乎? 皆答云非也。 【释文】"君与"音馀。下同。

客乃笑而还,行言曰:"仁则仁矣,恐不免其身;苦心劳形以危其真。呜呼,远哉其分于道也!〔一〕"

〔一〕【疏】夫劳苦心形,危忘真性,偏行仁爱者,去本迢遰而分离于玄道也,是以嗤笑徘徊,呜呼叹之也。 【释文】"以危"危,或作伪。"其分"如字。本又作介,音界。司马云:离也。○庆藩案,分释文作介,音界,是也。隶书介作分,俗书分作介,二形相似,往往溷乱。庄三十年穀梁传周之分子也,释文:分,本作介。汉书杜周传执进退之分,师古注:分,或作介。是其证。○藩又案,界与介古字通。汉书扬雄传界(湿)〔泾〕①阳抵穰侯而代之,文选界作介。史记晋世家号曰介山,续汉书郡国志作界山。春秋繁露立元神(碑)〔篇〕②介障险阻,淮南览冥篇介作界。

〔校〕①泾字依汉书改。②篇字依春秋繁露改。

子贡还,报孔子。孔子推琴而起曰:"其圣人与!"乃下求之,至于泽畔,方将杖拏而引其船,顾见孔子,还乡而立。孔子反走,再拜而进。〔一〕

〔一〕【疏】拏,桡也。反走前进,是虔敬之容也。　【释文】"杖"直亮反。"拏"女居反。司马云:桡也,音馀。"乡而"香亮反,或作嚮,同。

客曰:"子将何求?"

孔子曰:"曩者先生有绪言而去,丘不肖,未知所谓,窃待①于下风,幸闻咳唾之音以卒相丘也〔一〕!"

〔一〕【疏】曩,向也。绪言,馀论也。卒,终也。相,助也。向者先生有清言馀论,丘不敏,未识所由之故。窃听下风,庶承謦欬,卒用此言,助丘不逮。　【释文】"绪言"犹先言也。○俞樾曰:楚词九章款秋冬之绪风,王注曰:绪,馀也。让王篇曰:其绪馀以为国家。是绪与馀同义。绪言者,馀言也。先生之言未毕而去,是有不尽之言,故曰绪言。释文曰:犹先言也。非是。"窃待"待,或作侍。"咳"苦代反。"唾"吐卧反。"相丘"息亮反。

〔校〕①阙误引张君房本待作侍。

客曰:"嘻!甚矣,子之好学也!"

孔子再拜而起,曰:"丘少而修学,以至于今,六十九岁矣,无所得闻至教,敢不虚心!"〔一〕

〔一〕【疏】嘻,笑声也。丘少年已来,修学仁义,逮乎耆艾,未闻至道,所以恭谨虔恪虚心矣。　【释文】"曰嘻"香其反。"之好"呼报反。下同。"丘少"诗召反。下同。

客曰："同类相从，同声相应，固天之理也。吾请释吾之所有而经子之所以〔一〕。子之所以者，人事也。天子、诸侯、大夫、庶人，此四者自正，治之美也，四者离位而乱莫大焉。官治其职，人忧①其事，乃无所陵〔二〕。故田荒室露，衣食不足，征赋不属，妻妾不和，长少无序，庶人之忧也〔三〕；能不胜任，官事不治，行不清白，群下荒怠，功美不有，爵禄不持，大夫之忧也〔四〕；廷②无忠臣，国家昏乱，工③技不巧，贡职不美，春秋后伦，不顺天子，诸侯之忧也〔五〕；阴阳不和，寒暑不时，以伤庶物，诸侯暴乱，擅相攘伐，以残民人，礼乐不节，财用穷匮，人伦不饬，百姓淫乱，天子有司之忧也〔六〕。今子既上无君侯有司之势而下无大臣职事之官，而擅饰礼乐，选人伦，以化齐民，不④泰多事乎〔七〕！

〔一〕【疏】夫虎啸风驰，龙兴云布，自然之理也，固其然乎！是以渔父大贤，宣尼至圣，贤圣相感，斯同声相应也。故释吾之所有方外之道，经营子之所方内之业也。　【释文】"而经子之所以"经，经营也。司马云：经，理也。

〔二〕【疏】陵，亦乱也。夫人伦之事，抑乃多端，切要而言，无过此四者。若四者守位，乃教治盛美；若上下相冒，则乱莫大焉。是以百官各司其职，庶人自忧其务，不相陵乱，斯不易之道者也。【释文】"正治"直吏反。下官事不治同。

〔三〕【疏】田亩荒芜，屋室漏露，追征赋税，不相系属，妻妾既失尊卑，长幼曾无次序，庶人之忧患也。○庆藩案，荒露，谓荒芜败露。

方言曰：露，败也。古本或作路，路露古通用。<u>淮南臣道篇</u>路亶者也，<u>王念孙</u>曰：路亶，犹羸惫也。亦通作潞。<u>秦策</u>士民潞病，<u>高</u>注云：潞，羸也。皆与败义相近。<u>孟子滕文公篇</u>是率天下而路也，<u>赵</u>注云：是导率天下之人以羸路也。"不属"音烛。"长少"丁丈反。后遇长同。

〔四〕【疏】职任不胜，物务不理，百姓荒乱，四民不勤，大夫之忧也。【释文】"不胜"音升。"行不"下孟反。

〔五〕【疏】陪臣不忠，苞茅不贡，春秋盟会，落朋伦之后，五等之忧也。【释文】"工技"其绮反。○<u>卢文弨</u>曰：今书作国技。"贡职"职，或作赋。"春秋后伦"朝觐不及等比也。

〔六〕【疏】攘，除也。阴阳不调，日时愆度，兵戈荐起，万物夭伤，三公九卿之忧也。【释文】"不饬"音敕。

〔七〕【疏】上非天子诸侯，下非宰辅卿相，而擅修饰礼乐，选择人伦，教化苍生，正齐群物，乃是多事之人。【释文】"不泰"本又作大，音同。徐敕佐反。后同。

〔校〕①<u>高山寺</u>本忧作处。②<u>高山寺</u>本廷作朝。③<u>世德堂</u>本工作国，此盖依<u>释文</u>改。④<u>高山寺</u>本不下有亦字。

且人有八疵，事有四患，不可不察也。非其事而事之，谓之总〔一〕；莫之顾而进之，谓之佞〔二〕；希意道言，谓之谄〔三〕；不择是非而言，谓之谀〔四〕；好言人之恶，谓之谗〔五〕；析交离亲，谓之贼〔六〕；称誉诈伪以败恶①人，谓之慝〔七〕；不择善否，两容颊②适，偷拔其所欲，谓之险〔八〕。此八疵者，外以乱人，内以伤身，君子不友，明君不臣〔九〕。所谓四患者：好经大事，变更易常，以挂功名，谓之叨〔一〇〕；专知擅事,侵人自用,谓之贪〔一一〕;见过不更,闻谏愈甚,谓之很〔一二〕;人同于己则可,不同于己③,虽善不善,谓之矜〔一三〕。此四患也。能去八疵,无行四患,而始可教已。"

〔一〕【疏】总,滥也。非是己事而强知之,谓之叨滥也。 【释文】"八疵"祀知反。"之总"李云:谓监也。

〔二〕【疏】强进忠言,人不采顾,谓之佞也。

〔三〕【疏】希望前人意气而导达其言,斯谄也。 【释文】"道言"音导。

〔四〕【疏】苟且顺物,不简是非,谓之谀也。

〔五〕【疏】闻人之过,好扬败之。

〔六〕【疏】人有亲情交故,辄欲离而析之,斯贼害也。

〔七〕【疏】与己亲者,虽恶而(举)〔誉〕④;与己疏者,虽善而毁;以斯诈伪,好败伤人,可谓奸慝之人也。 【释文】"称誉"音馀。"以败"补迈反。"恶人"乌路反。下同。"之慝"他得反。

〔八〕【疏】否,恶也。善恶二边,两皆容纳,和颜悦色,偷拔其意之所欲,随而佞之,斯险诐之人也。 【释文】"善否"悲美反,恶也。又方九反。"两容颊适"善恶皆容,颜貌调适也。颊,或作颜。

〔九〕【疏】外则惑乱于百姓,内则伤败于一身,是以君子不与为友朋,明君不将为臣佐也。

〔一〇〕【疏】伺候安危,经营大事,变改之际,建立功名,谓叨滥之人也。 【释文】"以挂"音卦,别也。又音圭。"之叨"吐刀反。

〔一一〕【疏】事己独擅,自用陵人,谓之贪也。

〔一二〕【疏】有过不改,闻谏弥增,很戾之人。 【释文】"很"胡垦反。○庆藩案,说文:很,言不听从也。逸周书谥法篇愎很遂过者曰刺。荀子成相篇愎很遂过不肯悔。

〔一三〕【疏】物同乎己,虽恶而善,物异乎己,虽善而恶,谓之矜夸之人。

【释文】"能去"起吕反。

〔校〕①阙误引张君房本恶作德。②赵谏议本颊作颜,高山寺本道藏本并同。③高山寺本己下有则字。④誉字依刘文典补正本改。

孔子愀然而叹,再拜而起,曰:"丘再逐于鲁,削迹于卫,伐树于宋,围于陈蔡。丘不知所失,而离此四谤者何也?"〔一〕

〔一〕【疏】愀然,惭竦貌也。罹(离),遭也。丘无罪失而遭罹四谤。未悟前旨,故发此疑。 【释文】"愀然"在九反,又七小反。

客凄然变容曰:"甚矣,子之难悟也! 人有畏影恶迹而去之走者,举足愈数而迹愈多,走愈疾而影不离身①,自以为尚迟,疾走不休,绝力而死。不知处阴以休影,处静以息迹,愚亦甚矣! 子审仁义之间,察同异之际,观动静之变,适受与之度,理好恶之情,和喜怒之节,而几于不免矣〔一〕。谨修而身,慎守其真,还以物与人,则无所累矣〔二〕。今不修之身而求之人②,不亦外乎〔三〕!"

〔一〕【疏】留停仁义之间以招门徒,伺察同异之际以候机宜,观动静之变,睎其侥幸,适受与之度,望著功名,理好恶之情,而是非坚执,和喜怒之节,用为达道,以己诲人,矜矫天性,近于不免也。 【释文】"难语"鱼据反。下同。本或作悟。○卢文弨曰:今书作难悟。"愈数"音朔。"不离"力智反。

〔二〕【疏】谨慎形体,修守真性,所有功名,还归人物,则物我俱全,故无患累也。

〔三〕【疏】不能修其身而求之他人者,岂非疏外乎!

    <u>孔子</u>愀然^{〔一〕}曰："请问何谓真?"

〔一〕【疏】自竦也。

    客曰："真者,精诚之至也。不精不诚,不能动人^{〔一〕}。故强哭者虽悲①不哀,强怒者虽严不威,强亲者虽笑不和。真悲无声而哀,真怒未发②而威,真亲未③笑而和。真在内者,神动于外,是所以贵真也。其用于人理也,事亲则慈孝,事君则忠贞,饮酒则欢乐,处丧则悲哀^{〔二〕}。忠贞以功为主,饮酒以乐为主,处丧以哀为主,事亲以适为主,功成之美,无一其迹矣^{〔三〕}。事亲以适,不论④所以矣;饮酒以乐,不选其具矣;处丧以哀,无问其礼矣^{〔四〕}。礼者,世俗之所为也;真者,所以受于天也,自然不可易也^{〔五〕}。故圣人法天贵真,不拘于俗^{〔六〕}。愚者反此。不能法天而恤于人,不知贵真,禄禄而受变于俗,故不足^{〔七〕}。惜哉,子之蚤湛于人⑤伪而晚闻大道也^{〔八〕}!"

〔一〕【疏】夫真者不伪,精者不杂,诚者不矫也。故矫情伪性者,不能动于人也。

〔二〕【疏】夫道无不在,所在皆通,故施于人伦,有此四事。〔四事〕之义,(以)〔具〕列下文。 【释文】"故强"其丈反。下同。"欢乐"音洛。下同。

〔三〕【疏】贞者,事之幹也,故以功绩为主;饮酒陶荡性情,故以乐为主。是以功在其美,故不可一其事迹也。

〔四〕【疏】此覆释前四义者也。

〔五〕【疏】节文之礼,世俗为之,真实之性,禀乎大素,自然而然,故不可改易也。

〔六〕【疏】法效自然，宝贵真道，故不拘束于俗礼也。

〔七〕【疏】恤，忧也。禄禄，贵貌也。愚迷之人，反于圣行，不能法自
然而造适，贵道德而逍遥，翻复溺人事而忧虑，滞嚣尘而迁贸，
徇物无厌，故心恒不足也。 【释文】"禄禄"如字，又音录，谓形
见为礼也。司马云：录，领录也。○庆藩案，禄司马本作录。文
选刘公幹杂诗注引司马云：领（禄）〔录〕⑥也。领上无（禄）〔录〕
字，与释文异。

〔八〕【疏】惜孔子之雄才，久迷情于圣迹，耽人间之浮伪，不早闻于玄
道。 【释文】"蚤"音早。字亦作早。"湛"丁南反，下同。

〔校〕①高山寺本悲作疾。②又未发作不严。③又未作不。④又论
下有其字。⑤世德堂本无人字。⑥两录字依文选改。

　　孔子又再拜而起曰："今者丘得遇也，若天幸然。先
生不①羞而比之服役，而身教之。敢问舍所在，请因受业
而卒学大道。"〔一〕

〔一〕【疏】尼父喜欢，自嗟庆幸，得逢渔父，欣若登天。必其不耻训
诲，寻当服勤驱役，庶为门人，身禀教授，问舍所在，终学大道。
【释文】"丘得过也"谓得过失也。过，或作遇②。○庆藩案，释
文过或作遇者是也。遇过形似，致易互讹，说见前。"而比"如
字，谓亲见比数也。又毗志反。

〔校〕①高山寺本不下有为字。②今书作遇。

　　客曰："吾闻之，可与往者与之，至于妙道；不可与往
者，不知其道，慎勿与之，身乃无咎〔一〕。子勉之！吾去子
矣，吾去子矣！"乃刺船而去，延缘苇间〔二〕。

〔一〕【疏】从迷适悟为往也。妙道,真本也。知,分别也。若逢上智之士,可与言于妙本;若遇下根之人,不可语其玄极。观机吐照,方乃无疵。

〔二〕【疏】戒约<u>孔子</u>,令其勉励。延缘止芦苇之间。重言去子,殷勤训勖也。　【释文】"乃刺"七亦反。

<u>颜渊</u>还车,<u>子路</u>授绥,<u>孔子</u>不顾,待水波定,不闻拏音而后敢乘〔一〕。

〔一〕【疏】<u>仲尼</u>既见异人告以至道,故仰之弥甚,喜惧交怀,门人授绥,犹不顾盼,船远波定,不闻桡响,方敢乘车。　【释文】"波定"<u>李</u>云:谓战如波也。案谓船行故水波,去远则波定。

<u>子路</u>旁车而问曰:"<u>由</u>得为役久矣,未尝见夫子遇人如此其威也。万乘之主,千乘之君,见夫子未尝不分庭伉礼,夫子犹有倨敖之容。今<u>渔父</u>杖拏逆立,而夫子曲要磬折,言拜而应,得无太甚乎?门人皆怪夫子矣,<u>渔人</u>何以得此乎?〔一〕"

〔一〕【疏】天子万乘,诸侯千乘。伉,对也。分处庭中,相对设礼,位望相似,无阶降也。<u>仲尼</u>遇天子诸侯,尚怀倨傲,一逢<u>渔父</u>,尽礼曲腰,并受言词,必拜而应,<u>渔父</u>威严,遂至于此。<u>孔丘</u>重方外之道,<u>子路</u>是方内之人,故致惊疑,旁车而问也。　【释文】"旁车"步浪反。"万乘"绳證反。下同。"倨"音據。"敖"五报反。"曲要"一遥反。"磬折"之设反。

<u>孔子</u>伏轼而叹曰:"甚矣,<u>由</u>之难化也!湛于礼义有间矣,而朴鄙之心至今未去〔一〕。进,吾语汝!夫遇长不敬,失礼也;见贤①不尊,不仁也。彼非至人,不能下人,下

人不精，不得其真，故长伤身。惜哉！不仁之于人也，祸莫大焉，而<u>由</u>独擅之。〔二〕且道者，万物之所由也，庶物失之者死，得之者生，为事逆之则败，顺之则成。故道之所在，圣人尊之。今渔父之于道，可谓有矣，吾敢不敬乎！〔三〕"

〔一〕【疏】湛著礼义，时间固久，嗟其鄙拙，故凭轼叹之也。　【释文】"湛于"湛，或作其。

〔二〕【疏】召<u>由</u>令前，示其进趋。夫遇长老不敬，则失于礼仪；见可贵不尊，则心无仁爱。若非至德之人，则不能使人谦下；谦下或不精诚，则不造于玄极。不仁不爱，乃祸败之基。惜哉<u>仲由</u>，专擅于此也！　【释文】"下人"遐嫁反。下及注同。

〔三〕【注】此篇言无江海而闲者，能下江海之士也。夫<u>孔子</u>之所放任，岂直渔父而已哉？将周流六虚，旁通无外，蠕动之类，咸得尽其所怀，而穷理致命，(因)〔固〕②所以为至人之道也。　【疏】由，从也。庶，众也。夫道生万物，则谓之道，故知众庶从道而生。是以顺而得者则生而成，逆而失者则死而败，物无贵贱，道在则尊。<u>渔父</u>既其怀道，<u>孔子</u>何能不敬耶！　【释文】"而闲"音闲。"蠕"如兖反。

〔校〕①<u>高山寺</u>本贤作贵。②固字依<u>世德堂</u>本改。

杂篇**列御寇第三十二**〔一〕

〔一〕【释文】以人名篇。或无列字。

<u>列御寇</u>之齐，中道而反，遇<u>伯昏瞀人</u>〔一〕。<u>伯昏瞀人</u>曰："奚方而反〔二〕？"

〔一〕【疏】伯昏,楚之贤士,号曰伯昏瞀人,隐者之徒也。御寇既师壶子,又事伯昏,方欲适齐,行于化道,自惊行浅,中路而还,适逢瞀人,问其所以。 【释文】"瞀人"音茂,又音务。

〔二〕【疏】方,道也。奚,何也。汝行何道? 欲往何方? 问其所由中涂反意也。 【释文】"奚方"李云:方,道也。

曰:"吾惊焉〔一〕。"

〔一〕【疏】自觉己非,惊惧而反。此略答前问意。 【释文】"吾惊焉"李云:见人感己即远惊也。○卢文弨曰:旧感作惑,讹。今书音义作见人感己即违道,故惊也。此似有脱误。

曰:"恶乎惊〔一〕?"

〔一〕【疏】重问御寇于何事迹而起惊心。 【释文】"恶乎"音乌。

曰:"吾尝食于十𩜋①〔一〕,而五𩜋先馈〔二〕。"

〔一〕【注】卖浆之家。 【释文】"十𩜋"子祥反。本亦作浆。司马云:𩜋读曰浆,十家并卖浆也。

〔二〕【注】言其敬己。 【疏】馈,遗也。十浆,谓有十家卖浆饮也。列子因行渴,于逆旅十家卖饮,而五家先遗,睹其容观,竞起(惊)〔敬〕②心,未能冥混,是以惊惧也。 【释文】"五𩜋先馈"馈,遗也,谓十家中五家先见遗。王云,皆先馈进于己。

〔校〕①赵谏议本𩜋作浆,下同。②敬字依注文改。

910　　伯昏瞀人曰:"若是,则汝何为惊已〔一〕?"

〔一〕【疏】更问惊由,庶陈己失。

曰:"夫内诚不解〔一〕,形谍成光〔二〕,以外镇人心〔三〕,使人轻乎贵老〔四〕,而䪅其所患〔五〕。夫𩜋人特为食羹之货,〔无〕①多馀之赢,其为利也薄,其为权也轻,而犹若是〔六〕,而况于万乘之主乎〔七〕！身劳于国而知尽于事,彼将任我以事而效我以功,吾是以惊〔八〕。"

〔一〕【注】外自矜饰。　【疏】自觉内心实智,未能悬解,为物所敬,是以惊而归。　【释文】"不解"音蟹。司马音懈。

〔二〕【注】举动便辟而成光仪也。　【释文】"形谍"徒协反。郭云:便辟也。说文云:闲也。"成光"司马云:形谍于衰,成光华也。"便辟"婢亦反。

〔三〕【注】其内实不足以服物。　【疏】谍,便辟貌也。镇,服也。仪容便辟,动成光华,用此外形,镇服人物。

〔四〕【注】若镇物由乎内实,则使人贵老之情笃也。　【释文】"贵老"谓重御寇过于老人。

〔五〕【注】言以美形动物,则所患乱生也。　【疏】鳖,乱也。未能混俗同尘而为物标杓,使人敬贵于己而轻老人,良恐祸患方乱生矣。　【释文】"而鳖"子兮反,乱也。○卢文弨曰:旧作鳌②,讹。今改正。卷内同。

〔六〕【注】权轻利薄,可③无求于人。　【释文】"为食"音嗣。"赢"音盈。

〔七〕【疏】特,独也。赢,利也。夫卖浆之人,独有羹食为货,所盈之物,盖亦不多。为利既薄,权亦非重,尚能敬己,竞走献浆,况在君王,权高利厚,奔驰尊贵,不亦宜乎！　【释文】"万乘"绳證反。

〔八〕【疏】夫君人者,位总万机,威跨四海,故躬疲倦于邦国,心尽虑于世事,则思贤若渴以代己劳,必将任我以物务而验我以功绩,徇外丧内,逐伪忘真。惊之所由,具陈如是也。　【释文】"而效"如字。本又作校,古孝反。

〔校〕①无字依阙误引<u>江南</u>古藏本及<u>文如海</u><u>张君房</u>本补,据<u>成</u>疏亦当

有无字。②鏊,<u>说文</u>作鏨。③<u>赵谏议</u>本无可字。

<u>伯昏瞀人</u>曰:"善哉观乎〔一〕**! 女处己**①**,人将保女**

矣〔二〕**!"**

〔一〕【疏】汝能观察己身,审知得丧,嘉其自觉,故叹善哉。

〔二〕【注】苟不遗形,则所在见保。保者,聚守之谓也。 【疏】保,守

也。汝安处己身,不能忘我,犹显形德,为物所归,门人请益,聚

守之矣。 【释文】"保女"<u>司马</u>云:保,附也。

〔校〕①阙误引<u>江南</u>古藏本及<u>李氏</u>本俱音纪。

无几何而往,则户外之屦满矣〔一〕**。<u>伯昏瞀人</u>北面而**

立,敦杖蹙之乎颐,立有间,不言而出〔二〕**。**

〔一〕【疏】无几何,谓无多时也。俄顷之间,<u>伯昏</u>往御寇之所,适见脱

屦户外,跣足升堂,请益者多矣。 【释文】"无几"居岂反。

〔二〕【疏】敦,竖也。以杖柱颐,听其言说,倚立閒久,忘言而归也。

【释文】"敦杖"音顿。<u>司马</u>云:竖也。"蹙之"子六反。

宾者以告<u>列子</u>,<u>列子</u>提屦,跣而走,暨乎门,曰:"先生

既来,曾不发药乎〔一〕**?"**

〔一〕【疏】宾者,谓通宾客人也。<u>御寇</u>闻师久立,不言而归,于是竦息

惭惕,不暇纳屦,跣足驰走,至门而(反)〔及〕。高人既来,庶蒙针

艾,不尝开发药石,遗弃而还。诚心钦渴,有此固请也。 【释

文】"宾者"本亦作傧,同。必刃反。谓通客之人。"跣而"先典

反。"暨乎"其器反。"发药"如字。<u>司马</u>本作废,云:置也。○

<u>庆藩</u>案,发,<u>司马</u>作废。发废,古同声通用字。<u>尔雅</u>:废,税,舍

也。<u>方言</u>:发,税,舍车也。是发与废同。<u>汉书货殖传子赣</u>发贮

鬻(则)〔财〕曹鲁之间，史记作废著。（徐广曰：著，读音如贮。）荀子礼论篇大昏之未发齐也，史记礼书发作废。史记扁鹊传色废脉乱，徐广曰：一作发。皆其例。

曰："已矣，吾固告汝曰人将保汝，果保汝矣[一]。非汝能使人保汝，而汝不能使人无保汝也[二]，而焉用之感豫出异也[三]！必且有感，摇而本才①，又无谓也[四]。与汝游者又莫汝告也，彼所小言，尽人毒也[五]。莫觉莫悟，何相孰也[六]！巧者劳而知者忧，无能者无所求，饱食而敖游，泛若不繫之舟，虚而敖游者也[七]。"

〔一〕【疏】已，止也。我已于先固告汝，汝不能韬光晦迹，必为物所归依。今果见汝门人满室，吾昔语汝，谅非虚言。宜止所请，无劳辞费。○庆藩案，保汝，谓依汝也。僖二年左传保于逆旅，杜注：保，依也。史记周本纪百姓怀之，多从而保归焉。保归，谓依归也。司马训保为附，附亦依也。王逸注七谏曰：依，保也。

〔二〕【注】任平而化，则无感无求，无感无求，乃不相保。【疏】显迹于外，故为人保之；未能忘德，故不能无守也。

〔三〕【注】先物施惠，惠不因彼，豫出则异也。【疏】而，汝也。焉，何也。夫物我两忘，亦何须物来感己！必有机来，感而后应，不劳预出异端，先物施惠。【释文】"而焉"於虔反。

913

〔四〕【注】必将有感，则与本性动也。【疏】摇，动也。必固有感迫而后起，率其本性，摇而应之，灭迹匿端，有何称谓也！【释文】"摇而本才"一本才作性。○家世父曰：释文，一本才作性。郭象注，必将有感，则与本性动也。感者人心，所感之〔者〕又出于感人心之心。尔雅释诂：摇，作也。摇而本才，谓舍其本心之自然而作而致之。"又无谓也"动摇本才以致求者,又非道德之谓也。

〔五〕【注】细巧入人为小言。 【疏】共汝同游,行解相类,唯事浮辩细巧之言,佞媚于人,尽为鸩毒,讵能用道以告汝也! 【释文】"小言"言不入道,故曰小言。"人毒"以其多患,故曰人毒。

〔六〕【疏】孰,谁也。彼此迷涂,无能觉,无能悟,何谁独晓以相告乎? 【释文】"莫觉莫悟何相孰也"彼不敢告汝,汝又不自觉,何期相孰哉! 王云:小言为毒,曾无告语也。孰,谁也。谓谁相亲爱者。既无告语,此不相亲爱之至也。○家世父曰:释文引王云:孰,谁也,谓谁相亲爱也。疑庄子本旨在蠲亲爱之意。说文:孰,食饪也。孰食曰孰,假借为详审之义。汉书本纪其孰计之,贾谊传日夜念此至孰也,邹阳传愿大王孰察之,颜师古注:孰,审也。言莫之觉悟而终不自审也。

〔七〕【注】夫无其能者,唯圣人耳。过此以下,至于昆虫,未有自忘其能而任众人者也。 【疏】夫物未尝为,无用忧劳,而必以智巧困弊。唯圣人泛然无系,泊尔忘心,譬彼虚舟,任运逍遥。 【释文】"而知"音智。"食而"一本作饱食而。"敖游"本又作遨,五刀反。下同。"泛若"芳剑反。

〔校〕①赵谏议本作性,依郭注及成疏似均作性。

914　　郑人缓也呻吟裘氏之地〔一〕。祇三年而缓为儒〔二〕,河润九里,泽及三族,使其弟墨〔三〕。儒墨相与辩,其父助翟〔四〕。十年而缓自杀。其父梦之曰:"使而子为墨者予也。阖胡①尝视其良,既为秋柏之实矣〔五〕?"

〔一〕【注】呻吟,吟咏之谓。 【释文】"缓也"司马云:缓,名也。

"呻"音申,谓吟咏学问之声也。崔云:呻,诵也。本或作呻吟。
"裘氏"地名。崔云:裘,儒服也。"之地"崔本作之地蛇,云:地
蛇者,山田荼种也。○卢文弨曰:宋本荼字空。

〔二〕【注】祇,适也。　【疏】呻吟,咏读也。裘氏,地名也。祇,适也。
郑人名缓,于裘地学问,适经三年而成儒道。　【释文】"祇"音
支。郭李云:适也。言适三年而成也。司马云:巨移反,谓神祇
祐之也。

〔三〕【疏】三族,谓父母妻族也。能使弟成于墨教也。　【释文】"河
润九里"河从乾位来,乾,阳数九也。"使其弟墨"谓使缓弟翟成
墨也。

〔四〕【注】翟,缓弟名。　【疏】翟,缓弟名也。儒则宪章文武,祖述尧
舜,甚固吝,好多言。墨乃遵于禹道,勤俭好施。儒墨涂别,志尚
不同,各执是非,互相争辩,父党小儿,遂助于翟矣。

〔五〕【注】缓怨其父之助弟,故感激自杀,死而见梦,谓己既能自化为
儒,又化弟令墨,弟由己化而不能顺己,己以良师而便怨死,精
诚之至,故为秋柏之实。　【疏】阖,何不也。秋柏,劲木也。父
既助翟,而缓恨之,经由十年,感激自杀,仍见梦于父,以申怨言
云:"使汝子为墨者,我之功力也。何不看视我为贤良之师而更
朋助弟?我怨恨之甚,化为异物秋柏子实,生于墓上。"亦有作
垠字者,垠,冢也。云:"汝何不看我冢上,已化为秋柏之木而生
实也?"　【释文】"阖胡尝视其良"阖,语助也。胡,何也。良者,
良人,斥缓也。言何不试视缓墓上,已化为秋柏之实。良或作
垠,音浪,冢也。○俞樾曰:释文曰,良者良人,谓缓也。此与下
句之义不属。又云,良或作垠,冢也。此说近之。垠,犹圹也。
圹垠本叠韵字,应帝王篇以处圹垠之野是也。故圹亦得谓之

列御寇第三十二

915

埌。管子度地篇郭外为之土阆,阆与埌同。外物篇胞有重阆,郭
注曰:阆,空旷也。其义亦相近。"而见"贤遍反。"令墨"力
呈反。

夫造物者之报人也,不报其人而报其人之天〔一〕。彼
故使彼〔二〕。夫人以己为有以异于人以贱其亲〔三〕,齐人之
井饮者相捽也。故曰今之世皆缓也〔四〕。自是,有德者以
不知也,而况有道者乎〔五〕!古者谓之遁天之刑〔六〕。

〔一〕【注】自此以下,庄子辞也。夫积习之功为报,报其性,不报其为
也。然则学习之功,成性而已,岂为之哉! 【疏】造物者,自然
之洪炉也,而造物者无物也,能造化万物,故谓之造物也。夫物
之智能,禀乎造化,非由从师而学成也。故假于学习,辅道自
然,报其天性,不报人功也。是知翟有墨性,不从缓得。缓言我
教,不亦缪乎!

〔二〕【注】彼有彼性,故使习彼。 【疏】彼翟(先)者〔先〕有墨性,故
成墨,若率性素无,学终不成也。岂唯墨翟,庶物皆然。

〔三〕【注】言缓自美其儒,谓己能有积学之功,不知其性之自然也。
夫有功以贱物者,不避其亲也,无其身以平(往)〔性〕①者,贵贱
不失其伦也。 【疏】言缓自恃于己有学植之功,异于常人,故
轻贱其亲而汝于父也。人之迷滞,而至于斯乎!

〔四〕【注】夫穿井所以通泉,吟咏所以通性。无泉则无所穿,无性则
无所咏,而世皆忘其泉性之自然,徒识穿咏之末功,因欲矜而有
之,不亦妄乎! 【疏】夫土下有泉,人各有性,天也;穿之成井,
学以成术者,人也。嗟乎!世人迷妄之甚,徒知穿学之末事,不
悟泉性之自然,而矜之以为己功者,故世皆缓之流也。齐人穿凿

得井,行李汲而饮之,井主护水,捽头而休,<u>庄生</u>闻之,故引为(谕)〔喻〕。　【释文】"相捽"才骨反。言穿井之人,为己有造泉之功而捽饮者,不知泉之天然也。喻<u>缓</u>不知<u>翟</u>天然之<u>墨</u>而忿之。捽,一音子晦反。

〔五〕【注】观<u>缓</u>之缪以为学,父故能任其自尔而知,故无为其间也。　【疏】观<u>缓</u>之迷,以为己诚有德之人,从是之后,忘知任物,不复自矜,况体道之人,岂视其功耶!　【释文】"不知"音智,注同。○<u>家世父</u>曰:彼故使彼,彼者,儒墨也。有儒墨矣,因而有儒<u>墨</u>之辩立。夫儒墨之名,所以使之辩也。既成乎儒墨之辩,则贵其同己者而贱其异己者,因其亲也亦贱之,执其所辩之异而忘其受于天性之同也。知儒<u>墨</u>之为德以自是其德,谓之不知德。所谓德者,可而可之,然而然之。所谓道者,无物不可,无物不然。○<u>俞樾</u>曰:自是二字绝句。若<u>缓</u>之自美其儒,是自是也。有德者已不知有此,有道者更无论矣。故曰有德者以不知也,而况有道者乎!以读为已。<u>郭</u>注所说,殊未明了。"学父"本或作久。

〔六〕【注】仍自然之能以为己功者,逃天者也,故刑戮及之。　【疏】不知物性自尔,矜为己功者,逃遁天然之理也。既乖造化,故刑戮及之。　【释文】"仍自"而證反。本又作认,同。

〔校〕①性字依<u>世德堂</u>本改。

圣人安其所安,不安其所不安〔一〕;众人安其所不安,不安其所安〔二〕。

〔一〕【注】夫圣人无安无不安,顺百姓之心也。　【疏】安,任也。任群生之性,不引物从己,性之无者,不强安之,所以为圣人也。

〔二〕【注】所安相与异,故所以为众人也。　【疏】学己所不能,安其所不安也;不安其素分,不安其所安也。

庄子曰:"知道易,勿言难〔一〕。知而不言,所以之天也;知而言之,所以之人也〔二〕;古之①人,天而不人〔三〕。"

〔一〕【疏】玄道窅冥,言象斯绝,运知则易,忘言实难。 【释文】"道易"以豉反。

〔二〕【疏】妙悟玄道,无法可言,故诣于自然之境,虽知至极而犹存言辩,斯未离于人伦矣。

〔三〕【注】知虽落天地,未尝开言以引物也,应其至分而已。 【疏】复古真人,知道之士,天然淳素,无复人情。 【释文】"知虽"音智。"应其"如字,当也。

〔校〕①阙误引张君房本人上有至字。

朱泙漫学屠龙于支离益,单千金之家,三年技成而无所用其巧〔一〕。

〔一〕【注】事在于适,无贵于远功。 【疏】姓朱,名泙漫。姓支离,名益。殚,尽也。罄千金之产,学杀龙之术,伏膺三岁,其道方成,技虽巧妙,卒为无用。屠龙之事,于世稍稀,欲明处涉人间,贵在适中,苟不当机,虽大无益也。 【释文】"朱泙"李音平,郭敷音反。徐敷耕反。○庆藩案,文选张景阳七命注引司马云:泙,普彭反。释文阙。"漫"末旦反,又末干反。司马云:朱泙漫,支离益,皆人姓名。○庆藩案,文选张景阳七命注引司马云:朱,姓也;泙漫,名也。益,人名也。与释文小异。○俞樾曰:支离,复姓,说在人间世篇。朱泙,亦复姓。广韵十虞朱字注:庄子有朱泙漫,郭注:朱泙,姓也。今象注无此文。"屠"音徒。"单"音丹,尽也。"千金之家"如字。本亦作贾,又作价,皆音嫁。"三"绝句。崔云:用千金者三也。一本作三年,则上句至家绝。○卢圣人以必不必，故无兵〔一〕；众人以不必必之，故多兵〔二〕；顺于兵，故行有求〔三〕。兵，恃之则亡〔四〕。

〔一〕【注】理虽必然，犹不必之，斯至顺矣，兵其安有！　【疏】达道之士，随逐物情，理虽必然，犹不固执，故无交争也。

〔二〕【注】理虽未必，抑而必之，各必其所见，则乖逆生也。　【疏】庸庶之类，妄为封执，理不必尔而固必之，既忤物情，则多乖矣。

〔三〕【注】物各顺性则足，足则无求。　【疏】心有贪求，故任于执固之情也。　【释文】"慎于兵"慎或作顺。○卢文弨曰：今书慎作顺。

〔四〕【注】不得已而用之以恬惔①为上者，未之亡也。　【疏】不能大顺群命，而好乖逆物情者，则几亡吾宝矣。　【释文】"恬"徒谦反。"惔"徒暂反。本亦作淡。

〔校〕①赵谏议本惔作淡。

小夫之知，不离苞苴竿牍〔一〕，敝精神乎蹇浅〔二〕，而欲兼济道①物，太一形虚。若是者，迷惑于宇宙，形累不知太初。〔三〕彼至人者，归精神乎无始而甘冥②乎无何有之乡〔四〕。水流乎无形，发泄乎太清〔五〕。悲哉乎！汝为知在毫毛〔六〕，而不知大宁〔七〕！

〔一〕【注】苞苴以遗，竿牍以问，遗问之具，小知所殉。　【疏】小夫，犹匹夫也。苞苴，香草也。竿牍，竹简也。夫搴芳草以相赠，折简牍以相问者，斯盖俗中细务，固非丈夫之所忍为。　【释文】"之知"音智。注及下为知同。"不离"力智反。"苞苴"子馀反。司马云：苞苴，有苞裹也。"竿"音干。"牍"音独。司马云：

谓竹简为书,以相问遗,修意气也。"以遗"唯季反。下同。

〔二〕【注】昏于小务,所得者浅。 【疏】好为遗问,徇于小务,可谓劳精神于跂蹇浅薄之事,不能游虚涉远矣。 【释文】"敝精神"<u>郭</u>婢世反,一音必世反。

〔三〕【注】小夫之知,而欲兼济导物,经虚涉远,志大神敝,形为之累,则迷惑而失致也。 【疏】以蹇浅之知,而欲兼济群物,导达群生,望得虚空其形,合太一之玄道者,终不可也。此人迷于古今,形累于六合,何能照知太初之妙理耶! 【释文】"道物"音导。注同。○<u>卢文弨</u>曰:今书作导物。

〔四〕【疏】无始,妙本也。无何有之乡,道境也。至德之人,动而常寂,虽复兼济道物,而神凝无始,故能和光混俗而恒寝道乡也。 【释文】"甘冥"如字。本亦作瞑。又音眠。○<u>俞樾</u>曰:<u>释文</u>,冥如字。又云本亦作瞑,又音眠,当从之。瞑眠,古今字。<u>文选养生论</u>达旦不瞑,<u>李善</u>注曰:瞑,古眠字。是也。甘瞑即甘眠。<u>徐无鬼篇</u>孙叔敖甘寝秉羽而郢人投兵,<u>司马</u>云:言叔敖愿安寝恬卧以养德于庙堂之上,折冲于千里之外。此云甘瞑,彼云甘寝,其义一也,并谓安寝恬卧也。<u>释文</u>读冥如字,失之。<u>淮南子俶真篇</u>曰,甘瞑于溷澜之域,即本之此。

〔五〕【注】泊然无为而任其天行也。 【疏】无以顺物,如水流行,随时适变,不守形迹。迹不离本,故虽应动,恒发泄于太清之极也。 【释文】"发泄"息列反。<u>徐</u>以世反。"泊然"步各反。

〔六〕【注】为知所得者细。 【释文】"悲哉乎"一本作悲哉悲哉。"为"于伪反。

〔七〕【注】任性大宁而至。 【疏】苞苴竿牍,何异毫毛! 如斯运智,深可悲叹。精神浅薄,讵知乎至寂之道耶!

宋人有曹商者,为宋王使秦。其往也,得车数乘;王说之,益车百乘。〔一〕反于宋,见庄子曰:"夫处穷闾厄巷,困窘织屦,槁项黄馘者,商之所短也;一悟万乘之主而从车百乘者,商之所长也〔二〕。"

〔一〕【疏】姓曹,名商,宋人也。为宋偃王使秦,应对得所,秦王爱之,遂赐车百乘。乘,驷马也。　【释文】"宋王"司马云:偃王也。"使秦"所吏反。"数"所主反。"乘"绳證反。下同。"王说"音悦。

〔二〕【疏】窘,急也。言贫穷困急,织屦以自供,颈项枯槁而憔悴,头面黄瘦而馘厉,当尔之际,是商之所短也。一使强秦,遂使秦王惊悟,遗车百乘者,是商之智数长也。以此自多,矜夸庄子也。【释文】"厄"於懈反。○庆藩案,广雅:闾,居也。古谓里中道为巷,亦谓所居之宅为巷。广雅:衖,尻也。(尻,今通作居。)衖巷,古字通。闾巷皆居也。故穷闾或曰穷巷。"窘"与陨反,又巨韵反。"槁"苦老反,又祛矫反。本亦作矫,居表反。"项"李云:槁项,羸瘦貌。司马云:项槁立也。"黄馘"古獲反,徐况璧反。尔雅云:获也。司马云:谓面黄熟也。○俞樾曰:馘者,俘馘也,非所施于此。馘疑癨之假字。说文疒部,癨,头痛也。黄癨,谓头痛而色黄。

庄子曰:"秦王有病召医,破痈溃痤者得车一乘,舐痔者得车五乘,所治愈下,得车愈多。子岂治其痔邪,何得车之多也?子行矣!〔一〕"

〔一〕【注】夫事下然后功高,功高然后禄重,故高远恬淡者遗荣也。
　　【疏】瘫,痒热毒肿也。痔,下漏病也。<u>庄生</u>风神俊悟,志尚清
　　远,既而纵此奇辩以挫<u>曹商</u>。故<u>郭</u>注云,夫事下然后功高,功高
　　然后禄重,高远恬淡者遗荣也。　　【释文】"秦王"<u>司马</u>云:<u>惠王</u>
　　也。"瘫"徂禾反。"舐"字又作䑛,食纸反。"痔"治纪反。"愈
　　下"本亦作俞,同。

　　　　<u>鲁哀公</u>问乎<u>颜阖</u>曰:"吾以<u>仲尼</u>为贞干,国其有瘳
乎〔一〕?"

〔一〕【疏】言<u>仲尼</u>有忠贞干济之德,欲命为卿相,<u>鲁</u>邦乱病庶瘳差
　　矣。　　【释文】"瘳"敕由反。

　　　　曰:"殆哉圾①乎<u>仲尼</u>〔一〕!方且饰羽而画〔二〕,从事华
辞,以支为旨〔三〕,忍性以视民而不知不信〔四〕,受乎心,宰
乎神,夫何足以上民〔五〕!彼宜女与〔六〕?予颐与〔七〕?误而
可矣〔八〕。今使民离实学伪,非所以视民也,为后世虑,不
若休之〔九〕。难治也〔一〇〕。"

〔一〕【注】圾,危也。夫至人以民静为安。今一为贞干,则遗高迹于
　　万世,令饰竞于仁义而雕画其毛彩,百姓既危,至人亦无以为安
　　也。　　【疏】殆,近也。圾,危也。以贞干迹率物,物既失性,<u>仲
　　尼</u>何以安也!　　【释文】"圾"鱼及反,又五腊反,危也。"令饰"
　　力呈反。下同。

〔二〕【注】凡言方且,皆谓后世,(将然)〔从事〕②饰画,非任真也。
　　【疏】方将贞干辅相<u>鲁</u>廷,万代奔逐,修饰羽仪,丧其真性也。

〔三〕【注】将令后世之从事者无实,而意趣横出也。　　【疏】圣迹既

彰,令从政任事,情伪辞华,析派分流为意旨也。

〔四〕【注】后世人君,将慕<u>仲尼</u>之遗轨,而遂忍性自矫伪以临民,上下相习,遂不自知也。　【疏】后代人君,慕<u>仲尼</u>遗轨,安忍情性,用之临人,上下相习,矫伪黔黎,而不知已无信实也。以华伪之迹教示苍生,禀承心灵,宰割真性,用此居人之上,何足称哉!　【释文】"以视"音示。下同。

〔五〕【注】今以上民,则后世百姓非直外形从之而已,乃以心神受而用之,不能复自得于体中也。　【疏】后代百姓,非直外形从之,乃以心神受而用之,不能复自得之性,以此居民上,何足可安哉!　【释文】"能复"扶又反。

〔六〕【注】彼,百姓也。女,<u>哀公</u>也。彼与女各自有所宜,相效则失真,此即今之见验。　【疏】彼,百姓也。女,<u>哀公</u>也。百姓与汝各有所宜,若将汝所宜与百姓,不可也。　【释文】"女与"音馀,又如字。下颐与同。"之见"贤遍反。

〔七〕【注】效彼非所以养己也。　【疏】予,我也。颐,养也。我与百姓怡养不同,譬如鱼鸟,升沉各异,若以汝所养卫物,物我俱失也。

〔八〕【注】正不可也。　【疏】以贞干之迹错误行之,正不可也。○<u>家世父</u>曰:彼宜汝与,言<u>仲尼</u>之道果有宜于汝者乎? 予颐与,言将待我以养者乎? <u>周易序卦</u>曰:颐者,养也。以为宜与而待养之,若谓国可以有瘳则误矣,意以<u>哀公</u>之所云可者误也。

〔九〕【注】明不谓当时也。　【疏】离实性,学伪法,不可教示黎民,虑后世荒乱,不如休止也。　【释文】"离实"力智反。

〔一〇〕【注】治(不)〔之〕③则伪,故圣人不治也。　【疏】舍己效物,圣人不治也。

施于人而不忘,非天布也〔一〕。商贾不齿〔二〕,虽以事①
齿之,神者弗齿〔三〕。

〔一〕【注】布而识之,非刍狗万物也。 【疏】二仪布生万物,岂(责)
〔贵〕恩也! 【释文】"施于"始豉反。下注同。"而识"如字,
又申志反。

〔二〕【注】况士君子乎! 【疏】夫能施求报,商客尚不齿理,况君子
士人乎! 【释文】"商贾"音古。

〔三〕【注】要能施惠,故于事不得不齿,以其不忘,故心神忽之。此百
姓之大情也。 【疏】施而不忘,未合天道。能施恩惠,于物事
不得不齿,为责求报,心神轻忽不录,百姓之情也。事之者,性
情也。

〔校〕①世德堂本事作士。

为外刑者,金与木也〔一〕;为内刑者,动与过也〔二〕。宵
人之离外刑者,金木讯①之〔三〕;离内刑者,阴阳食之〔四〕。
夫免乎外内之刑者,唯真人能之〔五〕。

924

〔一〕【注】金,谓刀锯斧钺;木,谓捶楚桎梏。 【释文】"锯"音據。
"戉"音越。○卢文弨曰:今书作钺。"捶"之蕊反。"桎"之实
反。"梏"古毒反。

〔二〕【注】静而当,则外内②无刑。

〔三〕【注】不由明坦之涂者,谓之宵人。 【疏】宵,闇夜也。离,羅

庄子集释

也。讯,问也。闇惑之人,罹于宪网,身遭枷杻斧钺之刑也。

【释文】"宵人"<u>王</u>云:非明正之徒,谓之宵夜之人也。○<u>俞樾</u>曰:<u>郭</u>注曰,不由明坦之涂者,谓之宵人。<u>释文</u>引<u>王</u>注云,非明正之徒,谓之宵夜之人也。皆望文生义,未为确诂。宵人,犹小人也。礼记学记篇宵雅肄三,<u>郑</u>注曰:宵之言小也,习<u>小雅</u>之三,谓<u>鹿鸣</u>、<u>四牡</u>、<u>皇皇者华</u>也。然则宵人为小人,犹宵雅为小雅矣。字亦作肖,<u>方言</u>曰:(宵)〔肖〕③,小也。<u>史记太史公自序</u>申吕肖矣,<u>徐广</u>曰:肖,音痟,痟犹衰微。义亦相近。<u>文选江文通杂体诗</u>宵人重恩光,<u>李善</u>注引<u>春秋演孔图</u>曰:宵人之世多饥寒。<u>宋均</u>曰:宵,犹小也。此说得之。"(讯)〔訙〕之"本又作讯,音信,问也。○<u>卢文弨</u>曰:说文有讯无訙,訙俗字。

〔四〕【注】动而过分,则性气伤于内,金木讯于外也。 【疏】若不止分,则内结寒暑,阴阳残食之也。

〔五〕【注】自非真人,未有能止其分者,故必外内受刑,但不问大小耳。 【疏】心若死灰,内不滑灵府,(也)④形同槁木,外不挂桎梏,唯真人哉!

〔校〕①<u>世德堂</u>本作訙,释文同。②<u>世德堂</u>本外内作内外。③肖字依方言改。④也字依下句删。

<u>孔子</u>曰:"凡人心险于山川,难于知天;天犹有春秋冬夏旦暮之期,人者厚貌深情〔一〕。故有貌愿而益,有长若不肖〔二〕,有顺①懁而达〔三〕,有坚而缦,有缓而釬〔四〕。故其就义若渴者,其去义若热〔五〕。故君子远使之而观其忠,近使之而观其敬〔六〕,烦使之而观其能〔七〕,卒然问焉而观其

知〔八〕,急与之期而观其信〔九〕,委之以财而观其仁〔一〇〕,告之以危而观其节〔一一〕,醉之以酒而观其侧,杂之以处而观其色〔一二〕。九征至,不肖人得矣〔一三〕。"

〔一〕【疏】人心难知,甚于山川,过于苍昊。厚深之状,列在下文。

〔二〕【疏】愿,悫真也。不肖,不似也。人有形如悫真,而心益虚浮也;有心实长者,形如不肖也。　【释文】"愿"音愿。广雅云:谨悫也。○俞樾曰:益当作溢。溢之言骄溢也。荀子不苟篇以骄溢人,是也。谨愿与骄溢,义正相反。"有长"丁丈反。"若不肖"外如长者,内不似也。

〔三〕【疏】懁,急也。形顺躁急而心达理也。　【释文】"有顺"王作慎。"懁"音环,又许沿反,徐音绢。三苍云:急腹也。王云:研辨也,外慎研辨,常务质讷。○卢文弨曰:今书音义作音儇,两研字俱作坚。

〔四〕【注】言人情貌之反有如此者。　【疏】缦,缓也。鈃,急也。自有形如坚固而实散缦,亦有外形宽缓心内躁急也。　【释文】"缦"武半反,又武谏反。李云:内实坚,外如缦也。"鈃"胡旦反,又音干,急也。一云:情貌相反。○俞樾曰:缦者,慢之假字;鈃者,悍之假字。坚强而又惰慢,纡缓而又桀悍,故为情貌相反也。

〔五〕【注】但为难知耳,未为殊无迹。　【疏】人有就仁义如渴思水,舍仁义若热逃火,虽复难知,未为无迹。〔征〕②验具列下文也。

〔六〕【疏】远使忠佞斯彰,咫步敬慢立明者也。

〔七〕【疏】烦极任使,察其(彼)〔技〕能。

〔八〕【疏】卒问近对,观其愿智。　【释文】"卒然"寸忽反。"其知"音智。

〔九〕【疏】忽卒与期,观信契也。

〔一〇〕【疏】仁者不贪。

〔一一〕【疏】告危亡,验节操。

〔一二〕【疏】至人酒不能昏法则,男女参居,贞操不易。 【释文】"其侧"侧,不正也。一云:谓醉者喜倾侧冠也。王云:侧,谓凡为不正也。侧,或作则。○俞樾曰:释文曰,侧,不正也。一云,谓醉者喜倾侧冠也。王云,侧,谓凡为不正也。然上文观其忠、观其敬云云,所观者皆举美德言之,此独观其不正,则不伦矣。诸说皆非也。其云侧或作则,当从之。则者,法则也。国语周(书)〔语〕③曰:威仪有则。既醉之后,威仪反反,威仪怭怭,是无则矣,故曰醉之以酒而观其则。周书官人篇作醉之酒以观其恭,与此(意)〔文〕语意相近。大戴礼文王官人篇作醉之以观其不失也,不失即谓不失法则也。○家世父曰:释文,侧,不正也。一云:谓醉者喜倾侧冠也。是旧(序)〔本〕皆作醉之以酒以观其侧。侧,当为则。诗曰:饮酒孔嘉,维其令仪。所谓则也。

〔一三〕【注】君子易观,不肖难明。然视其所以,观其所由,察其所安,搜之有涂,亦可知也。 【疏】九事征验,小人君子,厚貌深情,必无所避。 【释文】"易观"以豉反。"搜之"所求反。

〔校〕①阙误引江南古藏本顺作慎。②征字依下文补。③语字及下文字依诸子平议改。

正考父一命而伛,再命而偻,三命而俯,循墙而走,孰敢不轨〔一〕!如而夫者,一命而吕钜,再命而于车上儛,三命而名诸父,孰协唐许〔二〕!

〔一〕【注】言人不敢以不轨之事侮之。 【疏】考,成也。父,大也。

有考成大德而履正道,故号<u>正考父</u>,则<u>孔子</u>十代祖<u>宋</u>大夫也。士一命,大夫二命,卿三命也。伛曲循墙,并敬容极恭,卑退若此,谁敢将不轨之事而侮之也! 【释文】"正考父"音甫。<u>宋湣公</u>之玄孙,<u>弗父何</u>之曾孙。"而伛"纡矩反。"而偻"力矩反。"三命"公士一命,大夫再命,卿三命。

〔二〕【注】而夫,谓凡夫也。<u>唐</u>,谓<u>尧</u>也;<u>许</u>,谓<u>许由</u>也。言而夫与<u>考父</u>者,谁同于<u>唐许</u>之事也。 【疏】而夫,鄙夫也。诸父,伯叔也。凡夫笃竞轩冕,一命则吕钜夸华,再命则援绥作舞,三命善识自高,下呼伯叔之名。然<u>考父</u>谦夸各异,格量胜劣,谁同<u>唐尧</u><u>许由</u>无为禅让之风哉! 【释文】"而夫"<u>郭</u>云:凡夫也。"吕钜"矫貌。○<u>家世父</u>曰:释文,吕钜,矫貌。疑此不当为矫。<u>方言</u>:攼、吕,长也;<u>东齐</u>曰攼,<u>宋鲁</u>曰吕。<u>说文</u>:钜,大刚也。亦通作巨,大也。吕钜,谓自高大,当为矜张之意,云矫,非也。"埶协<u>唐许</u>"协,同也。<u>唐</u>,<u>唐尧</u>;<u>许</u>,<u>许由</u>:皆崇让者也。言<u>考父</u>与而夫,谁同于<u>唐许</u>。○<u>卢文弨</u>曰:旧作协同也,今从<u>宋</u>本。○<u>家世父</u>曰:<u>郭象</u>注,<u>唐</u>谓<u>尧</u>,<u>许</u>谓<u>许由</u>;言而夫与<u>考父</u>,谁同于<u>唐许</u>之事。今按埶协<u>唐许</u>与埶敢不轨对文,言如而夫者,谁知比同于<u>唐许</u>哉! <u>郭</u>注误。

928贼莫大乎德有心〔一〕而心有睫〔二〕,及其有睫也而内视,内视而败矣〔三〕。凶德有五,中德为首〔四〕。何谓中德?中德也者,有以自好也而吡其所不为者也〔五〕。

〔一〕【注】有心于为德,非真德也。夫真德者,忽然自得而不知所以(德)〔得〕①也。 【疏】役智劳虑,有心为德,此贼害之甚也。

〔二〕【注】率心为德,犹之可耳;役心于眉睫之间,则伪已甚矣。

【释文】"睫"音接。○俞樾曰:郭注曰,役心于眉睫之间,则伪已甚矣。然正文言心有睫,非役心于眉睫之谓,郭注非也。心有睫,谓以心为睫也。人于目之所不接,而以意度之,谓其如是,是心有睫也。圣人不逆诈,不意不信,岂如是乎?故曰贼莫大乎德有心而心有睫。下文曰,及其有睫也而内视,内视而败矣。然则心有睫正内视之谓。内视者,非谓收视返听也,谓不以目视而以心视也。后世儒者执一理以断天下事,近乎心有睫矣。

〔三〕【注】乃欲探射幽隐,以深为事,则心与事俱败矣。 【疏】率心为役,用心神于眼睫,缘虑逐境,不知休止,致危败甚矣。 【释文】"探射"食亦反。

〔四〕【疏】谓心耳眼舌鼻也。曰此五根,祸因此(德)〔得〕,谓凶德也。五根祸主,中德为(无)心也。

〔五〕【注】吡,訾也。夫自是而非彼,则攻之者非一,故为凶首也。若中无自好之情,则恣万物之所是,所是各不自失,则天下皆思奉之矣。 【疏】吡,訾也。用心中所好者自以为是,不同己为者訾而非之。以心中自是为得,故曰中德。 【释文】"自好"呼报反。注同。"吡"匹尔反,又芳尔反。郭云:訾也。"訾也"子尔反。"皆思奉之矣"本或作皆毕事也。

〔校〕①得字依道藏本改。

穷有八极,达有三必,形有六府〔一〕。美髯长大壮丽勇敢,八者俱过人也,因以是穷〔二〕。缘循,偃佒,困畏不若人,三者俱通达〔三〕。知慧外通〔四〕,勇动多怨〔五〕,仁义多责①〔六〕。达生之情者傀〔七〕,达于知者肖②〔八〕;达大命者随〔九〕,达小命者遭〔一〇〕。

〔一〕【疏】八极三必穷达,犹人身有六府也。列下文矣。

〔二〕【注】穷于受役也。然天下未曾穷于所短,而恒以所长自困。

【疏】美,恣媚也。髯,髭鬓也。长,高也。大,粗大也。壮,多力;丽,妍华;勇,猛;敢,果决也。蕴此八事,超过常人,(爱)〔受〕③役既多,因以穷困也。　【释文】"美髯"人盐反。"未曾"才能反。

〔三〕【注】缘循,杖物而行者也。偃佒,不能俯执者也。困畏,怯弱者也。此三者既不以事见任,乃将接佐之,故必达也。　【疏】循,顺也,缘物顺他,不能自立也。偃佒,仰首不能俯执也。困畏,困苦〔怯〕惧也。有此三事不如恒人,所在通达也。　【释文】"偃佒"於丈反。本亦作央,同。偃佒,守分归一也。○家世父曰,郭注,偃佒,不能俯执者。释文,偃佒,守分归一也。疑偃佒当为偃仰,犹言俯仰从人也。大雅颙颙卬卬,韩诗外传作颙颙盎盎。央卬亦一声之转。○庆藩案,缘循偃佒,缘,缘饰也。(见晏子春秋内篇问下。)循,因循也。偃,矢志也。佒当作诀。诀,早知也。(见说文诀字注。)"杖物"直亮反。

〔四〕【注】通外则以无崖伤其内也。　【疏】自持智慧照物,外通尘境也。　【释文】"知慧"音智。

〔五〕【注】怯而静,乃厚其身耳。　【疏】雄健躁扰,必招仇隙。【释文】"乃厚其身耳"元嘉本厚作後。一本作乃後恒无怨也。

〔六〕【注】天下皆望其爱,然爱之则有不周矣,故多责。　【疏】仁义则不周,必有多责也。

〔七〕【注】傀然,大恬解之貌也。　【释文】"傀"郭、徐呼怀反。字林公回反,云:伟也。"恬解"音蟹。

〔八〕【注】肖,释散也。　【疏】注云:肖,释散也;傀,恬解也。达悟之崖,真性虚照,傀然县解,无系恋也。　【释文】"于知"音智。

"者肖"音消。郭云：释散也。○王念孙曰：郭象曰，傀然，大恬解之貌；肖，释散也。案郭以傀为大，是也，以肖为释散则非。方言曰：肖，小也。（广雅同。）肖与傀正相反，言任天则大，任智则小也。肖，犹宵也。学记宵雅肄三，郑注曰：宵之言小也。宵肖古同声，故汉书刑法志肖字通作宵。史记太史公自序申吕肖矣，徐广曰：肖，音痟，痟犹衰微。义亦相近也。○庆藩案，肖司马作胥。文选谢灵运初（发）〔去〕④郡诗注引司马云：傀读曰瑰，瑰，大也。情在故曰大也。胥，多智也。谢灵运斋中读书诗注（江文通杂体诗注并⑤）又引云：傀，大也，情在无，故曰大。释文阙。

〔九〕【注】泯然与化俱也。　【疏】大命，大年。假如彭祖寿考，随而顺之，亦不厌其长久，以为劳苦也。

〔一〇〕【注】每在节上住乃悟也。　【疏】小命，小年也。遭，遇也。如殇子促龄，所遇斯适，曾不介怀耳。

〔校〕①阙误引刘得一本责下有六者所以相刑也七字。②道藏本肖作消。③受字依注文改。④去字依文选改。⑤江文通等八字，因杂体诗注无此文，删。

人有见宋王者，锡车十乘，以其十乘骄稚庄子〔一〕。

〔一〕【疏】锡，与也。稚，后也。宋襄王时，有庸琐之人游宋，妄说宋王，锡车十乘，用此骄炫，排庄周于己后，自矜物先也。　【释文】"十乘"绳證反。下同。"骄稚"直吏反，又池夷反。李云：自骄而稚庄子也。○卢文弨曰：今书作稚。○庆藩案，稚亦骄也。（集韵：稚，陈尼切，自骄矜貌。）管子军令篇工以雕文刻镂相稚，尹知章注：稚，骄也。王引之经义述闻云，诗载驰篇众稚且（在）〔狂〕①，谓既骄且狂也。

庄子曰："河上有家贫恃纬萧而食者,其子没于渊,得千金之珠。其父谓其子曰:'取石来锻之!夫千金之珠,必在九重之渊而骊龙颔下,子能得珠者,必遭其睡也。使骊龙而寤,子尚奚微之有哉!'〔一〕今宋国之深,非直九重之渊也;宋王之猛,非直骊龙也;子能得车者,必遭其睡也。使宋王而寤,子为韲粉夫!〔二〕"

〔一〕【疏】苇,芦也。萧,蒿也。家贫织芦蒿为薄,卖以供食。锻,椎也。骊,黑龙也。颔下有千金之珠也。譬讥得车之人也。　【释文】"纬萧"如字。纬,织也。萧,荻蒿也。织萧以为畚而卖之。本或作苇,音同。○庆藩案,文选颜延年陶征士诔注引司马云:萧,蒿也,织蒿为薄。北堂书钞帘部、太平御览七百并引云:萧,蒿也,织绉(御览作纬。)蒿为薄帘也。御览九百九十七又引云:萧,蒿也,纬,织也,织蒿为箔。释文阙。"锻之"丁乱反,谓槌破之。卢文弨曰:锻,旧从(段)〔叚〕,讹,今改正。"九重"直龙反。"骊龙"力驰反。骊龙,黑龙也。"颔下"户感反。

〔二〕【注】夫取富贵,必顺乎民望也,若挟奇说,乘天衢,以婴人主之心者,明主之所不受也。故如有所誉,必有所试,于斯民不违,金曰举之,以合万夫之望者,此三代所以直道而行之也。

【疏】怀忠贞以感人主者,必〔得〕非常之赏。而用左道,使其说佞媚君王,侥幸于富贵者,故有骄稼之容。亦何异遭骊龙睡得珠耶!馀详注意。　【释文】"韲"子分反。"粉夫"音符。"若挟"户牒反。"金曰"七潜反。

或聘于庄子[一]。庄子应其使曰："子见夫牺牛乎[二]？衣以文绣，食以刍叔①，及其牵而入于大庙，虽欲为孤犊，其可得乎[三]！"

〔一〕【疏】寓言，不明聘人姓氏族，故言或也。

〔二〕【疏】牺，养也。君王预前三月养牛祭宗庙曰牺也。　【释文】"其使"所吏反。

〔三〕【注】乐生者畏牺而辞聘，髑髅闻生而矉顣，此死生之情异而各自当也。　【疏】刍，草也。叔，豆也。牺养丰(瞻)〔赡〕，临祭日求为孤犊不可得也。况禄食之人，例多夭折，嘉遁之士，方足全生。庄子清高，笑彼名利。　【释文】"衣以"於既反。"食以"音嗣。"刍叔"初俱反。刍，草也。叔，大豆也。"大庙"音太。"髑"音独。"髅"音楼。"矉"毗人反。"顣"子六反。

〔校〕①赵谏议本叔作菽。

庄子将死，弟子欲厚葬之。庄子曰："吾以天地为棺椁，以日月为连璧，星辰为珠玑，万物为齎送。吾葬具岂不备邪？何以加此！[一]"

〔一〕【疏】庄子妙达玄道，逆旅形骸，故棺椁天地，炉冶两仪，珠玑星辰，变化三景，资送备矣。门人厚葬，深乖造物也。　【释文】"珠玑"音祈，又音機。一音其既反。"齎"音资。本或作济，子诣反。

弟子曰："吾恐乌鸢之食夫子也。"

庄子曰："在上为乌鸢食，在下为蝼蚁食，夺彼与此，何其偏也[一]！"

〔一〕【疏】鸢,鸱也。门人荷师主深恩也,将欲厚葬,避其乌鸢,岂知厚葬还遭蝼蚁! 情好所夺,偏私之也。 【释文】"鸢"以全反。"蝼"音楼。"蚁"鱼绮反。

以不平平,其平也不平〔一〕;以不征征,其征也不征〔二〕。明者唯为之使〔三〕,神者征之〔四〕。夫明之不胜神也久矣〔五〕,而愚者恃其所见入于人,其功外也,不亦悲乎〔六〕!

〔一〕【注】以一家之平平万物,未若任万物之自平也。 【疏】无情与夺,委任均平,此真平也。若运情虑,均平万物,(若)〔方〕欲起心,已不平矣。

〔二〕【注】征,应也。不因万物之自应而欲以其所见应之,则必有不合矣。 【疏】圣人无心,有感则应,此真应也,若有心应物,不能应也。征,应也。

〔三〕【注】夫执其所见,受使多矣,安能使物哉! 【疏】自炫其明,情应于务,为物驱使,何能役人也!

〔四〕【注】唯任神然后能至顺,故无往不应也。 【疏】神者无心,寂然不动,能无不应也。

〔五〕【注】明之所及,不过于形骸也,至顺则无远近幽深,皆各自得。 【疏】明则有心应务,为物驱役,神乃无心,应感无方。有心不及无心,存应不及忘应,格量可知也。

〔六〕【注】夫至顺则用发于彼而以藏于物,若恃其所见,执其自是,虽欲入人,其功外矣①。 【疏】夫忘怀应物者,为而不恃,功成不居。愚惑之徒,自执其用,叨人功绩,归入己身,虽欲矜伐,其功外矣。迷(忘)〔妄〕如此,深可悲哉!

〔校〕①世德堂本作其功之外也。

庄子集释

庄子集释卷十下

杂篇天下第三十三〔一〕

〔一〕【释文】以义名篇。

天下之治方术者多矣,皆以其有为不可加矣〔一〕。古之所谓道术者,果恶乎在〔二〕?曰:"无乎不在〔三〕。"曰:"神何由降? 明何由出〔四〕?""圣有所生,王有所成〔五〕,皆原于一〔六〕。"

〔一〕【注】为其所①有为,则真为也,为其真为,则无为矣,又何加焉!
　　【疏】方,道也。自轩顼已下,迄于尧舜,治道艺术,方法甚多,皆随有物之情,顺其所为之性,任群品之动植,曾不加之于分表,是以虽教不教,虽为不为矣。

〔二〕【疏】上古三皇所行道术,随物任化,淳朴无为,此之方法,定在何处? 假设疑问,发明深理也。　【释文】"恶乎"音乌。

〔三〕【疏】答曰:无为玄道,所在有之,自古及今,无处不遍。

〔四〕【注】神明由事感而后降出。　【疏】神者,妙物之名;明者,智周

935

为义。若使虚通圣道,今古有之,亦何劳彼神人显兹明智,制体作乐以导物乎?

〔五〕【疏】夫虚凝玄道,物感所以诞生,圣帝明王,功成所以降迹,岂徒然哉!

〔六〕【注】使物各复其根,抱一而已,无饰于外,斯圣王所以生成也。【疏】原,本也。一,道。虽复降灵接物,混迹和光,应物不离真常,抱一而归本者也。

〔校〕①赵谏议本其所作以其。

不离于宗,谓之天人。不离于精,谓之神人。不离于真,谓之至人。以天为宗,以德为本,以道为门,兆于变化,谓之圣人。〔一〕以仁为恩,以义为理,以礼为行,以乐为和,薰然慈仁,谓之君子〔二〕。以法为分,以名为表,以参为验,以稽为决,其数一二三四是也〔三〕,百官以此相齿,以事为常〔四〕,以衣食为主,蕃息畜藏〔五〕,老弱孤寡为意①,皆有以养,民之理也〔六〕。

〔一〕【注】凡此四名,一人耳,所自言之异。【疏】冥宗契本,谓之自然。淳粹不杂,谓之神妙。巍然不假,谓之至极。以自然为宗,上德为本,玄道为门,观于机兆,随物变化者,谓之圣人。已上四人,只是一耳,随其功用,故有四名也。【释文】"不离"力智反。下注不离、离性、下章离于同。"兆于"本或作逃。

〔二〕【注】此四(者)〔名〕②之粗迹,而贤人君子之所服膺也。【疏】布仁惠为恩泽,施义理以裁非,运节文为行首,动乐音以和性,慈照光乎九有,仁风扇乎八方,譬兰蕙芳馨,香气薰于遐迩,可谓贤矣。【释文】"为行"下孟反。章内同。"薰然"许云反,温和貌。崔云:以慈仁为馨闻也。"之粗"七奴反。卷内皆同。

〔三〕【疏】稽,考也。操,执也。法定其分,名表其实,操验其行,考决其能。一二三四,即名法等是也。　【释文】"以参"本又作操,同。七曹反,宜也。"以稽"音鸡,考也。

〔四〕【疏】自尧舜已下,置立百官,用此四法更相齿次,君臣物务,遂以为常,所谓彝伦也。

〔五〕【疏】夫事之不可废者,耕织也;圣人之不可废者,衣食也。故国以民为本,民以食为天,是以蕃滋生息,畜积藏储者,皆养民之法。　【释文】"蕃息"音烦。"畜"敕六反,又许六反。"藏"如字,又才浪反。

〔六〕【注】民理既然,故圣贤不逆。

〔校〕①高山寺本无为意二字。②名字依赵谏议本改。

古之人其备乎^{〔一〕}！配神明,醇天地,育万物,和天下^{〔二〕},泽及百姓,明于本数,系于末度^{〔三〕},六通四辟^①,小大精粗,其运无乎不在^{〔四〕}。其明而在数度者,旧法世传之史尚多有之^{〔五〕}。其在于诗书礼乐者,邹鲁之士搢绅先生多能明之^{〔六〕}。诗以道志,书以道事,礼以道行,乐以道和,易以道阴阳,春秋以道名分^{〔七〕}。其数散于天下而设于中国者,百家之学时或称而道之^{〔八〕}。

〔一〕【注】古之人即向之四名也。　【疏】养老哀弱,矜孤恤寡,五帝已下,备有之焉。

〔二〕【疏】配,合也。夫圣帝无心,因循品物,故能合神明之妙理,同天地之精醇,育宇内之黎元,和域中之群有。　【释文】"醇"顺伦反。

〔三〕【注】本数明,故末〔度〕②不离。 【疏】本数,仁义也。末度,名法也。夫圣心慈育,恩覃黎庶,故能明仁义以崇本,系(法)名〔法〕以救末。○家世父曰:天人、神人、至人、圣人、君子,所从悟入不同,而稽之名法度数,以求养民之理,则固不能离弃万物,以不与民生为缘,故曰明(乎)〔于〕本数,系于末度。庄子自〔明〕著书之旨而微发其意如此。

〔四〕【注】所以为备。 【疏】(闿)〔辟〕,法也。大则两仪,小则群物,精则神智,粗则形像,通六合以遨游,法四时而变化,随机运动,无所不在也。 【释文】"四辟"婢亦反。本又作闿。

〔五〕【注】其在数度而可明者,虽多有之,已疏外也。 【疏】史者,春秋尚书,皆古史也。数度者,仁义名法等也。古旧相传,显明在世者,史传书籍,尚多有之。

〔六〕【注】能明其迹耳,岂所以迹哉! 【疏】邹,邑名也。鲁,国号也。搢,笏也,亦插也。绅,大带也。先生,儒士也。言仁义名法布在六经者,邹鲁之地儒服之人能明之也。 【释文】"邹"庄由反,孔子父所封邑。

〔七〕【疏】道,达也,通也。夫诗道情志,书道世事,礼道心行,乐道和适,易明卦兆,通达阴阳,春秋褒贬,定其名分。 【释文】"道志"音导。下以道皆同。"名分"扶问反。

〔八〕【注】皆道古人之陈迹耳,尚复不能常称。 【疏】六经之迹,散在区中,风教所覃,不过华壤。百家诸子,依稀五德,时复称说,不能大同也。 【释文】"尚复"扶又反。下章不复同。

〔校〕①赵谏议本辟作闿。②度字依王叔岷说补。

天下大乱^{〔一〕},贤圣不明^{〔二〕},道德不一^{〔三〕},天下多得一^{〔四〕}察焉以自好^{〔五〕}。譬如耳目鼻口,皆有所明,不能相通^{〔六〕}。犹百^①家众技也,皆有所长,时有所用^{〔七〕}。虽然,不该不徧,一曲之士也^{〔八〕}。判天地之美,析万物之理^{〔九〕},察古人之全,寡能备于天地之美,称神明之容^{〔一〇〕}。是故内圣外王之道,闇而不明,郁而不发^{〔一一〕},天下之人各为其所欲焉以自为方。悲夫,百家往而不反,必不合矣!^{〔一二〕}后世之学者,不幸不见天地之纯,古人之大体^{〔一三〕},道术将为天下裂^{〔一四〕}。

〔一〕【注】用其迹而无统故也。　【疏】执守陈迹,故不升平。

〔二〕【注】能明其迹,又未易也。　【疏】韬光晦迹。　【释文】"未易"以豉反。

〔三〕【注】百家穿凿。　【疏】法教多端。

〔四〕【注】各信其偏见而不能都举。　【疏】宇内学人,各滞所执,偏得一术,岂能弘通!　【释文】"得一"偏得一术。

〔五〕【注】夫圣人统百姓之大情而因为之制,故百姓寄情于所统而自忘其好恶,故与一世而得淡漠焉。乱则反之,人恣其近好,家用典法,故国异政,家殊俗。　【疏】不能恬淡虚忘,而每运心思察,随其情好而为教方。　【释文】"自好"呼报反。注及下同。
○王念孙曰:郭象断天下多得一为句。释文曰,得一,偏得一术。案天下多得一察焉以自好,当作一句读。下文云,天下之人各为其所欲焉以自为方,句法正与此同。一察,谓察其一端而不知其全体。下文云,譬如耳目鼻口,皆有所明,不能相通,即所谓一察也。若以一字上属为句,察字下属为句,则文不成义矣。
○俞樾曰:郭注断天下多得一为句,释文曰,得一,偏得一术。王氏念孙谓天下多得一察焉以自好当作一句读,一察,谓察其一端而不知其全体。今案郭读文不成义,当从王读。惟以一察为察其一端,义亦未安。察当读为際,一際,犹一边也。广雅释诂,際、边并训方,是際与边同义。得其一際,即得其一边,正不知全体之谓。察際并从祭声,古音相同,故得通用耳。下文云,不该不徧,一曲之士也,一際与一曲,其义相近。○家世父曰:一察,谓察见其一端,据之以为道而因而好之。旧注以天下多得一为句,误。"好恶"乌路反。"淡"本又作澹,徒暂反。"漠"音莫。

〔六〕【疏】夫目能视色,不能听声;鼻能闻香,不能辨味,各有所主,故不能相通也。

〔七〕【注】所长不同,不得常用。 【疏】夫六经五德,百家诸书,其于救世,各有所长,既未中道,故时有所废,犹如鼻口有所不通也。【释文】"众技"其绮反。

〔八〕【注】故未足备任也。 【疏】虽复各有所长,而未能该通周徧,斯乃偏僻之士,滞一之人,非圆通合变者也。 【释文】"不徧"音遍。

〔九〕【注】各用其一曲,故析判。 【疏】一曲之人,各执偏僻,虽著方术,不能会道,故分散两仪淳和之美,离析万物虚通之理也。

〔一〇〕【注】况一曲者乎! 【疏】观察古昔全德之人,犹(解)〔鲜〕能备两仪之亭毒,称神明之容貌,况一曲之人乎! 【释文】"称神"尺證反。下章同。

〔一一〕【注】全人难遇故也。 【疏】玄圣素王,内也。飞龙九五,外也。既而百家竞起,各私所见,是非看乱,彼我纷纭,遂使出处之道,闇塞而不明,郁闭而不泄也。

〔一二〕【疏】心之所欲,执而为之,即此欲心而为方术,一往逐物,曾不

庄子集释

940

反本,欲求合理,其可得也! 既乖物情,深可悲叹!

〔一三〕【注】大体各归根抱一,则天地之纯也。 【疏】幸,遇也。天地
之纯,无为也;古人大体,朴素也。言后世之人,属斯浇季,不见
无为之道,不遇淳朴之世。

〔一四〕【注】裂,分离也。道术流弊,遂各奋其方,或以主物,则物离性
以从其上而性命丧矣。 【疏】裂,分离也。儒墨名法,百家驰
骛,各私所见,咸率己情,道术纷纭,更相倍谲,遂使苍生措心无
所,分离物性,实此之由也。○庆藩案,裂,依字当作列。说文:
列,分解也。易艮九二列其夤,管子五辅篇、曾子天圆篇瘗大袂
列。古分解字皆作列。说文:裂,缯余也。义各不同。今分列字
皆作裂,而列但为行列字矣。 【释文】"哀矣"如字。本或作
丧,息浪反。○卢文弨曰:今书作丧矣。

〔校〕①世德堂本百作有。

不侈于后世,不靡于万物,不晖于数度〔一〕,以绳墨自
矫〔二〕而备世之急〔三〕,古之道术有在于是者。墨翟禽滑厘
闻其风而说之,为之大过,已之大循①〔四〕。作为非乐,命
之曰节用;生不歌,死无服〔五〕。墨子氾爱兼利而非斗〔六〕,
其道不怒〔七〕;又好学而博,不异〔八〕,不与先王同〔九〕,毁古
之礼乐〔一○〕。

941

〔一〕【注】勤俭则瘁,故不晖也。 【疏】侈,奢也。靡,丽也。晖,明
也。教于后世,不许奢华,物我穷俭,未(常)〔尝〕绮丽,既乖物
性,教法不行,故(于)先王典礼不得显明于世也。 【释文】"不
侈"尺纸反,又尺氏反。"不晖"如字。崔本作浑。"则瘁"在

醉反。

〔二〕【注】矫,厉也。 【疏】矫,厉也。用仁义为绳墨,以勉厉其志行
也。 【释文】"自矫"居表反。

〔三〕【注】勤而俭则财有馀,故②急有备。 【疏】世急者,谓阳九百
六水火之灾也。勤俭节用,储积财物,以备世之凶灾急难也。

〔四〕【注】不复度众所能。 【疏】循,顺也。古之道术,禹治洪水,
勤俭枯槁,其迹尚在,故言有在于是者。姓禽,字滑厘,墨翟弟
子也。墨翟(循)〔滑〕③厘,性好勤俭,闻禹风教,深悦爱之,务为
此道,勤苦过甚,适周已身自顺,未堪教被于人矣。 【释文】
"墨翟"宋大夫,尚俭素。"禽滑"音骨,又户八反。"厘"力之
反,又音熙。禽滑厘,墨翟弟子也。不顺五帝三王之乐,嫌其奢。
"而说"音悦。下注同,后闻风而说皆同。"大过"音太,旧救佐
反。后大过、大多、大少仿此。"大顺"顺,或作循。○庆藩案,
循,或作顺。说文:循,顺行也。郑注尚书中候曰:循,顺。书大
传三正若循连环,白虎通义引此,循作顺。顺与循,古同声而通
用也。"度众"徒各反。

〔五〕【疏】非乐节用,是墨子二篇书名也。生不歌,故非乐,死无服,
故节用,谓无衣衾棺椁等资葬之服,言其穷俭惜费也。 【释
文】"非乐节用"墨子二篇名。

〔六〕【注】夫物不足,则以斗为是,今墨子令百姓皆勤俭各有馀,故以
斗为非也。 【疏】普氾兼爱,利益群生,使各自足,故无斗争,
以斗争为(之)非也。 【释文】"氾"芳剑反。"爱兼利"化同己
俭为氾爱兼利。"令百"力呈反。下同。

〔七〕【注】但自刻也。 【疏】克己勤俭,故不怨怒于物也。

〔八〕【注】既自以为是,则欲令万物皆同乎己也。 【疏】墨子又好

庄子集释

942

学,博通坟典,已既勤俭,欲物同之也。

〔九〕【注】先王则恣其群异,然后同焉皆得而不知所以得也。

〔一○〕【注】嫌其侈靡。　【疏】礼则节文隆杀,乐则钟鼓羽毛,嫌其侈靡奢华,所以毁弃不用。

〔校〕①世德堂本循作顺。②世德堂本故作而。③滑字依覆宋本改。

黄帝有咸池,尧有大章,舜有大韶,禹有大夏,汤有大濩,文王有辟雍之乐,武王周公作武〔一〕。古之丧礼,贵贱有仪,上下有等,天子棺椁七重,诸侯五重,大夫三重,士再重〔二〕。今墨子独生不歌,死不服,桐棺三寸而无椁,以为法式。以此教人,恐不爱人;以此自行,固不爱己。〔三〕未①败墨子道〔四〕,虽然,歌而非歌,哭而非哭,乐而非乐,是果类乎〔五〕? 其生也勤,其死也薄,其道大觳〔六〕;使人忧,使人悲,其行难为也,恐其不可以为圣人之道〔七〕,反天下之心,天下不堪。墨子虽独能任,奈天下何! 离于天下,其去王也远矣。〔八〕

〔一〕【疏】已上是五帝三王乐名也。　【释文】"有夏"户雅反。○卢文弨曰:今书作有大夏。下有濩亦作大濩。"有濩"音护。"有辟"音壁。"作武"武,乐名。

〔二〕【疏】自天王已下,至于士庶,皆有仪法,悉有等级,斯古之礼也。【释文】"七重"直龙反。下同。

〔三〕【注】物皆以任力称情为爱,今以勤俭为法而为之大过,虽欲饶天下,更非所以为爱也。　【疏】师于禹迹,勤俭过分,上则乖于三王,下则逆于万民,故生死勤穷,不能养于外物,形容枯槁,未可爱于己身也。

〔四〕【注】但非道德。　【疏】未，无也。翟性尹老之意也。　【释文】"未败"败，或作毁。"墨子"是一家之正，故不可以为败也。崔云：未坏其道。

〔五〕【注】虽独成墨而不类万物之情。　【疏】夫生歌死哭，人伦之常理；凶哀吉乐，世物之大情。今乃反此，故非徒类矣。　【释文】"非歌"生应歌，而墨以歌为非也。"乐而"音洛。下及注同。○家世父曰：墨子之意，主于节用。其非乐篇言厚措敛乎万民，以为大钟鸣鼓，琴瑟竽笙，言今王公大人为乐，亏夺民衣食之时，亏夺民衣食之财，其三篇言其乐逾繁，其治逾寡。庄子亦辩其非乐薄葬，而归本于节用，言墨子之道所以未败，今之歌固非歌，今之哭固非哭，今之乐固非乐，其与墨子之言，果类乎，果非类乎？故以下但著其勤苦之实，以明墨子之本旨。

〔六〕【注】觳，无润也。　【疏】觳，无润也。生则勤苦身心，死则资葬俭薄，其为道乾觳无润也。　【释文】"觳"郭苦角反。徐户角反。郭李皆云：无润也。○家世父曰：尔雅释诂觳，尽也。管子地员篇淖而不朊，刚而不觳；其下土三十物，又次曰五觳。觳者，薄也。史记始皇本纪虽监门之养，不觳于此矣。言不薄于此也。墨子之道，自处以薄。郭象注觳，无润也。解似迂曲。

〔七〕【注】夫圣人之道，悦以使民，民得性之所乐则悦，悦则天下无难矣。　【疏】夫圣人之道，得百姓之欢心，今乃使物忧悲，行之难久，又无润泽，故不可以教世也。　【释文】"其行"下孟反。下注以成其行同。

〔八〕【注】王者必合天下之欢心而与物俱往也。　【疏】夫王天下者，必须虚心忘己，大顺群生，今乃毁皇王之法，反黔首之性，其于主物，不亦远乎！　【释文】"能任"音任。

　　墨子称道曰:"昔①禹之湮洪水,决江河而通四夷九州也,名山②三百,支川三千,小者无数〔一〕。禹亲自操稿③耜而九杂④天下之川〔二〕;腓无胈,胫无毛,沐甚雨,栉疾风⑤,置万国。禹,大圣也,而形劳天下也如此〔三〕。"使后世之墨者,多以裘褐为衣,以跂蹻为服,日夜不休,以自苦为极〔四〕,曰:"不能如此,非禹之道也,不足谓墨〔五〕。"

〔一〕【疏】湮,塞也。昔尧遭洪水,命禹治水,置塞堤防,通决川渎,救百六之灾,以播种九谷也。　　【释文】"湮洪水"音因,又音煙,塞也,没也。掘地而注之海,使水由地下也。引禹之俭同己之道。○卢文弨曰:旧俭讹险,今改正。○俞樾曰:名山当作名川,字之误也。名川、支川,犹言大水、小水。下文曰禹亲自操稿耜而九杂天下之川,可见此文专以川言,不当言山也。若但言支川而不言名川,则是举流而遗其原,于文为不备矣。襄十一年左传曰名山名川,是山川并得言名,学者多见名山,鲜见名川,故误改之耳。吕氏春秋始览篇、淮南子地形篇并曰名川六百。○庆藩案,名川,大川也。礼礼器因名山升中于天,郑注:名,犹大也。高注淮南地形篇亦曰:名山,大(川)〔山〕也。王制言名山大川,月令言大山名源,其义一也。鲁语取名鱼。韦注:名鱼,大鱼也。秦策赂之一名都,高注:名,大也。(魏策大都数百,名都数十也。)此皆训名为大之证。"支川"本或作支流。

〔二〕【疏】橐,盛土器也。耜,掘土具也。禹捉耜掘地,操橐负土,躬自辛苦以导川原,于是舟楫往来,九州杂易。又解:古者字少,以涤为荡,川为原,凡经九度,言九杂也。又本作鸠者,言鸠杂川谷以导江河也。　【释文】“自操”七曹反。“稾”旧古考反，崔郭音託，字则应作橐。崔云：囊也。司马云：盛土器也。“耜”音似。释名：耜，似也，似齿断物。三苍云：耒头铁也。崔云：橇也。司马云：盛水器也。“而九”音鸠。本亦作鸠，聚也。“杂”本或作糸，音同。崔云：所治非一，故曰杂也。○家世父曰：释文，九亦作鸠，聚也。杂，本或作糸，崔云，所治非一，故曰杂也。玉篇：杂，同也。广韵：杂，集也。书序决九州，言杂汇诸川之水，使同会于大川，故曰九杂天下之川。

〔三〕【注】墨子徒见禹之形劳耳，未睹其性之适也。　【疏】通导百川，安置万国，闻启之泣，无暇暂看，三过其门，不得看子。赖骤雨而洒发，假疾风而梳头，勤苦执劳，形容毁悴，遂使腓股无肉，膝胫无毛。禹之大圣，尚自艰辛，况我凡庸，而不勤苦！　【释文】“腓”音肥，又符畏反。“无胈”步葛反，又甫物反，又符盖反。“胫”刑定反。“甚雨”如字。崔本甚作湛，音淫。○卢文弨曰：今书作沐甚风栉疾雨。此以甚雨在栉字上，当本是沐甚雨栉疾风，文义较顺。淮南修务篇云：禹沐浴霪雨，栉扶风，可以为证。淮南浴字乃衍文。李善注文选和王著作八公山诗引淮南作沐淫雨，栉疾风。○庆藩案，崔本甚作湛，是也。湛与淫同。论衡明雩篇久雨为湛，湛即淫也。太史公自序帝辛湛湎，扬雄光禄勋箴桀纣淫雨。淫湛义同，字亦相通。考工记(慌)〔幌〕[6]氏淫之以蜃，杜子春云：淫当为湛。淮南修务篇正作禹沐淫雨。(礼檀弓门人后，雨甚。古书中少言甚雨者。)淮南览冥篇东风而酒湛溢，湛溢即淫溢，谓酒得东风加长也。春秋繁露同类相动篇水得夜长数分，东风而酒湛溢，皆其证。“栉”侧笔反。

〔四〕【注】谓自苦为尽理之法。　【疏】裘褐，粗衣也。木曰跂，草曰

跷也。后世墨者,翟之弟子也。裘褐跂跷,俭也。日夜不休,力
也。用此自苦,为理之妙极也。　【释文】"裘褐"户葛反。
"跂"其逆反。"跷"纪略反。<u>李</u>云:麻曰<u>屩</u>,木曰<u>屐</u>。屐与跂同,
屩与跷同。一云:鞋类也。一音居玉反,以藉鞋下也。

〔五〕【注】非其时而守其道,所以为墨也。　【疏】<u>墨</u>者,<u>禹</u>之陈迹也。
故不能苦勤,乖于<u>禹</u>道者,不可谓之墨也。

〔校〕①<u>世德堂</u>本昔下有者字。②<u>赵谏议</u>本山作川,与<u>俞</u>说合。③<u>世
德堂</u>本稿作槀。④阙误引<u>江南古藏</u>本及<u>李</u>本杂俱作涤。⑤<u>世
德堂</u>本风雨二字互易。<u>赵谏议</u>本与<u>释文</u>同。⑥幌字依考工
记改。

**<u>相里勤</u>之弟子<u>五侯</u>之徒,南方之<u>墨</u>者<u>苦获</u>、<u>已齿</u>、<u>邓陵
子</u>之属,俱诵<u>墨</u>经,而倍谲不同,相谓别<u>墨</u>〔一〕;以坚白同异
之辩相訾,以觭偶不仵之辞相应;以巨子为圣人〔二〕,皆愿
为之尸〔三〕,冀得为其后世,至今不决〔四〕。**

〔一〕【注】必其各守所见,则所在无通,故于<u>墨</u>之中又相与别也。
　【疏】姓<u>相里</u>,名<u>勤</u>,南方之<u>墨</u>师也。<u>苦获五侯</u>之属,并是学墨人
也。谲,异也。俱诵<u>墨</u>经而更相倍异,相呼为别<u>墨</u>。　【释文】
"相"息亮反。"里勤"<u>司马</u>云:墨师也。姓<u>相里</u>,名<u>勤</u>。〇<u>俞樾</u>曰:
<u>韩非子显学</u>篇有<u>相里</u>氏之墨,有<u>相夫</u>氏之墨,有〔邓〕①<u>陵</u>氏之
墨。"苦获已齿"<u>李</u>云:二人姓字也。"而倍"<u>郭</u>音佩,又裴罪反。
"谲"古穴反。<u>崔</u>云:决也。〇<u>庆藩</u>案,倍谲,诸书多作倍僪,或作
背谲,(<u>吕氏春秋明理</u>篇日有倍僪,<u>高</u>注:日旁之危气也,在两旁反
出为倍,在上反出为僪。<u>淮南览冥</u>篇臣心乖则背谲见于天。)皆背
鐍之借字。汉书天文志晕适背穴,<u>孟康</u>曰:背,形如北字也;(案吴
<u>语韦昭</u>注:北,古之背字。说文:北,乖也,从二人相背。则日两旁

947

气外向者为背,形与北相似,故孟康云背如北。)穴,读作鐍,其形如(半)〔玉〕②鐍也。如淳曰:凡气在〔日〕③上,(日)为冠为戴,在旁直对为珥,在旁如半环,向日为抱,向外为背,有气刺日为鐍。鐍,抉伤也。今案背鐍皆外向之名,<u>庄子</u>盖喻各泥一见,二人相背耳。以气刺日为鐍,失之。

〔二〕【注】巨子最能辨其所是以成其行。 【疏】訾,毁也。巨,大也。独唱曰觭,音奇。对辩曰偶。仵,伦次也。言<u>邓陵</u>之徒,(然)〔虽〕蹈<u>墨</u>术,坚执坚白,各炫己能,合异为同,析同为异;或独唱而寡和,或宾主而往来,以有无是非之辩相毁,用无伦次之辞相应,勤俭甚者,号为圣人。 【释文】"相訾"音紫。"以觭"纪宜反,又音寄。"不仵"音误。<u>徐</u>音五。仵,同也。"巨子"<u>向崔</u>本作钜。<u>向</u>云:墨家号其道理成者为钜子,若儒家之硕儒。

〔三〕【注】尸者,主也。

〔四〕【注】为欲系巨子之业也。 【疏】咸愿为师主,庶传业将来,对争胜负,不能决定也。

〔校〕①邓字依诸子平议改。②玉字依汉书注改。③日上依汉书注改。

<u>墨翟禽滑厘</u>之意则是〔一〕,其行则非也〔二〕。将使后世之<u>墨</u>者,必自苦以腓无胈胫无毛相进而已矣〔三〕。乱之上也〔四〕,治之下也〔五〕。虽然,<u>墨子</u>真天下之好①也〔六〕,将求之不得也〔七〕,虽枯槁不舍也〔八〕。才士也夫〔九〕!

〔一〕【注】意在不侈靡而备世之急,斯所以为是。

〔二〕【注】为之太过故也。 【疏】意在救物,所以是也;勤俭太过,所以非也。

〔三〕【疏】进,过也。后世学徒,执<u>墨</u>陈迹,精苦自励,意在过人也。

948

〔四〕【注】乱莫大于逆物而伤性也。

〔五〕【注】任众适性为上,今墨反之,故为下。 【疏】墨子之道,逆物伤性,故是治化之下术,荒乱之上首也。 【释文】"治之"直吏反。

〔六〕【注】为其真好重圣贤不逆也,但不可以教人。 【释文】"之好"呼报反,注同。○俞樾曰:真天下之好,谓其真好天下也,即所谓墨子兼爱也。下文曰将求之不得也,虽枯槁不舍也,此求字即心诚求之之求。求之不得,虽枯槁不舍,即所谓摩顶放踵,利天下为之也。郭注未得。"为其"于伪反。

〔七〕【注】无辈。

〔八〕【注】所以为真好也。 【疏】宇内好俭,一人而已,求其辈类,竟不能得。憔悴如此,终不休废,率性真好,非矫为也。 【释文】"枯槁"苦老反。"不舍也"音捨。下章同。

〔九〕【注】非有德也。 【疏】夫,叹也。逆物伤性,诚非圣贤,亦勤俭救世才能之士耳。

〔校〕①高山寺古钞本好下有者字。

不累于俗,不饰于物,不苟于人,不忮于众〔一〕,愿天下之安宁以活民命,人我之养毕足而止〔二〕,以此白心,古之道术有在于是者〔三〕。宋钘尹文闻其风而悦之〔四〕,作为华山之冠以自表〔五〕,接万物以别宥为始〔六〕;语心之容,命之曰心之行〔七〕,以聏合欢,以调海内〔八〕,请欲置之以为主〔九〕。见侮不辱〔一○〕,救民之斗,禁攻寝兵,救世之战〔一一〕。以此周行天下,上说下教,虽天下不取,强聒而不舍者也〔一二〕,故曰上下见厌而强见也〔一三〕。

〔一〕【注】忮,逆也。 【疏】于俗无患累,于物无矫饰,于人无苟且,于众无逆忮,立于名行以养苍生也。 【释文】"忮"之豉反,逆也。司马崔云:害也。字书云:很也。又音支,韦昭音泪。

〔二〕【注】不敢望有馀也。

〔三〕【疏】每愿宇内清夷,济活黔首,物我俭素,止分知足,以此教迹,清白其心,古术有在,相传不替矣。 【释文】"白心"崔云,明白其心也。白,或作任。

〔四〕【疏】姓宋,名钘;姓尹,名文:并齐宣王时人,同游稷下。宋著书一篇,尹著书二篇,咸师于黔〔首〕而为之名也。性与教合,故闻风悦爱。 【释文】"宋钘"音形。徐胡冷反,郭音坚。"尹文"崔云:齐宣王时人,著书一篇。○俞樾曰:列子周穆王篇老成子学玄于尹文先生,未知即其人否。汉书艺文志尹文子一篇,在名家。师古曰:刘向云,与宋钘俱游稷下。

〔五〕【注】华山上下均平。 【疏】华山,其形如削,上下均平,而宋尹立志清高,故为冠以表德之异。 【释文】"华山之冠"华山上下均平,作冠象之,表己心均平也。

〔六〕【注】不欲令相犯错。 【疏】宥,区域也。始,本也。置立名教,应接人间,而区别万有,用斯为本也。 【释文】"以别"彼列反,又如字。"宥为始"始,首也。崔云:以别善恶,宥不及也。

〔七〕【疏】命,名也。发语吐辞,每令心容万物,即名此容受而为心行。

〔八〕【注】强以其道聊令合,调令和也。 【释文】"聊"崔本作睢,音而,郭音饵。司马云:色厚貌。崔郭王云:和也。睢和万物,物合则欢矣。一云:调也。"合欢"以道化物,和而调之,合意则欢。

庄子集释

○家世父曰:以眴合欢,诸本或作䏙,庄子阙误引作胹。说文肉部:胹,烂也。方言:胹,孰也。以胹合欢,即软孰之意。太玄经㷉其中,㷉其膝,㷉其唯,司马光集注:㷉字与软同。亦正此意。阙误作胹字者是也。"强以"其丈反。下皆同。"令合"力呈反。下同。

〔九〕【注】二子请得若此者立以为物主也。　【疏】䏙,和也。用斯名教和调四海,庶令同合以得欢心,置立此人以为物主也。

〔一〇〕【注】其于以活民为急也。

〔一一〕【注】所谓䏙调。　【疏】寝,息也。防禁攻伐,止息干戈,意在调和,不许战斗,假令欺侮,不以为辱,意在救世,所以然也。

〔一二〕【注】䏙调之理然也。　【疏】用斯教迹,行化九州,上说君王,下教百姓,虽复物不取用,而强劝喧聒,不自废舍也。　【释文】"上说"音悦,又如字。"下教"上,谓国主也,悦上之教下也。一云:说,犹教也。上教教下也。"聒"古活反,谓强聒其耳而语之也。

〔一三〕【注】所谓不辱。　【疏】虽复物皆厌贱,犹自强见劝他,所谓被人轻侮而不耻辱也。　【释文】"见厌"於艳反,徐於赡反。

虽然,其为人太多,其自为太少〔一〕,曰:"请欲固置五升之饭足矣〔二〕。"先生恐不得饱,弟子虽饥,不忘天下〔三〕,日夜不休,曰:"我必得活哉〔四〕!"图傲乎救世之士哉〔五〕!曰:"君子不为苛察〔六〕,不以身假物〔七〕。"以为无益于天下者,明之不如已也〔八〕,以禁攻寝兵为外〔九〕,以情欲寡浅为内〔一〇〕,其小大精粗,其行适至是而止〔一一〕。

〔一〕【注】不因其自化而强以慰之,则其功太重也。　【疏】夫达道圣贤,感而后应,先存诸己,后存诸人。今乃勤强劝人,被厌不已,当身枯槁,岂非自为太少乎! 【释文】"为人"于伪反。下自为同。

〔二〕【注】斯明自为之太少也。

〔三〕【注】宋钘尹文称天下为先生,自称为弟子也。 【疏】宋尹称黔首为先生,自谓为弟子,先物后己故也。坦然之迹,意在勤俭,置五升之饭,为一日之食,唯恐百姓之饥,不虑己身之饿,不忘天下,以此为心,勤俭故养苍生也,用斯作法,昼夜不息矣。

〔四〕【注】谓民(亦)〔必〕①当报己也。

〔五〕【注】挥斥高大之貌。 【疏】图傲,高大之貌也。言其强力忍垢,接济黎元,虽未合道,可谓救世之人也。 【释文】"图傲"五报反。

〔六〕【注】务宽恕也。 【疏】夫贤人君子,恕己宽容,终不用取舍之心苟且伺察于物也。 【释文】"苛察"音河。一本作苟。○庆藩案,苛一本作苟,非也。古书从句从可之字,往往因隶变而讹,苛作苟,亦形似之误也。汉巴郡太守张纳碑犴无拘绁之人,拘作柯;胸忍蛮夷,胸作胢。冀州从事郭君碑凋柯霜荣,柯字作枸,说文柯字解引酒诰曰尽执拘,今本柯作拘。考工记妎胡之笴,注:故书笴为笱,杜子春云:笱当作笴。管子五辅篇上弥残苛而无解舍,苛,今本讹作苟。皆其明证。

〔七〕【注】必自出其力也。 【疏】立身求己,不必假物以成名也。

〔八〕【注】所以为救世之士也。 【疏】已,止也。苦心劳形,乖道逆物,既无益于宇内,明不如止而勿行。

〔九〕【疏】为利他,外行也。

〔一〇〕【疏】为自利,内行也。

【注】未能经虚涉旷。　【疏】自利利他,内外两行,虽复大小有

异,精粗稍殊,而立趋维纲,不过适是而已矣。　【释文】"其行"

下孟反,又如字。

〔校〕①必字依赵谏议本改。

　　公而不当^①,易而无私,决然无主^{〔一〕},趣物而不两^{〔二〕},
不顾于虑,不谋于知,于物无择,与之俱往^{〔三〕},古之道术有
在于是者^{〔四〕}。<u>彭蒙田骈慎到</u>闻其风而悦之^{〔五〕},齐万物以
为首,曰:"天能覆之而不能载之,地能载之而不能覆之,
大道能包之而不能辩之,知万物皆有所可,有所不可,故曰
选则不徧^{〔六〕},教则不至^{〔七〕},道则无遗者矣^{〔八〕}。"

〔一〕【注】各自任也。　【疏】公正而不阿党,平易而无偏私,依理断

决,无的主宰,所谓法者,其在于斯。　【释文】"不当"丁浪反。

崔本作党,云:至公无党也。○卢文弨曰:作不党是。"易而"以

豉反。

〔二〕【注】物得所趣,故一。　【疏】意在理趣而于物无二也。

〔三〕【疏】依理用法,不顾前后,断决正直,无所惧虑,亦不运知,法外

谋谟,守法而往,酷而无择。　【释文】"于知"音智。下弃知同。

〔四〕【疏】自五帝已来,有以法为政术者,故有可尚之迹而犹在乎世。

〔五〕【疏】姓<u>彭</u>,名<u>蒙</u>;姓<u>田</u>,名<u>骈</u>;姓<u>慎</u>,名<u>到</u>:并<u>齐</u>之隐士,俱游<u>稷</u>

<u>下</u>,各著书数篇。性与法合,故闻风悦爱也。○俞樾曰:据下

文,<u>彭蒙</u>当是<u>田骈</u>之师。<u>意林</u>引<u>尹文子</u>有<u>彭蒙</u>曰:雉兔在野,众

皆逐之,分未定也;鸡豕满市,莫有志者,分定故也。　【释文】

"<u>田骈</u>"薄田反。<u>齐</u>人也,游<u>稷下</u>,著书十五篇。<u>慎子</u>云:名<u>广</u>。

○俞樾曰:汉书艺文志道家田子二十五篇,名骈,齐人,游稷下,号天口〔骈〕②。吕览不二篇陈骈贵齐,即田骈也。淮南人间篇唐子短陈骈子于齐威王云云,即田骈之事实,亦可见贵齐之一端矣。

〔六〕【注】都用乃周。 【疏】夫天覆地载,各有所能,大道包容,未尝辩说。故知万物有可不可,随其性分,但当任之,若欲拣选,必不周遍也。 【释文】"不徧"音遍。

〔七〕【注】性其性乃至。 【释文】"不至"一本作不王。

〔八〕【疏】(异)〔万〕物不同,禀性各异,以此教彼,良非至极,若率至玄道,则物皆自得而无遗失矣。 【释文】"无遗"如字。本又作贵。

〔校〕①赵谏议本当作党。②骈字依汉书补。

是故慎到弃知去己而缘不得已,泠汰于物以为道理〔一〕,曰知不知,将薄知而后邻伤之者也〔二〕,謑髁无任而笑天下之尚贤也〔三〕,纵脱无行而非天下之大圣①〔四〕,椎拍輐断,与物宛转〔五〕,舍是与非,苟可以免〔六〕,不师知虑,不知前后〔七〕,魏然而已矣〔八〕。推而后行,曳而后往〔九〕,若飘风之还,若羽之旋,若磨石之隧,全而无非,动静无过,未尝有罪〔一○〕。是何故〔一一〕?夫无知之物,无建己之患,无用知之累,动静不离于理,是以终身无誉〔一二〕。故曰至于若无知之物而已,无用贤圣〔一三〕,夫块不失道〔一四〕。豪桀相与笑之曰:"慎到之道,非生人之行而至死人之理〔一五〕,适得怪焉〔一六〕。"

〔一〕【注】泠汰,犹听放也。 【疏】泠汰,犹拣炼也。息虑弃知,忘身

去己,机不得已,感而后应,拣炼是非,据法断决,慎到守此,用
为道理。○俞樾曰:史记孟荀列传慎到,赵人,著十二论。汉书
艺文志法家有慎子四十二篇,名到,先申韩,申韩称之。 【释
文】"去己"起吕反。章内注同。"泠"音零。"汰"音泰,徐徒盖
反。郭云:泠汰,犹听放也。一云:泠汰,犹沙汰也,谓沙汰使之
泠然也;皆泠汰之归于一,以此为道理也。或音裔,又音替。

〔二〕【注】谓知力浅,不知任其自然,故薄之而(后)〔又〕邻伤(也)
〔焉〕②。 【疏】邻,近也。夫知则有所不知,故薄浅其知;虽复
薄知而未能都忘,故犹近伤于理。

〔三〕【注】不肯当其任而任夫众人,众人各自能,则无为横复尚贤
也。 【疏】謑髁,不定貌也。随物顺情,无的任用,物各自得,
不尚贤能,故笑之也。 【释文】"謑"胡启反,又音奚,又苦迷
反。说文云:耻也。五米反。"髁"户寡反,郭勘祸反;謑髁,讹
倪不正貌。王云:谓谨刻也。○家世父曰:说文:謑诟,耻也。
謑,一作謧。贾谊治安策,謧诟无节。髁,髀骨也。髁,通作跨。
广韵:跨,同踝。释名:踝,〔确也〕,居足〔两〕旁硗确〔然也〕③,
亦因其形踝踝然也。謑髁,谓坚确能忍耻辱。释文:謑髁,讹倪
不正貌。王云,谨刻也。均未免望文生义。"无任"无所施任
也。王云,虽谨刻于法,而犹能不自任以事,事不与众共之,则无
为尚贤,所以笑也。"横复"扶又反。

〔四〕【注】欲坏其迹,使物不殉。 【疏】纵恣脱略,不为仁义之德行,
忘遗陈迹,故非宇内之圣人也。 【释文】"无行"下孟反。下人
之行同。

〔五〕【注】法家虽妙,犹有椎拍,故未泯合。 【疏】椎拍,笞挞也。輐
断,行刑也。宛转,变化也。复能打拍刑戮,而随顺时代,故能

与物变化而不固执之者也。　【释文】"椎"直追反。"拍"普百反。"輐"五管反，又胡乱反，又五乱反。徐胡管反，圆也。"断"丁管反，又丁乱反，方也。王云，椎拍輐断，皆刑截者所用。○家世父曰：释文：輐，圆也。王云，椎拍輐断，皆刑截者所用。疑王说非也。輐断即下文䖐断，郭象云：䖐断，无圭角也。说文：椎，击也。拍，拊也。言击拊之而已，不用攻刺；䖐断之而已，不用锋棱；所以处制事物而与为宛转也。

〔六〕【疏】不固执是非，苟且免于当世之为也。

〔七〕【注】不能知是之与非，前之与后，暗目恣性，苟免当时之患也。　【疏】不师其成心，不运用知虑，亦不瞻前顾后，(人)〔矫〕性(为)〔伪〕情，直举弘纲，顺物而已。　【释文】"不师知"音智。

〔八〕【注】任性独立。　【疏】魏然，不动之貌。虽复处俗同尘，而魏然独立也。　【释文】"魏然"鱼威反，李五回反。

〔九〕【注】所谓缘于不得已。　【疏】推而曳之，缘不得已，感而后应，非先唱也。

〔一○〕【疏】磨，砥也。隧，转也。如飘风之回，如落羽之旋，若砥石之转。三者无心，故能全得，是以无是无非，无罪无过，无情任物，故致然也。　【释文】"若飘"婢遥反，一音必遥反。尔雅云：回风为飘。"之还"音旋，一音环。"若磨"末佐反，又如字。"石之隧"音遂，回也。徐绝句，一读至全字绝句。"全而无非"磨石所剂，粗细全在人，言德全无见非责时，言其无心也。

〔一一〕【疏】假设疑问以显其能。

〔一二〕【注】患生于誉，誉生于有建。　【疏】夫物莫不耽滞身己，建立功名，运用心知，没溺前境。今磨砥等，行藏任物，动静无心，恒居妙理，患累斯绝，是以终于天命，无咎无誉也。　【释文】"不离"力智反。

〔一三〕【注】唯圣人然后能去知与故,循天之理,故愚知处宜,贵贱当位,贤不肖袭情,而云无用圣贤,所以为不知道也。

〔一四〕【注】欲令去知如土块也。亦为凡物云云,皆无缘得道,道非遍物也。 【疏】贵尚无知,情同瓦石,无用贤圣,闇若夜游,遂如土块,名为得理。慎到之惑,其例如斯。 【释文】"夫块"苦对反,或苦猥反。"欲令"力呈反。

〔一五〕【注】夫去知任性,然后神明洞照,所以为贤圣也,而云土块乃不失道,人若土块,非死如何!豪桀所以笑也。 【疏】夫得道贤圣,照物无心,德合二仪,明齐三景。今乃以土块为道,与死何殊!既无神用,非生人之行也。是以英儒赡闻,玄通豪桀,知其乖理,故嗤笑之。

〔一六〕【注】未合至道,故为诡怪。 【疏】不合至道者,适为其怪也。

〔校〕①古钞卷子本圣下有也字。②又焉二字依世德堂本改。③确也等五字依释名原文补。

　　田骈亦然,学于彭蒙,得不教焉〔一〕。彭蒙之师曰:"古之道人,至于莫之是莫之非而已矣〔二〕。其风窢然,恶可而言〔三〕?"常反人,不见①观〔四〕,而不免于魭断〔五〕。其所谓道非道,而所言之韪不免于非〔六〕。彭蒙田骈慎到不知道〔七〕。虽然,概乎皆尝有闻者也〔八〕。

957

〔一〕【注】得自任之道也。 【疏】田骈慎到,禀业彭蒙,纵任放诞,无所教也。

〔二〕【注】所谓齐万物以为首。

〔三〕【注】逆风所动之声。 【疏】窢然,迅速貌也。古者道人,虚怀忘我,指为天地,无复是非,风教窢然,随时过去,何可留其圣迹,执而言之也。 【释文】"窥"字亦作覢,又作阒,况逼反,又火麦反。向郭云:逆风声。"恶可"音乌。

〔四〕【注】不顺民望。 【疏】未能大顺群品,而每逆忤人心,亦不能致苍生之称其瞻望也。 【释文】"不见观"一本作不聚观。

〔五〕【注】虽立法而鈗断无圭角也。 【疏】鈗断,无圭角貌也。虽复立法施化,而未能大齐万物,故不免于鈗断也。 【释文】"于鈗"五管反,又五乱反。"断"丁管反。郭云:鈗断,无圭角也。一本无断字。

〔六〕【注】趡,是也。 【疏】趡,是也。慎到所谓为道者非正道也,所言为是者不是也,故不免于非也。 【释文】"趡"于鬼反,是也。

〔七〕【注】道无所不在,而云土块乃不失道,所以为不知。 【疏】虽复习尚虚忘,以无心为道,而未得圆照,故不知也。

〔八〕【注】但不至也。 【疏】彭蒙之类,虽未体真,而志尚〔无〕知,略有梗概,更相师祖,皆有禀承,非独臆断,故尝有闻之也。 【释文】"概乎"古爱反。

〔校〕①赵谏议本见作聚。

以本为精,以物为粗〔一〕,以有积为不足〔二〕,澹然独与神明居,古之道术有在于是者〔三〕。关尹老聃闻其风而悦之〔四〕,建之以常无有〔五〕,主之以太一〔六〕,以濡弱谦下为表,以空虚不毁万物为实〔七〕。

〔一〕【疏】本,无也。物,有也。用无为妙,道为精,用有为事,物为粗。

〔二〕【注】寄之天下,乃有馀也。

〔三〕【疏】贪而储积,心常不足,知足止分,故清廉虚淡,绝待独立而精神,道无不在,自古有之也。　【释文】"澹然"徒暂反。

〔四〕【疏】姓<u>尹</u>,名<u>熹</u>,字<u>公度</u>,<u>周平王</u>时<u>函谷关</u>令,故(为)〔谓〕之<u>关</u><u>尹</u>也。姓<u>李</u>,名<u>耳</u>,字<u>伯阳</u>,外字<u>老聃</u>,即<u>尹熹</u>之师<u>老子</u>也。师资唱和,与理相应,故闻无为之风而悦爱之也。　【释文】"<u>关</u><u>尹</u>"关令<u>尹喜</u>也。或云:<u>尹喜</u>字<u>公度</u>。"<u>老聃</u>"他甘反,即<u>老子</u>也。为<u>喜</u>著书十九篇。〇<u>俞樾</u>曰:<u>汉书艺文志</u>道家有<u>关尹子</u>九篇,注云:名<u>喜</u>,为关吏。或以<u>尹喜</u>为姓名,失之。又按<u>释文</u>云:<u>老子</u>为<u>喜</u>著书十九篇。考<u>老子</u>一书,<u>汉志</u>有<u>邻氏经传</u>四篇、<u>傅氏经说</u>三十七篇、<u>徐氏经说</u>六篇,未闻有十九篇之说。<u>吕览不二篇</u><u>关尹</u>贵清,<u>高</u>注:<u>关尹</u>,关正也,名<u>喜</u>,作道书九篇,能相风角,知将有神人而<u>老子</u>到,<u>喜</u>说之,请著<u>上至经</u>五千言。<u>上至经</u>之名,他书所未见也。

〔五〕【注】夫无有何所能建? 建之以常无有,则明有物之自建也。

〔六〕【注】自天地以及群物,皆各自得而已,不兼他饰,斯非主之以太一耶!　【疏】太者广大之名,一以不二为称。言大道旷荡,无不制围,括囊万有,通而为一,故谓之太一也。建立言教,每以凝常无物为宗,悟其指归,以虚通太一为主。斯盖好俭以劳形质,未可以教他人,亦无劳败其道术也。

〔七〕【疏】表,外也。以柔弱谦和为权智外行,以空惠圆明为实智内德也。　【释文】"以濡"如兖反,一音儒。"谦下"遐嫁反。

<u>关尹</u>曰:"在己无居〔一〕,形物自著〔二〕。其动若水,其静若镜,其应若响〔三〕。芴乎若亡,寂乎若清,同焉者和,得焉者失〔四〕。未尝先人而常随人〔五〕。"

〔一〕【注】物来则应,应而不藏,故功随物去。　【疏】成功弗居,推功于物,用此在己而修其身也。

〔二〕【注】不自是而委万物,故物形各自彰著。 【疏】委任万物,不伐其功,故彼之形性各自彰著也。

〔三〕【注】常无情也。 【疏】动若水流,静如悬镜,其逗机也似响应声,动静无心,神用故速。 【释文】"若响"许丈反。

〔四〕【注】常全者不知所得也。 【疏】芴,忽也。亡,无也。夫道非有非无,不清不浊,故闇忽似无,体非无也,静寂如清也。是已同靡清浊,和苍生之浅见也,遂以此清虚无为而为德者,斯丧道矣。 【释文】"芴"音忽。

〔五〕【疏】和而不唱也。

老聃曰:"知其雄,守其雌,为天下豁;知其白,守其辱,为天下谷〔一〕。"人皆取先,己独取后〔二〕,曰受天下之垢〔三〕;人皆取实〔四〕,己独取虚〔五〕,无藏也故有馀〔六〕,岿然而有馀〔七〕。其行身也,徐而不费〔八〕,无为也而笑巧〔九〕;人皆求福,己独曲全〔一○〕,曰苟免于咎〔一一〕。以深为根〔一二〕,以约为纪〔一三〕,曰坚则毁矣〔一四〕,锐则挫矣〔一五〕。常宽容①于物〔一六〕,不削于人〔一七〕,可谓②至极。

〔一〕【注】物各自守其分,则静默而已,无雄白也。夫雄白者,非尚胜自显者耶? 尚胜自显,岂非逐知过分以殆其生耶? 故古人不随无崖之知,守其分内而已,故其性全。其性全,然后能及天下;能及天下,然后归之如豁谷也③。 【疏】夫英雄俊杰,进躁所以夭年;雌柔谦下,退静所以长久。是以去彼显白之荣华,取此韬光之屈辱,斯乃学道之枢机,故为宇内之豁谷也。而豁谷俱是川壑,但豁小而谷大,故重言耳。 【释文】"豁"苦兮反。

〔二〕【注】不与万物争锋,然后天下乐推而不厌,故后其身。 【疏】

俗人皆尚胜趋先,大圣独谦卑处后,故道经云,后其身而身先(故)也。

〔三〕【注】雌辱后下之类,皆物之所谓垢。 【疏】退身居后,推物在先,斯受垢辱之者。 【释文】"之垢"音苟。

〔四〕【注】唯知有之以为利,未知无之以为用。 【疏】贪资货也。

〔五〕【注】守冲泊以待群实。 【疏】守冲寂也。 【释文】"冲泊"步各反。

〔六〕【注】付万物使各自守,故不患其少。 【疏】藏,积也。知足守分,散而不积,故有馀。

〔七〕【注】独立自足之谓。 【疏】岿然,独立之谓也。言清廉洁己,在物至稀,独有圣人无心而已。 【释文】"岿"去轨反,又去类反。本或作魏。

〔八〕【注】因民所利而行之,随四时而成之,常与道理俱,故无疾无费也。 【疏】费,损也。夫达道之人,无近恩惠,食苟简之田,立不贷之圃,从容闲雅,终不损己为(于)物耳,以此为行而养其身也。 【释文】"不费"芳味反。

〔九〕【注】巧者有为,以伤神器之自成,故无为者,因其自生,任其自成,万物各得自为。蜘蛛犹能结网,则人人自有所能矣,无贵于工倕也。 【疏】率性而动,淳朴无为,嗤彼俗人,机心巧伪也。 【释文】"蜘"音知。"蛛"音诛。"工倕"音垂。

〔一〇〕【注】委顺至理则常全,故无所求福,福已足。

〔一一〕【注】随物,故物不得咎也。 【疏】咎,祸也。俗人愚迷,所为封执,但知求福,不能虑祸。唯大圣虚怀,委曲随物,保全生道,且免灾殃。

〔一二〕【注】(理)〔埋〕④根于大初之极,不可谓之浅也。 【释文】"大初”音泰。

〔一三〕【注】去甚泰也。　【疏】以深玄为德之本根,以俭约为行之纲纪。　【释文】“去甚”起吕反。

〔一四〕【注】夫至顺则虽金石无坚也,连逆则虽水气无软⑤也。至顺则全,连逆则毁,斯正理也。　【释文】“连逆”五故反。“无软”如兖反,本或作濡,音同。○卢文弨曰:今书作无耎。

〔一五〕【注】进躁无崖为锐。　【疏】毁损坚刚之行,挫止贪锐之心,故道经云挫其锐。　【释文】“挫”作卧反。

〔一六〕【注】各守其分,则自容有馀。

〔一七〕【注】全其性也。　【疏】退己谦和,故宽容于物;知足守分,故不侵削于人也。

〔校〕①高山寺本无容字。②高山寺本作虽未,阙误同,云:江南古藏本及文李二本俱作可谓至极。③赵谏议本无也字。④埋字依宋本改。⑤世德堂本软作耎。

关尹老聃乎! 古之博大真人哉〔一〕!

〔一〕【疏】关尹老子,古之大圣,穷微极妙,冥真合道;教则浩荡而弘博,理则广大而深玄,庄子庶几,故有斯叹也。

芴①漠无形,变化无常〔一〕,死与生与,天地并与,神明往与〔二〕! 芒乎何之,忽乎何适〔三〕,万物毕罗,莫足以归〔四〕,古之道术有在于是者。庄周闻其风而悦之,以谬悠之说,荒唐之言,无端崖之辞,时恣纵而不傥②,不以觭见之也〔五〕。以天下为沉浊,不可与庄语〔六〕,以卮言为曼衍,以重言为真,以寓言为广〔七〕。独与天地精神往来而不敖倪于万物〔八〕,不谴是非〔九〕,以与世俗处〔一〇〕。其书虽瑰玮而连犿无伤也〔一一〕。其辞虽参差而諔诡可观〔一二〕。彼其充实不可以已〔一三〕,上与造物者游,而下与外死生无终始者为友〔一四〕。其于本也,弘大而辟,深闳而肆,其于宗也,可谓稠③适而上遂矣〔一五〕。虽然,其应于化而解于物也〔一六〕,其理不竭,其来不蜕〔一七〕,芒乎昧乎,未之尽者〔一八〕。

〔一〕【注】随物也。 【疏】妙本无形,故寂漠也;迹随物化,故无常也。 【释文】"芴"元嘉本作寂。"漠"音莫。

〔二〕【注】任化也。 【疏】以死生为昼夜,故将二仪并也;随造化而转变,故共神明往矣。 【释文】"死与"音馀。下同。

〔三〕【注】无意趣也。 【疏】委自然而变化,随芒忽而遨游,既无情于去取,亦任命而之适。 【释文】"芒乎"莫刚反。下同。

〔四〕【注】故都任置。 【疏】包罗庶物,囊括宇内,未尝离道,何处归根。

〔五〕【注】不急欲使物见其意。 【疏】谬,虚也。悠,远也。荒唐,广(天)〔大〕也。恣纵,犹放任也。觭,不偶也。而庄子应世挺生,冥契玄道,故能致虚远深弘之说,无涯无绪之谈,随时放任而不偏党,和气混俗,未尝觭介也。 【释文】"谬悠"谓若忘于情实者也。"荒唐"谓广大无域畔者也。○庆藩案,无端崖,犹无垠鄂也。淮南原道篇无垠鄂之门,许注垠鄂(锷)(案引注鄂误锷。)云:端崖也。(见文选张衡西京赋注。)高注:无形状也。说文土部:垠,地垠也。楚辞王注:垠,岸崖也。文选甘泉赋李善注:(郭)〔鄂〕,垠堮也。"而傥"丁荡反。徐敕荡反。○卢文弨曰:

963

今书时恣纵而不傥,有不字。"觭"音羁,徐起宜反。

〔六〕【注】累于形名,以庄语为狂而不信,故不与也。 【疏】庄语,犹大言也。宇内黔黎,沉滞闇浊,咸溺于小辩,未可与说大言也。【释文】"庄语"并如字。郭云:庄,庄周也。一云:庄,〔端〕④正也。一本作壮,侧亮反,(端)大也。○庆藩案,庄壮,古音义通用。逸周书谥法篇兵甲亟作曰庄,睿圉克服曰庄,胜敌志强曰庄,死于原野曰庄,屡征杀伐曰庄。庄之言壮也。楚辞远游精粹而始壮,与行乡阳为韵。诗郦风君子偕老笺颜色之庄,释文:庄,本又作壮。礼檀弓卫有太史曰柳庄,汉书古今人表作柳壮。天下不可与庄语,释文:庄,一本作壮。皆其明证。

〔七〕【疏】卮言,不定也。曼衍,无心也。重,尊老也。寓,寄也。夫卮满则倾,卮空则仰,故以卮器以况至言。而耆艾之谈,体多真实,寄之他人,其理深广,则鸿蒙云将海若之徒是也。 【释文】"以卮"音支。

〔八〕【注】其言通至理,正当万物之性命。 【疏】敖倪,犹骄矜也。抱真精之智,运不测之神,寄迹域中,生来死往,谦和顺物,固不骄矜。 【释文】"不敖"五报反。"倪"音诣。

〔九〕【注】己无是非,故恣物(两)〔而〕⑤行。 【释文】"不谴"遣战反。

〔一〇〕【注】形群于物。 【疏】谴,责也。是非无主,不可穷责,故能混世扬波,处于尘俗也。

〔一一〕【注】还与物合,故无伤也。 【疏】瑰玮,弘壮也。连犿,和混也。庄子之书,其旨高远,言犹涉俗,故合物而无伤。 【释文】"瑰"古回反。"玮"瑰玮,奇特也。"连犿"本亦作抃,同。芳袁反。又音獾,又敷晚反。李云:皆宛转貌。一云:相从之貌,谓与物相从不违,故无伤也。

〔一二〕【注】不唯应当时之务,故参差。　【疏】参差者,或虚或实,不一
其言也。諔诡,犹滑稽也。虽寓言托事,时代参差,而諔诡滑
稽,甚可观阅也。　【释文】"参"初林反。注同。"差"初宜反。
"諔"尺叔反。

〔一三〕【注】多所有也。　【疏】已,止也。彼所著书,辞清理远,括囊无
实,富赡无穷,故不止极也。

〔一四〕【疏】乘变化而遨游,交自然而为友,故能混同生死,冥一始终。
本妙迹粗,故言上下。

〔一五〕【疏】辟,开也。弘,大也。闳,亦大也。肆,申也。遂,达也。言
至本深大,申畅开通,真宗调适,上达玄道也。　【释文】"而辟"
婢亦反。"深闳"音宏。"稠适"稠,音调,本亦作调。

〔一六〕【疏】言此庄书,虽复諔诡,而应机变化,解释物情,莫之先也。

〔一七〕【疏】蜕,脱舍也。妙理虚玄,应无穷竭,而机来感己,终不蜕而
舍之也。　【释文】"不蜕"音悦,徐始锐反,又敕外反。

〔一八〕【注】庄子通以平意说己,与说他人无异也,案其辞明为汪汪然,
禹(亦)〔拜〕⑥昌言,亦何嫌乎此也!　【疏】芒昧,犹窈冥也。言
庄子之书,窈窕深远,芒昧恍忽,视听无辩,若以言象征求,未穷
其趣也。　【释文】"汪汪"乌黄反。

〔校〕①赵谏议本芴作寂。②赵本悦作黩。③赵本稠作调。④端字
依世德堂本及释文原本移上。⑤而字依世德堂本改。⑥拜字
依世德堂本改。

惠施多方,其书五车,其道舛驳,其言也①不中〔一〕。
厤②物之意〔二〕,曰:"至大无外,谓之大一;至小无内,谓之

小一〔三〕。无厚,不可积也,其大千里〔四〕。天与地卑,山与泽平〔五〕。日方中方睨,物方生方死〔六〕。大同而与小同异,此之谓小同异〔七〕;万物毕同毕异,此之谓大同异〔八〕。南方无穷而有穷〔九〕,今日适越而昔来〔一〇〕。连环可解也〔一一〕。我知天下③之中央,燕之北越之南是也〔一二〕。氾爱万物,天地一体也〔一三〕。"

〔一〕【疏】舛,差殊也。驳,杂揉也。既多方术,书有五车,道理殊杂而不纯,言辞虽辩而无当也。　【释文】"惠施"施,惠子名。"五车"尺蛇反,又音居。"舛"川兖反,徐尺允反。"驳"邦角反。○庆藩案,司马作踌驳。文选左太冲魏都赋注引司马云:踌读曰舛;舛,乖也;驳,色杂不同也。释文阙。○藩又案,舛驳,当作踌驳。又(引司马此注)作踌驰。淮南俶真篇二者代谢舛驰。说山篇分流舛驰。(玉篇引作僢驰。)氾论篇见闻舛驰于外。法言叙曰,诸子各以其知舛驰。是其证。(舛踌僢,字异而义同。)"不中"丁仲反。

〔二〕【疏】心游万物,历览辩之。　【释文】"厤"古历字。本亦作历。"物之意"分别历说之。

〔三〕【疏】囊括无外,谓之大也;入于无间,谓之小也;虽复大小异名,理归无二,故曰一也。　【释文】"至大无外谓之大一至小无内谓之小一"司马云:无外不可一,无内不可分,故谓之一也。天下所谓大小皆非形,所谓一二非至名也。至形无形,至名无名。

〔四〕【疏】理既精微,搏之不得,妙绝形色,何厚之有! 故不可积而累之也。非但不有,亦乃不无,有无相生,故大千里也。　【释文】"无厚不可积也其大千里"司马云:物言形为有,形之外为无,无形与有,相为表里,故形物之厚,尽于无厚。无厚与有,同一体也,其有厚大者,其无厚亦大。高因广立,有因无积,则其可积,因不可积者,苟其可积,何但千里乎!

〔五〕【疏】夫物情见者,则天高而地卑,山崇而泽下。今以道观之,则山泽均平,天地一致矣。<u>齐物</u>云,莫大于秋豪而<u>泰山</u>为小,即其义也。 【释文】"天与地卑"如字,又音婢。"山与泽平"<u>李</u>云:以地比天,则地卑于天;若宇宙之高,则天地皆卑。天地皆卑,则山与泽平矣。

〔六〕【疏】睨,侧视也。居西者呼为中,处东者呼为侧,则无中侧也。犹生死也,生者以死为死,死者以生为死。日既中侧不殊,物亦死生无异也。 【释文】"日方中方睨"音诣。"物方生方死"<u>李</u>云:睨,侧视也。谓日方中而景已复昃,谓景方昃而光已复没,谓光方没而明已复升。凡中昃之与升没,若转枢循环,自相与为前后,始终无别,则存亡死生与之何殊也!

〔七〕【疏】物情分别,见有同异,此小同异也。

〔八〕【疏】死生交谢,寒暑递迁,形性不同,体理无异,此大同异也。 【释文】"大同而与小同异此之谓小同异万物毕同毕异此之谓大同异"同体异分,故曰小同异。死生祸福,寒暑昼夜,动静变化,众辨莫同,异之至也,众异同于一物,同之至也,则万物之同异一矣。若坚白,无不合,无不离也。若火含阴,水含阳,火中之阴异于水,水中之阳异于火,然则水异于水,火异于火。至异异所同,至同同所异,故曰大同异。

〔九〕【疏】知四方无穷,会有物也。形不尽形,色不尽色,形与色相尽也;知不穷知,物不穷物,穷与物相尽也;只为无厚,故不可积也。独言南方,举一隅,三可知也。 【释文】"南方无穷而有穷"司马云:四方无穷也。李云:四方无穷,故无四方,上下皆不能处其穷,会有穷耳。一云:知四方之无穷,是以无无穷无穷也。形不尽形,色不尽色,形与色相尽也;知不穷知,物不穷物,知与物相尽也。独言南方,举一隅也。

〔一〇〕【疏】夫以今望昔,所以有今;以昔望今,所以有昔。而今自非今,何能有昔! 昔自非昔,岂有今哉! 既其无昔无今,故曰今日适越而昔来可也。 【释文】"今日适越而昔来"智之适物,物之适智,形有所止,智有所行,智有所守,形有所从,故形智往来,相为逆旅也。鉴以鉴影而鉴亦有影,两鉴相鉴,则重影无穷。万物入于一智而智无间,万物入于一物而物无眹,天在心中则身在天外,心在天内则天在心外也。远而思亲者往也,病而思亲者来也。智在物为物,物在智为智。司马云:彼日犹此日,则见此犹见彼也。彼犹此见,则吴与越人交相见矣。○卢文弨曰:今书眹作眹。案眹与瞬同,眹训目精,义皆不合。似当作眹兆之眹。

〔一一〕【疏】夫环之相贯,贯于空处,不贯于环也。是以两环贯空,不相涉入,各自通转,故可解者也。 【释文】"连环可解也"司马云:夫物尽于形,形尽之外,则非物也。连环所贯,贯于无环,非贯于环也,若两环不相贯,则虽连环,故可解也。

〔一二〕【疏】夫燕越二邦,相去迢递,人情封执,各是其方。故燕北越南,可为天中者也。 【释文】"我知天之中央燕之北越之南是也"司马云:燕之去越有数,而南北之远无穷,由无穷观有数,则燕越之间未始有分也。天下无方,故所在为中,循环无端,故所在为始也。

〔一三〕【疏】万物与我为一,故泛爱之;二仪与我并生,故同体也。

【释文】"氿"芳剑反。"爱万物天地一体也"李云:日月可观而目不可见,爱出于身而所爱在物。天地为首足,万物为五藏,故肝胆之别,合于一人,一人之别,合于一体也。

〔校〕①高山寺本无也字。②赵谏议本厤作历。③世德堂本无下字。

惠施以此为大,观于天下而晓辩者^{〔一〕},天下之辩者相与乐之^{〔二〕}。卵有毛^{〔三〕},鸡三足^{〔四〕},郢有天下^{〔五〕},犬可以为羊^{〔六〕},马有卵^{〔七〕},丁子有尾^{〔八〕},火不热^{〔九〕},山出口^{〔一〇〕},轮不蹍地^{〔一一〕},目不见^{〔一二〕},指不至,至不绝^{〔一三〕},龟长于蛇^{〔一四〕},矩不方,规不可以为圆^{〔一五〕},凿不围枘^{〔一六〕},飞鸟之景未尝动也^{〔一七〕},镞矢之疾而有不行不止之时^{〔一八〕},狗非犬^{〔一九〕},黄马骊牛三^{〔二〇〕},白狗黑^{〔二一〕},孤驹未尝有母,一尺之捶^①,日取其半,万世不竭^{〔二二〕}。辩者以此与惠施相应,终身无穷。

〔一〕【疏】惠施用斯道理,自以为最,观照天下,晓示辩人也。 【释文】"为大观"古乱反。"于天下"所谓自以为最也。"晓辩"字林云:辩,慧也。

〔二〕【疏】爱好既同,情性相感,故域中辩士乐而学之也。 【释文】"乐之"音洛。

〔三〕【疏】有无二名,咸归虚寂,俗情执见,谓卵无毛,名谓既空,有毛可也。 【释文】"卵有毛"司马云:胎卵之生,必有毛羽。鸡伏鹄卵,卵不为鸡,则生类于鹄也。毛气成毛,羽气成羽,虽胎卵未生,而毛羽之性已著矣。故鸢肩蜂目,寄感之分也,龙颜虎喙,威灵之气也。神以引明,气以成质,质之所克如户牖,明暗之悬以昼夜。性相近,习相远,则性之明远,有习于生。○卢文弨曰：远，旧作逮，今书作远，从之。○庆藩案，荀子不苟篇杨注引司马云：胎卵之生，必有毛羽。鸡伏鹄卵，卵不为鸡，则生类于鹄也。毛气成毛，羽气成羽，虽胎卵未生，而毛羽之性已著矣，故曰卵有毛也。视释文为略。

〔四〕【疏】数之所起，自虚从无，从无适有，三名斯立。是知二三，竟无实体，故鸡之二足可名为三。鸡足既然，在物可见者也。

【释文】"鸡三足"司马云：鸡两足，所以行而非动也，故行由足发，动由神御。今鸡虽两足，须神而行，故曰三足也。

〔五〕【疏】郢，楚都也，在江陵北七十里。夫物之所居，皆有四方，是以燕北越南，可谓天中，故楚都于郢，地方千里，何妨即天下者耶！ 【释文】"郢有天下"郢，楚都也，在江陵北七十里。李云：九州之内，于宇宙之中未万中之一分也。故举天下者，以喻尽而名大夫非大。若各指其所有而言其未足，虽郢方千里，亦可有天下也。

〔六〕【疏】名无得物之功，物无应名之实，名实不定，可呼犬为羊。郑人谓玉未理者为璞，周人谓鼠未腊者亦曰璞，故形在于物，名在于人也。 【释文】"犬可以为羊"司马云：名以名物，而非物也，犬羊之名，非犬羊也。非羊可以名为羊，则犬可以名羊。郑人谓玉未理者曰璞，周人谓鼠〔未〕腊者亦曰璞，故形在于物，名在于人。

970

〔七〕【疏】夫胎卵湿化，人情分别，以道观者，未始不同。鸟卵既有毛，兽胎何妨名卵也！ 【释文】"马有卵"李云：形之所托，名之所寄，皆假耳，非真也。故犬羊无定名，胎卵无定形，故鸟可以有胎，马可以有卵也。一云：小异者大同，犬羊之与胎卵，无分于鸟马也。

〔八〕【疏】楚人呼虾蟆为丁子也。夫虾蟆无尾,天下共知,此盖物情,非关至理。以道观之者,无体非无,非无尚得称无,何妨非有,可名尾也。 【释文】"丁子有尾"李云:夫万物无定形,形无定称,在上为首,在下为尾。世人(为)〔谓〕右行曲波为尾,今丁子二字,虽左行曲波,亦是尾也。

〔九〕【疏】火热水冷,起自物情,据理观之,非冷非热。何者?南方有食火之兽,圣人则入水不濡,以此而言,固非冷热也。又譬杖加于体而痛发于人,人痛杖不痛,亦犹火加体而热发于人,人热火不热也。 【释文】"火不热"司马云:木生于水,火生于木,木以水润,火以木光。金寒于水而热于火,而寒热相兼无穷,水火之性有尽,谓火热水寒,是偏举也,偏举则水热火寒可也。一云:犹金木加于人有楚痛,楚痛发于人,而金木非楚痛也。如处火之鸟,火生之虫,则火不热也。○卢文弨曰:旧处火作处水,讹,今改正。

〔一○〕【疏】山本无名,山名出自人口。在山既尔,万法皆然也。 【释文】"山出口"司马云:形声气色,合而成物。律吕以声兼形,玄黄以色兼质。呼于一山,一山皆应,一山之声入于耳,形与声并行,是山犹有口也。

〔一一〕【疏】夫车之运动,轮转不停,前迹已过,后涂未至,(徐)〔除〕却前后,更无蹑时。是以轮虽运行,竟不蹑于地也。犹肇论云,旋风偃岳而常静,江河竞注而不流,野马飘鼓而不动,日月历天而不周。复何怪哉!复何怪哉! 【释文】"轮不蹍"本又作跈,女展反。"地"司马云:地平轮圆,则轮之所行者迹也。

〔一二〕【疏】夫目之见物,必待于缘。缘既体空,故知目不能见之者也。 【释文】"目不见"司马云:水中视鱼,必先见水;光中视物,必先见光。鱼之濡鳞非曝鳞,异于曝鳞,则视濡也。光之曜形异于不曜,则视见于曜形,非见形也。目不夜见非暗,昼见非明,有假也,所以见者明也。目不假光而后明,无以见光,故目之于物,未尝有见也。

〔一三〕【疏】夫以指指物而非指,故指不至也。而自指得物,故至不绝者也。　【释文】"指不至至不绝"司马云:夫指之取物,不能自至,要假物故也,然假物由指不绝也。一云:指之取火以钳,刺鼠以锥,故假于物,指是不至也。

〔一四〕【疏】夫长短相形,则无长无短。谓蛇长龟短,乃是物之滞情,今欲遣此昏迷,故云龟长于蛇也。　【释文】"龟长于蛇"司马云:蛇形虽长而命不久,龟形虽短而命甚长。○俞樾曰:此即莫大于秋豪之末而大山为小之意。司马云:蛇形虽长而命不久,龟形虽短而命甚长,则不以形言而以寿言,真为龟长蛇短矣,殊非其旨。

〔一五〕【疏】夫规圆矩方,其来久矣。而名谓不定,方圆无实,故不可也。　【释文】"矩不方规不可以为圆"司马云:矩虽为方而非方,规虽为圆而非圆,譬绳为直而非直也。

〔一六〕【疏】凿者,孔也。枘者,内孔中之木也。然枘入凿中,木穿空处不关涉,故不能围。此犹连环可解义也。　【释文】"凿"曹报反。"不围枘"如锐反。司马云:凿枘异质,合为一形。凿积于枘,则凿枘异围,鉴枘异围,是不相围也。

〔一七〕【疏】过去已灭,未来未至,过未之外,更无飞时,唯鸟与影,嶷然不动。是知世间即体皆寂,故〔肇〕论云,然则四象风驰,璇玑电卷,得意豪微,虽迁不转。所谓物不迁者也。　【释文】"飞鸟之景"音影。"未尝动也"司马云:鸟之蔽光,犹鱼之蔽水,鱼动蔽

水而水不动,鸟动影生,影生光亡。亡非往,生非来,墨子曰,影
不徙也。

〔一八〕【疏】镞,矢耑也。夫机发虽速,不离三时,无异轮行,何殊鸟影。
〔轮〕既不躈不动,镞矢岂有止有行!亦如利刀割三条丝,其中
亦有过去未来见在(之)者也。 【释文】"镞"子木反,郭音族,
徐朱角反。三苍云:矢镝也。○庆藩案,镞,郭音族,非也。镞为
鏉字之误。㑞,隶书作㑞,字形相似,故鏉矢之字,多误为镞。
(亦多误为锥。隹字隶书作佳,亦因形似而误。见淮南兵略篇
疾如锥矢。齐策亦误作锥矢。高注以锥矢为小矢,非。)尔雅金
镞翦羽谓之鏉。说文同。方言曰:箭,江淮之间谓之鏉。大雅四
鏉既均,周官司弓矢曰杀矢鏉矢,考工记矢人曰:鏉矢三分。
(鏉字亦作猴。士丧礼曰:猴矢一乘。)故知镞为鏉之误也。(鹖
冠子世兵篇发如镞矢。镞本或作鏉,亦当以从鏉为是。)"矢之
疾而有不行不止之时"司马云:形分止,势分行;形分明者行迟,
势分明者行疾。目明无形,分无所止,则其疾无间。矢疾而有
间者,中有止也,质薄而可离,中有无及者也。

〔一九〕【疏】狗之与犬,一物两名。名字既空,故狗非犬也。狗犬同实
异名,名实合,则彼谓狗,此谓犬也;名实离,则彼谓狗,异于犬
也。墨子曰:狗,犬也,然狗非犬也。 【释文】"狗非犬"司马
云:狗犬同实异名。名实合,则彼所谓狗,此所谓犬也;名实离,
则彼所谓狗,异于犬也。

〔二○〕【疏】夫形非色,色乃非形。故一马一牛,以之为二,添马之色而
可成三。曰黄马,曰骊牛,曰黄骊,形为三也。亦犹一与言为
二,二与一为三者也。 【释文】"黄马骊"力智反,又音梨。
"牛三"司马云:牛马以二为三。曰牛,曰马,曰牛马,形之三也。

曰黄,曰骊,曰黄骊,色之三也。曰黄马,曰骊牛,曰黄马骊牛,形与色为三也。故曰一与言为二,二与一为三也。○庆藩案,文选刘孝标广绝交论注引司马云:牛马以二为三,兼与别也。曰马,曰牛,形之三也。曰黄,曰骊,色之三也。曰黄马,曰骊牛,形与色之三也。与释文小异。

〔二一〕【疏】夫名谓不实,形色皆空,欲反执情,故指白为黑也。 【释文】"白狗黑"司马云:狗之目眇,谓之眇狗;狗之目大,不曰大狗;此乃一是一非。然则白狗黑目,亦可为黑狗。

〔二二〕【疏】捶,杖也。取,折也。问曰:一尺之杖,今朝折半,逮乎后夕,五寸存焉,两日之间,捶当穷尽。此事显著,岂不竭之义乎?答曰:夫名以应体,体以应名,故以名求物,物不能隐也。是以执名责实,名曰尺捶,每于尺取,何有穷时? 若于五寸折之,便亏名理。乃曰半尺,岂是一尺之义耶? 【释文】"孤驹未尝有母"李云:驹生有母,言孤则无母,孤称立则母名去也。母尝为驹之母,故孤驹未尝有母也。本亦无此句。"一尺"一本无一字。"之捶"章蕊反。"日取其半万世不竭"司马云:捶,杖也。若其可析,则常有两,若其不可析,其一常存,故曰万世不竭。

〔校〕①世德堂本捶作棰。

桓团公孙龙辩者之徒〔一〕,饰人之心,易人之意〔二〕,能胜人之口,不能服人之心,辩者之囿也〔三〕。惠施日以其知与人之①辩,特与天下之辩者为怪,此其柢也〔四〕。

〔一〕【疏】姓桓,名团;姓公孙,名龙:并赵人,皆辩士也,客游平原君之家。而公孙龙著守白论,见行于世。用此上来尺捶言,更相应和,以斯卒岁,无复穷已。 【释文】"桓团"李云:人姓名。徐徒丸反。

〔二〕【疏】纵兹玄辩,雕饰人心,用此雅辞,改易人意。

〔三〕【疏】辩过于物,故能胜人之口;言未当理,故不服人之心。而辩者之徒,用为苑囿。又解:囿,域也。惠施之言,未冥于理,所诠限域,莫出于斯者也。 【释文】"之囿"音又。

〔四〕【疏】特,独也,字亦有作将者。怪,异也。柢,体也。惠子日用分别之知,共人评之,独将一己与天地殊异,虽复奸狡万端,而本体莫过于此。○俞樾曰:与人之辩,义不可通,盖涉下句天下之辩者而衍之字。柢与氏通。史记秦始皇纪大氏尽畔秦吏,正义曰:氏,犹略也。此其柢也,犹云此其略也。上文卵有毛,鸡三足以下皆是。 【释文】"其柢"丁计反。

〔校〕①支伟成本无之字,与俞说合。

然惠施之口谈,自以为最贤〔一〕,曰天地其壮乎! 施存雄而无术〔二〕。南方有倚人焉曰黄缭,问天地所以不坠不陷,风雨雷霆之故〔三〕。惠施不辞而应,不虑而对〔四〕,徧为万物说,说而不休,多而无已,犹以为寡,益之以怪〔五〕。以反人为实而欲以胜人为名,是以与众不适也〔六〕。弱于德,强于物,其涂隩矣〔七〕。由天地之道观惠施之能,其犹一蚊一虻之劳者也。其于物也何庸〔八〕! 夫充一尚可,曰愈贵道,几矣〔九〕! 惠施不能以此自宁,散于万物而不厌,卒以善辩为名〔一〇〕。惜乎! 惠施之才,骀荡而不得,逐万物而不反,是穷响以声,形与影竞走也。悲夫〔一一〕!

975

〔一〕【疏】然,犹如此也。言惠施解理,亚乎庄生,加之口谈最贤于众,岂似诸人直辩而已!

〔二〕【疏】壮,大也。术,道也。言天地与我并生,不足称大。意在雄俊,超世过人,既不谦柔,故无真道。而言其壮者,犹独壮也。

【释文】"天地其壮乎"司马云:惠施唯以天地为壮于己也。"施存雄而无术"司马云:意在胜人,而无道理之术。

〔三〕【疏】住在南方,姓黄,名缭,不偶于俗,羁异于人,游方之外,贤士者也。闻惠施聪辩,故来致问,问二仪长久,风雨雷霆,动静所发,起何端绪。 【释文】"倚人"本或作畸,同。纪宜反。李云:异也。○庆藩案,倚当为奇,倚人,异人也。王逸注九章云:奇,异也。倚从奇声,故古字倚与奇通也。易说卦传参天两地而倚数,蜀才本倚作奇。春官大祝奇掜,杜子春曰:奇读为倚。僖三十三年穀梁传匹马倚轮无反者,释文:倚,居宜反。即奇轮也。字或作畸。荀子天论篇墨子有见于齐,无见于畸,杨注:畸,谓不齐也。不齐即异之义也。(大宗师篇敢问畸人,李颐曰:畸,奇异也。)"黄缭"音了,李而小反,云:贤人也。"不坠"直类反。"霆"音廷,又音挺。

〔四〕【疏】意气雄俊,言辩纵横,是以未辞谢而应机,不思虑而对答者也。

〔五〕【疏】徧为陈说万物根由,并辩二仪雷霆之故,不知休止,犹嫌简约,故加奇怪以骋其能者也。 【释文】"徧为"音遍,下于伪反。

〔六〕【疏】以反人情曰为实道,每欲超胜群物,出众为心,意在声名,故不能和适于世者也。

〔七〕【疏】涂,道也。德术甚弱,化物极强,自言道理异常深隩也。 【释文】"隩"乌报反。李云:深也,谓其道深。

〔八〕【疏】由,从也。庸,用也。从二仪生成之道,观惠施化物之能,无异乎蚊虻飞空,鼓翅喧扰,徒自劳倦,曾何足云!(益)〔历〕物之言,便成无用者也。 【释文】"一蚊"音文。"一虻"孟庚反。

〔九〕【疏】几,近也。夫惠施之辩,诠理不弘,于万物之中,尚可充一数而已。而欲锐情贵道,饰意近真,(惷)榷而论之,良未可也。

【释文】"愈贵"羊主反。李云:自谓所慕愈贵近于道也。

〔一○〕【疏】卒,终也。不能用此玄道以自安宁,而乃散乱精神,高谈万物,竟无道存目击,卒有辩者之名耳。

〔一一〕【注】昔吾未览庄子,尝闻论者争夫尺棰连环之意,而皆云庄生之言,遂以庄生为辩者之流。案此篇较评诸子,至于此章,则曰其道舛驳,其言不中,乃知道听涂说之伤实也。吾意亦谓无经国体致,真所谓无用之谈也。然膏(梁)〔粱〕之子,均之戏豫,或倦于典言,而能辩名析理,以宣其气,以系其思,流于后世,使性不邪淫,不犹贤于博奕者乎!故存而不论,以贻好事也。

【疏】骀,放也。痛惜惠施有才无道,放荡辞辩,不得真原,驰逐万物之末,不能反归于妙本。夫得理莫若忘知,反本无过息辩。今惠子役心术〔以〕①求道,纵河泻以索真,亦何异乎欲逃响以振声,将避影而疾走者也!洪才若此,深可悲伤也。 【释文】"骀"李音殆。"荡"骀者,放也,放荡不得也。○庆藩案,文选谢玄晖直中书省诗注引司马云:骀荡,犹放散也。释文阙。"悲夫"音符。"论者"力困反。"较"音角。"评"音病。"不中"丁仲反。"或倦"本亦作勌,同。"其思"息嗣反。"不邪"似嗟反。"好事"呼报反。子玄之注,论其大体,真可谓得庄生之旨矣。郭生前叹膏粱之涂说,余亦晚睹贵游之妄谈。斯所谓异代同风,何可复言也!或曰:庄惠标濠梁之契,发郢匠之模,而云其书五车,其言不中,何也?岂契若郢匠,褒同寝斥,而相非之言如此之甚者也?答曰:夫不失欲极有教之肆,神明其言者,岂得不善其辞而尽其喻乎!庄生振徽音于七篇,列斯文于后②世,重言尽涉玄之路,从事发③有辞之叙,虽谈无贵辩,而教无虚唱。然其文易览,其趣难窥,造怀而未达者,有过理之嫌。祛斯之弊,故大举惠子之云辩也。○卢文弨曰:案不失二字,疑衍文。神,宋本作伸。又下列斯文于后世,旧脱后字,今补。又从事发有辞之叙,今书发作展。

〔校〕①以字依下句补。②世德堂本无后字。③世德堂本发作展。

点校后记

　　庄子一书,汉以前很少有人称引,也没有人作注释。魏晋之际,玄学盛行,才有晋人司马彪、崔譔、向秀、郭象诸家的注和李颐的集解。现在除郭注完全保存以外,其馀诸人的注、解,都仅仅残存于陆德明经典释文的庄子音义和他书注文以及类书之中。音义所收还有晋人孟氏的注、李轨的注音、徐邈的音以及梁简文帝的讲疏等等。隋唐两代,关于庄子的著作,可以考知的有二十多种,但流传下来的只有陆德明的音义和成玄英的注疏。宋明人注解庄子,一般着重研究它的哲学思想,而且多半用佛理来解释,重要的有林希逸的庄子口义、褚伯秀的南华真经义海纂微、焦竑的庄子翼等。至于方以智的药地炮庄,主要是藉庄子来发挥他自己的唯物主义思想。清代关于庄子的著作更多,有的着重研究庄子的哲学思想,其中王夫之的庄子通最为重要;更多的着重于校勘训诂考证。清代末年,替庄子注解作总结的有<u>郭庆藩</u>的集释和<u>王先谦</u>的集解。集解后出，却很简略。

　　<u>郭庆藩</u>的<u>集释</u>收录了<u>郭象注</u>、<u>成玄英疏</u>和<u>陆德明音义</u>三书的全文，摘引了<u>清代</u>汉学家如<u>王念孙</u>、<u>俞樾</u>等人的训诂考证，<u>卢文弨</u>的校勘，并附有<u>郭嵩焘</u>和他自己的意见。本书虽然没有广泛地采集<u>宋明</u>以来阐释<u>庄子</u>思想的各家见解，在目前仍不失为研究<u>庄子</u>的重要资料，所以根据<u>长沙思贤讲舍</u>刊本给整理出来。

　　本书的<u>庄子</u>本文，原根据<u>黎庶昌古逸丛书覆宋本</u>，但校刻不精，错误很多。现在根据<u>古逸丛书覆宋本</u>、<u>续古逸丛书影宋本</u>、<u>明世德堂本</u>、<u>道藏成玄英疏本</u>以及<u>四部丛刊</u>所附<u>孙毓修宋赵谏议本校记</u>、近人<u>王叔岷庄子校释</u>、<u>刘文典庄子补正</u>等书加以校正。凡原刻显著错误衍夺的字，用小一号字体，外加圆括弧，校改校补的字，外加方括弧，以资识别，校记附于每节之后，阙疑之处，不径改原文，只注明文字异同。此外，又把<u>陆德明</u>的<u>庄子序录</u>和<u>焦竑庄子翼</u>所附<u>阙误</u>一并列入。校勘以外，还标点分段。小段另行起排，大段并留空一行，注解和正文分开，用数字标出，排在各段之后。整理工作中的缺点错误在所难免，希望读者指正。

　　　　　　　　<u>王孝鱼</u>　一九五九年十二月